целесообразный expedient
целеустремленный purposeful
целиком entirely, totally, wholiy
целина *(также перен)* virgin
territory; **снежная** ~ virgin snow
целитель healer
целительный *(бальзам)* medicinal;
(действие, свойство) healing;
(воздух) healthy
целлофан cellophane
целлофановый cellophane
целлулоид celluloid
целлюлоза cellulose
целовать to kiss
целое whole; *мат.* integer; **единое**
~ unified whole
целомудрие *(девственность)*
chastity; *(нравственность)*
chasteness
целостность integrity
целостный integrated
целость *(машины, предмета)* ,safety;
(денег, инвестиций) security,
safety; **в ~и и сохранности** in one
piece; **сохранять (сохранить)**
что-н в ~и to keep sth safe
целый whole; entire; intact,
undamaged; *(одежда)* un-
damaged; **в ~ом** *(целиком)* as a
whole; *(в общем)* on the whole; ~
и невредимый safe and sound; ~
ряд a whole range of; **целое чис-**
ло *мат.* whole number
цель *(при стрельбе)* target; *(перен)*
aim, goal; **с целью** with the object
или aim of doing; **с целью** for; **в**
целях for the purpose of; **в вос-**
питательных/рекламных целях
for education/publicity purposes
цельность integrity, completeness
цельный *(кусок, камень)* solid;
complete; *(теория)* integrated;
~**льное молоко** full-cream milk
цемент cemeht
цементировать to cement; *(сцемен-*
тировать; перен) to cement
цементный cement
цена price; *(перен: суждения, чело-*
века) value; ~**ою** at the expence
of; **такие люди/книги в ~е** such
people/books are highly prized;
ему ~ы нет he is invaluable; ~
продавца *комм.* offer price; **тор-**

говая ~ *комм.* trade price
ценз requirement
цензор censor
цензура censorship
ценитель judge
ценить *(дорожить)* to value; *(по-*
мощь, совет) to appreciate; *(разг:*
назначать цену) to name a price
for
ценник *(бирка)* price tag; *(список)*
price list
ценность value; *(обычно мн: духов-*
ные, культурные) treasure; ~**и**
valuables; **материальные ~и**
commodities
ценный valuable; *(посылка, письмо)*
registered; **ценные бумаги** *комм.*
securities
ценообразование price formation
цент cent
центнер centner *(100 kg)*
центр centre *(BRIT)*, center *(US)*; **в**
центре внимания in the limelight;
торговый центр shopping centre
(BRIT) или mall *(US)*
централизм centralism
централизовать to centralize
центральный central; ~ **процессор**
комп. cenfral processing unit; **цен-**
тральная пресса the national
press; **центральное отопление**
central heating
центробежный centrifugal
цепенеть *(от ужаса, от страха)* to
freeze; ~ **(оцепенеть) от холода**
to be frozen stiff
цепкий tenacious
цепляться : ~ **за** *(также перен)* to
cling *или* hang on to; ~ **рукавом**
/ногой за что-н to catch one's
sleeve/ leg on sth; ~ **к чему-н** *(пе-*
рен: разг) to pick up on sth
цепной chain; **цепная реакция** chain
reaction; **цепная собака** guard
dog; **цепной мост** drawbridge
цепочка *(тонкая цепь)* chain; *(ма-*
шин, людей) line; *(предложений)*
string; **идти ~ой** to walk in single
file
цепь *(также перен)* chain; элек.
circuit; **горная** ~ mountain range;
сажать (посадить) кого-н на ~
to chain sb up; **заковывать (за-**

ковать) кого-н в цепи to put sb in chains

церемониться (*стесняться*) to stand on ceremony; (*быть снисходительным*): ~ **с кем-н** to be too soft on sb

церемония ceremony; **без ~** without ceremony

церемонный ceremonious

церковнослужитель junior churchman (*мн* churchmen)

церковный church

церковь church

цех (work)shop (*in factory*)

цивилизация civilization

цивилизованно in a civilized manner

цивилизованный civilized

цигейка beaver-lamb

цикл cycle; (*лекций, концертов итп*) series

цикламен cyclamen

циклический cyclical

циклон cyclone

цилиндр cylinder; (*шляпа*) top hat

цилиндрический cylindrical

цинга scurvy

цинизм cynicism

циник cynic

циничность cynicism

циничный cynical

цинк zinc

цинковый zinc

цирк circus; (*разг: смешное событие*) farce

циркач (*разг*) circus performer

циркулировать to circulate

циркуль (a pair of) compasses

циркуляр circular

циркуляция circulation

цирроз cirrhosis

цистерна (*резервуар*) cistern;

цитадель (*также перен*) citadel

цитата quole, quotation

цитировать to quote

цитрус (*обычно мн*) citrus fruit

циферблат dial; (*на часах*) face

цифра number; (*арабские, римские*) numeral; (*обычно мн: расчет*) figure

цифровой numerical

цокать (*языком*) to tut; (*каблуки, копыта*) to clatter

цоколь plinth, socle

цукат candied fruit

цунами tidal wave

цыган gypsy

цыганский gypsy

цыкать to hush

цыпленок chick

цыплячий chicken; (*перен: шея, руки*) scrawny

цыпочки *мн*: **на ~ках** on tiptoe; **вставать** (**встать**) **на ~** to stand on tiptoe

Цюрих Zurich

Ч

чабан shepherd

чавкать to champ; (*перен: по грязи*) to squelch

чад fumes

чадить to give off fumes

чадо offspring (*мн* offspring)

чадра yashmak

чаевод tea-grower

чаеводство tea-grewing

чаевые ti p; **давать ~** (**дать**) **кому-н** to ti p sb

чаепитие (*занятие*) tea-drinking; (*событие*) tea-party

чай tea; **заваривать** (**заварить**) ~ to make tea; **за чаем** over a cup of tea; **чашка чая** a cup of tea; **давать** (**дать**) **кому-н на ~** to give sb a tip

чайка (sea)gull

чайная tearoom, teashop

чайник kettle; (*для заварки*) teapot

чайный (*плантация*) tea; **чайная ложка** teaspoon; **чайный сервиз** tea service *или* set

чалма turban

чан (*деревянный*) vat; (*металлический*) tank

чарка chalice

чаровать (*красотой*) to charm; (*умом*) to captivate

чародей sorcerer

чародейка sorceress

чартер *комм.* charter

чартерный charter

чары (*обаяние*) charms; (*волшебство*) magic

час hour; **академический ~ просвещ** = period; **который ~?** what time is it?; **сейчас 3 ~а ночи/дня** it's 3 o'clock in the morning/afternoon; **в 9 ~ов утра/вечера** at 9 o'clock in the morning/evening; **стоять на ~ах** to stand guard; **по ~ам** by the clock; **~ от ~у не легче** it gets worse by the hour; **в добрый ~!** Godspeed!; **с часу на ~** any moment; **он помог мне в трудный ~** he helped me in my hour of need; *см также* **часы**

часовня chapel

часовой hour's of an hour; pertaining to a watch; *sm.* sentinel, sentry

часовщик watchmaker

часом *(разг: иногда)* the odd time ◊ *вводн сл (разг: случайно)* by any chance

частенько *(разг)* many's the time

частица *(маленькая часть)* fragment; *физ., линг.* particle; *(перен: правды)* grain

частично partly

частичный partial

частник *(разг: предприниматель)* entrepreneur; *(собственник)* proprietor

частновладельческий privately owned

частное quotient

частность *(деталь)* detail; **в ~и** in particular

частный private; *(нехарактерный)* certain; **в ~ых руках** in private hands; **~ случай** isolated case; **~ая собственность** private property; **~ое лицо** individual; **~ капитал** *экон.* private capital; **~ собственник** private owner; **~ая акционерная компания** private limited company

часто *(много раз)* often; *(тесно)* close together

частокол palings

частота *(повторяемость)* frequency; frequency

частотность frequency

частушка *traditional humorous folk song*

частый frequent; *(сито)* fine; *(лес, ряд предметов)* dense

часть part; *(симфонии)* movement; *(отдел)* department; *воен.* unit; **хозяйственная ~** supply department; **учебная ~** academic studies office; **по части** when it comes to; **это не по моей части** this is not my department; **разрываться на части** to have lots on the go at once; **ее рвут на части** she is in constant demand; **часть речи** part of speech; **часть света** continent

частью partly

часы *(карманные)* watch; *(стенные)* clock

чахлый *(цветок)* withered; *(человек)* sickly

чахнуть *(растения)* to wither; *(человек, животное)* to fade away

чахотка consumption

чаша bowl; *(весов)* pan; **у них дом — полная ~** they've got everything imaginable in their house; **~ терпения переполнилась** this is the last straw

чашка cup; *(весов)* pan

чаща *(лес)* thick forest

чаяние *(обычно мн)* aspiration

чаять to expect, hope

чванливый conceited

чванство conceit

чей whose; to whom

чек *(банковский)* cheque *(BRIT)*, check *(US)*; *(товарный, кассовый)* receipt; **выбивать (выбить) ~** to issue a receipt *(to be presented as proof of payment in Russian shops)*

чеканить *(монеты)* to mint; *(узор)* to enchase; **~ (отчеканить) слова** to enunciate one's words

чеканка *(монет)* minting; *(изделие)* enchased object

челнок *(лодка)* dugout; *(швейный)* shuttle

чело brow, forehead

человек human (being); *(некто, личность)* person (*мн* people); **два/три/четыре ~а** two/three/four people; **пять/шесть ~** five/six *итп* people; **будь ~ом, помоги нам!** *(разг)* be a sport and give us a hand!; **вот ~!** *(разг)* what a charcater!

человеколюбие philanthropy
человеконенавистник misanthrope
человекообразный manlike
человекоубийство homicide
человеческий human; *(человечный)* humane; **по ~и** in a humane way
человечество humanity, mankind
человечный humane
челюсть *анат.* jaw
Челябинск Chelyabinsk
челядь domestic staff, servants
чем with what, by what
чемодан suitcase; **сидеть на ~ах** *(перен: разг)* to have one's bags packed
чемпион champion; **~по теннису** tennis champion
чемпионат championship; **~ страны по хоккею** national hockey championship
чепуха *(разг)* rubbish *(BRIT)*, garbage *(US)*
чепчик bonnet *(hat)*
червивый maggoty
червонец *(разг: 10 рублей)* ten roubles
червоточина dry rot, worm-hole
червы hearts *(playing cards)*
червь worm; *(личинка)* maggot
чердак attic, loft
черед *(разг)* turn; **все идет своим чередом** everything is going as normal
череда *(людей)* stream; *(событий)* sequence
чередовать: *что-н с* to alternate sth with
чередоваться to alternate; **~ся с** to take turns with
через across, over; by, through; **~ год** in a year's time; **~ Лондон** via London
черемуха bird cherry
черенок *(рукоятка)* handle; *бот.* cutting
череп skull
черепаха tortoise; *(морская)* turtle
черепаховый *(суп)* turtle; *(гребень)* tortoiseshell
черепица tile ◇ *собир.* tiles *мн.*
черепичный tiled
черепной skull; **черепная коробка** cranium

чересчур far too; **это уж ~!** that's just too much!
черешня *(дерево)* cherry (tree); *(плод)* cherry
черкать *(разг)* to draw lines on; *(зачёркивать)* to cross out
черкнуть *(разг: написать)* to scribble
чернеть *(становиться чёрным)* to turn black; *(виднеться)* to show black
черника *(кустарник)* bilberry (bush) ◇ *собир* bilberries
чернила ink
чернильный ink; **чернильный карандаш** *graphite pencil wltich wrires in purple when moistened*
чернить *(брови)* to tint; *(очернить; имя, репутацию)* to tarnish; *(сталь, серебро)* to tarnish
черно-белый black-and-white
чернобурка *(разг: мех)* silver fox
черновик draft
черновой draft; **~ ая работа** rough work
черноволосый black-haired
Черногория Montenegro
чернокнижник necromancer; wizard
чернокожий black *(person)*
черномазый swarthy
чернорабочий unskilled worker
чернослив prunes
чернота blackness
черпать *(жидкость)* to ladle; *(песок)* to scoop (up); *(перен: знания, силы)* to derive
черпнуть *(жидкость)* to ladle; *(песок)* to scoop (up)
черстветь *(хлеб)* to go stale; **(очерстветь)** *(человек, душа)* to harden
черствый *(хлеб)* stale; *(человек, душа)* hard
черт *(дьявол)* devil; **у него денег до ~а** *(разг)* he's rolling in money; **иди к ~у!** *(разг)* go to hell!; **к ~у!** reply to a wish of good luck; **ни черта** not a thing; **~ меня дёрнул** I don't know what got into me; **чем ~ не шутит** you never know; **~ возьми** или **побери** или **подери!** *(разг)* damn it!; **~ его знает!** *(разг)* God knows!; **~ знает что!** *(разг)* it's outrageous!; **он может ~ зна-**

ет, что наделать it's frightening to think what he might do; ~ с ним! *(разг)* to hell with him!; он дал тебе денег? — ~а с два! *(разг)* did be give you any money? — like hell he did!

черта *(линия)* line; *(граница)* limit; *(признак)* trait; в общих ~х in general terms; *см также* черты

чертеж *sm.* imp

чертежник draugtsman *(BRIT)*, draftsman *(US)*

чертенок *sm.* imp

чертить *(линию)* to draw; *(план, график)* to draw

чертов *(разг: холод, работа итп)* damn *(ed)*; чертова дюжина baker's dozen

чертовски *(разг)* dreadfully; я ~ голоден I'm ravenous

чертовский *(разг)* damn

чертополох thistle

чертёжный drawing

черчение *(действие)* drawing; *просвещ.* technical drawing

чесальщик hemp comb; hackle

чесать *(спину)* to scratch; *(разг: гребнем)* to comb; *(:щеткой)* to brush; ~ язык *или* языком to natter

чесаться (почесаться) to scratch o. s.; *(зудеть)* to itch; он и не чешется *(разг)* he doesn't lift a finger; у меня руки чешутся *(разг)* I'm itching to do

чеснок garlic

чесотка *мед.* scabies

чествование *(действие)* honouring *(BRIT)*, honoriag *(US)*

чествовать to honour *(BRIT)*, honor *(US)*

честно honestly ✧ *как сказ:* так будет ~ that'll be fair

честность honesty

честный honest; *(безупречный)* upright; ~ное имя good name; ~ное слово honest to God; держаться на ~ном слове *(разг)* to hang by a thread

честолюбивый *(человек, план)* ambitious

честолюбие ambition

честь honour *(BRIT)*, honor *(US)*; glory; в ~ in hono(u)r of; к чести

кого-н to sb's credit; делать ~ кому-н to do sb credit; *(оказывать уважение)* to do sb an hono(u)r отдавать (отдать) кому-н ~ to salute sb; выходить (выйти) с честью из чего-н to come out of sth with one's hono(u)r intact; пора и ~ знать *(разг)* it is time to wind up

чета couple; он мне не ~ he is no match for me

четверг Thursday

четверка the four *(of cards)*; carriage and four; team of four horses

четверо four

четвероногий four-legged

четверостишие quatrain

четвертовать to quarter *(at execution)*

четвертый fourth; сейчас ~ час it's after three; *см также* пятый

четверть quarter; *муз.* crotchet *(BRIT)*, quarter note *(US)*; *просвещ.* term

четвертьфинал *спорт.* quarter final

четыре *(цифра, число)* four; *просвещ.* = B *(school mark)*; ей ~ года she is four (jears old); они живут в доме номер ~ they live at number four; около четырёх about four; книга стоит ~ рубля the book costs four roubles; ~ с половиной часа four and a half hours; сейчас ~ часа it is four o'clock; яблоки продаются по ~ штуки the apples are sold in fours; делить (разделить) что-н на ~ to divide sth into four

четыреста four hundred

четырехдневный four-day

четырехлетие *(срок)* four years; *(годовщина)* fourth anniversary

четырехлетний *(период)* four-year; *(ребенок)* four-year-old

четырехмесячный four-month; *(ребенок)* four-month-old

четырехугольник quadrangle

четырехугольный quadrangular

четырехчасовой *(рабочий день)* four-hour; *(поезд)* four o'clock

четырнадцатый fourteenth; *см также* пятый

четырнадцать fourteen

четырёхкратный: чемпион four-times champion; **в ~м размере** fourfold

четырёхсотлетний *(период)* four-hundred-year; *(дерево)* four-hundred-year-old

чех Czech

чехарда *(разг: игра)* leapfrog; *(перен: путаница)* muddle

Чехия the Czech Republic

чехол *(для мебели)* cover; *(для гитары, для оружия)* case

Чехословакия *ист.* Czechoslovakia

чечевица lentil ◆ *собир* lentils

чеченец Chechen

чечётка tap dance

чешуйка scale

чёлка *(человека)* fringe *(BRIT)*, bangs *(US)*; *(лошади)* forelock

чёрный black; *(мрачный)* gloomy; *(преступный)* wicked; *(задний)* back; **держать кого-н в ~ном теле** to treat sb badly; **~ным по белому** in black and white; **~ная работа** dirty work; **чёрные металлы** ferrous metals; **чёрный кофе** black coffee; **чёрный рынок** black market

чёрточка *уменьш от* черта; *(дефис)* hyphen; **это слово пишется через ~** this word is written with a hyphen

чёткий clear; *(движения, шаг)* precise

чёткость clarity; precision

чётный *(число)* even

чибис lapwing

чиж siskin

Чикаго Chicago

Чили Chile

чин rank; **повышать (повысить) кого-н в чине** to promote sb to a higher rank

чинить to mend, repair; **(очинить;** *карандаш)* to sharpen; **to** commit; *(препятствия)* to create

чиновник *(служащий)* official; *(бюрократ)* bureaucrat

чиновнический *(должность)* official; *(аппарат)* bureaucratic

чирикать to twitter

чиркать: ~ спичкой to strike a match

чиркнуть to strike

численность *(армии)* numbers; *(учащихся)* number; **~ населения** population

численный *(количественный)* numerical; **численное превосходство** numerical advantage; **численный состав** *(армии)* total numbers

числитель numerator

числительное numeral

числиться *(в организации)* to be registered; **~** *(больным, должником итп)* to be registered as; **он ~ится директором фирмы** he's officially the director of the firm; **за ним ~ится долг** he owes some money; **в списке его фамилия не ~ится** his family is not on the books

число number; *(день месяца)* date; **единственное ~** singular; **множественное ~** plural; **быть в ~ле** to be among(st); **какое сегодня ~?** what is the date today?; **приеду в первых числах марта** I am coming at the beginning of March; **отмечать (отметить) что-н задним ~ом** to backdate sth; **узнавать (узнать) задним ~м** *(разг)* to find out later; **в том ~ле** including; **ошибкам нет ~ла** there are countless mistakes

чистилище purgatory

чистить to clean; *(зубы)* to brush, clean; *(почистить; яблоко, картошку)* to peel; *(рыбу)* to scale; **очистить;** *(дно реки)* to dredge; *(сад)* to clean up; **обчистить;** *разг: кассу, человека)* to clean out

чистка *(действие)* cleaning; *(овощей)* peeling; *(в партии)* purge

чисто *(только)* purely; *(убранный, сделанный)* neatly ◆ *как сказ:* **в доме ~** the house is clean

чистовик fair copy

чистокровный pure-breed; **~ая лошадь** thoroughbred

чистоплотность cleanliness

чистоплотный clean; *(перен: порядочный)* decent

чистопробный *(золото)* pure

чистосердечный sincere

чистота *(воздуха, спирта, раствора)* purity; **у него в доме всегда ~** his house is always extremely clean

чистый (одежда, комната) clean; (любовь, сердце, человек) pure and innocent; (совесть, небо, произношение) clear; (золото, спирт) pure; (язык) proper; (прибыль, вес) net; (совпадение, случайность) pure; **выводить (вывести) кого-н на ~ую воду** (разоблачить) to expose sb

читатель reader

читать to read; (декламировать) to recite; (курс) to teach; (лекцию) to give

чихать to sneeze; (разг: мотор) to splutter; **ему ~ на правила/своих родителей** he doesn't give a damn about the rules/his parents

член member; (обычно мн: конечности) limb; **половой ~** penis; **~ предложения** part of a sentence

членить to break up

членовредительство maiming, mutilation

членораздельный intelligible

членский membership

членство membership

чмокать to smack one's lips

чокаться to clink glasses (during a toast)

чокнутый (разг: человек) barmy, crazy

чопорный prim

чрезвычайно extremely

чрезвычайный (исключительный) extraordinary; (экстренный) emergency; **чрезвычайный и полномочный посол** ambassador extraordinary and plenipotentiary; **чрезвычайное положение** state of emergency; **чрезвычайное происшествие** crisis

чрезмерный excessive

чтение reading

чтец reader

чтить to honour (BRIT), honor (US)

что how, what; **что-то** something; **на ~?** what for?

чтобы in order to, so that

что-нибудь (чего-нибудь) (в утвердительных предложениях) something; (в вопросительных предложениях) anything; **скажи ~** say something; **есть ~ интерес-**

ное? is there anything interesing?

что-то (чего-то) something; (приблизительно) something like ◊ (разг: почему-то) somehow; **он получил ~ около ста писем** he got something like a hundred letters; **~ не помню такого** somehow I don't remember that

чуб forelock

Чувашия Chuvashia

чувственный (удовольствие, любовь итп) sensual; (восприятия) sensory

чувствительность sensitivity; (стихов, музыки) sentimentality

чувствительный sensitive; (стихи, музыка) sentimental; (удар) heavy; (оскорбление) deep; (потери) considerable

чувство (эмоция, ощущение) feeling; (юмора, долга, ответственности) sense of; **лишаться (лишиться) чувства** to faint, lose consciousness; **приводить (привести) кого-н в ~** to bring sb round

чувствовать to feel; (присутствие, опасность) to sense; **~ себя хорошо/плохо/неловко** to feel good/bad/awkward

чувствоваться (жара, усталость) to be felt; **~уется, что он волнуется** you can tell he's worried

чугун cast iron

чугунный cast-iron

чудак eccentric

чудесно wonderfully ◊ как сказ it's wonderful

чудесный (необычный) miraculous; (очень хороший) marvellous (BRIT), marvelous (US), wonderful.

чудить to behave oddly

чудиться to appear

чудище monster

чудной (разг) odd

чудный (великолепный) marvellous (BRIT), marvelous (US)

чудо mirackcle

чудовище monster

чудовищный (преступление, факт) monstrous; (перен: ураган, мороз) terrible

чудодейственный (средство) miraculous

Ч

чудом *(спастись)* by a miracle
чудотворный thaumaturgic
чужак stranger
чужбина foreign country
чуждаться : ~ *(также перен)* to shun
чуждый *(взгляды, ценности)* alien; ~ devoid of; **ему чужда зависть** he is devoid of envy
чужеземец stranger
чужеземный from foreign parts
чужеродный *(элемент)* alien
чужой *(принадлежащий другому)* someone or somebody else's; *(речь, обычай)* foreign; *(человек)* strange ◇ stranger; **под ~им именем** under an assumed name
чукча Chukchi
чулан storeroom
чулок stocking
чума plague
чумазый *(разг)* mucky
чураться to hold back, stand away
чурбан *(деревянный)* block; *(разг: пренебр: человек)* blockhead
чуткий sensitive; *(натура)* sympathetic; ~ **сон** light sleep
чуткость sensitivity; sympathy
чутьё *(у животных)* scent; *(у людей)* intuition
чуть *(разг: едва)* hardly; *(немного)* a little; *(как только)* as soon as; ~ **(было) не** almost, nearly; ~ **ли не** almost certainly; ~ **что** *(разг)* at the slightest thing
чучело (также перен) scarecrow; ~ **животного/птицы** stuffed animal/bird
чушь *(разг)* rubbish *(BRIT)*, garbage *(US)*
чуять *(также перен)* to scent; **я ног под собой не ~ю** I'm walking on air; *(от усталости)* my legs are giving way beneath me

Ш

шабаш Sabbath
шаблон *тех.* pattern, gauge; *(перен: в речи, в письме)* cliche
шаблонный *(об инструменте, чер-*

теже) pattern; trite
шаг *(также перен)* step; **на каждом ~у** *(перен)* continually; ~ **за шагом** step by step; **шагу не дают ступить** *(перен)* one has no freedom of action; **прибавлять (прибавить) шагу** to quicken one's pace; **предпринимать (предпринять) новые** ~ to take a new initiative; **услышал ~и** I heard footsteps
шагать to march; *(делать шаг)* to step; ~**й отсюда!** *(разг)* get lost!
шагнуть to step, take a step; ~ **вперед** *(также перен)* to take a step forward
шагом *(идти)* at walk, at walking pace; ~ **марш!** *воен.* quick march!
шайба *тех. (прокладка)* spacer; *(болта)* washer; *спорт.* puck
шайка *(бандитская)* gang
шакал jackal
шаланда scow, barge
шалаш hut
шалеть *(разг)* to go crazy; ~ **(ошалеть) от радости** to go mad with joy
шалить *(дети)* to be mischievous; *(разг: мотор, сердце)* to play up
шаловливый *(ребенок)* mischievous; *(тон, глаза)* playful
шалопай *(разг)* loafer, skiver
шалость *(проказа)* mischief
шалун mischievous boy
шалунья mischievous girl
шалфей *бот.* sage
шаль shawl
шальной *(разг)* wild; *(пуля)* stray; *(деньги)* easy
шаман *(колдун)* shaman
шамкать to mumble
шампанское champagne
шампиньон *бот. (field)* mushroom
шампунь shampoo
шампур skewer
шанс chance; ~ **на что-н** chance of sth
шансонье singer
шантаж blackmail
шантажировать to blackmail
шантажист blackmailer
шантрапа *собир. (разг)* yobs
Шанхай Shanghai

шапка *(перен: снежная)* cap; *(заголовок)* headline; **по ~ке давать (дать)** *(перен: разг)* to punish; **по ~ке получать (получить)** *(разг)* to be punished; **на воре ~ горит** he's given the game away

шапочный of a hat; **~ое знакомство** nodding acquaintance; **приходить (прийти) к ~ому разбору** *(перен)* to miss the bus

шар *геом.* sphere; *(кегли, бильярдный итп)* ball; **воздушный ~** balloon; **земной ~** the Earth; **в доме хоть ~ом покати** the house is completely empty

шарада charade

шарахнуть *(разг): (ударять)* to thump

шарахнуться *(разг: отпрянуть)* to leap back; *(: удариться)*: **~ся о** to bang into

шарж caricature

шариковый *(подшипник)* ball; **~ая ручка** ballpoint pen

шарикоподшипник *тех.* ball bearing

шарить *разг.* to grope; **~ глазами** to sweep; **~ по чужим карманам** *(разг)* to pick pockets

шарканье shuffling

шаркать : **~** to shuffle

шаркнуть : **~ ногой** to click one's heels

шарлатан charlatan

шарлатанство charlatanism

шарлотка *кулин.* charlotte

шарм *(обаяние)* charm

шарманка *муз.* barrel organ

шарнир *тех.* hinge; *авт. (suspension)* joint

шаровой *геом.* spherical; **~ клапан** ball valve; **шаровая молния** *гео.* fireball, globe lightning

шарф scarf

шасси *(самолета)* landing gear; *(автомобиля)* chassis

шатание *(хождение)* mooching about; *(раскачивание)* swaying; *(перен: идейные)* vacillation

шатать *(раскачывать)* to rock; **меня ~ет от усталости** I am reeling with tiredness

шататься *(зуб)* to be loose *или* wobbly; *(столб)* to shake; *(от* усталости) to reel, stagger; *(разг: по городу, по улицам итп)* to mooch about

шатер tent

шаткий *(стул)* wobbly, rickety; *(перен: положение)* precarious; *(: доводы)* shaky

шатнуться *(столб)* to be unsteady; *(от усталости)* to reel

шатун *тех.* connecting rod

шафер best man

шафран *бот.* saffron

шах *(монарх)* shah; *(в шахматах)* check

шахматист chess player

шахматный *(кружок, чемпионат)* chess; *(порядок, рисунок)* staggered; **шахматная доска** chessboard

шахматы *(игра)* chess; *(фигуры)* chessmen

шахта *(выработка)* mine, pit; *(предприятие)* mine; *(лифта)* shaft

шахтер miner

шашист draughts *(BRIT)* или checkers *(US)* player

шашка *(игральная)* draught *(BRIT)*, checker *(US)*; *(взрывчатка)* blasting cartridge; *(оружие)* sabre *(BRIT)*, saber *(US)*; см также **шашки**

шашки *(игра)* draughts *(BRIT)*, checkers *(US)*

шашлык shashlik, kebab

шашлычная kebab-house

шашни *разг.* affair

швабра mop

швартовать *мор.* to moor

швед Swede

Швейцария Switzerland

швейцар doorman

швейцарец Swiss

Швеция Sweden

швыркнуть *(разг)* to hurl

швейный *(машина, нитки)* sewing; *(фабрика)* clothing

швея seamstress

швырнуть : **~** to hurl

швырять to hurl, fling; **деньги** *или* **деньгами** *(разг)* to throw one's money about

швыряться *(разг)* to throw at each

other *(перен)*; ~ся *(людьми)* to treat lightly; ~ся деньгами *(разг)* to throw one's money about

шевелить *(сено)* to turn over; *(подлеж: ветер)* to stir, ◊ ~ *(пальцами, губами)* to move; ~ *(пошевелить)* мозгами *(перен: разг)* to use one's head

шевелиться (пошевелиться) to stir; ~ись! *(разг)* get a move on!

шевельнуть : *(пальцами, плечом)* to move

шевельнуться to stir

шевелюра (head of) hair

шедевр masterpiece

шезлонг deckchair

шейка *уменьш от* шея; *(рельса)* web; *(гильзы)* neck; **шейка матки** *(анат)* cervix

шейный *(мышца)* neck; *(позвонок)* cervical; ~ **платок** neckerchief

шейх sheikh

шелест rustle

шелестеть to rustle

шелк silk

шелковистый *(гладкий)* silky

шелковица mulberry

шелковичный: червь silkworm

шелководство sericulture, silkworm breeding

шелковый *(нить, одежда)* silk; *(перен: разг: человек)* meek

шелкопряд silkworm

шелкопрядильный silk-spinning

шелохнуть to stir, agitate

шелохнуться to stir, move

шелуха *(картофельная)* skin, peel; *(гороховая)* pod; *(семечек)* chaff; *(перен)* dross

шелушение *(зерна)* shelling; *(кожи)* peeling

шелушить to shell

шелушиться to peel

шельма *(разг)* rascal

шельф *гео.* shelf

шепелявить to lisp

шепелявый *(человек, речь)* lisping

шепнуть to whisper

шепот whisper; *(перен: ручья, листьев)* murmuring

шептание whispering; murmuring

шептать to whisper ◊ *(перен: ручей, листья)* to murmur

шеренга *(солдат)* rank; *(машин)* line

шериф sheriff

шероховатость roughness; uneveness; *(шероховатое место)* rough area

шероховатый *(доска, кожа)* rough; *(перен: изложение)* uneven

шерстинка strand of wool

шерстистый fleecy, woolly

шерстопрядильный wool-spinning

шерсть *(животного)* hair; *(пряжа, ткань)* wool

шерстяной *(пряжа, ткань)* woollen *(BRIT)*, woolen *(US)*

шершавый *(руки, ткань)* rough

шест pole; **прыжок с ~ом** pole vault

шествие procession

шествовать to walk in procession

шестеренка *тех.* gear (wheel)

шестеро six

шестидесятилетие *(срок)* sixty years; *(годовщина события)* sixtieth anniversary

шестидесятилетний *(период)* sixty-year; *(юбилей)* sixtieth; *(человек)* sixty-year-old

шестидесятый sixtieth

шестидневный six-day

шестилетие *(срок)* six years; *(годовщина)* sixth anniversary

шестилетний *(отсутствие)* six-year; *(ребенок)* six-year-old

шестимесячный six-month; *(ребенок)* six-month-old

шестисотлетие *(срок)* six hundred years; *(годовщина)* six hundredth anniversary, sexcentenary

шестисотлетний *(период)* six hundred-year; *(дерево)* six hundred-year-old

шестисотый six-hundredth

шестиугольник hexagon

шестичасовой *(рабочий день)* six-hour; *(поезд)* six-o'clock

шестнадцатый sixteenth

шестнадцать sixteen

шестой sixth

шесть six

шестьдесят sixty

шестьсот six hundred

шеф *(полиции)* chief; *(разг: начальник)* boss; *(обычно мн; детского дома)* patron

шефский *(помощь)* patronal

шефство : ~ над patronage of

шефствовать : ~ над to be patron of

шея *анат.* neck; **на свою ~ю** *(разг)* to our loss; **сидеть** *или* **висеть у кого-н на ~** to live off sb; **гнать кого-н в ~** *(разг)* to throw sb out on his *итп* ear

шибко terribly

шиворот *(разг)*: **за ~** by the collar; **навыворот** back to front

шизофреник schizophrenic

шик chic, stylishness

шикарно *(разг: жить)* in style; *(обставленный)* stylishly ◇ **в гостинице ~** the hotel is stylist

шикарный *(разг)* smart, stylish

шикать *(разг)*: ~ **на кого-н** to hust sb

шиковать *(разг)* to show off

шиллинг *(денежная единица)* shilling

шило awl

шимпанзе chimpanzee

шина *авт.* tyre *(BRIT)*, tire *(US)*; *мед.* splint

шинель *(солдатская)* greatcoat, overcoat

шинкование shredding

шинковать *(овощи)* to shred

шиньон chignon

шип *(растения)* thorn; *(соединительный)* tenon, tongue; *(на колесе)* stud; *(на ботинке)* spike

шипение hissing

шипеть to hiss; *(шампанское, газировка)* to fizz

шиповки *(спорт.)* spikes

шиповник *(куст)* wild rose; *(плод)* (rose)hip; *(настой)* rosehip drink

шипучий fizzy; *(вино)* sparkling

шипящий *линг.* sibilant

ширина width; **дорожка в метр ~ной** *или* **в ~у** a path a metre *(BRIT)* *или* meter *(US)* wide

ширинка *(брюк)* fly

шириться *(дела)* to expand; *(движение)* to grow

ширма screen

широко *(раскинуться)* widely; *(улыбаться, интерпретировать)* broadly; *(жить)* in grand style; ~ **раскрывать (раскрыть) глаза** to open one'в eyes wide; *(перен)* to be amazed

широковещательный broadcasting; **широковещательная сеть** *комп.* broadcast network

широкоплечий *(человек)* broad-shouldered

широкополый *(шляпа)* wide-brimmed; *(пальто)* with a full skirt

широкоформатный *(экран)* wide-format

широкоэкранный *(фильм)* wide-screen

широта breadth; latitude

ширь expanse; **разворачиваться (развернуться) во всю ~** *(перен)* to develop to one's full potential

шитый embroidered

шить *(платье итп)* to sew ◇ ~ **(шелком** *итп***)** to embroider

шитьё sewing; embroidery

шифер *(натуральный)* slate; *строит.* corrugated asbestos board

шифон chiffon

шифоньер wardrobe

шифр *(для секретного письма)* code, cipher; *(книги, документы)* pressmark

шифровать *(донесение)* to encode, encipher

шифровка encoding, enciphering *(сообщение)* coded message

шиш *(разг: кукиш)* fig; **ни ~а** *(разг)* damn all; ~ **ты от меня получишь** *(разг)* you'll get damn all from me; **на какие ~и?** *(разг)* who's paying?

шишка *бот.* cone; *(на лбу)* bump, lump; *(разг: важный человек)* bigwig

шкала scale; *(приёмника)* dial

шкатулка casket; **музыкальная ~** musical box

шкаф *(для одежды)* wardrobe; *(для посуды)* cupboard; *тех. сушильный итп* oven; **духовой ~** airing cupboard; **книжный ~** bookcase

шквал *(ветер)* squall; *(оваций, огня)* burst of

шквальный *(ветер)* squally; *(огонь)* heavy

шкив *тех.* pulley

школа school; *(милиции)* college,

academy; *(выучка)* education, training; *спорт.* training; **высшая ~** higher education; **начальная ~** primary *(BRIT)* или elementary *(US)* school; **средняя ~** secondary *(BRIT)* или high *(US) school*

школьник schoolboy

школьница schoolgirl

школьный *(здание)* school; **школьные годы** schooldays; **школьный возраст** school age; **школьный учебник** school book; **школьный учитель** school teacher

шкура *(животного)* fur; *(убитого животного)* skin; *(: обработанная)* hide *(разг: продажный человек)* self-seeker; **быть в чьей-н ~** to be in sb's shoes; **спасать свою ~** *(разг)* to save one's (own) skin; **на своей ~е узнать** *(разг)* to experience first-hand

шкурить *(шлифовать)* to sand (paper)

шкурник *(разг: пренебр)* self-seeker

шкурный *(интересы)* selfish

шлагбаум barrier

шлак *тех.* slag

шлакобетонный *(панель, кирпич)* slag-concrete

шланг hose

шлейф *(платья)* train; *(дыма)* trail

шлем helmet

шлепанец *(разг: обычно мн)* bedroom slipper

шлепать *(бить)* to slap ◇ **~ по (по полу)** to shuffle; *(по воде)* to splash

шлепаться (шлепнуться) *(разг)* to plop

шлифовальный *тех.* grinding

шлифовать *тех.* to grind; *(перен: стать)* to polish

шлица *тех.* spline, slit

шлюз *(на канале)* lock; *(на реке)* sluice

шлюпка *мор.* dinghy; **спасательная ~** lifeboat

шлюха *(разг)* tart

шлягер *муз.* hit

шляпа hat ◇ *(перен: разг: человек)* wimp; **дело в ~е** *(разг)* it's in the bag

шляпник *(мужской)* hatter; *(женс-*
кий) milliner

шляться to mooch about

шмель bumblebee

шмотки *(разг)* clobber

шмыгать *(разг: шнырять)* to rush; *(исчезнуть)* to slip; dart; **~ носом** to sniff

шмякать *(разг: бросить)* to thump down

шмякнуться (шмякаться) *(разг: упасть)* to topple over

шницель *кулин* schnitzel

шнур *(веревка)* cord; *(телефонный, лампы)* flex

шнуровать *(ботинки)* to lace (up); *(прошнуровать)*; *(прошить шнуром)* to tie, bind

шнуровка lacing up; tying, binding; *(на одежде, на обуви)* lacing

шов seam; joint, junction; commissury; suture

шовинизм chauvinism

шовинистический chauvinist

шок *(мед, перен)* shock

шокировать to shock

шоколад chocolate; *(напиток)* (hot) chocolate

шоколадный *(конфета)* chocolate; *(цвет)* chocolate-brown; **~ая плитка** chocolate

шомпол *воен.* cleaning rod

шорох rustle

шорты shorts

шоры blinkers

шоссе highway

шоссейный: **~ая дорога** highway

шотландец Scotsman

Шотландия Scotland

шотландка Scotswoman; *(ткань)* tartan *(BRIT)*, plaid *(US)*

шотландский Scottish, Scots

шоу show

шофер driver

шпага sword

шпагат *(бечевка)* string, twine; *спорт.* splits

шпажист *спорт.* fencer

шпаклевать *(трещины, дыры)* to fill

шпаклевка *(действие)* filling; *(замазка)* filler

шпала sleeper

шпалера *(обои)* handpainted wallpaper; *(для растений)* trellis

шпана *собир (разг)* rabble

шпаргалка *(разг: для экзаменов)* crib

шпарить *(разг)*: ~ на гитаре to play away on the guitar; ~ по-английски *(разг)* to speak fluent English; ~ по улице to rush along the street

шпатель *(для шпаклевки, для краски)* palette knife, *мед.* spatula

шпиговать *(кулин., перен)* to lard

шпик *(сало)* lard; *(разг: сыщик)* detective

шпиль spire

шпилька *(для волос)* hairpin; *(для шляпы)* hatpin; *(каблук)* stiletto (heel); *(перен: разг: замечание)* dig; туфли на ~ке stilettos

шпинат spinach

шпингалет *(на окне)* catch; *(разг: о мальчишке)* little boy

шпион spy

шпионаж espionage

шпионить *(разг)* to spy; ~ за *(за врагом, за женой)* to spy on

Шпицберген Spitzbergen

шпора spur

шприц syringe

шпроты sprats

шпулька spool, bobbin

шрам *(на теле)* scar

Шри-Ланка Sri Lanka

шрифт type, print; жирный/курсивный ~ bold/italic type; наборный ~ *типог.* printing type

штаб headquarters; *(люди)* staff

штабель *(дров)* stack

штабной *(разведчик, офицер)* staff

штакетник *(ограда)* palings

штамп *(печать)* stamp; *(перен: в речи)* cliche; *тех.* die, stamp

штамповать *(справки, документы)* to stamp; *(отштамповать; детали)* to punch, press; *(решения, ответы)* to rubber-stamp

штамповочный *тех.* punching, pressing

штанга *(спорт. в тяжелой атлетике)* weight; *(: ворот)* post

штангист *спорт.* weightlifter

штандарт *воен.* standard

штаны trousers

штат *(государство)* state; *(работники)* staff; *(положение)* staff regulations; эта должность полага-

ется по штату this job is stipulated by the regulations; зачислять (зачислить) кого-н в ~ to take sb onto the staff

штатив *фото* tripod; *(микроскопа)* stand

штатский *(одежда)* civilian ◇ civilian

штемпель : почтовый ~ postmark

штепсель *элек.* plug

штиль *мор.* calm

штифт *тех.* pin

штопать to darn

штопка *(действие)* darning; *(нитки)* darning thread; *(разг: заштопанное место)* darn

штопор corkscrew

штора drapery; *(поднимающаяся)* blind

шторм gale

штормить *(море)* to be rough; сегодня ~ит it is rough today

штраф *(денежный)* fine; *спорт.* punishment; накладывать (наложить) ~ на to impose a fine on

штрафной penal ◇ *спорт. также:* ~ удар penalty (kick); штрафное очко *спорт.* penalty point

штрафовать to fine; *спорт.* to penalize

штрек *гео.* drift

штрих *(черта)* stroke; *(честность)* feature

штриховать *(рисунок)* to shade

штудировать to study

штука *(отдельный предмет)* item; *(разг: трудная, забавная)* thing; *(: проделка)* trick; вот так ~! *(разг)* what do you know!

штукатур plasterer

штукатурить to plaster

штукатурный *(работы)* plaster

штурвал *(судна, комбайна)* wheel; *(самолета)* controls

штурм *воен.* storm; *(перен: горной вершины)* conquest; брать (взять) что-н штурмом to take sth by storm

штурман *мор., авиа.* navigator

штурмовать *воен.* to storm; *(перен)* to conquer

штык *воен.* bayonet; принимать (принять) или встречать (встре-

тить) что-н/кого-н в ~и *(перен)* to give sth/sb a hostile reception; **как ~** *(разг)* on the dot

штырь *тех.* pin, pintle

шуба *(меховая)* fur coat; *(разг: животного)* coat; **селёдка под ~й** *кулин.* herring served with an elaborate topping

шулер cardsharper

шум *(звук)* noise; *(перен: ажиотаж)* stir, sensation; *мед.* murmur; *(разг: ссора)* row, racket; *(суета)* bustle, fuss; **вызывать (вызвать)** *или* **наделать ~** to cause a sensation

шуметь to make a noise; *(разглашать)* to create a scene; *(ссориться)* to kick up a row; **у меня ~т в голове/в ушах** I have a buzzing in my head/ears

шумно noisily ◊ it is noisy

шумный noisy; *(разговор, компания)* loud; *(оживлённый: улица, залы итп)* bustling; *(перен: успех)* sensational

шумовка perforated spoon

шурин brather-in-law, wife's brother

шуруп *тех.* screw

шуршать to rustle

шустрый *(разг)* nimble

шут *(придворный)* jester *(разг: человек)* fool, clown; **~ гороховый** *(разг)* buffoon; **~ с ним** *(разг)* forget it

шутить joke; *(смеяться)*: **~ над** to make fun of; *(пренебрегать)*: **~** *(здоровьем)* to disregard; **~ с огнём** *(перен)* to play wilh fire; **чем чёрт не шутит!** *(разг)* anything might happen!

шутка joke; **без ~ок** joking apart, seriously; **кроме ~ок, ты правда согласен?** joking apart *или* seriously, do you really agree?; **не на ~ку** (рассердился, испугался *итп*) in earnest; **сказать что-н в ~ку** to say sth as a joke; **~ки плохи с кем-н/чем-н** sb/sth is not to be trifled with

шутник joker

шуточный *(рассказ)* comic, funny; **это дело не ~ое** it's no laughing matter

шутя *(разг: без труда)* easily

шушера *(разг)* riffraff

шушукаться : **~ (с)** to whisper (to)

шхуна *(мор.)* schooner

шёпотом *(сказать, подсказать)* in a whisper

Щ

щавель sorrel

щадить to spare; **он на ~дящем режиме** *мед.* he's not allowed to exert himself

щебень *строит.* ballast

щебет twitter

щебетать *(также перен)* to twitter

щегол goldfinch

щеголеватый *(одежда)* fancy; *(мужчина)* stylish

щегольнуть : **~ to show off**

щегольство dandyism

щеголять to dress up; **~ to show off**; **~ в** to rig o. s. out in

щедрость generosity

щедрый generous; *(природа)* lush; *(климат)* fertile; **~ на** generous with

щека cheek; **за обе щеки есть** *или* упи́сывать *(разг)* to gobble one's food up *или* down

щеколда latch

щекотать *(пятки итп)* to tickle; **~ кому-н нервы** to excite sb; **у меня ~очет в горле/носу** I've got a tickle in my throat/nose

щекотка tickling

щекотливый *(вопрос итп)* delicate

щёлкнуть to click; *(хлыстом)* to crack

щелочный alkaline

щелчок flick; *(звук)* click; *(перен: оскорбление)* jibe

щель *(отверстие)* crack; *тех.* slit; **смотровая ~** vision slit

щемить *(перен: тревожить)* to trouble ◊ *(ныть)*: **~ит в боку** his *итп* side is aching; **~ит в груди** his *итп* heart is heavy

щениться *(собака)* to have pups; *(волчица, лиса)* to have cubs

щенок *(собаки)* pup; *(лисы, волчи-*

цы) cub; *(перен: разг)* whipper-snapper

щепать *(рас~)* to chip, splinter

щепетильность *(в отношениях, денежных делах)* scrupulousness

щепетильный scrupulous

щепка splinter, *(для растопки):* ~ки chippings; **худой как ~** thin as a rake

щербет sherbet

щербина *(на лице, на коже)* pockmark; *(во рту)* gap (between teeth); *(на посуде)* chink

щетина *(животных, щётки)* bristle; *(у мужчины)* stubble

щетиниться *(также перен)* to bristle

щёголь dandy

щёлка small hole

щёлкать *(человека)* to flick; *(орехи, семечки)* to crack (open) ◊ ~ *(языком)* to click; **~** *(кнутом)* to crack

щёлочь alkali

щётка brush; **зубная ~** toothbrush; **~ для волос** hairbrush

щи cabbage soup

щиколотка ankle

щипать *(защемлять до боли)* to nip, pinch; *(мороз)* to bite; *(: специя, кислое)* to sting; *(ощипать: волосы; курицу)* to pluck

щипок nip, pinch

щипчики *уменьш от* **щипцы**; *(для ногтей, бровей)* tweezers

щит shield; *(фанерный, металлический итп)* barrier; *(рекламный, баскетбольный)* board; *тех.* panel; **~ управления** control panel

щитовидный thyroid

щиток cyme; thorax; mudguard

щука pike

щуп *тех.* probe

щупальце *(осьминога)* tentacle; *(насекомых)* feeler

щупать *(опухоль, пульс)* to feel for; *(карманы)* to grope in

щуплый *(разг)* puny

щурить *(за~)* to blink, wink

щурить : ~ **глаза** to screw up one's eyes

щуриться *(от солнца)* to squint

щучий: по ~ьему веленью (as if) by magic

Э

э *межд (выражает недоумение)* ег..., um...; *(выражает решимость)* oh; **э, нет, я не пойду!** oh, no, I'm not going!

эбонит vulcanite, ebonite

эвакуационный *(пункт)* evacuation; *(госпиталь)* evacuee

эвакуация evacuation

эвакуировать to evacuate

эвакуироваться to be evacuated

Эверест Mount Everest

эвкалипт eucalyptus

эволюционный evolutionary

эволюция evolution

эвфемизм euphemism

эгида : под ~ой under the aegis of

эгоизм egoism

эгоист egoist

эгоистический egotistic-(al)

эдельвейс edelweiss

Эдинбург Edinburgh

эй *межд (разг)* hey; **~, кто идет?** hey, who's there?

Эквадор Ecuador

эквадорский Ecuadorian

экватор equator

экваториальный equatorial

эквивалент equivalent

эквивалентный equivalent

эквилибристика tightrope walking

экзальтация exallation

экзальтированный exalted

экзамен : ~ (по) *(по истории, по языку)* examination (in); *(для получения звания, должности):* **на переводчика** translator's test; *(перен):* **~ (на)** test (of); **выпускные ~ы** Finals; **сдавать ~** to sit *(BRIT)* или take an exam(ination); **сдать** или **выдерживать (выдержать) ~** to pass an exam(ination); **проваливать (провалить) ~** to fail an exam(ination); **принимать (принять) ~** to hold an exam(ination)

экзаменатор examiner

экзаменационный *(комиссия, сессия)* examination; **экзаменационный билет** exam(ination) paper

экзаменовать to examine

экзема eczema

экземпляр *(рукописи, документа)* copy; *(животного, растения)* specimen; **в двух/трех ~ах** in duplicate/triplicate

экзотика exotica

экзотический *(растение, страна)* exotic

экзотичный *(наряд, декорации)* exotic

экий *мест:* ~ая незадача! what a nuisance!; ~ ты странный what a strange one you are!

экипаж *(коляска)* carriage; *(команда)* crew

экипировать *(бойцов, экспедицию)* to equip

экологический ecological

экология ecology

экономика *(страны, региона)* economy; *(наука)* economics

экономист economist

экономить *(энергию, деньги)* to save; *(выгадывать):* ~ на to economize *или* save on

экономический economic

экономичный economical

экономия *(в работе, в использовании чего-н)* economy; *(выгода):* ~ в *(в топливе, в ресурсах)* economizing in; **соблюдать ~ю** to economize; **политическая ~** political economy

экономка housekeeper

экономный *(хозяин)* thrifty; *(метод)* economical

экосистема ecosystem

экран screen

экранизация screen adaptation

экранизировать to screeni

экс- *ex-;* ~чемпион ex-champion

экскаватор excavator, digger

экскаваторщик excavator operator

экскавация excavation

эксклюзивный exclusive

экскурс excursus, digression

экскурсант tour group member

экскурсионный excursion

экскурсия *(посещение)* excursion; *(группа)* party

экскурсовод guide

экспансивный effusive

экспансия *полит.* expansion

экспедитор shipping agent

экспедиция *(научная, студенческая)* field work; *(группа людей)* expedition; *(газетная)* despatch

эксперимент experiment

экспериментальный experimental

экспериментировать : ~ *(над или с)* to experiment (on *или* with)

эксперт expert

экспертиза *(медицинская)* medical assessment; *(судебная)* legal-evaluation

экспертный expert;

эксплуататор exploiter

эксплуатация *(человека, ресурсов)* exploitation; *(машин, месторождений)* utilization; **сдавать что-н в ~** to put sth into commission

эксплуатировать to exploit; *(машины, дороги)* to use

экспозиция *(музейная)* exhibition; *фото.* exposure

экспонат exhibit

экспонировать to exhibit

экспорт export; **на ~** for export

экспортер exporter

экспортировать to export

экспортный *(товар)* exported; *(правила)* export

экспресс *(транспорт)* express

экспрессия expression

экспрессный expressive

экспромт impromptu

экспромтом spontaneously

экстаз ecstasy

экстенсивный extensive

экстравагантный extravagant

экстракт extract

экстраординарный extraordinary

экстрасенс psychic

экстремальный extreme

экстремизм extremism

экстремист extremist

экстремистский extremist

экстренный *(отъезд, вызов)* urgent; *(расходы, заседание)* emergency

эксцентрик eccentric

эксцентрический eccentric

эксцентричный eccentric

эксцесс excess

эластик stretchy material

эластичный *(материал)* stretchy; *(походка)* springy

элеватор *с/х* grain store *или* elevator (US); *тех.* elevator
элегантный elegant
элегия elegy
электризовать *физ.* to elektrify; *(перен: человека, атмосферу)* to stir up
электрик electrician
электрификация electrification
электрифицировать to connect an electricity supply to
электрический electric
электричество *(энергия)* electricity; *(освещение)* light; **зажигать (зажечь)** ~ to turn on the light
электричка electric train
электровоз electric locomotive
электрогитара electric guitar
электрод electrode
электрокардиограмма electrocardiogram
электромонтер electrician
электромотор electric motor
электрон electron
электроника electronics
электропередача power transmission; **линия** ~и power line
электропоезд electric train
электроприбор electrical device
электропроводка (electrical) wiring
электропроводность conductivity
электросварка (electric) welding
электростанция (electric) power station
электротехник electrical engineer
электротехника electrical engineering
электроэнергия electric power
элемент *(также хим., элек.)* element; **преступные** ~ы criminal elements; **прогрессивные** ~ы **общества** progressive elements in society
элементарный *(также физ.)* elementary; basic
эликсир elixir
элита elite
элитарный elite
эллипс ellipse
эль ale
Эльба *(остров)* Elba; *(река)* Elbe
Эльзас Alsace
эльф elf

эмалевый enamel
эмалированный enamelled
эмалировать te enamel
эмаль enamel
эмансипация emancipation
эмансипированный emancipated
эмбарго embargo; **налагать (наложить)** ~ **на** to place an embargo on
эмблема emblem
эмбриология embryology
эмбрион embryo
эмигрант emigrant
эмигрантский *(поселение)* emigrant; *(литература)* emigre
эмиграционный emigration
эмиграция emigration ◊ *собир* emigrants
эмигрировать to emigrate
эмиссар *sm.* emissary
эмоциональный emotional
эмоция emotion
эмульсия emulsion
эндокринный *физиолог.* endocrine; ~ые железы endocrine glands
эндокринология endocrinology
энергетика *(отдел физики)* energetics; *(промышленность)* power industry; *(наука)* power engineering
энергетический *(проблемы, ресурсы)* energy; **энергетический кризис** enrgy crisis
энергичный *(человек, движения)* energetic; *(меры)* effective
энергия energy
энтузиазм enthusiasm
энтузиаст enthusiast
энциклопедический *(ум)* encyclopaedic *(BRIT)*, encyclopedic *(US);* **энциклопедический словарь** encyclopaedia *(BRIT)*, encylepedia *(US)*
энциклопедия encyclopaedia *(BRIT)*, encyclopedia *(US)*
эпиграмма epigram
эпиграф epigraph
эпидемия epidemic
эпизод episode
эпизодический *(случай, факт)* random
эпилепсия epilepsy
эпилептик epileptic

эпилог epilogue (BRIT), epilog (US)
эпистолярный epistolary
эпитет epithet
эпицентр epicentre (BRIT), epicenter (US)
эпический epic
эполета (обычно мн) epaulette
эпопея epic
эпос epic literature
эпоха epoch
эпохальный epoch- making
эра era; 1-ый век нашей ~ы/до нашей ~ы the first century AD/BC
эрекция анат. erection
эрзац substitute
эритроцит erythrocyte, red blood cell
эрозия erosion
эротика erotica
эротический erotic
эрудированный erudite
эрудит : он настоящий ~ he knows an enormous amount
эрудиция erudition
эскадра squadron (navy)
эскадрилья squadron (air force)
эскадрон squadron (army)
эскалатор escalator
эскалация escalation
эскалоп escalope
эскиз (к картине) sketch; (к проекту) draft
эскимо choc-ice, Eskimo (US)
эскимос Eskimo
эскорт escort
эсминец (= эскадренный миноносец) destroyer
эссе essay
эссенция essence
эстакада (на автомагистрали) flyover (BRIT), overpass; (на железной дороге) viaduct; (на пристани) pier
эстамп (искусство) print
эстафета (спорт) relay (race); (: палочка) baton
эстетика aesthetics
эстетический aesthetic
эстетичный aesthetic
эстонец Estonian
Эстония Estonia
эстонский Estonian; ~ язык Estonian
эстрада (для оркестра) platform; (вид искусства) variety

этаж floor, storey (BRIT), story (US); первый/второй/третий ~ ground/first/second floor (BRIT), first/second/third floor (US)
этажерка (stack of) shelves
этак (разг: таким образом) in such a way ◇ вводн сл (приблизительно): ~ 25 лет 25 years or so; ~ у нас ничего не получится we won't get anywhere this way; и так и ~ (разг) this way and that (way)
этакий (разг) such
эталон (веса, меры) standard; (перен: красоты, благородства итп) model; брать (взять) что-н за ~ to use sth as a standard
этап м (развития, работы) stage; (гонки) lap; ссыльный ~ stopping point (for deported convicts); отправлять ~ом или по ~у to deport (under convoy)
этапный (работа, произведение) prominent; ~ое событие an event of great significance
эти см этот
этика ethics
этикет etiquette
этикетка label
этил ethyl
этиловый ethyl
этимология etymology
этичный ethical
этнический ethnic
этнографический ethnographic
этнография ethnography
это мест 1 (указательное) this; надо успеть к вечеру; это будет трудно we need to finish by this evening, this will be difficult; он на все соглашается; это очень странно he is agreeing to everything, this is most strange 2 (связка в сказуемом): любовь — это прощение love is forgiveness 3 (как подлежащее): с кем ты разговаривал? — это была моя сестра who were you talking to? — that was my sister; как это произошло? how did it happen? 4 (для усиления): это он во всем виноват he is the

one who is to blame for everything; **это они нас подвели** they are the ones who let us down ◆ **част 1** *(служит для усиления)*: **кто это звонил?** who was it who phoned *(BRIT)* или called *(US)?*; **о чем это ты так беспокоишься?** what is it that you are so worried about? **2** *(указательная)*: **это ты так кричал?** was it you who called out?

этот *мест* **1** *(указательное: о близком предмете)*; *(: о близких предметах)* these; *(: о близких предметах)*; **этот дом** this ouse; **эти книги** these boots **2** *(о данном времени)* this; **этот год особенно трудный** this year is particularly hard; **в эти дни я принял решение** in the last few days I have come to a decision; **этот самый** that very **3** *(о чем только что упомянутом)* this; **он ложился в 10 часов вечера, эта привычка меня всегда удивляла** he used to go to bed at 10 pm, this habit always amazed me ◆ *(как сущ: об одном предмете)* this one; *(: о многих предметах)* these ones; **дай мне вот эти** give me these ones; **этот на все способен** this one is capable of anything; **при этом** in addition

этюд *иск.* sketch; *литер.* study; *муз.* etude; *шахм.* problem

эфемерный ephemeral

эфес *(шпаги, сабли)* hilt

эфиоп Ethiopian

Эфиопия Ethiopia

эфир *хим.* ether; *(воздушное пространство)* air; **выходить (выйти) в ~** to go on the air; **прямой ~** live broadcast

эффект effect; *(обычно мн: шумовые, световые)* effects; **экономический ~** economic result; **производить (произвести) ~ на** to have an effect on; **давать (дать) желаемый ~** to have the desired effect

эффективность effectiveness

эффективный effective

эффектный *(одежда)* striking; *(речь)* impressive

эх *межд (разг)* oh; **~ ты, лентяй!** oh, you're such a lazybones!

эхо echo

эшафот scaffold; **всходить (взойти) на ~** to mount the scaffold

эшелон echelon; *(поезд)* special train; **~ы власти** echelons of power

Ю

юбилей *(годовщина)* anniversary; *(празднование)* jubilee

юбилейный *(торжество)* anniversary; *(монета, значок итп)* jubilee

юбка skirt; **держаться за чью-н ~** *(разг)* to be tied to sb's apron strings

ювелир jeweller *(BRIT)*, jeweler *(US)*.

ювелирный jewellery *(BRIT)*, jewelery *(US)*; *(перен: работа, точность)* painstaking; **~ые изделия** jewel(l)ery; **~ магазин** jeweller's *(BRIT)* или jeweler's *(US)* (shop)

юг south; **на юге страны** in the south of the country; **к югу от города** to the south of the town

юго-восток south-east

юго-запад south-west

Югославия *ист.* Yugoslavia

южанин southerner

южный southern; **Южная Корея** South Korea; **Южный полюс** the South Pole

юла *(игрушка)* (spinning) top ◆ *(перен: разг)* fidget

юлить *(разг: суетиться)* to fidget; *(: хитрить)* to be shifty; **~ перед** *(заискивать)* to play up to

юмор humour *(BRIT)*, humor *(US)*

юмореска *муз.* humoresque; *литер.* short comedy

юморист *(автор)* humorist; *(шутливый человек)* comedian

юмористика *литер.* humour *(BRIT)*, humor *(US)*

юмористический humorous; **~ журнал** satirical magazine

юмористка comedienne

юнга cabin boy; *(младший матрос)* trainee sailor

юнец *(разг: юноша)* youth

юниор junior

юнкер *ист.* cadet

юнкерский cadet; ~ое училище military school

юность youth ◇ *(юношество)* young people; в ~и он был любознателен in his youth he was greedy for knowledge

юноша young man

юношеский youthful; *(журнал)* young person's; *(организация, клуб)* youth; ~ие годы youth

юношество young people; *(юность)* youth

юный *(молодой)* young *(силы, задор)* youthful; театр ~ого зрителя children's theatre *(BRIT)* или ihcater *(US)*

юпитер *(прибор)* floodlight; **Ю~** Jupiter

юридический *(сила)* juridical; *(образование)* legal; ~ факультет law faculty; юридическая консультация legal advice office; юридическое лицо body corporate

юрисдикция *юр.* jurisdiction; подлежать чьей-н ~и to come under sb's jurisdiction

юрисконсульт legal adviser

юриспруденция *(правоведение)* jurisprudence; *(практика юриста)* law

юрист lawyer

юркий nimble

юркнуть to scurry away

юродивый *(разг)* crazy ◇ *рел.* holyfool

юродствовать *(перен)* to behave like a lunatic

юрский *гео.* Jurassic

юрта yurt *(skin tent used by nomads in Central Asia and Siberia)*

юстиция *(правовые учреждения)* the judiciary; **Министерство ~** the Ministry of Justice

ютиться *(располагаться)* to huddle together; *(иметь приют)* to live in cramped conditions

Я

я (меня) ◇ *(личность)* the self, the ego; ~ тебя *или* тебе! *(разг: угроза)* I'll teach you!; не ~ буду, если не ... *(разг)* I'll be damned if I don't...; второе "я" alter ego

ябеда sneak

ябедничать : на *(разг)* to tell tales about

яблоко apple; глазное ~ eyeball; в ~ах *(о масти лошадей)* dappled; ~у негде упасть *(перен)* there's not enough room to swing a cat

яблоневый *(цвет)* apple-green; ~ая ветка branch of an apple tree

яблоня apple tree

яблочко *уменьш от* яблоко; *(на мишени)* bull's-eye

яблочный apple

явиться *(в суд)* to appear; *(на службу)* to report; *(домой, в гости)* to arrive; *(мысль, образ)* to arise; являться *(причиной, следствием)* to turn out; to be

явка *(действие: в суд, на допрос)* appearance; *(: на интервью итп)* attendance; *(место: конспираторов)* secret meeting place

явление phenomenon; *(событие)* occurrence; *театр.* scene; *рел.* manifestation

являться *от* явиться ◇ *возв:* ~ to be

явно *(очевидно)* obviously

явный *(вражда, благосклонность)* overt; *(ложь, лесть итп)* obvious

явственный *(звук)* distinct; *(сознание, понимание итп)* clear

явствовать to be obvious; из показаний ~ует, что он невиновен from the evidence it is obvious that he is innocent

явь reality

яга Baba-Yaga

ягель Iceland moss

ягненок lamb

ягниться to lamb

ягода berry; одного поля ~ kindred spirit

ягодица buttock

ягодник *(место)* berry patch; *(кус-*

тарник) berry bush, *(разг: сбор-*
щик) berry picker
ягодный berry
ягуар jaguar
яд poison
ядерный nuclear
ядерщик *(разг)* nuclear physicist
ядовитый poisonous; *(перен: чело-*
век, слова) venomous
ядрёный *(яблоко)* juicy; *(перен: воз-*
дух) fresh; *(: мороз)* hard
ядро nucleus; *(ореха)* kernel; *(Зем-*
ли, древесины) core; *воен.*
projectile; *спорт.* shot; **толкание**
~ра *спорт.* shot put
язва *мед.* ulcer; *(перен: общества)*
evil ◇ *(перен: разг)* sarcastic
person; **язва желудка** stomach
ulcer
язвенный : **~ая болезнь** stomach
ulcer
язвительный scathing
язвить to speak sharply to; **~ (съяз-**
вить) на чей-н счёт to be scathing
at sb's expense
язык tongue; *(русский, разговорный*
итп) language; *(воен: разг)*
prisoner captured for information;
держать ~ за зубами *(разг)* to
hold one's tongue; **вопрос (был)**
у него на ~е *(разг)* the question
was on the tip of his tongue; **при-**
кусить ~ *(разг)* to bite one's
tongue; **тянуть кого-н за ~** *(разг)*
to make sb talk; **~ не повернется**
сказать/попросить *(разг)* I could
not bring myself to say/ask; **вла-**
деть языком to speak a language;
находить (найти) общий ~ to find
a common language; **~ програм-**
мирования высокого/низкого
уровня *комп.* high-level/low-level
language; **~ ассемблера** *комп.*
assembly language
языкастый *(человек)* sharptongued
языковед linguist
языковедение linguistics
языковой *(факультет, система)*
language; **~ое правило** rule of a
language
языкознание linguistics
языческий pagan
язычество paganism

язычник pagan
язычок *уменьш от* **язык**; *(анат)*
uvula; *(ботинка)* tongue; *(замка)*
catch
яичко *уменьш от* **яйцо**; *анат.*
testicle
яичник ovary
яичница fried eggs
яйцевод oviduct
яйцеклетка ovule
яйцо egg; *анат.* ovum; **в смятку/**
крутую soft boiled/hard-boiled egg
як yak
якобы *(будто бы)* that ◇
supposedly; **он утверждает, ~ не**
знает he claims that he doesn't
know anything; **он предлагает ~**
выгодную сделку he is supposedly
proposing a good deal
якорный anchor
якорь *мор.* anchor; **бросать (бро-**
сить) ~ to cast anchor; **стоять на**
~е to ride at anchor; **сниматься**
(сняться) с ~я to weigh anchor
якут Yakut
Якутия Yakutia
якшаться : **~ с** to consort with
Ялта Yalta
яма *(в земле)* pit; *(разг: впадина)*
hollow; **рыть ~у кому-н** to lay a
trap for sb; **воздушная ~** air
pocket; **оркестровая ~** orchestra
pit
Ямайка Jamaica
ямочка dimple
ямша jasper
ямщик coachman
январь January
янтарный amber
янтарь amber
японец Japanese
Япония Japan
ярд yard
яркий bright; *(перен: человек, речь)*
brilliant; *(: талант)* outstanding
яркость *(цвета, краски)* brightness;
(человека, речи) brilliance
ярлык label; **ему наклеили ~ реак-**
ционера he was labelled as a
reactionary
ярмарка fair; **международная ~**
interational trade fair
ярмо *(также перен)* yoke

яровой *(злаки)* spring; ~ое поле field sown with spring crops

яростный *(взгляд, слова)* furious; *(перен: атака, критика)* fierce

ярость fury; **приходить (прийти) в** ~ to fly into a rage

ярус *(в зрительном зале)* circle; *(ряд)* tier; *гео.* layer

ярый *(преданный)* ardent

ясень ash (tree)

ясли *(для скота)* trough; *(также: детские ~)* creche, day nursery *(BRIT)*

яснеть to clear, become clear

ясно clearly ◇ *(о погоде)* it's fine; *(понятно)* it's clear; **я ~ выражаюсь?** do I make myself clear?; **на улице сегодня** ~ it's fine outside today; **теперь мне все** ~ it's all clear to me now; **~, что он недоволен** it's clear that he's not happy; **с ним всё** ~ nothing more needs to be said about him

ясновидение clairvoyance

ясновидец clairvoyant

ясновидящий *(человек)* clairvoyant ◇ clairvoyant

ясность clarity; **вносить (внести)** ~ **в что-н** to clarify sth

ясный clear

ястреб *зоол.* hawk

ястребиный *(клюв)* hawk's; ~ая охота falconry; ~ нос *(перен)* hooked nose

яхонт *(рубин)* ruby; **(сапфир)** sapphire

яхта yacht

яхт-клуб yacht club

яхтсмен yachtsman

ячейка *(сотовая, партийная)* cell; *(профсоюзная)* branch; *(для почты)* pigeonhole; **ячейка памяти** *комп.* memory cell

ячменный barley

ячмень *с/х* barley; *мед.* sty(e)

ячневый crushed-barley

ящерица lizard

ящик *(вместилище: большой)* chest; *(: маленький)* box; *(в письменном столе итп)* drawer; *(также: мусорный ~)* dustbin *(BRIT)*, garbage can *(US)*; **почтовый** ~ *(домашний)* letter box *(BRIT)*, mailbox *(US)*; *(уличный: как адрес)* post office box; *(разг: об учреждении)* secret plant, institution etc; **тел.** the box; **откладывать (отложить) что-у в долгий** ~ *(перен)* to shelve sth

ящур *(болезнь)* foot-and-mouth disease

ОБЪЯСНЕНИЕ АНГЛИЙСКОГО ПРОИЗНОШЕНИЯ ПРИ ПОМОЩИ ФОНЕТИЧЕСКИХ ЗНАКОВ

А. Гласные и дифтонги

В английском языке существуют краткие и долгие гласные, независимо от ударения.

[a] — долгий глубокий и открытый звук "а", как в слове "мама".

[ʌ] — краткий, неясный звук, похожий на русский неударный звук "о", который слышится в слове "Москва", или "а" в слове "варить". Английский звук [ʌ] встречается главным образом в ударном слоге.

[æ] — звонкий, не слишком краткий звук, средний между "а" и "э", более открытый, чем "э". При произнесении рот широко открыт.

[ɛə] — дифтонг, напоминающий не слишком долгий открытый звук, близкий к русскому "э" (в слове "этот"), за которым следует неясный гласный [ə].

[aɪ] — этот дифтонг похож на русское "ай"; его первый элемент близок к русскому "а" в слове "два". Второй элемент — очень краткий звук [ɪ].

[aʊ] — этот дифтонг похож на русское "ау" (в слове "пауза"). Его первый элемент тот же, что и в [aɪ]; однако этот звук переходит постепенно в очень краткий звук [u].

[eɪ] — дифтонг, напоминающий русское "эй". Он состоит из звука [e] и очень краткого звука [ɪ].

[æ] — краткий звук, напоминающий "э", в слове "эти", но короче.

[ə] — нейтральный неясный, безударный гласный звук, напоминающий русский беглый гласный в словах: "комната", "водяной" (в первом слоге).

[iː] — долгий гласный звук, похожий на русское протяжное "и" в словах: "ива", "вижу".

[i] — короткий открытый гласный, напоминающий средний звук между "и" и "ы", похожий на "и" в слове "шить".

[iə] — дифтонг, состоящий из полуоткрытого, полудолгого звука [i] и неясного звука [ə].

[ou] — дифтонг, напоминающий русское "оу". Первый его элемент — полуоткрытый звук "о" — переходит в слабое "у", причем губы слегка округляются, а язык остается неподвижным.

[ɔː] — открытый, долгий гласный, похожий на протяжное русское "о" в слове "бор". При произнесении этого гласного губы округлены (но не выпячены), положении рта почти как при русском "а", однако язык отодвинут назад.

[ɔ] — краткий открытый звук, похожий из русское "о". При произнесении этого звука надо открыть рот как при "а" и, отодвигая язык назад, не выпячивая губ, произнести "о".

[əː] — в русском языке нет звука, похожего на [əː]. При его произнесении надо рот приоткрыть только слегка, губы растянуть, а язык оставить в нейтральном положении. В закрытом слоге этот гласный орфографически представлен сочетаниями -er, -ir и -ur.

[эɪ] — дифтонг, состоящий из звука [э] и очень краткого [i].

[u:] — долгий гласный, напоминающий протяжно произнесенное русское "у" под ударением, напр.: сук, губка. При произнесении этого звука губы вперед не выдвигаются.

[uə] — дифтонг, состоящий из звука [u] и неясного гласного [ə].

[u] — краткий звук, похожий на русский неударный звук "у" в словах: "тупой", "сума". При произнесении этого звука губы не выдвигаются.

Б. Согласные

Согласные: [b] — б, [f] — ф, [g] — г, [k] — к, [m] — м, [p] — п, [s] — с, [v] — в, [z] — з почти не отличаются от соответствующих русских. Английские звонкие согласные, в противоположность русским, сохраняют на конце слова свою звонкость и произносятся четко и энергично.

[r] — произносится только перед гласными, в конце слова, если следующее слово начинается с гласного. При произнесении этого звука кончик языка поднят к небу и только слегка прикасается к нему выше альвеол. Английское [r] произносится, в отличие от соответствующего русского звука "р", без раскатистой вибрации языка.

[ʒ] — звук, похожий на смягченное русское "ж".

[ʃ] — звук, похожий на смягченное русское "ш".

[θ] — аналогичного звука в русском языке нет. Для получения этого согласного пропускается струя воздуха между кончиком языка и краем верхних зубов; этот звук приближается к русскому "с" в слове "сын", если его произнести с чуть выдвинутым языком.

[ð] — отличается от [θ] только присутствием голоса. Следует избегать звука, похожего на русское "з".

[s] — соответствует русскому "с".

[z] — соответствует русскому "з".

[ŋ] — носовой заднеязычный согласный. В русском языке аналогичного звука нет. (Чтобы научиться произносить этот звук, надо с открытым ртом задней частью спинки языка попробовать произнести "м" так, чтобы воздух проходил не через рот, а через нос.)

[ŋk] — согласный звук, отличающийся от [ŋ] только присутствием [k].

[w] — согласный звук, похожий на очень краткое русское "у". При произнесении этого звука воздух проходит между губами, которые сначала слегка вытягиваются вперед, а затем быстро занимают положение, нужное для следующего гласного звука.

[h] — простой, безголосый выдох.

[j] — звук, похожий на русский "й".

[f] — соответствует русскому согласному "ф".

[v] — соответствует русскому согласному "в".

Ударение в английских словах обозначается знаком ['] и ставится перед ударным слогом, напр.: **onion** ['ʌnjən].

В английском языке бывают слова с одинаково сильным ударением на двух слогах, напр.: unsound ['ʌn'saund], а также (длинные слова) с главным и побочным ударением, напр.: **conglomeretion** [kən'glɔmə,reiʃn].

ГРАММАТИЧЕСКИЙ СПРАВОЧНИК

ИМЯ СУЩЕСТВИТЕЛЬНОЕ
(The noun)

Имя существительное — часть речи, которая обозначает предмет. Предметом в грамматике называют все то, о чем можно спросить:

who is this? (кто это?) или   **what is this?** (что это?)
boy (мальчик)   **dog** (собака)
river (река)   **peace** (мир)
courage (мужество)   **news** (новости)

ЧИСЛО ИМЕН СУЩЕСТВИТЕЛЬНЫХ
(Number)

Большинство существительных имеют два числа: *единственное* (singular) и *множественное* (plural).

Форма множественного числа существительных обычно образуется с помощью окончания **-s** или **-es**, которое прибавляется к основе единственного числа.

Единственное число   *Множественное число*
book (книга)   **books** (книги)
boy (мальчик)   **boys** (мальчики)
class (класс)   **classes** (классы)

ПАДЕЖ ИМЕН СУЩЕСТВИТЕЛЬНЫХ
(Case)

Существительное в английском языке имеет два падежа: *общий* (the common case) и *притяжательный* (the possessive case).

Общий падеж имеют все существительные. В этом падеже у существительного нет особого окончания. Это форма, в которой существительное дается в словаре.

Форму притяжательного падежа обычно имеют лишь одушевленные существительные, обозначающие живое существо, которому принадлежит какой-нибудь предмет, качество или признак.

the **child's** toy (игрушка ребенка)
the **girl's** voice (голос девочки)

Существительное в единственном числе образует притяжательный падеж при помощи окончания, перед которым стоит особый знак ', называемый "апостроф".

Общий падеж   *Притяжательный падеж*
the boy (мальчик)   **the boy's table** (стол мальчика)

РОД ИМЕН СУЩЕСТВИТЕЛЬНЫХ
(Gender)

Существительное в английском языке в отличие от русского не имеет грамматической категории рода.

АРТИКЛЬ
(The article)

В английском языке перед существительным обычно стоит определенный артикль the или неопределенный артикль **a (an).**

Если перед существительным артикль не стоит, принято говорить, что оно употребляется с "нулевым" артиклем.

Артикли the, a (an) уточняют значение существительного, а также смысл всего предложения, но сами собственного отдельного значения не имеют и на русский язык обычно не переводятся.

"Нулевой" артикль также связан со значением и смыслом всего предложения, т. е. в английском языке отсутствие артикля перед существительным является значимым.

ИМЯ ПРИЛАГАТЕЛЬНОЕ
(The adjective)

Прилагательное — часть речи, которая употребляется для обозначения признака предмета.

a **clever** boy (умный мальчик)
an **English** book (английская книга)
good butter (хорошее масло)
a **cold** winter (холодная зима)

Прилагательное в английском языке имеет три формы степеней сравнения: *положительную* (positive degree), *сравнительную* (comparative degree) и *превосходную* (superlative degree).

МЕСТОИМЕНИЕ
(The pronoun)

Местоимение — часть речи, которое употребляется в предложении вместо имени существительного или имени прилагательного, реже наречия. Местоимение не называет лицо, предмет или признак, оно лишь отсылает нас к лицу, предмету или признаку, уже упомянутому ранее.

Peter gave **Mary** a **book**. **She** took **it**.
Петя дал Маше книгу. Она ее взяла.

Здесь местоимение (she) отсылает нас к лицу, выраженному существительным (Mary) — "Маша", а местоимение (it) — к предмету, выраженному существительным (book) — "книга".

These are **coloured** pencils. I want to have **such** pencils.
Это цветные карандаши. Я хочу иметь такие карандаши.

Местоимение (such) отсылает нас к признаку, выраженному прилагательным (coloured) — "цветные".

This is **sour** milk. **Such** milk you cannot boil.
Это кислое молоко. Такое молоко кипятить нельзя.

В английском языке есть следующие основные группы местоимений: личные, притяжательные, указательные, вопросительные, неопределенные, отрицательные, возвратные, относительные.

ЧИСЛИТЕЛЬНОЕ
(The numeral)

Числительное — часть речи, которая обозначает количество предметов или порядок предметов при счете.

Имена числительные делятся на *количественные* и *порядковые*.

Числительные, которые обозначают количество предметов, называют *количественными* числительными.

Количественные числительные от 1 до 12 — простые, Они не имеют специальных окончаний.

> **one** (один)
> **seven** (семь)
> **two** (два)
> **eight** (восемь)

Количественные числительные от 13 до 19 оканчиваются на -teen.

> **thirteen** (тринадцать)
> **fourteen** (четырнадцать)

Количественные числительные, обозначающие десятки, оканчиваются на -ty.

> **twenty** (двадцать)
> **twenty-one** (двадцать один)

Порядковые числительные обозначают порядок предметов при счете.

— Which book are you reading? — I am reading the **first** book.

ГЛАГОЛ. ЛИЧНЫЕ ФОРМЫ ГЛАГОЛА
(The verb. The finite forms of the verb)

Глагол — это часть речи, которая обозначает действие или состояние лица или предмета.

Глаголы могут быть смысловыми, вспомогательными, связками и модальными.

Большинство английских глаголов — полнозначные. Полнозначные глаголы могут выражать значение действия или состояния самостоятельно. В предложении они могут быть простым сказуемым.

to speak (говорить)
to go (идти, уходить)

Вспомогательные глаголы и глаголы-связки не имеют самостоятельного значения. Вспомогательные глаголы входят в состав глагольных форм, например: будущего времени, отрицательной и вопросительной форм и др.

I shall go there.
Я пойду туда.
Do you see him often?
Ты его часто видишь?

Глаголы-связки употребляются только в составе составного именного сказуемого.

Peter is a good pupil.
Петя — хороший ученик.

Модальные глаголы обычно образуют составное глагольное сказуемое.

Kate can read.
Катя умеет читать.
We must study well.
Мы должны хорошо учиться.

Некоторые глаголы, например to have, to do, to be, могут быть полнозначными в одном значении и модальными, связочными или вспомогательными — в другом.

НАРЕЧИЕ
(The adverb)

Наречие — часть речи, которая обозначает признак действия или другого признака.

В английском языке есть простые наречия, которые не имеют специального суффикса:

often (часто)
never (никогда)
seldom (редко)
still (все еще)

Но большинство наречий образуется прибавлением суффикса **-ly** к основе прилагательного:

slow — slowly (медленный — медленно)
warm — warmly (теплый — тепло)

Если прилагательное оканчивается на **y**, то при образовании наречия у меняется на **i** и прибавляется окончание **-ly**.

happy — happily (счастливый — счастливо)

ПРЕДЛОГ
(The preposition)

Предлог — служебное слово, которое стоит перед существительным или местоимением. Основными предлогами английского языка являются следующие:

on (на, в)
in (в, через)
to (к, в)
from (от)
about (о)
with (с)
till (until) (до)
of (из, о)
at (за, у, в)
by (около)
for (для)

СОЮЗ
(The conjunction)

Союз — служебное слово, которое служит для связи слов в простом предложении или связи частей сложного предложения.
Основными союзами английского языка являются следующие:

and (и)
but (но, а)
or (или)
if (если)
when (когда)
after (после того как)
before (до того как)
while (в то время как)
till/until (до тех пор пока)
since (с тех пор как)
because (потому что)
in order that (для того чтобы)
though (хотя)
than (чем)
as ... as (так же как; такой же, как)
as if (as though) (как будто)

АНГЛО-РУССКИЙ
РУССКО-АНГЛИЙСКИЙ
СОВРЕМЕННЫЙ СЛОВАРЬ
+
ГРАММАТИКА

Около 50 000 слов

Составитель Сиротина Т. А.

Корректоры
Козлова Л. А., Каверина В. А.

Художественный редактор
Шатунов В. С.

Технический редактор
Спивак Т. Н.

Подписано к печати 13.11.2001.
Формат 70×90^1/$_{32}$. Печать офсетная.
Доп. тираж IV 5000 экз. Зак. 4979

ЗАО "БАО-ПРЕСС".
Свидетельство ЛР № 065709 от 3 марта 1998 г.
125167, Москва, Старый Зыковский проезд, 4

Отпечатано в полном соответствии
с качеством предоставленных диапозитивов
в ОАО «Можайский полиграфический комбинат».
143200, г. Можайск, ул. Мира, 93.

W9-DJO-736

twice [twaɪs] *adv* дважды; ~ **as much** вдвое больше; ~ **a week** два раза в неделю; **she is** ~ **your age** она вдвое *or* в два раза старше Вас

twiddle ['twɪdl] *vt* требовать ◇ *vi:* **to** ~ **with sth** требовать что-н.; **to** ~ **one's thumbs** бить баклуши

twig [twɪg] *n* ветка ◇ *vi* стегнуть

twilight ['twaɪlaɪt] *n* сумерки; (пред-рассветные) сумерки; **in the** ~ в сумерках

twill [twɪl] *n* твил; саржа

twin [twɪn] *adj* парный ◇ *n* близнец; двойня ◇ *vt* делать побратимами; ~ **sister** сестра-близнец; ~ **brother** брат-близнец

twine [twaɪn] *n* бечевка ◇ *vi* виться

twinge [twɪndʒ] *n* приступ; укол

twinkle ['twɪŋkl] *vi* мерцать; мигать; подмигивать ◇ *n* мерцание

twin town *n* город-побратим

twirl [twɜːl] *vt* вертеть ◇ *vi* крутиться ◇ *n* поворот

twirp [twɜːp] *разг.* хам

twist [twɪst] *n* закручивание; изгиб; поворот ◇ *vt* изгибать; вывихивать; сплетать ◇ *vi* извиваться

twisted ['twɪstɪd] *adj* скрученный; вывихнутый; извращенный

twit [twɪt] *n* недоумок

twitch [twɪtʃ] *n* рывок; подергивание ◇ *vi* подергиваться

two [tuː] *n* два; ~ **by** ~, **in** ~**s** парами; **to put** ~ **and** ~ **together** сложить два и два; *see also* **five**

two-faced [tuː'feɪst] *adj* двуличный

twofold ['tuːfəʊld] *adj* двойной; двойственный ◇ *adv:* **to increase** ~ вдвое

two-piece (suit) ['tuːpiːs-] *n* (костюм) двойка

two-piece swimsuit *n* раздельный купальник

two-seater car ['tuːsiːtə-] *n* двухместный автомобиль

twosome ['tuːsəm] *n* пара

two-tone ['tuːtəʊn] *adj* двухцветный

tycoon [taɪ'kuːn] *n* промышленный магнат

type [taɪp] *n* тип; (*типог.*) шрифт ◇ *vt* печатать; **what** ~ **do you want?** какой вид Вы бы хотели?; **in bold** ~ жирным шрифтом; **in italic** ~ курсивом

typeface ['taɪpfeɪs] *n* шрифт

typescript ['taɪpskrɪpt] *n* машинописный текст

typeset ['taɪpset] *vt* набирать

typesetter ['taɪpsetə] *n* наборщик

typewriter ['taɪpraɪtə] *n* пишущая машинка

typewritten ['taɪprɪtn] *adj* машинописный, напечатанный (на машинке)

typhoid ['taɪfɔɪd] *n* брюшной тиф

typhoon [taɪ'fuːn] *n* тайфун

typhus ['taɪfəs] *n* сыпной тиф

typical ['tɪpɪkl] *adj:* ~ **(of)** типичный (для ...); **that's** ~! вот так всегда!

typify ['tɪpɪfaɪ] *vt* являться типичным примером

typing ['taɪpɪŋ] *n* машинопись

typing error *n* опечатка

typing pool *n* машинописное бюро

typist ['taɪpɪst] *n* машинистка

typo ['taɪpəʊ] *n abbr* типографская опечатка

typography [tɪ'pɒgrəfɪ] *n* типография

tyranny ['tɪrənɪ] *n* тирания, деспотизм

tyrant ['taɪərənt] *n* тиран; деспот

tyre ['taɪə] *n* шина

tzar [zɑː] *n* = **tsar**

U

U, u [juː] *n 21-ая буква английского алфавита*

ubiquitous [juː'bɪkwɪtəs] *adj* вездесущий

UFO ['juːfəʊ] *n abbr* = *неопознанный летающий объект*

Uganda [juː'gændə] *n* Уганда

Ugandan [juː'gændən] *adj* угандский ◇ *n* угандец(-дка)

ugh [ʌg] *excl* фу

ugliness ['ʌglɪnɪs] *n* уродство

ugly ['ʌglɪ] *adj* уродливый, безобразный; опасный

Ukraine [juː'kreɪn] *n* Украина

Ukrainian [juː'kreɪnɪən] *adj* украинский ◇ *n* украинец(-нка); (*линг.*) украинский язык

Ulan Bator [uˈlɑːnˈbɑːtɔ:] *n* Улан-Батор

ulcer [ˈʌlsə] *n* язва

Ulster [ˈʌlstə] *n* Ольстер

ulterior [ʌlˈtɪərɪə] *adj:* ~ **motive** скрытый мотив

ultimate [ˈʌltɪmət] *adj* окончательный, конечный; предельный ✧ *n:* **the** ~ **in luxury** предел роскоши

ultimately [ˈʌltɪmətlɪ] *adv* в конце концов

ultimatum [ˌʌltɪˈmeɪtəm] *n* ультиматум

ultimo [ˈʌltɪmoʊ] *ком.* прошлого месяца *(в письмах);* **your letter of the 20th** ~ ваше письмо от 20 числа истекшего месяца

ultra [ˈʌltrə] **1.** *a* крайний *(об убеждениях, взглядах)* **2.** *n* человек крайних взглядов, ультра

ultra- *pref* сверх-, ультра-

ultrafiolet [ˈʌltrəˈvaɪəlɪt] *adj* ультрафиолетовый

ultramarine [ˌʌltrəməˈriːn] ультрамариновый

ultrasonic [ʌltrəˈsɒnɪk] *adj* сверхзвуковой, ультразвуковой

ultrasound [ˈʌltrəsaund] *n* ультразвук

ultra-violet [ˈʌltrəˈvaɪəlɪt] ультрафиолетовый

umbilicus [ʌmˈbɪlɪkəs] пуп(ок)

umbrage I [ˈʌmbrɪdʒ] **take** ~ обидиться

umbrage II [ˈʌmbrɪdʒ] *поэт.* тень, сень; ~**ous** [ʌmˈbreɪdʒəs] тенистый

umbrella [ʌmˈbrelə] зонтик

umlaut [ˈumlaut] *n* умлаут

umpire [ˈʌmpaɪə] *n* судья, рефери ✧ *vt* судить

umpteen [ˈʌmpˈtiːn] *adj* бесчисленный; ~ **stories** бесчисленное количество историй

umpteenth [ʌmpˈtiːnθ] *adj:* **for the** ~ **time** в энный *or* сотый раз

un- [ʌn-] *pref* не-, без- *(глаголам обычно придает противоп. значение)*

unabashed [ˈʌnəˈbæʃt] несмутившийся, неиспугавшийся

unable [ˈʌnˈeɪbl] неспособный, неумеющий *(что-л. делать)*

unabridged [ˈʌnəˈbrɪdʒd] *adj* несокращённый

unacceptable [ˈʌnəkˈseptəbl] *adj* неприемлемый

unaccompanied [ˈʌnəˈkʌmpənɪd] *adj* не сопровождаемый; без аккомпанемента

unaccountably [ˈʌnəˈkauntəblɪ] *adv* необъяснимо

unaccounted [ˈʌnəˈkauntɪd] *adj:* **several people are still** ~ **for** нескольких людей недосчитались

unaccustomed [ˈʌnəˈkʌstəmd] *adj:* **he is** ~ **to...** он не привычен к

unacquainted [ˈʌnəˈkweɪntɪd] незнакомый *(с чем-л.)*

unadopted [ˈʌnəˈdɒptɪd] не находящийся в ведении местных властей *(по дорогах)*

unadulterated [ˈʌnəˈdʌltəreɪtɪd] *adj* настоящий; чистый

unadvisedly [ˈʌnədˈvaɪzədlɪ] опрометчиво; безрассудно

unaffected [ˈʌnəˈfektɪd] искренний, простой; безучастный

unafraid [ʌnəˈfreɪd] *adj* незапуганный

unaided [ʌnˈeɪdɪd] *adv* без помощи

unalterable [ʌnˈɔːltərəbl] неизменяемый, не поддающийся изменению; устойчивый

unanimity [ˌjuːnəˈnɪmɪtɪ] единогласие

unanimous [juːˈnænɪməs] *adj* единодушный, единогласный

unanimously [juːˈnænɪməslɪ] *adv* единодушно, единогласно

unanswerable [ʌnˈɑːnsərəbl] неопровержимый, неоспоримый

unanswered [ʌnˈɑːnsəd] *adj* оставшийся без ответа

unappetizing [ʌnˈæpɪtaɪzɪŋ] *adj* неаппетитный

unappreciative [ʌnəˈpriːʃətɪv] *adj* неблагодарный

unarmed [ʌnˈɑːmd] *adj* безоружный; без оружия

unashamed [ʌnəˈʃeɪmd] *adj* бесстыдный

unasked [ʌnˈɑːskt] добровольный

unassailable [ˌʌnəˈseɪləbl] неприступный; *перен.* неопровержимый *(о доводе и т.п.)*

unassisted [ʌnəˈsɪstɪd] *adj, adv* без посторонней помощи

unassuming [ˈʌnəˈsjuːmɪŋ] *adj* непритязательный

unattached [ˌʌnəˈtætʃt] *adj* одинокий; неприкрепленный

unattainable [ˈʌnəˈteinəbl] недосягаемый

unattended [ˈʌnəˈtendid] несопровождаемый; оставленный без ухода, без присмотра; **she left the sick woman ~ all day** она оставила больную женщину на целый день без присмотра

unattractive [ˌʌnəˈtræktiv] *adj* непривлекательный

unauthorized [ˈʌnˈɔːθəraizd] *adj* неразрешенный

unavailing [ˈʌnəˈveiliŋ] бесполезный; бесплодный

unavailable [ˈʌnəˈveiləbl] *adj* недоступный; недосягаемый

unavoidable [ˌʌnəˈvɔidəbl] *adj* неизбежный

unavoidably [ˌʌnəˈvɔidəbli] *adv* неизбежно

unaware [ˈʌnəˈweə] *adj:* **to ~ of** не подозревать о

unawares [ˌʌnəˈweəz] *adv* врасплох

unbalanced [ʌnˈbælənst] *adj* односторонний; неуравновешенный

unbearable [ʌnˈbeərəbl] *adj* невыносимый

unbeatable [ʌnˈbiːtəbl] *adj* непобедимый; непревзойденный

unbeaten [ʌnˈbiːtn] *adj* непобедимый; непревзойденный

unbecoming [ˈʌnbiˈkʌmiŋ] *adj* неподобающий; не идущий к лицу; **that dress is ~ on you** Вам не идет это платье

unbeknown(st) [ˌʌnbiˈnəun(st)] *adv:* ~ **to me** без моего ведома

unbelief [ˈʌnbiˈliːf] *n* неверие

unbelievably [ˌʌnbiˈliːvəbli] *adv* невероятно

unbend [ˈʌnˈbend] *irreg vi* расслабляться ◇ *vt* выпрямлять

unbending [ˈʌnˈbendiŋ] *adj* непреклонный

unbias(s)ed [ˈʌnˈbaiəst] *adj* непредвзятый; беспристрастный

unbidden [ˈʌnˈbidn] непрощенный, незваный

unbind [ˈʌnˈbaind] развязывать

unblemished [ʌnˈblemiʃt] *adj* незапят-

нанный

unblock [ˈʌnˈblɔk] *vt* прочищать

unborn [ˈʌnˈbɔːn] *adj* не рожденный

unbounded [ʌnˈbaundid] *adj* безграничный

unbreakable [ʌnˈbreikəbl] *adj* небьющийся

unbridled [ʌnˈbraidld] *adj* необузданный

unbroken [ˈʌnˈbrəukən] *adj* целый; непрерванный; неразбитый; *(спорт.)* непобитый

unbuckle [ˈʌnˈbʌkl] *vt* расстегивать

unburden [ʌnˈbɔːdn] *vt:* **to ~ o.s. (to sb)** изливать душу (кому-н.)

unbusinesslike [ˈʌnˈbiznislaik] *adj* неделовой

unbutton [ˈʌnˈbʌtn] *vt* расстегивать

uncalled-for [ʌnˈkɔːldfɔː] *adj* неуместный

uncanny [ʌnˈkæni] *adj* необъяснимый; жуткий

unceasing [ʌnˈsiːsiŋ] *adj* беспрерывный; неустанный

unceremonious [ˌʌnseriˈməuniəs] *adj* бесцеремонный

uncertain [ʌnˈsɔːtn] *adj* неуверенный, нерешительный; ~ **about** неуверенный относительно; **in no terms** без обиняков

uncertainty [ʌnˈsɔːtnti] *n* неопределенность; сомнение

unchain [ˈʌnˈtʃein] спускать с цепи *(собаку)*

unchallenged [ʌnˈtʃælindʒd] *adj* не вызывающий возражений; **to go ~** не вызывать возражения

unchanged [ʌnˈtʃeindʒd] *adj* неизменившийся; **my orders remain ~** мои приказы остаются неизменными

uncharitable [ʌnˈtʃæritəbl] *adj* немилосердный

uncharted [ʌnˈtʃɑːtid] *adj* не отмеченный на карте

unchecked [ʌnˈtʃekt] *adv* беспрепятственно

uncivil [ˈʌnˈsivil] *adj* грубый

uncivilized [ˈʌnˈsivilaizd] *adj* нецивилизованный; дикий; **at an ~ hour** ни свет, ни заря

uncle [ˈʌŋkl] *n* дядя

unclear [ʌnˈkliə] *adj* неясный; **I'm still**

U

~ **about what I'm supposed to do** мне все еще не ясно, что мне надо делать

uncoil [ˈʌnˈkɔɪl] *vt* разматывать ◊ *vi* разматываться

uncomely [ˈʌnˈkʌmlɪ] *книжн.* некрасивый

uncomfortable [ʌnˈkʌmfətəbl] *adj* неудобный; неловкий; тревожный

uncomfortably [ʌnˈkʌmfətəblɪ] *adv* неудобно; неловко; до неловкого

uncommitted [ˌʌnkəˈmɪtɪd] *adj* нейтральный

uncommon [ʌnˈkɔmən] *adj* необычный

uncommunicative [ˌʌnkəˈmjuːnɪkətɪv] *adj* необщительный

uncomplicated [ʌnˈkɔmplɪkeɪtɪd] *adj* несложный

uncompromising [ʌnˈkɔmprəmaɪzɪŋ] бескомпромиссный

unconcerned [ˌʌnkənˈsɜːnd] *adj* беззаботный; ~ **about** равнодушный к

unconditional [ˈʌnkənˈdɪʃənl] *adj* безусловный; безоговорочный

uncongenial [ˌʌnkənˈdʒiːnɪəl] *adj* чуждый, неприятный

unconnected [ˈʌnkəˈnektɪd] *adj:* ~ **(with)** несвязанный (с)

unconscious [ʌnˈkɔnʃəs] *adj* без сознания; ~ **of** не сознающий ◊ *n:* **the** ~ подсознание; **he was knocked** ~ он упал без сознания

unconsciously [ʌnˈkɔnʃəslɪ] *adv* подсознательно

unconsciousness [ʌnˈkɔnʃəsnɪs] *n* бессознательное состояние

unconstitutional [ˈʌnkɔnstɪˈtjuːʃənl] *adj* неконституционный

uncontrollable [ˌʌnkənˈtrəuləbl] *adj* неуправляемый; неукротимый; неудержимый

uncontrolled [ˌʌnkənˈtrəuld] *adj* безудержный

unconventional [ˌʌnkənˈvenʃənl] *adj* нетрадиционный

unconvinced [ˌʌnkənˈvɪnst] *adj:* **to be** *or* **remain** ~ оставаться неубежденным

unconvincing [ˌʌnkənˈvɪnsɪŋ] *adj* неубедительный

uncork [ˈʌnˈkɔːk] *vt* откупоривать

uncorroborated [ˌʌnkəˈrɔbəreɪtɪd] *adj* неподтвержденный

uncouth [ʌnˈkuːθ] *adj* неотесанный

uncover [ʌnˈkʌvə] *vt* открывать; раскрывать

unctuous [ˈʌŋktjuəs] *adj* елейный

undamaged [ʌnˈdæmɪdʒd] *adj* неповрежденный; незапятнанный

undaunted [ʌnˈdɔːntɪd] *adj* неустрашимый; ~, **she struggled** она неустрашимо продолжала свои старания

undecided [ˈʌndɪˈsaɪdɪd] *adj* нерешительный; нерешенный

undelivered [ˌʌndɪˈlɪvəd] *adj* недоставленный; **if** ~ **return to sender** если не доставлено, вернуть отправителю

undeniable [ˌʌndɪˈnaɪəbl] *adj* неоспоримый

undeniably [ˌʌndɪˈnaɪəblɪ] *adv* несомненно

under [ˈʌndə] *adv* вниз ◊ *prep* под; ниже; по; при; **children** ~ **16** дети до 16-ти лет; **from** ~ **sth** из-под чего-н.; ~ **there** там внизу; **in** ~ **2 hours** меньше, чем за 2 часа; ~ **anaesthetic** под наркозом; ~ **discussion** в процессе обсуждения; ~ **repair** в ремонте; ~ **the circumstances** при сложившихся обстоятельствах

under... [ˈʌndə] *prefix* недо..., под..., ниже...

underage [ˈʌndərˈeɪdʒ] *adj* несовершеннолетний; ~ **smoking/ drinking** курение/потребление алкоголя несовершеннолетними

underarm [ˈʌndərɑːm] *adv* снизу ◊ *adj* для подмышек; ~ **throw** бросок снизу

undercapitalized [ˈʌndəˈkæpɪtəlaɪzd] *adj* недостаточный; капитализированный

undercarriage [ˈʌndəkærɪdʒ] *n* шасси

undercharge [ˈʌndəˈtʃɑːdʒ] *vt* назначать слишком низкую цену

underclass [ˈʌndəklɑːs] *n* неимущий класс

underclothes [ˈʌndəkləuðz] *npl* нижнее белье

undercoat [ˈʌndəkəut] *n* грунтовка

undercover [ˌʌndəˈkʌvə] *adj* тайный

undercurrent [ˈʌndəkʌrent] *n* затаенное чувство

undercut [ˌʌndəˈkʌt] *irreg vt* сбивать; **he can ~ his competitors** он может продавать по более низкой цене, чем его конкуренты

underdeveloped [ˈʌndədɪˈveləpt] *adj* слаборазвитый

underdog [ˈʌndədɔg] *n:* **the ~** обездоленный; слабая команда

underdone [ˌʌndəˈdʌn] *adj* недожаренный; недоваренный

underestimate [ˈʌndərˈestɪmeɪt] *vt* недооценивать

underexposed [ˈʌndərɪksˈpəuzd] *adj* (фото.) недодержанный

underfed [ˌʌndəˈfed] *adj* недокормленный

underfoot [ˌʌndəˈfut] под ногами

underfunded [ˈʌndəˈfʌndɪd] *adj* плохо финансируемый

undergarment [ˈʌndəgɑːmənt] предмет нижнего белья

undergo [ˌʌndəˈgəu] *irreg vt* проходить; переносить; подвергаться; **the car is ~ ing repairs** машина проходит ремонт

undergraduate [ˌʌndəˈgrædjuət] *n* студент ◆ *cpd:* **~ courses** университетские курсы

underground [ˈʌndəgraund] *adv* под землёй ◆ *adj* подземный; подпольный ◆ *n:* **the ~** метро; (полит.) подполье; **to go ~** уходить в подполье

undergrowth [ˈʌndəgrəuθ] *n:* **the ~** подлесок

underhand(ed) [ˌʌndəˈhændɪd] *adj* закулисный

underinsured [ˈʌndərɪnˈʃuəd] *adj* неполностью застрахованный

underlay [ˌʌndəˈleɪ] *n* подкладка

underline [ˌʌndəˈlaɪn] *vt* подчеркивать

underling [ˈʌndəlɪŋ] *n* мелкая сошка

underlie [ˌʌndəˈlaɪ] *irreg vt* лежать в основе; **the underlying cause** причина, лежащая в основе

undermanning [ˌʌndəˈmænɪŋ] *n* недостаток в рабочей силе

undermentioned [ˌʌndəˈmenʃənd] *adj* ниже упомянутый

undermine [ˌʌndəˈmaɪn] *vt* подрывать

underneath [ˌʌndəˈniːθ] *adv* внизу ◆ *prep* под

undernourished [ˌʌndəˈnʌrɪʃt] *adj* некормленный

underpants [ˈʌndəpænts] *npl* трусы

underpass [ˈʌndəpɑːs] *n* туннель, тоннель

underpay [ˈʌndəˈpeɪ] (слишком) низко оплачивать

underpin [ˌʌndəˈpɪn] *vt* подкреплять

underplay [ˌʌndəˈpleɪ] *vt* преуменьшать

underpopulated [ˌʌndəˈpɔpjuleɪtɪd] *adj* малонаселенный

underprice [ˌʌndəˈpraɪs] *vt* занижать слишком цену на

underprivileged [ˌʌndəˈprɪvɪlɪdʒd] *adj* неимущий

underrate [ˌʌndəˈreɪt] *vt* недооценивать

underscore [ˌʌndəˈskɔː] *vt* подчеркивать

underseal [ˌʌndəˈsiːl] *vt* (авт.) наносить антикоррозийное покрытие (на днище автомобиля) ◆ *n* (авт.) антикоррозийное покрытие (днища автомобиля)

undersell [ˈʌndəˈsel] *irreg vt* продавать дешевле

undershirt [ˈʌndəʃɜːt] *n* нижняя рубашка

undershorts [ˈʌndəʃɔːts] *npl* трусы

underside [ˈʌndəˈsaɪd] *n* нижняя сторона

undersigned [ˈʌndəˈsaɪnd] *adj* подписанный ниже ◆ *n* нижеподписавшийся; **we the ~ agree that...** мы, нижеподписавшиеся, договариваемся, что ...

underskirt [ˈʌndəskɜːt] *n* нижняя юбка

understand [ˌʌndəˈstænd] *vt* понимать; **to ~ that** полагать, что ...; **to make o.s. understood** объясняться

understandable [ˌʌndəˈstændəbl] *adj* понятный

understanding [ˌʌndəˈstændɪŋ] *adj* понимающий ◆ *n* понимание; взаимопонимание; **to come to an ~ with sb** достигать взаимопонимания с кем-н.; **on the ~ that...** при условии, что ...

understate [ˌʌndə'steɪt] vt преуменьшать

understatement [ˌʌndə'steɪtmənt] n преуменьшение; **that's an ~!** это слишком мягко сказано!

understood [ˌʌndə'stu:d] pt, pp of **understand** ◇ adj согласованный; подразумеваемый

understudy [ˈʌndə'stʌdɪ] n дублёр

undertake [ˌʌndə'teɪk] vt брать на себя; **to ~ to do** обязываться

undertaker [ˈʌndə'teɪkə] n владелец похоронного бюро

undertaking [ˈʌndə'teɪkɪŋ] n предприятие; обязательство

undertone [ˈʌndə'təʊn] n оттенок; **in an ~** вполголоса

undervalue [ˌʌndə'vælju:] vt недооценивать

underwater [ˌʌndə'wɔ:tə] adv под водой ◇ adj подводный

underwear [ˈʌndəweə] n нижнее бельё

underworld [ˈʌndəwɜːld] n преступный мир

underwrite [ˌʌndə'raɪt] vt гарантировать размещение; (комм.) брать на себя финансирование; принимать на себя страховой риск

undeserving [ˌʌndɪ'zɜ:vɪŋ] adj: **to be ~ of** не заслуживать

undesirable [ˌʌndɪ'zaɪərəbl] adj нежелательный

undeveloped [ˌʌndɪ'veləpt] adj незастроенный; неразработанный

undies [ˈʌndɪz] npl (нижнее) бельё

undiluted [ˌʌndaɪ'lu:tɪd] adj неразбавленный; чистый

undiplomatic [ˌʌndɪplə'mætɪk] adj недипломатичный

undisciplined [ʌn'dɪsɪplɪnd] adj недисциплинированный

undiscovered [ˌʌndɪs'kʌvəd] adj неоткрытый; необнаруженный; неисследованный

undisguised [ˌʌndɪs'ɡaɪzd] adj явный

undisputed [ˌʌndɪs'pju:tɪd] adj неоспоримый

undistinguishable [ˌʌndɪs'tɪŋɡwɪʃəbl] неразличимый

undistinguished [ˌʌndɪs'tɪŋɡwɪʃt] adj посредственный

undisturbed [ˌʌndɪs'tɜ:bd] adj безмятежный; **to leave ~** не волновать

undo [ʌn'du:] vt развязывать; расстёгивать; губить

undoing [ʌn'du:ɪŋ] n гибель

undone [ʌn'dʌn] 1. p. p от **undo** 2. несделанный; погубленный; **we are ~** мы погибли

undoubted [ʌn'daʊtɪd] adj несомненный, бесспорный

undoubtedly [ʌn'daʊtɪdlɪ] adv несомненно; бесспорно

undress [ʌn'dres] vt раздевать ◇ vi раздеваться

undrinkable [ʌn'drɪŋkəbl] adj непригодный для питья; **this wine is ~** это вино невозможно пить

undue [ˈʌn'dju:] adj излишний

undulating [ˈʌndjuleɪtɪŋ] adj холмистый

unduly [ʌn'dju:lɪ] adv излишне

undying [ʌn'daɪɪŋ] adj бессмертный

unearned [ʌn'ɜ:nd] adj незаработанный; **~ income** нетрудовые доходы

unearth [ʌn'ɜ:θ] vt выкапывать; раскапывать

unearthly [ʌn'ɜ:θlɪ] adj: **at an ~ hour** ни свет, ни заря

unease [ʌn'i:z] n неловкость

uneasy [ʌn'i:zɪ] adj тревожный; напряжённый; **he is** or **feels ~** он не спокоен; **I feel ~ about taking his money** я не спокоен, когда беру у него деньги

uneconomic(al) [ˌʌnɪ:kə'nɒmɪkl] adj неэкономный

uneducated [ʌn'edjukeɪtɪd] adj необразованный

unemployed [ˌʌnɪm'plɔɪd] adj безработный ◇ npl: **the ~** безработные

unemployment [ˌʌnɪm'plɔɪmənt] n безработица

unemployment benefit n пособие по безработице

unending [ʌn'endɪŋ] adj нескончаемый

unenviable [ʌn'envɪəbl] adj незавидный

unequal [ʌn'i:kwəl] adj неравный; **to feel ~ to** чувствовать неспособным отвечать требованиям

unequalled [ʌn'i:kwəld] adj несравнимый

unequivocal [ˈʌnɪˈkwɪvəkl] *adj* недвусмысленный

unerring [ʌnˈɜːrɪŋ] *adj* безошибочный

unethical [ʌnˈeθɪkl] *adj* неэтичный

uneven [ʌnˈiːvn] *adj* неровный

uneventful [ˈʌnɪˈventful] *adj* без особых событий

unexampled [ˌʌnɪgˈzɑːmpld] беспримерный

unexceptional [ˈʌnɪkˈsepʃənl] *adj* заурядный

unexciting [ˈʌnɪkˈsaɪtɪŋ] *adj* неинтересный

unexpected [ˈʌnɪksˈpektɪd] *adj* неожиданный

unexpectedly [ˈʌnɪksˈpektɪdlɪ] *adv* неожиданно

unexplained [ˈʌnɪksˈpleɪnd] *adj* необъясненный

unexploded [ˈʌnɪksˈpləʊdɪd] *adj* невзорвавшийся

unfailing [ʌnˈfeɪlɪŋ] *adj* неизменный

unfair [ʌnˈfeə] *adj:* ~ (to) несправедливый (к); it's ~ that ... несправедливо, что ...

unfair dismissal *n* незаконное увольнение

unfairly [ʌnˈfeəlɪ] *adv* несправедливо; незаконно

unfaithful [ʌnˈfeɪθful] *adj* неверный

unfamiliar [ʌnfəˈmɪlɪə] *adj* незнакомый; the is ~ with the accent он незнаком с акцентом

unfashionable [ʌnˈfæʃnəbl] *adj* немодный

unfasten [ʌnˈfɑːsn] *vt* расстегивать; открывать

unfathomable [ʌnˈfæðəməbl] *adj* непостижимый

unfavourable [ˈʌnˈfeɪvrəbl] *adj* неблагоприятный

unfavourably [ˈʌnˈfeɪvrəblɪ] *adv* неблагоприятно; to look ~ on смотреть неблагосклонно на

unfeeling [ʌnˈfiːlɪŋ] *adj* бесчувственный

unfeigned [ʌnˈfeɪnd] непритворный, искренний

unflinching [ʌnˈflɪntʃɪŋ] *adj* неустрашимый

unfinished [ʌnˈfɪnɪʃt] *adj* незаконченный

unfit [ʌnˈfɪt] *adj:* she is ~ она в плохой спортивной форме; hs is ~ for the job он непригоден к работе

unflagging [ʌnˈflægɪŋ] *adj* неослабный

unflappable [ʌnˈflæpəbl] *adj* невозмутимый

unflattering [ʌnˈflætərɪŋ] *adj* нелестный; не идущий к лицу; that dress is ~ on you Вам не идет это платье

unfold [ʌnˈfəʊld] *vt* разворачивать *or* развертывать ◇ *vi* разворачиваться

unforeseeable [ˈʌnfɔːsiːəbl] *adj* непредвиденный

unforeseen [ˈʌnfɔːˈsiːn] *adj* непредвиденный

unforgettable [ˈʌnfəˈgetəbl] *adj* незабываемый

unforgivable [ˈʌnfəˈgɪvəbl] *adj* непростительный

unformatted [ʌnˈfɔːmætɪd] *adj* (комп.) бесформатный; неформатированный

unfortunate [ʌnˈfɔːtʃənət] *adj* несчастный; неудачный; he's been very ~ ему очень не повезло; it is ~ that ... как неудачно, что ...

unfortunately [ʌnˈfɔːtʃənətlɪ] *adv* к сожалению

unfounded [ʌnˈfaʊndɪd] *adj* необоснованный

unfulfilled [ʌnfulˈfɪld] *adj* неосуществленный; невыполненный; нереализовавшийся

unfurl [ʌnˈfɜːl] *vt* разворачивать *or* развертывать

ungainly [ʌnˈgeɪnlɪ] *adj* неловкий

ungodly [ʌnˈgɒdlɪ] *adj:* at an ~ hour ни свет, ни заря

ungrateful [ʌnˈgreɪtful] *adj* неблагодарный

unhappily [ʌnˈhæpɪlɪ] *adv* несчастливо; к несчастью; к сожалению

unhappiness [ʌnˈhæpɪnɪs] *n* несчастье

unhappy [ʌnˈhæpɪ] *adj* грустный; несчастный; I am ~ with я недоволен

unharmed [ʌnˈhɑːmd] *adj* неповрежденный

unheard-of [ˈʌnˈhɜːdəv] *adj* неслыханный; неизвестный

unhelpful [ʌnˈhelpful] *adj* бесполезный

unhesitating [ʌnˈhezɪteɪtɪŋ] *adj* непоколебимый; решительный

unhinge [ʌnˈhɪndʒ] снимать с петель *(дверь и т.п.)*

unholy [ʌnˈhəʊlɪ] *adj* порочный; безобразный

unhook [ˈʌnˈhʊk] *vt* расстегивать крючки

unhurt [ʌnˈhɜːt] *adj* невредимый

unhygienic [ʌnhaɪˈdʒiːnɪk] *adj* негигиеничный

unicorn [ˈjuːnɪkɔːn] *n* единорог

unidentified [ˈʌnaɪˈdentɪfaɪd] *adj* неопознанный; анонимный; *see also UFO*

unification [juːnɪfɪˈkeɪʃən] *n (полит.)* объединение; унификация

uniform [ˈjuːnɪfɔːm] *n* форма ◇ *adj* единообразный; постоянный

uniformity [ˌjuːnɪˈfɔːmɪtɪ] *n* единообразие

unify [ˈjuːnɪfaɪ] *vt* объединять

unilateral [juːnɪˈlætərəl] *adj* односторонний

unimaginable [ʌnɪˈmædʒɪnəbl] *adj* невообразимый

unimaginative [ʌnɪˈmædʒɪnətɪv] *adj* лишенный воображения; прозаичный

unimpaired [ˈʌnɪmˈpeəd] *adj* непострадавший

unimportant [ˈʌnɪmˈpɔːtənt] *adj* неважный

uninhabited [ʌnɪnˈhæbɪtɪd] *adj* необитаемый

uninhibited [ʌnɪnˈhɪbɪtɪd] *adj* раскованный

uninjured [ʌnˈɪndʒəd] *adj* непострадавший

uninspiring [ʌnɪnˈspaɪərɪŋ] *adj* не вдохновляющий

unintelligent [ʌnɪnˈtelɪdʒənt] *adj* невежественный

unintentional [ʌnɪnˈtenʃənəl] *adj* неумышленный

unintentionally [ʌnɪnˈtenʃnəlɪ] *adv* неумышленно

uninvited [ʌnɪnˈvaɪtɪd] *adj* незваный

uninviting [ʌnɪnˈvaɪtɪŋ] *adj* неаппетитный, несоблазнительный; непривлекательный

union [ˈjuːnjən] *n* объединение; *(also:* trade ~) профсоюз ◇ *cpd* профсоюзный; the U~ Соединенные Штаты

unionize [ˈjuːnjənaɪz] *vt* объединять в профсоюзы

Union of Soviet Socialist Republics *n* Союз Советских Социалистических Республик

unique [juːˈniːk] единственный в своем роде, уникальный

unison [ˈjuːnɪzn] *муз.* унисон; согласие

unissued capital [ʌnˈɪʃuːd-] *n* невыпущенный акционерный капитал

unitary [ˈjuːnɪtrɪ] *adj* единичный

unit cost *n (комм.)* стоимость единицы продукции

unite [juːˈnaɪt] *vt* объединять ◇ *vi* объединяться

united [juːˈnaɪtɪd] *adj* объединенный; совместный

United Arab Emirates *npl*: the ~ ~ ~ Объединенные Арабские эмираты

United Kingdom *n* Соединенное Королевство

United Nations Organization *n* Организация Объединенных Наций

United States of America *n* Соединенные Штаты Америки

unit price *n (комм.)* цена за единицу, штучная цена

unity [ˈjuːnɪtɪ] *n* единство

universal [juːnɪˈvɜːsəl] всеобщий, всемирный; универсальный

universe [ˈjuːnɪvɜːs] *n* мир, вселенная

university [ˌjuːnɪˈvɜːsɪtɪ] университет

university degree *n* университетская степень

unjustifiable [ˈʌndʒʌstɪˈfaɪəbl] *adj* неоправданный

unjustified [ˈʌnˈdʒʌstɪfaɪd] *adj* неоправданный; невыравненный

unkempt [ʌnˈkempt] *adj* неопрятный; растрепанный

unkind [ˈʌnˈkaɪnd] *adj* злой; злобный

unkindly [ˈʌnˈkaɪndlɪ] *adv* недоброжелательно

unknown [ˈʌnˈnəʊn] *adj* неизвестный; ~ to me без моего ведома; ~ quantity *(мат.)* неизвестная величина; загадка

unladen [ˌʌnˈleɪdn] *adj* порожний; ~ **weight** вес порожняком

unlawful [ˈʌnˈlɔːfʊl] *adj* незаконный

unleaded petrol [ˈʌnˈledɪd-] *n* бензин не содержащий свинца

unleash [ˈʌnˈliːʃ] *vt* давать волю

unleavened [ˈʌnˈlevnd] *adj* пресный

unless [ʌnˈles] *conj* если не; ~ **he comes** если он не придет; ~ **otherwise stated** если не будут даны другие указания; ~ **I am mistaken** если я не ошибаюсь

unlettered [ˈʌnˈletəd] неграмотный

unlicensed [ʌnˈlaɪsnst] *adj* не имеющий лицензии на продажу спиртных напитков

unlike [ʌnˈlaɪk] *adj* непохожий ◇ *prep* в отличие от; **Russian is grammacally ~ English** с грамматической точки зрения русский не похож на английский

unlikelihood [ʌnˈlaɪklɪhud] *n* неправдоподобие

unlikely [ʌnˈlaɪklɪ] *adj* маловероятный; невероятный; **in the ~ event of** при маловероятном случае; **in the ~ event that...** в этом маловероятном случае, когда ...

unlimited [ʌnˈlɪmɪtɪd] *adj* неограниченный

unlisted [ˈʌnˈlɪstɪd] *adj (телеф.)* не включённый в телефонный справочник; не котирующийся

unlit [ʌnˈlɪt] *adj* неосвещенный

unload [ʌnˈləud] *vt* разгружать

unlock [ʌnˈlɔk] *vt* отпирать

unlooked-for [ʌnˈluktfɔː] неожиданный, непредвиденный

unlucky [ʌnˈlʌkɪ] *adj* невезучий; несчастливый; **he is ~** ему не везет

unmanageable [ʌnˈmænɪdʒəbl] *adj* трудноконтролируемый; неуправляемый

unmanned [ʌnˈmænd] не укомплектованный *(людьми и т.п.)*; ав. беспилотный

unmannerly [ʌnˈmænəlɪ] невоспитанный

unmarked [ʌnˈmɑːkt] *adj* чистый; ~ **police car** полицейская машина без опознавательных знаков

unmarried [ˈʌnˈmærɪd] *adj* неженатый, холостой; незамужняя

unmarried mother *n* мать-одиночка

unmask [ʌnˈmɑːsk] *vt* разоблачать

unmatched [ʌnˈmætʃt] *adj* непревзойденный

unmentionable [ʌnˈmenʃnəbl] *adj* запретный; неприличный

unmerciful [ʌnˈməːsɪful] беспощадный, немилосердный

unmistak(e)ably [ˈʌnmɪsˈteɪkəblɪ] *adv* явно

unmitigated [ʌnˈmɪtɪɡeɪtɪd] *adj* полный

unnamed [ʌnˈneɪmd] *adj* безымянный; не назвавший себя

unnatural [ʌnˈnætʃrəl] *adj* неестественный; противоестественный

unnecessarily [ʌnˈnesəsərɪlɪ] *adv* излишне

unnecessary [ʌnˈnesəsərɪ] *adj* излишний

unnerve [ˈʌnˈnəːv] *vt* тревожить

unnoticed [ʌnˈnəutɪst] *adj* незамеченный

unobservant [ˌʌnəbˈzəːvnt] *adj* ненаблюдательный

unobtainable [ˌʌnəbˈteɪnəbl] *adj:* **this book is ~** эту книгу нельзя достать; **this number is ~** этот номер не функционирует

unobtrusive [ˌʌnəbˈtruːsɪv] *adj* ненавязчивый; бесшумный

unoccupied [ˈʌnˈɔkjupaɪd] *adj (воен.)* незанятый

unofficial [ˌʌnəˈfɪʃl] *adj* неофициальный

unopened [ʌnˈəupənd] *adj* нераспечатанный; неоткрытый

unopposed [ˌʌnəˈpəuzd] *adj* не встретивший сопротивления

unorthodox [ʌnˈɔːθədɔks] *adj* неортодоксальный; *(рел.)* неортодоксальный

unpack [ʌnˈpæk] *vt* распаковываться ◇ *vi* распаковывать

unpaid [ʌnˈpeɪd] *adj* неоплаченный; неоплачиваемый; бесплатный

unpalatable [ʌnˈpælətəbl] *adj* невкусный; горький

unparalleled [ʌnˈpærəleld] *adj* несравнимый

unpatriotic [ˈʌnpætrɪˈɔtɪk] *adj* непатриотически настроенный; непатриотичный

unplanned [ʌnˈplænd] *adj* незапланированный

unpleasant [ʌnˈpleznt] *adj* неприятный

unplug [ʌnˈplʌɡ] *vt* отключать от сети

unpolluted [ʌnpəˈluːtɪd] *adj* незагрязненный

unpopular [ʌnˈpɒpjulə] *adj* непопулярный; **to make o.s. ~ (with)** терять популярность (у)

unprecedented [ʌnˈpresɪdəntɪd] *adj* беспрецедентный

unpredictable [ʌnprɪˈdɪktəbl] *adj* непредсказуемый

unprejudiced [ʌnˈpredʒudɪst] *adj* непредвзятый; непредубежденный

unprepared [ʌnprɪˈpeəd] *adj* неподготовленный

unprepossessing [ʌnˌpriːpəˈzesɪŋ] *adj* нерасполагающий

unpretentious [ˌʌnprɪˈtenʃəs] *adj* скромный, без претензий

unprincipled [ʌnˈprɪnsɪpld] *adj* беспринципный

unprintable [ˈʌnˈprɪntəbl] *adj* нецензурный

unproductive [ʌnprəˈdʌktɪv] *adj* неплодородный; непродуктивный; непроизводительный

unprofessional [ʌnprəˈfeʃənl] *adj* непрофессиональный

unprofitable [ʌnˈprɒfɪtəbl] *adj* невыгодный; бесполезный

unpromising [ʌnˈprɒmɪsɪŋ] не обещающий ничего хорошего

unprompted [ˈʌnˈprɒmptɪd] самопроизвольный

unprotected [ʌnprəˈtektɪd] *adj* незащищенный; **~ sex** секс без контрацептивов

unprovided [ˈʌnprəˈvaɪdɪd] не снабженный, не обеспеченный *(чем-л.; тж.* **~ for)***; the widow was left ~ for** вдова осталась без средств

unpublished [ˈʌnˈpʌblɪʃd] неопубликованный, неизданный

unqualified [ˈʌnˈkwɒlɪfaɪd] не имеющий квалификации; безоговорочный; **~ refusal** решительный отказ

unquenchable [ʌnˈkwentʃəbl] неутолимый, неугасимый; **~ fire** вечный огонь

unquestionably [ʌnˈkwestʃənəblɪ] *adv* бесспорно

unquestioning [ʌnˈkwestʃənɪŋ] *adj* беспрекословный

unquiet [ˈʌnˈkwaɪət] неспокойный

unravel [ʌnˈrævl] *vt* распутывать; разгадывать

unread [ʌnˈred] нечитанный *(о книге)*

unreal [ʌnˈrɪəl] *adj* нереальный; фантастический

unrealistic [ˈʌnrɪəˈlɪstɪk] *adj* нереалистичный

unreasonable [ʌnˈriːznəbl] *adj* неразумный; нереальный

unrecognizable [ʌnˈrekəɡnaɪzəbl] *adj* неузнаваемый

unrecognized [ʌnˈrekəɡnaɪzd] *adj (полит.)* непризнанный

unreconstructed [ˈʌnriːkənˈskrʌktɪd] *adj* неисправимый

unrecorded [ʌnrɪˈkɔːdɪd] *adj* незаписанный; незафиксированный

unrefined [ʌnrəˈfaɪnd] *adj* неочищенный; нерафинированный

unrehearsed [ʌnrɪˈhɜːst] *adj (театр.)* неотрепетированный; неподготовленный

unrelated [ʌnrɪˈleɪtɪd] *adj* отдельный; **to be ~** не оставлять в родстве

unrelenting [ʌnrɪˈlentɪŋ] *adj* неумолимый

unreliable [ʌnrɪˈlaɪəbl] *adj* ненадежный

unrelieved [ʌnrɪˈliːvd] *adj* невыносимый

unremitting [ʌnrɪˈmɪtɪŋ] *adj* неослабный

unrepeatable [ʌnrɪˈpiːtəbl] *adj* неповторимый; неприличный

unrepentant [ʌnrɪˈpentənt] *adj* нераскаявшийся

unrepresentative [ˈʌnreprɪˈzentətɪv] *adj*: **~ (of)** нетипичный *(для)*

unreserved [ʌnrɪˈzɜːvd] *adj* незабронированный; полный

unreservedly [ʌnrɪˈzɜːvɪdlɪ] *adv* полностью

unresponsive [ʌnrɪsˈpɒnsɪv] *adj* безразличный

unrest [ʌnˈrest] беспокойство, волнение; смута; беспорядки *мн.*

unrestrained [ˈʌnrɪsˈtreɪnd] необузданный, несдержанный; непринужденный

unrestricted [ʌnrɪˈstrɪktɪd] *adj* неограниченный; **to have ~ access to** иметь неограниченный доступ к

unrewarded [ʌnrɪˈwɔːdɪd] *adj* безуспешный

unripe [ʌnˈraɪp] *adj* незрелый

unrivalled [ʌnˈraɪvəld] не имеющий себе равного, непревзойденный

unroll [ʌnˈrəʊl] *vt* развертывать

unruffled [ʌnˈrʌfld] *adj* невозмутимый; гладкий

unruly [ʌnˈruːlɪ] непокорный; буйный; **~ locks** *перен.* непокорные кудри

unsafe [ʌnˈseɪf] *adj* опасный; ненадежный; рискованный; **~ to eat/drink** непригодный для еды/питья

unsaid [ʌnˈsed] *adj*: **to leave sth ~** не упоминать о чем-н.

unsatisfactory [ˈʌnsætɪsˈfæktərɪ] *adj* неудовлетворительный

unsatisfied [ʌnˈsætɪsfaɪd] *adj* неудовлетворенный

unsavoury [ʌnˈseɪvərɪ] *adj* сомнительный

unscathed [ʌnˈskeɪðd] *adj* невредимый

unscientific [ˈʌnsaɪənˈtɪfɪk] *adj* ненаучный

unscrew [ʌnˈskruː] *vt* отвинчивать

unscrupulous [ʌnˈskruːpjʊləs] *adj* бессовестный

unseat [ʌnˈsiːt] *vt* смещать

unsecured [ˈʌnsɪˈkjʊəd] *adj*: **~ creditor** незастрахованный кредитор; **~ loan** необеспеченный заем

unseemly [ʌnˈsiːmlɪ] *adj* непристойный

unseen [ʌnˈsiːn] *adj* невидимый; скрытый

unselfish [ʌnˈselfɪʃ] *adj* бескорыстный

unsettled [ʌnˈsetld] *adj* беспокойный; неясный; нерешенный; неустойчивый

unsettling [ʌnˈsetlɪŋ] *adj* тревожный

unshak(e)able [ʌnˈʃeɪkəbl] *adj* непоколебимый

unshaven [ʌnˈʃeɪvn] *adj* небритый

unsightly [ʌnˈsaɪtlɪ] *adj* неприглядный

unskilled [ʌnˈskɪld] *adj* неквалифици-

рованный

unsociable [ʌnˈsəʊʃəbl] *adj* необщительный; замкнутый

unsocial [ʌnˈsəʊʃl] *adj*: **~ hours** сверхурочные часы

unsold [ʌnˈsəʊld] *adj* непроданный

unsophisticated [ˌʌnsəˈfɪstɪkeɪtɪd] *adj* бесхитростный; простой

unsound [ʌnˈsaʊnd] *adj* нездоровый; **~ of mind** душевнобольной; испорченный, гнилой; необоснованный; ненадежный

unsparing [ʌnˈspeərɪŋ] беспощадный; расточительный; щедрый

unspeakable [ʌnˈspiːkəbl] *adj* отвратительный

unspoken [ʌnˈspəʊkn] *adj* невысказанный; молчаливый

unspotted [ˈʌnˈspɒtɪd] незапятнанный *(о репутации)*

unstable [ʌnˈsteɪbl] *adj* неустойчивый; нестабильный; неуравновешенный

unsteady [ʌnˈstedɪ] *adj* нетвердый; дрожащий; неустойчивый; шаткий

unstinting [ʌnˈstɪntɪŋ] *adj* огромный; бесконечный

unstop [ˈʌnˈstɒp] прочищать *(раковину и т.п.)*

unstressed [ˈʌnˈstrest] безударный *(звук, слог)*

unstrung [ˈʌnˈstrʌŋ] расшатанный *(о нервах)*

unstuck [ʌnˈstʌk] *adj*: **to come ~** отклеиваться; расстраиваться

unstudied [ˈʌnˈstʌdɪd] естественный, непринужденный

unsubstantiated [ˈʌnsəbˈstænʃɪeɪtɪd] *adj* неподтвержденный; необоснованный

unsuccessful [ʌnsəkˈsesful] *adj* безуспешный; посредственный; неудачный; **to be ~ in sth** терпеть неудачу в; **your application was ~** Ваше заявление не принято

unsuccessfully [ʌnsəkˈsesfəlɪ] *adv* безуспешно

unsuitable [ʌnˈsuːtəbl] *adj* неподходящий

unsuited [ʌnˈsuːtɪd] *adj*: **to be ~ for** *or* **to** не подходить для

unsung [ˈʌnsʌŋ] *adj* незамеченный

unsure [ʌnʃˈuə] *adj* неуверенный; **he is ~ of himself** он неуверен в себе

unsuspecting [ʌnsəsˈpektɪŋ] *adj* ничего не подозревающий

unsweetened [ʌnˈswiːtnd] *adj* неподслащенный

unswerving [ʌnˈswɜːvɪŋ] *adj* непоколебимый

unsympathetic [ˈʌnsɪmpəθetɪk] *adj* равнодушный; несимпатичный; **~ to** *or* **towards** равнодушный

untangle [ʌnˈtæŋgl] *vt* распутывать

untapped [ʌnˈtæpt] *adj* неиспользованный

untaught [ʌnˈtɔːt] *adj* необученный; невежественный; естественный, присущий

untaxed [ʌnˈtækst] *adj* не облагаемый налогом

unthinkable [ʌnˈθɪŋkəbl] *adj* немыслимый

unthinking [ʌnˈθɪŋkɪŋ] *adj* бездумный

untidy [ʌnˈtaɪdɪ] *adj* неопрятный; неаккуратный

untie [ʌnˈtaɪ] *vt* развязывать; отвязывать

until [ʌnˈtɪl] *prep* до ✧ *conj* пока не; **~ he comes** пока он не придет; **~ now/then** до сих/тех пор; **from morning ~ night** с утра до ночи

untimely [ʌnˈtaɪmlɪ] *adj* неподходящий; несвоевременный; безвременный

untold [ʌnˈtəʊld] *adj* нерассказанный; невыразимый; несметный

untouched [ʌnˈtʌtʃt] *adj* нетронутый; невредимый; **~ by** нетронутый

untoward [ʌntəˈwɔːd] *adj* скверный; отрицательный

untrained [ˈʌnˈtreɪnd] *adj* нетренированный

untrammelled [ʌnˈtræmld] *adj* раскованный

untranslatable [ˌʌntrænzˈleɪtəbl] *adj* непереводимый

untried [ʌnˈtraɪd] *adj* неиспытанный; не подвергавшийся суду

untrue [ʌnˈtruː] *adj* ложный

untrustworthy [ʌnˈtrʌstwɜːðɪ] *adj* ненадежный

unusable [ʌnˈjuːzəbl] *adj* непригодный

unused I [ʌnˈjuːzd] *adj* неиспользованный

unused II [ʌnˈjuːst] *adj*: **he is ~ to it** он к этому не привык; **she is ~ to flying** она не привыкла летать

unusual [ʌnˈjuːʒʊəl] *adj* необычный; редкий; необыкновенный

unusually [ʌnˈjuːʒʊəlɪ] *adv* необыкновенно

unutterable [ʌnˈʌtərəbl] *adj* невыразимый

unveil [ʌnˈveɪl] снимать покрывало; *перен.* раскрывать *(план и т.п.)*

unwanted [ʌnˈwɒntɪd] *adj* ненужный; нежеланный

unwarranted [ʌnˈwɒrəntɪd] *adj* необоснованный

unwary [ʌnˈweərɪ] *adj* неосторожный

unwavering [ʌnˈweɪvərɪŋ] *adj* твердый; непоколебимый; пристальный

unwelcome [ʌnˈwelkəm] *adj* непрошенный; неприятный; **to feel ~** чувствовать себя лишним

unwell [ʌnˈwel] *adj*: **to feel ~** чувствовать себя плохо; **he is ~** ему нездоровится, он нездоров

unwieldy [ʌnˈwiːldɪ] *adj* громоздкий

unwilling [ʌnˈwɪlɪŋ] *adj*: **to be ~ to do** не хотеть

unwillingly [ʌnˈwɪlɪŋlɪ] *adv* неохотно

unwind [ʌnˈwaɪnd] *irreg vt* разматывать ✧ *vi* расслабляться

unwise [ʌnˈwaɪz] *adj* неблагоразумный

unwished [ˈʌnˈwɪʃt] *adj* нежелательный

unwitting [ʌnˈwɪtɪŋ] *adj* невольный

unworkable [ʌnˈwɜːkəbl] *adj* неосуществимый

unworthy [ʌnˈwɜːðɪ] *adj* недостойный; **to be ~ of sth/to do** быть недостойным чего-н.; **that remark is ~ of you** Вам не пристало это говорить

unwrap [ʌnˈræp] *vt* разворачивать

unwritten [ʌnˈrɪtn] *adj* неписаный

unyielding [ʌnˈjiːldɪŋ] *adj* неподатливый; твердый, упорный

unzip [ʌnˈzɪp] *vt* расстегивать молнию

up [ʌp] **1.** *adv* наверх(у), вверх(у); *означает приближение:* **a boy came up** подошел мальчик; *указывает на истечение срока, завершение или результат действия:* **time is up** время истекло; **eat up** съесть; **save up** скопить ✧

up to вплоть до; **what is up?** в чем дело? **2.** *prep* вверх; **up the river** вверх по реке **3.** *а* идущий вверх; **up train** поезд, идущий в центр, в столицу **4.** *n*: **ups and downs** удачи и неудачи

up-and-coming [ʌpəndˈkʌmɪŋ] *adj* перспективный

upbeat [ˈʌpbiːt] *n* (*муз.*) слабая доля такта; (*экон.*) подъем ◇ *adj* оживленный

upbraid [ʌpˈbreɪd] *vt* упрекать

upbringing [ˈʌnbrɪŋɪŋ] *n* воспитание

upcoming [ˈʌpkʌmɪŋ] *adj* предстоящий, грядущий

up-country [ʌpˈkʌntrɪ] внутрь страны

update [ʌpˈdeɪt] *vt* вносить изменения и дополнения

upend [ʌpˈend] *vt* переворачивать (вверх ногами)

upfront [ʌpˈfrʌnt] *adj* открытый ◇ *adv* вперед

upgrade [ʌpˈgreɪd] *vt* модернизировать; усложнять; повышать в должности; (*комп.*) наращивать вычислительные возможности, модернизировать

upheaval [ʌpˈhiːvl] *n* переворот

uphill [ʌpˈhɪl] *adj* тяжелый ◇ *adv* вверх; в гору; **to go ~** подниматься в гору

uphold [ʌpˈhəuld] *vt* поддерживать

upholstery [ʌpˈhəulstərɪ] *n* обивка

upkeep [ˈʌpkiːp] *n* содержание

upland [ˈʌplənd] **1.** *а* нагорный **2.** *n* (*обыкн. pl*) гористая часть страны

uplift 1. *v* [ʌpˈlɪft] поднимать (*настроение*) **2.** *n* [ˈʌplɪft] духовный подъем

up-market [ʌpˈmɑːkɪt] *adj* дорогой; элитарный

upon [əˈpɒn] *prep* на

upper [ˈʌpə] *adj* верхний ◇ *n* верх

upper class *n*: **the ~~** высший класс

upper-class [ˈʌpəˈklɑːs] *adj* аристократический; элитарный

uppercut [ˈʌpəkʌt] *n* апперкот

upper hand *n*: **to have the ~~** контролировать

Upper House *n* Палата Лордов

uppermost [ˈʌpəməust] *adj* высший; **what was ~ in my mind** что больше всего занимало мои мысли

Upper Volta [-ˈvɒltə] *n* Верхняя Вольта, Буркина-Фасо

uppish [ˈʌpɪʃ] самодовольный

uppity [ˈʌpɪtɪ] *разг. см.* **uppish**

upraise [ʌpˈreɪz] поднимать; возвышать

upright [ˈʌpraɪt] *adj* прямой; вертикальный ◇ *n* вертикальная стойка

uprising [ˈʌpraɪzɪŋ] *n* восстание

uproar [ˈʌprɔː] *n* возмущение; шум

uproarious [ʌpˈrɔːrɪəs] *adj* хохочущий; ужасно смешной

uproot [ʌpˈruːt] *vt* вырывать с корнем; снимать с места

upset [ʌpˈset] *vt* опрокидывать; нарушать; расстраивать; оскорблять ◇ *n* нарушение; **to get ~** расстраиваться; оскорбляться; **to have a stomach ~** страдать расстройством желудка

upset price [ˈʌpset-] *n* низшая отправная цена на аукционе

upsetting [ʌpˈsetɪŋ] *adj* досадный

upshot [ˈʌpʃɒt] *n* результат; **the ~ of it all was that...** кончилось все тем, что...

upside down [ˈʌpsaɪd-] *adv* вверх ногами; вверх дном; **to turn a place ~~** перевернуть все вверх дном

upstage [ʌpˈsteɪdʒ] *vt* затмевать

upstairs [ʌpˈsteəz] *adv* наверху; наверх ◇ *adj* верхний ◇ *n* верхний этаж; **there's no ~** здесь нет верхнего этажа

upstanding [ˈʌpˈstændɪŋ] с прямой осанкой, здоровый

upstart [ˈʌpstɑːt] *n* выскочка

upstream [ˈʌpstriːm] вверх по течению

upsurge [ʌpˈsɜːdʒ]: **~ of anger** волна гнева

uptake [ˈʌpteɪk]: **he is quick in the ~** он быстро (медленно) соображает

uptight [ʌpˈtaɪt] *adj* натянутый

up-to-date [ˈʌptəˈdeɪt] *adj* последний; современный

upturn [ˈʌptɜːn] *n* подъем

upturned [ˈʌptɜːnd] *adj* курносый, вздернутый

upward [ˈʌpwəd] *adj:* ~ **movement/ glance** движение/взгляд вверх ◊ *adv* = **upwards**

upwardly mobile [ˈʌpwədlɪ-] *adj* преуспевающий; **a new ~~ generation** новое поколение преуспевающих людей

upwards [ˈʌpwədz] *adv* вверх; ~ **of** свыше

Ural Mountains [ˈjuərəl-] *npl:* **the ~~** *(also:* **the Urals)** Урал, Уральские горы

uranium [juəˈreɪnɪəm] *n* уран

Uranus [juəˈreɪnəs] *n* Уран

urban [ˈɜːbən] *adj* городской

urbane [ɜːˈbeɪn] *adj* учтивый

urbanization [ˌɜːbənaɪˈzeɪʃən] *n* урбанизация

urchin [ˈɜːtʃɪn] *n* беспризорник(-ица)

urge [ɜːdʒ] *n* потребность ◊ *vt:* **to ~ smb to do** настоятельно советовать кому-н.; **to ~ caution** советовать быть осторожным (-ой)

urgency [ˈɜːdʒənsɪ] *n* неотложность, безотлагательность; настойчивость

urgent [ˈɜːdʒənt] *adj* срочный; настойчивый

urgently [ˈɜːdʒəntlɪ] *adv* срочный

urge on *vt* подгонять

urinal [juəˈraɪnl] *n* мужской туалет

urinate [ˈjuərɪneɪt] *vi* мочиться

urine [ˈjuərɪn] *n* моча

urn [ɜːn] *n* урна; *(also:* **tea ~)** бак

Uruguay [ˈjuərəgwaɪ] *n* Уругвай

us [ʌs] *pron* нас; нам; нами; свой; **a few of ~ are going to the cinema** некоторые из нас идут в кино; *see also* **we**

USA *n abbr* США = *Соединенные Штаты Америки*

usable [ˈjuːzəbl] *adj* пригодный

usage [ˈjuːzɪdʒ] *n (линг.)* употребление

use [juːs] *vt* использовать; употреблять ◊ *n* использование, употребление; польза; применение; **she ~d to do it** она когда-то занималась этим; **what's this ~d for?** для чего это употребляется?; **to be ~d to** быть привычным(-ой) к; **to get ~d to** привыкать к; **to be in ~** употреблять-

ся; быть в употреблении; **to be out of ~** не употребляться; **to be of ~** быть полезным; **to make ~ of smth** использовать что-н.; **it's no ~** это бесполезно; **to have the ~ of** пользоваться

used I [juːzd] подержанный, старый; использованный

used II [juːst] *predic:* **get ~ *(to)*** привыкать; **I am ~ to** it я к этому привык

used III [juːst] *(в сочетании с инфинитивом для выражения повторного действия в прошлом):* **I ~ to walk there** я бывало гулял там; **the bell ~ to ring at one** звонок прежде звонил в час; **I ~ to eat breakfast there every day** я там в свое время завтракал каждый день

useful [ˈjuːsful] *adj* полезный; **to come in ~** пригодиться

usefulness [ˈjuːsfəlnɪs] *n* польза

useless [ˈjuːslɪs] *adj* непригодный; бесполезный

user [ˈjuːzə] *n* пользователь; потребитель

user-friendliness [ˈjuːzəˈfrendlɪnɪs] *n* проста в использовании

user-friendly [ˈjuːzəˈfrendlɪ] *adj* простой в использовании

use up *vt* бывший в употреблении; подержанный

usher [ˈʌʃə] *n* распорядитель ◊ *vt:* **to ~ smb into** проводить кого-н. в

usherette [ʌʃəˈret] *n* билетерша

USSR *n abbr* СССР = *Союз Советских Социалистических Республик*

usual [ˈjuːʒuəl] *adj* обычный; **as ~** как обычно

usually [ˈjuːʒuəlɪ] *adv* обычно

usurer [ˈjuːʒərə] *n* ростовщик

usurious [juːˈzjuərɪəs] *adj* ростовщический

usurp [juːˈzɜːp] *vt* узурпировать

usury [ˈjuːʒurɪ] *n* ростовщичество

utensil [juːˈtensl] *n* инструмент; **kitchen ~s** кухонные принадлежности

uterus [ˈjuːtərəs] *n* матка

utilitarian [juːtɪlɪˈteərɪən] *adj* утилитарный

utility [ju:'tılıtı] n полезность; **public utilities** коммунальные услуги

utility room n подсобная комната, подсобка (разг.)

utilization [ju:tılaı'zeıʃən] n утилизация

utilize ['ju:tılaız] vt утилизировать; находить применение

utmost ['ʌtməust] adj величайший ✧ n: **to do one's ~** делать все возможное; **of the ~ importance** величайшей важности

utter ['ʌtə] adj полный; глубокий; совершенный ✧ vt издавать; произносить

utterance ['ʌtrns] n высказывание

utterly ['ʌtəlı] adv совершенно

uttermost ['ʌtəmoust] см. utmost

Uzbek ['uzbek] n узбек; (линг.) узбекский язык ✧ adj узбекский

Uzbekistan [uzbekı'sta:n] n Узбекистан

V

V, v [vi:] n 22-ая буква английского алфавита

vacancy ['veıkənsı] n вакансия свободный номер; **"no vacansies"** "мест нет"; **have you any vacansies?** у Вас есть свободные номера? у Вас есть вакансии?

vacant ['veıkənt] adj свободный; отсутствующий; вакантный

vacant lot n пустырь; участок

vacate [vəket] vt освобождать

vacation [və'keıʃən] n отпуск; (просвещ.) каникулы; **to take a ~** брать отпуск; **on ~** в отпуске

vacation course n летние каникулы

vaccinate ['væksıneıt] vt: **to ~ smb (against smth)** делать прививку кому-н. (от чего -н.)

vaccination [væksı'neıʃən] n прививка

vaccine ['væksi:n] n вакцина

vacuum ['vækjuəm] n вакуум ✧ vt пылесосить

vacuum cleaner n пылесос

vacuum flask n термос

vacuum-packed ['vækjuəm'pækt] adj герметично упакованный

vagabond ['vægəbɔnd] n бродяга

vagary ['veıgərı] причуда, каприз

vagina [vədʒaınə] n влагалище

vagrancy ['veıgrənsı] n бродяжничество

vagrant ['veıgrənt] n бродяга

vague [veıg] adj смутный; неопределенный; рассеянный; уклончивый; **he was ~ about it** он не сказал ничего определенного об этом; **I haven't the ~st idea** я не имею ни малейшего представления

vaguely ['veıglı] adv неопределенно; рассеянно; смутно; **they were ~ amused** они слегка развеселились; **it looks ~ like yours** это немножко напоминает Вас

vagueness ['veıgnıs] n неопределенность

vain [veın] adj тщеславный; тщетный; **in ~** напрасно

vainly ['veınlı] adv тщетно

valance ['væləns] n подзор

valedictory [vælı'dıktərı] adj прощальный

valet ['vælıt] слуга, камердинер

valiant ['væljənt] adj отважный

valid ['vælıd] adj действительный; веский; убедительный

validate ['vælıdeıt] vt утверждать; подтверждать

valise [və'li:z] n саквояж

valley ['vælı] n долина

vallidity [və'lıdıtı] n действительность; вескость; убедительность

valour ['vælə] n доблесть

valuable ['væljuəbl] adj ценный; драгоценный

valuables ['væljuəblz] npl ценности

valuation [vælju'eıʃən] n оценка

value ['vælju:] n ценность ✧ vt оценивать; ценить; **~s** ценности; **you get good ~ (for money) in that shop** в этом магазине выгодно покупать; **to lose (in) ~** падать в цене; **to gain (in) ~** подниматься в цене; **to be of great ~ to smb** представлять для кого-н. большую ценность

value-added tax [vælju:'ædıd-] n налог на добавленную стоимость

valued ['vælju:d] adj ценный

valuer ['væljuə] n оценщик

valve [vælv] клапан; *радио* электронная лампа; *тех.* золотник; *attr.:* ~ **set** ламповый приемник

vamp I [væmp] *разг. 1. n* обольстительница, роковая женщина **2.** *v* завлекать; соблазнять

vamp II латать; чинить; *муз.* импровизировать аккомпанемент

vampire ['væmpaɪə] вампир

van I [væn] фургон; багажный *или* товарный вагон

van II авангард

vandal ['vændəl] *ист.* вандал; *перен.* хулиган

vandalism ['vændəlɪzm] *n* вандализм

vandalize ['vændəlaɪz] *vt* бессмысленно уродовать; бессмысленно разрушать

vane [veɪn] флюгер; лопасть; крыло *(ветряной мельницы)*

vanguard ['vængɑːd] авангард

vanilla [və'nɪlə] *n* ваниль

vanilla ice cream *n* сливочное мороженое

vanish ['vænɪʃ] *vi* исчезать

vanity ['vænɪtɪ] *n* тщеславие

vanity case *n* косметичка

vantage point ['vɑːntɪdʒ-] наблюдательный пункт; **from our 20th century ~~** с позиции нашего 20-го века

vapor *etc* = **vapour**

vaporize ['veɪpəraɪz] *vt* выпаривать ♢ *vi* испаряться

vapour ['veɪpə] пар; пары *мн.;* испарение

vapour trail *n (авиа.)* след самолета

varianble ['veərɪəbl] *adj* изменчивый; переменный ♢ *n* фактор *(мат.)* переменная

variance ['veərɪəns] *n:* **to be at ~ with** расходиться (с); противоречить

variant ['veərɪənt] *n* вариант

variation [veərɪ'eɪʃən] *n* изменение; вариация

varicose veins ['værɪkəus-] *npl* варикозное расширение вен

varied ['veərɪd] *adj* разнообразный

variegated ['veərɪgeɪtɪd] пестрый

variety [və'raɪətɪ] *n* разнообразие; разновидность; **a wide ~ of...** большое разнообразие; **for a ~ of reasons** по ряду причин

variety show *n (театр.)* варьете

various ['veərɪəs] *adj* различный; разный; **at ~ times** в разное время

varnish ['vɑːnɪʃ] *n* лак; *(also:* **nall ~)** лак для ногтей ♢ *vt* покрывать лаком; красить

vary ['veərɪ] *vt* вносить разнообразие в ♢ *vi* различаться; **to ~ with** меняться в зависимости от; **to ~ (according to** *or* **with)** меняться (в соответствии с)

varying ['veərɪŋ] *adj* различный

vascular ['væskjulə] *анат.* сосудистый

vase [vɑːz] *n* ваза

Vaseline ['væsɪliːn] *n* вазелин

vast [vɑːst] *adj* обширный; громадный; необъятный

vastly ['vɑːstlɪ] *adv* крайне

vastness ['vɑːstnɪs] *n* необъятность

VAT [væt] *n abbr* С налог на добавленную стоимость

vat [væt] *n* кадка

Vatican ['vætɪkən] *n:* **the ~** Ватикан

vaudeville ['vəudəvɪl] *n (театр.)* водевиль

vault I [vɔːlt] свод; подвал; склеп

vault II 1. *n* прыжок **2.** *v* прыгать

vaulting-horse ['vɔːltɪŋhɔːs] гимнастический конь

vaunted ['vɔːntɪd] *adj:* **much-~** восхваляемый

V-day ['viː'deɪ] День Победы *(во 2-й мировой войне)*

veal [viːl] телятина

veer [vɪə] менять направление, отклоняться

vegen ['viːgən] *n* вегетарианец, не употребляющий молочных продуктов ♢ *adj* растительный

vegeburger ['vedʒɪbəːgə] *n* вегетарианская котлета

vegetable ['vedʒtəbl] *n (бот.)* овощ ♢ *adj* растительный; овощной; **~ garden** огород

vegetarian [vedʒɪ'teərɪən] *n* вегетарианец(-анка) ♢ *adj* вегетарианский

vegetate ['vedʒɪteɪt] *vi* прозябать

vegetation [vedʒɪ'teɪʃən] *n* растительность

vegetative ['vedʒɪtətɪv] *adj* вегетативный; растительный

vehemence ['viːɪməns] *n* ярость

vehement ['vi:imənt] *adj* яростный; неистовый

vehicle ['vi:ikl] сухопутное транспортное средство *(экипаж, повозка, машина, автомобиль и т.п.)*; средство *(выражения, распространения и т.п.)*; хим. растворитель

veil [veil] 1. *n* покрывало; вуаль; *перен.*завеса 2. *v* покрывать покрывалом, вуалью; *перен.* завуалировать

veiled [veild] *adj* скрытый

vein [vein] *n* жилка; *(анат.)* вена; жила; тон

Velcro ['velkrəu] *n* липучка

vellum ['veləm] *n* веленевая бумага

velocity [vi'lɔsiti] *n* скорость

velvet ['velvit] *n* бархат ◊ *adj* бархатный

venal ['vi:nl] продажный, подкупный

vending machine ['vendiŋ-] *n* автомат по продаже сигарет, шоколада и т.п.

vendor ['vendə] *n* продавец; street ~ уличный(-ая) торговец(-вка)

veneer [vi'niə] фанера; налет, внешний лоск

venerable ['venərəbl] *adj* почтенный; древний; *(рел.)* преподобный

venereal disease [vi'niəriəl-] *n* венерическое заболевание

Venetian [vi'ni:ʃən] *adj* венецианский ◊ *n* венецианец(-анка)

Venetian blind *n* жалюзи

Venezuela [vene'zweilə] *n* Венесуэла

vengeance ['vendʒəns] *n* возмездие; with a ~ с лихвой

vengeful ['vendʒful] *adj* мстительный

Venice ['venis] *n* Венеция

venison ['venizn] *n* оленина

venom ['venəm] *n* яд; злоба

venomous ['venəməs] *adj* ядовитый; злобный

vent [vent] 1. *n* выход, отверстие; *перен.* выход; give ~ to one's feelings дать выход своим чувствам 2. *v* давать выход, изливать; ~ one's wrath upon smb. изливать гнев на кого-л.

ventilate ['ventileit] *vt* проветривать

ventilation [venti'leiʃən] *n* вентиляция

ventilation shaft *n* вентиляционная шахта

ventilator ['ventileitə] *n* *(тех.,мед.)* вентилятор

ventriloquist [ven'trilɔkwist] *n* чревовещатель(ница)

Venus ['vi:nəs] *n* Венера

veracity [və'ræsiti] *n* правдивость

veranda(h) [və'rændə] *n* веранда

verb [və:b] *n* глагол

verbal ['və:bl] *adj* устный; глагольный

verbally ['və:bəli] *adv* на словах

verbatim [və:'beitim] *adj* дословный ◊ *adv* дословно

verbiage ['və:biidʒ] многословие

verbose [və:'bous] многословный

verdant ['və:dənt] зеленый; ~ lawns зеленые газоны

verdict ['və:dikt] приговор

verdure ['və:dʒə] зелень, зеленая листва

verge [və:dʒ] 1. *n* край, грань, предел 2. *v* граничить; ~ on smth. граничить с чем-л.; it ~s on madness это граничит с безумием; приближаться *(к - to, towards)*

verge on *vt fus* граничить с

verger ['və:dʒə] *n (рел.)* церковный служитель

verification [verifi'keiʃən] *n* подтверждение; проверка

verify ['verifai] *vt* подтверждать; проверять

veritable ['veritəbl] *adj* настоящий

vermilion [və'miljən] 1. *a* ярко-красный 2. *n* киноварь

vermin ['və:min] хищное животное; крысы и мыши; *собир.* паразиты; *перен.* подонки; преступник(и); ~ous кишащий паразитами *(о людях, животных)*; *мед.* передаваемый паразитами *(о болезни)*

vermouth ['və:məθ] *n* вермут

vernacular [və'nækjulə] *n* национальный язык; местный диалект

versatile ['və:sətail] *adj* разносторонний; универсальный

versatility [və:sə'tiliti] *n* разносторонность; универсальность

verse [vɜːs] *n* стих; строфа; **in ~** в стихах

versed [vɜːst] *adj:* **(well-)~ in** сведущий в

version ['vɜːʃən] *n* вариант; версия

versus ['vɜːsəs] *prep* против

vertebra ['vɜːtibrə] *n (анат.)* позвонок

vertebrate ['vɜːtibrit] *n* позвоночное (животное)

vertical ['vɜːtikl] *adj* вертикальный ◊ *n* вертикаль

vertically ['vɜːtikli] *adv* вертикально

vertigo ['vɜːtigəu] *n* головокружение; **to suffer from ~** страдать от головокружений

verve [vɜːv] *n* воодушевление

very ['veri] *adv* очень ◊ *adj:* **the ~ book which** та самая книга, которая; **~ well/little** очень хорошо/мало; **thank you ~ much** большое спасибо; **~ much better** гораздо лучше; **I ~ much hope so** я очень надеюсь на это; **the ~ thought (of it) alarms me** сама мысль (об этом) пугает меня; **at the ~ end** в самом конце; **the ~ last** самый последний; **at the ~ least** как минимум

vespers ['vespəz] *npl (рел.)* вечерня

vessel ['vesl] *n (мор.)* судно; сосуд; *see also* **blood**

vest [vest] *n* майка; жилет; ◊ *vt:* **to ~ sb with sth, ~ sth in sb** наделять кого-н. чем-н.

vested interest ['vestid-] *n (комм.)* заинтересованность; **to have a ~~ in sth** быть заинтересованным(-ой) в чем-н.

vestibule ['vestibjuːl] *n* вестибюль

vestige ['vestidʒ] *n* след, признак

vestment ['vestmənt] *n (рел.)* риза

vestry ['vestri] *n* ризница

Vesuvius [vi'suːviəs] *n* Везувий

vet [vet] **1.** *n сокр. от* **veterinary surgeon 2.** *v разг.* подвергать медосмотру; просматривать (*рукопись и т.п.*)

veteran ['vetərən] *n* ветеран

veteran car *n* машина старой марки

veterinarian [vetri'neəriən] *n* ветеринар

veterinary ['vetrinəri] *adj* ветеринарный

veterinary surgeon *n* ветеринар

veto ['viːtəu] *n* вето ◊ *vt* налагать вето на; **to put a ~ on** налагать вето на

vetting ['vetiŋ] *n* проверка (на благонадежность)

vewlour [və'luə] *n* велюр

vex [veks] *vt* досаждать

vexed [vekst] *adj* досаждающий

via ['vaiə] *prep* через

viability [vaiə'biliti] *n* жизнеспособность

viable ['vaiəbl] *adj* конкурентоспособный; осуществимый

viaduct ['vaiədʌkt] *n* виадук

vial ['vaiəl] *n* пузырек; флакон

viands ['vaiəndz] *pl* яства, провизия

vibes [vaibz] *npl* флюиды

vibrant ['vaibrnt] *adj* полный жизни; яркий; сочный; насыщенный

vibraphone ['vaibrəfəun] *n* вибрафон

vibrate [vai'breit] *vi* вибрировать; отдаваться

vibration [vai'breiʃən] *n* вибрация

vibrator [vai'breitə] *n* вибратор

vicar ['vikə] *n (рел.)* священник

vicarage ['vikəridʒ] *n* дом священника

vice I [vais] *n* порок; зло; недостаток, дефект; норов (*у лошади*)

vice II тиски *мн.*

vice III ['vais] заместитель; вице-

vice-chairman [vais'tʃeəmən] *irreg n* заместитель председателя

vice chancellor *n* вице-канцлер

vice president *n* вице-президент

viceroy ['vaisrɔi] *n* королевский наместник

vice versa [vaisi'vɜːsə] *adv* наоборот

vicinity [vi'siniti] *n* соседство, близость; **in the ~ (of)** поблизости; округа; окрестности *мн.*

vicious ['viʃəs] *adj* порочный; злобный; злой (*о взгляде, словах*); ошибочный; дефектный; норовистый (*о лошади*) ◊ **~ circle** порочный круг

vicious circle *n* порочный круг

viciousness ['viʃəsnis] *n* злоба

vicissitudes [vi'sisitjuːdz] *npl* превратности

victim ['vɪktɪm] *n* жертва; **to be the ~ of** быть жертвой

victimization ['vɪktɪmaɪˈzeɪʃən] *n* преследование

victimize ['vɪktɪmaɪz] *vt* преследовать

victiry ['vɪktərɪ] *n* победа; **to win a ~ over sb** одержать победу над кем-н.

victor ['vɪktə] *n* победитель(ница)

Victoria Cross [vɪkˈtɔːrɪəˈkrɔs] Крест Виктории *высшая военная награда в Англии*

Victorian [vɪkˈtɔːrɪən] *n* викторианский

victorius [vɪkˈtɔːrɪəs] *adj* победоносный; победный

victual ['vɪtl] *(обыкн. pl)* провизия; **~ling** снабжение продовольствием

video ['vɪdɪəu] *cpd* видео ◇ *n (also: ~film)* видеофильм; *(also: ~cassette)* видеокассета; *(also: ~cassetee recorder)* видеомагнитофон; *(also: ~camera)* видеокамера

videodisc ['vɪdɪəudɪsk] *n* видеодиск

video game *n* видеоигра

videophone ['vɪdɪəufəun] *n* видеотелефон

video recorder *n* видеомагнитофон

video recording *n* видеозапись

video tape *n* видеолента

vie [vaɪ] *vi*: **to ~ with sb/for sth** соперничать с кем-н./в чем-н.

Vienna [vɪˈenə] *n* Вена

Vietnam ['vjetˈnæm] *n* Вьетнам

Vietnamese [vjetnəˈmiːz] *adj* вьетнамский ◇ *n* вьетнамец(мка); *(линг.)* вьетнамский язык

view [vjuː] *n* вид; взгляд ◇ *vt* рассматривать; оценивать; осматривать; **to be on ~** выставляться; **in full ~ (of)** на виду (у); **in ~ of the weather/the fast that** в виду плохой погоды/того, что; **in my ~** на мой взгляд; **an overall ~ of the situation** общая картина положения; **with a ~ to doing** с тем, чтобы

Viewdata ['vjuːdeɪtə] *n (комп.)* видеотекст; *(телеф.)* телекоммуникационная система, позволяющая клиентам делать заказы на товары или услуги прямо из дома

viewer ['vjuːə] *n* зритель

viewfinder ['vjuːfaɪndə] *n (фот.)* видеоискатель

viewpoint ['vjuːpɔɪnt] *n* точка зрения; место обозрения

vigil ['vɪdʒɪl] бодрствование

vigilance ['vɪdʒɪləns] *n* бдительность

vigilant ['vɪdʒɪlənt] *adj* бдительный

vigor ['vɪgə] *n* = **vigour**

vigorous ['vɪgərəs] *adj* мощный; сильный

vigour ['vɪgə] *n* сила; мощь

vile [vaɪl] *adj* гнусный; мерзкий; **~ language** сквернословие

vilify ['vɪlɪfaɪ] *vt* поносить

villa ['vɪlə] *n* вилла

village ['vɪlɪdʒ] *n* деревня

villager ['vɪlɪdʒə] *n* деревенский(-ая)

villain ['vɪlən] *n* негодяй; злодей; преступник

Vilnius ['vɪlnɪəs] *n* Вильнюс

vindicate ['vɪndɪkeɪt] *vt* доказывать правоту; оправдывать

vindication [vɪndɪˈkeɪʃən] *n*: **in ~ of sb/sth** в оправдание кого-н./чего-н.

vindictive [vɪnˈdɪktɪv] *adj* мстительный

vine [vaɪn] *n (бот.)* виноградная лоза; вьющееся растение; лиана

vinegar ['vɪnɪgə] *n* уксус

vineyard ['vɪnjəd] *n* виноградник

vintage ['vɪntɪdʒ] *n* сбор винограда; вино урожая определенного года; *attr.*: **a ~ wine** вино высшего качества; марочное вино

vintage car *n* машина старой марки

vintage wine *n* выдержанное вино

vinyl ['vaɪnl] *n* винил

viola [vɪˈəulə] *n (муз.)* альт

violate ['vaɪəleɪt] *vt* нарушать; осквернять

violation [vaɪəˈleɪʃən] *n* нарушение; **in ~ of** в нарушение

violence ['vaɪələns] *n* насилие; сила

violent ['vaɪələnt] *adj* жестокий; насильственный; яростный; **a ~ dislike of sb/sth** резкая неприязнь к кому-н./чему-н.

violently ['vaɪələntlɪ] *adv* сильно; очень

violet ['vaɪələt] *adj* фиолетовый ◇ *n* фиолетовый цвет; фиалка

V

violin [vaɪə'lɪn] n (муз.) скрипка

violinist [vaɪə'lɪnɪst] n скрипач

violoncello [ˌvaɪələn'tʃeləu] n виолончель

viper [ˈvaɪpə] n гадюка

virago [vɪˈrɑːɡəu] n сварливая женщина

virgin [ˈvɜːdʒɪn] n девственница; дева ◇ adj девственный; the Blessed V~ пресвятая дева Мария; Богородица

virgin birth n рождение от девственницы

virginity [vəˈdʒɪnɪtɪ] n девственность

Virgo [ˈvɜːɡəu] n дева; he is ~ он - Дева

virile [ˈvɪraɪl] adj обладающий мужской силой

virility [vɪˈrɪlɪtɪ] n мужская сила; мужественность

virtual [ˈvɜːtjuəl] adj фактический; (комп.) виртуальный; it's a ~ impossibility это практически or фактически невозможно

virtually [ˈvɜːtjuəlɪ] adv фактически; практически; it is ~ impossible это фактически or практически невозможно

virtual reality n система трехмерного телевидения

virtue [ˈvɜːtjuː] n добродетель; преимущество; достоинство; by ~ of благодаря

virtuosity [ˌvɜːtjuˈɒsɪtɪ] n виртуозность

virtuoso [ˌvɜːtjuˈəuzəu] n виртуоз

virtuous [ˈvɜːtjuəs] adj добродетельный

virulence [ˈvɪruləns] n ядовитость; смертельность; ненависть

virulent [ˈvɪrulənt] adj ядовитый; смертельный; полный ненависти

virus [ˈvaɪərəs] n (мед.) вирус

visa [ˈviːzə] n виза

vis-a-vis [ˌviːzɔˈviː] prep по отношению к

viscose [ˈvɪskəs] n вискоза

viscount [ˈvaɪkaunt] n виконт

viscous [ˈvɪskəs] adj вязкий

vise [vaɪs] n = vice

visibility [ˌvɪzɪˈbɪlɪtɪ] n видимость

visible [ˈvɪzəbl] adj видимый; очевидный; ~ exports/imports (экон.) видимый экспорт/импорт

visibly [ˈvɪzəblɪ] adv явно

vision [ˈvɪʒən] n зрение; предвидение; видение

visionary [ˈvɪʒənrɪ] n провидец

visit [ˈvɪzɪt] n посещение; пребывание ◇ vt идти or ходить в гости к; навещать; посещать; on a private/official ~ с частным/официальным визитом

visiting [ˈvɪzɪtɪŋ] adj приехавший по приглашению; ~ team команда гостей

visiting card n визитная карточка

visiting hours npl часы посещения

visiting professor n профессор, приехавший по приглашению

visitor [ˈvɪzɪtə] n гость(я); посетитель(ница); приезжий(-ая)

visitors' book [ˈvɪzɪtəz-] n книга посетителей

visor [ˈvaɪzə] n козырек (фуражки); ист. забрало

vista [ˈvɪstə] n перспектива

Vistula [ˈvɪstjulə] n: the ~ Висла

visual [ˈvɪzjuəl] adj зрительный

visual aid n (просвещ.) наглядное пособие

visual display unit n (комп.) устройство визуального изображения or дисплей

visualize [ˈvɪzjuəlaɪz] vt представлять мысленно; представлять себе

visually [ˈvɪzjuəlɪ] adv: ~ appealing привлекательный на вид

vital [ˈvaɪtl] adj жизненно необходимый; живой; жизнеспособный; жизненно важный; of ~ importance (to sb/sth) жизненно важно (для кого-н./чего-н.)

vitality [vaɪˈtælɪtɪ] n живость

vitally [ˈvaɪtəlɪ] adv: ~ important жизненно важный

vital statistics npl габариты; демографическая статистика

vitamin [ˈvɪtəmɪn] n витамин

vitiate [ˈvɪʃɪeɪt] vt портить; to ~ sb's efforts сводить на нет чьи-н. усилия

vitreous [ˈvɪtrɪəs] adj стекловидный

vitriol [ˈvɪtrɪəl] n купорос

vitriolic [vɪtrɪˈɒlɪk] adj ядовитый; злобный

vituperat||ion [vɪˌtjuːpəˈreɪʃən] брань, поношение; ~ive [-ˈtjuːpərətɪv]

бранный, ругательный

viva (voce) ['vaɪvə('vəʊsɪ)] *n (просвещ.)* устный экзамен

vivacious [vɪ'veɪʃəs] *adj* живой

vivacity [vɪ'væsɪtɪ] *n* живость

vivid ['vɪvɪd] *adj* яркий; отчетливый; живой

vividly ['vɪvɪdlɪ] *adv* в живых деталях; отчетливо

vivisection [vɪvɪ'sekʃən] *n* вивисекция

vixen ['vɪksn] *n* самка лисицы; мегера

viz [vɪz] *abbr* а именно

Vladivostok [vlædɪ'vɒstɒk] *n* Владивосток

VOA *n abbr* "Голос Америки"

vocabulary [və'kæbjʊlərɪ] *n* словарный запас

vocal ['vəʊkl] *adj* вокальный; звучный; **to be ~ for/against** поднять голос в пользу/против

vocal cords *npl* голосовые связки

vocalist ['vəʊkəlɪst] *n* вокалист

vocals ['vəʊklz] *npl (муз.)* вокальная партия

vocation [vəʊ'keɪʃən] *n* призвание

vocational [vəʊ'keɪʃənl] *adj* профессиональный

vociferous [və'sɪfərəs] *adj* громогласный

vodka ['vɒdkə] *n* водка

vogue [vəʊg] *n* мода; **in ~** в моде

voice [vɔɪs] *n* голос ◊ *vt* высказывать; **in a loud/soft ~** громким/тихим голосом; **to give ~ to sth** выражать что-н.

voiceless ['vɔɪslɪs] безгласный, немой; *фон.* глухой

voice over ['vɔɪsəʊvə] *n* голос за кадром

void [vɔɪd] *n* пустота; пробел ◊ *adj* недействительный; **~ of** лишенный

voile [vɔɪl] *n* вуаль

vol *abbr* = **volume** т.= *том*

volatile ['vɒlətaɪl] *adj* изменчивый; летучий

volcanic [vɒl'kænɪk] *adj* вулканический

volcano [vɒl'keɪnəʊ] *n* вулкан

Volga ['vɒlgə] *n:* **the ~** Волга

Volgograd ['vɒlgəgræd] *n* Волгоград

volition [və'lɪʃən] *n:* **of one's own ~** по своей воле

volley ['vɒlɪ] *n* залп; град; поток; *(теннис)* удар с лета

volleyball ['vɒlɪbɔːl] *n (спорт.)* волейбол

volt [vəʊlt] *n (элек.)* вольт

voltage ['vəʊltɪdʒ] *n (элек.)* напряжение; **high/low ~** высокое/низкое напряжение

volte-face ['vɒlt'fɑːs] *n inv* резкая перемена

voluble ['vɒljʊbl] *adj* многословный

volume ['vɒljuːm] *n* объем; количество; том; громкость; **~ one/two** том первый/второй; **his expression spoke ~s** выражение его лица говорит красноречивее всяких слов

volume control *n (радио, тел.)* громкость

voluminous [və'luːmɪnəs] *adj* просторный; пространный

voluntarily ['vɒləntrɪlɪ] *adv* добровольно

voluntary ['vɒləntərɪ] *adj* добровольный; общественный

voluntary liquidation *n (комм.)* добровольная ликвидация

voluntary redundancy *n* увольнение по собственному желанию

volunteer [vɒlən'tɪə] *n* добровольный помощник; доброволец ◊ *vt* предлагать ◊ *vi* идти добровольцем; **to ~ to do** вызываться

voluptuous [və'lʌptjʊəs] *adj* сладострастный

vomit ['vɒmɪt] *n* рвота ◊ *vi:* **he ~ed** его вырвало; **she began to ~** ее начало рвать

voracious [və'reɪʃəs] *adj* жадный; **he is a ~ reader** он с жадностью читает

vote [vəʊt] *n* голосование; голос; право голоса ◊ *vi* голосовать ◊ *vt:* **he was ~d chairman** он был избран председателем; **to ~ that** предлагать, чтобы; **to put sth to the ~, take a ~ on sth** ставить что-н. на голосование; **~ of censure** выражение порицания; **~ of thanks** благодарственная речь; **to pass a ~ of confidence/no confidence** выражать вотум доверия/недоверия; **to ~ for** *or* **in favour of/against** голосовать за/против; **to ~ Labour** голосовать за Лейбористскую партию

voter ['vəutə] *n* избиратель

voting ['vəutɪŋ] *n* голосование

voting paper *n* избирательный бюллетень

voting right *n* право голоса

vouch [vautʃ] *vt fus:* **to ~ for** ручаться за

voucher ['vautʃə] *n (also:* **luncheon ~)** талон на обед; ваучер; расписка

vow [vau] *n* клятва ◇ *vt:* **to ~ to do/that** клясться, что; **to take** *or* **make a ~ to do** давать обет

vowel ['vauəl] *n (линг.)* гласный

voyage ['vɔɪdʒ] *n* плавание; полет

voyeurism [vwæːjəˈrɪzəm] *n* процесс созерцания других людей во время полового акта

voyeur [vɑːjɜː] *n человек, получающий сексуальное удовольствие от тайного созерцания людей во время полового акта*

V-sign ['viːsaɪn] *n* грубый жест; знак победы

vulgar ['vʌlgə] *adj* вульгарный; пошлый

vulgarity [vʌlˈgærɪtɪ] *n* вульгарность; пошлость

vulnerability [vʌlnərəˈbɪlɪtɪ] *n* уязвимость; ранимость

vulnerable ['vʌlnərəbl] *adj* уязвимый; ранимый; **to be ~ to sth** подверженный чему-н.

vulture ['vʌltʃə] *n* стервятник

vulva ['vʌlvə] *n* вульва

W

W,w ['dʌblju:] *n 23-ая буква английского алфавита*

wad [wɔd] *n* комок; пачка

wadding ['wɔdɪŋ] *n* упаковочный материал

waddle ['wɔdl] *vi* ходить/идти в перевалку

wade [weɪd] *vi:* **to ~ through** пробираться через; одолевать

wait [weɪt] *vi* ждать ◇ *n:* **we had a long ~ for the bus** мы долго ждали автобуса; **to keep sb ~ing** заставлять кого-н. ждать; **I can't ~ to go home/meet my new boss** мне не терпится пойти домой/встретиться с моим новым начальником; **to ~ for sb/sth** ждать кого-н./чего-н.; **~ a minute!** подождите минутку!; "**repairs while you ~**" "ремонт в присутствии заказчика"; **to lie in ~ for** поджидать

wafer ['weɪfə] *n* вафли

wafer-thin ['weɪfəˈθɪn] *adj* тончайший

waffle ['wɔfl] *n (кулин.)* вафля; треп ◇ *vi* трепаться

waffle iron *n* вафельница

waft [wæft] *vt* доносить ◇ *vi* доноситься

wag I [wæg] **1.** *n* взмах **2.** *v* махать

wag II шутник

wag(g)on ['wægən] *n* повозка; товарный вагон

wage I [weɪdʒ] **~ war** вести войну

wage II ['weɪdʒ] *(обыкн. pl)* заработная плата **~-cut** [-kʌt] снижение зарплаты

wage claim *n* требование увеличения заработной платы

wage earner [-ɜːnə] *n* лицо, работающее по найму; кормилец

wage freeze *n* замораживание заработной платы

wage packet *n* конверт с зарплатой

wager ['weɪdʒə] *n* пари ◇ *vt* ставить на карту

waggish ['wægɪʃ] шаловливый, игривый

waggle ['wægl] *vt* шевелить ◇ *vi* покачиваться

wagon-lit ['vægɔːŋliː] *фр.* спальный вагон

waif [weɪf] беспризорный ребенок, заблудившееся домашнее животное

wail [weɪl] оплакивать, причитать, выть

waist [weɪst] *n* талия

waistcoat ['weɪskəut] *n* жилет

waistline ['weɪstlaɪn] *n* линия талии

wait behind *vt* задерживаться

waiter ['weɪtə] *n* официант

waiting ['weɪtɪŋ] *n:* "**no ~**" *(авт.)* "остановка запрещена"

waiting list *n* список очередников

waiting room *n* приемная; зал ожидания

wait on *vt fus* обслуживать

waitress ['weɪtrɪs] *n* официантка

wait up *vi:* don't ~ up for me не ждите меня, ложитесь спать

waive ['weɪv] *vt* отменять

waiver ['weɪvə] *n* отказ

wake I [weɪk] *мор.* кильватер ◇ in the ~ of по пятам, по следам; вслед

wake II ['weɪk] просыпаться; пробуждаться, будить; ~ ful бодрствующий, бессонный; бдительный

Wales [weɪlz] *n* Уэльс; the Prince of ~ принц Уэльский

walk [wɔːk] *n* поход; прогулка; походка; дорожка, тропа ◇ vi ходить/идти (пешком); гулять ◇ vt проходить; выгуливать; **10 minutes' ~ from here** в 10-ти минутах ходьбы отсюда; **to go for a ~** ходить/идти гулять *or* на прогулку; **at a quick ~** быстрым шагом; **to ~ in one's sleep** ходить во сне; **I'll ~ you home** я провожу Вас домой; **people from all ~s of life** люди из всех слоев общества

walkabout ['wɔːkəbaut] *n:* to go (on a) ~ прохаживаться мимо толпы

walk cut *vi* демонстративно покидать зал; бастовать

walker ['wɔːkə] *n* турист(ка)

walkie-talkie ['wɔːkɪ'tɔːkɪ] *n* переносная рация

walking ['wɔːkɪŋ] *n* ходьба; **to be fond of ~** любить ходить (пешком); **the university is within ~ distance** до университета можно дойти пешком

walking boots *npl* ботинки для ходьбы

walking holiday *n* поход

walking stick *n* трость

Walkman ['wɔːkmən] *n* плейер

walk-on ['wɔːkɒn] *adj:* ~ part второстепенная роль

walkout ['wɔːkaut] *n* забастовка

walk out on *vt fus* бросить

walkover ['wɔːkəuvə] *n* легкая победа

walkway ['wɔːkweɪ] *n* пешеходная дорожка

wall [wɔːl] *n* стена; **to go to the ~** терпеть крах

wall cupboard *n* встроенный шкаф

walled [wɔːld] *adj* окруженный крепостной стеной, обнесенный стеной

wallet ['wɒlɪt] *n* бумажник

wall-eyed ['wɔːlaɪd] с бельмом на глазу

wallflower ['wɔːlflauə] *n* желто-фиоль; **to be a ~** быть незаметным

wall hanging *n* настенный ковер

wall in *vt* обносить стеной

wallop ['wɒləp] *vt* дубасить

wallow ['wɒləu] *vi* валяться; барахтаться; упиваться; **to ~ in one's grief** упиваться своим горем

wallpaper ['wɔːlpeɪpə] *n* обои ◇ vt оклеивать обоями

Wall Street ['wɔːl'striːt] Уолл-стрит *(улица в ю-Йорке - центр финансовой жизни США, синоним американской финансовой олигархии)*

wall-to-wall ['wɔːltə'wɔːl] *adj:* ~ carpeting ковровое покрытие для всей площади пола

wally ['wɒlɪ] *n* дурачок

walnut ['wɔːlnʌt] *n* грецкий орех; ореховое дерево; орех

walrus ['wɔːlrəs] *n* морж

waltz [wɔːls] *n* вальс ◇ vi вальсировать, танцевать вальс

wan [wɒn] *adj* изнуренный; ~ complexion болезненная бледность

wand [wɒnd] *n (also: magic ~)* волшебная палочка

wander ['wɒndə] *vi* бродить; блуждать; извиваться ◇ vt бродить по

wanderer ['wɒndərə] *n* странник; скиталец

wandering ['wɒndərɪŋ] *adj* кочевой; бродячий; извилистый; блуждающий

wane [weɪn] *vi* убывать; ослабевать

wangle ['wæŋgl] vt пробивать; добиваться

wanker ['wæŋkə] n мудак

want [wɔnt] vt хотеть нуждаться в ◇ n: **for ~ of** за недостатком; **~s** npl нужды; **to ~ to do** хотеть; **I ~ you to apologize** я хочу, чтобы Вы извинились; **you're ~ed on the phone** Вас к телефону; **a ~ of foresight** отсутствие предвидения

wanted ['wɔntɪd] adj разыскиваемый; **"cook ~"** "требуется повар"

wanting ['wɔntɪŋ] adj: **he was found ~** он оказался не на высоте положения; **he is ~ in common sense** ему не достает здравого смысла

wanton ['wɔntən] adj беспричинный; распутный

war [wɔː] n война; **go to go ~** вступать в войну; **to be at ~ with** воевать с; **to declare ~ (on)** объявлять войну

warble ['wɔːbl] n трель ◇ vi издавать трели

war crime n военное преступление

war cry n боевой клич

ward I [wɔːd] опека; **be in ~** находиться под опекой; опекаемый, подопечный

ward II ['wɔːd] палата (в больнице); камера (в тюрьме); административный район города; **~en [-n]** уполномоченный по охране (чего-л.); ректор (в некоторых английских колледжах); начальник тюрьмы; церковный староста **~ er** тюремщик

warden ['wɔːdn] n смотритель; начальник; комендант; ректор; (also: **traffic ~**) инспектор ГАИ

warder ['wɔːdə] n надзиратель, тюремщик

ward off vt отражать; отвращать

wardrobe ['wɔːdrəub] n платяной шкаф, гардероб; (кино, театр.) костюмерная

wardroom ['wɔːdrum] n офицерская кают-компания

warehouse ['weəhaus] n склад

wares [weəz] npl товары

warfare ['wɔːfeə] n военные или боевые действия

war game n военная игра

warhead ['wɔːhed] n боеголовка

warily ['weərɪlɪ] adv осторожно, насторожённо

warlike ['wɔːlaɪk] adj воинственный

warm [wɔːm] adj тёплый; горячий; сердечный; **it's ~ today** сегодня тепло; **I'm ~** мне тепло; **to keep sth ~** держать что-н. в тепле; **with my ~est thanks** с горячей или сердечной благодарностью; **please accept my ~est congratulations** примите мои сердечные поздравления

warm-blooded ['wɔːm'blʌdɪd] adj теплокровный

war memorial n военный обелиск

warm-hearted [wɔːm'hɑːtɪd] adj сердечный

warmly ['wɔːmlɪ] adv тепло

warmonger ['wɔːmʌŋgə] n поджигатель(ница) войны

warmongering ['wɔːmʌŋgrɪŋ] n разжигание войны

warmth [wɔːmθ] n тепло

warm up vi согреваться; разминаться; нагреваться ◇ vt разогревать; подогревать; **the weather ~ed up** на улице потеплело

warm-up ['wɔːmʌp] n разминка

warn [wɔːn] vt: **to ~ sb (not) to do/of/that** предупреждать кого-н. (не) /о/что

warning ['wɔːnɪŋ] n предупреждение; **without (any) ~** неожиданно; без предупреждения; **gale ~** штормовое предупреждение

warning light n предупредительный световой сигнал

warning triangle n аварийный треугольник (знак, предупреждающий о том, что стоящая на дороге машина сломана)

warp [wɔːp] vi коробиться ◇ vt коверкать ◇ n основа

warpath ['wɔːpɑːθ] n: **he is on the ~** он настроен воинственно

warped [wɔːpt] adj покоробленный; исковерканный

warrant ['wɔrənt] **1.** n оправдание (чего-л.); **he had no ~ for saying that** он не имел права так говорить; ордер *(на арест)*; гарантия, подтверждение **2.** *v* оправдывать; **what I said didn't ~ sush a rude answer** мои слова не давали повода для столь грубого ответа; гарантировать

warrant officer *n (воен.)* старшина; *(мор.)* мичман

warranty ['wɔrənti] *n* гарантия; **under ~** с гарантией; **the car was still under ~** у машины еще не истек гарантийный срок

warren ['wɔrən] *n* место, где водятся кролики; лабиринт

warring ['wɔːriŋ] *adj* воюющий; непримиримый

warrior ['wɔriə] *n* воин

Warsaw ['wɔːsɔː] *n* Варшава

warship ['wɔːʃip] *n* военный корабль

wart [wɔːt] *n* бородавка

wary ['weəri] *adj* осторожный; настороженный; **to be ~ about** *or* **of sth** относиться к чему-н. настороженно; **to be ~ about doing** остерегаться

was [wɔz] *(полная форма)*, [wəz] *(редуцированная форма) past sing* **be**

wash [wɔʃ] *n* мытье; стирка; режим стирки; пенистый след ◇ *vt* мыть; стирать; умывать; смывать ◇ *vi* мыться; **to ~ over sth** перекатываться через что-н.; **to have ~** помыться; **to give sth a ~** помыть что-н.; постирать что-н.; **the sea ~ed the body ashore** море вынесло тело на берег; **he was ~ed overboard** его смыло волной за борт

washable ['wɔʃəbl] *adj* моющийся; **acrylic blankets are ~** акриловые одеяла можно стирать

wash away *vt* смывать

washbasin ['wɔʃbeisn] *n* (умывальная) раковина

washbowl ['wɔʃbəul] *n* (умывальная) раковина

washcloth ['wɔʃklɔθ] *n* салфетка для лица *(из махровой ткани)*

wash down *vt* мыть; запивать

washed-out ['wɔʃ'aut] вылинявший, полинявший *перен. разг.* бледный; утомленный

washer ['wɔʃə] *n (тех.)* шайба

washerwoman ['wɔʃə,wumən] прачка

washing ['wɔʃiŋ] *n* стирка; стираные вещи

washing line *n* бельевая веревка

washing machine *n* стиральная машина

washing powder *n* стиральный порошок

Washington ['wɔʃiŋtən] *n* Вашингтон

washing-up ['wɔʃiŋ'ʌp] *n* (грязная посуда); **to do the ~** мыть посуду

wash-leather ['wɔʃ,leðə] моющаяся замша

wash off *vi* отмываться; отстирываться

wash-out ['wɔʃ'aut] *разг.* неудачник, полная неудача

washroom ['wɔʃrum] *n* уборная

wash-stand ['wɔʃstænd] *n* умывальник

wash up *vi* мыть посуду; мыться

wasp [wɔsp] *n* оса

waspish ['wɔspiʃ] *adj* раздражительный

wastage ['weistidʒ] *n* растрата; убыток; **natural ~** естественная убыль

waste [weist] *n* растрата; отходы; *(also:* **household ~)** домашние отбросы; излишек ◇ *adj* бракованный; излишний; отработанный; *(also:* **~land)** пустырь ◇ *vt* растрачивать; **~s** *npl* пустыня; **it's a ~ of money/time** это пустая трата денег/времени; **to go to ~** пропадать; **to lay ~** уничтожать; **~ paper** использованная бумага

waste away *vi* истощать себя

waste disposal unit *n* устройство для удаления отходов *(в кухонной раковине)*

wasteful ['weistful] *adj* расточительный; неэкономный

waste ground *n* пустырь

wasteland ['weistlænd] *n* пустошь; пустырь; пустыня

wastepaper basket ['weistpeipə-] *n* корзина для (ненужных) бумаг

waste pipe *n* сливная труба

waste products *npl* отходы производства

waster ['weistə] *n* бездельник

watch I [wɔtʃ] карманные *или* ручные часы

watch II [wɔtʃ] **1.** *n* стража, караул *мор.* вахта; ◇ keep ~ быть настороже; караулить **2.** *v* следить, наблюдать, смотреть; подстерегать, выжидать; сторожить

watchdog [ˈwɔtʃdɔg] *n* сторожевая собака; наблюдатель

watchful [ˈwɔtʃul] *adj* бдительный

watchmaker [ˈwɔtʃmeikə] *n* часовщик

watchman [ˈwɔtʃmən] *n* ночной сторож

watch out *vi* остерегаться

watchstrap [ˈwɔtʃstræp] *n* ремешок для часов

watchword [ˈwɔtʃwəd] *n* лозунг

water [ˈwɔːtə] *n* вода ◇ *vt* поливать ◇ *vi* слезиться; a glass of ~ стакан воды; in British ~s в британских водах; to pass ~ мочиться; my mouth is ~ing у меня текут слюнки

water biscuit *n* галета

water cannon *n* брандспойт

water closet *n* туалет

watercolour [ˈwɔːtəkʌlə] *n* акварель; ~s *npl* акварельные краски

water-cooled [ˈwɔːtəkuːld] *adj* с водяным охлаждением

watercress [ˈwɔːtəkres] *n* кресс водяной

waterfall [ˈwɔːtəfɔːl] *n* водопад

waterfront [ˈwɔːtəfrʌnt] *n* набережная; береговая линия; район порта

water heater *n* кипятильник

water hole *n* источник *(для водопоя в пустыне)*

water ice *n* фруктовое мороженое

watering can [ˈwɔːtəriŋ] *n* лейка

water level *n* уровень

water lily *n* кувшинка

waterline [ˈwɔːtəlain] *n (мор.)* ватерлиния

waterlogged [ˈwɔːtəlɔgd] *adj* заболоченный; затопленный

water main *n* водопроводная магистраль

watermark [ˈwɔːtəmaːk] *n* водяной знак; отметка уровня воды

watermelon [ˈwɔːtəmelən] *n* арбуз

waterproof [ˈwɔːtəpruːf] *adj* непромокаемый

water-repellent [ˈwɔːtəriˈpelənt] *adj* водоотталкивающий

watershed [ˈwɔːtəʃed] *n* водораздел

water sotener *n* средство для смягчения воды

water tank *n* резервуар для воды; бак для воды

watertight [ˈwɔːtətait] *adj* водонепроницаемый; неопровержимый; веский; ясный; правдоподобный

water vapour *n* (водяной) пар

waterway [ˈwɔːtəwei] *n* водный путь; ватервейс

waterworks [ˈwɔːtəwəːks] *n* гидротехническое сооружение; *(анат.)* почки

watery [ˈwɔːtəri] *adj* водянистый; слезящийся

watt [wɔt] *n* ватт

wattage [ˈwɔtidʒ] *n* мощность в ваттах

wattle [ˈwɔtl] *n* плетень

wattle and daub *n* прутья и глина *(материал для постройки мазанки)*

wave [weiv] *n* волна; взмах; завивка ◇ *vi* махать; качаться; волноваться; развиваться ◇ *vt* махать; размахивать; завивать; short/medium/long ~ короткие/средние/длинные волны; the new ~ *(кино, муз.)* новая волна; he ~d us over to his table он знаком подозвал нас к своему столу; to ~ goodbye to sb махать кому-н. на прощание

wave aside *vt* отстранять; отмахиваться от

wave away *vt* = wave aside

waveband [ˈweivbænd] *n* диапазон волн

wavelength [ˈweivleŋθ] *n (радио)* длина волны; they are on the same ~ они одинаково смотрят на вещи

waver [ˈweivə] *vi* дрогнуть; колебаться

wavy [ˈweivi] *adj* волнистый

wax I [ˈwæks] прибывать *(о Луне)*; делаться, становиться

wax II *разг.* приступ гнева

wax III ['wæks] **1.** *n* воск **2.** *a* восковой **3.** *v* вощить

wax [wæks] *n* воск; мазь; сургуч; сера ◇ *vt* вощить; натирать воском; мазать мазью ◇ *vi* прибывать

waxed [wækst] *adj* вощеный

waxen ['wæksən] *adj* восковой; ~ **complexion** восковой цвет лица

waxworks ['wækswə:ks] *npl* восковые фигуры ◇ *n* галерея восковых фигур

way [weɪ] *n* путь; дорога; способ; привычка; **which ~?- this ~** куда? - сюда; **is it a long ~ from here?** это далеко отсюда?; **which ~ do we go now?** куда нам теперь идти?; **on the ~** по пути *or* дороге; **to be on one's ~** быть в пути; **I'd better be on my ~** мне уже пора идти; **to fight one's ~ through a crowd** продираться сквозь толпу; **to lie one's ~ out of the situation** выходить из положения за счет лжи; **to keep out of sb's ~** держаться от кого-н. подальше; **it's a very long ~ away** это очень далеко; **the village is rather out of the ~** деревня находится довольно далеко в стороне; **to go out of one's ~ to do** стараться изо всех сил; **to be in sb's ~** стоять на чьей-н. дороге; **to be in the ~** мешать; **to lose one's ~** заблудиться; **the plan is under ~** план осуществляется; **to make ~ (for sb/sth)** уступать место (кого -н./ чему-н.); **to get one's own ~** делать по-своему; **to put sth the right ~ up** ставить что-н. как надо *or* правильно; **to be the wrong ~ round** быть задом наперед; **he's in a bad ~** его дела плохи; **that's a funny ~ to show your affection** эта странная манера выражать свою привязанность; **in a ~** в известном смысле; **in some ~s** в некоторых отношениях; **no ~!** ни в коем случае!; **by the ~ ...** ;между прочим ... **"way in"** "вход"; **"way out"** "выход"; **the ~ back** обратный путь; **this ~ and that**

туда-сюда; **"give ~"** *(авт.)* "уступите дорогу"

waybill ['weɪbɪl] *n* накладная

waylay [weɪ'leɪ] *vt* подстерегать; **I got waylaid** меня перехватили в пути

wayside ['weɪsaɪd] *adj* придорожный ◇ *n* обочина; **to fall by the ~** выбывать из строя

way station *n* полустанок; промежуточный этап

wayward ['weɪwəd] *adj* своенравный

we [wi:] *pron* мы

we've [wi:v] = **we have**

weak [wi:k] *adj* слабый; слабохарактерный; **to grow ~** ослабевать *or* слабеть

weaken ['wi:kən] *vi* ослабевать *or* слабеть; смягчаться ◇ *vt* ослаблять

weak-kneed ['wi:k'ni:d] *adj* малодушный

weakling ['wi:klɪŋ] *n* слабак

weakly ['wi:klɪ] *adv* слабо

weakness ['wi:knɪs] *n* слабость; **to have a ~ for** иметь слабость к

wealth [welθ] *n* богатство; обилие

wealth tax *n* имущественный налог

wealthy ['welθɪ] *adj* состоятельный

wean [wi:n] *vt* отнимать от груди

weapon ['wepən] *n* оружие

wear [weə] *n* износ; изношенность; одежда ◇ *vi* носиться; изнашиваться ◇ *vt* надевать; носить; изнашивать; **he was ~ing his new shirt** на нем была его новая рубашка; **evening ~** вечернее платье; вечерний костюм; **to ~ a hole in sth** протирать дыру в чем-н.

wearable ['weərəbl] *adj* пригодный для носки

wear and tear [-teə] *n* износ

wear away *vt* стирать ◇ *vi* стираться

wear down *pvt* снашивать; сломить

wearer ['weərə] *n* владелец(-лица)

wearily ['wɪərɪlɪ] *adv* устало

weariness ['wɪərɪnɪs] усталость; скука

wearisome ['wɪərɪsəm] *adj* утомительный; надоедливый

wear off *vi* постепенно проходить

wear on *vi* тянуться

W

wear out *vt* изнашиваться; изматывать

weary ['wɪərɪ] *adj* утомленный; усталый ◇ *vi*: **to ~ of** утомляться от

weasel ['wi:zl] *n* (зоол.) ласка

weather ['weðə] *n* погода ◇ *vt* переносить; выдерживать ◇ *vi* подвергаться атмосферным влияниям; **what's the ~ like today?** какая сегодня погода?; **I am under the ~** мне нездоровится

weather-beaten ['weðəbi:tn] *adj* обветренный; поврежденный непогодой

weathercock ['weðəkɔk] *n* флюгер

weather forecast *n* прогноз погоды

weatherman ['weðəmæn] *irreg n* синоптик

weatherproof ['weðəpru:f] *adj* защищающий от непогоды; погодоустойчивый; утепленный

weather report *n* сообщение о погоде

weave [wi:v] *vt* ткать; плести ◇ *vi* лавировать

weaver ['wi:və] *n* ткач(иха)

weaving ['wi:vɪŋ] *n* ткачество; плетение

web [web] **spider's ~** паутина; **a ~ of lies** *перен.* паутина лжи; плавательная перепонка (у водоплавающих птиц); перепонка (у летучей мыши); **~ of material** штука ткани

webbed ['webd] *adj* перепончатый

webbing ['webɪŋ] *n* тканый ремень

wed [wed] *vt* венчаться с ◇ *vi* венчаться ◇ *n*: **the newly-~s** новобрачные

wedded ['wedɪd] *pt, pp of* **wed** ◇ *adj*: **he is ~ to** он предан

wedding ['wedɪŋ] *n* свадьба; венчание; **silver/golden ~** серебряная/золотая свадьба

wedding day *n* день свадьбы

wedding dress *n* свадебное *or* подвенечное платье

wedding present *n* свадебный подарок

wedding ring *n* обручальное пальто

wedge [wedʒ] *n* клин; кусок ◇ *vt* закреплять клином; **to ~ in** втискивать

wedge-heeled shoes ['wedʒhi:ld-] *npl* туфли на танкетке

wedlock ['wedlɔk] *n* супружество

Wednesday ['wednzdɪ] *n* среда; *see also* **Tuesday**

wee [wi:] *adj* крошечный

weed [wi:d] *n* сорняк ◇ *vt* полоть

weedkiller ['wi:dkɪlə] *n* средство от сорняков

weed out *vt* устранять

weeds [wi:dz] траур, траурная одежда (вдовы)

weedy ['wi:dɪ] *adj* худосочный

week [wi:k] *n* неделя; **once/twice a ~** раз/два раза в неделю; **in two s' time** через две недели; **a ~ today** через неделю; **a week on Friday** в следующую пятницу

weekday ['wi:kdeɪ] *n* будний *or* рабочий день; **on ~s** в будни

weekend [wi:k'end] *n* выходные (дни), суббота и воскресенье, уик-энд; **this/next/last ~** в эти/следующие/прошлые выходные (дни); **what are you doing at the ~?** что Вы делаете в выходные?; **open at ~s** открыто по субботам и воскресеньям *or* по выходным дням

weekly ['wi:klɪ] *adv* еженедельно ◇ *adj* еженедельный ◇ *n* еженедельник

weep [wi:p] *vi* плакать; сочиться

weeping willow ['wi:pɪŋ-] *n* плакучая ива

weepy ['wi:pɪ] *adj* слезливый; плаксивый ◇ *n* душещипательный фильм

weigh [weɪ] *vt* взвешивать ◇ *vi* весить; **to ~ anchor** поднимать якорь

weighbridge ['weɪbrɪdʒ] *n* мостовые весы

weigh down *vt* отягощать; тяготить

weighing machine ['weɪɪŋ] *n* автоматические весы

weigh out *vt* отвешивать

weight [weɪt] *n* гиря; вес ◇ *vt*: **to be ~ed in favour of** предоставлять преимущества; **sold by ~** продается на вес; **to lose ~** худеть; **to put on ~** поправляться; **W~s and**

Measures Office Палата мер и весов

weighting ['weɪtɪŋ] *n* надбавка

weightlessness ['weɪtlɪsnɪs] *n* невесомость

weightlifter ['weɪtlɪftə] *n* штангист

weight limit *n* предел веса

weight training *n* силовая гимнастика

weighty ['weɪtɪ] *adj* тяжелый; грузный; весомый

weigh up *vt* взвешивать; **to ~ up all the pros and cons** взвешивать все "за" и "против"

weir [wɪə] *n* запруда

weird [wɪəd] *adj* странный; таинственный

weirdo ['wɪədəu] *n* чудак

welcome ['welkəm] **1.** *int* добро пожаловать!; **~ back!** с возвращением! **2.** *v* приветствовать **3.** *a* желанный; **~ news** приятная новость; **~ to** *predic* имеющий право *или* разрешение пользоваться, распоряжаться *(чем-л.);* **you are ~ to any book in my library** вы можете взять любую книгу в моей библиотеке; **you are ~!** не за что *(в ответ на благодарность)* **4.** *n* радушный прием

welcoming ['welkəmɪŋ] *adj* радушный; приятный; приветственный

weld [weld] *n* сварной шов ◊ *vt* сваривать

welder ['weldə] *n* сварщик

welding ['weldɪŋ] *n* сварка

welfare ['welfeə] *n* благополучие; социальное пособие

welfare state *n* государство всеобщего благосостояния

welfare work *n* благотворительность

well [wel] *n* колодец; скважина; *(also:* oil ~) (нефтяная) скважина ◊ *adv* хорошо ◊ *excl* ну; ну вот ◊ *adj:* **he is ~** он здоров; **I don't feel ~** я плохо себя чувствую; **to think ~ of sb** быть хорошего мнения о ком-н.; **as ~** также; **oh ~ ...** что же ...; **you might as ~ tell me** уж лучше ты скажи мне; **he played as ~ as he could** он сыграл как смог; **I woke ~ before dawn** я проснулся за-

долго до рассвета; **I've brought my anorak as ~ as a jumped** кроме пуловера я привез еще и анорак; **~, as I was saying ...**ну, как я уже говорил ...; **~ done!** молодец; **get ~ soon!** поправляйтесь скорее; **he is doing ~ at school** в школе он успевает; **the business is doing ~** бизнес процветает

well-behaved ['welbɪ'heɪvd] *adj* воспитанный

well-being ['wel'biːɪŋ] *n* благополучие

well-bred ['wel'bred] *adj* воспитанный; благовоспитанный

well-buil ['wel'bɪlt] *adj* хорошо сложенный, крепкий

well-chosen ['wel'tʃəuzn] *adj* хорошо подобранный

well-deserved ['weldɪ'zɜːvd] *adj* заслуженный

well-developed ['weldɪ'veləpt] *adj* с развитыми формами

well-disposed ['weldɪspəuzd] *adj:* **~ to (wards)** благожелательный к

well-dressed ['wel'drest] *adj* хорошо одетый

well-earned ['wel'ɜːnd] *adj* заслуженный

well-groomed ['wel'gruːmd] *adj* ухоженный

well-heeled ['wel'hiːld] *adj* денежный

well-informed ['welɪn'fɔːmd] *adj* хорошо информированный; знающий

wellingtons ['welɪŋtənz] *npl (also:* **wellington boots***)* резиновые сапоги

well-kept ['wel'kept] *adj* ухоженный; полный

well-known ['wel'nəun] *adj* известный

well-mannered ['wel'mænəd] *adj* воспитанный

well-meaning ['wel'miːnɪŋ] *adj:* **he is very ~** он действует из наилучших побуждений

well-nigh ['wel'naɪ] *adv:* **~ impossible** почти невозможно

well-off ['wel'ɔf] *adj* состоятельный

well-read ['wel'red] *adj* начитанный

well-spoken ['wel'spəukn] *adj* учтивый; **she was ~** она говорила правильным языком

well-stocked ['wel'stɒkt] *adj* хорошо

снабжаемый

well-timed ['wel'taɪmd] *adj* своевременный

well-to-do ['weltə'duː] *adj* обеспеченный; состоятельный

well up *vi* навернуться

well-wisher ['welwɪʃə] *n* доброжелатель(ница); **scores of ~s had gathered** собрались десятки доброжелателей; **letters from ~s** письма от доброжелателей

well-woman clinic ['welwʊmən] *n* женская консультация

Welsh rarebit *n* гренок с сыром

welt [welt] рант *(обуви)*

welter ['weltə] **1.** *v* валяться, барахтаться **2.** *n* столпотворение; сумбур

wend [wend] **~ one's way** *книжн.* направляться

went [went] *past* go I

wept [wept] *past p.p* weep

were [wə:] *past pl* и *сослагательное наклонение от* be: **I wish she ~ here now** я бы хотел, чтобы она была теперь здесь

werewolf ['wɪəwʊlf] *n* человек-волк

west [west] *n* запад ◇ *adj* западный ◇ *adv* на запад; **the W~** *(полит.)* Запад

westbound ['westbaʊnd] *adj* западного направления

West-End ['west'end] Уэст-Энд *(аристократический квартал Лондона)*

westerly ['westəlɪ] *adj* западный

western ['westən] *adj (полит.)* западный ◇ *n (кино)* вестерн

westerner ['westənə] *n* западный человек

westernized ['westənaɪzd] *adj* ориентированный на Запад

West Germany *n* Западная Германия

West Indies [-'ɪndɪz] *npl:* **the ~~** Вест-Индия

Westminster ['westmɪnstə] английский парламент *attr.:* **~ Abbey** Вестминстерское аббатство *(являющееся усыпальницей знаменитых людей);* **Palace** Вестминстерский дворец *(здание английского парламента)*

westward ['westwəd] направленный к западу; **~s** [-z] на запад

wet [wet] **1.** *a* мокрый; **~ dock** *мор.* док-бассейн; дождливый **2.** *v* мочить **3.** *n* влажность **~-nurse** [-nə:s] кормилица

wetness ['wetnɪs] *n* влажность; сырость

wetsuit ['wetsuːt] *n* гидрокостюм

whack [wæk] *vt* давать затрещину

whacked [wækt] *adj* разбитый

whale I [weɪl] **a~ of** *разг.* масса, очень много

whale II [weɪl] кит

whaler ['weɪlə] *n* китобойное судно

whaling ['weɪlɪŋ] *n* китобойный промысел

wharf [wɔ:f] *n* пристань

what [wɒt] что; какой, который; **~ for?** зачем?; **~ good is it?** какая польза от этого?; **~'s next?** что дальше?; **~'s up?** что происходит?

whatever [wɒt'evə] **1.** *pron* чтобы ни; все что **2.** *a* любой

what-not ['wɒtnɒt] этажерка для безделушек; всякая всячина

whatsoever [,wɒtsəu'evə] *см.* whatever

wheat [wi:t] пшеница

wheatgern ['wi:tdʒə:n] *n* зародыш пшеничного зерна

wheatmeal ['wi:tmi:l] *n* пшеничная мука грубого помола

wheedle ['wi:dl] *vt:* **to ~ sb into doing** уговаривать кого-л. лестью; **to ~ sth out of sb** выманивать что-н.у кого-н.

wheel [wi:l] *n* колесо; *(also:* steering **~)** руль; *(мор.)* штурвал ◇ *vt* катать/катить ◇ *vi* кружиться; *(also:* **~ round)** круто поворачиваться

wheelbarrow ['wi:lbærəu] *n* тачка

wheelbase ['wi:lbeɪs] *n* колесная база

wheelchair ['wi:ltʃeə] *n* инвалидное кресло

wheel clamp *n (авт.)* блокиратор *(для блокировки рулевого колеса)*

wheeler-dealer ['wi:lə'di:lə] *n* махинатор

wheeling ['wi:lɪŋ] *n:* **~ and dealing** махинации

wheeze [wiːz] *vi* хрипеть ✧ *n* остроумная идея; затея

wheezy [ˈwiːzɪ] *adj* хрипящий; сипящий

whelp [welp] *n* щенок, детеныш

when [wen] **1.** *adv* когда **2.** *cj* когда, в то время как

whence [wens] откуда

whenever [wenˈevə] когда бы ни, всякий раз как

where [weə] *adv, cj* где; куда; туда

whereabouts [ˈweərəˈbauts] *adv* где, куда ✧ *n:* **nobody knows his ~** никто не знает его местонахождения

whereas [weərˈæz] *conj* тогда *or* в то время как

whereby [weəˈbaɪ] *adv* посредством чего

wherein [weərˈɪn] в чем?

whereupon [weərəˈpɔn] *adv* после *or* вследствие чего

wherever [weərˈevə] где бы ни; куда бы ни

wherewithal [ˈweəwɪðɔːl] *n:* **the ~ (to do)** средства

whet [wet] *vt* возбуждать; точить

whether [ˈweðə] ли

whey [weɪ] сыворотка

which [wɪtʃ] который, какой; что

whichever [wɪtʃˈevə] любой

whiff [wɪf] дуновение; дымок; слабый запах *(часто неприятный)*

whig [wɪg] *ист.* виг

while [waɪl] **1.** *cj* пока, в то время как; несмотря на то, что **~ he is respected, he is not loved** хотя его и уважают, его не любят **2.** *n* время; промежуток времени **a long ~** долго; **a short ~** недолго; **in a little ~** скоро; **for a ~** на время; **for a good ~** порядочно, давно **3.** *v* **~ away** проводить *(время)*

whilst [waɪlst] *см.* **while** I

whim [wɪm] прихоть, причуда; каприз

whimper [ˈwɪmpə] *n* хныканье ✧ *vi* хныкать; скулить

whimsical [ˈwɪmzɪkəl] причудливый, капризный

whine [waɪn] **1.** *n* жалобный визг **2.** *v* подвывать, скулить

whinny [ˈwɪnɪ] **1.** *n* тихое *или* радостное ржание **2.** *v* тихо ржать

whip [wɪp] *n* кнут; хлыст; *(полит.)* организатор парламентской фракции ✧ *vt* хлестать; взбивать; **to ~ sth out** выхватывать что-н.; **to ~ sth away** вырывать что-н.

whipped cream [wɪpt-] *n* взбитые сливки

whipping boy [ˈwɪpɪŋ-] *n* козел отпущения

whip-round [ˈwɪpraund] *n* складчина

whip up *vt* взбивать; делать на скорую руку; возбуждать

whirl [wəːl] *vt* вращать; вертеть ✧ *vi* кружиться; вращаться ✧ *n* кружение; **my mind is in a ~** у меня голова идет кругом; **~ of social engagements** водоворот *or* вихрь светской жизни

whirlpool [ˈwəːlpuːl] *n* водоворот

whirlwind [ˈwəːlwɪnd] *n* вихрь

whisk [wɪsk] *n (кулин.)* венчик ✧ *vt* взбивать; **to ~ sb away** *or* **off** отгонять

whiskers [ˈwɪskəz] *npl* усы; бакенбарды

whisky [ˈwɪskɪ] *n* виски

whisper [ˈwɪspə] *n* шепот ✧ *vi* шептаться ✧ *vt* шептать; **to ~ sth to sb** шептать что-н. кому-н.

whispering [ˈwɪspərɪŋ] *n* перешептывание

whist [wɪst] *n* вист

whistle [ˈwɪsl] *n* свист; свисток ✧ *vi* свистеть; свиснуть ✧ *vt:* **to ~ a tune** насвистывать мелодию

whistle-stop [ˈwɪslstɔp] *adj:* **to make a ~ tour of** *(полит.)* объезжать с агитационными целями

Whit [wɪt] *n* Троицын день

whit [wɪt] **not a ~,** по ни чуточки, ничуть не...

white [waɪt] **1.** *a* белый ✧ **~ collar** *амер.* служащий; **~ lie** невинная ложь **2.** *n* белый цвет; белок *(яйца)*

whitebait [ˈwaɪtbeɪt] *n* снеток

white coffee *n* кофе с молоком

white-collar worker [ˈwaɪtkɔlə-] *n* служащий(-ая)

white elephant *n* излишняя роскошь

white goods *npl* бытовые электротовары; белошвейные товары

white-hot [waɪtˈhɔː] *adj* раскаленный добела

white lie *n* безобидная ложь

whiteness [ˈwaɪtnɪs] *n* белизна

whiteout [ˈwaɪtaut] *n* белая мгла

whitewash [ˈwaɪtwɒʃ] *n* известковый раствор *(для побелки); (спорт.)* "сухая" ◇ *vt* белить; обелять

white water *n*: ~-~ **rafting** плавание на плотах по горным рекам

whiting [ˈwaɪtɪŋ] *n inv* хек

Whitsun [ˈwɪtsn] *n* Троицын день, Троица

whittle [ˈwɪtl] *vt*: **to** ~ **away** *or* **down** уменьшать

whiz [wɪz] **1.** *n* свист *(рассекаемого воздуха)* **2.** *v* свистеть

whizz [wɪz] *vi*: **to** ~ **past** *or* **by** проноситься мимо

whizz kid *n* вундеркинд

who [huː] кто; тот, кто; который

Who's Who [ˈhuːzˈhuː] *n* Кто есть кто *(справочник)*

whodun(n)it [ˈhuːdʌnɪt] *разг.* детективный роман

whodunit [huːˈdʌnɪt] *n* детектив

whoever [huːˈevə] кто бы ни

whole [həul] *adj* целый ◇ *n* целое; **the** ~ **of Europe** вся Европа; **the lot (of it)** все (это); **the** ~ **lot (of them)** все (они); **the** ~ **of the time** все время; ~ **villages were destroyed** целые деревни были разрушены; **the** ~ **of the town** весь город; **on the** ~, **as a** ~ в целом

wholefood(s) [ˈhəulfˈdz] *n(pl)* натуральные продукты

wholefood shop *n* магазин натуральных продуктов

wholehearted [həulˈhɑːtɪd] *adj* искренний, горячий

wholeheartedly [həulˈhɑːtɪdlɪ] *adv* искренне; горячо

wholemeal [ˈhəulmiːl] *adj*: ~ **flour** мука грубого помола; ~ **bread** хлеб из муки грубого помола

whole note *n* целая нота

wholesale [ˈhəulseɪl] *n* оптовая торговля ◇ *adj* оптовый; массовый ◇ *adv* оптом

wholesaler [ˈhəulseɪlə] *n* оптовик; оптовое предприятие

wholesome [ˈhəulsəm] здоровый, целебный, благотворный

wholly [ˈhəulɪ] *adv* полностью; целиком

whom [huːm] кого; кому; которого

whooping-cough [ˈhuːpɪŋkɔːf] *мед.* коклюш

whoosh [wuʃ] *n* свист ◇ *vi*: **to** ~ **past** *etc* просвистеть мимо; **the skiers** ~**ed past, skiers came by with a** ~ лыжники со свистом пронеслись мимо

whopper [ˈwɒpə] *n* чудовищная ложь; громадина

whopping [ˈwɒpɪŋ] *adj* громадный

whore [hɔː] *n* шлюха

whortleberry [ˈwɜːtl̩berɪ] черника; **red** ~ брусника

whose [huːz] *adj* **1.** чей; **whose book is this?, whose is this book?** чья эта книга? **2.** который; **the woman whose son you rescued** женщина, сына которой Вы спасли ◇ *pron* чей (чья, чье, чьи); **whose is this?** это чье?; **I know whose it is** я знаю, чье это

why [waɪ] *adv, conj* почему; **why is he always late?** почему он всегда опаздывает?; **why not?** почему?; **why not do it now?** почему бы не сделать это сейчас?; **I wonder why he said that** интересно, почему он это сказал; **that's not why I'm here** я здесь вовсе не поэтому; **that's why** вот почему; **there is a reason why I want to see him** у меня есть причина для встречи с ним ◇ *excl*: **why, it's you!** неужели это Вы?; **why, it's obvious/that's impossible!** но ведь это же очевидно/невозможно!

wick [wɪk] *n* фитиль; **be gets on my** ~ он действует мне на нервы

wicked [ˈwɪkɪd] *adj* злобный; злой; лукавый; плутовской; жуткий

wicker [ˈwɪkə] *adj* плетеный

wickerwork [ˈwɪkəwɜːk] *adj* плетеный ◇ *n* плетение

wicket [ˈwɪkɪt] *n* воротца; кон между двумя воротцами

wide [waɪd] *adj* широкий ◇ *adv*: **to open** ~ широко открывать; **to shoot** ~ стрелять мимо цели; **the**

bridge is 3 metres ширина моста
- 3 метра

wide-angle lens ['waɪdæŋgl-] *n* широкоугольная линза

wide-awake [waɪdə'weɪk] *adj*: **I feel ~** у меня сна ни в одном глазу

wide-eyed [waɪd'aɪd] *adj* наивный; **she sat there ~** она сидела с широко раскрытыми глазами

widen ['waɪdn] *vt* расширять ◇ *vi* расширяться

wideness ['waɪdnəs] *n* широта

wide open *adj* широко раскрытый

wide-ranging [waɪd'reɪndʒɪŋ] *adj* всесторонний; широкий

widespread ['waɪdspred] *adj* распространенный

widow ['wɪdəʊ] *n* вдова

widowed ['wɪdəʊd] *adj* овдовевший

widower ['wɪdəʊə] *n* вдовец

width [wɪdθ] *n* ширина; **the street is 7 metre I'm ~** ширина улицы - 7 метров

widthways ['wɪdθweɪz] *adv* в ширину

wield [wi:ld] *vt* владеть; пользоваться

wife [waɪf] *n* жена

wig [wɪg] *n* парик

wigging ['wɪgɪŋ] *n* разнос

wiggle ['wɪgl] *vt* покачивать; шевелить

wiggly ['wɪglɪ] *adj* волнистый

wigwam ['wɪgwæm] *n* вигвам

wild [waɪld] *adj* дикий; бурный; буйный ◇ *n*: **the ~** лоно природы; **the ~s** *npl* дикие места; **in the ~ s of Taiga** в дебрях тайги; **I am ~ about her/this film** я без ума от нее/этого фильма

wild card *n (комп.)* универсальный символ

wildcat ['waɪldkæt] *n* дикая кошка

wildcat strike *n* неофициальная забастовка

wilderness ['wɪldənəs] *n* дикая местность; пустыня

wildfire ['waɪldfaɪə] *n*: **to spread like ~** распространяться с быстротой огня

wild-goose chase [waɪld'gu:s] *n* бессмысленная затея

wildlife ['waɪldlaɪf] *n* дикая природа

wildly ['waɪldlɪ] *adv* буйно; дико; бур-

но; неистово; наобум

wile [waɪl] **1.** *n (обыкн. pl)* хитрая подделка **2.** *v* заманивать; завлекать

wilful ['wɪlful] своенравный; преднамеренный

will I [wɪl] **1.** *n* воля, желание; **free (will) ~** добрая (злая) воля; **against one's ~** против воли; *(или* желания); **of one's own free ~** по своей доброй воле; воля, сила воли: **strong (weak) ~** сильная (слабая) воля; завещание; **make one's ~** написать завещание; ◇ **at ~** по желанию; как *(или* когда) угодно; **~ of one's own** своенравие, своеволие **2.** *v* хотеть, желать; заставлять, велеть; **we'll have to do as he ~** мы должны будем сделать, как он велит; **~ oneself to do smth.** заставлять себя делать что-л.; завещать

will II [wɪl] *вспомогат. гл., образующий 2 и 3 л.ед. и мн. ч. будущего времени*: **she ~ come tomorrow** завтра она придет; **you? ~ write to us, won't you?** вы будете нам писать, не правда ли? *в 1 л.выражает желание, намерение*: **all right, I'll come** хорошо, я охотно приду; **we'll pay back the money soon** мы скоро возвратим деньги; ◇ **you ~ have seen the notice** вы, должно быть, видели это объявление

willing ['wɪlɪŋ] *predic* готовый, согласный; **I am ~** я готов *(или* согласен); старательный; **he is a ~ worker** он старательный работник

willingly ['wɪlɪŋlɪ] *adv* охотно

willingness ['wɪlɪŋnəs] *n* готовность

will-o'-the wisp ['wɪlədə'wɪsp] *n* неуловимое

willow ['wɪləʊ] *n* ива; ивняк

willpower ['wɪlpaʊə] *n* сила воли

willy-nilly ['wɪlɪ'nɪlɪ] *adv* волей-неволей

wilt I [wɪlt] вянуть, поникать

wilt II *уст. 2 л. ед. ч. от* will II

wily ['waɪlɪ] хитрый, коварный

wimp [wɪmp] *n* хлюпик ◇ *vi*: **to ~ out** струсить

wimpish ['wɪmpɪʃ] *adj* хлипкий

win [wɪn] *n* победа ◊ *vt* выигрывать; завоевывать ◊ *vi* побеждать; выигрывать

wince [wɪns] *vi* морщиться

winch [wɪntʃ] *n* лебедка; ворот

wind I [wɪnd] **1.** *n* ветер; дыхание; **lose one's ~** запыхаться; **recover one's ~** отдышаться; **the ~** духовые инструменты *мн. мед.* газы ◊ **get ~ (of)** пронюхать *(о чем-л.)* **2.** *v* чуять, вызвать одышку, заставить задохнуться

wind II [waɪnd] трубить; играть *(на духовых инструментах)*

wind III [waɪnd] виться; извиваться; наматывать, обматывать; наматываться; заводить *(часы);* **~ off** разматывать; **~ up** наматывать; заканчивать; ликвидировать *(предприятие);* заводить *(часы);* взвинчивать

windbreak ['wɪndbrɔɪk] *n* бурелом; ветрозащитная лесополоса

windcheater ['wɪndtʃiːtə] *n* штормовка

wind down *vt* сворачивать

winder ['waɪndə] *n* (заводной) ключ

windfall ['wɪndfɔːl] *n* неожиданные деньги; паданец

winding ['wɪndɪŋ] *adj* извилистый; **~ staircase** витая лестница

wind instrument ['wɪnd-] *n* духовой инструмент

windmill ['wɪndmɪl] *n* ветряная мельница

window ['wɪndəu] *n* окно; витрина; *(also:* **~ pane)** оконное стекло

window box *n* наружный ящик для цветов

window cleaner *n* мойщик(-ица) окон

window dresser *n* оформитель(ница) витрин

window frame *n* оконная рама

window ledge *n* наружный подоконник

window pane *n* оконное стекло

window-shopping ['wɪndəuʃɒpɪŋ] *n:* **to go ~** рассматривать витрину

windowsill ['wɪndəusɪl] *n* подоконник

windpipe ['wɪndpaɪp] *n (анат.)* трахея

wind power ['wɪnd-] *n* сила ветра

windscreen ['wɪndskriːn] *n* ветровое стекло

windscreen washer *n* стеклоомыватель

windscreen wiper ['wɪnd-waɪpə] *n* дворник, стеклоочиститель

wind surfing ['wɪnd-] *n* виндсерфинг

windswept ['wɪndwept] *adj* незащищенный от ветра; растрепанный

wind tunnel ['wɪnd-] *n* аэродинамическая труба

windy ['wɪndɪ] *adj* ветреный; **it's ~** сегодня ветрено

wine [waɪn] *n* вино ◊ *vt:* **to ~ and dine sb** поить-кормить кого-н.

wine bar *n* винный бар

wine cellar *n* винный погреб

wine drowing *n* виноградарство ◊ *adj:* **~-~ region** виноградарский район

wine glass *n* бокал

wine grower *n* виноградарь

wine list *n* карта вин

wine merchant *n* виноторговец

wine tasting [-teɪstɪŋ] *n* дегустация вин

wine waiter *n* официант, ведающий винами

wing [wɪŋ] *n (авт.)* крыло; **~s** *npl (театр.)* кулисы

winger ['wɪŋə] *n (фут.)* крайний нападающий

wing mirror *n* боковое зеркало

wingspan ['wɪŋspæn] *n* размах крыла

wingspread ['wɪŋspred] *n* размах крыла

wink [wɪŋk] *n* подмигивание ◊ *vi* подмигивать; мигать

winkle [wɪŋkl] *n* береговая *or* морская улитка

winner ['wɪnə] *n* победитель(ница)

winning ['wɪnɪŋ] *adj* победивший; выигравший; обаятельный, покоряющий; *see also* **winnings**

winning post *n* финишный столб

winnings ['wɪnɪŋz] *npl* выигрыш

winnow ['wɪnou] веять *(зерно);* просеивать

win over *vt* покорять

win round *vt* = **win over**

winsome ['wɪnsəm] *adj* привлекательный

winter ['wɪntə] *n* зима ◇ *vi* зимовать; **in ~** зимой

winter sports *npl* зимние виды спорта

wintry ['wɪntrɪ] *adj* зимний

wipe [waɪp] *n*: **to give sth a ~** протирать что-н. ◇ *vt* вытирать; стирать; **to ~ one's nose** вытирать нос

wipe off *vt* стирать

wipe out *vt* ликвидировать; стирать; стирать с лица земли

wipe up *vt* подтирать

wire [waɪə] *n* проволока; (элек.) провод; телеграмма ◇ *vt* скреплять проволокой; (also: ~ **up**) подключать; **to ~ a house** делать проводку в доме; **to ~ sb** телеграфировать кому-н.

wire brush *n* проволочная щетка

wire cutters *npl* кусачки

wireless ['waɪələs] *n* радио

wire netting *n* проволочная сеть

wire service *n* агентство новостей

wire-tapping ['waɪə'tæpɪŋ] *n* подслушивание телефонных разговоров

wiring ['waɪərɪŋ] *n* (элек.) электропроводка

wiry ['waɪərɪ] *adj* жилистый; жесткий

wisdom ['wɪzdəm] *n* мудрость

wisdom tooth *n* зуб мудрости

...wise [waɪz] *suffix*: **timewise** *etc* в отношении времени

wise [waɪz] *adj* мудрый; **I'm none the ~r** я все равно ничего не понимаю

wisecrack ['waɪzkræk] *амер. разг.* удачное замечание; острота

wisely ['waɪzlɪ] *adv* мудро

wise up *vi*: **to ~ up to sth** сознавать что-н.

wish [wɪʃ] *n* желание ◇ *vt* желать; **best ~es** всего наилучшего; **with best ~es** с наилучшими пожеланиями; **give her my best ~es** передайте ей мои наилучшие пожелания; **~ sb goodbye** прощаться с кем-н.; **he ~ed me well** он пожелала мне всего хорошего; **to ~ to do** хотеть; **I ~ him to come** я хочу, чтобы он пришел; **to ~**

for желать; **to ~ sth on sb** навязывать что-н. кому-н.

wishbone ['wɪʃbəun] *n* счастливая дужка (грудная кость птицы, разламывая которую, загадывают желание)

wishful ['wɪʃful] *adj*: **it's ~ thinking** это - принятие желаемого за действительное

wishy-washy ['wɪʃɪ'wɔʃɪ] *adj* мутный; вялый

wisp [wɪsp] *n* клочок; струйка

wistful ['wɪstful] *adj* тоскливый

wit [wɪt] *n* остроумие; (also: ~s) ум, разум; остряк(-ячка), сообразительность; **to be at one's ~s' end** быть в отчаянии; **to have one's ~s about one** не теряться; **to ~ а** именно

witch [wɪtʃ] *n* ведьма

witchcraft ['wɪtʃkrɑːft] *n* колдовство

witch doctor *n* знахарь(-рка)

witch-hunt ['wɪtʃhʌnt] *n* охота за ведьмами

with [wɪð] *prep* (при обозначении совместности действия) с, вместе с; (при обозначении инструмента соответствует тв. п.): **cut ~ a knife** резать ножом; (по причине) от; **tremble ~ fear** дрожать от страха; (при обозначении образа действия) с; (переводится тж. наречием); **~ sympathy** сочувственно

withdraw [wɪð'drɔː] одергивать; брать назад; *воен.* отводить (войска); удаляться; отходить **~al** [-əl] взглянуть назад; изъятие; удаление; *воен.* отход, вывод (войск); уход, отход

withdrawal [wɪð'drɔːəl] *n* вывод; отмена; снятие

withdrawn [wɪð'drɔːn] *pp of* **withdraw** ◇ *adj* замкнутый

wither ['wɪðə] *vi* вянуть; сохнуть

withered ['wɪðəd] *adj* увядший; засохший; высохший

withhold [wɪð'həuld] *vt* удерживать; не давать; утаивать

within [wɪð'ɪn] *prep* внутри, в пределах ◇ *adv* внутри; **~ reach** в пределах досягаемости; **~ sight (of)** в поле зрения; **the finish is ~ sight**

конец не за горами; ~ **the week** в пределах недели; ~ **a mile of** в пределах мили; ~ **an hour of** через час после; ~ **the law** в рамках закона

without [wɪð'aut] *prep* без; ~ **a coat** без пальто; ~ **saying a word** не говори ни слова; ~ **looking** не глядя; **to go** ~ **sth** обходиться без чего-н.

withstand [wɪð'stænd] *vt* выдерживать

witless ['wɪtlɪs] глупый

witness ['wɪtnəs] **1.** *n* свидетельство; свидетель **2.** *v* быть свидетелем *(чего-л.);* заверять *(документ в качестве свидетеля)*

witness box *n* свидетельское место

witticism ['wɪtɪsɪzəm] *n* острота

witty ['wɪtɪ] *adj* остроумный

wives [waɪvz] *npl of* **wife**

wizard ['wɪzəd] *n* волшебник

wizened ['wɪznd] *adj* морщинистый; сморщенный

wobble ['wɒbl] *vi* трястись; колыхаться; шататься

wobbly ['wɒblɪ] *adj* дрожащий; шаткий

woe [wəu] *n* горе

woeful ['wəuful] *adj* печальный; вопиющий

wok [wɒk] *n* глубокая сковорода *(в китайской кухне)*

woke [wək] *pt of* **wake**

woken ['wəukn] *pt of* **wake**

wolf [wulf] *n* волк

woman ['wumən] *n* женщина; ~ **friend** подруга; ~ **teacher** учительница; **young** ~ молодая женщина; **women's page** *(пресса)* страница для женщин

woman doctor *n* женщина-врач

womanize ['wumənaɪz] *vi* вести распутную жизнь

womanizer ['wumənaɪzə] *n* женолюб; бабник

womanly ['wumənlɪ] *adj* женский; женственный

womb [wu:m] *n* матка

women's lib ['wɪmɪnz-] *n* эмансипация женщин

won [wʌn] *pt, pp of* **win**

won't [wəunt] = **will not**

wonder ['wʌndə] *n* чудо; изумление

◇ *vi:* **I** ~ **whether you could tell me...** не можете ли Вы сказать мне ...; **I** ~ **why he is late** интересно, почему он опоздал; **to** ~ **at** удивляться; **to** ~ **about** раздумывать; **it's no** ~ **(that)** не удивительно (,что)

wonderful ['wʌndəful] *adj* замечательный; удивительный

wonderfully ['wʌndəfulɪ] *adv* замечательно; удивительно

wonky ['wɒŋkɪ] *adj* шаткий

wont [wəunt] *adj:* **he is** ~ **to ...** он имеет обыкновение; **as is my** ~ по обыкновению

woo [wu:] *vt* добиваться расположения; заигрывать

wood [wud] *n* дерево; лес ◇ *cpd* деревянный; дровяной; ~ **pile** штабель дров

wood carving *n* резьба по дереву

wooded ['wudɪd] *adj* лесистый

wooden ['wudn] *adj* деревянный; дубовый

woodland ['wudlənd] *n* лесистая местность

woodpecker ['wudpekə] *n* дятел

wood pigeon *n* лесной голубь

woodwork ['wudwə:k] *n* столярное дело

woodworm ['wudwə:m] *n* личинка древоточца

woof [wuf] *n* лай ◇ *vi* лаять; ~, ~! гав, гав!

wool [wul] *n* шерсть; **to pull the** ~ **over sb's eyes** "вешать лапшу на уши"

wool-gathering ['wul,gæðərɪŋ] рассеянность, витание в облаках

woollen ['wulən] *adj* шерстяной

woollens ['wulənz] *npl* шерстяные вещи

woolly ['wulɪ] *adj* шерстяной; расплывчатый; вялый ◇ *n* шерстяной свитер

woozy ['wu:zɪ] *adj* окосевший

word [wə:d] *n* слово; слух ◇ *vt* формулировать; ~ **for** ~ слово в слово; дословно; **what's the** ~ **for "pen" in French?** как (будет) по-французски (слово) "ручка"?; **to put sth into** ~**s** выражать чтон.словами; **in other** ~**s** другими словами; **to break/keep one's ~** нарушать/держать свое слово; **to have ~s with sb** крупный разговор с кем-н.; **to have a ~ with sb** поговорить с кем-н.; **I'll take your ~ for it** я поверю вам на слово; **to send ~ of** извещать о; **to leave ~ (with sb/for sb) that...** передавать (через кого-н./кому-н.), что ...

wording ['wɜːdɪŋ] *n* формулировка; поздравительный текст

word of mouth *n:* **by** *or* **through ~~~** из уст в уста; **I found out about it by ~~~** я об этом услышал от кого-то

word-perfect ['wɜːd'pɜːfɪkt] *adj:* **to be ~** знать каждое слово; **he speech was ~** речь была прекрасно подготовлена

word processing *n* обработка *or* подготовка текстов

word processor [-prəusesə] *n* текстовый процессор

wordwrap ['wɜːdræp] *n* (автоматический) переход *(на новую строку)*

wordy ['wɜːdɪ] *adj* многословный

wore [wɔː] *pt of* wear

work [wɜːk] *n* работа; *(лит.)* произведение ◇ *vi* работать; действовать ◇ *vt* работать с; обрабатывать; разрабатывать; управлять; производить; **to go to ~** ходить/идти на работу; **to start** *or* **set to ~** приниматься за работу; **to be at ~ (on sth)** работать (над чем-н.); **he has been out of ~ for three months** у него уже три месяца нет работы; **to ~ hard** много работать; **to ~ loose** расшатываться; слабнуть

workable ['wɜːkəbl] *adj* осуществимый; выполнимый

workaholic [wɜːkə'hɒlɪk] *n:* **he is a ~** он не может жить без работы

workbench ['wɜːkbent] *n* верстак

worker ['wɜːkə] *n* рабочий(-ая); работник(-ница); **office ~** конторский служащий(-ая)

workforce ['wɜːkfɜːs] *n* рабочая сила

working ['wɜːkɪŋ] *adj* рабочий; **~ conditions** условия работы; **~**

partner деловой партнер; **~ population** занятая часть населения; **a ~ knowledge of English** практическое знание английского языка

working capital *n* оборотный капитал

working-class ['wɜːkɪŋ'klɑːs] *adj* рабочий

working classe *n* рабочий класс

working man *n* работающий мужчина

working order *n:* **in ~ ~** в рабочем состоянии

working party *n* рабочая группа

working relationship *n* деловые отношения

working week *n* рабочая неделя

workload ['wɜːkləud] *n* нагрузка

workman ['wɜːkmən] *irreg n* (квалифицированный) рабочий

workmanship ['wɜːkmənʃɪp] *n* мастерство; качество работы; **good/poor ~** тонкая/грубая работа

workmate ['wɜːkmeɪt] *n* товарищ по работе

work on *vt fus* работать над; работать с; опираться на; **he's ~ing on his car** он чинит машину; он работает над своей машиной

work out *vi* удаваться; *(спорт.)* заниматься физическими упражнениями ◇ *vt* решать; разрабатывать; **it ~s out at F100** получается F100

workout ['wɜːkaut] *n* разминка

work permit *n* разрешение на работу

works [wɜːks] *n* завод; фабрика ◇ *npl* механизм

worksheet ['wɜːkʃiːt] *n* рабочая карта

workshop ['wɜːkʃɒp] *n* мастерская; цех; семинар; практические занятия; *(театр., муз.)* студия

work study *n* научная организация труда

worktop ['wɜːktɒp] *n* рабочая поверхность

work up *vt:* **to get ~ed up (about sth)** разнервничаться (из-за чего-н.)

world [wɜːld] *n* мир ◇ *cpd* кругосветный; мировой; **~ champion** мировой чемпион, чемпион

W

мира; ~ **power** мировая держава; **all over the** ~ во всем мире; **to think the** ~ **of sb** быть очень высокого мнения о ком-н.; **what in the** ~ **are you doing?** ты соображаешь, что ты делаешь?; **to do sb a** ~ **of good** приносить кому-н. огромную пользу; **W~ War One/Two** первая/вторая мировая война; **out of this** ~ неземной

World Cup *n:* **the** ~~ *(фут.)* Кубок *or* чемпионат мира

world-famous [wɔːldˈfeiməs] *adj* всемирно известный

worldly [ˈwɔːldli] *adj* земной; искушенный

world music *n* музыка народов мира

World Series *n:* **the** ~~ кубковые соревнования

worldwide [ˈwɔːldˈwaid] *n* всемирный ◇ *adv* повсеместно

worm [wɔːm] *n (зоол.)* червь

worm out *vt:* **to** ~ **sth out of sb** вытягивать что-н. из кого-н.

worn [wɔːn] *pp of* **wear** ◇ *adj* потертый, поношенный

worn-out [ˈwɔːnaut] *adj* изношенный; потрепанный; измотанный

worried [ˈwʌrid] *adj* обеспокоенный; встревоженный; **she is** ~ **about it** она обеспокоена этим

worrier [ˈwʌriə] *n* человек, мучимый сомнениями, опасениями; **she is a natural** ~ она всегда чем-то обеспокоена

worrisome [ˈwʌrisəm] *adj* вызывающий беспокойство, тревожный

worry [ˈwʌri] *n* беспокойство, волнение ◇ *vi* беспокоиться, волноваться ◇ *vt* беспокоить; волновать; **to** ~ **about** *or* **over sth/sb** беспокоиться за что-н./кого-н.

worrying [ˈwʌriŋ] *adj* тревожный

worse [wɔːs] *adj* худший ◇ *adv* хуже ◇ *n* худшее; **to get** ~ ухудшаться; **a change for the** ~ ухудшение; **he is none the** ~ **for it** ему не стало от этого хуже; **so much the** ~ **for you!** тем хуже для Вас!

worsen [ˈwɔːsn] *vt* ухудшать ◇ *vi* ухудшаться

worse off *adj* беднее; **you'll be** ~ ~

this way Вам так будет хуже; **he is now** ~~ **than before** его положение теперь хуже, чем раньше

worship [ˈwɔːʃip] **1.** *n* богослужение; поклонение; обожание ◇ **your W.** ваша милость *(обращение)* **2.** *v* поклоняться; обожать; почитать

worshipper [ˈwɔːʃipə] *n (рел.)* молящийся(-аяся); прихожанин(-нка); поклонник(-ница)

worst [wɔːst] *adj* наихудший ◇ *adv* хуже всего ◇ *n* наихудшее; **at** ~ в худшем случае; **if the** ~ **comes to the** ~ на худой конец, в самом худшем случае

worst-case scenario [ˈwɔːstkeis-] *n* худший вариант

worsted [ˈwustid] *n:* **(wool)** ~ гребенная шерсть

worth [wɔːθ] *n* стоимость ◇ *adj:* **to be** ~ стоить; **how much is it** ~? сколько это стоит?; **50 pence** ~ **of apples** яблок на 50 пенсов; **an hour's** ~ **of work** работа на час; **it's** ~ **it** это того стоит

worthless [ˈwɔːθlis] *adj* никчемный

worthwhile [ˈwɔːθˈwail] *adj* стоящий; **a** ~ **book** стоящая книга

worthy [ˈwɔːði] *adj* достойный; ~ **of** достойный

would [wud] *(полная форма)*, [wəd], [əd], [d] *(редуцированная форма) past indicative* **will II: they** ~ **not help him** они не хотели *(или* не желали) помочь ему; *вспомогат. глагол, образующий 2 и 3 л. ед. и мн. ч. будущего в прошедшем:* **he said he** ~ **help us** он сказал, что поможет нам; **he said that they** ~ **have come by that time** он сказал, что они к тому времени уже придут; *условное накл.:* **if he knew them he** ~ **speak to them** если бы он знал их, он бы с ними поговорил; *(в 1 л. с оттенком желания, намерения):* **we** ~ **have come if it had not rained** мы бы обязательно пришли, если бы не лил дождь

would-be [ˈwudbiː] *adj* с претензией *(на что-л.)*

wound I [wuːnd] **1.** *n* рана **2.** *v* ранить

wound II [waund] *past p. p. om* **wind III**

wove [wou] *past om* **weave**

woven [wouvən] *p. p om* **weave**

wraith [reiθ] *n* призрак

wrangle [ˈræŋgl] *n* пререкание ◆ *vi:* **to ~ with sb over sth** пререкаться с кем-н. по поводу чего-н.

wrap [ræp] *n* широкий шарф; накидка ◆ *vt (also: ~ up)* заворачивать; **to ~ sth round sth** оборачивать что-н. вокруг чего-н.; **to keep sth under ~s** скрывать что-н.

wrapper [ˈræpə] *n* обертка; обложка

wrapping paper [ˈræpiŋ-] *n* оберточная бумага

wrath [rɔθ] *n* гнев

wreak [riːk] *vt:* **to ~ havoc (on)** наносить ущерб; **to ~ vengeance** *or* **revenge on sb** отомстить кому-н.

wreath [riːθ] *n* венок

wreck [rek] *n* авария; крушение; кораблекрушение; развалина ◆ *vt* разбивать; ломать; портить; губить

wreckage [ˈrekidʒ] *n* обломки; развалины

wrecker [ˈrekə] *n* аварийная машина

wren [ren] *n* крапивник

wrench [rentʃ] *n (mex.)* гаечный ключ; рывок; щемящая тоска ◆ *vt* вывертывать; **to ~ sth from sb** вырывать что-н. у кого-н.

wrest [rest] *vt:* **to ~ sth from sb** вырывать что-н. у кого-н.

wrestle [ˈresl] *vi:* **to ~ (with sb)** бороться (с кем-н.); **to ~ with a problem** мучиться над проблемой

wrestler [ˈreslə] *n* борец

wrestling [ˈresliŋ] *n* борьба; *(also:* **all-in ~)** кетч *(вид борьбы)*

wrestling match *n* соревнования по борьбе

wretch [retʃ] *n* негодяй; **little ~!** негодник!

wretched [ˈretʃid] *adj* несчастный

wriggle [ˈrigl] *vi (also: ~ about)* извиваться ◆ *n* выгибание

wring [riŋ] *vt* выжимать; ломать; сворачивать; **to ~ sth out of sb** выжимать что-н. из кого-н.

wringer [ˈriŋə] *n* пресс для отжимания белья

wringing [ˈriŋiŋ] *adj (also:* ~ **wet***):* **he is ~ (wet)** с него течет (вода)

wrinkle I [ˈriŋkl] **1.** *n* морщина **2.** *v* морщить

wrinkle II *разг.* полезный совет, намек

wrinkled [ˈriŋkld] *adj* мятый; сморщенный; морщинистый

wrirr [wəː] *vi* стрекотать; трещать

wrist [rist] *n* запястье

wristband [ˈristbænd] *n* манжета; ремешок; браслет

wristwatch [ˈristwɔtʃ] *n* наручные часы

writ [rit] *юр.* повестка, предписание; исковое заявление

write [rait] *vt* писать, выписывать ◆ *vi* писать; **to ~ to sb** писать кому-н.

write away *vi:* **to ~ away for** запрашивать о; посылать; письменный заказ на

write down *vt* писать; записывать

write off *vt* списывать; аннулировать ◆ *vi* = **write away**

write-off [ˈraitɔf] *n:* **the car is a ~** машине конец

write out *vt* излагать

write-protect [ˈraitprəˈtekt] *vt (комп.)* защищать от записи

writer [ˈraitə] *n* писатель

write up *vt* приводить в порядок

write-up [ˈraitʌp] *n* рецензия

writhe [raið] *vi* извиваться

writing [ˈraitiŋ] *n* надпись; *(also:* **handwriting***)* почерк; работа, произведение; **~ is his favourite occupation** больше всего он любит писать; **in ~** в письменном виде; **in my own ~** написанный моей рукой

writing case *n* пенал

writing desk *n* письменный стол

writing paper *n* писчая бумага

wrong [rɔŋ] *adj* неправильный; неверный; дурной ◆ *adv* неправильно; неверно ◆ *n* несправедливость; зло ◆ *vt* нехорошо поступать с; **the answer was ~** ответ был неправильный *or*

ошибочный; **he is ~ in saying that...** он неправ, когда он говорит, что ...; **you are ~ to do it** это нехорошо с вашей стороны; **it's ~ to steal, stealing is ~** воровать - нехорошо; **you are ~ about that, you've got it ~** вы неправы; **who is in the ~?** чья это вина?; **what's ~?** в чем дело?; **there's nothing ~** все в порядке; **to go ~** не удаваться; ломаться; **right and ~** хорошее и дурное

wrong-doer ['rɔŋduːə] *n* правонарушитель

wrong-foot [rɔŋ'fut] *vt (спорт.)* застегнуть врасплох; ловить кого-н. на слове

wrongful ['rɔŋfl] *adj* несправедливый

wronght [rɔːt] *adj:* **~ iron** сварочная *or* ковкая сталь

wrongly ['rɔŋlɪ] *adv* неправильно; несправедливо

wrong number *n:* **you have a ~~** *(телеф.)* Вы не туда попали

wrong side *n:* **the ~~** изнанка

wrote [rəut] *pt of* write

wrought-up [rɔːt'ʌp] взвинченный

wrung [rʌŋ] *pt, pp of* wring

wry [raɪ] *adj* лукавый; кривой

X

X,x [eks] *двадцать четвертая буква англ. алфавита*

x [eks] *мат.* икс, неизвестная величина

xenomania ['zenə'meɪnjə] страсть по всему иностранному

Xerox ['zɪərɔks] *n (also: ~ machine)* ксерокс; ксерокопия ◊ *vt* делать копию, ксерокопировать

Xmas ['krɪsməs] *см.* Christmas

X-rated ['eks'reɪtɪd] *adj* для взрослых

X-ray [eks'reɪ] *n* рентгеновские лучи; рентгеновский снимок ◊ *vt* просвечивать (рентгеновскими лучами); **to have an ~** делать рентген

xylonite ['zaɪlənaɪt] целлулоид

xylophone ['zaɪləfəun] *муз.* ксилофон

Y

Y,y [waɪ] *n 25-ая буква английского алфавита*

yacht [jɔt] *n* яхта

yachting ['jɔtɪŋ] *n* парусный спорт

yachtsman ['jɔtsmən] *irreg n* яхтсмен

yam [jæm] *n* ямс, батат

Yank [jæŋk] *n* янки

yank [jæŋk] *vt* дергать ◊ *n* рывок

Yankee ['jæŋkɪ] *n =* Yank

yap [jæp] *vi* тявкать

yard I [jɑːd] ярд *(914 см) мор.* рея

yard II двор, сад

yardstick ['jɑːdstɪk] *n* мерило; критерий

yarn [jɑːn] *n* пряжа; байка

yawl [jɔːl] *мор.* ял

yawn [jɔːn] **1.** *n* зевота **2.** *v* зевать, зиять

yawning ['jɔːnɪŋ] *adj* зияющий

yd *abbr =* yard

ye [jiː] *уст., поэт.* вы

yea [jeɪ] *уст. см.* yes

yeah [jeə] *adv* да, ага

year [jɪə] *n* год; класс; курс; **every ~** каждый год; **this ~** в этом году; **a** *or* **per ~** в год; **~ in, ~ out** из года в год; **school/academic ~** учебный/академический год; **he is eight ~ s old** ему восемь лет; **an eight-~-old child** восьмилетний ребенок

yearbook ['jɪəˌbuk] *n* ежегодник

yearling ['jɪəlɪŋ] *n* годовалое животное; стригунок

yearly ['jɪəlɪ] *adj* ежегодный ◊ *adv* ежегодно; **twice ~** два раза в год

yearn [jɜːn] *vi:* **to ~ for sth** тосковать по чему-н.; **to ~ to do** жаждать

yearning ['jɜːnɪŋ] *n:* **to have a ~ to do** иметь страстное желание; **to have a ~ for** жаждать

yeast [jiːst] *n* дрожжи

yell [jel] *n* вопль ◊ *vi* вопить

yellow ['jeləu] *adj* желтый ◊ *n* желтый цвет

yellow fever *n* желтая лихорадка

yellowish ['jeləuɪʃ] *adj* желтоватый

Yellow Sea *n:* **the ~~** Желтое море

yelp [jelp] *n* визг ◊ *vi* взвизгнуть

Yemen ['jemən] *n* Йемен

yen [jen] *n* иена ~ **for** страсть к; ~ **to do** страстное желание

yeoman [ˈjəumən] *irreg n:* ~ **of the guard** лейб-гвардеец *(королевской стражи)*

yes [jes] *particle* да; нет ◊ *n* проголосовавший(-ая); **to say** ~ говорить да; **to answer** ~ отвечать согласием

yes man *irreg n* подпевала

yesterday [ˈjestədɪ] *adv* вчера ◊ *n* вчерашний день; ~ **morning/evening** вчера утром/вечером; **the day before** ~ позавчера; **all day** ~ вчера весь день

yet [jet] *adv* еще, до сих пор ◊ *conj* однако, и все же; так же; **the work is not finished** ~ работа еще не окончена; **must you go just** ~? Вам уже пора идти?; **the best** ~ самый лучший на сегодняшний день; **as** ~ еще, до настоящего момента; **a few days** ~ еще несколько дней; ~ **again** еще раз

yew [ju:] *n* тисовое дерево; тис

Y-fronts [ˈwaɪfrʌnts] *npl* мужские трусы *(с ширинкой)*

Yiddish [ˈjɪdɪʃ] *n* идиш

yield [ji:ld] *n* урожай; *(комм.)* доход ◊ *vt* сдаваться; приносить ◊ *vi* отступать; *(авт.)* уступать дорогу; **a** ~ **of five percent** пятипроцентный доход

yob(bo) [ˈjɒb(əu)] *n* шпана

yodel [ˈjəudl] *vi* петь йодлером

yog(h)ourt [ˈjɒgət] *n* йогурт

yog(h)urt [ˈjɒgət] *n* = **yog(h)ourt**

yoga [ˈjəugə] *n* йога

yoke [jəuk] *n* ярмо ◊ *vt (also:* ~ **together)** запрягать

yokel [ˈjəukl] *n* деревенщина

yolk [jəuk] *n* желток

yonder [ˈjɒndə] *adv* вон там

yonks [jɒŋks] *n: for* ~ давным-давно

yore [jɔ:] *of* ~ во время оно

you [ju:] *pron* **1.** ты; Вы; вы; **you French enjoy your food** вы, французы, знаете толк в еде; **you and I will stay here** мы с тобой/Вами останемся здесь **2.** тебя; Вас; вас **3.** тебе; Вам; вам; **I love you** я тебя/Вас люблю; **I'll give you a present** я тебе/ Вам что-н. пода-

рю **4.** тебя; Вас; вас; вам; Вам; тобой; Вами; вами; тебе; Вас; **they've talking about you** они говорили о тебе/Вас **5.** себя; себе; собой; **will you take the children with you?** Вы возьмете детей с собой?; **close the door behind you** закройте за собой дверь; **she's younger than you** она моложе Вас *or* моложе, чем Вы **6.: you never know what can happen** никогда не знаешь, что может случиться; **you never know!** трудно предсказать!; **you can't do that** так нельзя (делать); **fresh air does you good** свежий воздух полезен (для здоровья)

you'd [ju:d] = **you had, you would**

you'll [ju:l] = **you shall, you will**

you're [juə] = **you are**

you've [ju:v] = **you have**

young [jʌŋ] *adj* молодой; маленький ◊ *npl* молодняк; **the** ~ молодежь; **a** ~ **man** молодой человек; **a** ~ **lady** девушка

younger [jʌŋgə] *adj* младший; **the** ~ **generation** младшее поколение

youngish [ˈjʌŋɪʃ] *adj* моложавый

youngster [ˈjʌŋstə] *n* молодой человек; ребенок; **the** ~**s of today** сегодняшняя молодежь

your [jɔ:] *(полная форма перед согласным)*, [jə] *(редуцированная форма перед согласным)*, [jɔ:r] *(полная форма перед гласным)*, [jər] *(редуцированная форма перед гласным) poss pron* ваш, ваша, ваше, ваши; твой, твоя, твое, твои; свой, своя, свое, свои

yours [jɔ:z] *poss pron (несвязная форма к* your*), употр. вместо сущ.* ваш, ваша, ваше, ваши; твой, твоя, твое, твои; свой, своя, свое, свои

yourself [jɔ:ˈself] *refl pron* 2 л. ед. ч. себя, -ся; **look at** ~ посмотри(-те) на себя; *emphatic pron (для усиления)* сам(и); **you know it** ~ ты знаешь (вы знаете) это сам(и); ◊ **you came to** ~ ты пришел (вы пришли) в себя; **you are not** ~ ты (вы) сам не свой;

do it by ~ слушай(те) это сам(и)

yourselves [jɔːˈselvz] *refl pron* 2 л. мн. ч. себя, -ся; *emphatic pron (для усиления) сами;* **you know it ~** вы знаете это сами; ◊ **you came to ~ rather late** вы пришли в себя довольно поздно; **you will do the work all by ~** вы сделаете эту работу совершенно самостоятельно (одни)

youth [juːθ] *n* молодость; юность; юноша; **in my ~** в молодости *or* юности

youth club *n* молодежный клуб

youthful [ˈjuːθful] *adj* юношеский; юный

youthfulness [ˈjuːθfəlnəs] *n* молодость

youth hostel *n* молодежная гостиница

youth movement *n* молодежное движение

yowl [jaul] *n* вой

yr *abbr* = **year**

Yugoslavia [ˈjuːɡəuˈslɑːviə] *n* Югославия

yule log [juːl-] *n* большое полено, сжигаемое в сочельник

Z

Z, z [zed] *n* 26-ая буква английского алфавита

Zagreb [ˈzɑːɡreb] *n* Загреб

Zaire [zɑːˈiːə] *n* Заир

Zambia [ˈzæmbiə] *n* Замбия

zany [ˈzeɪnɪ] *adj* забавный

zap [zæp] *vt (комп.)* стирать

zeal [ziːl] *n* рвение

zealot [ˈzelət] *n* фанатик

zealous [ˈzeləs] *adj* ревностный

zebra [ˈziːbrə] *n* зебра

zebra crossing *n* "зебра", пешеходный переход

zenith [ˈzenɪθ] *n* зенит

zephyr [ˈzefə] западный ветер; *поэт.* зефир, легкий ветерок

zero [ˈzɪərəu] *n* ноль; нуль; ◊ *vi:* **to ~ in on** пристреливаться; **5 degrees below ~** 5 градусов ниже нуля *or* ноля

zero hour *n* решительный час

zero option *n* нулевой вариант

zero-rated [ˈziːrəureɪtɪd] *adj* освобожденный от уплаты налогов

zest [zest] *n* вкус; цедра

zigzag [ˈzɪɡzæɡ] *n* зигзаг ◊ *vi* делать зигзаги

Zimbabwe [zɪmˈbɑːbwɪ] *n* Зимбабве

zimmer frame [ˈzɪmə-] *n* ходунки Зиммера

zinc [zɪŋk] *n* цинк

Zionism [ˈzaɪənɪzəm] *n* сионизм

Zionist [ˈzaɪənɪst] *adj* сионистский ◊ *n* сионист

zip [zɪp] *n (also: ~ fastener)* молния ◊ *vt (also: ~ up)* застегивать на молнию

zip code *n* почтовый индекс

zipper [ˈzɪpə] *n* = **zip**

zither [ˈzɪðə] *n* цитра

zodiac [ˈzəudɪæk] *n* зодиак

zombie [ˈzɒmbɪ] *n* зомби

zone [zəun] *n* зона

zonked [zɒŋkt] *adj:* **I'm completely ~** я совершенно одуревший

zoo [zuː] *n* зоопарк

zoological [ˌzəuəˈlɒdʒɪkəl] *adj* зоологический

zoologist [zəuˈɒlədʒɪst] *n* зоолог

zoology [zəuˈɒlədʒɪ] *n* зоология

zoom [zuːm] *vi:* **to ~ past** промелькнуть мимо; **to ~ in (on sth/sb)** *(фото, кино)* давать крупным планом (чего-н./кого-н.)

zoom lens *n* объектив с переменным фокусным расстоянием

zucchini [zuːˈkiːnɪ] *n(pl)* кабачок

Zulu [ˈzuːluː] *adj* зулусский ◊ *n* зулус(ка)

Zurich [ˈzjuərɪk] *n* Цюрих

РУССКО-АНГЛИЙСКИЙ СЛОВАРЬ

РУССКИЙ АЛФАВИТ

Аа	Бб	Вв	Гг	Дд	Ее
Жж	Зз	Ии	Йй	Кк	Лл
Мм	Нн	Оо	Пп	Рр	Сс
Тт	Уу	Фф	Хх	Цц	Чч
Шш	Щщ	ъ	Ыы	ь	Ээ
		Юю	Яя		

А

а *союз* but; and; or; while

абажур lampshade

аббат *(в монастыре)* abbot

аббатиса abbess

аббатство abbey

аббревиатура abbreviation

абзац paragraph

абитуриент *entrant to university, college etc.*

абонемент season ticket

абонементный *(концерт, лекция)* for season-ticket holders

абонент subscriber

абордаж boarding

абориген aboriginal

аборт abortion; **делать** ~ to have an abortion

абразив abrasive

абрикос *(плод)* apricot; *(дерево)* apricot tree

абсолютизм absolutism

абсолютно absolutely

абсолютный absolute; ~**ная монополия** absolute monopoly; **абсолютный слух** perfect pitch

абсорбировать *(не)сов перех* to absorb

абстрагироваться *(не)сов возв:* ~ **(от)** to detach o.s. (from)

абстрактное (имя) существительное abstract noun

абстрактный abstract;

абстракция abstraction

абсурд absurdity; **доводить что-н до** ~**а** to take sth to the point of absurdity

абсурдный absurd

абсцесс abscess

авангард *воен.* vanguard; *арт.* avant-garde; **в** ~**е** in the vanguard (of)

авангардизм the avant-garde

аванс *комм.* advance; ~ **в счет платежей** payment on account

авансировать *(не)сов перех:* ~ **что-н кому-н** to advance sb sth; *комм.* to make sb an advance payment of sth

авансом in advance

авансцена proscenium

авантюра adventure; **втягивать (втя-**

нуть) кого-н в ~**у** to involve sb in a risky undertaking

авантюрист adventurer

аварийный *(служба, машина)* emergency; *(дом, состояние техники)* unsafe; **аварийный сигнал** alarm signal

авария accident; *(повреждение: механизма, аппаратуры)* breakdown; **терпеть** ~**ю** *(машина, самолет итп)* to crash; **попасть в** ~**ю** to have an accident

август August

августейший august, majestic

авиалиния airline

авиатор air-man, aviator, flier

авиационный aviation

авиация aviation; **гражданская** civil aviation

авизо *ср нескл комм.* advice note

авитаминоз vitamin deficiency, avitaminosis

авось *(разг)* perhaps; **на** ~ *(разг)* on the off chance; *(: наугад)* by guesswork; **надеяться на** ~ to trust to luck

авоська *(разг)* *(string)* bag

аврал *мор.* emergency task; *(перен: разг)* rush job

Аврора Aurora

Австралия Australia

австралиец Australian

австралийский Australian

австриец Austrian

австрийский Austrian

Австрия Austria

автобаза depot

автобиографический autobiographical

автобиография autobiography

автобус bus; *(на дальние расстояния)* coach *(BRIT)*

автобусный *(см сущ)* bus *опред*; coach *опред (BRIT)*

автовокзал bus *или* coach *(BRIT)* station

автограф autograph

автодорожный *(происшествие)* road *опред*; *(инспекция)* traffic *опред*

автозавод car *(BRIT)* или automobile *(US)* plant

автозаправочная *(также:* ~ **станция)** filling station

A

автокар fork-lift truck
автолавка mobile shop
автомагистраль motorway *(BRIT)*, expressway *(US)*
автомат automatic machine; *воен.* submachine-gun
автоматизация automation
автоматизировать *(не)сов перех* to automate
автоматика automatic equipment
автоматический automatic
автомашина (motor)car, automobile *(US)*
автомобиль (motor)car, automobile *(US)*; **легковой ~** *(passenger)* car
автономия autonomy
автономный autonomous; *тех.* independent; *комп.* off-line, stand-alone
автоответчик answering machine
автопилот automatic pilot
автопортрет self-portrait
автор author
автореферат author's abstract *(of dissertation)*
авторитарный authoritarian
авторитет authority; **пользоваться ~ом** to enjoy authority; **завоёвывать (завоевать) ~** to gain authority
авторитетный authoritative
авторский author's; **авторский вечер** *(поэта итп)* reading: *(композитора)* recital *(given by the composer)*; **авторское право** copyright; **авторское свидетельство** patent
авторучка fountain pen
автостоп *(способ путешествия)* hitchhiking
автострада motorway *(BRIT)*, expressway *(US)*
автотранспорт road transport
ага *межд* aha ✧ *(разг: выражает согласие)* uh huh
агат agate
агент agent
агентство *ср* agency; **телеграфное ~** news agency; **агентство печати** press agency
агентура intelligence service ✧ *собир* agents
агитатор *(political)* campaigner *(на выборах)* canvasser
агитационный *(political)* promotional
агитация campaigning
агитировать *несов неперех:* **~ (за)** to campaign (for)
агония death throes
аграрий agrarian; landowner; the landed class
аграрный agrarian
агрегат machine; *(узел)* unit *(of machine)*
агрессивность aggression; aggressiveness
агрессивный aggressive
агрессия aggression
агроном agronomist
агрономический agronomic
агрономия agronomy
ад hell
аджио adagio
адамово: А~ яблоко Adam's apple
адаптация adaptation
адаптер adapter
адаптировать *(не)сов перех* to adapt
адаптироваться *(не)сов возв* to adapt
адвокат *юрид.* = barrister *(BRIT)*, = attorney *(US)*; *(консультант)* solicitor; **коллегия ~ов** = the Bar *(BRIT)*
Аддис-Абеба Addis Ababa
адекватный adequate; *(совпадающий)* identical
аденоиды *мед.* adenoids
административный administrative; *(способности)* managerial, management *опред*; **~ке** by authority; **~тон** an official tone of voice
администратор administrator; *(в театре, гостинице, кино)* manager
администрация *собир* administration; *(гостиницы)* management
администрировать *несов неперех* to administrate
адмирал admiral
адрес address; **в ~** *(addressed)* to; **Ваше обвинение не по ~у** *(разг)* you've got the wrong person; **по ~у кого-н** concerning *или* about sb; **абсолютный/относительный ~** *комп.* absolute/relative address
адресный: ~ стол адресный:~стол
адресовать *(не)сов перех:* **~ что-**

A

н кому-н to address sth to sb; *(критику)* to direct sth at sb

Адриатическое море the Adriatic (Sea)

адский *рел.* infernal; *(разг: холод, условия)* diabolical; *(: терпение, выносливость)* fantastic; *(замысел)* cunning

адъютант aide-de-camp

аж *(разг)* even; **он ~ вскрикнул от удивления** he even cried out in surprise

ажиотаж *(перен)* commotion; *комм.* stockjobbing

ажур keeping of books up to date: **в ~** *(разг)* in cracking order

ажурный lace; **ажурная работа** fine *или* delicate work

азалия azalea

азарт ardour *(BRIT)*, ardor *(US);* **с ~ом** with zest; **входить (войти) в ~** to get carried away

азартный ardent; **азартная игра** game of chance

азбука alphabet; *(букварь)* first reading book; *(перен: основные начала)* rudiments; **нотная ~** *the system of musical notation;* **азбука Морзе** Morse code

азбучный alphabetical; **азбучная истина** truism

Азербайджан Azerbaijan

азербайджанец Azerbaijani

азиат Asian

азиатский Asian

азимут azimuth

Азия Asia

Азовское море the Sea of Azov

Азорские острова the Azores

азот nitrogen

азотный nitric

аист stork

ай *(выражает боль)* ow, ouch; *(выражает испуг, страх)* oh; **~ да Мария!** good for Maria!

айва *(плод)* quince; *(дерево)* quince tree

айда *(разг)* let's go; **~ купаться!** let's go for a swim!

айсберг iceberg

академик academician

академический *(также перен)* academic; **академический театр**

honorary title given to theatres

академия academy; **академия наук** the Academy of Sciences; **академия художеств** the Academy of Arts

акация acacia

акваланг aqualung

аквамарин aquamarine

аквамариновый aquamarine

акварелист painter in water-colours

акварель watercolours *(BRIT)*, watercolors *(US)*; *(картина)* watercolo(u)r

аквариум aquarium, fish tank

акватория : **~ порта** area of water near the port

акведук aqueduct

акклиматизация acclimatization, acclimation *(US)*

акклиматизироваться *(не)сов возв* to acclimatize, acclimate *(US)*

аккомпанемент accompaniment

аккомпаниатор accompanist

аккомпанировать to accompany

аккорд chord; **брать (взять) ~** to play a chord; **заключительный ~** *(перен)* climax

аккордеон accordion

аккордный **~ая работа** piecework; **он на ~ оплате** he is on piecework

аккредитив letter of credit

аккредитивный credit *опред.*

аккредитированный **~ агент** accredited agent

аккредитировать *(не)сов перех* to accredit

аккумулировать *(не)сов перех тех.* *перен* to accumulate

аккумулятор accumulator

аккуратно *(регулярно)* regularly; *(старательно)* carefully; *(опрятно)* neatly

аккуратность regularity; meticulousness; accuracy; neatness

аккуратный *(посещение)* regular; *(работник)* meticulous; *(работа)* accurate; *(костюм)* neat

акр acre

акрил acrylis

акробат acrobat

акробатика acrobatics

акселерат early developer

акселератор accelerator

акселерация early physical maturity

аксельбант shoulder-knot

аксессуар *(одежды)* accessory; *см также* аксессуары

аксессуары *(перен: в живописи итп)* details; *(: в театре)* props

аксиома axiom

акт act; *(торжественное собрание)* ceremony; **составлять (составить)** ~ to draw up a formal document; **акты гражданского состояния** register

актер actor

актив activists; *комм.* assets; **записывать (записать) что-н в ~ to** count sth as an asset; **замороженные** ~ы *комм.* frozen assets

активист active member

активно *(участвовать)* actively; *(работать)* energetically

активность activity

активный active, industrious

актриса actress, comedienne; **главная** ~ leading lady

актуальность actuality, realism

актуальный essential; instant; **актуальные условия** present conditions

акула dog-fish; shark

акупунктура acupuncture

акустика acoustics *ед; (в зале, в студии)* acoustics *мн*

акустический acoustic(al); ~ **соединитель** *комп.* acoustic coupler

акушер obstetrician; **~ка** mid-wife

акушерство midwifery

акцент accent; **делать (сделать)** ~ **на** *(перен)* to emphasize; **расставлять (расставить) все ~ы** *(перен)* to draw attention to the most important things

акцентирование accentuation

акцентировать to accentuate

акцептовать *(не)сов перех комм.* to accept

акциз *комм.* excise (tax)

акцизный *комм.* excise

акционер shareholder

акционерный joint-stock *опред;* **акционерное общество** joint-stock company; **акционерный капитал** share capital

акционерский *(права, доля)* share-holders

акция *комм.* share; *(действие)* action; **именная/обыкновенная** ~ registered/ordinary share; **пакет ~й** block of shares; **полностью оплаченная** ~ fully-paid share; **~и без права голоса** non-voting shares; **дипломатическая** ~ diplomatic move

албанец Albanian

Албания Albania

албанка *см* албанец

албанский Albanian

алгебра algebra

алгоритм algorithm

алебастр alabaster

алебастровый alabaster *опред.*

александрит *гео.* alexandrite

Александрия Alexandria

аленький reddish

алеть to redden; to glow

Алжир Algeria

алжирец Algerian

алжирский Algerian

алиби alibi

алименты flimony, maintenance

алкать to hunger; crave *(for)*

алкаш *(разг: пренебр)* alky

алкоголизм alcoholism

алкоголик alcoholic

алкоголь alcohol

Аллах Allah

аллегория allegory

аллегро allegro

аллерген allergen

аллергический allergic

аллергия allergy

аллея alley

аллигатор alligator

аллилуйя *межд.* hallelujah

алло *межд* hello

аллюр gait

Алма-Ата Alma-Ata

алмаз diamond

алмазный diamond *опред; (инструмент)* diamond-tipped

алоэ aloe

алтарь *(в церкви)* chancel; *(жертвенник)* altar; **возлагать (возложить) что-н на** ~ **чего-н** to sacrifice sth on the altar of sth

алфавит alphabet; **по** ~**у** in alphabetical order

A

алхимик alchemist

алчность avarice, cupidity, greed

алчный avid, greedy

алый crimson; **алая роза** damask rose

алыча cherry plum

альбом album; scrapbook

альманах almanac, calendar

альпийский alpine; *(в Альпах)* Alpine

альпинизм mountaineering

Альпы the Alps

альт *(голос)* alto; *(инструмент)* viola

альтернатива alternative

альтернативный alternative

альтруизм altruism

альянс alliance

алюминиевый aluminium

алюминий aluminium

аляповатость awkwardness

аляповатый gaudy

Аляска Alaska

амазонка horsewoman; riding-habit

амальгама *хим. перен* amalgam

амбар barn

амбиция *(самолюбие)* pride, arrogance; *(обычно мн: притязания)* ambition; **ударяться (удариться в ~** *(разг)* to go into a huff

амбра ambergnis

амвон *рел.* = pulpit

амеба amoeba *(BRIT)*, ameba *(US)*

Америка America

американец American

американизация Americanization

американизировать *(не)сов перех* to americanize

американский American

аметист ametyst

аминокислота amino acid

аминь *рел.* amen

аммиак ammonia

амнистировать *(не)сов перех* to grant (an) amnesty to

амнистия amnesty; **попасть под ~** to be granted (an) amnesty

аморальность *(см прил)* immorality; amorality

аморальный *(поступок)* immoral; *(человек)* amoral

амортизатор *тех.* shock absorber

амортизационный *тех.* shock-absorbing; *экон.* depreciation; **амортизационные отчисления**

экон. depreciation deductions; **амортизационный срок** *экон.* period of depreciation

амортизация *тех.* shock absorption; *экон.* depreciation; *комм.* amortization

аморфный amorphous

ампер amp *(= ampere)*

амплитуда amplitude

амплуа *(актера)* speciality; **это не мое ~** *(разг)* that's not (in) my line

ампула ampoule *(BRIT)*, ampule *(US)*

ампутация amputation

ампутировать *(не)сов перех* to amputate

амуниция *собир* ammunition

Амур Cupid; *см также* **амуры**

амуры *(разг: любовные дела)* intrigues, love affairs

амфибия amphibian

амфитеатр amphitheatre *(BRIT)*, amphitheater *(US)*

анализ analysis; **сдавать (сдать) кровь/мочу на ~** to give a blood/urine sample; **подвергать (подвергнуть) ~у** to analyse *(BRIT)*, analyze *(US)*; **~ издержек и прибыли** *комм.* cost-benefit analysis; **~ эффективности работы** time and motion study; **анализ крови** blood test

анализировать *несов перех* to analyse *(BRIT)*, analyze *(US)*

аналитик *(специалист)* analyst; **он хороший ~** *(склонный к анализу)* he has a very analitical mind

аналог analogue *(BRIT)*, analog *(US)*

аналогичный analogous

аналогия analogy; **по ~ с** in a similar way (to); **проводить (провести) ~ между** to draw sn analogy between

аналой lectern

анамнез *мед.* case history

ананас pineapple

анархизм anarchism

анархистский anarchist

анархия anarchy

анатомия anatomy

анафема anathema; **предавать (предать) ~е** to anathematize

анахронизм anachronism

ангар hangar

ангел *(также разг)* angel

ангельский angelic; **ангельское терпение** the patience of a saint

ангина tonsillitis, quinsy

английский English; *(британский)* British; ~ **язык** English; **английская булавка** safety pin; **английский газон** lawn

англиканский Anglican; **английская церковь** the Anglican church

Англия England

англичанин Englishman

Ангола Angola

анголец Angolan

анголка *см* анголец

ангольский Angol

ангорская шерсть angora (wool)

ангорский angora

Анды the Andes

анекдот joke; **со мной случился ~** *(разг)* something funny happened to me

анекдотичный *(смешной и странный)* funny

анемичный anaemic *(BRIT)*, anemic *(US)*

анемия anaemia *(BRIT)*, anemia *(US)*

анестезиолог anaesthetist *(BRIT)*, anesthiologist *(US)*

анестезия anaesthesia *(BRIT)*, anesthesia *(US)*; **местная/общая ~** local/general ana(e)sthesia

анилин aniline

анилиновый aniline *опред*

анисовый aniseed *опред;* **анисовая водка** aniseed vodka

Анкара Ankara

анкета *(опросный лист)* questionnaire; *(бланк для сведений)* form; *(сбор сведений)* survey; **проводить (провести) ~у** to carry out a survey

анкетный: **~ые данные** personal details; **анкетный лист** questionnaire

анналы annals; **в ~ах истории** in the annals of history

аннексия annexation

аннулирование annulment; repeal; cancellation

аннулировать *(не)сов перех (брак,*

договор) to annul; *(закон)* to repeal; *(долг)* to cancel

анод anode

аномалия anomaly; **умственная ~** aberration

аномальный anomalous

аноним anonymous author

анонимка *(разг: пренебр)* poison-pen letter

анонимный anonymous

анонс announcement

анормальность abnormality

ансамбль ensemble; *(танцоров)* troupe; *(эстрадный)* group

антагонизм antagonism

Антарктида Antarctica

Антарктика Antarctica, the Antarctic

антарктический Antarctic

Антверпен Antwerp

антенна arrial *(BRIT)*, antenna *(US)*

антибиотик antibiotic

антивоенный antiwar

антиквар antiquary

антиквариат *собир* antiques

антикварный antique *опред;* **антикварный магазин** antique shop

антилопа antelope

антинаучный antiscientific

антипатичный unlikable

антипатия antipathy

антипод antithesis

антирелигиозный antireligious

антисанитария unhygienic *или* insanitary conditions

антисемит anti-Semite

антисемитизм anti-Semitism

антисептик antiseptic

антитеза antithesis

антитело *(обычно мн)* antibody

антифриз antifreeze

антихрист Antichrist

антициклон anticyclone

античность antiquity

античный classical; **античный мир** the Ancient World

антология anthology

антоновка antonovka *(apple)*

антракт interval

антрацит anthracite

антрекот entrecote

антрепренер impresario

антресоли *(полуэтаж)* mezzanine

ед; (балкон) gallery *ед; (под потолком)* cupboard *ед*
антропология anthropology
анфас full face
анфилада suite
анчоус anchovy
аншлаг *(объявление)* sellout; *(заголовок)* banner headline; **проходить (пройти) с ~ом** to be a sellout
анютины : ~ глазки pancy
аорта aorta
апартеид apartheid
апатичный apathetic
апатия apathy
апеллировать *(не)сов неперех юр.* to appeal; **~ к** to appeal to
апелляционный *юр.* appeal *опред;* **апелляционный суд** court of appeal
апелляция *юр.* appeal; **~ к** appeal to
апельсин orange
апельсиновый orange
аперитив aperitif
аплодировать *несов неперех* to applaud
аплодисменты applause
апломб assurance; **с ~ом** with aplomb
апогей *(также перен)* apogee; **он в ~е славы** he is at the height of his fame
апокалипсис *рел.* (the Book of) Revelation, the Apocalypse
аполитичный apolitical
апологет apologist
апостол apostle; *(книга)* the Acts of the Apostles and the Epistles
апостольский apostolic
апостроф apostrophe
апофеоз *(восхваление)* apotheosis; *(театр)* grand finale
аппарат apparatus; *физиол.* system; *(штат)* staff; **телефонный ~** telephone; **государственный ~** state apparatus
аппаратная equipment room
аппаратура *собир* apparatus, equipment; *(приборы)* instruments
аппаратчик operative; *(разг: работник аппарата)* apparatchik
аппендикс appendix
аппендицит appendicitis
аппетит appetite; *(обычно мн: перен:* *разг)* craving; **приятного ~а!** bon appetit!; **перебивать ~** to spoil one's appetite; **волчий ~** a voracious appetite
аппетитный appetizing
аппликация applique
апрель April
апробировать *(не)сов перех* to approve
апсида apse, tribune
аптека dispensing chemist's *(BRIT)*, pharmacy
аптекарь chemist *(BRIT)* pharmacist
аптечка medicine chest; *(первой помощи)* first-aid kit
апчхи *межд:* **~!** atishoo!
араб Arab
арабеска arabesque *арт.*
арабский *(страны)* Arab; **~ язык** Arabic; **арабские цифры** Arabic numerals
аравиец Arabian
аравийский Arabian
Аравия Arabia
Аральское море Aral Sea
аранжировать *(не)сов перех* to arrange
аранжировка arrangement
арахис peanut
арахисовый peanut *опред.*
арбитр *(в спорах)* arbitrator; *(в футболе)* referee; *(в бейсболе, теннисе)* umpire
арбитраж arbitration; *(орган)* arbitration cervice
арбитражный arbitration
арбуз watermelon.
Аргентина Argentina
аргентинец Argentinean
аргентинский Argentine
аргон argon
аргумент *также мат.* argument
аргументация argument
аргументировать *(не)сов перех* to argue
арена *(в цирке)* ring; *(часть стадиона, перен)* arena
аренда *(наем)* lease; *(плата)* rent; **сдавать (сдать) в ~** to lease
арендатор leaseholder
арендный lease *опред;* **на ~ых началах** on a rental basis; **арендная**

A

плата rent **арендный подряд** rental agreement, lease

арест *(преступника)* arrest; *(имущества)* sequestration; **брать (взять) кого-н под ~** to place sb under arrest; **налагать (наложить) ~ на** to sequester; **находиться под ~ом** to be under arrest

арестант convict, prisoner

арестовать *сов перех (преступника)* to arrest: *(имущество)* to sequestrare

аристократ aristocrat

аристократия aristocracy

аритмия arrhythmia

арифметика arithmetic

ария aria

арка arch

аркада *архит.* arcade

аркан lasso

арканить *несов перех* to lasso

Арктика the Arctic

арктический Arctic

арматура *собир строит.* steel framework; *(вспомогательные устройства)* fittngs

Армения Armenia

армия army; *(перен):* **~** *(помощников, читателей)* army of

армянин Armenian

аромат *(цветов)* fragrance; *(кофе итп)* aroma; *(перен: молодости)* spirit

ароматический aromatic·

ароматный fragrant

арсенал *(склад)* arsenal; *(завод)* munitions factory; **в ~е** *(перен)* at one's disposal

артезианский artesian

артель work-men's association

артельный collective *опред;* **на ~х началах** on a collective basis

артериальный: ~ое давление blood pressure

артерия *(также перен)* artery; **сонная ~** carotid artery

артикль *линг.* article

артиллерийский artillery *опред*

артиллерист artilleryman *(мн.* artillerymen), gunner *(BRIT)*

артиллерия artillery

артист artist(e); *кино.* actor; **он ~ рассказывать истории** he's ace at telling stories

артистический artistic; **~ая уборная** dressing room

артистка *см м* artist(e); actress

артишок *(globe)* artichoke

артрит arthritis

арфа harp

архаизм archaism

архангел archangel

Архангельск Arkhangelsk

археология archaeology

архив *(учреждение, отдел)* archive; *(собрание рукописей итп)* archives; **сдавать (сдать) что-н в ~** *(перен)* to consign sth to history

архивариус archivist

архиепископ archbishop

архимандрит archimandrite

архипелаг archipelago

архитектор architect

архитектура architecture

архитектурный architectural

ас *(лётчик)* ace; *(перен)* expert

асбест asbestos

асептический aseptic

асимметрия asymmetry

аскет ascetic

аскетизм asceticism

аскетический ascetic *опред*

аскорбиновая: ~ ascorbic acid

аспект aspect; **в ~е** in (the) light of

аспирант postgraduate *(doing a PhD)*

аспирантура postgraduate studies *(leading to a PhD)*

аспирин aspirin

ассамблея assembly: **Генеральная А~ Организации Объединённых Наций** General Assembly of the United Nations

ассенизация sewage disposal system

ассигнование allocation

ассигновать *(не)сов перех* to allocate

ассимилировать *(не)сов перех* to assimilate

ассимиляция assimilation

ассистент assistant; *(в вузе)* assistant lecturer

ассистировать *(не)сов перех* to assist

ассорти assortment

ассортимент assortment

ассоциация association

ассоциировать *(не)сов перех:* **~ что-**

н с кем-н/чем-н to associate sth with sb/sth

астероид asteroid

астигматизм astigmatism

астма asthma

астматик asthmatic

астматический asthmatic

астра aster

астролог astrolog

астрология astrology

астронавт astronaut

астронавтика astronautics

астрономический *(также перен)* astronomic(al)

астрономия astronomy

асфальт asphalt

асфиксия asphyxia

атака *(также перен)* attack; **идти (пойти) в ~** to launch an attack; **~ на кого-н/что-н** an attack on sb/sth

атаман ataman; *(перен: банды)* leader

атеизм atheism

атеист atheist

атеистический atheistic *опред*

ателье *(художника, фотографа)* studio; *(мод)* tailor's shop; **телевизионное ~** television repair shop; **ателье проката** rental shop

Атлантический океан Atlantic Ocean

а́тлас atlas

атласный satin; *(шелковистый)* satiny; **атласная кожа** *(перен)* skin like satin

атлет athlete; *(крепкий человек)* muscleman

атлетизм *(телосложение)* athletic build; *(культуризм)* body building

атлетика athletics; **легкая ~** track and field events; **тяжелая ~** weightlifting

атмосфера *(также перен)* atmosphere

атолла ayatollah

атом atom

атомный atomic; **атомный вес** atomic weight

атомщик *(разг)* atomic scientist

атрибут attribute

атрофированный atrophied

атрофироваться *(не)сов возв* to

atrophy

атташе attache

аттестат certificate; **аттестат зрелости** certificate attained for passing school-leaving examinalions

аттестация certification; *(отзыв)* recommendation

аттракцион *(цирковой номер)* attraction; *(качели, карусель итп)* amusement

ау *межд* halloo

аудиенция *(прием)* audience

аудит м *комм.* audit; **общий ~** general audit

аудитория *(помещение)* lecture hall ✧ *собир (слушатели)* audience

аукцион auction; **продавать (продать) что-н с ~a** to sell sth by auction; **покупать (купить) что-н на ~e** to buy sth at an auction

аул aul

аут *(в теннисе)* out; *(в футболе):* **мяч в ауте** the ball is out of play; *(в боксе):* **~!** knockout!

аутогенная тренировка autogenic training

аутсайдер outsider

Афганистан Afghanistan

афера swindle

Афины Athens

афиша poster

афоризм aphorism

Африка Africa

аффект fit of passion

ах *межд:* **~!** oh!, ah!; **~ да!** *(разг)* ah yes!; **не ~** *(разг)* not up to much

ахиллесова: **~ пята** Achilles' heel

ахинея *(разг)* rubbish; **нести ~ю** to talk rubbish

ахнуть *сов от* ахать ✧ *неперех (разг: орудие итп)* to bang ✧ *перех (разг: сломать)* to smash; *(: выпить)* to knock back; **он и ~ не успел, как они убежали** *(разг)* before he could get a word out, they ran away

ацетон acetone

Ашхабад Ashkhabad

аэробика aerobics

аэробус airbus

аэровокзал air terminal *(BRIT)*

аэродинамика aerodynamics

аэродром aerodrome
аэрозоль aerosol
аэрон air-sickness tablets
аэроплан aeroplane *(BRIT)*, airplane *(US)*
аэропорт airport
аэростат aerostat
аэрофотосъемка aerial photography

Б

б *част см* бы
ба *межд* well, well!; ~! кого я вижу! gosh! look who it is!
баба *(разг)* woman: *пренебр: мужчина* old woman
баба-яга Baba Yaga; *(разг)* old witch *(fig)*
бабий *(разг: пренебр)* womanish; **бабье лето** Indian summer; **бабьи разговоры** women's talk; **бабьи сказки** old wives' tales
бабка *(бабушка)* grandmother; *(разг: старуха)* old woman
бабочка butterfly; *(галстук)* bow tie
бабушка grandma; granny; *(разг)* old woman; ~ **надвое сказала** we shall see (what we shall see)
Бавария Bavaria
баварский Bavarian
багаж luggage *(BRIT)*, beggage *(US)*
багажник *(в автомобиле)* boot *(BRIT)*, trunk *(US)*; *(на крыше автомобиля)* roof rack; *(на велосипеде)* carrier
багажный luggage *(BRIT)*, baggage *(US)*
Багамские острова Bahama Islands, Bahamas
Багдад Baghdad
багроветь to redden
багровый blood-red
бадминтон badminton
бадминтонист badminton player
база basis: *воен., архит* base: *(для туристов, спортсменов)* centre *(BRIT)*, center *(US)*; *(продовольствия, товаров)* warehouse; на ~зе on the basis of; **база данных** database
базальт basalt

базар market; *(новогодний, книжный итп)* fair *(перен: разг)* racket; **птичий** ~ bird colony
базарный market; **базарная баба** *(разг)* fishwife
базис basis
байдарка canoe
байка flannelette
Байкал Lake Baikal
байковый flannelette
байт byte
бак tank; *мор.* forecastle, fo'c'sle
бакалея *(в магазине)* grocery section; *(товары)* groceries
бакен buoy
бакенбарды sideburns
баклажаны aubergine *(BRIT)*, eggplant *(US)*
бактериологический bacteriological; **бактериологическая война** germ *или* bacteriological warfare
бактерицидный bactericidal, germicidal
бактерия bacterium *(мн* bacteria)
Баку Baku
бал *(вечер)* ball
балаган *(перен: разг)* farce
балалайка balalaika
баланс *также комм.* balance; *(ведомость)* balance sheet; **расчетный** ~ balance of claims and liabilities; **бухгалтерский** balance sheet; **платежный/торговый** ~ balance of payments/trade
балансировать *несов неперех;* ~ (на) to balance (on) ◊ *(сбалансировать)* перех комм. to balance; ~ **на грани чего-н** *(перен)* to be poised en the verge *или* brink of sth
балансовый balance *опред;* **балансовый отчет** balance sheet
балахон *(разг)* sack
балда chump
балерина bellerina
балет ballet
балка *(железобетонная, деревянная)* beam; *(металлическая)* girder; *(овраг)* gully
Балканы the Balkans
балкон *архит.* balcony; *театр.* circle *(BRIT)*, balcony *(US)*
балл *(на экзамене)* mark; *(на сорев-*

Б

Б

новании) point; **проходной** ~ pass
mark; **ветер силой в 5 баллов** a
force 5 wind
баллада ballad
баллон *(газовый)* cylinder; *(с жид-
костью)* jar *(с кислотой, щело-
чью)* carboy; *авт.* balloon tyre
баллотировать *несов перех* to vote
for
баловать *несов перех* to spoil
Балтийское море the Baltic (Sea)
бальзам balsam; *(перен)* balm
бальзамировать *(не)сов перех* to
embalm
бальный: ~**ое платье** ball gown;
бальные танцы ballroom dancing
бамбук bamboo
бампер bumper
банальность banality, platitude
банан banana
Бангладеш Bangladesh
банда gang
бандаж support bandage
бандероль package; **я послал книгу**
~**ю** packaged the book snd sent it
бандит bandit
банк bank; **сберегательный** savings
bank; **акционерный** ~ joint-stock
bank; **экспортно-импортный** ~
export-import bank
банка *(стеклянная)* jar; *(жестяная)*
tin *(BRIT),* can *(US); (обычно мн:
мед.)* cupping glass
банкет banquet
банкир banker
банкнот banknote
банкрот bankrupt; **объявлять (объявить)** кого-н ~**м** to declare sb
bankrupt
банкротство bankruptcy
банщик public-baths attendant;
банщица female attendant
баня bath, baths; **паровая** ~ Turkish
bath
баптизм baptism
бар bar; *физ.* bar
барабан drum
барабанить to drum
барабанщик drummer
барак barracks
баран ram, sheep; battering ram
баранина mutton; *(молодая)* lamb
баранка small, hard bread ring; *(пе-*

рен разг) wheel
барахло junk; *(разг: человек, вещь)*
trash
барахолка flea market
барахтаться *(разг)* to flounder; *(иг-
рая)* to wallow
барашек *(разг)* lamb; *(шкура)*
lambskin
барашки *(облака)* fleecy clouds;
(волны) white horses, whitecaps
барбарис barberry
бард singer-songwriter
бардак *(груб.: беспорядок)* hell broke
loose (!)
барельеф bas-relief
баржа barge
барин *ист.* = lord; **жить как** ~ to
live like a king
баритон baritone
бармен barman, bartender *(US)*
барокамера pressure chamber
барокко baroque
барометр barometer
баррикада barricade; **быть по разные стороны баррикады** to be on
opposite sides of the fence
барс snow leopard
Барселона Barcelona
барсук badger
бартер barter; **по** ~**у** on a barter basis
бархат velvet
барьер *(в беге)* hurdle; *(на скачках)*
fence; *(перен)* barrier, **тарифный**
~ tariff barter
бас bass
баскетбол basketball
баскетболист basketball player
басня fable; *(обычно мн: перен: разг)*
fairy story
бассейн (swimming) pool; *(реки,
озера итп)* basin; **каменноугольный** ~ coalfield
бастовать to be on strike
батальон batallion
батарейка *элек.* battery
батарея *(отопительная)* radiator;
воен., элек. battery
батист cambric, lawn
батон (white) loaf
баттерфляй butterfly (stroke)
Бахрейн Bahrain
бахрома fringe
бацилла bacillus

башка *(разг)* head

башмак *(туфель)* shoe; *(ботинок)* boot; *деревянный* ~ clog; **быть под башмаком у кого-н** to be under sb's thumb

башня tower; *воен.* gun turret; *(разг)* tower block

баю-бай *межд* refrain

баюкать to lull to sleep

баян bayan

бдительный vigilant

бег running; *спорт* race; ~ **на длинные дистанции** long-distance race; ~ **на короткие дистанции** sprint

бегать to run; *(челнок)* **to fly to and fro**; ~ **от** *(разг)* to avoid; ~ **за кем-н** *(разг)* to chase *или* run after sb; **у него глаза бегали** he looked shifty

бегемот hippopotamus

беглец fugitive

беговой *(лошадь)* race; *(лыжи)* racing; ~**ая дорожка** running track

бегония begonia

бегство *(из плена)* escape; *(из дома)* flight; *(с поля боя)* rout; **обращать (обратить) в** ~ to rout; **спасаться** ~**м** to escape

беда tragedy; *(личная)* misfortune; **просто** ~ it's just awful!; **попадать (попасть) в** ~**у** to get into trouble; **быть в** ~**е** to be in trouble; ~ **в том, что ...** the trouble is (that) ...; ~ **(мне) с ним** *(разг)* he's nothing but trouble (to me), **на** ~**у** *(разг)* unfortunately; **не** ~! *(разг)* (it's) nothing!; **лиха** ~ **начало** *(разг)* the first step is always the hardest

беднеть to become poor

бедность *(также перен)* poverty

бедняк *(разг)* poor thing

бедро *(верхняя часть ноги)* thigh; *(таз)* hip

бедственный disastrous

бедствовать to live in poverty

бежевый beige

беженец refugee

без without; **ясно без слов** it goes without saying; less, minus

безалаберный inconsistent, orderless; careless, negligent

безапелляционный peremptory

безбедность competence

безбедный comfortably off

безбилетник *(разг: пассажир)* fare dodger

безбожие atheism, ungodliness

безбожный irreligious, ungodly

безбоязненность bravery; fearlessness

безбрачие celibacy; *biol.* agamy

безбрежность infinity; vastness

безбрежный boundless, unlimited

безветренный calm

безвкусица bad taste

безводный *(среда, почва)* arid

безвозвратный irretrievable; **безвозвратная ссуда** nonrepayable subsidy

безвозмездно for free

безвольный weakwilled

безвредный harmless

безвременный untimely

безвыездно continuously

безголовый *(перен: разг)* brainless

безголосый: ~ **певец** singer with a weak voice

безграмотный illiterate; *(работник)* incompetent

безграничный *(также перен)* boundless

безгрешный sinless

бездарный *(писатель, музыкант)* talentless; *(произведение, роман)* mediocre

безделушка *(разг)* trinket, knick-knack

безделье idleness

бездельник *(разг)* loafer

безденежный *(расчет, перевод)* noncash; *(разг: человек)* hard up

бездеятельный inactive

бездна abyss; **у меня** ~ **дел** *(разг)* I've got heaps of things to do

бездоказательный unsubstantiated

бездомный *(человек)* homeless; *(собака)* stray

бездонный bottomless; **бездонная бочка** *(разг)* bottomless pit; *(: человек)* (old) soak

бездумный thoughtless

безжалостный ruthless

безжизненный lifeless; *(взгляд, лицо)* expressionless

безработный carefree

беззаконие lawlessness; *(поступок)* unlawful act

Б

беззастенчивый shameless; ~ лгун barefaced liar

беззащитный defenceless *(BRIT)*, defenseless *(US)*

беззвучный inaudible

беззлобный good-natured

беззубый toothless; *(перен)* feeble

безликий nondescript

безмозглый *(разг)* brainless

безмятежный tranquil

безнадёжный hopeless; ~ больной hopeless case *мед.*

безнаказанный unpunished

безналичный noncash; **безналичный расчёт** clearing settlement

безнравственный immoral

безобидный harmless *(шутка, высказывание)* inoffensive, innocuous

безоблачный cloudless; *(перен: жизнь, детство)* carefree; *(: счастье)* unclouded

безобразие *(физическое уродство)* ugliness; *(поступок)* outrage; ~ ! it's outrageous!, it's a disgrace!

безоговорочный unconditional

безопасность safety; *(международная)* security; **в ~и** aut of danger; **Совет Б~и** Security Council; **техника ~и** health and safety **безопасность движения** road safety

безоружный unarmed; *(перен: в споре)* defenceless *(BRIT)*, defenseless *(US)*

безостановочно incessantly

безответственность irresponsibility

безотказный reliable

безотлагательный urgent

безотчётный *(чувство)* irrational; *(поведение)* unaccountable

безошибочный *(решение, догадка)* correct; *(судья, ценитель)* infallible

безработица unemployment

безработный unemployed ◇ unemployed person; **~ые** the unemployed

безразлично indifferently ◇ как сказ: мне ~ it doesn't matter to me, it makes no difference to me; **~,** придёт он или нет it makes no difference whether he comes or not; ~ кто/что по matter who/ what

безразличный indifferent

безразмерный: **~ые носки/чулки** one- size socks/stockings

безрезультатный fruitless

безропотный uncomplaining

безрукавка *(кофта)* sleeveless top; *(куртка)* sleeveless jacket

безударный *линг.* unstressed

безукоризненный *(поведение, человек)* irreproachable; *(работа)* flawless

безумие madness; **до ~я** madly

безупречный *(поведение, человек)* irreproachable; *(работа)* flawless

безусловно (повиноваться, доверить) unconditionally ◇ *(несомненно)* without a doubt; ~, я буду **рад помочь Вам** naturally, I'll be happy to help you

безучастный disinterested

безъядерный nuclear-free

безысходный hopeless

Бейрут Beirut

бекон bacon

беларус Belorussian

беларусский Belorussian

Беларусь Belarus

Белград Belgrade

белеть *(лицо)* to go *или* turn white; *(цветы)* to show white

белиберда *(разг)* gobbledegook

белила emulsion

белить to whitewash

белка squirrel; **вертеться как ~ в колесе** to run round in circles

белковый proteinous

беллетристика fiction; *(лёгкое чтение)* light reading

белогвардеец *ист.* White Guardsman

белокровие *мед.* leukaemia *(BRIT)*, leukemia *(US)*

белокурый *(человек)* fairhaired; *(волосы)* fair

белоснежный show-white

белуга beluga

Белфаст Belfast

белый white, *(гриб)* сер ◇ *(человек)* white (person); **средь ~а дня** *(разг)* in broad daylight; **белая ворона** the odd one out; **белая гвардия** *ист.* White Guard; **Белая горячка** the DT; **белое духо-**

Б

венство secular clergy; **белый медведь** polar bear
бельгиец Belgian
бельгийский Belgian
Бельгия Belgium
белье linen; *(стиранное)* washing; **нижнее** ~ underwear; **постельное** bedclothes, bed linen
бельэтаж *театр.* dress circle; *архит.* first floor; second floor *(US)*
беляш meat pie
бензин petrol *(BRIT)*, gas *(US)*
бензобак petrol *(BRIT)* *или* gas *(US)* tank
бензоколонка petrol *(BRIT)* *или* gas *(US)* pump
берег *(моря, озера)* shore; *(реки)* bank
бережливость economy, thrift
береза birch (tree)
беременеть to get pregnant
беременная pregnant ◊ pregnant woman
берет beret
беречь *(документы)* to keep; *(деньги)* to be careful with; *(время)* to make good use of; *(здоровье детей)* to look after, take care of; ~ **как зеницу ока** to guard with one's life
беречься to watch out for; **берегитесь простуды** take care you don't catch a cold; **берегитесь!** watch out!
Берингов пролив Bering Strait
Берлин Berlin
Бермудские острова Bermuda, the Bermudas
Берн Berne
бес demon, devil; *(перен)* devil
беседа conversation; *(не официальная)* chat; *(популярный доклад)* discussion
беседовать : ~ **(с)** to talk (to); *(не официально)* to chat (to)
бесить to infuriate
беситься *(разг)* to run wild; *(взбеситься; раздражаться)* to become furious; **с жиру** ~**я** *(разг)* to become spoilt and fussy
бесклассовый classless
бескомпромиссный uncompromising
бесконечно *(очень долго)* endlessly; *(чрезвычайно)* infinitely

бесконтрольный uncontrolled
бескорыстие unselfishness
бескорыстный unselfish
бескровный bloodless
бесперебойный uninterrupted
беспечный carefree
бесплатный free
бесплодие *(женщины)* infertility; *(земли)* barrenness, infertility
бесповоротный irrevocable
беспокоить *(причинять боль)* to trouble; *(побеспокоить; мешать)* to disturb; *(обеспокоить; тревожить)* to bother, worry
беспокоиться *(утруждать себя)* to put o.s. out, trouble o.s.; *(тревожиться)*: ~**ся о** *или* **за** to worry about; **не** ~**йтесь, я сделаю все сам** don't put yourself out, I'll put it myself
беспокойный *(человек)* anxious; *(взгляд)* uneasy, anxious; *(поездка)* uncomfortable; *(ребенок)* fidgety, restless; *(море, сон, время)* troubled; **это очень** ~**иная работа** it's a very stressful job
беспокойство anxiety, unease; *(заботы, хлопоты)* trouble; **простите за** ~! sorry to trouble you!
бесполезный useless
беспомощность helplessness; weakness
беспорядок disorder; **в** -**ке** *(комната, дела)* in a mess
беспосадочный nonstop
беспочвенный groundless
беспошлинный duty-free
беспощадный *(наказание, удар)* merciless; *(критика, сатира)* ruthless; ~ **к** ruthless *или* metciless towards
бесправие *(беззаконие)* lawlessness
беспредельный *(пространство, море)* boundless; *(любовь, ненависть)* immeasurable
беспрепятственно without difficulty
беспрецедентный unprecedented
бесприбыльный unprofitable
беспризорник *(street)* urchin
беспринципный unscrupulous
беспричинный irrational
беспросветный *(нужда)* desperate; *(грусть)* hopeless; *(ночь, мгла)*

impenetrable
беспроцентный interest-free
бессвязный disjointed
бессердечность heartlessness
бессилие (*больного, старика*) debility; (*чувства*) impotence
бессильный (*больной, старик*) feeble, weak; (*гнев, ненависть*) impotent; **он/президент ~ен (изменить ситуацию)** he/the president is powerless (to change the situation)
бессмысленность (*слов*) meaninglessness; (*поступка*) senselessness, pointlessness
бессовестный (*нечестный*) unscrupulous; (*наглый*) shameless
бессознательный (*страх, действия*) instinctive; **быть в ~ьном состоянии** to be unconscious
бессонница insomnia
бессонный (*ночь*) sleepless; (*страж, сиделка*) wakeful
бесспорно indisputably ◇ (*несомненно*) absolutely; **он, ~, умен** he is indisputably clever
бесспорный indisputable
бессрочный indefinite
бесстыдный shameless brazen; (*ложь*) barefaced
бестактный tactless
бестия (*разг*) rogue
бестолковый (*глупый*) stupid; (*невразумительный*) incoherent
бестселлер best seller
бесхозяйственный (*руководитель*) inficient; (*политика*) uneconomic; **~ная женщина** a bad housekeeper
бесцветный colourless (*BRIT*)
бесцельный pointless, futile
бесценный (*коллекция, сокровища*) priceless; (*друг, жена*) invaluable
бесцеремонный unceremonious, familiar
бесчисленный numerous
бесчувственный (*жестокий*) unfeeling; (*лишенный сознания*) senseless
бетон concrete
бефстроганов boeuf *или* beef stroganoff
бешеный (*взгляд*) furious; (*характер,*

темперамент, ураган) violent *мед.* rabid; (*разг: деньги, цены*) crazy; **это стоит ~ых денег** (*разг*) it costs a bomb
биатлон biathlon
библейский biblical
библиографический bibliographical; **библиографическая редкость** rare edition
библиотека libraly
Библия the Bible
бигуди curlers; **накручивать (накрутить) волосы на ~** to put one's hair in curlers
бидон (*для молока*) churn; (*маленький*) can
бижутерия costume jewellery
бизнес business; **делать (сделать) ~** to make a living from
бизнесмен businessman
бикини bikini
билет ticket; (*члена организации*) (membership) card; **обратный ~** return (*BRIT*) *или* roundtri (*US*) ticket; **казначейский ~** banknote; **входной ~ ticket** (*for standing toom*)
биллион billion
бильярд (*игра*) billiards; (*стол*) billiard table
бинокль binoculars
бинт bandage; **накладывать (наложить) ~ы на** to put a bandage on
биография biography
биология biology
биржа *комм.* exchange; **валютная ~** exchange market; **ценных бумаг** securities exchange; **товарная ~** commodity exchange; **фондовая ~** stock exchange *или* market; **играть на ~** to play the stock exchange
биржевой (*сделка*) stock-exchange; **биржевой брокер** stockbroker
бирка tag
Бирмингем Birmingham
бирюза *гео.* turquoise
бис: *межд.* Б~! encore!; **исполнять (исполнить) что-н на ~** to do sth as an encore
бисер glass beads; **метать ~ перед свиньями** to cast pearls before swine

бисквит sponge (cake)

бистро bistro

бит *комп.* bit

битва battle

бить to beat, thrash; to strike *(as clock)*

битье beating, flogging

биться to beat, throb, thump; to strive

бич *(плеть)* whip; *(перен)* scourge

Бишкек Bishkek

благо benefit; **на ~** for the benefit of

благовидный *(предлог)* plausible; *(стремления, поступки)* seemingly well-intentioned

благодарить to thank

благодарность gratitude, thanks; **приносить (принести) кому-н ~** to express one's gratitude to sb

благодаря thanks to ◇ **~ тому, что** owing to the fact that; **здоров, ~ тому, что занимаюсь спортом** I'm healthy thanks to *или* owing to the fact that I play sport

благонадёжный trustworthy

благополучие *(в семье, в отношениях)* wellbeing; *(материальная обеспеченность)* prosperity; **желаю Вам всякого ~я** I wish you all the very best

благоприятствование: условия/политика наибольшего ~я the most favourable *(BRIT)* *или* favorable *(US)* conditions/ policy

благоразумие prudence

благородный noble; **он ~ого происхождения** he is of noble birth; **благородные газы** the noble gases; **благородные металлы** precious metals

благородство nobility

благословить to bless; **~ кого-н (на что-н)** to give sb one's blessing (for sth)

благосостояние wellbeing

благотворитель philanthropist

благотворительный charitable; **~ая организация** charity (organization); **~ концерт** charity concert

благоустроенный *(квартира, дом)* with all modern conveniences; **~**

город a city with every amenity; **~ая кухня** a well-equipped kitchen

блаженство bliss; **быть наверху ~** to be in seventh heaven

бланк form

блат *(разг)* connections; **по блату** *(разг)* through (one's) connections

бледнеть to become pale, lose colour

бледность pallor, paleness; dullness

блеклый faded, withered

блеск glitter, lustre; brilliance; **дешевый ~** cheap glitter; tinsel, tawdry brilliance

блестеть (за~) to glitter, shine, sparkle

блестящий brilliant, lustrous, resplendent

блеяние bleating

ближайший very near; the next one, proximate; **~ родственник** next of kin

ближний near, nigh; *sm* neighbour

близ in the neigh-bourhood; close to

близко near *или* close by; **~ узнать кого-н** to get to know sb well; **принимать (принять) что-н ~ к сердцу** to take sth to heart

близлежащий adjacent, adjoining to

близнец *(обычно мн)* twin; **братья/сестры-близнецы** twin brothers/ sisters; *см также* Близнецы

Близнецы *(созвездие)* Gemini

близорукий short sighted *(BRIT)*, nearsighted *(US)*

близорукость shortsightedness, nearsightedness

блин pancake

блок *полит.* bloc; *тех.* unit

блокада *воен.* siege; *экон.* blockade; **устанавливать (установить)/снимать (снять) ~у** to impose/lift a blockade

блокировать to blockade, obstruct

блокнот writing pad

блондин : он — — ~ he is blond

блондинка blonde

блоха flea

блуждать to wander *или* roam (around); *(перен: мысли)* to wander; *(: взгляд)* to rove

блузка blouse

блюдо dish

блюсти (*интересы*) to guard; (*чистоту*) to maintain

блядь (*груб.: проститутка*) whore(!) ◇ (*груб.: женщина*) bitch (!); (: *мужчина*) bastard (!)

бляха (*на форме*) badge; (*на ремне*) buckle

боб bean; **на ~ах остаться** to be left high and dry

бобр beaver

Бог God; **верить в Бога** to believe in God; **~ знает** *или* **весть что** God knows what; **благослови Вас ~!** God bless you!; **не дай ~!** God forbid!; **ради Бога!** for God's sake!; **слава Богу** (*к счастью*) thank God

богатеть to become rich

богатство wealth, riches; (*обстановки, одежды*) richness

богатый rich; **~ урожай** bumper harvest; **~** (*ископаемыми, событиями*) rich in; **чем ~ы, тем и рады** what's ours is yours

богач rich man

богема *собир* bohemia; (*образ жизни*) bohemian lifestyle

богиня goddess

богородица the Virgin Mary

богословие theology

богослужение service; **совершать (совершить) ~** to take a service

боготворить to worship; to idolize

богоугодный : ~ое заведение charitable institution

богохульный blasphemous

бодрость energy, liveliness; cheerfulness

бодрый (*человек, походка*) energetic, lively; (*настроение, музыка*) cheerful

боевик (*солдат*) fighter; (*фильм*) action movie

боевой military; (*настроение, дух*) fighting

боеголовка warhead

боеприпасы ammunition

боец (*солдат*) soldier; (*участник боя*) fighter

Боже *см* **Бог** ◇ *межд:* **~** (**ты мой**)! good Lord *или* God!; **~! какая**

красота! God, it's beautiful!; **~ сохрани** *или* **упаси** *или* **избави** (*разг*) God forbid

божественный divine

божий God's; **каждый ~ день** every single day; **божий дар** God-given talent; **божья коровка** ladybird

бой battle; (*боксеров, быков*) fight; (*барабанов*) beating; (*часов*) striking

бойкий (*распорядитель, продавец*) smart; (*движения*) brisk; (*речь, ответ*) quick; (*место, базар*) busy

бойкот boycott

бойлер boiler

бойня slaughterhouse, abattoir

бок side; **под боком** (*разг*) right nearby; **~ о ~** side by side

бокал (wine)glass, goblet; **поднимать (поднять) ~ за кого-н/что-н** to raise one's glass to sb/sth

бокс *спорт.* boxing; *мед.* cubicle

боксер boxer

болван (*разг*) blockhead

болгарин Bulgarian

Болгария Bulgaria

болгарский Bulgarian; **~ язык** Bulgarian

более more; **~ или менее** more or less; **~ того** what's more; **тем ~** all the more so; **~ чем** more than

болезненный sickly; (*укол, перевязка*) painful; (*перен: подозрительность*) unhealthy; **у него ~ное самолюбие** he's ultra-sensitive

болезнь illness; (*заразная*) disease; **~и роста** growing pains

болельщик fan

болеть to ache; to ail, to be ill

болеутоляющий : ~ее средство painkiller

болонка lapdog

болото marsh, bog; (*перен*) backwater

болт bolt

болтаться (*разг*) to dangle; **~ся без дела** to hang around with nothing to do

болтовня (*разг*) waffle

болтун chatterbox

боль pain, ache; **зубная ~** toothache; **головная ~** headache; **~ в груди/животе** chest/abdominal pain

больница hospital; **ложиться (лечь) в ~** to go into hospital; **выписываться (выписаться) из ~** to be discharged from hospital

больничный hospital; **больничный лист** medical certificate

больно (*удариться, упасть*) badly painfully; (*обидеть*) deeply; **~! that hurts!; мне ~** I am in pain; **делать (сделать) ~ кому-н** to hurt sb; **мне ~ подумать об этом** it hurts me to think about it

больной (*рука итп*) sore; (*воображение*) unhealthy; ill, sick ◊ **-ого** (*тот, кто болеет*) sick person; (*пациент*) patient; **у нее ~ вид** she doesn't look very well; **дети ~ны** the children are ill *или* sick; **больное сердце** a bad heart; **больной вопрос** a sore point

больше more

большинство majority

большой bulky; great; large; **большая буква** capital letter

болячка skin eruption

бомба bomb

бомбить to bomb

бомбоубежище bomb shelter

бордовый dark red

бордюр border; (*тротуара*) kerb (*BRIT*), curb (*US*)

борец (*за свободу итп*) fighter; *спорт.* wrestler

бормотать to mutter

борода beard

бородатый wartlike; **бородатая трава** nipple-wart

бороздить to furrow, plough

борона harrow

бороться to struggle; wrestle; **~ за что-либо** to contest

борт border, hem, rim (*of material, dress*); brim (*of hat*); cushion (*of billiard table*)

бортпроводник steward

бортпроводница air hostess, stewardess

борщ *sm.* Russian soup (*beetroot and cabbage*)

борьба contest, fight; strife

босой barefooted

босоножка barefooted dancer

босс boss

Босфор Bosporus

босяк tramp

ботаника botany

боцман boatswain, bosun

бочка (*сосуд*) barrel

браво *межд* bravo

бразды: ~ правления the reins of power *или* government

бразилец Brazilian

Бразилия Brazil

бразильский Brazilian

брак (*супружество*) marriage; (*продукция*) rejects; (*дефект*) flaw; **вступать (вступить) в ~** to get married; **расторгать (расторгнуть) ~** to dissolve a marriage

браковать to reject

браконьер poacher

бракосочетание marriage ceremony

браслет bracelet; (*кольцо из металла, кости итп*) bangle

брасс breaststroke

брат brother; **сводный ~** stepbrother; **двоюродный ~** cousin

Братислава Bratislava

братский brotherly, fraternal; **братская могила** communal grave

братство (*содружество*) brotherhood

брать (взять) to take; (*билет*) to get; (*няню*) to take on; (*крепость, город*) to take, seize; (*высоту*) to conquer; (*барьер*) to clear; **~ налог у кого-н** to tax sb/sth; **~ (взять) что-н в расчет** *или* **во внимание** to take sth into account *или* consideration

браться (взяться): браться за (*дотронуться*) to touch; (*хватать рукой*) to take hold of; (*за чтение, за работу*) to get down to; (*за перо*) to take up; (*за книгу*) to begin; (*решение проблемы*) to take on, undertake; **откуда у тебя время берется?** where do you find the time?; **откуда у него деньги берутся?** where does he get the money?; **браться (взяться) за ум** to come to one's senses

брачный (*контракт*) marriage; (*союз*) conjugal

бревно log; *спорт.* the beam; (*перен*) oaf

Б

бред delirium; *(перен)* nonsense; ~ **сумасшедшего** the ravings of a madman
бредить to be delirious; ~ **кем-н/чем-н** to be mad about sb/sth
бредовый *(разг)* crazy
брезгливый *(человек)* fastidious; *(взгляд)* disgusted
брезговать to be fastidious about
брезент tarpaulin
брести *(человек)* to trudge; *(лошадь)* to plod
Бретань Brittany
брешь *(пролом)* breach
брею(сь) *итп см* **брить(ся)**
бригада *воен.* brigade; *(в поезде)* crew; *(на производстве)* (work) team
бриз sea breeze
бриллиант (cut) diamond
бриллиантовый diamond
британец Briton; ~**цы** the British
Британия Britain
британский British
бритва razor; **безопасная** ~ safety razor
брить *(человека)* to shave; *(бороду)* to shave off
брифинг briefing
бровь eyebrow; **попасть не в** ~, **а в глаз** to hit the nail on the head; **он и бровью не повел** he didn't bat an eyelid
бродить to wander; **(выбродить;** *вино, пиво)* to ferment
бродяга tramp; *(любящий странствовать)* drifter
брожение fermentation; *(перен)* ferment
бройлер broiler
брокер broker; **биржевой** ~ stockbroker
бром bromine
бронемашина armoured *(BRIT)* или armared *(US)* car
бронетранспортёр armoured *(BRIT)* или armored *(US)* personnel carrier
бронза bronze
бронирование reservation
бронировать to reserve
бронх bronchial tube
бронхит bronchitis

бронь *(разг)* reservation
броня reservation
бросать (бросить) to fling, throw; to leave off, give up; ~ **в жар** to go hot and cold; ~**ся** to make a dash for; to throw oneself
брошенный abandoned, deserted
брошь brooch
брошюра pamphlet
брус beam
брусника cowberry
брусок *(камень для точки)* whetstone; *(мыла)* bar
брутто gross
брызгать *(фонтан, грязь)* to splash; : ~ **на** to splash
брызги splashes; *(мелкие)* spray; *(стекла, камня)* fragments, sptinters
брынза brynza
брысь *межд* shoo
брюква swede
брюки trousers, pants *(US)*
брюнет *sm.* man of dark complexion; ~**ка** brunette
брюнетка brunette
Брюссель Brussels
брюхо *(также разг)* belly; *(разг: толстое)* pot
брюшной abdominal; **брюшной тиф** typhoid fever
бублик bagel
бугор mound; *(на коже)* lump
Будапешт Budapest
буддизм Buddhism
буддист Buddhist
будет! enough! stop it! that will do!
будильник alarm-clock
будить (про~, раз~) to wake; to call; to rouse
будка *(сторожа)* hut; *(для собаки)* kennel; **часовая** ~ sentry box; **телефонная** ~ telephone booth *или* box
будоражить to disturb
будто as if, as though
будущее the future; ~ **время** future tense
будущий future, next
будь(те) *см* **быть** ◊ **будь то** be it
буйвол buffalo
буйный wild; *(обильный: растительность)* luxuriant, lush

бук beech

буква letter; *(перен):* ~ *(закона, документа)* the letter of; прописная/строчная ~ capital/small letter; ~ в букву word for word

буквально literally

букварь first reading book

букет *(цветов, вина)* bouquet; *(перен: разг: болезней, недостатков)* range

буксир tug; *(трос)* towrope; тянуть *или* вести на ~e to give sb a tow

булавка pin; английская ~ safety pin

булка roll; *(белый хлеб)* loaf

булочная baker, baker's (shop)

булыжник cobblestone

бульварный boulevard; ~ роман trashy novel; бульварная пресса gutter press

бульдог bulldog

бульдозер bulldozer

бульон stock

бум *(оживление)* boom

бумага paper; ~ за подписью кого-н a document signed by sb; ценные ~и securities; гербовая ~ headed paper

бумажник wallet, pocketbook *(US)*

бунт *(мятеж)* riot; *(: на корабле)* mutiny

бурак beetroot

буран blizzard, snowstorm

бурда *(разг):* этот чай просто ~ the tea is just like dishwater

бурение boring, drilling

буржуазия bourgeoisie; мелкая ~ petty bourgeoisie

буржуазный bourgeois

бурить to bore, drill

буркнуть *(разг)* to grunt

бурлить *(вода)* to boil; *(ручей)* to bubble; *(толпа)* to seethe

бурный *(погода, океан)* stormy, rough; *(река)* turbulent; *(чувство, порыв)* wild; *(спор)* heated; *(рост)* rapid

буровой boring, drilling; буровая вышка derrick; буровая скважина bore(hole)

бурчать *(разг: ворчать)* to mutter; ~ *(пробурчать)* себе под нос to mutter *или* grumble to o. s.

бурый brown; бурый уголь *гео.*

brown coal, lignite

буря storm; *(перен)* burst; ~ в стакане воды storm in a teacup

Бурятия Buryatia

бусы beads

бутерброд sandwich

бутон bud

бутылка bottle

буфер *(также перен, комп.)* buffer

буфет *(для продажи закусок)* snack bar; *(шкаф)* sideboard

буханка loaf

Бухарест Bucharest

бухгалтер accountant, book-keeper; ~-ревизор auditor

бухгалтерия accountancy, book-keeping; *(отдел)* accounts office

бухгалтерский book-keeping, accountancy; бухгалтерские книги books; бухгалтерский учет book-keeping, accountancy

бухта bay

бушевать *(пожар, ураган)* to rage

Буэнос-Айрес Buenos Aires

бы 1 *(выражает предположительную возможность):* купил бы, если бы были деньги I would buy it if I had the money; я бы давно уже купил эту книгу, если бы у меня были деньги I would have bought this book long ago if I had had the money 2 *(выражает пожелание):* я бы хотел поговорить с тобой I would like to speak to you; я бы не хотел об этом говорить I would, rather not talk about it; чаю бы I could do with some tea 3 *(выражает совет):* ты бы написал ей you should write to her 4 *(выражает опасение):* не захватил бы нас дождь I hope we don't get caught in the rain; отдохнуть/погулять бы it would be nice to have a rest/walk; опоздать бы better not be late

бывать *(приходить, посещать)* to be; *(случаться, происходить)* to happen, take place; он ~ет у нас часто he often comes to see us; ~ют странные случаи strange things happen; как не ~ло *(разг)* as if it had never been; как ни в чем не ~ло *(разг)* as if nothing

B

had happened; **с кем не ~ет** it
happens to the best of us
бык bull; *(рабочий)* ox; **брать (взять)
~ за рога** to take the bull by the
horns
быстро quickly
быстрый fast; *(лошадь)* swift, fast;
(проворный, беглый) quick
быт life; *(повседневная жизнь)*
everyday life; **это вошло в ~** this
has become a part of our everyday
life; **служба быта** consumer
services
быть 1 to be; **книга на столе** the
book is on the table; **завтра я буду
в школе** I will be at school
tomorrow; **дом был на краю города** the house stood on the edge
of the town; **на ней красивое платье** she is wearing a beautiful dress;
вчера был дождь it rained
yesterday **2** *(часть составного
сказ)* to be; **я хочу быть учителем** I want to be a teacher; **я был
рад видеть тебя** I was happy to
see you; **так и быть!** so be it!; **как
быть?** what is to be done?; **этого
не может быть** that's impossible;
кто/какой бы то ни был whoever/
whatever it might be; **будьте добр-
ы!** excuse me, please!; **будьте
добры — позвоните его!** would you
be so good *или* kind as to call
him?; **будьте здоровы!** take care!
3 (образует будущее время): **вечером я буду писать письма** I'll
be writing letters this evening; **я
буду любить тебя всегда** I'll love
you forever
бюджет budget; **доходный ~**
income, revenue; **расходный ~**
expenditure
бюллетень bulletin; *(листок для
голосования)* ballot paper; *(: нетрудоспособности)* medical
certificate
бюро office, agency; **справочное ~**
inquiry office; **бюро (добрых) услуг** domestic help agency; **бюро
находок** lost property office; **бюро
по трудоустройству** employment
agency
бюрократ bureaucrat

бюрократия bureaucracy
бюст bust
бюстгальтер bra (= *brassiere*)
бязь calico

В

в, во in; **в Англии** in England; **в этом
году** this year; into, to: **идти в
город** to go into town; **поехать в
Париж** to go to Paris; for: **уехать
в Лондон** to leave for London;
at: **в театре** at the theatre; on: **во
вторник** on Tuesday
вагон *(пассажирский)* carriage
(BRIT), coach *(BRIT)*, car *(US)*;
(товарный) wagon *(BRIT)*, truck;
спальный ~ couchette car; **мягкий ~** sleeping car; **вагон-ресто-
ран** dining *(BRIT)* *или* club *(US)*
car
вагонетка trolley
важничать to act in a self-important
manner
важность importance; *(надменность)* self-importance; **(не) ве-
лика ~** what does it matter
важный important; *(гордый)*
pompous
ваза vase
вакансия vacancy; **открылась ~ в
бухгалтерии** a vacancy has now
arisen in accounts
вакуум vacuum
вакцина vaccine
вал *(насыпь)* bank; *(крепости)*
rampart; *(стержень)* shaft; *(волна)* breaker; **экон.** gross product
валенок *(обычно мн)* felt boot
валерианка valerian drops *мн.*
валет jack
валидол type of sedative
валик *(в механизме)* cylinder; *(для
краски)* roller; *(подушка)* bolster
валить (по~) to overturn, throw
down; to fell
валовой *(доход)* gross *опред;* **валовой внутренний продукт** gross
domestic product; **валовой национальный продукт** gross national
product; **валовая прибыль** gross

profit; ~ **объем продажи** gross sales *мн.*

валун boulder

вальс waltz

вальцевать *несов.перех* to roll

валюта currency ◇ *собир* foreign currency; **твердая~** hard currency

валютно-финансовый monetary

валютный currency *опред;* ~ **контроль** exchange control; **валютный курс** rate of exchange; **валютный фонд** currency reserves *мн.*

валяться *(кататься)* to roll about; *(разг:человек,бумаги и т п)* to lie about; *(:с гриппом и тп)* to be laid up; **деньги на земле** *или* **на дороге не ~ются** *(разг)* money doesn't grow on trees

вампир vampire

вандализм vandalism

ванилин *part gen* **-у)** vanillin

ванна bath; **принимать (принять** *perf)* ~**у** to take *или* have a bath

варвар barbarian

варежка *gen pl* **-ек** *(обычно мн)* mitten

вареник *(обычно мн)* sweet dumpling

вареный boiled

варенье jam

вариант version; *(возможность)* option; *(разновидность)* variant

варить *perf* **сварить** *(обед)* to cook; *(суп, кофе)* to make; *(картофель, мясо)* to boil; *(тех.)* to weld; *(сталь)* to found; **у него голова** *или* **котелок варит** *(разг)* he has a good head on his shoulders

Варшава Warsaw

варьете variety show

василек cornflower

вата cotton wool *(BRIT),* (adsorbent) cotton *(US)*

ватага *(ребят)* gang

ватерлиния water line

ватерполо water polo

ватин padding

ватный cotton-wool *(BRIT),* absorbent cotton *(US);* **ватное одеяло** quilt

ватрушка *gen pl* **-ек** curd tart

ваучер voucher

вафля *gen pl* **-ель** wafer

вахта watch; **стоять на ~е** to keep watch

вахтер caretaker, janitor

ваш your, yours

Вашингтон Washington

вбегать (вбежать) to run in(to)

вбивать (вбить) to hammer, wedge

вбирать to absorb, soak up; imbibe, inhale

вблизи nearby ◇*предл:* ~ **+gen** *или* **от +gen** near (to)

вбок sideways

вброд переходить (перейти) ~ to ford

введение introduction; *(войск.)* sending in; *(данных)* input

ввезти *pt* **(ввозить)** *(в дом)* to take in; *(в страну)* to import

ввергнуть (ввергать) to reduce to; **он ввергает меня в тоску** he depresses me

вверх up, upward; ~ **дном** upside down

вверху above; overhead

вверять (вверить) to entrust; to confide

ввиду as; in view of

ввинтить to screw in

ввод ringing in; *(данных)* feeding in; *(электрический, телефонный)* lead in

вводный *(статья)* introductory; *(устройство)* lead -in; **вводное отверстие** input; **вводное слово** parenthesis

ввоз *(процесс)* importation; *(импорт)* imports *мн;* **беспошлинный** ~ duty-free imports

ввысь upwards

вглубь (down) into the depth ◇ *предл (+gen; вниз)* into the depth of; *(внутрь)* into the heart of

вглядываться to peer, stare into; to observe, take stock of

вгонять (вогнать) to drive in

вдаль into the distance, into space

вдвое doubly, twice, two-fold; ~ **больше** twice as much

вдвоем both, the two of us, two together

вдевать (вдеть) to thread through

вдергивать to draw in, pull in

вдобавок in addition, besides, further-more

B

вдова widow; **соломенная ~** grass
. widow
вдовец widower
вдоволь enough, plenty
вдоль along, by; longways; thoroughly
вдохновение inspiration
вдохновлять (вдохновить) to infuse; to inspire
вдребезги smashed into fragments
вдруг suddenly; without warning
вдумчивость pensiveness; thought-
fulness
вдумчивый meditative
вдумываться to ponder over
вдыхание inhalation
вдыхать (вдохнуть) to inhale
вегетарианец vegetarian
ведение knowledge; authority
ведомость journal, list, report; **ве-
домости** news; newspaper
ведомство department, office; **военное ~** War Office; **судебное ~** law
court; legal department *(in
Russian)*
ведро bucket, pail
ведь but, of course, why; well *(used
only in conjunction with other
words; on particular meaning alone)*
ведьма hag, witch
веер fan
вежливость courtesy, politeness
вежливый civil, gallant, polite
везде everywhere; anywhere; **~ и в
сюду** here, there and everywhere
вездесущий *(Бог)* omnipresent; *(человек)* ubiquitous
везение luck
везти *pt* to transport, take; *(двигать:
за собой)* to pull; (:перед собой)
to push ◇ **(повезти)** to be lucky;
ему (часто) ~ет he is (often)
lucky
век age, century; eternity; **в кои веки**
once in a blue moon; **на веки веч-
ные** for ever and ever
веко eyelid
вековечный everlasting
вексель bill of exchange, draft
велеть to command, order tell
великан giant
великий great; **~ пост** Lent **Вели-
кобритания** Great Britain

великодушный magnanimous, big-
hearted
великолепный *(роскошный)*
magnificent, splendid; *(разг)*
fantastic
величественный majestic
величие grandeur
величина size; *мат.* quantity; *(комп:
значение)* value
велосипед bicycle; **гоночный ~**
racing bicyle, racer
велосипедист cyclist
вельвет corduroy
вельможа dignitary
велюр velours
Вена Vienna
венгерский Hungarian; **~язык**
Hungarian
Венгрия Hungary
Венера Venus
Венерология venereology
Венесуэла Venezuela
венесуэлец Venezuelan
венец crown; *астроном.* corona;
идти (пойти) под ~с кем -н to
walk down the aisle with sd
Венеция Venice
венигрет beetroot salad
веник broom, besom
венозный venous
венок wreath
вентиль valve
вентилировать *(помещение)* to
ventilate
вентилятор (ventilator) fan
венчание *(коронование)* coronation;
(бракосочетание) church
wedding
венчать (обвенчать или повенчать)
to marry; *(находиться на верху)*
to crown; **~ на царство кого-н** to
crown sb
венчик corolla
вера faith; *(в бога)* belief; **~в кого-
н/что-н** faith in sb/sth; **~ой прав-
дой служить кому-н/ чему-н** to
serve sb/sth faithfully; **на ~у принимать (принять) что-н** to take
sth on trust
веранда verandah
верба pussy willow
верблюд camel
вербовать to recruit

B

веревка *(толстая)* rope; *(тонкая)* string; *(для белья)* line; **вить ~ки из кого-н** to twist sb round one's little finger
вереница *(предметов)* line; *(людей)* file; *(перен:мыслей и т.п.)* series
вереск heather
веретено spindle
верещать *(женщина)* to chatter
верзила beanpole
вермишель vermicelli
вермут vermouth
верно faithfully, truly; correctly, right; **верно!** that's it! quite right
верноподданный loyal
верность fidelity, loyalty; truth
вернуть to recall; **~ся** to come back, return
верный faithful, true
веровать to have faith in
вероисповедание creed, religion
вероломный disloyal, false, treacherous
вероломство perfidy, treachery
вероучение religious doctrine
вероятность probability
вероятный likely
верстак joiner bench
верстать (по~) to impose
вертеть (по~) to turn, twist
вертикальный vertical
вертихвостка flirt
вертолет helicopter
верующий believer
верфь shipyard; *(военная)* dockyard
верх top, upper part; upperhand
верховный *(главный)* supreme
верхолаз steeplejack
верхом on horseback; heaped, quite full
вершина summit
вершить *(суд)* to conduct *(судьбами)* to control
вес weight, tare
веселить to cheer, gladden, rejoice; **~ся** to enjoy oneself, to be merry
весело *(сказать)* cheerfully ◇ **как сказ: здесь** ~it's fun here; **мне** ~ I'm having fun
весить to weigh
весло oar
весна spring
веснушка *(обычно мн)* freckle

весомый substantial
вестерн western
вести to take *(машину, поезд)* to drive; *(корабль)* to navigate; *(войско, отряд)* to lead; *(собрание, заседание)* to chair; *(работу, исследования)* to conduct; *(хозяйство)* to run; *(дневник, записи)* to keep ◇**(привести)** ~ **к** to lead to; **~себя** to behave; ~ **речь о** to talk about; ~ **начало от** to originate from
вестибюль *(в гостинице)* lobby; *(в метро)* entrance hall
вестник messenger; *(перен)* herald; *(издание)* bulletin
весть item of news, tidings
весы scales; weighing machine
весь all, total; whole
ветвь branch *(of tree);* shoot, sprig, twig
ветер wind; **сквозной** ~ draught
ветеран veteran
ветеринар vet (=*veterinary surgeon*) veterinarian *(US)*
ветка branch; **железнодорожная ветка** branch line
вето veto; **накладывать (наложить)** ~**на что-н** to veto sth
ветреный windy; *(девушка)* emptyheaded
ветровка windcheater
ветровой wind; **ветровое стекло** windscreen *(BRIT)*, windshield *(US)*
ветряной *(двигатель)* wind-powered; ~**ая мельница** windmill
ветхий *(старик)* decrepit; *(дом)* dilapidated; *(одежда)* shabby; **Ветхий завет** the Old Testament
ветчина ham
веха *(обычно мн)* landmark
вечер evening; *(праздник)* party; **на ~е** at a party
вечереть to grow dark
вечеринка party
вечерний evening ~**ие курсы** evening classes
вечером in the evening
вечно eternally; *(разг.жаловаться)* perpetually
вечность eternity; **не видел тебя целую вечность** ~ *(разг)* I haven't you for ages

B

вешалка *(планка)* rack; *(стойка)* hatstand; *(плечики)* coat hanger; *(гардероб)* cloakroom; *(петля)* loop

вешать to hang; *(свешать; товар)* to weigh; ~**(повесить) голову** to look downcast

вещать to broadcast; ~ **на Москву** to broadcast to Moscow

вещественный material; **вещественное доказательство** material evidence

вещество substance

вещь object, thing; **вещи** belongings, luggage, things

веять to blow; to winnow

взад back, backwards; ~ **и вперед** up and down, to and fro

взаем on credit

взаимодействие interaction, interplay; reciprocity

взаимопомощь mutual aid

взамен in exchange for, instead of, in return for

взаперти under lock and key

взбалтывать *(взболтать)* to shake up, stir

взбегать *(взбежать)* to run up

взбеситься to go mad; to become furious

взбодрить *(эмоционально)* to hearten, cheer; *(физически)* to invigorate

взболтать to shake

взбудоражить to agitate

взбунтоваться to rebel

взбучка *(разг)* dressing-down

взвешивание weighing; weighing-in

взвешивать *(взвесить)* to weigh; to consider

взвизгивать to scream, squeal; to howl *(as dog)*

взвинчивать *(взвинтить)* to excite, rouse; inflate *(prices)*

взвод platoon; section *(in army)*

взволновать to agitate, upset; to disturb; to stir

взгляд glance, look; outlook

взглядывать *(взглянуть)* to glance at, look at

взгромоздить ~**(на)** to haul up (onto)

взгрустнуться to feel sad

вздергивать *(вздернуть)* to hitch up, jerk up, pull up

вздор nonsense, trash

вздох sigh; gasp

вздрагивать *(вздрогнуть)* to start *(involuntary movement);* to flinch, wince

вздремнуть to doze, have a nap

вздувать *(вздуть)* to blow, fan *(a fire)*

вздыматься *(грудь)* to heave; *(волны)* to rise

вздыхать to sigh; *(тосковать):* ~ **о** *(молодости)* to yearn for; ~ **по** to pine for

взимание collecting

взлет *(самолета)* takeoff; *(мысли)* flight

взлететь *(птица)* to soar; *(самолет)* to take off; **взлетать на воздух** to explode

взлетно-посадочный; взлетно-посадочная полоса runway

взломать to break open, force

взломщик burglar

взметнутся *(пыль,искры)* to fly up; *(пламя, конь)* **to leap up**

взмолиться to beg

взмутить *сов от* **мутить**

взмыть to soar

взнос *(страховой)* payment; *(в фонд)* contribution; *(членский, вступительный)* fee; **ежемесячный** ~ monthly instalment

взобраться *сов возв:* ~ **на** + *acc* to climb (up) onto; **взбираться на гору** to climb (up) a hill

взойти *(идти; всходить) (солнце, луна)* to rise; *(семена)* to come up; *(на гору, на престол)* to ascend

взор glance; *(выражение)* look

взорвать *(бомбу)* to detonate; *(дом, мост)* to blow up

взрастить to cultivate, grow; to nurture

взрослеть to grow up; *(духовно)* to mature

взрослый *(человек)* grow-up; *(фильм, билет, животное)* adult ◇ adult

взрыв explosion; *(дома)* blowing up; *(возмущения)* outburst of; **раздался** ~ there was an explosion; ~**смеха** a burst of laughter

взрывоопасный *(также перен)* explosive

взрыхлить to break up

взывать ~ к кому-н to appeal to sb for; ~ **воззвать к чьему-н милосердию/разуму** to appeal to sd's sense of compassion/reason

взыскание recovery; *(штрафа)* exaction; *(выговор)* reprimand; **накладывать (наложить)** ~ **на кого-н** to reprimand sb

взыскать *(долг)* to recover; *(штраф)* to exact ◇ *неперех:* ~ **с кого-н** to exact ◇ ~ **с кого-н** to call sb to account; **не** ~ **щите!** I'm sorry!

взятие *(власти, территории)* seizure; *(города, крепости)* capture

взятка *(подкуп)* bribe sb; **брать** ~**ку** to take a bribe

взяточник bribe-taker

взять *сов от* **брать** ◇ *(разг)* to nick; **возьму** *или* **да** *и* **откажусь** I could refuse just like that; ~**л да и поехал** *(разг)* he upped and left; ~**ли возьмём хотя бы такой пример** let's take this example; **с чего** *или* **откуда ты** ~**л** *(разг. пренебр)* what ever gave you that idea?

вибрировать to vibrate

вид aspect, view; appearance; kind, sort, species

видать to see *(испытать)* to know; **где это видано!** *(разг)* whatever next!

видение vision

видения *(во сне)* vision; *(призрак)* apparition

видеозапись video (recording)

видеоигра video game

видеокамера videocamera

видеокассета video cassette

видеомагнитофон video (recorder)

видеопленка (video) tape

видеофильм video (film)

видеть to see *(испытать)* to know; **рад Вас** ~ it's good to see you; ~**дите ли** you see; **(там) увидим** well see

видимость visibility; *(пособие)* outward appearance; **по всей** ~**и** seemingly; **для** ~**и** for the sake of appearances

виднеться to be visible

видно *(можно видеть)* one can see; *(можно понять)* clearly ◇**вводн сл** probably; **из окна** ~ **горы** you can see the hills from the window; ~, **что он волнуется** clearly he is worried; ~ **он устал** he is probably tired; **тебе виднее** you know best; **как** ~ as it happens; **там** ~ **будет** we'll see

видный *(заметный)* visible; *(известный)* prominent; *(привлекательный):* **он** ~ **мужчина** he's a fine figure of a man; ~**ен успех** success is in sight

виза *(директора, редактора)* official stamp

византийский Byzantine

Византия Byzantium

визг yelp; *(ребенка, поросенка)* squeal; *(человека)* shriek; *(металла, тормозов)* screech

визжать to yelp; to squeal; to shriek; to screech

визировать *(документ)* to stamp; **ему** ~**овали паспорт** he was issued with a visa

визит visit; **прибывать (прибыть) с** ~**ом** to arrive on official visit; **делать (сделать)** *или* **наносить (нанести)** ~ **кому-н** to visit sb

викторина quiz game

вилка fork; **штепсельная** ~ two-pin plug

вилла villa

вильнуть *(хвостом)* to wag; *(бедрами)* to wiggle; *(дорога, река)* to bend sharply

Вильнюс Vilnius

вилять *(хвостом)* to wag; *(бедрами)* to wiggle; *(дорога, река)* to be shifty

вина *(чувство)* guilt; *(ответственность)* blame; **возлагать (возложить)** ~**у на** +*acc* to place the blame on; **авария произошла по его** ~**е** the accident was his fault, he was to blame for the accident

винительный ~ **падеж** accusative (case)

винить *(об~)* to accuse, impute

вино wine

виноватый culpable, guilty; **виноват!** excuse me, please! so sorry! I beg your pardon!

виновник culprit

виноград grapes, vine

виноградник vineyard

виноградство viticulture

виноделие vine-growing

винт screw; **винтик** tiny screw

винтить to screw

винтовка rifle

виолончель violoncello, 'cello

вираж *(поворот)* turn; *спорт.* bend

виртуальный virtual

виртуоз virtuoso

вирус virus

виселица gallows

висеть *(повиснуть)* to be hanging, suspended

виски whisky *(BRIT)*, whiskey *(US, IRELAND)*

вискоза viscose

Висла Vistula *(river)*

виснуть *(цветы)* to droop; *(волосы)* to hand limply; **~у кого-н на шее** *(перен)* to cling to sb

високосный **~год** leap year

висячий **~мост** suspension bridge; *(закрепить)* **что-н в ~ем положении** to suspend sth

витамин vitamin

витать *(запах)* to hang in the air; **~над** *(опасность, смерть)* to hang *или* hover over; **~в облаках** to have one's head in clouds

витой twisted; *(лестница)* spiral

виток *(спирали)* twist; *(этап)* stage

витраж stained-grass window; *(в музее)* display case

вить *(венок, верёвку)* to weave; *(гнездо)* to build

вихор forelock

вихрь whirlwind; *(перен: революции)* maelstrom; *(развлечений)* whirl

вишня *(дерево)* cherry (tree); *(плод)* cherry

вкалывать (вколоть) to slog

вкатить *(тачку, коляску)* to wheel in; **~ кому-н пощёчину/выговор** to give sb slap across the face/a dressing-down

вклад *(действие)* investment; *(в банке)* deposit; *(в науку, в лите-*

ратуру) contribution; **вносить (внести)** **~в+** *acc* to make a contribution to

вкладчик investor

вкладыш *(в книге, в альбоме)* insert; *(в детали)* inlay

включить (в себя) to include

включая including; **пришли все ~ директора** everybody came including the director

включительно inclusive; **с 1-го по 5-го мая ~** from (the) 1st to (the) 5th of May inclusive

включить to turn *или* switch on; **включать кого-н, во что-н** to include sb in sth

включиться (включаться) to come on; **~ся +** *acc* to join in

вконец completely and utterly

вкрадчивый ingratiating

вкрапление *(в горных породах)* fragment; *(в тексте)* interspersion

вкрасться to creep in; **вкрадываться в доверие к кому-н** to worm one's way into sb's confidence

вкратце briefly

вкривь **~и вкось** squint

вкрутить to screw in

вкус relish, taste; style

вкусный savoury, tasty; palatable; delicious

влага dampness, moisture

влагалище *sn. anat.* vagina

владелец *sm.* owner, proprietor

владетель *sm.* sovernor, ruler; possessor; sovereign

владеть to own, possess; to govern

Владивосток Vladivostok

Владикавказ Vladikavcaz

влажность humidity

влажный *(земля, воздух)* damp; *(глаза, кожа)* moist

властвовать **~ над** to rule; *(перен)* to hold sway over

власть *(политическая)* power; *(родительская)* authority; **быть у власти** to be in power; **приходить (прийти) к власти** to come to power; **терять (потерять) ~ над собой** to lose one's self-control

влево (to the) left; **~от дороги** to the left of the road

влезать to climb in, creep in
влеплять to stick, glue in
влечение craving, desire; inclination; impulse
влечь to involve; to bring; to attract
вливать (влить) to pour into; to infuse; to fall into *(river into sea)*
влияние influence; authority
влиятельный influential
влиять (по~) to influence
вложение enclosure
влюбленный in love; amorous; lover, sweetheart; быть влюбленным to be in love
влюбляться to fall in love
вменять (вменить) to ascribe, impute
вместе together
вместительность spaciousness
вместительный roomy
вместо instead, in place of
вмешательство interference; intervention
вмешивать (вмешать) to implicate, involve; ~ся to interfere, intervene; to meddle in other people's affairs
вмещать to contain, hold
вмиг instantly внаем to be let, for hire; взять ~ to hire, rent
вначале at first
вне outside; быть ~ себя to be in a temper; ~ дома out of doors
внебрачный *(отношения)* extramarital; *(ребенок)* illegitimate
внедрить *(ввести)* to introduce
внезапный sudden
внеклассный extracurricular
внематочный ~ная беременность ectopic pregnancy
внеочередной unscheduled; *(заседание)* extraordinary
внести *(вещи, мебель)* to carry *или* bring in; *(взнос, сумму)* to pay; *(законопроект)* to bring in; *(поправку, параграф)* to insert; *(раздор, путаницу)* to cause; вносить предложение/плату to make a proposal/payment; он внес оживление в вечеринку he livened up the party; вносить ясность в дело to shed light on the proceedings
внешнеполитический foreign-policy

внешний *(стена)* exterior *(спокойствие)* outward; *(связи)* external; ~яя охрана outer guard; мир outside word; ~яя сторона +*gen* the outside of; внешний вид appearance; внешняя политика foreign policy; внешняя торговля foreign trade
внешность appearance; у нее приятная ~ she is good-looking
внештатный freelance
вниз down ~по течению downstream
внизу below *(в здании)* downstairs; внизу страницы at the foot *или* bottom of page; дорога проходит ~ the road runs down below; ~магазин находится there is a shop on the ground *(BRIT)* *или* fist *(US)* floor
вникнуть ~ в +*acc* to understand well
внимание attention, care, regard
внимательный attentive; thoughtful
вничью *(спорт.)* сыграть ~ to draw
вновь again
внук grandson; также внуки
внуки *мн* grandchildren
внутренние inwardly
внутренний *(поверхность, стенка)* interior; *(побуждение, голос)* inner; *(политика, рынок)* domestic; *(рана, кровотечение)* internal; Министерство внутренних дел ~the Department of the Interior *(US)*; внутренние органы internal organs *мн*
внутренности *(анат.)* insides *мн*; *(кулин.)* offal
внутренность interior (of) *также* внутренности
внутри inside; *(в пределах, в рамках)* within; *(дома, ящика)* inside; *(организации)* within
внутривенный intravenous
внутрь inside; принимать лекарство ~ to be taken internally
внучка granddaughter
внушать (внушить) to infuse, inspire; to suggest
внушение inspiration, suggestion
внятный audible, distinct
во there; *(выражает согласие)* that's it; *(выражает оценку)* great
вобла Caspian roach

вовлечь ~ **кого-н в** (*разговор, в спорт*) to draw sb into; (*в работу*) to involve sb in

вовремя on time

вовсе altogether, completely; at all; ~ **нет** not at all

во-вторых secondly; in the second place

вогнать ~(**во что-н**) to drive in (to sth); **вгонять кого-н в отчаяние** to drive sb to despair; **вгонять в краску кого-н** to make sb blush

вогнутый concave

вогнуть to bend *или* curve inwards

вода water; **ехать** ~ to go by water; **воды** watering place

водворить (*поселить*) to settle; (*тишину*) to establish

водевиль musical comedy

водитель driver

водительский ~**ие права** driving licence (*BRIT*); driver's license (*US*)

водить (**по**~) to conduct, guide; to run (*a concern*)

водка vodka (*made from rye*)

водный water; **водные лыжи** water-skiing; **водное поло** water polo; **водные процедуры** hydrotherapy

водоворот whirlpool; (*перен*) whirl-pool, maelstrom

водоем reservoir

водоизмещение displacement; **судно** ~**м в 10 тысяч тонн** a vessel of 10 thousand tons displacement

водокачка (*техн.*) waterworks

водолаз (*человек*) diver

Водолей (*созвездие*) Aquarius

водолечебница hydrotherapy clinic

водонепроницаемый waterproof

водоотталкивающий water-repellent

водоочистной water-purifying

водопой (*для животных*) (water)-trough

водопровод water supply system; **у них в доме** ~ their house has running water

водопроводный (*труба, кран*) water (*система*) plumbing

водопроводчик plumber

водораздел watershed

водород hydrogen

водородный hydrogen; **водородная**

бомба hydrogen bomb

водоросль (*обычно мн*) algae; (*в реке*) waterweed; (*море*) seaweed

водосточный ~**ая труба** drainpipe; ~**ая канава** gutter

водохранилище reservoir

водружать to raise

водяной water; **водяной знак** watermark; **водяной пар** steam

воевать (*страна*) to be at war; (*человек*) to fight; **с бюрократами** *или* **против бюрократов** to wage war on *или* against bureaucracy

воедино together

военачальник (military) commander

военизировать to militarize

военкомат (*военный комиссариат*) ministry for war

военно-воздушный; военно-воздушные (the) air force

военно-морской ~**флот** (the) navy

военнообязанный *person eligible for compulsory military service*

военнопленный prisoner of war

военно-полевой (*госпиталь*) field; **военно-полевой суд** court martial

военно-промышленный ~**комплекс** military-industrial complex

военнослужащий serviceman *мн* (servicemen)

вожак leader

вожделение (*к женщине*) lust; (*к власти, к пище*) craving

вождение (*машины, поезда*) driving; (*судна*) steering; (*яхты*) sailing; (*самолета*) flying

вождь (*племени*) chieftain; (*движения, партии*) leader

воз cartload; load

возбранять to forbid, prohibit

возбудитель instigator

возбуждать (**возбудить**) to arouse, excite, stimulate

возбуждение incitement, stimulation; excitement

возбужденный agitated; excited

возведение raising; advancement, promotion

возвеличение exaltation, glorification

возвещать (**возвестить**) to announce, proclaim

возвещение announcement

возврат return; *(долга, займа)* repayment; **без ~a** irrevocably; **подлежащий ~y** returnable; **не подлежащий ~y** nonreturnable; **возврат без налога** tax refund

возвратить *(книгу; покупку)* to return; *(долг; ссуду)* to repay; *(свободу; здоровье; счастье)* to restore; **возвращать кого-н к жизни** *(больного)* to bring sb from the brink of death

возвратиться (возвращаться) to return *или* come back (to)

возвратный *(комм.)* repayable; *(линг.)* reflexive

возвращаться *(колесо, планета)* to revolve, rotate; **~ся в политических кругах** to move in political circles; **разговор ~лся вокруг театра** the conversation revolved around the theatre

возвращение return

возвышаться to tower

возвышение elevation

возвышенный *(идея, цель)* lofty; *(натура, музыка)* sublime; *(берег)* high

возглавить to head

воздвигать to erect

воздействие effect; *(идеологическое, педагогическое)* influence; **оказывать (оказать) ~на + acc** to influence; **под ~м + gen** under the influence of

воздействовать ~на + acc (по)влиять to have an effect on; *(оказать действие)* to influence

возделать *(обрабатывать)* to cultivate; *(растить)* to grow

воздержавшийся *(полит.)* abstainer

воздержанный frugal; *(в напитках, еде)* abstemious; **он воздержан в оценках/суждениях** he is caution in his evaluation/judgements

воздержаться ~от +gen (от комментариев, от курения) to refrain from; *(от головокружения)* to abstain from; **~ержалось 10 человек** there were 10 abstentions

воздух air *(перен.)* atmosphere; **на (открытом) ~e** outside; outdoors; **в ~e носится опасность** there is danger in the air

воздушный *(десант)* airborne; **посылать (послать) кому-н ~поцелуй** to blow sb a kiss; **воздушная тревога** air-raid warning; **воздушная яма** air pocket; **воздушный флот** air force

воззвание appeal

воззрение view

возить to carry, convey, transport; to cart, draw

возлагать (возложить) to lay upon, rest on; to confer; to entrust

возле beside, near; close to

возлежать (возлечь) to recline

возложение imposition

возлюбленный beloved, dear; lover, sweetheart

возмещать (возместить) to compensate, repay; make amends; to indemnify

возможно it is possible *(может быть)* possibly; **~лучше/быстрее** as well/quickly as possible; **~ему помочь** it is possible to help him; **~он согласится** he may possibly agree

возможности *(творческие)* potential; **финансовые** *или* **материальные ~** financial resources

возможность opportunity; *(допустимость)* possibility; **по (мере) ~и** as far as possible; **иметь то be able to do; **при первой ~и** at the fist opportunity; *см также* **возможности**

возможный possible

возмутительный appalling

возмутить to appal *(BRIT)*, appall *(US)*

возмущение indignation

возмущенно indignantly

вознаградить to reward; *(комм.)* to remunerate

вознаграждение reward

возненавидеть to come to hate

вознести *(хвалить)* to exalt; **возносить чьи-н достоинства** to extol *(BRIT)* *или* extoll *(US)* sb's virtues

возникновение emergence

возникнуть to arise

возня *(при игре)* frolicking; *(перен: интриги)* intrigue; **~с +instr** *(хлопоты)* bother with; **мыши-**

ная ~ a lot of fuss about nothing

возобновить *(начать снова)* to resume; **возобновлять контракт** to renew a contract

возражать *(возразить)* to object; to oppose; to retort

возражение objection; refutation

возраст age; **ребёнок в ~е десяти лет** a ten-year-old child; **он был уже в ~е** he was getting on in years; **выйти из ~а** to be over the age limit

возродить to revive

возрождение *(хозяйства, традиции)* revival; *(нации, веры)* rebirth; *(территории, демократии)* regeneration; **В ~** Renaissance

воин warrior

воинственный *(племена)* warlike; *(вид, тон, намерения)* belligerent; *(воинствующий)* militant

воистину in truth

вой howl

войлок felt

война war; **вести ~у** to wage war; **идти (пойти) на ~у** to go to war

войско *(обычно мн)* (the) forces

войти to become a member (of) *(уместиться)* to fit in (to); **в шкаф входит много книг** the cupboard holds a lot of books; **эта статья не вошла в сборник** this article was not luded in the collection; **входить в список** to be added to the list; **входить в систему** *(комп.)* to log in

вокалист vocalist

вокзал station

вокруг about, around, round

вол bull, ox

волан shuttlecock; flounce

Волга Volga

Волгоград Volgograd

волдырь blister

волевой *(человек, характер)* strongwilled; *(усилие, натура)* determined

волейбол volleyball

волей-неволей *(без желания)* like it or not; **ему ~ пришлось это сделать** he had no choice but to do it

волк wolf *(мн* wolves); **волком смот-**

реть на кого-н to look daggers sb

волна wave; **на коротких/средних/длинных волнах** on short/medium/long wave

волнение *(на море)* choppiness; *(человека: радостное)* excitement; *(нервное)* agitation; *(обычно мн: в массах)* disturbance; unrest *ед*

волнистый *(волосы)* wavy

волновать *(общество, человека)* to trouble; *(море)* to agitate

волокита red tape

волокно fibre *(BRIT);* fiber *(US)*

волочить to drag; **едва или еле ноги ~** to drag o.s. along

волчонок wolf cub

волчий wolf **~ закон** the law of jungle; **~ аппетит** voracious appetite

волчица she-wolf

волшебник wizard

волшебство magic

вольготный free and easy

вольер enclosure

вольничать to take liberties

вольно freely; **~!** *(воен.)* at ease!; **~ или невольно** willing or not

вольнолюбивый freedom-loving

вольнонаемный *(рабочий, труд)* casual

вольность *(нескромность)* licence *(BRIT),* license *(US)*

вольный *(свободный)* free; *(нескромный)* familiar; **~ен** he is free to do; **вольная борьба** freestyle wrestling; **вольные упражнения** free floor routine; **вольный перевод** free translation

вольт volt

вольтметр voltmeter

воля will, willpower; freedom; **волей-неволей** willy-nilly

вон out; there; away; yonder; **пошел ~!** get out! be off!

вонзать *(вонзить)* to drive in, thrust

вонь stench

вонять to pong

воображать *(вообразить)* to conceive, fancy, imagine

вообще 1. *(в общем)* on the whole; **она вообще добрая** on the whole she is kind **2. при любых обстоятельствах** absolutely; **ходить в**

кино он вообще запретил he absolutely forbade us to do to the cinema; **это нам вообще не подходит** that does not suit us at all; **3.** *(не касаясь частностей)* in general; **мы говорили о политике вообще** we taked about politics in general; **вообще говоря** generally speaking

воодушевить to inspire; **~кого-н на то, чтобы** to inspire sb to do

воодушевление enthusiasm

вооружение *(процесс)* arming; *(оружие)* arms мн; *(техника)* armament equipment; **брать (взять) на ~** to make use of

вооружённость *(оснащённость)* armed capability; **техническая ~** technical capability

вооружить to arm; to equip

во-первых firstly; fist of all

вопить to shriek; *(громко плакать)* to keen

воплотить to embody; **воплощать в себе** to be the embodiment of; **воплощать в жизнь** to realize

воплощение embodiment

вопль scream

вопреки *(ожиданию, прогнозу)* contrary to; *(желанию, приказу)* against

вопрос question; interrogation, query

вопросительный interrogative; **~ знак** note of interrogation, question mark

ворваться to burst in; *(звуки)* to flood in

ворковать to coo

воробей sparrow

ворованный stolen

воровать to steal

воровство theft

ворона crow; scatterbrain

воронка *(для переливания)* funnel; *(после взрыва)* crater

ворот neck *(of clothes)*

ворота *(вход)* gateway *(спорт)* goal *ед;* **это ни в какие ~ не лезет** this is daft

воротила big shot

ворочать to shift *(разг)* to have control of

ворошить *(листья, пепел)* to stir up;

~ сено to toss hay; **~ прошлое** to stip up the past

ворс *(на ткани)* nap

ворчание *(животного)* growling; *(человека)* grumbling

ворчливый querulous

ворчун whinger

восемнадцать eighteen

восемь eight

восемьдесят eighty

восемьсот eight hundred

воск wax

воскликнуть to exclaim

восклицание exclamation

восклицательный *(интонация)* exclamatory; **восклицательный знак** exclamation mark *(BRIT)* или point *(US)*

восковой wax; *(цвет)* waxen

воскресенье *(рел.)* resurrection; *(обновление)* regeneration; *(идеи, движения)* revival

воскресить to resurrect, raise from the dead; to revive

воскреснуть to resurrected, rise from the dead, to be revived

воскрешение resurrection

воспаление inflammation; **воспаление лёгких** pneumonia

воспаляться to become inflamed

воспеть to extol *(BRIT)*, extoll *(US)*

воспитание upbringing; *(школьников, граждан)* education; **~ честности** instilling of honesty; **брать (взять) на ~** to adopt

воспитанник *(учителя, тренера)* pupil; *(вуза)* student; *(приёмный ребёнок)* adopted child

воспитатель teacher; *(в лагере, в колонии)* instructor

воспитать *(ребёнка)* to bring up; *(трудолюбие, честность)* to foster, cultivate **воспитать из кого-н специалиста/спортсмена** to make a specialist/sportman of sb

воспламениться to ignite

восполнить *(недостатки)* to make up или compensate for; *(проблемы)* to fill in

воспользоваться *сов от* **пользоваться**

воспоминание memory, recollection;

B

см также **воспоминания**
воспретить to forbid
воспрещаться to be forbidden; посторонним вход ~ воспрещается no entry to unauthorized persons
восприимчивый (легко усваивающий) receptive; (подверженный) susceptible
воспринять to perceive; (идею, смысл) to comprehend
воспроизведение (звука, мелодии) reproduction; (событий, пейзажа) re-creation
воспроизвести to reproduce; (капитала) to restore
воссоздать (воссоздавать) сов перех (образ, события) to re-create
восстание uprising
восстановить to restore; восстанавливать в должности to reinstate sb; восстанавливать кого-н в правах to restore sb's rights; восстанавливать кого-н против кого-н/ чего-н to turn или set sb against sb/sth
восстать ~(против + gen) to rise up (aganst); (перен) to take a stand (against)
восток east; orient; **Средний** ~ Middle East; **Дальний** ~ Far East
восторг delight, ecstasy, rapture
восторгать to delight, enrapture
восторженный (зритель, поклонник) ecstatic; (слова, похвала) rapturous
востребование (багажа, груза) claim; письмо до ~я a letter sent poste restante (BRIT) или general delivery (US)
востребовать to claim
восхитительный (музыка, стихи) delightful; (красавица) ravishing
восхищение admiration; (восторг) delight; приходить (прийти) в ~ от + gen to be enraptured или delighted by; приводить (привести) в ~ кого-н to delight sb
восход ~ солнца sunrise; ~луны moonrise
восходить ~к +dat (к периоду времени) to date back to; (к традиции) to be based on
восходящий rising
восьмидесятилетие (срок) eighty

years мн; (годовщина) eightieth anniversary; (день рождения) eightieth birthday
восьмидневный eight-day
восьмиклассник pupil in eighth year at school (usually 14 yeas old)
восьмилетний (период) eight-year; (ребенок) eight-yea-old
восьмимесячный eight-month;
восьминедельный eight-week; (ребенок) eight-week-old
восьмисотлетие (срок) eight hundred yeas мн; (годовщина) eighthundredth anniversary, octocentenary
восьмиугольник octagon
восьмичасовой (рабочий день) eighthour; (поезд) eight-o'clock
восьмой чис eighth
вот here; there; **вот!** here (there) your are! ~ тебе раз! Well, I never!
воткнуть (иголку, нож) to stick in; втыкать кол в землю to drive a stake into the ground
вошь louse мн (lice)
вощенный waxed
впадать ~в + acc to flow into
впадина (в земле) gully; (на дне моря)trench; глазная ~ eye socket
впасть (щеки, глаза) to become sunken; впадать в отчаяние to fall into despair; впадать в истерику to go into hysterics; впадать в панику to get into a panic; впадать в ошибку to err; впадать в крайности to go to extremes; впадать в заблуждение to be deluded
впервые for the fist time
вперед (идти, смотреть) (straight) ahead, forward; (заплатить, требовать) in advace
впереди in front; (в будущем) ahead ◊ предл (+gen) in front of; у Вас вся жизнь ~ you have your whole life in front of you
вперемешку higgledy-piggledy
впечатление impression; находиться под ~м чего-н to be impressed by sth; производить (произвести) ~ на +acc to make an impression on; такое ~, что или будто it looks as if

впечатлять to be impressive

вписать to insert, include

вписаться (вписываться) to fit in well

впитать to absorb; *(перен)* to absorb, take in **впитаться** to be absorbed

впиться *(комар)* to bite; **впиваться глазами в** +*acc* to fix *или* fasten one's eyes on; **впиваться когтями/зубами в** +*acc* to sink one's claws/teeth into

вплавь by swimming

вплотную closely, firmly

вплоть almost to the end, till, up to; close to

вполголоса *(говорить, спросить)* in hushed tones; *(петь)* softly

впоследствии subsequently

впотьмах in the dark

вправе to do rightly *или* justly; **он не ~ так поступать** he's got no right to behave like that

вправить to set

вправо to the right; **~от дома** to the right of the house

впредь in future **~до** +*gen* pending

впритык *(разг)* right up close

впроголодь *нареч:* **жить ~** to live from hand to mouth

впрок for future use **идти ~ кому-н** to do sb good

впрочем however; though ◊ *вводн сл* but then again; **погода здесь хорошая, ~ не всегда** the weather's good here; though not always; **~, я не уверен** but then again, I'm not sure

впрямь *част:* **и ~** *(разг)* really; **он и ~ испугался** he really got a fright

впрячь to harness

впустить *(в дом, в зал)* to admit, let in

впутать ~ кого-н to get sb mixed up (in)

впятеро *(больше, меньше)* five times; *(увеличить)* fivefold

впятером in a group of five

враг enemy ◊ *собир (воен.)* the enemy

вражда enmity, hostility; **питать ~у к** +*dat* to harbour enmity towards

враждовать to be on hostile terms (with)

враз at once

вразброд separately

вразброс scattered about

вразнобой in a muddled way

вразрез ~ с in contravention of

вразумительный comprehensible

вразумить ~кого-н to make sb understand

вранье lies *мн*

врасплох unawares

врассыпную in all directions

вратарь goalkeeper

врать to lie *(часы)* to be wrong

врач doctor

врачебный medical

вращать *(колесо)* to turn

вращение revolution, rotation

вред *(делу, здоровье)* damage; *(человеку)* harm, injury; **во ~** +*dat* to the detriment of; **его действия были во ~ интересам фирмы** his actions were against the company's interests; **причинять (причинить)** *или* **приносить (принести) ~ кому-н** to harm sb, do sb harm; **причинять (причинить)** *или* **приносить (принести) ~чему-н** to damage *или* cause damage to sth

вредитель *(насекомое)* pest; *(человек)* saboteur

вредить to harm, hurt; *(здоровью)* to damage on

вредно ~ влиять на to have a harmful effect on; **курить ~** smoking is bad for you; **ему ~ есть жирное** fatty foods are bad for him

вредный harmful; nasty

врезать *(замок)* to fit *(ударить)* **~кому-н** to bash sb

врезаться *(пила, веревка)* to cut into; *(ворваться)* to plough *(BRIT)* *или* plow *(US)* into; *(в сердце, в память)* to engrave itself on

времена *(эпоха)* the time; **~ Петра Первого** the time of Peter the First

временный temporary

время time; tense; **времена** times; contemporary conditions

времяисчисление calendar

времяпрепровождение way of spending time

вровень с level with
вроде *(как)* ◇ *част* it look as if; **он у меня ~ советника** he's like an advisor to me; **он ~ уехал** it looks as if he's gone
врожденный *(способности)* innate; *(уродство, болезнь)* congenital
врозь *(жить)* apart; *(работать, ехать)* separately ◇ **~ с** или **~ от** separate from
врубить *(включить)* to turn on
врун fibber, liar
вручать (вручить) to deliver, hand in; to entrust
вручить что-н, кому-н to hand sth (over) to sb; *(орден, премию)* to present sb with sth
вручную by hand
вряд ли hardly, scarcely
всадник equestrian, horseman, rider
всаживать (всадить) to plant in, stick in; to seat
всасывать (всосать) to absorb, suck up
всевозможный all kinds; different, various
всегда always, constantly, ever; **раз на ~** once for all
всего *см* весь, все in all, only; **~лишь** only; **~навсего** all in all
вселенная the whole world; **Вселенная** universe
вселить *(жильцов)* to install; *(перен)* to instil *(BRIT)*, instill *(US)*
вселиться (вселяться) *(жильцы)* to move in; *(перен)* to be insilled
всемером in a group of seven
всемирный *(помощь)* all possible
всемогущий omnipotent, all-powerful
всенародно publicly
всенародный national
всенощная (рел.) vesperes
всеобщий universal; **всеобщая забастовка/перепись** general strike/census
всеобъемлющий comprehensive
всеоружие во ~ знаний armed with knowledge; **встречать** (встретить) **врага во ~и** to be primed for battle
всероссийский All-Russia
всерьез in earnest; **ты это говоришь**

~? are you serious?
всесильный all-powerful
всесторонний comprehensive
всецело completely, wholly
всечасный hourly
всеядный omnivorous
всё all, everything, the whole; all the time, always, any entirely, quite; **всего на ~** everything considered
вскакивать (вскочить) to leap up, spring up
вскапывать (вскопать) to dig up
вскарабкиваться (вскарабкаться) to clamber up, climb up
вскармливать (вскормить) to bring up, feed, rear; to nurse
вскачь at a gallop
вскипать (вскипеть) to boil up; to fly into a rage
всколыхнуть *(ветер)* to stir; *(массы)* to stir up
всколыхнуться to become stirred up
вскользь in passing
вскопать to dig (over)
вскоре, ~после +*gen* soon или shortly after
вскрикнуть to cry out
вскружить ; **~ голову кому-н** to turn sb's head
вскрытие *(трупа)* postmortem (examination); *(сейфа)* opening
вскрыть *(открыть)* to open ~ *(с силой)* to force open; *(выявить)* to reveal; *(нарыв)* to lance; *(труп)* to carry out a postmortem on
вскрыться *(перн: выявить)* to come to light, be revealed; **река ~лась** the ice on the river cracked
всласть to one's heart's content
вслед *(бежать)* behind; **~ ~ за** after; *(другу, поезду)* after
вследствие as a result of; because of; **~ того что** because; **~ чего** as a result of which
вслепую blindly; **печатать на машинке ~** to touch-type
вслух aloud; **сказать что-н ~** to say sth out loud
всмотреться в to peer at
всмятку яйцо soft-boiled egg
всосать *(втянуть)* to suck; *(впитать)* to absorb
всплеск *(волны)* splash

всплеснуть *(рыба, пловец)* to splash; **руками** to throw up one's hands

всплыть to surface, come to the surface; *(перен)* to come to light; **всплывать в памяти** to pop into one's head; **всплывать в сознании** to apper before one

всполошить(ся); сов от полошить(ся)

вспомагательный *(материал, литература)* supplementary; *(судно, отряд)* auxiliary; **вспомагательный глагол** auxiliary verb

вспомнить to remember; **~ о** to remember about

вспорхнуть to fly off

вспрыснуть to spray

вспухнуть to swell up

вспылить to lose one's temper

вспыльчивость short-temperedness

вспыхнуть *(солома, бумага)* to burst into flames; *(спичка, конфликт, страсть)* to flare up; *(покраснеть: человек)* to blush; **в окне ~ул свет** the window is lighted up

вспышка burst; *(гнева)* outburst; *(болезни)* outbreak

вспять back

вставать (встать) to get up, stand up, rise; **~ на ноги** to get a footing

вставка insertion, inset

вставлять (вставить) to fit in, insert, set in; **вставной зуб** false tooth

вставной *(рамы)* removable; **~ые зубы** dentures, false teeth

встарину in days gone by

встать *(на ноги)* to stand up; *(с постели)* to get up; *(солнце)* to rise; *(трудности, вопрос)* to arise; *(часы, мотор)* to stop; **перед нами встали новые трудности** we were faced with new difficulties

встопорщить *сов от* топорщить(ся)

встревоженный anxious

встретить to meet; *(гостей, делегацию)* to meet, welcome; *(обнаружить: слово, цитату)* to come across; *(оппозицию, сопротивление)* to meet with, encounter; *(праздник)* to celebrate

встреча meeting; *(поединок)* match

встречаться *(регулярно видеться)* to meet; *(попадаться)* to be found

встречный *(машина, поезд)* oncoming; *(мера)* counter ◊ (- его; *decl like adj*) someone coming the opposite direction; **~ ветер** head wind; **первый ~** anyone; **встречная атака** counterattack; **встречный иск** counterolaim

встрепенуться to give a start

встряхнуть to shake (out); *(перен: общество)* to shake (up)

вступать (вступить) to enter, step in

вступительный introductory; inaugural

вступление prelude; entry, opening; introduction

всунуть to stick *или* put in(to)

всучить *(навязать)* to palm off

всхлип sob

всходы shoots

всыпать (всыпать) to fill; to add

всюду everywhere

всякий anybody, each

всяко all sorts of things

всячески in every way

всяческий *(поддержка, сопротивление)* all possible; *(товары)* all kinds of

втайне secretly, in secret

втащить to drag in(to)

втереться (втираться) to be absorbed; *(разг: пренебр)* to worm one's way in; **~ся в доверие кому-н** to worm one's way into confidence

втирание friction, rubbing

втиснуть to cram in(to)

втихомолку on the quiet

втолкнуть to push in(to)

втолковать ~что-н/кому-н to get sth through to sb

вторгнуться *(в страну)* to invade; *(вмешаться)* to interfere with *или* in

вторить *(петь)* to sing the second part to; *(поддакивать)* to parrot

вторник Tuesday; **во ~** on Tuesdays; **в следующий/прошлый ~** next/ last Tuesday; **сегодня ~, десятое мая** today is Tuesday (the) 10th (of) May

второгодник *pupil repeating a year at school*

второй *(роль)* secondary; **быть на ~ плане** to stay in the background; **сейчас ~ час** it's after one; **второе дыхание** second wind; **вторая молодость** second wind; **второй сорт** second class; *см также* **пятый**

второклассник *pupil in second year at school (usually eight years old)*

второпях in hurry

второсортный second-class; *(посредственный)* second-rate

второстепенный secondary

в-третьих thirdly; in the third place

втридорога платить ~ to pay a mint *или* bomb

втрое *(больше, меньше)* three times; *(увеличить)* threefold

втроем in a group of three

втройне three times as much

втулка *(пробка)* plug; *(тех.)* bush

втягивать кого-н *(в дело)* to involve sb in; *(в конфликт)* to draw sb into

втянуть *(втащить)* to pull in; *(вображать)* to take in

вуаль veil

вуз *сокр (высшее учебное заведение)* institution of higher education

вузовский university; **~ая система** higher education system

вулкан volcano; **действующий/потухший** ~ active/extinct volcano

вульгарность vulgarity

вундеркинд с hild prodigy

вход *(движение)* entry; *(место)* entrance; *(тех.)* inlet; *(комп.)* input

входить *(войти)* to enter; walk in

входной *(дверь)* entrance; *(комп.)* ·input; **входной билет** entrance ticket

вхолостую, работать ~ to idle

вцепиться to seize

вчера yesterday

вчерашний yesterday; **жить ~им днем** to live in the past

вчетверо *(больше, меньше)* four times; *(увеличить)* fourfold

вчетвером in a grop of four

в-четвертых fourthly, in the fourth place

вчитаться to get the gist (of)

вшестеро *(больше, меньше)* six times; *(увеличить)* sixfold

вшестером in a group of six

вшиветь to become lice-ridden

вширь in breadth; **раздаваться** *(раздаться)* ~ to put on weight

вшить to sew in

въедливый meticuluos

въезд *(движение)* entry; *(место)* entrance

въехать *(ехать, въезжать)* to enter; *(в новый дом)* to move in; *(наверх: на машине)* to drive up; *(на коне, на велосипеде)* to ride up

вы you

выбалтывать (выболтать) to disclose, divulge; to tell tales

выбегать (выбежать) to run out

выбеливать (выбелить) to bleach, whiten; to whitewash

выбирать (выбрать) to select; to elect

выбить to knock out; *(противника)* to oust; *(ковер)* to beat; *(надпись)* to carve; *(деньги, контракт)* to manage to get; **выбивать чек** *(кассир)* to ring up the total; **выбивать чек в кассе** *(покупатель)* to get ticket from the cashier *(to claim purchase)*

выбиться (выбиваться) **~ся из** +gen *(освободиться)* to get out of; **выбиваться из сил** to wear o.s. out; **выбиваться из графика** to fall behind schedule; **~ся в люди** to make one's way up in the world

выбоина *(на дороге)* pothole; *(на металле, в стене)* dent

выбор choice; *(ассортимент)* to choice, selection; **предлагать** (предложить) **что-н на ~то** offer a selection of sth; **по чьему-н ~у** of sb's choice

выборка *(обычно мн: из текста)* extract; *(статистическая)* sample

выборный *(собрание, компания)* election *(бюллетень)* ballot; *(должность, орган)* elective

выборочный selective

выборы election

выбрать to choose; *(отобрать)* to pick; *(голосованием)* to elect

выбраться (выбираться) to manage to get out; *(разг: в театр)* to find time to go

выброс *(газа, радиации)* emission; *(отходов)* discharge; *(нефти)* spillage; *(десанта)* landing

выварка extraction *(by boiling)*

выведение *(формулы)* deduction; *(цыплят, птенцов)* hatching; *(сорта, породы)* breeding; *(вредителей)* extermition

вывезти to take out; *(товар: тз страны)* to take out

выверить to check; *(часы)* to set *(to the right time)*

вывернуть *сов перех (винт, лампу)* to unscrew; *(пробку)* to pull out; *(карманы, рукава)* to turn inside out

вывесить *сов перех (флаг, лозунг)* to put up; *(белье)* to hang out; *(объявление)* to post (up)

вывеска sign; *(перен)* front; **под ~кой чего-н** under the guise of sth

вывести to take out; *(войска: из города)* to pull out; *(: на парад)* to bring out; *(формулу)* to deduce; *(заключение)* to draw; *(птенцов)* to hatch; *(сорт, породу)* to breed; *(вредителей)* to exterminate; *(комп.)* to output; *(изобразить)* to portray; *(исключить):* ~ **кого-н из** +gen *(из партии, из комитета)* to expel sb from; *(из игры)* to take sb off; **выводить кого-н из шока/транса** to bring sb out of a shock/trance; **выводить кого-н из терпения** to exasperate sb; **выводить кого-н тз равновесия** to disturb sb's equilibrium; **выводить кого-н в люди** to help sb on in life; **выводить кого-н из себя** to drive sb mad

выветриться *(запах, дым)* to disperse; *(берег, горные породы)* to weather

вывих dislocation

вывихнуть to dislocate

вывод *(войск: из города)* withdrawal; *(формулы)* deduction; *(умозаключение)* conclusion; *(элек.)* outlet; *(комп.)* output; **приходить (прийти) к ~у** to come to a conclusion

выводить (вывести) to bring out, lead out

выводок brood

вывоз removal; *(детей: на дачу)* taking out; *(товаров)* export

выгадать *(получить преимущество)* to gain; *(сэкономить)* to save

выгибать (выгнуть) to bend, curve

выглаживать (выгладить) to iron, smooth; to polish

выглядеть to look; **она хорошо ~дит сегодня** she looks nice today; **он ~дит печальным** he looks sad

выглянуть to look out

выгнать to throw out; *(из страны)* to banish; *(разг: с работы)* to sack; *(стадо, табун)* to drive out

выгнуть to bend; *(спину)* to arch

выговор pronunciation; censure, rebuke

выговорить *(произнести)* to pronounce; *(сказать)* to say

выгода advantage, benefit, profit

выгодно *(продать)* at a profit ◇ *как сказ* it is profitable; **мне это ~** this is to my advantage; *(финансово)* this is profitable for me

выгодный *(сделка)* profitable; *(условия)* advantageous; *(впечатление)* favourable *(BRIT)*; favorable *(US)*; **выставлять или представлять что-н в ~ном свете** to show sth to (the) best advantage

выгореть *(сгореть)* to burn down; *(высохнуть)* to be scorched; *(выцвести)* to fade; *(разг: удаваться)* to come off

выгородить to fence off

выгрести to rake out

выгрузить to unload; *(комп.)* to dump

выдавать (выдать) to distribute; to betray

выдать (выдавать) to give out; *(свидетельство, патент)* to issue; *(продукцию)* to produce; *(тайну, сообщников)* to give away; **выдавать кого-н/что-н за** +acc to pass sb/sth off as; **выдавать девушку замуж** to marry a girl off

выдаться (выдаваться) *(берег)* to jut out; **сегодня ~лся хороший день** it's turned out fine today

B

выдача (*справки*) issue;(*зарплаты*) payment; (*продукции*) output; (*заложников*) release
выдающийся outstanding
выдвинуть to pull out; (*предложение, гипотезу, человека*) to put forward; (*обвинение*) to level
выдворить to kick out
выделать to treat
выделение (*средств*) allocation; (*физиол.*) secretion; (*обычно мн: в гинекологии*) discharge
выделка treatment
выделывать to get up to; **что это он там ~ет?** what is he up to?
выделять (**выделить**) to allot, to share out
выдержанный (*человек*) self-possessed; (*no short from: изложение, теория*) consistent; (*вино, сыр*) mature; (*древесина*) seasoned
выдержать (*давление, тяжесть*) to withstand; (*боль*) to bear; (*экзамен, испытание*) to get through; (*график, параметры*) to keep to; (*вино, сыр*) to let mature; (*древесину*) to season; **он не ~л и рассмеялся** he couldn't contain his laughter; **книга ~ала много изданий** the book has been published in several editions; **выдерживать характер** to hold one's ground
выдержка (*самообладание*) self-control; (*из текста*) excerpt; (*вина*) maturing; (*древесины*) seasoning; **фото** exposure
выдернуть to pull out
выдох exhalation; **делать** (**сделать**) **~** to breathe out
выдохнуть to exhale; breathe out
выдохнуться (**выдыхаться**) (*вино, духи*) to lose all smell; to be washed out
выдра otter
выдрать to tear out
выдуманный made-up
выдумать (*историю*) to make up invent; (*игру*) to invent
выдумка invention; fabrication, fiction
выдуть (**выдувать**) to blow out; (*водку*) to knock back; **выдувать или дуть** *тех.* to blow

выдыхание exhalation
выезд departure; (*место*) way out
выездить (*лошадь*) to break in
выездка спорт dressage
выездной (*виза; документ*) exit (*сессия суда*) in temporary premises; (*спектакль*) travelling (*BRIT*); traveling (*US*); **матч** away match
выемка (*писем*) collection; (*углубление*) hollow
выесть (*съесть*) to eat; (*испортить*) to eat though
выжать (*лимон*) to squeeze; (*ягоды*) to press; (*белье*) to wring (out); **выжимать что-н** to squeeze sth; **выжимать что-н из кого-н** to wring sth out of sb
выжечь to burn; (*солнце*) to scorch; **выжигать клеймо** to brand; **выжигать по дереву** to do pokerwork
выживание survival
выжидательный (*тактика, политика*) delaying; **занимать** (**занять**) **~ную позицию** to play a waiting game
выжить to survive; to drive out; **~ из ума** to become senile
вызвать to call; (*гнев, критику*) to provoke; (*восторг*) to arouse; (*пожар*) to cause; **вызывать кого-н на что-н** to challenge sb sth; **вызывать что-н к жизни** to give rise to sth; **вызывать врача на дом** to call out a doctor
вызволить to bale out
выздороветь to recover
выздоровление convalescence, recovery
вызов call; subpoena; summons
вызывающий provocative
выиграть to win; (*получить выгоду*) to gain, benefit
выигрыш (*матча*) winning; (*крупный, денежный*) winnings *мн*; (*выгода*) advantage; **~ пал на номер 10** number 10 wins
выигрышный (*выгодный*) advantageous; **~ вклад** premium bonds
выйти (**идти; выходить**) to leave; (*из игры*) to drop out; (*сойти*) to get off; (*появляться*) to come out; (*случиться*) to ensue; **комп.** to

exit; *(иссякнуть)* to run out; *(оказаться)* to come out; **выходить из** *(из затруднения)* to get out of; *(из употребления, из моды)* to go out of; *(из крестьян)* to be descended from; *(из графика, из расписания)* to fall behind; **выходить на** to get in; **выходить замуж за** +*acc* to marry *(of woman)*, get married to; **выходить из больницы** to leave hospital; **выходить из себя** to lose one's temper; **выходить из системы** комп. to log off; **из него ~шел хороший врач** he has turned out to be a good doctor; **из этого ничего не ~шло** nothing came of it

выкарабкаться (выкарабкиваться) to clamber out (off) *(из трудностей)* to get o.s. out (of); *(из болезни)* to pull through

выкатить *(что-н круглое)* to roll out; *(что-н на колесах)* to wheel out; **выкатывать глаза** to open one's eyes wide

выкачать to pump out; *(деньги)* to squeeze *или* wring out

выкидыш miscarriage; abortion

выкинуть *(мусор)* to thow out; *(пропустить)* to omit; *(товар)* to put on sale; **выкидывать шутку** *или* **фокус** to play a trick

выкипеть to boil away

выкладка *(облицовка)* facing; *(обычно мн: расчёты)* calculation

выключатель switch

выключить to turn off; *(исключить)* to expel

выключиться (выключаться) *(мотор; телевизор)* to go off; *(свет)* to go out; *(перен)* to switch off

выковать *(металл)* to forge

выколотить *(ковер)* to beat; *(налоги)* to wring out

выкопать *(яму)* to dig; *(колодец)* to sink; *(овощи)* to dig up

выкормить to rear

выкорчевать to uproot; *(перен)* to root out

выкосить to mow

выкраивать to cut out

выкрасть to steal

выкрик shout

выкрикнуть to shout *или* cry out

выкроить ~ **время на** +*acc* to find time for; ~ **деньги на** +*acc* to scrape together money for

выкройка pattern

выкрутить to unscrew; **выкручивать руки кому-н** *(перен)* to twist sb's arm

выкрутиться to come unscrewed; to get o.s. out

выкуп *(действие: заложника)* ransoming; *(вещей)* redempion; *(плата)* ransom

выкупить *(заложника)* to ransom; *(вещи)* to redeem

выкурить *(трубку)* to smoke; *(зверя)* to smoke out

вылазка excursion, outing, ramble; sally, sortie

вылезать *(вылезть)* to crawl out, creep out, to fall out *(as hair)*

вылет flight; departure

вылететь to fly out; *(машина)* to hurtle out; **его имя ~тело у меня из головы** his name has slipped my mind

вылечить to cure

вылечиться (вылечиваться *или* **лечиться)** to be cured

выливать *(вылить)* to pour out

вылизать *(тарелку)* to lick clean; *(разг: дом)* to spring-clean

вылить to pour out; *(~лить: деталь, статую)* to cast

выловить to catch

выложить *(у; -ишь; выкладывать)* to lay out; *(перен: правду)* to lay bare; **выкладывать что-н чем-н** *(кирпичем, плиткой)* to fase sth with sth

выложиться (выкладываться) to apply o.s

выломать (выламывать) to break open

вылупиться *(птенцы)* to hatch (out)

вымазывать *(покрыть)* to coat; *(разг: запачкать)* to smear

выманить *(зверя)* to lure out; **выманивать что-н у кого-н** to cheat sb out of sth

вымереть *(динозавры)* to die out; become extinct; *(город, селение)* to be dead

B

вымести to sweep out
выместить ~что-н на ком-н to take sth out on sb
вымогательство extortion
вымогать to extort
вымокнуть to get soaked through
вымолвить to utter
вымолить to successfully plead for
вымочить to soak
вымпел *(на мачте корабля)* pennant; *(награда)* award *(in form of a pennant)*
вымысел fantasy; *(ложь)* fabrication
вымыть to wash; **вымывать** *(яму)* to hollow out; *(русло)* to channel out
вымышленный fictious
вынести to carry *или* take out; *(приговор, вердикт)* to pass, pronounce; *(впечатление, знания)* to gain; *(боль, оскорбление)* to bear; **выносить кому-н благодарность** to officially thank sb; **выносить кому-н выговор** to issue sb with a reprimand
вынос *(тела)* bearing out *(of coffin)*; **продавать на ~** to do take-aways
выносить to nurture; *(младенца)* to carry to term
выносливый hardy
вынужденный forced; **вынужденная посадка** emergency landing
вынуть to take out
вынырнуть *(из воды)* to surface; *(разг: из-за угла)* to pop up
выпад *(враждебное действие)* attack; спорт. lunge *(in fencing)*
выпадение *(осадков)* fall; *(зубов, волос)* falling out
выпаливать to blurt out
выпалить ~(из+ gen) to empty (out of)
выпариться to evaporate
выпасть to fall out; to fall; *(задание, задача)* to fall to; **мне ~л случай/счастье встретить его** chanced to/ had the luck to meet him
выпереть to chuck out
выпечка baking
выпечной ~ые изделия bakery products мн
выпечь to bake
выпивка *(попойка)* boozing *(спиртное)* booze

выпирать *(разг: выпячиваться)* to stick out
выписать *(цитату, данные)* to copy *или* write out; *(пропуск, счет, рецепт)* to make out; *(газету, журнал)* to subscribe to; *(пациента)* to discharge; *(с местопроживания)* to change sb's residence permit
выписаться (выписываться) *(из больницы)* to be discharged; *(с местопроживания)* to change one's residence permit
выписка *(действие)* copying *или* writing out; *(цитата)* extract; **~с банковского счета** bank statement
выплавить to smelt
выплавка *(действие)* smelting; *(продукция)* smelted metal
выплата payment
выплатить to pay; *(долг)* to pay off
выплеснуть to pour out
выплыть to swim out; *(всплыть)* to surface; *(перен)* to emerge, come to light
выплюнуть to spit out
выползти to crawl out
выполнимый practicable, feasible
выполнить *(задание, заказ)* to carry out; *(план, условие)* to fulfil *(BRIT)*, fulfill *(US)*; *(рисунок, чертеж)* to execute; комп. to run
выпорхнуть to dart out
выправить *(распрямить)* to straighten (up); *(текст, чертеж)* to correct; *(положение, ситуацию)* to rectify, put right
выправка bearing
выпрашивать to beg for
выпросить; **он ~сил у отца машину** he persuaded his father to give him the car
выпрыгнуть to jump out
выпрямить to straighten (out)
выпуклый *(лоб, глаза)* bulging; *(стекло, линза)* convex; *(буква)* embossed
выпуск *(продукции)* output; *(газа, воздуха)* emission, release; *(книги)* instalment *(BRIT)*, installment *(US)*; *(денег, марок, акций)* issue; *(учащиеся)* school leavers мн *(BRIT)*; graduates мн *(US)*

выпускник final-year student; *(окончивший вуз)* graduate

выпускной *(класс)* final-year; *тех:* ~ **клапан** exhaust valve; **~ое отверстие** outlet; **выпускной вечер** graduation; **выпускной экзамен** final exam, finals *мн*

выпустить to let out; *(дым)* to exhale; *(заключенного, заложника)* to release; *(специалистов)* to turn out; *(продукцию)* to produce; *(книгу, газету)* to publish; *(заем, марки)* to issue; *(деньги)* to put into circulation; *(исключить: часть текста, параграф)* to omit; **выпускать из рук** to let go of; **выпускать в свет** *(книгу, журнал)* to publish; **выпускать из рук возможность/шанс** to miss an opportunity/a chance; **выпускать кого-н из виду** to ler sb/sth out of sight

выпутаться to extricate

выпятить *(разг: грудь)* to stick out; **выпячивать губу** to pout

вырабатывать (выработать) to work out; to perfect

выработать to produce; *(план)* to work out; *(характер, стиль, привычку)* to develop

выработка *(действие)* production; *(годовая, промышленная)* output, production

выражаться (выразиться) to swear

выражение expression

выразительно *(читать)* expressively

выразить to express

выразиться *(чувство, состояние)* to manifest *или* express itself; *(человек)* to express o.s.

вырасти *(горы, башня)* to rise up

вырастить в +*асс* to become; **вырастать из одежды** to grow out of one's clothes

вырастить *(детей)* to raise; *(растение)* to grow; *(животных)* to rear

выращивание *(растений)* cultivation; *(животных)* rearing

вырвать to pull out; *(отнять)*: **~что-н у кого-н** to snatch sth from sb; *(перен)* to wring sth from sb; **ее ~ало** she threw up; **ему ~али зуб** he had his tooth taken out

вырваться (вырываться) *(из объятий)* to free o.s.; *(из рук, из пут)* to break free escape; *(из тюрьмы)* to make a break; *(перен: в театр, на концерт)* to manage to get away; *(пламя)* to shoot out; *(дым)* to pour out

вырезать *(фотографию)* to cut out; *(опухоль, гнойник)* to remove; *(из дерева, из кости)* to carve; *(на камне, на металле)* to engrave; *(население, животных)* to slaughter

вырезка *(газетная)* cutting, clipping; *(мясная)* fillet

вырисоваться *(стать видным)* to stand out; *(стать явным)* to appear; *(перен: ситуация)* to emerge

выровнять to level

выровняться (выравниваться) *(отряд)* to form ranks; *(перен: характер)* to improve

выродится *(перен)* to degenerate

выродок degenerate

вырождение degeneration

выронить to drop

вырубить *(лес, деревья)* to cut down; *(яму, углубление)* to hew out; *(свет, сигнализацию)* to cut off

выручить to rescue, help out; *(деньги)* to mak e; **выручать кого-н из беды** to help sb out of trouble

выручка release; proceeds *(of sale)*; till *(money drawer)*

вырываться to free oneself; escape; to break out

вырыть *(картофель, камень)* to dig up

высадить *(растение)* to plant out; *(пассажира: дать выйти)* to drop off; *(:заставить выйти)* to throw out; *(войска, отряд)* to land; *(десант)* to make a landing

высадиться (высаживаться) ~ся из to get off

высвечивание *комп.* highlighting

высвободить *(ногу, руку)* to free; *(рабочую силу, средства)* to release; *(время)* to set aside

высекать (высечь) to cut, hew; to carve; to fell

выселение eviction; emigration; removal

выселить to evict

высечь (фигуру) to carve; sculpt; (надпись) to engrave

высидеть to hatch; (перен: лекцию) to sit out

высказывание (мнения) expression; (суждение) statement

высказываться to express one's views

выскоблить (очистить) to scrape; (удалить скоблением) to remove

выскользнуть to slip out

выскочить to jump out; **его имя ~ло у меня из головы** his name has slipped my mind

выскочка upstart

выслать (посылку, деньги) to send off; полит. to exile; (шпиона) to deport

выследить to track down

выслуга ; за ~у лет for long service

выслужить (пенсию, повышение) to quality for; (орден, награду) to earn

выслужиться to work one's way up

выслушивать (выслушать) to hear out, to listen to; *med.* to examine

высмеять to ridicule

высморкать; ~ нос to blow one's nose

высокий high; (человек) tall; (честь, ответственность) great; (гость) distingushed; **быть ~ого мнения о** to have a high opinion of; **высокая мода** high tide

высоко high (up); it's high (up); it's a long way up; **до вершины ~** it is a long way to the top

высокогорный alpine

высококачественный high-quality

высококвалифицированный (учитель, юрист) highly qualified; (слесарь, токарь) highly skilled

высокомерие haughtiness, arrogance

высокооплачиваемый highly paid

высокопарный (речь) high-flown, pompous

высокопоставленный high-ranking

высокопроизводительный highly productive

высосать to suck out; (насосом) to pumh out

высота height; *гео.* altitude; (звука) pitch; (давления, температуры)

level; **набирать (набрать) ~оту** to climb height; **на большой ~оте** at high altitude *или* great height; **быть** *или* **оказаться на ~оте (положения)** to be equal to the occasion

высотный (полет) high-altitude; (здание) high-rise

высохнуть (белье, дрова) to dry out; (лужа, река) to dry up

высочество: Ваше В ~ Your Highness

выспаться to sleep well

выставить (поставить наружу) to put out; (грудь) to stick out; (кандидатуру) to put forward; (требование) to lay down; (картину) to exhibit; (товар) to display; (часовых, охрану) to post; (вынять) to chuck out; **выставлять кого-н в дурном свете** to show sb in unfavourable light

выставка exhibition, show; ~продажа книг book fair

выстлать ~что-н чем-н to line sth with sth

выстоять (долго простоять) to stand; (удержаться) to remain standing; (не сдаться) to stand one's ground

выстрадать to suffer; (счастье, свободу) to achieve through much suffering

выстрел short; **раздался ~** a shot rang out

выстрелить to fire; **~ из ружья/из пушки** to fire a gun/cannon

выступ ledge

выступать to jut out; (скулы) to protrude

выступить (против закона, в защиту друга) to come out; (из толпы; из рядов) to step out; (оркестр, актер) to perform; (пот, сыпь) to break out; (в поход, на поиски) to set off *или* out; **выступать с речью** to make a speech

выступление муз. performance; (в поход) *departure;* (в печати) article; (речь) speech

высунуть to stick out; **бежать ~ув язык** to run flat out

высчитать to calculate

высший *(орган власти, начальство)* highest, supreme; **в ~ей степени** extremely; **товары ~его сорта** goods of the highest quality; **высшая мера наказания** capital punishment; **высшая школа** university; **высшее образование** higher education; **высшее учебное заведение** higher education astablishment

высылка *(посылки, денег)* sending; *(осужденного)* exile; *(шпиона)* depportation

высыпать *(сыпь, прыщи)* to break out; *(разг: толпа, народ)* to pour out

высыпаться to pour out

высыхать (высохнуть) to dry up; to parch, wither

высь height, summit

вытачивать (выточить) to grind, sharpen

вытащить *(мебель)* to drag out

вытекать *(вывод)* to follow; *(река)* to flow out

вытереть *(грязь,лужу)* to wipe up; *(посуду)* to dry (up); *(руки, глаза)* to wipe; **вытирать пыль** to dust

вытереться (вытираться) *(человек)* to dry o.s.

вытерпеть to bear, endure

вытеснить *(удалить)* to oust; *(заменить собой)* to supplant

вытечь to flow out

выткать to weave

вытолкнуть to push out

вытоптать to trample down

вытравить *(пятно)* to remove; *(крыс; тараканов)* to exterminate; *(рисунок)* to etch

вытрезвитель *overnight police cell for drunks*

вытряхивать to shake out

выть *(зверь, ветер, вьюга)* to howl; *(сирена)* to wail; *(разг: плакать)* to howl wail

вытяжка *(действие: дыма, вредных частиц)* extraction; *(экстракт)* extract

вытянуть to pull out; *(дым, вредные вещества)* to extract; *(руки, ноги, ткань)* to stretch; *(выдержать)* to last out; **~ всю душу из ког-н**

to wear sb out; **из него слова не вытянешь** you won't get a word out of him

вытянуться (вытягиваться) *(дым, газ)* to escape; *(одежда)* to stretch; *(на диване, вдоль берега)* to stretch out; *(разг: вырасти)* to shoot up; *(встать смирно)* to stand at attention; **у него ~улось лицо** his face fell

выудить to catch; *(сведения)* to wheedle out

выучивать to learn up; to teach

выхватить *(вырвать)* to snatch; *(пистолет)* to draw

выхлопной exhaust; **выхлопные газы** exhaust fumes

выход *(войск)* withdrawal; *(из партии; из комиссии)* departure; *(из кризиса)* way out; *(на сцену)* appearance; *(в море)* sailing; *(книги)* publication; *(на экран)* showing; *(место)* комп. exit; **давать (дать) ~ чему-н** to give vent to sth

выходец ; он ~ из России he is of Russian origin *или* is Russian by birth

выходит it turns out

выходить выходка prank

выходной exit; *(платье, костюм)* best ◇ ~ **день** day off (work); **~ое отверстие** outlet; **сегодня ~** today is a holiday; **я сегодня ~** I have a day off today; **~ые** weekend *ед;* **выходная дверь** exit; **выходное пособие** redundancy payment; **выходные данные** imprint

выцарапать to scratch out; *(деньги, путевку)* to wring out

выцвести to fade

вычеркнуть to cross *или* score out

вычерпать *(извлечь)* to scoop out; *(опорожнить)* to drain; **вычерпывать воду из лодки** to bail out a boat

вычесть to subtract; *(долг, налог)* to deduct

вычет deduction; **за ~ом** minus; **до ~а налогов** pre-tax

вычисление calculation

вычислительный *(операция, функция)* computing; **вычислительная**

машина computer; вычислительная техника computers *мн;* вычислительный центр computer centre *(BRIT)* или center *(US)*
вычислить to calculate
вычистить *от* чистить
вычитание subtraction
вычитать *(разг: узнать)* to find out *(by reading)*
вычурный mannered
вышвырнуть to chuck out
выше (высокий) higher; *(в тексте)* above; мы поднялись ~ we went further up; we climbed higher; мы привели новые данные we have cited new data above; самолет летел ~ облаков the plane was flying above the clouds; это ~ моего понимания it is beyond me или my comprehension
вышестоящий higher; ~ее лицо superior
вышибить *(выбить)* to knock out; *(разг: прогнать)* to chuck out
вышивание needlework
вышивка embroidery
вышина *(высота)* height
вышить to embroider
вышка *(высокое строение)* tower; *(разг: преступнику)* death penalty; спорт. diving board; буровая или нефтяная ~ derrick; прыжки в воду с ~ки high diving
вышколить to train
выщипать to pluck
выявить *(талант)* to discover; *(недостатки)* to expose
выяснить *(обнаружить)* to find out; *(сделать ясным)* to clarify; нам нужно ~отношения we have to sort thinds out between us
Вьетнам Vietnam
вьетнамец Vietnamese
вьетнамский Vietnamese
вьюга snowstorm, blizzard
вьючный ~ое животное beast of burden
вяжущий *(вкус)* acerbic; *(материал, состав)* binding, cementing
вяз (вязнуть) elm
вязание *(снопов)* tying, binding; *(рукоделие)* knitting
вязанный knitted

вязать to tie up bind; *(кофту, носки)* to knit; это лекарство вяжет мне во рту this medicine burns the inside of your mouth
вязкий *(тягучий)* viscous; *(топкий)* boggy
вязнуть to get stuck (in)
вяленый dried
вялить to dry
вяло *(говорить)* dully
вялость sluggishness
вялый *(листья, цветы)* wilted, withered; *(человек, речь)* sluggish
вянуть *(цветы)* to wilt, wither; *(красота)* to fade; его слушать - уши ~нут *(разг.)* it makes you sick to listen to him

Г

г *сокр* (= грамм) g, gm (= gram)
га *сокр* (= гектар) ha (= hectare)
Гаага The Hague
габарит тех. dimension; см. также габариты
Гавайи Hawaii
Гавана Havana
гавань harbour, harbor
гавкать *(розг: также перен)* to yap
гага eider; гагачий пух eider-down
гагара diver, loon
гагат гео. jet
гадалка fortune-teller
гадать *(строить предположения)* to guess; *(погадать):* ~ кому-н to tell sb's fortune; ~ *(погадать)* на картах to read the cards; ~ на кофейной гуще; to read the tea leaves
гадина rat
гадить *(животное)* to defecate; ~ *(нагадить)* *(разг)* to do the dirty on
гадкий loathsome
гадко *(поступить)* terribly ◇; это ~ it's disgusting
гадость *(поступка, слов)* nastiness; *(разг)* filth; делать *(сделать)*/говорить, *(сказать)* ~и to do/say nasty things; это ~ it's disgusting
гадюка viper

гаек *см.* гайка

гаечный ~ ключ spanner

газ gas; готовить (приготовить) на газе to cook with gas; давать (дать) ~ to put one's foot down, step on the gas

газета newspaper

газетный newspaper

газетчик *(разг: сотрудник)* journalist; *(продавец)* newspaper vendor

газированнный ~ая вода carbonated water

газировка *(разг)* soda

газовщик *(разг)* gasman (*мн* gasmen)

газовый gas; газовая камера gas chamber

газон lawn

газопровод gas pipeline

Гаити Haiti

гаишник traffic cop

гайка nut; закручивать (закрутить) ~йки to put the screws on

гайморит sinusitis

гала gala

галактика galaxy; наша Г~ the Galaxy

галантерея haberdashery, notions store

галантный gallant

галерея gallery

галета sort of biscuit

галиматья gobbledygook

галифе riding breeches ◇ брюки ~ jodphurs

галка jackdaw

галлон gallon

галлюцинация hallucination

галоп *(бег лошади)* gallop; *(танец)* galop, галопом at a gallop; я прочитал книгу ~ *(разг)* I raced through the book

галочка *(в тексте)* tick, check

галоша *(обычно обувь)* galosh; сажать (посадить) кого-н в ~у to put sb on the spot; садиться в ~у to get into a jam

галстук tie, necktie; завязывать ~ to tie a tie

гальванизация galvanization

галька pebble

гам uproar

гамак hammock

гамаша *(обычно)* gaiter

Гамбург Hamburg

гамбургер hamburger

гамма *муз.* scale; *(чувств, красок)* range

гамма-глобулин gamma globulin

гамма-излучение gammaradiation

Гана Ghana

гангрена gangrene

гангстер gangster

гандбол handball

гандболист handball player

гантель dumbbell

гараж garage

гарант guarantor

гарантийный guarantee, warranty; гарантийное письмо letter of guarantee

гарантировать to guarantee; ~ кого-н от to protect sb against

гардемарин midshipman

гардероб wardrobe; *(в общественном здании)* cloakroom

гардеробщик cloakroom attendant

гардина curtain

гаревый ~ая дорожка cinder track

гарем harem

гармоника concertina; губная ~ mouth organ

гармонировать ~ с to be in harmony with; *(одежда)* to go with

гармонист concertina player

гармоничный harmonious

гармония harmony

гармошка squeezebox; *(одежда)*: в ~ку creased; при ударе машина смялась в ~ку the car concertinaed on impact

гарнизон garrison

гарнир side dish

гарнитур *(одежды)* outfit; *(украшения)* set; *(мебели)* suite

гарпун harpoon

гарь *(угля)* cinders; пахнет гарью there's a smell of burning

гасить *(лампу, свет)* to put out; *(пожар)* to extinguish, put out; *(скорость)* to reduce; *(звук)* to deaden; *(марку)* to frank; *(инициативу)* to stifle, suppress; ~ (погасить) задолженность to settle one's debts; ~ известь to slake lime

Г

гастрит gastritis

гастроли perfomances of a touring company; ездить/ехать (поехать) на ~ to go on tour

гастролировать to be on tour

гастроном food store

гастрономия delicatessen

гауптвахта *воен.* guardroom; сажать (посадить) кого-н на ~у to confine sb to the guardroom

гашеный *(марка)* franked; ~ая известь slaked lime

гашиш hashish

гвалт *(разг)* row

гвардеец *воен.* guardsman

гвардия *воен.* Guards; Красная/Белая ~ the Red/White Guard

Гватемала Guatemala

Гвинея Guinea

гвоздика *(цветок)* carnation; *(пряность)* cloves

гвоздь nail; ~ программы the highlight of the show; и никаких ~ей! *(разг)* and that's that!

где where; ~-либо, ~-нибудь, ~-то somewhere

где-то somewhere

гегемонизм hegemony

гейзер geyser

гейм *спорт.* game

гектар hectare

гель gel

гемоглобин haemoglobin, hemoglobin

геморрой haemorrhoids, hemorrhoids

гемофилия haemophilia, hemophilia

ген gene

генеалогический ~ое дерево genealogical chart: *(семьи)* family tree

генеалогия genealogy

генерал *(воен)* general; генерал армии general, General of the Army

генеральный general *(главный)* main; ~ая уборка spring-clean; генеральная репетиция dress rehearsal; генеральное сражение decisive battle; генеральный штаб chief hesdquarters

генератор geneticist

генетика genetics

генетический genetic

гениально *(написанный)* superbly ◇

как сказ it's great

гений genius

геноцид genocide

генсек *генеральный секретарь; полит.* General Secretary *(of the Communist Party)*

Генуя Genoa

географ geographer

география geography

геодезия geodesy

геолог geologist

геология geology

геометрия geometry

геополитика geopolitics

георгин dahlia

гепард cheetah

гепатит hepatitis

геральдика heraldry

герань geranium

гербарий herbarium

герб государственный ~ national emblem

гербовый heraldic; *(с гербом)* bearing a coat of arms; гербовая бумага headed paper гербовая марка official stamp; гербовый сбор stamp duty

гербоцид herbicide

Германия Germany

германский German

герметизировать to make airtight

герметичный hermetic

героизм heroism

героин heroin.

героиня heroine

героический heroic; героический эпос heroic epic

герой hero

герц hertz

герцог duke

герцогиня duchess

гестапо the Gestapo

гестаповец member of the Gestapo

гетерогенный heterogeneous

гетра *(обычно мн)* legwarmer

гетто ghetto

гиацинт hyacinth

гибель *(человека)* death; *(армии)* destruction; *(самолета, надежды, ценностей)* loss; *(карьеры)* ruin; они были обречены на ~ they were doomed; на краю ~ *(дело)* on the brink of disaster *(человек)* on the verge of death

гибельный disastrous

гибкий flexible; **гибкий диск** *(комп)* floppy disk: **гибкое производство** *тех.* flexible production methods

гибкость flexibility

гибнуть to perish; *(растения)* to die; *(перен)* to come to nothing; ~ *(погибнуть)* от to die of

Гибралтар Gibraltar

гибрид hubrid

гигант giant; **пластинка-~, диск-~** twekve-inch record

гигантский gigantic

гигиена hygiene

гигиенический sanitary; **гигиенический тампон** tampon

гигиеничный hugienic

гигимнаст gymmast

гигроскопичный absorbent

гид guide

гидравлический hebraulic

гидрокостюм diving suit

гидроэлектростанция hydroelectric power station

гильдия guild

гильза cartridge case

гильотина guillotine

Гималаи the Himalayas

гимн *(государственный)* anthem; *(хвалебная песня)* hymn

гимназист grammar school student

гимназистка см. **гимназист**

гимназия grammar school

гимнастерка soldier's blouse

гимнастика exercises; *(спортивная)* ~ gymnastics; **художественная** ~ modern rhythmic gymnastics: **делать (сделать) ~у** to do one's exercises

гинеколог gynaecologist, gynecologist

гинекология gynaecology, gynecology

гипербола hyperbole

гипертоник *person suffering from high blood pressure*

гипертония high blood pressure

гипертрофированный *мед.* hypertrophied; *(перен)* excessive

гипноз hypnosis

гиппотизировать to hypnotize

гипотеза hypothesis: **выдвигать (выдвинуть) ~у** to put forward a hypothesis

гипотетический hypothetical

гипотония low blood pressure

гиппопотам hippopotamus

гипс *гео.* gypsum *искусст.* plaster; *(мед.)* plaster; **накладывать (наложить) ~ на что-н** to put sth in plaster

гипюр *(guipure)* lace

гирлянда garland

гиря *(весов)* weight; *(спорт.)* dumbbell

гитара guitar

гитарист guitarist

глава *(делегации, семьи)* head; *(церкви)* dome; *(книги, статьи)* chapter; **во ~е с** headed by; **во ~е** at the head of; **во ~у угла ставить (поставить) что-н** to give top priority to sth

главарь *(банды)* leader

главенство leading role

главенствовать ~ **над** to hold sway over

главнокомандующий commander in chief

главный main; *(старший по положению)* senior, head; **~ым образом** chiefly, mainly; **главная книга** *комм.* general ledger

глагол verb

гладильный **~ьная доска** ironing board

гладиолус gladiolus

гладить to iron; *(волосы)* to stroke; **они тебя не погладят по головке за это** they won't be best pleased with you for this

гладкий *(ровный)* smooth; *(одноцветный)* plain unpatterned; *(плавный)* flowing; *(прямой)* straight

гладко *(ровно)* smoothly; *(причесанный)* tightly; ~ **выбритый** clean-shaven

глаз *(также перен)* eye; *(зрение)* eyesight; **в ~ах** in the eyes of; **на ~ах у кого-н** before sb's eyes; **с глазу на ~ tete a tete; на ~** roughly; **она всегда говорит о нем за ~а** *(разг)* she is always talking about him behind his back; **за ним**

нужен ~ да ~ you need to keep your eye on him; куда ~а глядят идти (пойти) (разг) to go where one's fancy takes one; делать (сделать) большие ~а to look amazed

глазастый (разг) with big eyes; (зоркий) sharp-eyed

Глазго Glasgow

глазеть ~ на to stare at

глазировать тех. to glaze; торт. to ice, frost

глазник (разг) eye doctor

глазница eyeball

глазной eye опред.

глазок peephole

глазунья fried egg

глазурь (на керамике) glaze; (на торте) icing, frosting

гланда gland

гласить to state; закон/правило ~ит, что ... the law/rule states that ...; устав ~ит, что the regulations stipulate that

гласность openness; ист. glasnost; предавать ~и to make public

гласный (суд, процесс) public; voiced ◇ vowel

глаукома glaucoma

глашатай town-crier; mouthpiece

глетчер glacier

глина clay

глинтвейн mulled wine

глист (обычному) (intestinal) worm

глицерин glycerin (e)

глобальный thorough; (климат, политика) global

глобус globe

глодать to gnaw at

глотать to swallow; (разг: обед) to scoff; (перен: книгу) to devour; ~ (проглотить) слезы to choke back one's tears

глотка gullet

глоток gulp, swallow, (воды, чая) drop

глохнуть to grow deaf; (шум) to die away; (мотор) to stall

глубже от глубокий ◇ от глубоко

глубина depth; (дно) depths (леса) heart; (зала, саде) middle; ~ (идеи) profundity of; на ~ине 10 метров at a depth of 10 metres или meters;

в ~ине души in one's heart of hearts; до ~ины души тронут deeply moved; до ~ины души удивлен astounded; до ~ины души огорчен cut to the quick

глубокий deep; (провинция) remote; (мысль, интерес) profound; (зима, осень) late; ~ая старость ripe old age; ~ая ночь the dead of night; ~ снег deep snow; ~ поклон deep bow; ~ая тайна deep secret

глубоко deeply ◇ здесь ~ it's deep here

глубоководный deep, deep-sea

глубокомысленный (речь, замечание) profound (взгляд, вид) thoughtful

глубокоуважаемый dear

глубь (леса) heart; (океана) depths

глумиться ~ над to mock

глупо stupidly ◇ it's stupid или silly

глупость foolishness, stupidity; nonsense

глупый stupid silly

глухарь зоол. capercaillie

глухой deaf; voiceless (sound)

глухонемой deaf-and-dumb ◇ deaf-mute; азбука для ~ых deaf-and-dumb alphabet

глухота deafness

глушитель тех. silencer, авт. silencer muffler; (перен) suppressor

глушить (звуки, шум) to muffle; (мотор) to turn off; (перен: инициативу) to stille, suppress; ~ (оглушить, рыбу) to stun; ~ водку/вино to hit the vodka/wine

глушь wildness; (леса) deepest part (перен) backwoods

глыба (ледяная) block; каменная ~ boulder

глюкоза glucose

глядеть (по~) to look, peer, see

глянец lustre, luster, sheen; наводить (навести) ~ на что-н (перен) to add the finishing touches to sth

глянцевый glossy

гнать (по~) to chase, drive; to hunt, pursue

гнев wrath; быть в гневе to be in a rage

гневаться to be angry

гневить to anger; **не ~и Бога!** you should count your blessings!

гневный wrathful

гнедой *(масть лошади)* bay

гнездиться *(птицы)* to nest; *(мысль, чувство)* to take root

гнездо nest

гнездовье nesting

гнести to gnaw

гнет *(бедности)* yoke; **под ~ом** under the yoke

гнетущий depressing

гнида nit; *(разг: пренебр)* louse

гниение decaying, rotting

гнилой *(продукты, ткань)* rotten: *(климат)* unhealthy; *(перен: настроения, теория)* decadent

гниль rotter stuff

гнить to rot **гноить** to let rot

гноиться *(рана)* to discharge

гной pus

гнойник boil

гном gnome

гнусавый *(голос, тон)* affected and nasal

гнусность *(клеветы, поведения)* vileness; *(поступок)* vile think

гнусный vile

гнуть to bend; **~ свою линию** to have things one's own way; **куда** *или* **к чему он ~ёт?** what's he driving at? **~ спину на кого-н** to slave away for sb

гнушаться to abhor; **ничем не ~** to have no scruples whatsoever

гобелен tapestry

гобой oboe

говно *(груб.!)* shit (!)

говор *(линг)* dialect; *(звуки разговора)* voices

говорить *(сказать)* to say, speak, tell

говорливый talkative

говядина beef

гогот *(гусей)* honking; *(разг: пренебр)* guffaw

гоготать to honk; to guffaw

год year

годиться *(при~)* to become, fit, suit

годичный annual, yearly

годный suitable; **никуда не ~** good for nothing, useless

годовщина anniversary: **~ со дня**

смерти кого-н the anniversary of sb's death

гол goal; **забивать (забить) ~** to score a goal

голень shin; *(у животного)* shank

голкипер goalkeeper

голландец Dutchman

Голландия Holland

голландка   Dutchwoman (Dutchwomen)

Голливуд Hollywood

голова head

головешка smouldering *или* smoldering log

головка *(гвоздя)* head; *(чеснока)* bulb; **~ лука** onion

головокружение giddiness

головокружительный *(высота)* dizzy; *(карьера)* breath-taking

головоломка puzzle; **задавать (задать) (кому-н) ~ку** *(перен)* to pose a problem (to sb)

головомойка *(разг)* telling off

головорез *(бандит)* cutthroat

голод famine; hunger

голодание starvation; *(воздержание)* fasting; **кислородное ~** oxygen deficiency

голодать to starve; *(воздерживаться от пищи)* to fast

голодный hungry; *(год, время)* hunger-stricken; *(край)* barren; **~одные боли** hunger pangs; **~одная смерть** death from starvation

голодовка hunger strike; *(разг)* famine; **обьявлять (объявить) ~ку** to go on hunger strike

гололед *(на дорогах)* black ice

гололедица *(на деревьях)* ice; *(на дорогах)* black ice

голос voice; *(в хоре)* part; *(крови)* the call; *полит.* vote; **~ рассудка/совести** the voice of reason/conscience; **подавать ~** to vote; **право ~а** the right to vote; **в один ~** with one voice; **во весь ~** at the top of one's voice

голосистый loud

голословный unsubstantiated

голосование ballot, vote; **открытое/тайное ~** open/secret ballot; **мандатное** *или* **представительское ~** card *или* block vote

голосовать to vote: *(разг)* to hitch (a lift); ~ **(проголосовать)** за/против to vote for/against

голосовой vocal; **~ые связи** vocal chords

голубеть to show blue; **(поголубеть)** to turn blue

голубец *(обычно мн)* stuffed cabbage leaf

голубика great bilberry

голубка *(обращение)* pet

голубой light blue ◇ *(разг: гомосексуалист)* gay; **голубая мечта** pipe dream; **голубой экран** small screen

голубчик dear

голубь pigeon; dove; **~ мира** dove of peace

голубятня pigeon loft; dovecot

голый *(человек)* naked; *(череп)* bald; *(дерево, стены)* bare; naked; *(цифры, факты)* bare; **~ыми руками** with one's bare hands; **его ~ыми руками не возьмёшь** *(перен)* he's a slippery character **голый провод** bare wire

голышом starkers

голь rabble; **~ на выдумки хитра** necessity is the mother of invention

гольф golf; *(обычно мн: чулки)* knee sock; *см также* **гольфы**

гольфы *(брюки)* plus-fours

гомеопат homoeopath

гомогенный homogeneous

гомон *(толпы)* hubbub; **птичий ~** chorus of birdsong; **поднимать ~** to make a din

гомосексуализм homosexuality

гомосексуалист homosexual

гонг gong; **ударить в ~** to beat a gong

гондола gondola; *(дирижабля)* car *(of airship)*

Гондурас Honduras

гонение persecution; **подвергаться (подвергнуться) ~ям** to be persecuted; **~я на кого-н/что-н** persecution of sb/sth

гонец messenger

гонка *(разг: спешка)* rush; *(обычно мн: соревнования)* racing; **гонка вооружений** arms race

Гонконг Hong Kong

гонор arrogance

гонорар fee; **авторский ~** royalty

гонорея gonorrhoea, gonorrhea

гончар potter

гончая hound

гонщик *(автомобиля)* racing *или* rare car driver; *(велосипеда)* racing cyclist

гонять to chase, hunt

гоп-компания *(разг)* rowdy bunch

гора mountain; **на гору** uphill; **под гору** downhill

горазд *(разг):* **~ на что-н** very good at sth/at doing; **кто во что ~** everyone doing his own thing

гораздо much

горб hump; back

горбатый hunchbacked

горбиться to stoop; *(от старости)* to develop a stoop

горбоносый hooknosed

горбун hunchback

горбуша salmon

горбушка crust

горделивый proud

гордиться to be proud of

гордость pride

горе grief, sorrow; misfortune; woe!

горевать to grieve; to lament

горелка burner

горемыка *(разг)* poor soul

горение combustion

горестный sorrowful

горесть grief, sorrow; *(обычно мн: несчастье)* trouble

гореть to burn, glow

горец mountain dweller

горечь bitter laste; *(потери)* bitterness

горизонт horizon; **появляться на чьем-н ~е** to come into sb's life

горизонталь horizontal; *(на карте)* contour *(на шахматной доске)* rank

горилла gorilla

гористый mountainous

горка hill; *(склон)* slope; *(шкаф)* cabinet *(кучка)* small pile; *авиа.* steep climb

горланить *(разг)* to bawl

горластый *(разг)* noisy

горлица turtledove

горло throat

горлышко *(бутылки, сосуда)* neck

гормон hormone

гормональный hormonal

горн *(для переплавки)* furnace; *(для обжига)* kiln; *муз.* bugle

горнист bugler

горничная chambermaid

горно-буровой mining, mine-excavation

горнодобывающий mining

горнозаводской mining

горнорабочий miner

горноспасательный mountain-rescue

горностай stoat; *мех.* ermine

горный mountain; *(лыжи)* downhill; *(страна)* mountainous; *(богатства)* mineral; *(промышленность)* mining; **~ые породы** rocks; **~ хрусталь** rock crystal; **горная болезнь** altitude sickness; **горный хребет** mountain range

горняк *(рабочий)* miner *(инженер)* mining engineer

город town, city; **за городом** in the suburbs

городить **~ ерунду** *или* **вздор** *или* **чушь** *(разг: пренебр)* to talk rubbish

городок small town; **спортивный ~** sports complex; **военный ~** milifary settlement **университетский ~** *(university)* campus; **детский ~** playground

городской urban; *(сад)* municipal; **~ житель** town dweller *(большого города)* city dweller

горожанин city dweller

горожанка см **горожанин**

гороскоп horoscope

горох peas; *(на платье)* polka dots; **как об стену ~** like talking to a brick wall

горошина pea

горстка handful

горсть *(руки)* cupped hand; handful

гортанный guttural

гортань larynx

гортензия hydrangea

горчить to taste bitter

горчица mustard

горчичник mustard plaster

горшок chamber pot; **цветочный ~** flowerpot

горький *(вкус, разочарование)* bitter; *(обида, событие)* painful; **горькая истина** the painful truth; **горький пьяница** *(разг)* a hopeless drunkard; **горькие слезы** bitter tears; **горький смех** bitter laughter

горько *(плакать)* bitterly ◇ **во рту ~** I have a bitter taste in my mouth; **мне ~, что меня не понимают** I feel bitter that nobody understands me

горючее fuel

горючий flammable; **~ие слезы** bitter tears

горячий hot passionate; *(: спор)* heated; *(: желание)* burning; *(: человек)* hot-tempered; *(день)* hectic; **~ характер** hot temper; **делать (сделать что-н по ~им следам** to do sth without delay; **я попал ему под ~ую here** I caught him while he was in a bad mood;

горячиться to get worked up

горячка *(разг)* frenzy; **пороть ~ку** to rush

горячо *(спорить, любить)* passionatelly ◇ **it's hot**

госпитализировать to hospitalize

госпиталь army hospital

господин gentleman; *(хозяин)* master; *(при обращении)* sir; *(при фамилии, звании)* Mr (Mister)

господство supremacy; *(над страной)* dominion; *(идей)* predominance

господствовать to rule; *(мнение)* to prevail; **на море** to rule the seas; **~ над** *(местностью)* to tower above, dominate

господствующий *(партия, класс)* ruling; *(взгляды)* prevailing; *(гора, башня)* imposing

Господь *(также: ~ Бог)* the Lord; **не дай Господи!** God forbid!; **слава тебе, Господи!** Glory be to God!: *(разг)* thank God!

госпожа lady; *(хозяйка)* mistress; *(при обращении, звании)* Madam; *(при фамилии: замужняя)* Mrs; *(: незамужняя)*, Miss; *(: замужняя или незамужняя)* Ms

гостеприимный hospitable

гостиная living *или* sitting room,

lounge; *(мебель)* living-room suite
гостиница hotel
гостить to stay
гость visitor
государственный state ~ **язык** official language; ~ **строй** government system; **государственное право** public law; **государственный экзамен** Finals
государство state
государыня sovereign *(при обращении)* Your Majesty; **милостивая** ~ Madam
государь sovereign; *(при обращении)* Your Majesty: **милостивый** Sir
готика Gothic
готовальня *(архитектора)* drawing instruments; *(школьника)* geometry set
готовить to get ready; *(уроки)* to prepare; *(обед)* to prepare, make; **(подготовить специалиста)** to train; *(ученика)* to coach ◇ to cook; **он хорошо ~ит** she's a good cook
готовность readiness; ~ readiness *или* willingness to do; **в боевой ~и** ready for action
готово that's it
готовый prepared, ready; willing; finished
гофрированный *(юбка)* pleated; *(жесть)* corrugated
гофрировать to pleat; to corrugate
граб hornbeam
грабеж robbery; *(дома)* burglary; ~ **среди бела дня** *(разг)* daylight robbery
грабитель robber, burglar
грабительский *(война)* predatory; *(цены)* extortionate; **~ое нападение** *(на дом)* burglary; *(на банк)* robbery; *(на страну)* pillage
грабить *(человека)* to rob; *(дом)* to burgle; *(город)* to pillage
грабли rake
гравий gravel
гравировать to engrave ◇ to erch
гравитация gravitation
гравюра *(оттиск)* engraving; *(офорт)* etching
град hail; *(пуль)* hail of; *(упреков)* stream of

градация gradation
градирня cooling tower
градом thick and fast; **катиться** ~ *(слезы)* to stream down
градостроитель town *или* city planner
градостроительство town *или* city planning
градус degree; **под ~ом** *(разг)* tiddly
градусник thermometer
гражданин citizen
гражданский civil; *(долг)* civic; *(платье)* civilian; **гражданская война** civil war; **гражданская панихида** civil funeral service; **гражданский кодекс** civil code
гражданство citizenship; **получать права гражданства** to be granted citizenship
грамзапись recording; **опера в ~и** recording of an opera
грамм gramme; **у него (нет) ни грамма совести** *(разг)* he doesn't have an oupce of conscience
грамматика grammar
грамматический *(ошибка)* grammatical, *(упражнение)* grammar
грамота reading and writing; *(документ)* certificate; **для меня это китайская ~** *(разг)* it's Greek *или* double Dutch to me; **почетная ~** certificate of merit
грамотный *(человек)* literate; *(текст)* properly *или* correctly written; *(специалист, план)* competent
граммпластинка gramophone *или* phonograph record
гранат *(плод)* pomegranate; *(дерево)* pomegranate (tree); *(минерал)* garnet
граната grenade
гранатовый *(сок)* pomegranate; *(браслет)* garnet; *(цвет)* deep red
гранатомет grenade launcher
грандиозный *(сооружение)* grand; *(масштабы, планы)* grandiose
граненый *(стакан)* cut-glass; *(алмаз)* cut
гранит cut
гранить to cut
граница *(государства)* border; *(уча-

стка) boundary; (обычно мн: перен) limit; ехать за ~у to go abroad; жить за ~ей to live abroad; из-за ~ы from abroad; в ~х приличия/закона within the bounds of decency/the law; его поведение переходит все ~ы he's gone too far!

граничить ~ c to border on; (перен) to verge on

гранула granule

грань face; (алмаза) facet; переступать to ovestep the mark; на грани или verge of

граф count, earl

графа column

график мат. graph; (план) schedule, timetable; (художник) graphic artist; работать по ~у to work to schedule; поезд идет по ~у the train is running to time; ~ расчета точки "нулевой" прибыли комм. break-even chart

графика graphic art; (буквы) script ◊ (рисунки) graphics

графин (для воды) water jug; (для вина) decanter (: открытый) carafe

графиня countess

графит (минерал) graphite; (грифель) (pencil) lead

графить to rule (lines)

графический graphic

графство county

грациозный graceful

грация grace; (корсет) corset

грач rook

гребенка comb; стричь всех под одну ~ку to lump everyone together

гребешок comb; (также: морской ~) scallop

гребля rowing

грезить to (day) dream, fantasize

грейдер grader (разг дорога) dirt road

грейпфрут grapefruit

грек Greek (man)

грелка hot-water bottle; электрическая ~ electric blanket

греметь (поезд) to thunder by; (выстрелы) to thunder out; (гром) to rumble; (перен) to resound; ~

(прогреметь) (ведром, кастрюлями) to clatter (ключами) to jangle

гремучий ~ая змея rattlesnake; ~ газ firedamp

Гренада Grenada

гренадер (солдат) grenadier; он настоящий ~ he's a real hulk

Гренландия Greenland

грести to row; (веслом, руками) to paddle ◊ to rake

греть to heat, warm; (: шуба) to keep warm; (воду) to heat (up); (руки) to warm; ~ руки на чем-н (разг) to line one's pockets with sth

грех sin; guilt; первородный ~ original sin; отпущение грехов remission of sins; absolution

греховный sinful

грецкий ~ орех walnut

гречиха buckwheat

грешить to sin; ~ против to sin against

грешник sinner

грешный sinful

гриб fungus; (съедобный) (edible) mushroom; несъедобный ~ toadstool

грибник mushroom picker

грибница mushroom spore

грибной (суп) mushroom; ~ое место a good place for mushrooms; грибной дождь rain during sunshine

грибок (на коже) fungal infection; (на дереве) fungus; (на хлебе) mould; (укрытие) mushroom-shaped shelter in a playground, on the beach etc

грива mane

гривенник (разг) ten-copeck piece

грим stage make-up, greasepaint

гримаса grimace; строить или корчить ~ы to make или pull faces

гримасничать to make или pull faces

гример make-up artist

гримерная dressing room

гримировать ~ кого-н to make sb up

грипп flu

гриппозный flu; у больного ~ое состояние the patient has influenza

гриф зоол. vulture; миф. griffin; муз.

fingerboard; *(штемпель)* stamp

грифель *(pencil)* lead

гроб coffin вгонять кого-н в ~ to drive sb to their grave; в ~у я это видел! *(разг)* I don't give a damn about it!

гробить *(разг)* to screw up

гробница tomb

гробовой ~ голос sepulchral tones мн; гробовое молчание deathly silence; гробовая тишина deathly hush

грог grog

грожу(сь) см грозить(ся)

гроза thunderstorm; *(садов, зверей)* threat to

гроздь *(винограда)* bunch; *(сирени)* cluster

грозить to menace, threaten

грозный *(взгляд, письмо)* threatening; *(противник, оружие)* formidable; *(царь)* severe, harsh; *(учитель)* strict

грозовой ~ая туча storm cloud

грозящий imminent *(danger)*

гром thunder *(перен)* din; пока ~ не грянет *(разг)* until it's too late; метать громы и молнии to rant and rave

громада bulk

громадина *(разг)* whopper, monster

громадный enormous, huge

громила burglar

громить to destroy; *(перен: разг)* to slag (off)

громкий *(голос)* loud; big; famous; high-tlown

громко loudly

громкоговоритель (loud)speaker

громовой *(голос)* thunderous; ~ые раскаты thunderclaps

громогласный very loud; ~ое заявление public announcement

громоздить to pile up

громоздиться *(скалы)* to loom; взгромоздиться на *(разг)* to clamber up onto

громоздкий cumbersome; clumsy

громоотвод lightning conductor

громыхать *(разг: гром)* to rumble; *(колеса)* to rattle; ~ *(прогромыхать)* *(кастрюлями, ведром)* to clatter

гроссмейстер grandmaster

грот *(пещера)* grotto; *(парус)* mainsail

гротеск grotesque

грохать to rumble

грохнуться *(разг)* to come crashing down

грохнуть *(разг: выстрел)* to ring out; *(: рассмеяться)* to go into stitches ◇ to smash; *(: мешок)* to bang down

грохот racket

грош half-copeck coin; это стоит ~й it costs next to nothing; у меня нет ни ~й *(разг)* I'm stony broke; а ломаного не стоит *(разг)* it's not worth a brass farthing *или* a plugged nickel

грошовый *(разг: вещь)* dirt-cheap; *(сумма)* paltry; *(расчеты)* petty

грубеть *(человек)* to grow rude; *(душа)* to grow hard; *(кожа)* to become rough; *(черты)* to harden

грубить to be rude to

грубиян rude person *(мн* people)

грубиянка грубиян

грубо *(отвечать)* rudely *(разговаривать)* crudely; *(обточить, подсчитать)* roughly; ~ говоря roughly speaking

грубость *(выражение)* crudeness, coarseness; *(поступок)* rudeness

грубый *(человек, поведение)* rude; *(ткань, пища)* coarse; *(кожа, подсчет)* rough; *(голос)* gruff; *(ошибка, шутка)* crude; *(нарушение правил)* gross

груда pile, heap

грудинка *(говядина)* brisket; *(копченая свинина)* bacon; баранья ~ breast of lamb; свиная ~ pork fillet

грудница mastitis

грудной *(молоко)* breast; *(кашель)* chest опрег *(младенец)* ~ ребенок baby: грудной голос chest voice; грудные железы mammary glands; грудная клетка thorax; грудное кормление breast-feeding.

грудь анат. chest; *(: женщины)* breasts; *(у рубашки)* shirt front; вставать ~удью на защиту кого-н/чего-н to stake one's life in defence *или* defense of sb/sth;

кормить ~дью to breast-feed

груженый loaded

груз (*тяжесть*) weight; (*товар*) cargo, freight

груздь milk agaric

грузило sinker, weight

грузин Georgian

грузинский Georgian

грузить (*корабль*) to load; ~ (*погрузить*) (*в/на*) (*товар*) to load (*onto*)

грузиться (*люди*) to board; (*судно*) to take on cargo; (*машина*) to be loaded up

Грузия Georgia

грузовик lorry, truck

грузовой (*судно, самолет*) cargo; ~ая машина goods vehicle; ~ое такси removal *или* moving van

грузооборот turnover of goods

грузоотправитель consignor of goods

грузоподъемность freight *или* cargo capacity

грузополучатель consignee

грузчик (*на складе*) warehouse porter (*в магазине*) stockroom worker (*в порту*) docker, stevedore; (*на вокзале*) porter

грунт soil, earth; (*дно водоема*) bottom; (*краска*) primer

грунтовать to prime

грунтовка undercoat

грунтовой ~ая дорога dirt road; ~ая краска primer

группа group; группа крови blood group

группировать (*людей*) to group; (*отдел*) to establish, set up; (*данные, цифры*) to group, classify

группироваться (*объединяться*) to form groups; (*классифицироваться*) to be grouped *или* classified

группировка grouping; (*религиозная*) group

грустить to be melancholy, feel very sad; ~ по *или* о (*семье, дому*) to pine for

грустно sadly ◇ мне ~ I feel sad

грустный (*настроение*) sad, melancholy; (*конец*) sad

грусть sadness, melancholy

груша (*плод*) pear (*дерево*) pear (*tree*)

грушевидный pear-shaped

грущу *см* грустить

грыжа hernia

грызение nibbling

грызня (*разг: собак*) scrap; (*перен: пренебр*) squabble

грызть (*печенье, яблоки*) to nibble разгрызть (*кость*) to gnaw (on); (*орехи*) to nibble; (*перен; разг: человека*) to get at; ~ ногти to bite one's nails; меня грызло раскаяние/сомнение I was consumed by remorse/doubt

грызться (*собаки*) to fight; (*перен: разг*) to squabble

грызун rodent

гряда row; (*гор*) range; (*волн*) series; ~ облаков bank of cloud

грядка row

грядущее the future

грядущий (*год*) coming; на сон ~ before going to bed

грязелечение mud cure

грязи mud cure; (*место*) mud baths

грязнить (*платье*) to get dirty; (*пол*) to make dirty; (*перен: репутацию*) to tarnish ◇ (**нагрязнить**) (*в доме*) to make a mess; (*на улице*) to drop litter

грязно messy, dizty, muddy дома/на улице ~ the street/house is filthy

грязнуля (*разг*) pig; (: ребенок) mucky kid

грязный dirty; (*ребенок, платье*) dirty, grubby; (*перен: анекдот, личность*) sordid; (*цвет*) murky; ~ное дело dirty business; ~ная война dirty war

грязь dirt; (*на дороге*) mud; (*перен*) filth; обливать кого-н грязью, мешать кого-н с грязью (*перен*) to sling mud at sb; *см тж* грязи

грянуть (*марш*) to strike up (*выстрел*) to ring out (*война*) to break out; песню to burst into song; ~ул гром there was a clap of thunder

гуашь gouache

губа li p; (*обычно мн: тисков*) jaw; *залив*) bay; дуть (**надуть**) губы (*перен: разг*) to be in a huff; у него ~ не дура (*разг*) he knows what's good for him

губернатор governor

губерния gubernia

губительный *(климат)* unhealthy; *(влияние)* pernicious; *(последствия)* ruinous; *(привычка)* harmful; *(мороз)*: ~ **(для)** desastrous

губить to kill; *(урожай, здоровье)* to ruin; **он ее погубит** he'll be the ruin of her

губка sponge

губной labial

губчатый spongy; fungoid

гувернантка governess

гувернёр (private) tutor

гудение *(жуков)* drone; *(проводов)* hum; *(ветра)* moan

гудеть *(шмель, провода)* to hum; *(ветер)* to moan; *(толпа)* to murmur *(машина)* to hoot; *(разг: ноги)* to throb

гудок *(устройство: автомобиля)* horn; *(: парохода, завода)* siren; *(звук)* hoot

гудрон tar

гул *(машин, голосов)* drone; *(моря)* murmur

гулкий *(удар, шаги)* resounding; *(свод)* echoing

гульба revelry

гуляка idler, stroller

гулянье walking; promenading

гулять to stroll; *(быть на улице)* to be out; *(на свадьбе)* to have a good time, enjoy o.s.; **идти (пойти)** ~ to go for a walk; **я сегодня ~ю** *(разг)* we're taking the day off today

гуляш goulash

гуманитарный *(помощь)* humanitarian; *(образование, факультет)* arts; **гуманитарные науки** the humanities *или* arts

гуманность humaneness, humanity

гуманный humane

гумно *(сарай)* barn; *(площадка)* threshing floor

гурман gourmet

гурт *(коров)* herd

гуртом *(разг: отправиться)* en masse; *(: продать, купить)* in bulk

гурьба crowd: **ходить** *или* **гулять ~ой** to go about in a gang

гусак gander

гусеница caterpillar; *(трактора)* caterpillar track ·

гусёнок gosling

гусиный *(яйцо)* goose; ~**ое стадо** gaggle of geese; ~**ая кожа** goose flesh, goose pimples *или* bumps

гусли dulcimer, psaltery

гусляр dulcimer player

густеть *(туман)* to grow *или* become denser; to thicken

густой *(лес, облака)* dense; *(брови)* bushy; *(суп, волосы)* thick; *(цвет, бас)* deep, rich

густонаселённый densely-populated

густота *(волос, каши)* thickness; *(зарослей, дыма)* density: *(голоса, цвета)* richness, deepness

гусыня goose *(female)*

гусь goose: **как с гуся вода** *(разг)* like water off a duck's back; **хорош** ~! *(разг: пренебр)* a fine one!

гуськом in single file

гусятница casserole *(dish)*

гуталин shoe polish

гуща *(кофейная)* grounds; *(пивная)* lees, dregs; *(супа)* solids *(in soup etc)*; *(леса)* thicket: **в ~е событий/ толпы** in the thick of things/the crowd

Д

д. *сокр* = **деревня**, **дом**

да выражает утверждение, согласие; yes ◇ *союз (и)* and; *(но, однако)* but; **помогает мало, да и то неохотно** he doesn't help much, and then only unwillingly; **у неё только одно платье, да и то старое** she only has one dress and even that's old; **плачет, да и только** he does nothing but cry

дабы as, because, in order to, in order that

давать to give; to bestow; to allow; to permit

давить *(подлеж: обувь)* to pinch; *(задавить, калечить)* to crush, trample; *(подлеж: машина)* to run over; **(раздавить; насекомых)** to squash; (*подлеж; чувства*) to oppress; ~ **на** + *acc (налегать тяжестью)* to press *или* weigh down on; ~ **кого-н своим авторитетом** *(разг)* to intimidate sb; **воротник давит** the collar feels tight

давиться *(разг.: в автобусе, в тесной комнате)* to be crushed *или* squashed; **~ся (подавиться)** *(костью, словами)* to choke (on)

давка crush

давление (*газа, жидкости, воздуха)* pressure; **кровяное ~** blood pressure; **атмосферное ~** atmospheric pressure; **под ~м** under the pressure of; **оказывать (оказать) ~на** to put pressure on

давний of old, of long standing, old-established

давнишний ancient

давно long ago

давность antiquity, remoteness

давным-давно *(разг.)* ages ago

даже *част* even; **так испугаться, ~ вскрикнул** I was so frightened, I even screamed; **~я согласился** even I agreed

дайджест newspaper rubric

дактилоскопия fingerprinting

далее futher; **и так ~and so on;** не ~ **как** *или* **чем вчера** only yesterday

далеко far, far off, a long way away; **~ не** not at all, far from it

далёкий *(страна, звуки)* distant, far-off; *(прошлое, будущее)* distant; *(путь, путешествие)* long; **в ~ие годы** in the distant past; **они далекие друг от друга люди** they are very different (from one another); **~ от реальности** far removed from reality; **она — человек, ~ от науки** she's far from being an expert when it comes to science

даль great distance

дальнейший further; **в ~ем** in the future

дальний distant; **Д~Восток** the Far East; **ракета ~его действия** long-range missile; **поезд/автобус ~его следования** long-distance train/bus

дальнобойный *(воен)* long-range

дальновидный farsighted

дальнозоркий long-sighted *(Brit)*, far-sighted *(US)*; *(дальновидный)* far-sighted

дальность distance; range

дальше farther, further; beyond; **~!** continue! proceed!

дама lady; queen *(cards)*

Дамаск Damascus

дамасский ~ая сталь Damascus steel, damask

дамба (ы) dam

дамский ladylike; *(одежда, парикмахер)* ladies

Дания Denmark

данность actuality

данные *(сведения)* data, information; *(способности)* latent

данный this, the given; **в ~ом случае** in this case; **в ~ момент** at present

дантист dentist

дань tribute; *(перен: моде, традиции)* concession: **отдавать (отдать) ~ кому-н/чему-н** to pay tribute to sb/sth

дар gift, present; grant; **святые дары** Holy Sacraments

даритель donor

дарить to give, present; to make a present; to grant

дармовой *(разг)* free

дармоед *(разг)* sponger

дарование gift

даровитый gifted

даром *(бесплатно)* free, for nothing; *(бесполезно)* in vain; **терять (потерять) время ~** to waste time; **это ему ~ не пройдет** he'll pay for this; **~ пропадать (пропасть)** tobe wasted, go to waste

дата date; **круглая ~** anniversary which is a multiple of ten years; **~ вступление в силу** effective date

дательный падеж dative case

датировать to date

датский Danish; **~ язык** Danish

датчанин Dane

датчик sensor

дать (давать) to give; *(разг.: ударить)* to clout; *(устроить: концерт, спектакль)* to put on; *(по-*

зволить): ~ **кому-н** to allow sb to do, let sb do; **давать кому-н что-н** to give sb sth, give sth to sb; **давать себя знать** to make itself felt; **зима даёт себя знать** winter is making its presence felt; **ни ~ ни взять** (*разг*) no more, no less; **я тебе дам** (*угроза*) I'll get you!; ~ (**давать**) **кому знать о чём-н** (*сообщить*) to let sb know about sth

дача (*дом*) dacha (*holiday cottage in the country*); (*корма*) portion; (*показаний, консультаций*) provision; **они всё лето живут на ~е** they are spending the whole of the summer at their dacha

два *чит* two

двадцатилетие twentieth anniversary

двадцатилетний (*период*) twenty-year; (*человек*) twenty-year-old

двадцатипятилетие (*срок*) twenty-five years; (*годовщина*) twenty-fifth anniversary

двадцатый twentieth; *см также* **пятидесятый**

двадцать *чис* twenty

дважды twice; **он приходил сюда ~** he has come here twice; **~ три — шесть** two times three is six; **ясно как ~ два** (*разг*) as plain as day

двенадцатичасовой (*рабочий день*) twelve-hour; (*отправление*) twelve-o'clock

двенадцатый *чис* twelfth

двенадцать *чис* twelve

дверца door

дверь door; **при закрытых ~ях** behind closed doors; **стоять в ~ях** to stand in the doorway; **показать на ~ кому-н** (*перен*) to show sb the door; **день открытых ~ей** open day

двести *чис* two hundred; *см также* **сто**

двигатель engine motor; (*перен.*) driving force; **~ внутреннего сгорания** internalconbustion engine

двигать to move; to further; (*механизм*) to drive; **им ~жет зависть/любовь** he is motivated by envy/love; ~ (**двинуть**) **пальцами/ру-**

кой to move one's fingers/hand

движение movement; (*дорожное*) traffic; (*перен.*) impulse; **приводить** (**привести**) **что-н в ~** to set sth in motion; **правила дорожного** *или* **уличного ~я** the Highway Code; **~ в защиту мира** the peace movement

движимость movables

двое *чис* two; ~ **часов/саней** two watches/sledges; ~ **брюк/ножниц** two pairs of trousers/scissors; **их было ~** there were two of them; **он не спал ~ суток** he didn't sleep for forty-eight hours; **есть за двоих** to eat enough for two; **на своих двоих** (*разг*) on foot

двоеборье biathlon

двоебрачие bigamy

двоевластие dual power, diarchy

двоедушие duplicity, false-hood; double-dealing

двоедушный deceitful, false, two-faced

двоеженец bigamist

двоеточие colon; diaresis

двоечник dimwit

двоить to double

двойка pair; deuce (*cards*)

двойной double, twofold, two-ply

двойня twins

двойственность duplicity

двор court, yard

дворец palace

дворник door-keeper, house-porter

дворняга mongrel

дворцовый palace

дворянин nobleman

дворянка noblewoman

дворянство nobility

двоюродный брат cousin; ~**ая сестра** cousin

двоякий dual

двояко in two ways

двубортный double-breasted

двугласный (**звук**) diphthong

двузначный (*число*) two-digit; (*слово, выражение*) ambiguous

двукратный reiterated; twofold

двуличный hypocritical

двунаправленный bidirectional

двуногий two-legged

двусложный two-syllable

двусмысленный ambiguous; ~ая шутка double entendre

двуспальный ~ая кровать double bed; двуспальная палатка two-person tent

дуствольный ~ое ружьё double-barrelled (BRIT) или double-barreled (US) shotgun

двусторонний (движение) two-way; (соглашение, переговоры) bilateral; ~нее воспаление лёгких double pneumonia

двухгодичный two-year

двухдневный two-day

двухлетие (срок) two years; (годовщина) second anniversary

двухлетний (период) two-year; (ребёнок) two-year old; (бот.) biennial

двухлетний biennial

двухместный (номер) double; (купе, каюта) two-berth

двухмесячный two-month; (ребенок) two-year-old; (издание) bimonthly

двухнедельный two-week; (ребенок) two-week-old; (издание) fortnightly

двухпалатный (полит.) two-chamber

двухсотлетие (срок) two hundred years; (годовщина) bicentenary (BRIT), bicentennial (US)

двухсотлетний (период) two-hundred-year; (дерево) two hundred-year-old

двухсотый чис two hundredth

двухтомник two-volume edition

двухцветный two-coloured (BRIT), two-colored (US)

двухчасовой (фильм) two-hour; (отправление) two-o'clock

двухэтажный two-storey (BRIT), two-story (US)

двушка (разг) two-copeck coin

двуязычный bilingual

дебаркадер landing stage

дебатировать to debate

дебаты debate

дебелость corpulence, stoutness

дебелый plump, stout

дебет debit; заносить (занести) что-н в ~ to debit sth

дебетование : прямое ~ direct debit

дебил (разг.; пренебр) moron

дебитор debtor

дебри (в лесу) thicket; (перен): ~ (науки, техники) maze of

дебют debut; (в шахматах) opening

дева maid; virgin

девальвация devaluation

девальвировать to devalue

девать от деть ◊ (разг) to put; мне некуда ~ деньги/время I've got more money/time than I know what to do with

деверь brother-in-law

девиз motto

девица maiden

девица (девушка) girl

девичество (до замужества) girlhood; в ~е Петрова nee Petrova

девичий : ~ья фамилия maiden name

девичник wedding-eve

девка (разг. девушка) girl

девочка (ребёнок) little girl; (разг: девушка) girl

девственный innocent; virgin

девушка young lady

девчонка (разг: девочка) little girl, kid

девяносто чис ninety

девяностолетие ninety years; (годовщина) ninetieth anniversary

девяностолетний (период) ninety-year; (человек) ninety-year-old

девяностый чис ninetieth;

девятидневный nine-day

девятилетие (срок) nine years; (годовщина) ninth anniversary

девятимесячный nine-month; (ребёнок) nine-month-old

девятинедельный nine-week; (ребёнок) nine-week-old

девятисотлетие (срок) nine hundred years; (годовщина) nine-hundredth anniversary

девятисотый чис nine-hundredth

девятичасовой (операция) nine-hour; (отправление) nine o'clock

девятка (цифра, карта) nine; (группа из девяти) group of nine; (разг: автобус, трамвай итп) (number) nine (bus, tram etc) девятнадцатый *чис* nineteenth

девятнадцать *чис* nineteen; см также пять

девятый *чис* ninth

девять *чис* nine

девятьсот *чис* nine hundred; см также сто

дегенеративный degenarate

дегенерация degeneration

деградировать to degenerate

дегустировать to taste, sample

дед grandfather; *(разг)* old man; Дед Мороз = Father Christmas

дедовский grandfather's; *(перен)* old-fashioned

дедукция deduction

деепричастие gerund

дееспособный *(войска)* functional; *(юр.)* responsible

дежурить *(в порядке очереди)* to be on duty; ~ у чего-н to guard sth; ~ у постели больного to sit at a patient's bedside

дежурный *(пренебр: цитаты, остроты)* hackneyed; ~ врач/милиционер doctor/(police) officer on duty ◆ *person on duty; (по станции)* assistant station master; дежурный магазин late-night shop; дежурное блюдо dish of the day

дезертир deserter

дезертировать to desert

дезинсекция pest control

дезинфекция disinfection

дезинфицировать to disinfect

дезинформация misinformation

дезинформировать to misinform

дезодорант antiperspirant

дезорганизация disorganization

дезорганизовать to disorganize

дезориентировать to disorientate

действенный effective

действие action, operation; efficacy, influence; act

действительно really она ~ красива she is really beautiful; ~, уже пора идти it really is time to go

действительность reality; в ~и in reality

действительный real, actual; valid; действительный залог active voice; действительная (военная) служба active service *BRIT)* или

duty *(US)*

действия *(поступки)* actions; *(воен)* operations

действовать *(человек)* to act; *(механизмы, закон)* to operate, work; *(подействовать; влиять):* ~ на *(лекарство, уговоры)* to have an effect on

действующий : ~ие лица *(персонажи)* characters; *(участники событий)* protagonists; действующая армия standing army; действующий вулкан active volcano

декабрист *(ист)* Decembrist

декабрь December;

декада ten-day period; ~ французского кино ten-day festival of French cinema

декадент decadent

декадентство decadence

декан dean

деканат faculty office

декламировать to recite

декларация declaration; таможенная ~ customs declaration; ~ судового груза ship's manifest

декларировать to declare

декодер *комп.* decoder

декодировать to decode

декольте decollete

декоративный *(растения)* ornamental; *(искусство)* decorative

декорация *театр.* set

декрет *(постановление)* decree; *(разг. отпуск)* maternity leave; издавать (издать) ~ о to issue a decree on; уходить (уйти) в ~ to take maternity leave

деланный *(смех)* false

делать (сделать) to make; *(упражнения, опыты, подлость итп)* to do; ~ (сделать) уроки to do one's homework; ~ (сделать) прыжок to jump; ~ (сделать) из кого-н что-н to make sth out of sb; ~ нечего ~ there is nothing to be done; от нечего ~ for want of something better to do; что ~? what can be done?

делаться (сделаться) *(происходить)* to happen; ~ся (сделаться) to become

делегат delegate

делегация delegation

деление devision; (*на линейке, в термометре*) point

делец dealer

Дели Delhi

деликатес delicacy

деликатно tactfully

деликатный delicate, dainty; fragile

делимое divided

делимость divisibility

делить *мат.* to divide; ~ (**разделить**) что-н на to divide sth by; ~ (**разделить**) что-н с to share sth with; ~ (**разделить**) радость/горе (с кем-н) to share one's joy/grief (with sb)

делиться (**разделиться**) ся (на) (*отряд*) to divide *или* split up (into); ~ся на (*книга, статья*) to be divided into; *мат.* to be divisible by; ~ся (**поделиться**) чем-и с кем-н to share sth with sb

делишки affairs; **как ~?** how are things!

дело matter; (*надобность, также комм.*) business; (*положение*) situation; (*поступок*) act; *юр.* case; file; **это моё ~** that's my business; **это не твоё ~** it's none of your business; **я пришёл по ~у** I've come on business; **у меня у Вам ~** I have something to discuss with you; **как дела?** how are things?; **в чём ~?** what's wrong?; **~ в том, что...** the thing is that ...; **не в этом ~** this isn't the issue; **на (самом) ~е** in (actual) fact; **на ~е** in practise; **первым ~м** in the first case *или* instance; **за ~** faily; **между ~м** in between times; **то и ~** every now and then

деловитость businesslike manner

деловитый businesslike

деловой (*встреча, круги*) business; (*человек*) efficient; (*вид, тон*) businesslike

делопроизводитель clerk

делопроизводство clerical work

дельный (*человек*) businesslike, efficient; (*совет, предложение*) practical

дельта delta

дельтаплан hang-glider

дельфин dolphin

деляга *разг. пренеб.* wheeler-dealer

делянка allotment

демагог demagogue

демагогия demagogy; **разводить (развести) ~ю** *разг.* to talk a lot of hot air

демилитаризация demilitarization

демобилизоваться to be demobilized

демографический (*исследование*) population, demographic; **демографический взрыв** population explosion

демография demography

демократ democrat

демократизм democracy

демократический democratic

демократия democracy

демон demon

демонстрант demonstrator

демонстративный (*поведение, уход*) theatrical

демонстрация demonstration; (*показ фильма*) showing; (*экспонатов*) show

демонстрировать *полит.* to demonstrate ◊ to show

демонтировать to dismantle

деморализация demoralization

демпинг *комм.* dumping

демпинговый: **~ые цены** artificially lowered prices

денатурат meths

денационализация denationalization

денационализировать to denationalize

дендрарий arboretum

денежный (*реформа*) monetary; (*рынок*) money; *разг.* well-off; **денежный знак** banknote; **денежный штраф** fine

деноминация *экон.* denomination

день day; **Д~ Победы** Victory Day (*the anniversary of the USSR's victory over Germany in World War 2*); **световой ~** daylight; **~ ото дня** day by day; **изо дня в ~** day in, day out; **через ~** every other day; **со дня на ~** (*постепенно*) from one day to the next; (*скоро*) in the next few days; **на другой ~** the next day; **на днях** (*скоро*) in the next few days; (*недавно*) the other day; **день рож-**

дения birthday

деньги money; бросать *или* швырять ~ на ветер to throw money down the drain; бумажные ~ paper money, banknotes; наличные ~ cash

департамент department

депеша dispatch

депо depot

депозитив deposit

депозитный deposit

депозитор depositor

депонировать to deposit

депортация deportation

депортировать to deport

депрессия depression

депутат deputy *полит.*

депутатский deputies

деревенеть to grow *или* go numb

деревенский (*дом, житель*) country; (*тишина, пейзаж*) rural; (*площадь, колодец*) village

деревня (*селение*) village; (*местность*) the country; олимпийская ~ Olympic Village

дерево tree; (*древесина*) wood; родословное ~ family tree; красное ~ mahogany

деревообработка timber processing

деревянный wooden

держава (*государство*) power; (*эмблема*) orb; великие ~ы The Great (World) Powers

держатель holder

держать to keep; (*в руках, во рту, в зубах*) to hold; (*не отпускать*) to keep hold of; (*поддерживать*) to hold up; (*нанимать*) to take on; ~ речь to make a speech; ~ экзамен to sit an exam; ~ ответ to be responsible; ~ слово to keep one's word; ~ себя просто/высокомерно to behave simply/haughtily; ~ себя в руках to keep one's head

держаться to stay; (*на колоннах, на сваях*) to be supported; (*иметь осанку*) to stand; (*вести себя*) to behave; ~ся (*берега, стены итп*) to keep to; (*перен.*) to adhere to; ~ся за (*за сумку, за стену*) to hold onto; ~ся за голову to hold one's head

дерзить : ~ кому-н to be rude to sb

дерзкий (*грубый*) impertinent; (*смелый*) audacious

дерзость impertinence; audacity; говорить (сказать) ~и to be impertinent; иметь ~ to have the cheek to do

дермантин leatherette

дерматология dermatology

дерьмо *перен.* shit, crap

дерюга canvas, sackcloth

десант landing troops; (*высадка войск*) landing; высаживать (высадить) ~ to make a landing

десантник *воен.* paratrooper

десерт dessert

десна *анат.* gum

деспотический despotic

десятиборец decathlete

десятидневный ten-day

десятикопеечный: ~ая монета ten-copeck coin

десятикратный: ~ чемпион ten-times champion; в ~ом размере tenfold

десятилетие (*срок*) decade; (*годовщина*) tenth anniversary

десятилетка *разг.* secondary school (BRIT), high school (US)

десятилетний (*период*) ten-year; (*ребёнок*) ten-year-old

десятимесячный yen-month; (*ребёнок*) ten-month-old

десятинедельный ten-week; (*ребёнок*) ten-week-old

десятичасовой (*операция*) ten-hour; (*отправление*) ten o'clock

десятичный decimal

десятка (*цифра*) ten; (*группа из десяти*) group of ten; *разг.* (*денежный знак*) tenner; (*автобус, трамвай итп*) (number) ten (bus, tram etc)

десятый tenth

десять ten

детализировать to work out in detail

деталь detail; (*механизма, прибора*) component, part

детально (*обсудить*) in detail

детальный detailed

детвора *собир* little children

детдом *сокр* (*детский дом*) children's home

детектив *(следователь)* detective; *(фильм)* detective film; *(книга)* detective novel

детективный detective

детектор detector

детёныш cub

дети children

детина *разг.* hulk

детище creation

детка *(в обращении)* sweetheart

детонатор detonator

детородный genital

деторождение child-birth

детоубийство infanticide

детсад *сокр. (детский сад)* kindergarten

детская *(годы, болезнь)* chidhood; *(книга, игра)* children's; *(рассуждение, затея)* childish; **детская площадка** children's home; **детский сад** kindergarten

детство childhood; **впадать в ~ to** go senile

деть *разг.* to put; *(время, деньги)* to do with; **куда же я ~л эту книгу?** what on earth have I done with that book?; **этого никуда не денешь** there's no arguing with that

деться *(деваться) разг.* to get to; **куда она/книга делась?** where has she/the book got to?; **некуда ~ваться** *разг.* there's nothing else for it

де-факто de facto

дефект defect

дефективный *(умственно)* mentally defective; *(физически)* physically handicapped

дефектный defective

дефектоскопия *тех.* detection of flaws

дефис hyphen

дефицит *экон.* deficit; *(нехватка):* shortage of; **~ платёжного баланса** *экон.* balance of payments deficit

дефицитный *(предприятие, производство)* unprofitable; *(товар, сырьё)* scare, in short supply

дефляция *экон.* deflation

деформация deformation

деформировать to deform

деформироваться to be deformed

децентрализация decentralization

децентрализовать to decentralize

децибел decibel

дециметр decimetre *(BRIT)*, decimeter *(US)*

дешеветь to become cheaper, to fall in price; to depreciate

дешевизна cheapness; bargain prices

дешевить to undercharge; to undervalue

дешёвка bargain, cheap article(s)

дёшево cheaply

дешёвый cheap; inexpensive

дешифрировать to decipher

де-юре de jure

деяние action, deed

деятель : **государственный ~** statesman; **политический ~** politician; **~ культуры** person involved in the arts

деятельность *(научная, педагогическая)* work, activity; *(сердца, мозга)* activity

деятельный active, energetic

дёготь tar

дёргать to tug *или* pull (at); *(перен. разг.)* to hassle ◇ *(плечом, головой)* to jerk

дёргаться *(машина, лошадь)* to jerk; *(лицо, губы)* to twitch; *(перен. разг.)* to (make) fuss

дёрн turf

дёрнуть to tug (at) ◇ *(плечом, головой)* to jerk; **~уло меня** *или* **чёрт ~ул меня сделать это** *разг.* I don't know what possessed me to do it

дёрнуться *(машина)* to start with a jerk; *(лошадь)* to shy; *(лицо, губы)* to twitch

джаз jazz

джем jam

джентльмен gentleman (gentlemen)

джин gin

джинсовый denim; **джинсовая ткань** denim

джинсы jeans

джойстик *комп.* joystick

джокер *(карты)* joker

джунгли jungle

джут jute

дзюдо judo

дзюдоист judoist

диабет : **сахарный ~** diabetes

диабетик diabetic

диагноз diagnosis; **ставить (поставить)** ~ make a diagnosis
диагностировать *мед.* to diagnose; *тех.* to check
диагональ diagonal
диаграмма diagram
диалект dialect
диалектика dialectics; *(событий, процесса)* dialectic
диалог dialogue
диалоговый *комп.* conversational
диаметр diameter
диапазон range: *(частот)* waveband; *(голоса, звука)* range, diapason
диапозитив *фото* slide
диатез diathesis
диафильм *фото* slide film
диафрагма diaphragm
диван sofa
диван-кровать sofa-bed
диверсант saboteur
диверсия sabotage; **совершать (совершить)** ~ю commit sabotage
дивертисмент divertissement
дивидент divident; **приносить (принести)** ~ы to play dividends
дивизия division
дивный marvellous
диво prodigy; **что за** ~! how strange!
диез *(муз.)* sharp
диета diet
дизайн design
дизайнер designer
дизель diesel engine
дизентерия dysentery
дикарка savage; *перен.* shy, unsociable woman or girl
дикарь savage; *перен.* shy, unsociable man or boy; *разг.* independent holidaymaker; **ехать (поехать) дикарём на юг/на море** to go off on spec to the South/the seaside
дикий wild; *(человек)* savage; *(ребёнок)* shy and unsociable; *(голод, холод)* terrible
дикобраз porcupine
диковина *разг.* marvel; **это мне в** ~у this is all too new
диковинный odd, unusual
дикорастущий wild
дикость wildness; *(поступка, мысли)* absurdity
диктант dictation

диктатор dictator
диктатура dictatorship
диктовать to dictate
диктовка dictation; **под чью-н** ~ку *(записывать)* from sb's dictation; *(действовать)* at sb's bidding
диктор announcer; *(читающий новости)* newsreader
диктофон dictaphone
дикция diction
дилемма dilemma
дилер : ~ **(по)** dealer (in)
дилетантский amateurish
дилижанс stage-coach; **почтовый** ~ mail-coach
динамик (loud)speaker
динамика *физ.* dynamics; *(развития, процесса)* dynamics
динамит dynamite
динамичный dynamic
династия dynasty
динозавр dinosaur
диод diode
диоптрия dioptre *(BRIT)*, diopter *(US)*
диплом *просвещ.* *(свидетельство)* degree certificate; *(на конкурсе)* certificate, diploma; *(научная работа)* dissertation; **защищать (защитить)** ~ to have a viva
дипломант award winner
дипломат diplomat; *разг. (портфель)* briefcase
дипломатический diplomatic
дипломатия diplomacy
дипломированный qualified
директива directive
директор director; ~ **школы** headmaster; ~-**распорядитель** managing director; **главный исполнительный** ~ chief executive
директриса headmistress
дирекция *(завода, фабрики)* management; *(школы)* board (of governors); *(фирмы)* board (of directors)
дирижабль airship, dirigible
дирижировать to conduct
дирижёр *муз.* conductor
дирижёрский : ~**ая палочка** (conductor's) baton
дисгармония discord
диск *комп.* disk; *спорт.* discus; *муз.*

record; **гибкий/жёсткий** ~ floppy/hard disk; ~ **с удвоеенной плотностью** doubledensity floppy disk

дисквалифицировать *(врача, юриста)* to strike off; *(спортсмена)* to disqualify

дискет diskette

диск-жокей disk jockey

диско disco

дисконт *комм.* discount

дискотека *(собрание пластинок)* record collection; *(танцы)* discotheque

дискредитировать to discredit

дискриминация discrimination

дискриминировать to discriminate against

дискуссионный *(спорный)* debate(e)able

дискуссия discussion

дискутировать to discuss

дислокация *воен.* deployment; *мед.* dislocation

дислоцировать *воен.* to deploy

диспансер dispensary

диспетчер controller; **авиационный** ~ air-traffic controller

диспетчерская controller's office; *авиа.* control tower

диспетчерский: ~**ая служба** control section; ~**ая вышка** control tower

дисплей *комп.* display

диспропорция disproportion

диспут debate

диссертация thesis; **защищать** ~**ю** to be examined on one's thesis; **защитить** ~**ю** to pass a viva

диссидент dissident

диссонанс *муз.* dissonance; *перен.* discord; **вносить** ~ **во что-н** *перен.* to bring a note of discord into sth

дистанционный: ~**ое управление** remote control

дистанция distance; **сохранять (сохранить)** ~**ю** *перен.* to keep one's distance; **он сошёл с** ~**и** *спорт.* he didn't last the distance

дистиллировать to distil *(BRIT)*, distill *(US)*

дистрибьютер distributor

дистрофия dystrophy

дисциплина discipline

дисциплинированный disciplined

дитя child; *см также* **дети**

дифтерит diphtheria

дифтонг diphthong

дифференциальный *экон.* differential

дифференцированный: ~**ая зарплата** differential

дифференцировать to differentiate

дичать to grow wild

дичь game; *разг.* rubbish

диэлектрик dielectric

длина length; **в** ~**у** lengthways; ~**ой 10 метров** 10 metres *(BRIT)* или meters *(US)* long

длинно *(рассуждать)* at length ◊ *как сказ:* **платье мне** ~ the dress is too long for me

длинноволновой long-wave

длинноволосый long-haired

длинноногий long-legged

длиннорукий with long arms

длинный long; *разг. (человек)* tall; **у него** ~ **язык** *разг.* he's got a big mouth; **длинный рубль** *разг.* easy money

длительность length

длительный lengthy

длиться *(урок, беседа)* to last

для for, to; ~ **того** therefore; ~ **чего?** Why? What for ~ **того, чтобы** in order to, so that

дневать ночевать где-нибудь *разг.* to be somewhere day and night

дневник diary; *просвещ.* register; **вести** ~ to keep a diary

дневной *(выработка, заработок)* daily; **ая форма обучения** full-time education; ~ **свет** daylight; ~**ое время** daytime; **дневной спектакль** matinee

Днепр Dnieper

Днестр Dniester

днём *сущ.* **день** in the daytime; *(после обеда)* in the afternoon; **его** ~ **с огнём не найти** he is absolutely nowhere to be found

днище bottom

дно bottom, bed; *(ямы, оврага)* bottom; **идти (пойти) ко дну** to sink to the bottom; *перен. (предприятие)* to go under; *(человек)* to sink

до before; to; as far as; until; *music* C, Do

добавить to add

добавка additional helping; *(пищевая, бетонная)* additive

добавление addition; **делать (сделать)** ~я к to make an addition to; **в ~ к** in addition to

добавочный additional; ~ **телефон** extension number

добежать (*как* **бежать; добегать)** to run to *или* as far as; *(звуки, волны)* to reach

добела: отмыть что-н ~ to wash sth clean; **раскалить что-н ~** to heat sth until it's white-hot

добить *(убить)* to finish; *(разбить)* to break

добиться (добиваться) to achieve; **добиваться своего** to get what one wants

доблестный valiant

доблесть valour *(BRIT)*, valor *(US)*

добреть to become kinder; *разг.* **раздобреть** to fill out

добро good; *разг. (имущество)* things; *разг. (ладно)* fine; **желать (пожелать) кому-н** ~a to wish sb well; ~ **пожаловать (в Москву)** welcome (to Moscow); **давать (дать) кому-н** ~**на что-н** to give sb the go-ahead for sth; **получать (получить)** ~ **(на что-н)** to get the go-ahead (for sth)

доброволец volunteer; **идти (пойти)** ~**цем** to volunteer

добровольный voluntary; **на ~ьных началах** on a voluntary basis

добродетель virtue

добродетельный virtuous

добродушный goodnatured

доброжелательность benevolence

доброжелательный benevolent

доброкачественный *(продукт, изделие)* quality; *(опухоль)* benign

добропорядочный respectable

добросердечный *(человек)* kindhearted; *(слова)* kind

добросовестный conscientious

доброта kindness

добротный good-quality

добрый kind; *(совет, имя)* good; *(милый: друг итп)* dear; **будьте добры! excuse me!; будьте добры, позвоните нам завтра!** would you

be so good as to phone us tomorrow!; **всего** ~**го** all the best; ~**ого здоровья!** take care!; ~ **день/вечер** good afternoon/evening!; ~**ое утро!** good morning!; **по** ~**ой воле** of one's own free will; **чего** ~**ого** *разг.* it's not impossible

добытчик *(золота)* miner; *(нефти)* oil worker

добыть (*как* **быть; добывать)** to extract; *(руду, золото)* to mine

добыча *(процесс: нефти)* extraction; *руды)* mining, extraction; *(то, что добыто)* output; *(: на охоте, ловле)* catch

довезти : кого-н до to take sb to *или* as far as

доверенность power of attorney; **действовать по** ~**и** to act by proxy

доверенный *также:* ~**ое лицо)** proxy

доверие confidence, trust; **пользоваться чьим-н** ~**м** to enjoy sb's confidence; **входить (войти) в чьё-н** ~ to gain sb's confidence; **входить (выйти) из чего-н** ~**я** to lose sb's confidence

доверительный trusting

доверить: ~что-н кому-н to entrust sb with sth

довериться (доверяться): ~ся to confide in; *(положиться)* to trust

доверху (up) to the top; **наполненный** ~ full to the brim

доверчивость trustfulness

доверчивый trusting

довершение completion; **в** ~ *или* к **довершению всего** on top of everything else

довершить to complete

доверять *от* **доверить** to trust

довести: кого-н/что-н до to take sb/sth to *или* as far as; **доводить что-н до конца** to see sth throught to the end; **доводить кого-н до слёз** to reduce sb to tears; **доводить кого-н до отчаяния** to drive sb to despair; **доводить что-н до совершенства** to perfect sth; **доводить скорость до предела** to reach the speed limit; **доводить что-н до сведения кого-н** to inform sb of sth

довод argument; **приводить (привести)** ~ to put forward an argument

довоенный prewar

довольно (*известный, сильный*) quite; (*улыбаться, сказать*) with satisfaction ◇ **как сказать** it's enough; ~ **споров** *или* **спорить!** that's enough arguing!

довольный satisfied

довольствие sufficiency; provision, ration

довольство contentment; prosperity

довольствоваться to be happy *или* content with; **он** ~**уется малым** *или* **немногим** it doesn't take much to make him happy

довооружить (*окончательно*) to arm; (*дополнительно*) to provide with additional arms

довыборы by-election

догадаться to guess

догадка guess; **строить** ~**ки** to speculate about; **теряться в** ~**х** to be baffled at a loss

догадливость ingenuity, shrewdness

догадливый ingenious, shrewd

догадываться (дагадаться) to guess, to suspect

доглядеть to notice, watch

догма dogma

догмат *рел.* dogma

догматический dogmatic

догнать to catch up with; ~ **кого-н/что-н до** to drive sb/sth to

договаривать (договорить) to speak out; to conclude speaking; ~**ся** to negotiate; to contract, come to terms

договор agreement, contract; treaty

договориться : ~ **с кем-н о чём-н** (*о встрече*) to arrange sth with sb; (*о цене*) to agree sth with sb; **мы** ~**ились до глупостей/грубостей** we ended up talking nonsense/insulting each other; **мы** ~**ились встретиться** we agreed to meet

договорник *разг.* contract worker

договорённость agreement; **достигать (достигнуть)** ~**и** *или* **об** ~ to reach an agreement on *или* about sth; **по** ~**и** by agreement

договорный (*цена*) agreed; (*обязательство*) contractual; **на** ~**ых**

началах on a contractual basis

догола: раздеться ~ to strip bare; **постричься** ~ to have all one's hair cut off

догонять (догнать) to overtake; run down

догорать (догореть) to burn low; burn out

догореть to burn out

догрузить to finish loading

додать (додавать): ~ **кому-н 10 рублей** to give sb an extra 10 roubles

додача addition, supplement

доделать to finish

додуматься : ~ **до** to hit on; **как ты мог до такого** ~? what on earth gave you that idea?

доезжать (доехать) to arrive, reach, drive up to

доение milking

доесть (*как* **есть; доедать**) to finish off, eat up

доехать (*как* **ехать; доезжать):** ~ **до** to reach

дожаренный thoroughly cooked, roasted *or* fried

дождаться (*кого-н/чего-н*) to wait until sb/sth comes; ~ **поезда** to wait until the train arrives; **он** ~**ётся выговора** *разг.* he'll end up getting told off; **ты у меня** ~**ёшься!** *разг.* just you wait!; **он ждёт не** ~**ётся** *разг.* he can't wait

дождевик raincoat; kind of fungus

дождевой rainy

дождить to rain; **дождит** it is raining

дождливый rainy

дождь rain; *перен.* cascade; **гулять в** ~ to go for a walk in the rain; ~ **идёт** it's raining; ~ **пошёл** it has started to rain; **попадать (попасть) под** ~ to get caught in the rain; ~ **льёт как из ведра** it's bucketing (with rain)

доживать *от* **дожить** ◇ (*жизнь, годы*) to live out

доживать (дожить) to attain, to reach, live to witness

дождаться to wait for

дожить : ~ **до** (*до старости*) to live to; (*до конца года*) to live until

доза dose; ~ **облучения** dose of radiation

дозволенный permitted

дозволять (дозволить) to allow, grant, permit

дозвониться to get through

дозиметр dosimetre *(BRIT)*, dosimeter *(US)*

дозировать to measure out

дознавать (дознать) to ascertain

дознание inquiry, investigation

дозор patrol

дозревание ripening

доиграть to finish (playing)

доигрывание *спорт.* plaing to a finish

доисторический prehistoric

доить to milk

дойный: ~ая корова dairy cow

дойти (*как идти; доходить)*: ~до to reach; *(традиции, предания)* to be passed down to; *(слова, смысл)* to get through to; **доходить до отчаяния/истощения** to reach the point of desperation/exhaustion; **до моего сведения дошло, что ...** it has been brought to my attention that ...

док dock

доказательный conclusive

доказательство *(правоты, дружбы)* proof, evidence; *(теории)* demonstration; **служить (послужить) ~to be evidence of**

доказать *(правду, виновность)* to prove; *(теорему)* to demonstrate

докатиться *(звуки, шум)* to reach; **докатываться до** *(мяч, волны)* to roll in to; **докатываться до преступления** to stoop to crime

доклад *(на съезде и т.п.)* paper; *(директору и т.п.)* report

докладная (записка) memo

докладчик speaker

доконать to finish; be the end of

докопаться : ~ до *перен., разг. (до фактов, истины)* to dig up; *(до клада, воды)* to dig down to

доктор doctor; **~ наук** Doctor of Sciences

докторский *мед.* doctor's; *просвещ.* postdoctoral

доктрина doctrine

документ document

документальный documentary; документальный фильм documentary

документация documentation

документировать to document

докурить to finish smoking

долбить to hollow out; *разг. (зубрить)* to learn by rote; **~ дверь** *разг.* to hammer on the door

долг debt; **внешний/государственный ~** *экон.* foreign/national debt; **давать (дать)/брать (взять) что-н в ~** to lend/borrow sth; **входить (войти)/залезать (залезть) в ~и** to get/fall into debt; **быть ~у перед кем-н** *или* **у кого-н** to be indebted to sb; **по долгу службы** in the course of duty; **первым долгом** *разг.* first of all

долгий long; **в ~ ящик откладывать (отложить)** что-н to put sth off, postpone sth; **долгий гласный** long vowel

долго for a long time; **как ~ продлится фильм?** how long will the film last?

долговечный *(материал)* durable, long-lasting; *(дружба)* lasting

долговой: **~ая расписка** IOU; **~ое обязательство** promissory note

долговременный prolonged

долгожданный long-awaited

долгожитель long-lived person

долголетний : **~ее сотрудничество** long-standing cooperation

долгосрочный long-term

долгота length; *гео.* longitude

долетать (долететь) to arrive *(by air)*

должен (обязан) : **я должен уйти** I must go; **я должен буду уйти** I will have to go; **она должна была уйти** she had to go; **он должен скоро прийти** he should arrive soon; **ты должен мне 5 рублей** you owe me 5 roubles; **должно быть** *(вероятно)* probably; **кто-то, должно быть сторож, закрыл дверь** somebody, probably the night watchman, closed the door; **должно быть, она очень устала** she must have been very tired

должник debtor

должное отдавать (отдать) *или* воздавать (воздать) ~ кому-н to give sb his *итп* due

должностной official; ~ое преступление malfeasance; должностное лицо official

должность post; *(обязанность)* duties; вступать (вступить) в ~ кого-н to assume sb's post; по ~и ex officio

должный *(уровень)* required; *(внимание)* sufficient

долина valley

доллар dollar

долларовый dollar; ~ счет dollar account

доложить to report; ~ о to give a report on; ~ о приходе кого-н to announce sb

долой away with; ~ апартеид! down with apartheid

долото chisel; *(для бурения)* drill

долька *(апельсина)* segment

доля share; *(пирога)* portion; *(судьба)* lot, fate; ~ секунды/сантиметра a fraction of a second/centimetre *(BRIT)* или centimeter *(US)*; восходить (войти) в ~ю с кем-н to go shares with sb; выпадать (выпасть) на чью-н ~ю to fall to sb's lot

дом house; *(многоэтажный)* block of flats *(BRIT)*, apartment building *(US)*; *(своё жилье)* household; ~ Романовых the house of Romanov; ~ культуры centre of social and cultural activities; работать на ~у to work from home; работать по дому to do the housework; дом моделей fashion house; дом отдыха holiday centre *(BRIT)* или center *(US)*

дома at home; быть или чувствовать себя как ~ to feel at home; его нет ~ he's out или not at home; сидеть ~ to stay in или at home; у него не все ~ *разг.* he's not all here

домашний *(адрес, телефон)* home; *(еда)* home-made; *(животное)* domestic; ~ие туфли (carpet) slippers; ~ее платье housecoat; домашняя хозяйка housewife; домашняя работница domestic help *(BRIT)*, maid *(US)*; домаш-

нее задание homework

доменный *(цех)* smelting; ~ая печь blast furnace

домик cotagge

Доминиканская Республика Dominican Republic

доминион dominion

доминировать *(идея, мелодия)* to predominate; ~ над to dominate

домино *(игра)* dominoes; *(фишка, костюм)* domino

домкрат *тех.* jack

домовладелец home owner

домовладение *(дом с участком)* house with grounds attached; *(владение домом)* home ownership

домоводство home economics

домовой *(ого)* house spirit

домовый *(ворота)* house; домовая книга property register

домогаться *(власти)* to strive for; ~ чьей-н руки to court или woo sb

домой home; мне пора ~ it's time for me to go home

домоправитель steward

доморощенный *разг.* homespun

домосед stay-at-home

домоуправление housing department

домофон intercom

домохозяйка *(домашняя хозяйка)* housewife

домочадец member of the household

домработница domestic help *(BRIT)*, maid *(US)*

домчаться : ~ до to rush (to)

донага: раздеть кого-н ~ to strip sb naked

донашивать to wear out

донельзя *разг.* terribly

донесение report

донести to carry; ~ на to inform on; ~ о to report on

донестись (доноситься): ~сь до to reach

донизу to the bottom; сверху ~ from top to bottom

донимать *от* ДОНЯТЬ

донор donor

донорский donor

донос : ~ (на) denunciation (of); делать (сделать) ~ на кого-н to inform on sb

доносить *от* донести ◊ (донашивать) *(одежду)* to wear out; *(ребёнка)* to carry to term; **донашивать (~) вещи за кем-н** to wear sb's hand-medowns

доносчик informer

доныне hitherto

донять *разг.* to exasperate

допивать to drink up

допинг drugs

дописать *(письмо)* to finish (writing); *(картину)* to finish (painting); *(написать дополнительно)* to add

допить to drink up

доплата additional payment; **~ за багаж** excess baggage (charge)

доплыть : **~ до** *(на корабле)* to sail to; *(вплавь)* to swim to

доподлинно: **~ известно** to certain

допоздна *разг.* till late

дополнение supplement; *линг.* object; **в ~ (к)** in addition (to); **прямое/косвенное ~** direct/indirect object

дополнительно in addition

дополнительный additional

дополнить to supplement; **дополнять (~) кого-н** to add to what sb has said; **дополнять друг друга** to complement one another

дополуденный ante meridiem

допотопный *разг.* ancient

допрашивать *от* допросить

допрос interrogation; **подвергать (подвергнуть) кого-н ~у** to subject sb to an interrogation

допросить to interrogate, question

допуск *(к зданию)* admittance; *(к документам)* access; *тех.* tolerance

допускать to admit, allow in; *(предположить)* to assume; **~ (допустить) ошибку** *(делать)* to make a mistake; *(позволять)* to allow for a mistake; **~ (допустить) кого-н до участия/соревнования** to allow sb to participate/complete

допустим let us assume

допустимый permissible, acceptable; *(мысль)* feasible

допущение admittance; assumption

доработать : **~ до** to work until ◊ to finish

дорасти : **~ до** *(до потолка)* to grow to; *(до какого-н возраста)* to reach; **он дорос до директора** he rose to become a director

дорваться : **~ до** *разг.* *(до власти)* to grab; *(до еды)* to fall (up)on

дореволюционный pre-revolutionary

дорога way; *(путь, сообщение)* road; **по ~е** on the way; **мне с тобой или на по ~е** we're going the same way; **сбиваться (сбиться) с ~и** to lose one's way; **железная ~** railway *(BRIT)*, railroad *(US)*

дорого *(купить, продать)* at a high price ◊ *как сказ* it's expensive; **заплатить ~ за что-н** *перен.* to pay dearly for sth; **~ бы дал** *или* **заплатил я** I'd give anything; **это ~ стоит** it's expensive

дороговизна high prices

дорогой on the way

дорогой *(книга, дом)* expensive; *(цена)* high; *(друг, мать)* dear; *(воспоминания, подарок)* cherished ◊ dear, darling; **~ ценой платить (заплатить) за что-н** *перен.* to pay dearly for sth

дородный corpulent, stout; burly

дорожать to rise *или* go up in price

дорожить to value

дорожный *(знак, строительство)* road; *(костюм, расходы)* travelling *(BRIT)*, traveling *(US)*; *(сумка)* travel; **дорожный чек** traveller's cheque *(BRIT)*, traveler's check *(US)*

досада annoyance; **с ~ы** out of annoyance; **~ берёт меня** I am annoyed

досадный annoying

досаждать (досадить) to annoy, bother; to provoke

доска board; *(мраморная)* slab; *(чугунная)* plate; **их нельзя ставить на одну доску** they're not in the same league; **доска объявлений** notice *(BRIT)*

досказать to finish (telling)

доскональный thorough

доследование *юр.* further examination *или* inquiry

дословно verbatim, word for word

дословный literal, word-for-word

дослужиться : ~ до to rise to the rank of

дослушать to listen to

досмотр : таможенный ~ customs examination

досмотреть to watch the end of; *(багажа)* to check; ~ до to watch until

доспехи *(рыцаря)* armour *(BRIT)*, armor *(US)*; *разг.* gear

досрочно early, ahead of time

досрочный early

доставить *(груз)* to deliver; *(пассажиров)* to carry, transport; *(удовольствие, возможность)* to give; *(трудности)* cause

доставка delivery; с ~кой на дом recorded delivery *(BRIT)*, certified mail *(US)*

достаток : жить в ~ке to be well provided for

достаточно: ~ хорошо/подробно good/detailed enough ◇ *как сказ* that's enough; ~ денег/хлеба enough money/bread; ~ шептаться/болтать! that's enough whispering/chattering!; ~ увидеть, чтобы понять one only has see to understand; ~ сказать, что... suffice it to say, that ...

достать, доставать to take; *(раздобыть)* to get ◇; ~ до to reach

достаться (доставаться): мне ~лся дом I got the house; много забот ему ~лось he was burdened down with a lot of worries; мне ~лось *(разг.)* I got it in the neck

достижение achievement; *(предела, возраста)* reaching

достижимый achievable, attainable

достичь to reach; *(результата, цели)* to achieve; *(положения)* to attain

достоверный reliable; из ~ных источников from reliable sources

достоинство *(книги, плана)* merit; *(моральные качества)* virtue; *(уважение к себе)* dignity; *(комм.)* value; чувство собственного ~а self-respect; считать (посчитать) что-н ниже своего ~а to consider sth beneath one's dignity; банковский билет ~м в 100 рублей a banknote to the value of 100

roubles; оценивать (оценить) по ~у кого/н to judge sb/sth on his/its merits

достойно with dignity

достойный *(награда, кара)* fitting; *(человек)* worthy; любви/уважения worthy of love/respect

достопримечательность sight; *(музея)* interesting exhibit; осматривать (осмотреть) ~и to got sightseeing

достопримечательный note worthy

достояние property; стать *или* сделаться ~м народа to become public property

доступ *(к документам итп)* access; открывать (открыть) ~ кому-н куда-нибудь to give sb access to somewhere; нет ~а воздуха/кислорода there is no way for air/oxyger to get in

доступный *(место)* accessible; *(цены)* affordable; *(объяснение, изложение)* comprehensible; *(человек)* approachable

досуг leisure (time); на ~e in one's spare *или* free time

досуха: вытереть ~ to dry

досыта: их накормили ~ they were fed until they could eat no more

досье dossier, file; заводить (завести) ~ на кого-н to open a file on sb

досюда up to here

досягаемость : вне ~и unattainable; в пределах ~и attainable

досягаемый *(задача, цель)* attainable; *(место)* accessible

дотация subsidy

дотащить to lug; еле дотаскивать ноги to drag one's feet

дотащиться (дотаскиваться) *(разг.)*: ~ся до to drag o.s. to.

дотемна until dark

дотла: сгореть ~ to burn down (to the ground)

дотошный *(разг.)* meticulous

дотронуться : ~ до to touch

дотуда up to there

дотянуть : ~что-н до to extend sth as far as; он ~ул работу до вечера he dragged the work out until the evening

доучиться to complete one's education; ~ до конца года/пятого класса to study up until the end of the year/of fifth form

дохлый dead; *(разг.: слабосильный)* wimpish

дохлятина garbage; carrion

дохнуть *(животное)* to die *(разг.: человек)* to snuff it

дохнуть *(разг.: человек)* to breathe; мне ~ некогда *(разг.)* I don't get a moment's rest

доход *(предприятия)* income, revenue; *(человека)* income; национальный ~ the national income; давать (дать) *или* приносить (принести) ~ to generate income; извлекать (извлечь) ~ из чего-н to make a profit from sth

доходный profitable

доходчивый clear, easy to understand.

доцент reader *(BRIT)*, = associate professor *(US)*.

дочерний daughte,r's; ~яя компания/фирма subsidiary company/firm

дочиста clean

дочитать finish (reading); ~ до read until

дочка daughter

дочь daughter

дошкольник preschool child

дошкольный preschool

дощатый made of boards

доярка milkmaid

драгоценность jewel; *(перен.)* gem, treasure

драгоценный *(камень, металл)* precious; *(время, сведения, мех)* valuable

драже dragee

дразнить to tease; *(аппетит, воображение)* to stimulate

драить to scrub

драка fight; *(битва)* battle; лезть (полезть) *или* ввязываться в ~у to get into a fight

дракон dragon; *(зоол.)* draco *или* flying lizard

драконовский : ~ие меры Draconian measures

драма drama; *(событие)* crisis; переживать тяжелую ~у to go through a crisis

драматизировать to dramatize

драматический dramatic, *(актер)* stage; **драматический кружок** drama group; **драматический театр** theatre, theater *(us)*

драматург playwright

драматургия drama ◇ plays

драмкружок (= *драматический кружок*) drama group

драный *(разг.)* ragged

драп *thick woollen cloth*

драпировать : ~ *(чем-н)* to drape (with sth)

драпировка drapery

драть (деру, дерешь; разодрать) *(бумагу, одежду)* to tear *или* rip up; задрать; *подлеж:волк, лиса)* *to tear to pieces;* (выдрать; *разг.: побить)* to thrash; содрать; *кору, обои)* to strip; ~(содрать) шкуру с животного to skin an animal; ~ (содрать) деньги с кого-н *(разг.)* to rip sb off; он с меня шкуру сдерет *(разг.)* he'll have my guts for garters; ~ горло *(разг.)* to bawl

драться: драться с to fight (with); *(подраться; дети)* to fight

драчливый pugnacious

драчун (драчунья) bully

дребедень *(разг.)* rubbish

дребезг : разбиться в ~ом to shatter; разбивать (разбить) в мелкие ~и to smash to smithereens

дребезжать to jingle

древесина wood

древесный wood; древесные породы species of tree; древесный уголь charcoal

древко *(копья)* shaft; ~флага flagpole

древний ancient; древняя история ancient history

древность antiquity

дрезина trolley *(BRIT)*, handcar *(US)*

дрейфовать to drift

дрель drill

дремать to doze, враг не дремлет *(перен)* the enemy never sleeps

дремота drowsiness

дремучий dense; *перен: невежда)* absolute

дренаж *(почвы)* drainage; *(раны)* draining

дресва gravel

дрессировать to coach, train, break in

дрессировщик trainer

дробинка pellet

дробить *(камень, кость)* to crush; *(силы, отряд)* to divide

дробленый *(орехи)* crushed

дробный *(перечень, список)* itemized; *(стук, шаг)* staccato; fractional

дробь fraction; *(дождя, шагов)* patter; *(барабана)* beat

дрова firewood; **он наломал ~** ! *(перен.: разг.)* he made a hash of it!; **кто в лес, кто по ~** at sixes and sevens

дровни peasant's sledge

дровосек lumberman, woodman

дровяник firewood dealer; timber-merchant

дроги hearse

дрогнуть *(стекла, руки, голос)* to shake, tremble; *(лицо)* to quiver; *(свет, огонь)* to waver; **у меня рука не ~ет...** I won't hesitate to...

дрожание *(стекол)* vibration; *(колен, голоса)* trembling; *(лица)* quivering; *(света, огня)* flickering

дрожать *(стекла)* to vibrate; *(руки, голос)* to shake, tremble; *(лицо)* to quiver; *(свет, огонь)* to flicker; **~ за** *или* **над** *(разг.)* to fuss over; **~ над (каждой) копейкой** to grudge every penny; **~перед кем-н** to tremble before sb

дрожжи yeast

дрожки "droshky", horse-frawn carriage; racing sulky

дрожь shivering, shuddering

дрозд thrush; **черный ~** blackbird

дроссель throttle

дротик javelin

друг friend; *(разг.: обращение)* mate; **~ друга** one another, each other; **~ другу** *(говорить)* to one another *или* each other; **~ за другом** one after another; **~ о друге** *(говорить)* about one another *или* each other

другие others

другой *(иной)* another; *(второй)* the other; *(не такой, как этот)* different ◇ *(кто-то иной)* another (person); *(второй)* the other (one); **~ мнение** different opinion; **в ~ раз** another time; **и тот и ~** both; **что-то ~ое** something else, another matter; **в других словах** in other words; **на ~ день** the next day; **это ~ое дело** that's a different matter; *см также* **другие**

дружба friendship

дружелюбие friendliness

дружелюбный friendly, amicable

дружески in a friendly manner, amicably

дружеский friendly

дружественный friendly

дружина *(ист., воен.)* host

дружить **~ с** to be friends with

дружиться (подружиться): ~ся с to make friends with

дружище *(разг.)* friend

дружно in a friendly manner

дружный *(семья, коллектив)* close-knit; *(аплодисменты, смех)* general; *(усилия)* concerted

дружок *(друг)* friend; *(разг.: пренебр.)* crony; *(обращение)* love

друзья *итп см* **друг**

дрыгать : ~ ногами to kick

дрыхнуть *(разг.)* to kip, sleep

дряблый *(кожа)* sagging; *(человек, тело)* flabby

дрязги *(разг.)* squabbles

дрянной *(разг.: товар, работа)* trashy; *(: характер)* rotten

дрянь *(разг.)* rubbish *(BRIT)*, trash *(US)*

дряхлеть to become infirm

дряхлость decrepitude

дряхлый *(человек)* infirm; *(здание)* dilapidated, decrepit

дуб *(бот.)* oak (tree); *(древесина)* oak; *(разг.)* blockhead

дубина *(разг.)* blockhead

дубинка cudgel; **резиновая ~** truncheon

дубить to tan

дубленка sheepskin coat

дубленый *(мех)* tanned

дублер backup; *(театр.)* understudy; *(кино)* double

Д

дубликат duplicate

Дублин Dublin

дублировать *(деятельность)* to duplicate; *(театр)* to understudy; *(кино)* to dub; *(комп.)* to back up

дубль *(кино)* take

дубовый oak; *(перен: стиль, язык)* ponderous

Дувр Dover

дуга *(геом.)* arc

дудеть to play the pipe

дудка *(муз.)* pipe; **плясать под чью-н ~ку** *(перен.)* to dance to sb's tune

дужка *(серёг)* hoop; *(ведра)* handle

дуло *(отверстие ствола)* muzzle; *(сам ствол)* barrel

дума *(размышления)* meditation, thought; **Д~** *(полит.)* the Duma *(lower house of the Russian parliament)*; **Государственная Д~** the State Duma

думать : ~(о чём-н) to think (about sth); **~над чем-н** to think sth over; **он ~т купить машину** he is thinking of buying a car; **я -ю, что да/нет** I think/don't think so; **и не -йте!** *(разг.)* don't even think of it!

думаться (подуматься) to seem; **мне ~тся, он прав** I think he's right

Дунай Danube

дуновение breath

дунуть to blow

дупло *(дерево)* hollow; *(зуба)* cavity

дура *(разг.)* fool, idiot

дурак *(разг.)* fool, idiot; **играть в дурака** to play "durak" *(Russian card play)*; **он не ~выпить/поесть** *(разг.)* he loves his drink/food; **дурака валять** *(разг.: дурачиться)* to clown about, play the fool; *(бездельничать)* to lounge about; **оставаться (остаться) в дураках** *(разг.)* to be made a fool of

дурацкий *(разг.)* stupid, idiotic

дурачество stupidity, idiocy

дурачить *(разг.)* to con

дурачиться *(разг.)* to play the fool

дурачьё *(разг.)* bunch of idiots

дурень *(разг.)* dimwit, fool

дуреть *(разг.)* ~ **от** to grow stupid from

дурий : ~ья голова *или* **башка** *(разг.)* dope, fool

дурить *(разг.: человек)* to fool around; *(животное)* to be stubborn; **~ (задурить) голову кому-н** *(разг.)* to mix sb up

дурман thorn apple, jimsonweed *(US)*; *(опьяняющее средство)* intoxicant *(:перен.)* drug

дурманить to intoxicate

дурнеть to lose one's looks

дурно *(пахнуть, выглядеть)* bad; *(вести себя)* badly ◊ *как сказ:* **мне ~** I don't feel well; **ему сделалось ~** he felt faint

дурной nasty; *(питание)* bad; **она ~на собой** she is very plain; **дурной признак** bad omen

дурнота faintness

дурочка *(разг.)* silly girl

дуршлаг colander

дурь *(разг.)* rubbish, nonsense; **выбрось эту ~ из головы!** *(разг.)* get that foolish idea out of your head!; **дурью маяться** *или* **мучаться** *(разг.)* to muck around

дутый *(перен.)* exaggerated, inflated

дуть to blow ◊ **(выдуть)** to blow; **здесь дует** it's draughty *(BRIT)* *или* drafty *(US)* in here

дуться to pout, sulk

дух spirit; *(разг.):* **перевести ~** to get one's breath back; **в духе** in the spirit of; **падать духом** to lose heart; **быть в духе/не в духе** to be in high/low spirits; **сохранять (сохранить) присутствие духа** to retain one's preseace of mind; **у меня не хватит духу на это** *(разг.)* I don't have the heart to do this; **во весь ~** *(разг.)* at full *или* top speed; **чтоб духу твоего здесь не было!** *(разг.)* get out of my sight!

духи perfume

духовенство clergy; *(православное, католическое)* priesthood

духовка oven

духовник confessor

духовность spirituality

духовный *(интересы, запросы)* spiritual; *(сила, мир, жизнь)* inner; *(музыка)* sacred, church; **духовная академия** seminary; **духовное**

звание ecclesiastical rank; **духовное лицо** ecclesiastic, cleric; **духовный сан** holy orders

духовой *(муз.)* wind

духота stuffiness; *(жара)* closeness

душ shower; **принимать ~** to have *или* take a shower

душа soul; *(ист.: крестьянин)* serf; **добрая ~** kind heart; **низкая/подлая ~** mean/ignoble spirit; **~ моя** my dear; **работать с ~ой** to put one's heart into one's work; **в ~е** at heart; **на душу (населения)** per head (of the population); **он в ней ~и не чает** she's the apple of his eye; **быть ~ой** *(общества, дела)* to be the life and soul of; **не иметь гроша за ~ой** to be without a penny to one's name; **говорить/беседовать по ~м** to have a heart-to-heart talk/chat; **отводить (отвести) душу** to pour out one's heart; **как Бог на ~у положит** *(разг.)* any old way; **у меня ~ в пятки ушла** *(разг.)* I was scared to death; **от всей ~и** from the bottom of one's heart; **в глубине ~и** in one's heart of hearts

Душанбе Dushanbe

душевнобольной mentally-ill person

душевный *(силы, подъём)* inner; *(разговор)* sincere, heartfelt; *(человек)* kindly; **~ое потрясение** shock

душегрейка *(разг.)* body warmer

душегуб *(разг.)* butcher

душегубка см душегуб; *(автомашина)* mobile gas chamber

душенька darling

душераздирающий *(крик)* bloodcurdling; *(плач)* heart-rending

душистый *(цветок)* fragrant; *(мыло)* perfumed

душитель *(перен.)* suppressor

душить to strangle; *(свободу, прогресс)* to stifle, suppress; **надушить**; *(платок)* to scent; **его душит смех** he is choking with laughter; **в объятиях кого-н** to smother sb in one's embrace

душица marjoram

душно it's stuffy *или* close; **в комнате ~** the room is very stuffy; **мне** **~, откройте окно** I find it very stuffy *или* close, open the window

душный stuffy; *(жаркий)* sultry

дуэль duel; **вызывать (вызвать) кого-н на ~** to challenge sb to a duel

дуэт *(произведение)* duet, duo; *(исполнители)* duo

дыба gibbet; rack

дыбом rerward; stand on end *(as of hair)*

дыбом: вставать ~ *(волосы, шерсть)* to stand on end

дыбы : на ~ становиться *(лошадь)* to rear up; *(разг.)* to kick up a fuss

дым smoke; **поругаться в ~** to fall out completely

дымить *(печь, дрова)* to smoulder *(BRIT)*, smolder *(US)*; *(разг.)* to puff on

дымиться *(труба)* to be smoking

дымка haze

дымно: (здесь) ~ it's smoky (in here)

дымный *(дрова, головешки)* smouldering *(BRIT)*, smoldering *(US)*; *(комната, помещение)* smoky, smoke-filled

дымоход flue

дымчатый *(кот)* smoky; **дымчатые очки** tinted glasses

дыня melon

дыра hole; **в дырах** full of holes

дырка hole

дырокол punch

дырявый *(разг.)* holey; **у него ~ая голова** *(разг.)* he has a head like a sieve

дыхание breathing, respiration; **~ весны** a breath of spring; **с затаͮнным ~м** with bated breath; **второе ~** second wind; **искусственное ~** artificial respiration

дыхательный *(упражнения)* breathing; *(процесс)* respiratory; **дыхательное горло** windpipe; **дыхательные пути** respiratory tract

дышать to breathe; **~** *(ненавистью)* to exude; *(любовью)* to radiate

дышло beam, pole, shaft; coonecting rod

дьявол devil; **за каким ~ом я дол-**

Д

жен идти туда! *(разг.)* why the devil should I go there!; **какого ~а..!** what the devil ...!

дьявольский diabolic(al); *(разг.)* devilish; **~ое терпение** = the patience of job

дьякон deacon

дьячок sacristan, sexton

дюжина dozen; **чертова ~** baker's dozen

дюжинный common, ordinary

дюйм inch

дюна dune

дюралюминий Duralumin

дюшес *(бот.)* Duchess pear

лягиль angelica

дядька uncle; *(разг.)* guy

дядя uncle; *(разг.)* man; *(: обращение)* mister

дятел woodpecker

Е

евангелие *ср* the Gospels *мн; (одна из книг)* gospel

евангелист evangelist

евангельский ~ текст gospel

евнух eunuch

Евразия Eurasia

еврей Jew

еврейка Jewess

еврейский *(народ, обычаи)* Jewish; **~ язык** Hebrew

евроазиатский Eurasian

Евровидение Eurovision

Европа Europe

европеец European

европейский European **европейский совет** Council of Europe **европейский суд** European Court of Justice **европейское сообщество** European Community

егерь *(на охоте)* huntsman *(мн huntsmen)*

Египет Egypt

египетский Egyptian

египтянин Egyptian

его *см* он, оно ◇ *притяж мест (относительно мужчины итп)* his; *(относительно предмета итп)* its

егоза *(разг.)* fidget **егозить** (разг.) to fidget; **~ перед** *(перен.)* to fawn on

еда *(пища)* food; *(процесс):* **за ~ой, во время ~ы** at mealtimes; **мойте руки перед ~ой** wash your hands before eating

едва *(с трудом: нашел, достал, доехал итп)* only just; *(только,немного)* barely, hardly; **больной едва дышит** the patient is barely *или* hardly breathing; **едва созревший плод** a barely ripe fruit; *(только что)* just; **ему едва исполнилось 20 лет** he has just turned 20; ◇ *союз (как только)* as soon as; **едва он пришел, начал работать** as soon as he arrived, he set to work; **едва ли** hardly; **уже поздно, едва ли он придет** it's late, he's hardly likely to come now; **едва ли не** almost; **он едва ли не самый лучший ученик** he is almost the best pupil

единение unity

единица *(цифра)* one; *(изображение)* the figure 1; *(измерения, часть целого)* unit; **денежная ~** monetary unit; **штатная ~** member of staff; *см также* **единицы**

единицы *a few;* **остались в живых ~** only a few people survived

единичный *(редкий: экземпляр)* single; *(случай)* isolated

единоборство single combat; **вступать (вступить) в ~ с** to enter into combat with

единобрачие monogamy

единовластие autocracy

единовластный autocratic

единовременный one-off; **~ное пособие** one-off benefit payment

единогласие unanimity

единогласно unanimously; **принято ~** carried unanimously

единогласный unanimous

единодушие unanimity

единодушно unanimously

единодушный unanimous

единокровный ~ брат half-brother *(with the same father)*

единоличник *(ист.)* peasant

smallholder; *(пренебр.)* maverick

единоличный *(индивидуальный: власть, решение)* individual

единомыслие like-mindedness

единомышленник like-minded person; *(сообщник)* confederate

единоначалие one-man rule

единообразный unified

единорог unicorn

единоутробный: ~ **брат** half-brother *(with the same mother)*

единственно *(только)* only ◇: ~ **правильный/возможный путь** the only correct/possible way; ~, **о чем я прошу** the only thing I ask

единственный (the) only; ~ **в своем роде** one of a kind; ~**ная надежда** the only hope; **он** ~ ~ **ребенок** he is an only child; **единственное число** *(линг)* singular

единство unity

единый *(цельный)* united; *(общий)* common; *(только один)* one, single; ~**ое целое** a unified whole; **все до** ~**го** to a man; **единый (проездной) билет** travel pass *(for use on all forms of transport)*

едкий *(также перен.)* caustic; *(запах, дым)* acrid

едкость *(хим.)* causticity; *(перен.)* acerbity

едок: у него в семье пять едоков he has five mouths to feed

её от она ◇ *(относительно женщины и т.п.)* her; *(относительно предмета и т.п.)* its

ежевика *(растение)* bramble; *(ягода)* blackberry; *(собир.)* blackberries, brambles

ежевичный *(варенье, куст)* blackberry, bramble

ежегодник annual (publication)

ежегодно annually

ежегодный annual

ежедневник *(блокнот-дневник)* diary

ежедневно daily, every day

ежедневный daily; *(повседневный)* everyday

ежели if, in case

ежемесячник *(периодическое издание)* monthly

ежемесячно monthly

ежемесячный monthly

ежеминутно every minute; *(постоянно)* constantly

ежеминутый : ~**ная проверка** checks at one-minute intervals; *(очень частый)* constant

еженедельник weekly

еженедельно weekly

еженедельный weekly

еженощный nightly

ежесекундный occurring every second; *(чрезвычайно частый)* incessant

ежечасный hourly

ежовый: держать кого-н в ежовых руках to rule sb with a rod of iron

езда *(перемещение: на велосипеде, верхом)* riding; *(: на машине)* driving; *(мера: на машине)* drive; **в двадцати минутах** ~**ы от** a twenty-minute drive from

ездить to go; ~ **на +** *(лошади, на велосипеде)* to ride; *(на поезде, на автобусе итп)* to travel *или* go by; *(раз: эксплуатировать)* to make use of

ездовой: ездовая собака sled dog; **ездовая лошадь** draught horse

ездок rider; **туда я больше не** ~ I'm not going there again

ей to her

ей-богу *(разг.)* really, truly

Екатеринбург Ekaterinburg

еле *(с трудом)* only just; *(едва)* barely, hardly

еле-еле: он ~ **спасся** he had a narrow escape; **лошадь** ~ **плетется** the horse is on its last legs

елейный *(перен: слащавый)* unctuous

еловый *(бот.)* spruce

ель fir (tree); *(бот.)* spruce

ельник *(лес)* fir grove; *(плантация)* fir plantation; *(ветки)* fir branches

емкий *(вместительный)* capacious; *(перен: содержательный)* meaningful

емкость *(вместимость)* capacity; *(вместилище)* container; **меры** ~**и** units of volume

ему to him

енот raccoon

енотовый raccoon

епархиальный diocesan

епархия diocese; *(в православной церкви)* eparchy

епископ bishop

епископство bishopric, episcopacy

епитимия penance

ералаш *(разг: беспорядок)* mess

Ереван Yerevan

ересь heresy; *(перен.)* nonsense

еретик heretic

еретический heretical

ерзать *(разг. беспокойно сидеть)* to fidget

ермолка skull-cap

ерошить *(разг: волосы)* to ruffle

ерунда *(разг: чепуха)* rubbish, nonsense; **это ~** *(пустяк)* it's a mere trifle, it's nothing

ершиться *(о волосах)* to stick up; *(разг: горячиться)* to fly off the handle

есаул esaul *(rank equivalent to captain in Cossack army)*

если if

естественно naturally ◇ *вводн сл (конечно)* of course

естественность ж *(нормальность)* naturalness; *(непринужденность)* spontaneity

естественный natural; **~ые науки** natural sciences; **~ная смерть** death from natural causes

естествознание natural sciences

естествоиспытатель (natural) scientist

есть *(один предмет)* there is; *(многих предметов)* there are; **~ много возможностей** there are many possibilities; **на столе ~ яблоки** there are apples on the table; **у меня ~ друг** I have a friend

есть (поесть *или* съесть) *(питаться)* to eat (съесть; *разрушать химически: металл)* to corrode, *(раздражать)* to sting, irritate; **мне хочется ~** I'm hungry; **~ кого-н глазами** *(разг.)* to gaze at sb

ефрейтор *(воен.)* lance corporal

ехать to go: *(поезд, автомобиль: приближаться)* to come; (: *двигаться)* to go, travel; *(разг: скользить)* **to slide**: **~ на** *(на лошади, на велосипеде)* to ride; **~ или на** *(на поезде, автобусом)* to travel *или* go by

ехидна echidna, spiny anteater

ехидничать *(разг: язвить)* to make spiteful remarks

ехидный malicious, spiteful

ехидство *(язвительность)* spite

еще more; again; still; yet; **~ бы!** what next!

ею by her, with her

ёж hedgehog; **морской ~** sea urchin; **ежу понятно** *(разг.)* it's as plain as the nose on your face

ёжик hedgehog; *(прическа)* crew cut; **стричься (постричься) ~ом** to have a crew cut

ёжиться : ~ от *(от холода)* to huddle up from; *(от страха, от стыда)* to cringe with

ёкать *(сердце)* to miss a beat

ёлка fir (tree); *(бот.)* spruce; *(праздник)* New Year party for children; *(рождественская или новогодняя)* **~** Christmas tree

ёлочный: ~ые украшения *или* игрушки Christmas-tree decorations

ёрш *(рыба)* ruff(e); *(щетка)* brush

Ж

жаба *(зоол.)* toad

жабо jabot

жабра *(зоол: обычно мн)* gill; **брать (взять) за ~ы кого-н** *(разг.)* to twist sb's arm

жаворонок *(зоол.)* lark

жадина *(разг: пренебр.)* meanie

жадничать *(разг.)* to be mingy

жадность : ~ к *(к вещам, к деньгам)* greed (for); *(к жизни)* lust (for); *(к развлечениям)* desire (for); **~ к еде** greed; **с ~ю** *(есть)* greedily; *(слушать, смотреть)* avidly

жадный greedy; *(на работу)* eager

жажда thirst; **~ знаний** *(перен.)* thirst for knowledge; **~ eagerness to do; утолять (утолить) ~** to quench one's thirst

жаждать : ~ *(перен: мира)* to long

for; ~ *(познавать)* to long to do
жакет (woman's) jacket
жалеть to feel sorry for; *(скупиться)* to grudge: ~ **о** to regret; **не ~я сил** sparing no effort; ~ **(пожалеть) что** ... to regret that ....
жалить to sting; *(: змея)* to bite
жалкий *(вид)* pitiful, pathetic; *(одежда)* shabby; *(трус)* abject
жало *(пчелы)* sting; *(змеи)* forked tongue
жалоба complaint; **подавать (подать)** ~**у на кого-н** to lodge complaint against sb
жалобный *(голос, песня)* plaintive; *(лицо)* sorrowful; **жалобная книга** complaints book *(in shop, post office etc)*.
жалованье salary
жаловать *(разг.):* **коллеги его не** ~**уют** he is not very popular with his colleagues
жаловаться (пожаловаться) ~**ся на** to complain about; *разг.* **ябедничать** to tell on
жалостливый sympethetic
жалостный mournful; **фильм** tearjerker
жалость sympathy for; **какая** ~ what a shame; **делать (сделать) что-н из** ~**и** to do sth out of pity
жаль compassion; **как** ~! what a pity! **мне его** ~ I am sorry for him
жанр *лирический* genre; *(перен.)* style
жар *(тепло)* heat; *(перен.)* fervour *(BRIT)*, fervor *(US)*; *(мед.)* fever; **его бросило в** ~ *(перен.)* he broke out in sweat
жара heat
жаргон slang; *(профессиональный)* jargon
жареный *(на сковороде)* fried; *(в духовке)* roast
жарить *(на сковороде)* to fry; *(в духовке)* to roast
жариться (зажариться) to fry; ~**ся на солнце** *(разг.)* to bask in the sun
жарка frying
жаркий hot; *(перен.)* heated; **жаркие страны** tropical countries
жарко *(спорить)* heatedly; *(целовать)* passionately; **мне** ~ I'm hot;

ему ни холодно ни ~ *(разг.)* it's all the same to him
жаркое meat *(fried)*
жаровня brazier
жаропонижающий febrifugal
жаропрочный *(материал)* heat-resistant; *(посуда)* ovenproof
жать (жму, жмешь) *(руку)* to shake; *(лимон сок)* to squeeze; **жну, жнешь; сжать to harvest; сапоги мне жмут** my boots are pinching (my feet); **это платье жмет в талии** this dress is too tight at the waist
жаться; жмусь, жмешься *(от холода)* to huddle up; *(разг: колебаться)* to dither *(скупиться)* to be stingy
жвачка cud; *(разг: жевательная резинка)* chewing gum
жгут *(из соломы)* горе; *(мед)* tourniquet
жгучий burning; *(мороз)* biting; **жгучий брюнет** man with jet-black hair
ждать *(письмо. дождя, гостей)* to expect; *(друга, поезда)* to wait for, *(надеяться; награды, пощады)* to hope for; **что нас ~ет?** what's in store for us?; ~**ли, что он извинится** they hoped that he would apologize; **время не ~ет** there's no time to lose; **я ~у не дождусь каникул** *(разг)* I can't wait for the holidays
же but, however
жевание mastication; rumination
жевать to cnew
желание *(просьба)* request; **гореть** ~**м** to be eager to do
желаный *(гость, весть)* welcome
желательно it is desirable to do; ~, **чтобы Вы пришли** it would be preferable if you could come
желательный desirable
желать to desire; ~ **(пожелать)** to wish *или* want to do; ~ **(пожелать) кому-н счастья/всего хорошего** to wish sb happiness/ all the best; **Ваша работа оставляет** ~ **лучшего** your work leaves much to be desired
желающий: ~**ие поехать/порабо-**

тать those interested in going/working; **~ие есть?** is anybody interested?

желвак *(разг.)* lump

желе jelly

железа gland

железистый glandular; ferriferous

железка glandule

железная дорога railway; **подземная ~** the Underground

железнодорожник rail(way) *(BRIT)* *или* railroad *(US)* worker

железнодорожный *(вокзал)* railway *(BRIT)*, railroad *(US)*; *(транспорт)* rail

железный iron; *(логика)* cast-iron; **~ые нервы** nerves of steel; **железная дорога** railway *(BRIT)*, railroad *(US)*

железняк iron-clay, iron-ore; clinker

железо iron; **~делательный завод** iron-foundry

железобетон reinforced concrete

желоб *(водосточный)* gutter

желобок groove; trough

желтенький yellowish

желтеть to turn yellow; *(виднеться)* to show yellow

желтоватый somewhat yellow; sallow

желток yolk

желторотый yellow-beaked *(of young birds)*; *(разг.):* **он еще юнец** he's still wet behind the ears

желтуха jaundice

желтый yellow; **желтая пресса** the gutter press

желудок *(анат.)* stomach; **расстройство ~ка** stomach upset

желудочный *(боль)* stomach; *(сок)* gastric

желудь acorn

желчный: ~ пузырь gall bladder; bilious

желчь bile

жеманный affected.

жемчужина pearl; *(перен.)* treasure

жемчуг pearls; **бусы из ~** a pearl necklace.

жемчужный pearl; *(перен: зубы)* pearly

жена wife

женатый married *(of man)*; **он женат на** he is married to; **они ~ы**

they are married

Женева ◇Geneva

женить *(сына, внука):* **~ на** to marry (off) (to); **поженить** *(разг.)* to marry

жениться : ~ся на to marry *(of man)*; **пожениться** *(разг.)* to get hitched

жених *(до свадьбы)* fiance; *(на свадьбе)* (bride)groom

женоненавистник misogynist, woman-hater

женоподобный effeminate

женский *(одежда, раздевалка)* women's; *(логика, органы)* female; **женская консультация =** gynaecological and antenatal *(BRIT)* *или* gynecological and prenatal *(US)* clinic; **женский пол** the female sex; **женский род** feminine gender

женственность femininity, womanhood

женственный feminine

женщина woman

женьшень ginseng

жердь pole

жеребенок foal

жеребец stallion

жеребиться to foal,

жеребчик colt

жеребьевка casting *или* drawing of lots

жерло *(пушки, вулкана)* mouth

жернов millstone

жертва victim; *(рел.)* sacrifice; **приносить** *(принести* кого-н/что-н в **~у** кому-в/чему-н to sacrifice sb/sth for sb/sth; **человеческие ~ы** casualties; **пасть ~ой чего-н** to fall victim to sth

жертвенник altar

жертвовать to sacrifice ◇ *перех* to donate

жертвоприношение *(рел.)* sacrifice; **совершать** *(совершить)* **~** to offer up a sacrifice

жест gesture; **язык жестов** sign language

жестикулировать to gesticulate

жесткий *(кровать, человек)* hard; *(мясо)* tough; *(волосы)* coarse; *(условия)* strict; **жесткий вагон** railway carriage with hard sears;

жесткая вода hard water; **жесткий диск** hard disk

жестокий cruel; *(перен)* severe; ~**ая необходимость** cruel necessity

жестоко *(расправиться)* cruelly

жестокость cruelty

жесть tin-plated sheet metal

жестянка tin box

жетон tag; *(в метро)* token

жечь (сжечь) to burn

жечься *(утюг)* to be very hot; *(крапива)* to sing; **обжечься** *(разг.)* to burn o.s.

жжение to burning sensation

жив in being, active, lively

живительный *(воздух)* invigorating

живность fowl, poultry; livestock

живность animation, vivacity

живо *(представить себе)* vividly; *(откликнуться)* animatedly;

живодер staughterer; ~**ня** slaughterhouse

живой active; *(организм)* living; *(животное)* live; *(человек; энергичный)* lively; *(выразительный)* vivid; ~ **пример** a living example; **он** ~ **надеждой/воспоминаниями** he lives in hope/for his memories; **он еще** ~? is he alive?; **жив-здоров** *(разг.)* alive and well; **в нем еще** ~**а обида** the insult still rankles with him; **ни жив ни мертв** *(разг.)* petrified; **задевать (задеть) кого-н за** ~**ое** to cut sb to the quick; **остаться в**~**ых** to survive; **живая изгородь** hedge; **живой уголок** area in school where pets are kept for pupils to look after; **живой язык** living language; **живые цветы** fresh flowers

живописец painter

живописный picturesque

живопись *(искусство)* painting

живот stomach, abdomen; *(разг.)* belly

животик tummy

животноводство animal husbandry

животное animal

животный animal; *(перен.)* bestial

животрепещущий topical

живучий hardy; *(обычай, представление)* enduring; *(предрассудки)* deep-rooted; **он** ~ **как кошка** he

has nine lives

живущий living

живьем alive

жидкий liquid; watery; *(состояние, мускулы, голос)* weak; *(волосы)* sparse, thin; **жидкое топливо** liquid fuel

жидкость liquid

жижа *от* **жидкий**

жизнедеятельность *(организма, клетки)* *(vital)* activity

жизненность life, vitality

жизненный *(вопрос, интересы)* vital; *(необходимость)* basic; ~ **уровень** standard of living; ~ **опыт** experience; ~ **путь** journey through life

жизнеописание biography

жизнерадостный cheerful

жизнеспособный viable

жизнь life; **образ жизни** way of life; **уровень жизни** standard of living; **как** ~? *(разг.)* how's life?

жила *(геогр.)* vein; *(сухожилие)* tendon, sinew; **золотая** ~ *(разг.)* gold mine

жилет waistcoat *(BRIT)*, vest *(US)*; **спасательный** ~ life jacket

жилец *(квартиросъемщик)* tenant; *(квартирант)* lodger; **он не** ~ *(разг.)* he's not long for this world

жилистый *(мясо)* stringy; *(старик)* sinewy; *(рука)* veiny

жилище *(дом)* dwelling

жилищный housing

жилка vein; *(перен.)* *(склонность)* streak **жилой** *(дом, здание)* residential; *(комната, помещение)* inhabited; **жилая площадь** accommodation

жилье *(человеческое)* habitation; *(жилище)* accommodation *(BRIT)*, lodgings

жимолость honeysuckle

жир *(животный)* fat; *(растительный)* oil; **с** ~ **беситься** *(разг.)* to become spoilt; **рыбий** ~ *(мед.)* cod-liver oil

жираф giraffe

жиреть to grow fat

жироватый somewhat fat

жирный *(пища)* fatty; *(человек)* fat; *(волосы)* greasy; *(чернозем, из-*

Ж

3

весть) rich; **жирный шрифт** bold type

жировик lipoma

жирорасчёт Giro

житейский *(мудрость)* worldly; *(проблемы)* everyday; **дело ~ое!** *(разг.)* that's nothing unusual!

житель resident; **городской ~** city dweller

жительство residence; **место постоянного ~а** permanent place of residence

житница *(перен.)* breadbasket

жить to live; *(перен.):* **~ в** to live in; **~** *(детьми, наукой)* to live for; **на/с** to live on/with; **на свои средства** to support o.s.; **~л-был** there once was, once upon a time there was

житьё existence; **~-бытьё** way of living

жмот *(разг.)* skinflint

жмурить ~ глаза to screw up one's eyes

жмуриться (зажмуриться) to squint; **~ся (зажмуриться) от света** to squint in the light

жмурки blind man's buff; **играть в ~** to play blind man's buff

жнейка harvester *(machine)*

жнец reaper

жнивьё stubble

жокей jockey

жолоб shoot; *tech.* groove; furrow; gutter

жолудь acorn

жонглёр juggler

жонглировать to juggle (with)

жопа *(груб!)* arse *(BRIT)* (!), ass *(US)* (!)

жрать *(разг.)* to scoff

жребий : бросить ~ to cast lots

жрец *(рел.)* (pagan) priest; *(перен.)* devotee

жреческий priestly; Druidical

жрица *(рел.)* (pagans) priestess

жужелица ground beetle

жужжать to buzz

жук beetle

жулик swindler; *(в игре)* cheat

жульничать *(разг.)* to cheat

жульничество underhandedness; *(в игре)* cheating

журавль crane

журить *(разг.)* to chide

журнал magazine; *(судовой)* journal; *(классный)* register; *(кино)* short; **~ протоколов** minute book

журналист journalist

журналистика journalism

журчать *(ручей итп)* to babble, murmur

жуткий terrible

жутко *(неприятный)* terribly: **здесь ~** it's terrifying here; **мне ~** I am terrified

жуть *(разг.)* terror; it's terrible: **какая ~!** *(разг.)* how terrible!

жухлый faded

жюри panel of judges

3

за behind; beyond; for; at, by

заалеть to turn scarlet

заарканить to lasso

заартачиться to become obstinate

забава amusement

забавлять to amuse

забавно *(рассказывать)* in an amusing way ◇ **как сказ** it's funny

забавный amusing

забаллотировать to reject

забарахлить *(мотор, компьютер)* to go on the blink

забастовать to go on strike

забастовка strike; **всеобщая ~** general strike; **сидячая ~** sit-in

забастовочный strike

забастовщик striker

забвение *(забыть)* oblivion; **предавать (предать) что-н ~ю** to consign sth to oblivion

забег спорт race; **предварительный ~** preliminary heat; **~ на сто метров** the hundred metres

забегать *(люди)* to start running; *(глаза)* to roam about

забежать (забегать) *(в дом, в деревню)* to run in(to); *(разг: в музей)* to drop in(to); **забегать к знакомым** to drop in on one's friends; **забегать со стороны** *(разг.)* to come up from the side; **забегать вперед** to run ahead; *(перен.)* to race ahead

забеливать (забелить) *(о writen;)* to whitewash

забеспокоиться to start to worry

забивать (забить) to hammer in

забинтовать to bandage

забирать (забрать) to take up; carry away

забитый cowed

забить *(часы)* to begin to strike; *(орудие, пушка)* to start firing; *(озноб, лихорадка)* to begin to spread; *(вода)* to begin to flow; *(фонтан)* to start up; *(гвоздь, сваю)* to drive in; *спорт:* ~ **гол** to score; *(:мяч, шар)* to drive home; *(окно, дом)* to board up; *(наполнить: склад, холодильник)* to overfill; *(засорить: трубу, сток)* to clog (up); *(скот, зверя)* to slaughter; *(перен: человека)* to knock flat; ~ **в барабан/колокол** to start drumming/ringing a bell; **забивать голову чем-н** to fill one's head with sth

забиться *(сердце, пульс)* to start beating; **(забиваться; спрятаться)** to hide (o.s.) away; *(разг: уехать)* to go off; **забираться в/на** *(в шкаф, в дом)* to get inside *или* into; *(на дерево)* to climb up; *(в скважину)* to go down; **забираться под одеяло** to crawl under the blanket; **забираться внутрь/наверх** to get inside/to the top

забодать to gore

забрасывать (забросить) to abandon; to neglect; to cast away

забрезжить *(огонь)* to flicker; *(рассвет, утро)* to break

забрести *(разг: в лес)* to saunter off; *(в гости)* to drop in

забронировать abandonment, desert

забросать; ~**что-н чем-н** *(канаву, яму)* to fill with; *(камнями)* to pelt with; *(цветами)* to shower with; *(перен: фактами, вопросами)* to bombard with

забросить *(мяч, камень)* to fling; *(десант)* to grop; *(шпиона)* to plant; *(разг: доставить)* to drop off; *(не*

заниматься) to neglect

заброшенность abandonment, desertion

заброшенный *(дом)* derelict; *(шахта)* disused; *(вид, сад, ребенок)* neglecled

забрызгать to splash

забывать (забыть) to forget

забывчивый forgetful

забыть *(как быть; забывать)* to forget; ~**удь туда/сюда дорогу!** don't go there/come here any morel; **себя не забывать** to look out for o.s.

забытье *(беспамятство)* ablivion; *(полусон)* drowsiness; *(задумчивость)* pensiveness; **впадать (впасть) в** ~ to lose consciousness; *(уснуть)* to doze off

забыться (забываться) *(задремать)* to doze off; *(в мечтах)* *(сорваться)* to forget o.s.; *(события, факты)* to be forgotten

завал obstruction; *(искусственный)* barrier; **у нас сейчас ~ с работой** we have a backlog of work

завалить *(вход, дверь)* to block off; *(дом, стену)* to knock down; *(разг: экзамен, мероприятие)* to mess up; **заваливать** *(дорогу: снегом)* to cover with; *(яму: землей)* to fill with; *(разг: магазины товарами)* to cram with; *(перен: разг: поручениями)* to saddle with

завалиться (заваливаться) *(упасть)* to fall; *(стена, забор)* to collapse; *(разг: дело)* to go to the wall; *(:на экзамене)* to come a cropper; **заваливаться в гости к кому-н** to turn up on sb's doorstep; *(хоть)* ~**ались!** *(разг: очень много)* you can't move for them!

заваляться to be kicking about

заварить *(чай, кофе)* to brew; *тех.* to weld; **заваривать кашу** *(разг)* to stir up trouble

завариться (завариваться) *(чай, кофе)* to brew; *(разг: дело, кутерьма)* to start

заварка *(действие: чая, кофе)* brewing; *(разг: сухой чай)* char; *(заваренный чай)* brew

заварной *кулин.* ~**ое тесто** choux

pastry; **~крем** custard filling

заведение (*учреждение*) establishment; **учебное** ~ educational establishment

заведовать to be in charge of

заведомый (*обманщик, лжец*) notorious; (*обман, ложь*) blatant

заведующий (*складом, редакцией*) manager; (*лабораторией, кафедрой*) head

завезти to drop off; (*увезти*) to take

заверение assurance

заверенный (*копия, подпись*) authenticated, certified

заверитель (*документа, копии*) witness, attestant

заверять (*копию, подпись*) to witness; **заверять кого-н в чём-н** to assure sb of sth **завернуть** (*рукав*) to roll up; (*кран*) to turn up; (*гайку*) to tighten up; (*налево, направо, за угол*) to turn; (*разг: в гости к другу*) to drop by *или* round; **завертывать** *или* **заворачивать** (*посылку, книгу, ребёнка*) to wrap (in)

завернуться (**завёртываться** *или* **заворачиваться**) (*рукав*) to roll up; **завёртываться** *или* **заворачиваться** (*в полотенце, в плед*) to wrap o.s. up in

завертеть (*верёвкой*) to twirl; (*глазами*) to roll

завертеться (*колесо, карусель*) to start turning; (*разг: захлопотаться*) to be run off one's feet

завёртывать (**завернуть**) to envelop, wrap up; screw up

завершать to conclude; to complete

завершающий final

завершение (*работы*) completion (*разговора, лекции*) conclusion; **в ~ at the conclusion of**

завершить to complete; (*разговор*) to end

завершиться (**завершаться**) to be completed; (*разговор*) to end

заверять (**заверить**) to assure; insure; to witness

завеса veil; **дымовая ~** smoke screen

завесить (*окно*) to curtain; (*картину, лампу*) to cover

завести to take; (*увести далеко*) to lead; (*приобрести*) to get; (*уста-*

новить) to introduce; (*переписку, разговор*) to initiate; (*часы*) to wind up; (*машину*) to start; (*разг: разозлить*): **ког-н** to wind sb up

завестись (*появиться*) to appear; (*мотор, часы*) to start working; (*разг: разозлиться*) to get (all) wound up

завет (*наставление*) precept; рел. **Ветхий/Новый ~** the Old/New Testament

заветный treasured

завешать to hang; **завешивать стены картинами** to hang pictures on the walls

завещание (*документ*) will; (*наставление*) precept

завещать; **~что-н кому-н** (*наследство*) to bequeath sth to sb; **~ кому-н** to call upon sb to do

завзятый (*разг: курильщик*) inveterate; **он ~ футболист/охотник** he is a football/hunting fanatic

завивать (**завить**) to coil, wave (*hair*); to wind up

завивка (*волос*) curling; (*причёска*) curly hair

завидно; **он ~ красив/умён** he has enviable good looks/intelligence; **~ как она говорит по-английски** her English is enviable; **ему ~** he feels envious

завидный enviable

завидовать to envy, be jealous of

завизжать to begin to yelp

завинтить to tighten (up)

завираться (**завраться**) to talk haphazardly

зависеть to depend on, be dependent on

зависимость dependence, subordination

зависимый dependent, subordinate

завистливый jealous

зависть envy, jealousy

завитой (*волосы*) curly; (*девушка*) curly-haired; (*проволока, шнур*) coiled

завиток (*локон*) curl; (*спирали*) twist; (*орнамента*) flourish, whorl

завить (*волосы, усы*) to curl; (*проволоку, шнур*) to twist

завиться (**завиваться**) (*волосы, усы*)

to curl; *(проволока, шнур)* to get twisted; *(сделать завивку)* to curl one's hair

завихрение whirl; *(перен.)* peculiarity

завладеть *(имуществом)* to take possession of; воен. *(вниманием)* to capture

завлечь *(зверя, врага)* to lure; *(перн)* to captivate

завод factory; *(в часах, у игрушки)* clockwork; *(действие)* winding up; **конный ~** stud farm

заводной *(механизм: игрушка)* clockwork; *(ключ, ручка)* winding; *(разг: человек)* easily excitable

заводской factory

заводь back-water

завоевание *(земель, страны)* conquest; *(обычно мн: достижения)* achievement

завоеватель conqueror

завоевательный *(политика)* aggressive; *(набеги)* offensive; **~ые войны** wars of conquest

завоевать to conquer; *(перен: доверие)* to win

завоз delivery

завозить *(завезти)* to convey, transport

заволакивать to cloud over; to bedim

заволноваться to become agitated

завораживать *(заворожить)* to bewitch, charm

заворачивать *(заворотить)* to turn, turn in, turn up; to roll up

заворот *(реки, дороги)* bend; *(движение)* turn

заворот ; **~кишок** мед. acute intestinal illness

заворчать to start grumbling

завраться to get tied (up) in knots *(by lying)*

завсегда always, ever

завсегдатай frequenter, habitual caller, visitor

завтра tomorrow

завтрак breakfast; mid-morning lunch

завтракать *(по~)* to breakfast

завтрашний tomorrow's; **завтрашний день** tomorrow

завуч *сокр= заведующий учебной частью); (в школе, в училище)*

deputy head

завхоз *сокр= заведующий хозяйством; (в школе, в институте)* bursar; *(на заводе) person in charge of supplies*

завывание *(собак, метели)* howling; *(сирены)* wail; *(самолета)* shriek

завысить *(нормы, цены)* to increase; **~ план** to set unreasonable targets

завыть *(собака)* to begin to howl; *(сирена)* to start wail

завышение excessive increase

завышенный excessively increased

завязать *(веревку, ленту)* to tie; *(руку, посылку)* to bind; *(разговор)* to start (up); *(дружбу)* to form; *(отношение)* to establish; *(разг: пить, воровать)* to quit; **завязать глаза кому-н** to blindfold sb

завязаться *(завязываться) (шнурки, бант)* to be tied; *(разговор)* to start (up); *(дружба)* to form; *(отношения)* to become established; бот. to set

завязка *(тесьма)* hand; *(лента)* ribbon; *(разговора, событий)* beginning; *(боя)* onset; *(романа, рассказа)* opening

завязнуть *(в снегу, в грязи)* to get stuck; *(перен: разг)* **~в** *(трудностях, в долгах)* to be up to one's neck in

завязывать *(завязать)* to bind, knot

завязь бот. ovary

загадать *(загадку)* to set; *(шараду)* to act out: *(число, слово)* to think of; *(желание)* to make, to guess

загадить to mess up

загадка riddle; *(перен)* puzzle, mystery

загадочный *(явление, событие)* puzzling, mysterious; *(выражение лица, слова)* enigmatic

загадывать to conjecture, guess; to set a ribble

загаживать *(загадить)* to soil; to foul

загазованный *(атмосфера)* polluted

загар *(sun)* tan

загасать *(загаснуть)* to extinguish; to switch off, turn off

загашать *(загасить)* to quench; to smother

3

загвоздка *(разг)* obstacle; **в этом вся ~** that's the whole problem

загиб *(на бумаге)* crease; *(перен: разг)* twist

загибать (загнуть) to bend, fold

заглавие title

заглавный; **~ая буква** capital letter; **заглавная роль** title role

загладить *(складки)* to iron; *(лист)* to fold; *(сгиб)* to make; *(перен: ошибки)* to put right; *(обиду)* to make up for; **заглаживать вину** to make amends

за глаза behind one's back; amply

заглохнуть *(сад, тропинка)* to become overgrown; *(перен: разг: стройка, дело)* to die a death

заглохший overgrown

заглушать *см* глушить

загляденье feast for the eyes

заглядеться to gaze

заглянуть *(в окно, в спальню)* to peep; *(в книгу, в словарь)* to glance; *(к соседу, к друзьям)* to pop in; **заглядывать вперёд** to take a brief look ahead

загнать *(коров, детей)* to drive; *(разг: гвоздь, нож)* to ram in; *(продать)* to flog *(BRIT)*, sell; *(изнурить: лошадь)* to ride too hard; *(:рабочих)* to drive into the ground

загноиться *(рана)* to fester; *(глаза)* to become inflamed

загнутый bent

загнуть to begin to rot

загнуть *(гвоздь)* to bend; *(край)* to fold; *(страницу)* to dog-ear; *(разг: сказать)* to spout; **загибать рукав вверх/вниз** to pull a sleeve up/down

загнуться (загибаться) *(гвоздь)* to bend; *(край)* to fold; *(страница)* to become dog-eared; *(воротник)* to twist; *(умереть)* to kick the bucket

заговаривать зубы ~ кому-н to steer sb off a subject

заговариваться *(говорить бессвязно)* to rave

заговор conspiracy; *(от болезни)* spell

заговорить *(начать говорить)* to begin to speak; *(по-английски, по-русски)* to be able to speak; *(перен: совесть, гордость)* to stir ✧ **заговаривать** *(болезнь, боль)* to magic away; **заговаривать кого-н** to wear sb out through constant talk; **в нём ~совесть** his conscience stirred in him

заговорщик conspiration

заголовок headline

загон *(скота, овец)* driving in; *(для скота)* enclosure; *(для овец)* pen; **быть в ~e** to be pushed to one side

загонять (загнуть) to drive in; to pen; to harass, to heckle

загораживать (загородить) to enclose; fence in; to jam, obstruct; to barricade

загорать (загореть) to become sunburnt; **~ся** to catch fire

загорелый sunburnt, tanned

загореть to go brown, get a tan

загореться (загораться) *(дрова, костер)* to light; *(здание)* to catch fire; *(лампочка, глаза)* to light up; **загораться желанием** to have a burning desire to do; **он ~елся этой идеей** the idea fired his imagination

загород the country

загородить *(улицу, вход)* to block off; *(свет)* to block out; **загораживать кого-н собой** to shield sb; **загораживать кому-н дорогу** to stand on sb's way

загородиться *(от солнца, от удара)* to shield o.s. (from)

загородка barrier; *(в комнате)* partition

загородный *(экскурсия)* out-of-town; *(дом)* country; **~ая поездка** a trip out of town *или* into the country

заготавливать to make ready, prepare; to purvey

заготовительный ~ пункт collection point; **заготовительная цена** state procurement price

заготовить *(сено, корм)* to lay in; *(билеты, документы)* to prepare

заготовка *(действие: кормов, леса)* laying in; *(закупка государством)* procurement; *(полуфабрикат)* component; *(:для туфель)* upper

заготовлять (**заготовить**) to procure; to buy in *(provisions)*

заградительный ~**ое сооружение** barrier; **заградительный огонь** воен. defensive fire; **заградительный патруль** roadblock

заградить to obstruct

заграница foreign countries *мн*

заграницей abroad

заграничный foreign; **заграничный паспорт** *(issued specifically for travel adroad)*

Загреб Zagreb

загребать *(вёслами)* to row; *(руками, лапами)* to paddle; ~ **деньги** to rake in the money

загреметь *(гром)* to crash out; *(голос)* to thunder; *(тарелки)* to start to rattle

загрести *(мусор, листья)* to take up

загривок *(у лошади)* withers *мн*; **взять кого-н за** ~ to grab sb by the scruff of the neck

загримировать to make up

загримироваться to make o.s up

загробный ~**мир** the next world; *(перен: голос)* groomy; **загробная жизнь** the afterlife

загромоздить to clutter (up)

загрубелый *(кожа, руки)* calloused, rough; *(лицо)* coarse; *(голос)* gruff; *(перен: человек, душа)* hardened

загрузить *(машину, судно)* to load up; комп. to boot, load up; *(перен: сотрудников, учеников)* to load with work; *(:день)* to fill up; *(:печь, домну)* to load

загрузка *(машины, судна)* loading; *(предприятия, стенка)* capacity

загрунтовать to prime

загрустить to become sad; **по дому** to start to feel homesick

загрызть *(овцу, петуха)* to kill; *(перен: замучить)* to nag to death; **её ~ызла совесть** she was tormented by her conscience

загрязнение pollution; **загрязнение окружающей среды** (environmental) pollution

загрязненный polluted

загрязнить *(воздух, водоем)* to pollute; **загрязнять что-н** *(сапо-*

ги, платье) to get sth dirty

загрязниться to become polluted, to get dirty

загубить *(человека)* to destroy; *(растение)* to kill; *(жизнь, вечер)* to ruin; *(разг: деньги, средства)* to waste

загудеть *(машина)* to honk; *(гудок)* to sound

загул drinking session; **удариться в** ~ to go a bender

загулять *(кутить)* to booze

загустеть *сов от* **густеть**

зад *(человека)* behind, rear; *(животного)* rump; *(машины, дома)* rear

задабривать to cajole, coax

задавать (**задать**) to propose, put; to set *(task, etc.)*

задаваться to be cocky

задавить to crush; **её ~авило деревом** she was crushed under a tree; **его ~авила машина** he was run over by a car

задание *(поручение)* task; *(упражнение)* exercise; воен. mission; **домашнее** ~ homework

задарить ~ **кого-н подарками** to shower sb with presents

задаром *(разг: дешево)* for next to nothing; *(:зря)* for nothing

задатки *(о способностях)* ability

задаток deposit; **давать** ~ to put down a deposit; *см также* **задатки**

задать (**дать**, **задавать**) to set; **задавать кому-н вопрос** to ask sb a question; **задавать пир** to lay on a spread; **я тебе ~ем!** just you wait!

задаться (**задаваться**) **~целью** *(сделать, написать)* to set o.s. the task of doing; **~ся вопросом** to ask o.s.

задача task; мат. problem; **ставить** (**поставить**) **перед собой** ~**у** to set o.s a task; **решать** (**решить**) ~**у** to solve a problem

задачник book of problems

задвигать to begin to move

задвижка bolt; **закрывать** (**закрыть**) **дверь на** ~**у** to bolt the door

задвижной ~**ая дверь** sliding door

задвинуть to push; *(ящик, занавески)* to close

задвинуться (задвигаться) to close

задворки backyard; **на ~ках общества** in the margins of society; **на ~ках истории** in the footnotes of history

задевать *(разг: положить)* to put; **куда ты ~л мою сумку?** where have you put my bag?

задеваться to go missing; **куда ~лась моя ручка?** what's happend to my pen?

задействовать *(оборудование)* to render operational; *(полк, дивизию)* to mobilize; **взяться за дело** to get busy

задел groundwork; **создавать ~ на будущее** to create foundations for the future

заделать to seal up

задергать *(ногой, вожжами)* to jerk; *(измучить)* to wear out

задергаться *(тело, глаз, губы)* to twitch; *(начать нервничать)* to become twitchy; *(измучиться)* to reach the end of one's tether

задергивать (задернуть) to draw, to pull

задержание detention

задерживать *(самолет, поезд)* to delay, hold up; *(зарплату, уплату долгов)* to withhold; *(преступника)* to detain; *(школьников)* to keep back; **я не хочу Вас ~ерживать** I don't want to hold you back; **задерживать дыхание** to hold one's breath; **задерживать взгляд на** to stare at; **задерживать шаг** to slow up

задержаться to be delayed *или* held up; *(у двери, перед домом)* to pause; **задерживаться с ответом/работой** to be late in answering/finishing the work

задержка delay, hold-up; **без ~ек** without further delay

задернуться *(шторы)* to pull shut; **задерживать окно занавеской/шторой** to shut the curtains/blind

задеть *(стол)* to brush against; *(кость, легкое)* to graze; *(самолюбие, человека)* to wound; **его тон меня ~л** I found his tone offensive; **кого-н за живое** to cut

sb to the quick

задира troublemaker

задиристый quarrelsome

задний: помечать (пометить) ~им числом to backdate; **оплачивать (оплатить) ~им числом** to make a back payment; **она ~им умом крепка** she simply being wise after the event; **он был без ~их ног** he was dead on his feet; **~яя мысль** ulterior motive; **~ие ноги** hind legs; **задний проход** анат. rectum; **задний ход** back entrance

задник *(ботинка)* back; *театр.* backdrop

задница backside

задобрить to soften up

задолго ~ до long before

задолжать to run into debt

задолженность debts *мн. (по работе, в учебе)* work outstanding

задом backwards; **~ наперед** back to front; **поворачиваться ~ к кому-н** to turn one's back to sb; **стоять к кому-н** to stand with one's back to sb

задор enthusiasm

задорный lively

задохнуться *(в дыму)* to suffocate; *(от бега, про ходьбе)* to be out of breath; *(от злости, от смеха)* to choke

задраить *мор.* to batten down

задрать *(платье, юбка)* to hitch *или* hike up; *(растерзать)* to savage; **задирать голову** to tip one's head back; **задирать нос** to be stuck-up

задраться (задираться) *(платье, рубашка)* to hitch iself up; *(рукав)* to ruck

задремать to doze off

задрожать *(человек, голос)* to begin to tremble; *(здание, стекло)* to begin to shake

задумать *(повести, план)* to think up; *(картину, число)* to think of; *(уехать)* to think of doing

задуматься (задумываться) *(погрузиться в раздумье)* to be deep in thought; **задумываться над** *(задачей, над жизнью)* to ponder; **о чем Вы ~лись?** what are you thinking about?; **он ответил, не задумываясь** he answered without hesitation; **она на минуту ~лась** she reflected for a moment

задумчивость pensiveness; **быть в глубокой ~и** to be deep in thought

задумчивый pensive, thoughtful

задуть (огонь, свечу) to blow out; (ветер) to get up; **ветром ~ло песок в комнату** the wind blew sand into the room

задушевный (мысли, тайна, разговор) intimate; (песня, рассказ) soulful; (друг, человек) genial

задушить от **душить**

задымить to begin to smoulder (BRIT) или smolder (US)

задымиться to begin to give off smoke

задыхаться от **задохнуться**

заедание jamming

заезд спорт. rase (in horse-racing, motor-racing); (отборочный) heat; (туристов, отдыхающих) arrival; **с ~ом/без заезда в Москву** with/without a stopoff in Moscow

заездить ~**кого-н** to drive sb too hard

заезжий occasional; casual caller; stranger

заем (займа) loan

заемщик borrower

заесть (комары) to eat; (жена, начальник, среда) to get to; (ружье) to jam; **пластинку заело** the record is stuck; **заедать лекарство/водку чем-н** to eat sth take to away the taste of the medicine/vodka

заехать (заезжать) ~**за кем-н** to go to fetch sb; **заезжать** (в канаву, во двор) to drive into; (в Москву, в магазин) to stop off at; ~**к друзьям** to stop off at friends; ~**кому-н в лицо** to smash sb in the face; ~**кому-н в ухо** to box sb's ears

зажарить (на сковородке) to fry; (в духовке) to roast

зажариться to fry; to roast

зажать (заезжать) to squeeze; (рот, уши) to cover; (инициативу, проект) to stifle, suppress; (деньги) to pocker;

зажимать нос to hold one's nose; **зажимать рот кому-н** to silence sb

заждаться to be sick of waiting for

зажечь (свечу, спичку) to light; (свет) to turn on; (аудиторию) to inflame; (:интерес, любовь) to spark (off)

зажечься (зажигаться) (свеча, спичка) to light; (свет) to go on; (интерес, любовь) to be sparked off

заживать (зажить) to heal up; to work of (a debt); to earn

заживление healing

заживо during one's lifetime

зажигалка (cigarette) lighter; (бомба) firebomb

зажигание (действие) lighting; авт. ignition; **включать (включить)** ~ to turn on the ignition

зажигательный inflammatory; (снаряд) incendiary; **зажигательный шнур** fuse wire

зажигать (зажечь) to ignite, light, set fire to; to strike (a match)

зажим техн. clamp; элек. terminal; (инициативы, критики) stifling

зажимать (зажать) to grip, squeeze

зажиток earning, wages

зажиточный prosperous

зажить (рана) to heal (up); (начать жить) to start to live; ~ **по-новому** to change one's lifestyle

зажмурить ~**глаза** to screw up one's eyes

зажмуриться (жмуриться; зажмуриваться) to screw up one's eyes

зажужжать to start buzzing

зазвать ~**кого-н в гости** to invite sb over

зазвенеть to start ringing; **у меня ~ело в ушах** my ears started ringing

зазвонить to start ringing

зазвучать to be heard

заздравный congratulatory

зазеленеть to turn green

заземление элек. (действие) earthing (BRIT), grounding (US); (:устройство) earth (BRIT), ground (US)

заземлить to earth (BRIT), groud (US)

зазнайка bighead

зазнаться to think a lot of o.s.
зазноба chilblain; sweetheart
зазор disgrace, shame; chink
зазрение без ~**я совести** without a twinge of conscience
зазубренный serrated, jagged
зазубривать (**зазубрить**) to swat; to jag, notch
зазубрина serration
зазубрить ~**что-н** to learn sth parrot-fashion
зазывать (**зазвать**) to call in, invite
заиграть (*музыкант, оркестр*) to begin to play; (*музыка*) to begin; (**заигрывать**) (*пластинку, колоду карт*) to wear out **заиграться** (**заигрываться**) to be absorbed in one's games
заигрывать (*любезничать*) to flirt with; (*заискивать*) to suck up to
заикание (*действие*) stuttering; (*порок речи*) stutter
заикаться to have a stutter; (*от испуга, от волнения*) to stammer; (**заикнуться**) **о** (*поездке, приглашении*) to drop hints about
заимодавец creditor; lender
заимообразно on loan
заимствование borrowing
заимствовать (*слова, сюжет*) to borrow; (*опыт*) to benefit from
заиндевевший frost-covered
заинтересованный interested; **я заинтересован в этом деле** I have an interest in the matter; ~**ая сторона** interested party
заинтересовать to interest
заинтересоваться to become interested in
заинтриговать to intrigue
Заир Zaire
заирский Zairean
заискивать to favour, ingratiate
заискивающий ingratiating
зайка stutterer
займовый ~**ая операция** loan transaction; ~ **процент** interest (*on loan*)
зайти (**заходить**) (*солнце, луна*) to go down; (*спорт, разговор*) to start up; (*посетить*) ~ (**в/на**) to call in (at); (*попасть*) ~ **в/на** to stray into; **заходить за кем-н** to go to

fetch sb; **заходить за хлебом/молоком** to pop in bread/milk; **заходить на работу/к другу** to call in at work/a friend's
зайчик (**солнечный** ~) reflection of sun
зайчиха doe, female hare
зайчонок leveret
закабалить to enslave
закавказский Transcaucasian
закадычный ~**друг** bosom friend
заказ (*действие: платья, обеда*) ordering; (*телефонного разговора*) booking; (*портрета*) commisioning; (*заказанный предмет*) order; **делать (сделать) что-н на** ~to make sth to order; **по** ~**у** to order
заказать to order; to book; to commission
заказной ~**ое письмо** registered letter
заказчик customer
заказывать (**заказать**) to order; to bespeak
закаиваться (**закаяться**) to give up, renounce, repudiate
закал hardening, tempering
закаленный (*физически*) resistant; (*нравственно*) resilient
закаливание (*ребенка, организма*) toughening up
закалить (*сталь*) to harden, temper; (*ребенка, организм*) to toughen up; (*волю, характер*) to toughen
закалиться (**закаливаться** *или* **закаляться**) (*сталь*) to be hardened *или* tempered; (*ребенок, организм*) to build up one's resistance; (*воля, характер*) to toughen
закалка hardening, tempering; toughening up; toughening; (*стойкость*) toughness
закалывать (**заколоть**) to slay, stab; to kill, slaughter
закаменелый petrified
заканчивать (**закончить**) to conclude, complete. finish
закапать (*платье, тетрадь*) to splatter; (*лекарство, капли*) to apply; **дождь** ~**л** it started spiting (with rain)
закармливание fattening; over-feeding

закат ~ **(солнца)** sunset; *(жизни, карьеры)* twilight; **на ~е дней** in the twilight of one's yers

закатать to roll up

закатить to roll; ~ **скандал** to create a scandal; **закатывать истерику** to get hysterical; **закатывать глаза** to roll one's eyes

закатиться (закатываться) to roll; *(солнце)* to set

закачаться to begin to sway

закашлять to start coughing

закашляться to have a coughing fit

заквасить *(капусту)* to pickle; *(молоко)* to sour

закваситься (заквашиваться) to be pickled; to be soured

закваска *(для теста)* leaven; *(для кефира)* culture

закидывать (закинуть) to cast, throw; toss

закинуть to throw; **судьба ~ула меня в Шотландию** fate has brought me to Scotland; **закидывать удочку** to cast a line; to put out feelers

закипеть to start to boil; *(работа)* to increase

закиснуть *(тесто, квас)* to turnsour; to stagnate

закись oxide

закладка *(сада, фундамента)* laying; *(в книге)* bookmark

закладная mortgage deed

закладывать to pawn; to mortgage; to pledge; to lay; to harness

заклевать to peek at; to harass

заклеить to seal (up)

заклеиться to seal

заклепать to rivet

заклепка rivet

заклепывать (заклепать) to clench; to rivet

заклинание invocation

заклинание *(магические слова)* incantation; *(мольба)* plea

заклинать *(духов, змей)* to charm; *(умолять)* to plead with

заклинить *(дверь)* to jam; **руль ~ило** the wheel has jammed

заключать (заключить) to confine, shut in; to deduce; infer

заключаться *(состоять в)* to lie in; *(содержаться в)* to be contained

in; *(заканчиваться)*: to conclude with; **дело/проблема ~ется в том, что...** the point/ problem is that...; **наша цель ~ется в том, чтобы привлечь инвестиции в город** our aim is to attract investment into the city

заключение conclusion; *(в тюрьме)* imprisonment; **в ~** in conclusion; **тюремное ~** imprisonment; **находиться в ~и** to be held in confinement

заключенный prisoner

заключительный concluding, final

заключить *(соглашение, договор, сделку)* to conclude, seal; **заключать в себя** to compromise; **заключать контракт** to conclude a contract; **заключать кого-н в тюрьму** to put sb in prison; **заключать кого-н под стражу** to take sb into custody; **заключать кого-н в объятья** to embrace sb

заклятый ~**враг** sworn enemy

заковать to chain up; *(лед)* to cover

заколдованный to bewitch

заколка *(для волос)* hairpin, hairclip

заколотить *(окна, дом)* to board up; *(ящик)* to nail up

заколоть *(свинью, индейку)* to slaughter; *(волосы)* to pin up; *(галстук, воротник)* to pin back; **у меня ~ололо в боку** I've got a stitch

закон law; **вне ~а** outside the law; **объявлять (объявить) кого-н ~а** to outlaw sb; **Закон Божий** religious education

законный legitimate, lawful; *(право, прием)* legal; *(документ)* valid; **на ~ном собрании** on a legal basis; **~ным образом** legally, lawfully; **законный брак/муж** lawful wedlock/wedded husband

законоведение jurisprudence

законовец lawyer; jurist

законодатель legislator; *(вкусов, мнений)* abriter; ~ **мод** trendsetter

законодательный legislative

законодательство legislation

закономерность *(документа, завещания)* legality; *(в стране)* law and order

закономерный *(результат, явление)* predictable; *(понятный)* legitimate

законопатить to patch up

законоположение statute

законопреступление law-breaking, transgression of the law

законопроект полит. bill

законорожденный legitimate *(of birth)*

законтрактовать to sign a contract for

законченный *(мысль, рассказ)* complete; *(негодяй, мерзавец)* utter

закончить to finish, end

закончиться *(заканчиваться)* to finish, end

закопать *(деньги, золото)* to bury; *(канаву, яму)* to fill in

закопаться *(закапываться)* *(в землю)* to bury o.s.

закоптелый smoky, smutty, sooty

закоптиться to be covered in smoke

закопченный *(чайник)* charred; *(потолок)* smoke-stained

закоренелый *(традиции, предрассудки)* deep-rooted; *(дурак, кокетка)* incorrigible; ~ **преступник** hardened criminal

закоренеть ~**в** *(мнении, предрассудках)* to be entrenched in

закорки: посадить кого-н на ~ to give sb a piggyback

закорючка squiggle

закостенелый stiff

закоулок *(города)* back street *или* alley; *(дома, замка, двора)* nook; **обыскать** *(обыскать)* **все** ~**ки** to look in all the nooks and crannies

закоченелый numb

закоченеть to go numb

закрасить to paint over

закрасться to creep in

закрепитель фото fixative

закрепить *(деталь, грунт)* to fasten; *(победу, позицию)* to consolidate; фото to fix; **закреплять что-н за кем-н** to secure sth for sb; **закрепить кого-н за кем-н** to assign sb to sb

закрепиться *(закрепляться)* *(деталь, грунт)* to be fastened; *(победа, успехи)* to be consolidated; *(слово, привычка)* to become established; воен: ~**ся на** *(высоте)* to consolidate one's position on

закрепка fastener

закрепостить to enslave

закрепощение enslavement

закричать to start shouting

закройщик cutter

закром *(в амбаре)* grain store см также **закрома**

закрома мн breadbasket *(esp US)*, granary

закругление curve

закругленный curved, rounded

закруглить *(край)* to round off; *(поверхность)* to make round

закруглиться *(закругляться)* to become rounded; *(закончить)* to round off

закружить ~**кого-н** *(начать кружить)* (to start) to spin sb round; *(довести до головокружения)* to make sb dizzy

закружиться *(начать кружиться)* to start spinning; *(ослабеть)* to start to feel dizzy; *(захлопотаться)* to go o.s. into a tizzy; **у меня** ~**ужилась голова** my head has started spinning

закрутить *(волосы, усы)* to twist; *(веревку, ленту)* to wind; *(кран)* to turn off; *(гайку)* to screw in

закрутиться *(закручиваться)* *(веревка, лента)* to wind up; *(захлопотаться)* to get o.s. into a flap

закрытие *(магазина)* closing (time); *(сезона, конкурса)* close

закрытый shut, closed; *(терраса, машина)* enclosed; *(стадион, бассейн)* indoor; *(собрание, заседание)* closed, private; *(перелом, рана)* internal; **в** ~**ом помещении** indoors; **при** ~**ых дверях** behind closed doors; **вопрос закрыт** the matter is closed; **закрытое голосование** secret vote *или* ballot; **закрытое море** inland sea; **закрытое платье** dress with a high neck; **закрытый конкурс** closed competition

закрыть to close,shut; *(заслонить, накрыть)* to cover (up); *(проход, проезд, границу)* to close (off); *(воду, газ)* to shut off; **закрывать кого-н в комнате** to shut sb in a room; **закрывать счет** to close an account; **закрывать глаза на что-н** to close one's eyes to sth

закрыться (закрываться) to close, shut; *(магазин, предприятие)* to close *или* shut down; *(закрыться)* to cover o.s. up; *(запереться в доме)* to shut o.s. up; *(рана)* to close up

закулисный backstage *(интриги, борьба)* behind-the-scenes; **~ая жизнь** off-stage life

закупить *(купить оптом)* to buy up; *(запастись)* to stock up with

закупка purchase

закупорить *(бутылку)* to cork (up); *(бочку)* to seal up

закупорка corking; sealing; *(мед. кишечника, сосудов)* blockage; **закупорка вен** мед. embolism

закупочный ~ая цена purchase price

закупщик buyer

закурить to light (up); to start smoking

закусить *(поесть)* to have a bite to eat; **~ водку/лекарство** to have sth to eat with the vodka/medicine; **закусывать губу** to bite one's lip; **закусывать удила** to take the bit between one's teeth

закуска snack; *(обычно мн: для водки)* zakuska *(мн zakuski)*, nibbles *мн*; *(в начале обеда)* hors d'oeuvre; **на ~y** for the finale

закусочная snack bar

закутать *(ребенка)* to wrap up; *(ноги)* to cover

закутаться *от* кутаться to wrap (o.s.) up

закуток dark corner

зал hall; *(в музее, в библиотеке)* room; **зал ожидания** waiting room

заладить to harp on (about) to take to doing

залаять to start barking, start to bark

заледенелый covered in ice; *(пальцы, руки)* icy

заледенеть *(дорога)* to ice over;

(пальцы, руки) to freeze

залежалый old

залежаться ~в магазине/в постели to lie in the shop/in bed for too long

залежь *(золото)* seam; fallow land

залезть ~ на *(крышу)* to climb onto; *(на дерево, на лестницу)* to climb (up); **~в** *(квартиру в магазин)* to break into; **залезать кому-н в карман** to pick sb's porkets; **залезать в долги** to get into debt

залепить *(дыру, трещину)* to plaster up; *(снег, грязь)* to plaster; **кому-н пощечину** to give sb a slap round the face

залететь to fly in(to); **залетать за** *(море, за облака)* to fly over; **залетать далеко** to fly a long way; to go far; **самолет ~тел в Москву за горючим** the plane stopped off in Moscow for refuelling

залечить *(язык, рану)* to heal; **~кому-н** to make sb feel worse *(by excessive medication)*

залечиться (залечиваться) to heal (up)

залечь *(в постель)* to lie down; *(в нору)* to retreat; *(укрыться)* to lie low; reo. *(уголь, золото)* to be deposited; **залегать в засаде** to lie in wait

залив bay; *(длинный)* gulf

заливной *(рыба, мясо)* jellied; **заливной луг** water meadow

залить to flood; *(костер, огонь)* to extingush; **заливать рубашку пивом** to spill beer on one's shirt; **заливать бензин в машину** to fill a car with petrol; **заливать дорогу асфальтом** to cover a road with asphalt; **заливать горе** to drown one's sorrows; **слезы ~или ее лицо** the tears poured down her face

залиться (заливаться) *(луг, пол)* to be flooded; *(вода)* to seep; **заливаться слезами/смехом** to burst into tears/out laughing; **ее лицо ~лось румянцем** the colour flooded her cheeks

залог *(действие: вещей)* pawning; *(с квартиры)* mortgaging; *(заложенная вещь)* security; линг. *(ак-*

3

тивный, пассивный) voice; *(знак)* token

заложить *(покрыть)* to clutter up; *(отметить)* to mark; *(отдать в залог: кольцо, шубу)* to pawn; *(:дом)* to mortgage; *(заполнить: трубу, дыру)* to block up; **закладывать что-н за что-н** to put sth behind sth; **закладывать город** to lay the foundations of a city; **у меня ~ожило нос/горло** my nose/throat is all bunged up

заложник hostage

заломить to tear off; **заламывать руки** to throw up one's hand; **заламывать высокую цену** to ask too high a price

залп salvo *(мн)* salvoes; volley

залпом *(проговорить, проглотить)* all in one's go; **выстрелить ~** to fire a volley *или* salvo of bullets

залысина bald patch

залюбоваться *(картиной, девушкой)* to be transfixed by

заляпать to mess up; **зам** *(заместитель)* number two

зам *префикс* deputy

зам *(заместитель)* dep. *(deputy)*

замазать *(пятно, рисунок)* to paint over; *(окна, щели)* to fill with putty; *(запачкать)* to smear

замазаться (замазываться) to become smeared (with)

замазка putty

замалчивать (замолчать) to conceal, hush-up

заманить to lure, entice

заманчивость temptation

заманчивый tempting

замаскированный disqused; *(намек, угроза)* veiled

замаскировать to disguise; *(самолет, танк)* to comouflage

замаскироваться (замаскировываться *или* **маскироваться)** to disguise o.s.; *(солдаты)* to camouflage o.s.

замасливать to grease, oil

заматывать(ся) *от* **замотать(ся)**

замахать *(палкой, газетой)* to brandish; **рукой** to start waving

замахнуться **~на** *(на собаку, на ребенка)* to raise one's hand to; *(пе-*

рен) to set one's sights on; **он ~улся на большее** he has set his sights on bigger and better things

замачивать (замочить) to steep; to wet

замашки manners

замбийский Zambian

Замбия Zambia

замедление slowing down; **без ~я** without delay

замедленный retarded; **~ход** reduced speed

замедлить to slow down; *(задержаться)*: **~с** to be slow with; **не~** to be quick to do

замедлиться (замедляться) to slow down

замена replacement; *спорт* substitution

заменимый replaceable

заменитель *(суррогат)* substitute

заменить to replace; **она ~енила им мать** she was like a mother to them

замереть *(человек, животное)* to stop dead; *(душа, сердце)* to stand still; *(:работа, страна)* to come to a standstill; *(звук)* to die away; *(шум, стрельба)* to die down; **~на месте** to stop dead in one's tracks

замерзание freezing; **точка ~я** freezing point

замерзнуть to freeze; *(река)* to freeze (up); *(окно)* to ice up; **я совсем замерз** I'm completely frozen

замерить to measure

замертво упасть *или* рухнуть **~** to collapse in a heap

замесить *(бетон, глину)* to mix up; *(тесто)* to knead

замести *(мусор, листья)* to sweep up; *(метель, дорогу)* to cover; **заметать следы** to cover one's tracks

заместитель replacement; *(должность)* deputy; **~директора/приемьер-министра** deputy director/prime minister

заметаться *(в кровати, в бреду)* to start tossing and turning; *(в отчаянии)* to get into a state; **он ~тался по комнате** he began to ruth about the room

заметить to notice; *(запомнить)* to

take note of; *(сказать)* to remark

заметка *(на дереве)* mark, notch; *(в записной книжке)* note; *(в газете)* short piece *или article;* **брать (взять) что-н на ~ку** to make a (mental) note of sth; **он на ~ке у милиции** the police have got their eye on him

заметно noticeably *(видно)* it is obvious

заметный noticeable; *(личность, человек)* prominent

замечание comment, remark; *(выговор)* reprimand

замечательно *(красив, умен)* extremely; *(писать)* wonderfully, brilliantly; **I that's brilliant** *или* **wonderful!**

замечательный *(очень хороший)* wonderful, brilliant; *(необыкновенный)* remarkable; *(выдающийся)* outstanding

замечать *(заметить)* to notice, observe, remark

замечтаться to start daydreaming

замешательство: привести кого-н в ~ to throw sb into confusion; **приходить (прийти) в ~то** become confused

замешать ~кого-н во что-н to get mixed up in sth

замешаться *(замешиваться)* *(в историю, в преступление)* to get mixed up in; *(скрыться: в толпе)* to mingle with

замешивать *(замешать)* to mix; to confuse, involve

замешкаться *(с работой, с ответом)* to drag one's heels; *(пробыть дольше)* to fall about

замещать *(начальника)* to stand in *или* deputize for; **заместить** *(заменять: работника)* to replace; *(:игрока)* to substitute; *(вакантная должность)* to fill

замещение *(работника, директора)* replacement; *(игрока)* substitution; **~вакантной должности** filling of a vacancy

заминать to suppress; to stamp out; to hush up; to change

заминка *(в работе)* hitch; *(в речи)* stumble

замирать *(замереть)* to become feeble; to sink

замкнутый *(среда, жизнь)* cloistered; *(человек, характер)* reclusive; **~ая цепь** элек. closed circuit; **~ круг** vicious circle

замкнуть to close

замкнуться *(замыкаться)* to close; *(обособиться)* to shut o.s. off; **замыкаться ~в себе** to withdraw into o.s.

замогильный ~голос ghostly voice

замок castle

замок lock; **висячий ~** padlock; *(браслета, цепочки)* clasp; **на ~ке** locked; **под ~ком** under lock and key; **хранить что-н за семью ~замками** to keep sth very closely guarded

замолвить ~слово за кого-н (перед кем-н) to put in a word for sb (with sb)

замолкнуть to fall silent; *(звук, песня, спорт)* to stop

замолчать *(человек)* to go quiet; *(перестать писать):* **он ~ал еще два года назад** I haven't heard from him for two years; *(замалчивать)* *(факты, происшествия)* to hush up; **~и!** be quiet!, shut up!

замораживание *(продуктов, овощей)* refrigeration; **замораживание цен/заработной платы** price/wage freeze

замораживать to freeze

заморить to starve

замороженный iced

заморозить *(продукты, овощи)* to freeze; *(десну, палец)* to freeze, numb; *(строительство)* to put on hold; **замораживать цены/зарплату/счет** to freeze price/wages/an account

заморозки frosts *мн*

заморский foreign

заморыш weed, wimp

замотанный knackered, whacked

замотать *(утомить)* to knacker out; *(веревку, канат)* **~что-н во что-н** to wind sth around sth

замотаться *(заматываться)* *(в платок, шарфом)* to bundle o.s. up; *(утомиться)* to be knackered (out)

3

замочить ~кого-н/что-н to get sb/sth wet; *(бельё, кожу)* to soak

замуж выходить ~ за to get married (to) marry; выдавать (выдать) кого-н ~ to marry sb off (to)

замужем married; быть ~ за кем-н to be married to sb

замужество marriage

замужняя married woman

замуровать *(отверстие, окно)* to brick up; *(человека, ценности)* to brick in

замучить *(заставить страдать)* to torment; *(утомить)* to exhaust; *(до смерти)* to torture to death

замучиться *(утомиться)* to exhaust o.s.

замша suede

замшевый suede

замшелый mossy, moss-covered

замыкание ; (короткое ~) short circuit

замыкать *(колонну, шествие)* to bring up the rear of

замысел *(человека, правительства)* scheme; *(картины, произведения)* idea

замыслить *(план, побег)* to think up; to think about doing; он ~ил купить себе дом he is thinking about buying a house

замысловатый intricate

замыть to wash out

замять *(сделать незаметным вопрос)* to hush up; *(:приостановить разговор)* to put an end *или* stop to

замяться (заминаться) to clam up; *(замолчать)* to stop short

занавес *театр.* curtain; железный ~ *ист.* the Iron Curtain

занавесить to hang a curtain over

занавеска curtain

занести *(принести)* to bring; *(поднять руку, ногу)* to lift; *(записать)* to take down; *(доставить)*: ~что-н кому-н to drop sth off sb; *(отнести)*: ~ за to take behind; дорогу ~ело снегом the road is covered over with snow; судьба ~ела меня сюда много лет назад fate brought me here many years ago

занизить to lower; занижать (занизить) отметки кому-н to undermark sb

занимательный engaging

заниматься *(учиться)* to study; *(работать)* to work (in); *(на рояле)* to practise *(BRIT)*, practice *(US)*; ~ся английским (языком) to study English; ~ся спортом/музыкой to play sports/music; чем ~ется Ваш отец? what does your father do (for a living)?; он ~ется бизнесом/политикой he's businessman/politican; чем ты сейчас ~ешься? what are you doing at the moment?

заново again

заноза splinter

занозить to get a splinter in

занос drift; снежные ~ы snowdrift

заносить *(платье, пальто)* to wear out

заносчивый arrogant

заночевать to spend the night

зануда bore

занудный tiresome, tedious

заныть *(ребёнок)* to start whinging; *(сердце, зуб)* to begin to ache

занят busy; он был очень ~ he was very busy; телефон ~ the phone *или* line is engaged

занятие occupation; *(в школе, в институте)* lesson, class; *(времяпрепровождение)* pastime, pursuit; начало школьных ~й *(начала учебного года)* the beginning of the school year; *(утром)* the beginning of the school day

занятный entertaining

занятой busy; он ~ человек he is a busy man

занятость *экон.* employment; полная ~ full employment

занять *(квартиру, город)* to occupy; *(должность, позицию)* to take up; *(деньги)* to borrow; *(время)* to take; *(развлечь)* to occupy; место кому-н to keep a place for sb; все ~яли свои места everyone took their places; ~ первое место to take first/second place; эта работа ~яла (у меня) два часа the work look (me) two hours; это займет всего одну минутку it will only take a minute

заняться *(языком, предметом, спортом)* to take up; *(бизнесом, политикой)* to go into; *(помочь):* ~**ся с кем-н (чем-н)** to assist sb with sth; ~**ся собой/детьми** to devote time to o.s./one's children; ~**ся уборкой** to do the cleaning; **ему пора ~ся делом** it's time that he did something serious with his life

заоблачный lofty

заодно *(вместе)* as one; *(попутно)* at the same time; **действовать ~** to act as one *или* with one accord; **мы с ними ~** we are in total accord

заострить *(копье, карандаш)* to sharpen; *(мысль, вопрос)* to define; **заострять внимание на чем-н** to focus one's attention on sth

заострить (заостриться) *(черты лица)* to become more pointed

заочник part-time student *(studying by correspondece)*

заочно учиться to study part-time *(de correspondence);* **обсуждать кого-н** to discuss sb in his

заочный part-time; **заочное обучение** distance learning; **заочный институт** correspondence school

запад west; **Запад** полит. the West

западник westernizer

западноевропейский West European

западный western; *(ветер)* westerly

западня snare; trap

запаздывать (запоздать) to be late, to ratard

запаивать to seal up, solder, weld

запаковать to wrap up

запал *(заряда)* fuse; *(пыл)* fire *(fig)*

запальчивый *(человек, характер)* quick-tempered; *(ответ, тон)* impatient

запанибрата: обращаться ~ с кем-н to be overly familiar with sb

запаниковать to panic

запарка mad rush

запас *(продуктов, топлива)* store, supply; *(руды, полезных ископаемых)* deposit; *(знаний)* store; *(на брюках, на платье)* hem; воен. the reserves мн; **у меня два часа в ~е**

I've got two hours to spare; **оставлять (оставить) себе что-н про ~** to put sth by; **золотой ~** gold reserves; **запас слов** vocabulary

запасливый thrifty

запасник *(в музее)* storage room; воен. reserve

запасной спорт. ~ **игрок** substitute; *воен.* reservist; **запасной выход** emergency exit; **запасной путь** siding; **запасной состав** воен. the reserves

запасти *(дрова, топливо)* to lay in

запастись (запасаться) *(хлебом, молоком)* to stock up (on); **запасаться терпением** to arm o.s. with patience

запасть *(глаза, щеки)* to become sunken; *(фраза, слова)* to be imprinted; **его слова ~ли мне в память** his words remain imprinted on my memory

запатентовать to patent

запах smell

запах *(халата, пальто)* fold

запахнуть to start to smell (of)

запахнуть to wrap round

запачкать to soil, dirty; *(совесть, имя)* to tarnish, sully

запачкаться to get dirty

запашка tillage

запаять to solder

запев opening bars of song

запевала муз. leader *(of song)*

запевать to lead off; ~**песню** to start up a song

запеканка *(картофельная)* bake; *(сладкая)* baked pudding

запереть *(дверь, шкаф, замок)* to lock; *(дом, человека, деньги)* to luck up

запереться (запираться) *(дверь, шкаф, замок)* to lock; *(человек)* to lock o.s. up; *(не признаться)* to clam up

запеть ~**песню** to start singing a song

запечатать to seal up

запечатлеть *(на картине, в повести)* to capture; *(в памяти)* to impress

запечатлеться (запечатлевать) ~**ся в памяти** to be imprinted on one's memory

запечь to bake

3

запечься (запекаться) to bake; *(кровь)* to congeal; *(рот, губы)* to become parched

запинка hesitation; **без ~ки** smoothly

запирательство obstinacy

записать *(адрес, имя)* to write down; *(концерт, пластинку)* to record; *(в кружок, на курсы)* to enrol; **записывать лекцию** to take notes *(in a lecture)*; **~кого-н (на прием) к врачу** to make a doctor's appointment for sb

записаться (записываться) *(в кружок, на курсы)* to enrol (o.s.); *(музыкант: на пленку)* to make a recording; **~ся (на прием) к врачу** to make a doctor's appointment

записи *(лекции)* notes мн

записки *(короткие записи)* jottings мн; *(литература)* notes мн, sketches мн

записной ~ая книжка notebook

запись *(событий, комп.)* record; *(в дневнике)* entry; муз. recording; *(в кружок, на курсы)* enrolment *(BRIT)*, enrollment *(US)*; *(на прием к врачу)* registration; *см также* записи

запить; (запивать) ~ что-н (чем-н) to wash sth down (with sth); **начать пить** to take to drink

запихать что-н в to stuff sth into

заплаканный tearfull; *(глаза)* puffy

заплакать to start crying *или* to cry

запланировать to plan

заплата patch

заплевать to spit on; *(человека)* to spit at

заплесневелый mouldy

заплести to plait

заплетаться у него ноги ~ются he keeps tripping over his feet; **у нее язык ~ется** she is muddling her words

заплечье shoulder-blade

заплыв спорт. race *(in swimming)*; *(:отборочный)* heat

заплыть *(человек)* to swim off; *(корабль)* to sail off; *(бревно)* to float off; *(глаза)* to become swollen

запнуться to falter, stumble

заповедник *(природный)* nature reserve; **птичий ~** bird reserve

заповедный *(лес, территория)* protected

заповедь *рел.* commandment; *(перен.)* cardinal rule; **десять ~ей** the Ten Commandments

заподозрить to suspect; **~ кого-н в** to suspect sb of

запоем пить to drink heavily; **он читает ~** he's an avid reader

запоздалый *(помощь, тревога)* belated; *(гость, весна)* late

запой binge

заползти to crawl

заполнение *(бака, резервуара)* filling; *(анкеты, бланка)* completion

заполнить *(бак, комнату)* to fill (up); *(анкету, бланк)* to fill in *или* out

заполниться (заполняться) to fill up

заполярный polar

запоминаться: легко/трудно ~ся to be easy/difficult to remember

запоминающийся комп. ее устройство memory; **~ее устройство с произвольной выборкой** random access memory

запомнить to remember

запомниться (запоминаться) мне **~ились его слова** I remembered his words

запонка cuff link

запор *мед.*constipation; *(замок)* lock; **быть на ~е** to be locked

запороть *(испортить)* to botch up

запорошить to sprinkle; **дорогу ~ило снегом** a sprinkling of snow covered the road

запотевший misty

запотеть to steam up

заправить *(рубашку)* to tuck in; *(лампу)* to fill; *(салат)* to dress; **заправлять машину** to fill up the engine

заправиться (заправляться) *(горючим)* to tank up; *(поесть)* to fuel up

заправка *(машины, самолета)* refuelling station

заправлять *(делами)* to be in charge (of)

заправский true, real

запрет ban (on/on doing); **быть под ~ом** to be banned

запретительный prohibitive

запретить to ban

запретный forbidden; **ная тема** taboo sabject; **запретная зона** restricted area *или* zone; **запретный плод** forbidden fruit

запрещать to forbid, to prohibit

запрещаться to be forbidden *или* prohibited

запрещение banning

запрещенный banned; **запрещенный прием** спорт. foul; underhand tactic

запрокинуть ~**голову** to throw one's head back

запрокинуться (запрокидываться) to jerkbackwards

запропаститься to disappear

запросить *(мнение, ответ)* to request; *(цену)* to ask

запросто *(без усилий)* easily; *(без церемоний)* without making a fuss; **он обычно заходит к нам** ~**he** usually just drops in

запротестовать to start protesting

запрс inquiry; *(обычно мн: требования)* heed, requirement; *(стремления)* expection

запруда *(плотины)* weir; *(водоем)* millpond

запрудить *(реку, ручей)* to dam; **запруживать площадь** to pack

запрыгать to start jumping

запрячь *(лошадей)* to harness, hitch up; *(нагрузить работой)* to weigh down

запуганный frightened, scared

запугать to frighten, scare

запуск *(мотора, станка)* starting; *(ракеты, спутника)* launch

запустелый desolate

запустение neglect

запустить *(бросить)* to hurl; *(мотор, станок)* to start (up); *(ракету, спутник)* to launch; *(хозяйство, работу, болезнь)* to neglect; *(руку, когти)* to plunge; *(впустить)* to let in; ~ **чем-н в кого-н** to hurl sth at sb; **запускать что-н в производство** to launch of sth

запутанный *(нитки, волосы)* tangled, entangled; *(дело, вопрос)* confused; *(фраза)* muddled

запутать *(нитки, волосы)* to tangle; *(вопрос, человека)* to confuse

запутаться *(нитки, волосы)* to become tangled (up); *(человек в веревках)* to get tangled *или* caught up; *(дело, вопрос)* to become confused; *(сбиться с толку)* to get o.s. in a tangle; *(:сбиться с пути)* to get lost; **запутываться в долгах** to become trapped in debtsзаправка *(машины, самолета)* refuelling station; **запутываться в ответе** to get muddled up

запущенный negllected

зараз simultaneously

зариться to envy; to long for

засос quagmire

заставка illumination

застенчивость bashfulness, shyness, timidity

застращивать (застращать) to intimidate

заступ pick

застыдиться to be ashamed

засудить to condemn

затворничество seclusion

затворять (затворить) to close, shut

затевать to devise, suggest

захлопнуть ~**что-н** to slam sth shut

захлопнуться (захлопываться) to slam shut

заход (~**солнца)** sundown; *(в порт)* call; *(попытка)* go; **с первого/ второго** ~**а** at the first/second attempt; **с** ~**ом/без захода** stopping off/without stopping off at

заходить to start pacing

захолустье provincial backwater

захоронение *(действие)* burial; *(могила, могильник)* burial ground

захоронить to bury

захотеть to want

захотеться; мне ~**отелось есть/пить** I started to feel hungry/thirsty

захудалый wretched

зацвести *(цветы)* to blossom, bloom; *(сыр, хлеб)* to go mouldy *(BRIT)* или moldy *(US)*

зацеловать ~**кого-н** to smother with kisses

зацепить *(поддеть)* to hook up; *(слу-*

чайно задеть) to catch against

зацепить (зацепляться) (задеть за) to catch или get caught on; (ухватиться за) to grab hold of; **я ~епился рукавом за гвоздь** I caught my sleeve on a nail

зацепка pretext

зациклиться ~на to be crazy about

зачаровать to enthral (BRIT), enthrall (US)

зачастить (щу; -стишь) to come more often; **дождь ~стил** the rain got heavier

зачастую often

зачатие conception

зачаток (любви, идеи) beginning, germ; **в ~ке** in embryo

зачаточный embryonic; **в ~ном состоянии** in an embryonic state

зачать to conceive

зачем why; **~он это сделал?** why did he do it? **ей стало понятно, ~ он это сделал** it become clear to her why he had done it

зачем-нибудь for any reason

зачем-то for some reason

зачеркнуть to cross out; (прошлое) to blot out

зачерпнуть to scoop up

зачесать to comb

зачесть to pass; (засчитать: диплом, опыт) to take into account; **ему ~ли отработанные дни в счет отпуска** he was given time off in lieu

зачесться (зачитываться) to be taken into account

зачет; сдать ~ по физике to sit (BRIT) или take/pass a physics test

зачетный; зачетная работа assessed essay (BRIT), term paper (US); **зачетная книжка** assessment record book

зачинатель originator

зачинать от **зачать**

зачинить to mend, repair, patch

зачинщик instigator

зачисление enlistment, enrolment

зачислить (в институте) to enrol; (на работу) to take on; (на счет) to enter; **зачислять расходы** to keep a record of expenditure

зачислиться (зачисляться) (в ин-

ститут) to enrol; (на работу) to be taken on

зачитать (прочесть вслух) to read out; **~ у кого-н книгу** to borrow a book from sb and not give it back

зачитаться (зачитываться) (книгой) to be engrossed in; **я ~лся до утра** I read until morning

зачумление infection; tainting

зашагать to start walking

зашататься (здание) to start to shake; (дерево, пьяница) to begin to sway

зашвырнуть to hurl

зашвырять ког-н чем-н to pelt sb with sth

зашевелить to move

зашибать (зашибить) to bruise, hurt

зашить (дырку, носки) to mend; (шов, рану) to stitch

зашифровать to encode, put into code

зашнуровать to lace up

зашпилить to pin up

заштатный supernumerary; unattached

заштопать to darn

заштриховать to shade (in)

зашуметь (люди, толпа) to become noisy; **внизу ~ели голоса** from downstairs came the sound of voices

защелка (на двери) latch; (на штукатурке, у замка) catch

защелкнуть to shut

защелкнуться (защелкиваться) to click shurt

защемить to clamp

защита спорт. defence (BRIT), defense (US); (от комаров, пыли) protection; (диплома, диссертации) viva (open to the publick); **брать (взять) под ~у** to defend

защитить to defend; (от солнца, от комаров) to protect; **защищать диссертацию** to defend one's thesis (at public viva)

защититься (защищаться) to defend o.s.; (диверсант, студент) to defend one's thesis

защитник спорт. defender; юр. defence (BRIT), defence attorney

(US); **левый/правый ~** футбол. left/right back

защитный protective; **защитный цвет** khaki

защищать *(подсудимого, преступника)* to defend

заявить *(претензию, протест)* to declare; **~о** to announce; **заявлять о своих правах** на to claim one's rigths (to); **заявлять на кого-н в полицию** to report sb the police

заявиться (заявляться) to turn up

заявка ~на изобретение patent application; **присылайте ваши ~ки по адресу...** please apply to the following address

заявление *(правительства)* statement; *(просьба)* application (for); **делать (сделать)~** to make statement; **подавать (подать) ~ на работу/об отпуске** to apply for a job/leave

заядлый *(курильщик)* inveterate; **он ~ футболист/охотник** he is a football/hunting fanatic

заяц зоол. hare; *(безбилетник)* fare dodger

заячий *(мех, хвост)* hare's; **заячья губа** harelip

звание *(воинское)* rank; *(учебное, почётное)* title; **присваивать (присвоить) кому ~** to award sb a title

званый; ~гость welcome guest; **званый обед** dinner party

звать to call; *(приглашать)* to ask; *(называть)* **кого-н кем-н** to call sb sth; **как Вас зовут?** What is your name?; **меня/его зовут Александр** my/his name is Alexander; **позвать кого-н в гости/в кино** to ask sb over/to the cinema

зваться to be called

звезда star; **морская ~** starfish

звёздный *(ночь, небо)* starry, starlit; **это был его ~ час** that was his finest hour; **звёздные войны** Star Wars; **Звёздный городок** Star City *(raining centre for Russion cosmonaut)*

звездочёт astrologer; stargazer

звёздочка *уменьш от звезда*; типогр.

asterisk

звенеть *(звонок)* to ring; *(колокольчик)* to jingle; *(голос)* to chime; *(стаканы)* to clink; *(монеты)* to jangle

звено *(цели)* link; *(конструкции)* section; *воен. (самолётов)* flight; *(в школе)* group; *(на работе)* team

звереть to go wild

зверинец menagerie

звериный *(вой, тропа, шкура)* (wild) animal; *(законы)* bestial; *(страх, инстинкт)* animal

зверолов trapper

зверский *(убийство, поступок)* brutal, savage; *(жара, аппетит)* wicked; *(скука)* severe

зверство *(жестокость)* brutality; *(ужас)* atrocity

зверствовать to commit atrocities

зверь beast, wild animal; beast, animal

звон clinking; *(колокола)* peal, chime

звонарь bell-ringer

звонить to ring; *(по телефону):* **~ кому** to ring *или* phone *или* call *(US)* sb; **~ в звонок** to ring the bell

звонкий *(голос, песня)* sonorous; *(дно, свод)* resonant; **звонкий согласный** линг. voiced consonant

звонок *(на двери, на велосипеде)* bell; *(звук)* ring; *(по телефону) (telephone)* call; **отсидеть от ~ка до ~ка** to work from nine to five

звук sound; **он не произнёс ни звука** he didn't utter a sound; **без звука** *(сделать, согласиться)* without so much as a word

звуковой sound, audio; **звуковая волна** sound wave; **звуковая дорожка** track *(on audio tape)*; **звуковая аппаратура** hi-fi equipment

звукозапись sound recording; **студия ~и** recording studio

звукоизоляция soundproofing

звуконепроницаемый soundproof

звукооператор sound technician

звукоподражание onomatopoeia

звукопроводящий conductive *(of sound)*

звукораздражительный ~ слово onomatopoeic word

звукорежиссер sound engineer

звукосниматель pick-up

звупроводность conductivity (of sound)

звучание sound; (политическое) resonance

звучать (издавать звуки) to sound; (раздаваться) to be heart; ~ит убедительно it sounds convincing; в ее голосе ~ала обида she sounded hurt

звучный (смех, голос) deep, resounding; (инструмент) richsounding

звякнуть (звонок) to ring; (стакан) to clink; (стекло) to tinkle; (стаканами) to clink; (ключами) to jangle

зги: ни ~не видно it's pitch-black

здание building

здесь here; есть ~ кто-нибудь? is (there) anyone here?; ~нет ничего смешного there's nothing funny about it

здешний local

здороваться ~с to say hello to; поздороваться друг с другом to greet each other; (поздороваться) за руку to shake hands

здоровенный hardy, robust

здорово (отлично) really well; (очень сильно) terribly; (разг.) it's great

здоровый healthy; (питание) wholesome; (перен: идея) sound; hefty; будьте ~овы (при прощании) take care!; (при чихании) bless you!

здоровье health; как Ваше ~? how are you keeping?; за Ваше ~! (to) your good health! на ~! enjoy it!

здравница convalescent home

здраво sensibly

здравомыслящий sensible

здравоохранение health care; система ~я the Health Service (BRIT), Medicaid (US); министерство ~я Department of Health

здравоохранительный health-care

здравствовать to thrive; ~уйте hello; да ~ет..! long live..!

здравый (политика, мысль) sound

зебра zebra; (пешеходный переход) zebra crossing (BRIT)

зев pharynx

зевака idler

зевать to yawn; (глазеть) to gawp; прозевать; to miss out; не ~й! keep your wits about you!

зевнуть to yawn

зевок yawn

зевота yawning

зеленеть to go или green; на горизонте ~л лес the green of the forest could be seen on the horizon

зеленщик greengrocer

зеленый green; "З-ые" полит. the Greens; дать чему-н ~ую улицу to give sth the green light; зеленые насаждения trees and shrubs; зеленый лук spring onion

зелень (цвет) green; (растительность) greenery; (овощи, травы) greens мн

земельный land; ~ надел или участок plot of land

землевладелец landowner

землевладение landownership

земноводный amphibious

земледелец arable farmer

земледелие (возделывание земли) arable farming

земледельческий (район) agricultural; (машины) farming

землекоп navvy (land)

землемерный surveying

землепользование land tenure

землеройный ~ые работы dredging; ~ая машина dredger

землетрясение earthquake

землечерпалка dredger

землистый (цвет лица) sallow; (песок, торф) earthy

земля land; (планета) earth; (поверхность) ground; (почва) earth soil

земляк compatriot

земляне earth dwellers мн

земляника (растение) wild stawberry; (ягоды) wild stawberries мн

землянка dugout (shelter)

земляной (вал, пол) earthen; ~ые работы excavations; земляной червь earthworm

земноводные amphibians мн

земной *(поверхность, кора)* earth's; *(блага, желания)* earthly; **земной шар** the globe

зенит zenith

зенитка anti-aircraft gun

зенитный *астр.* zenithal; *воен.* anti-aircraft

зеница pupil *(of eye)*

зеркало mirror; *(воды, залива)* glassy surface

зеркальный *(производство)* mirror; *(поверхность)* glassy; **его пьеса - это ~ное отражение действительности** his play is a true reflection of real life; **~шкаф** mirror wardrobe; **зеркальный карп** mirror carp

зернистый *(масса, снег)* granular; *(поверхность)* grainy; **зернистая икра** uppressed caviar

зерно *(зерна; зерен)* *(пшеницы)* grain; *(кофе)* bean; *(мака)* seed; *(пороха)* granule; *(семенное, на хлеб)* grain; **~истины** a grain of truth; **жемчужное ~** pearl!

зерновой *(торговля, запас)* grain; **зерновые культуры** cereals *мн*

зерновые cereal *мн*

зерносушилка grain drier

зерноуборочный harvesting; **комбайн** combine harvester

зернохранилище granary

зефир marshmallow

зигзаг zigzag

зиждется ~на to be based on

зима winter

Зимбабве Zimbabwe

зимбабвийский Zimbabwean

зимний *(день)* winter's; *(погода)* winty; *(лес, одежда)* winter

зимовать *(человек)* to spend the winter; *(птицы)* to winter

зимовка wintering place; **оставаться (остаться) на ~ку** spend the winter

зимовье *(для людей)* winter hut; *(зверей, птиц)* wintering ground

зимой in the winter

зияние gaping

зиять to gape

злак grass; **зерновой ~** cereal

златоустый eloquent

злачный ~ое место den of iniquity

злейший ~враг worst enemy

злить to annoy

злиться (разозлиться) to get angry

зло (зла; зол) evil; *(неприятность)* harm ◇ *(посмотреть, сказать)* spitefully; **со зла** out of spite; **причинять (причинить) кому-н ~то** to cause sb harm; **меня ~берет** it makes me angry; **у меня на нее зла не хватает** she annoys me no end; **из двух зол выбирать (выбрать) меньшее** to choose the lesser of two evils

злоба malice; **статья на ~у дня** an article tackling the burning issue of the moment

злобный *(характер, человек)* b mean; *(улыбка)* hateful, wicked; *(тон, голос)* nasty

злободневный topical

злобствовать to rage

зловещий *(улыбка, вид, слухи)* sinister; *(тишина)* ominous

зловоние noxious odour *(BRIT)* или odor *(US)*

зловонный rank, fetid

зловредный mean, horred

злодей villain

злодейский wicked

злодейство act of evil

злодеяние evil deed crime

злой *(человек, жена)* mean, bad-tempered; *(собака)* vicious; *(глаза, лицо)* evil; *(мысли)* mean; *(карикатура, замечание)* scathing; *(мороз)* cruel; *(перн: горчица)* lethal; **я зол на тебя** I'm angry with you; **без злого умысла** no harm meant; **злая судьба** cruel fate; **злые языки** malkious talk

злокачественный malignant

злоключение misadventure

злонамеренный ill-intentioned

злонравие ill-temper

злопамятный *(человек)* unforgiving

злополучный *(охотник)* ill-fated; *(день, час)* fateful

злопыхатель malevolent person *(мн* people)

злопыхать to rant

злорадный gloating

злорадствовать to gloat

злословие abuse, ridicule

3

злословить to indulge in ridicule

злостный (*намерение*) malicious; (*правонарушитель*) persistent

злость malice; **сказать что-н со злостью** to say sth angrily

злосчастный ill-fated

злоумышленник conspirator

злоумышленный (*поступок*) malicious

злоупотребить to abuse; (*доверием*) to breach; (*сладким*) to indulge in

злоупотребление abuse of; (*обычно мн: незаконные действия*) malpractise; ~ **доверием** breach of confidence

злоязычие slander

злюка crosspatch

змеевик coil

змееныш little snake

змеиный (*кожа*) snake; (*нора, питомник*) snake's; (*перен: улыбка, усмешка*) venomous; ~**яд** venom

змей serpent; **воздушный** ~ kite; **змей-горыныч** many-headed dragon

змея snake; **змея подколодная** snake in the grass

знак sign; комп. character; **в** ~ as sign of; **под знаком** in an atmosphere of; **знак равенства** equals sign; **знак препинания** punctuation marks; **знаки различия** воен.stripes; **знаки отличия** decorations; **знаки зодиака** sing of the Zodiac

знакомить ~**кого-н с** to introduce sb to; **ознакомить:** (*с приказом, с документом*) to acquaint sb with

знакомиться (**познакомиться**) (*с человеком*) to meet; **ознакомиться** (*с приказом, с документом*) to acquaint o.s. with

знакомство (*отношения*) acquaintance, ~**а** (*круг знакомых*) acquaintances; ~**с** acquaintance with; **первое** ~ **с** first introduction to; **завязывать** (**завязать**) **с кем-н** to make sb's acquaintance

знакомый familiar (with) ✧ acquaintance

знаменатель denominator; **приводить** (**привести**) **к общему** ~**ю** to reduce to a common denominator

знаменательный momentous

знамение (*предзнаменование*) omen; **знамение времени** sign of the times

знаменитость celebrity

знаменитый famous

знаменовать to mark

знаменосец standard-bearer

знамя banner; (*руководящая идея*) flag; **под** ~**енем** under the banner of

знание knowledge; **со** ~**м дела** knowledgeably

знатность eminence, notability

знатный (*род, человек*) noble; (*ученый*) prominent

знаток (*литературы*) expert; (*вина*) connoisseur

знать hobility; to know; **она не знает меры** she doesn's know when to stop; ~**свое место** to know one's place; **кто** (**его**) **знает?** who knows?; **так и** ~**й** mark my words; ~ **цену** to appociate; **давать** (**дать**) **себя** ~ to make inself known; **как** ~ maybe; **как знаешь** as you wish; **он не** ~**л поражений** he had never known defeat; **он не знает усталости** he never tires; **я не знаю покоя** I don't have a moment's peace

знаться to associate with

значение (*слова, взгляда*) meaning; (*решения, победы*) importance; **это не имеет** ~**я** it's not important; **придавать** (**придать**) **особое/большое** ~ **чему-н** to attach special/great importance to sth

значимость (*важность*) significance; (*наличие смысла*) meaningfulness

значимый important; ~**ая часть слова** unit of meaning

значит (*следовательно*) that means; ~ **ты не знаешь** so, you don't know then; **идет снег,** ~ **сегодня будет холодно** It's snowing, that means it's going to be cold today

значительный significant; (*вид, взгляд*) meaningful; **в** ~**ной степени** to a significant degree

значить to mean; **что это** ~**ит?** wthat

does it mean?; **это ничего не ~ит** it doesn't mean that

значиться *(состоять)* to appear; *(числиться)*: **~ся больным** to be considered ill; **его имя ~ится в списке** his name appears on the list

значок badge; *(пометка)* mark

знающий competent

знобить **его ~ит** he's shivery

зной intence heat

знойный *(день, лето)* scorching; *(взгляд)* intense; *(чувство)* burning

зоб *(у птицы)* crop; мед. goitre *(BRIT)*, goiter *(US)*

зов *(громкий)* call; **приходить (прийти) по первому зову** to come at the first call

зодиак zodiac

зодчество architecture

зодчий architect

зола cinders мн

золовка sister-law, husband's sister

золотильщик золотистый golden

золотить *(о помощи, громкий)*: **солнце позолотило верхушки деревьев** the sun cast a golden light over the tree tops

золотник slide valve

золото gold; *(золотые нити)* gold thread; **она просто ~** she's real gem

золотоискатель gold-digger

золотой gold; *(рубль, локоны, лучи солнца)* golden; *(человек)* wonderful; *(работник)* priceless ◊ gold coin; *(дорогой)* precious; **золотая свадьба** golden wedding *или* anniversary; **золотая середина** the golden mean; **золотое дно** gold mine; **золотое сердце** heart of gold; **золотое правило** golden rule; **золотой век** golden age; **золотой фонд** gold reserves

золотоносный ~район goldfield

золотопромышленность gold-mining

золоченый gilt

Золушка Cinderella

зона zone; *(лесная)* area; *(для заключенных)* prison; **природная ~** suburb; **~ отдыха** holiday area; **~обстрела** field of fire

зональный *(граница, деление)* zone;

(особенности, соревнования) regional

зонд мед., тех. probe

зондировать to probe; **~прозондировать почву** *или* **обстановку** to test the water

зонт *(от дождя)* umbrella; *(от солнца)* parasol; *(над дверью, над витриной)* awning

зонтик *(от дождя)* umbrella; *(от солнца)* parasol

зоолог zoologist

зоологический zoological

зоология zoology

зоомагазин pet shop

зоопарк zoo

зоотехник animal geneticist

зоркий *(человек)* sharp-eyed; *(глаза, ум)* sharp; *(наблюдатель)* observant

зрачок анат. pupil

зрелище *(предмет обозрения)* sight, spectacle; *(представление)* show

зрелищный ~ые предприятия entertainment venues мн

зрелость *(плода, яблока)* ripeness; *(организма, человека)* maturity

зрелый mature; *(плод,зерно)* ripe

зрение (eye)sight

зреть to mature; *(плод, яблоко)* to ripen; *(решение, мысль)* to develop; *(обида)* to grow

зритель *(в театре, в кино)* member of the audience; *(на стадионе)* spectator; *(наблюдатель)* onlooker

зрительный *(память, восприятие)* visual; **зрительный зал** auditorium; **зрительный нерв** optic nerve

зря *(без пользы)* for nothing in vain; **~ тратить деньги/время** to waste money/time; **~ты ему это сказал** you shouldn't have him about it; **ты ~ купил эту книгу** there was no need to buy this book

зрячий sighted

зуб tooth *(мн* teeth); *(пилы, шестерни)* tooth *(мн* teeth); *(грабель, вилки)* prong; **у нее ~на ~ не попадает** her teeth are chattering; **говорить сквозь зубы** to talk through one's teeth; **это мне не по ~ам**

it's too much for me; **он воору-жен до ~ов** he's armed to the teeth; **она на него ~ имеет** she bears a grudge against him; **ни в ~ ногой** he doesn't have a clue; **зуб мудрости** wisdom tooth

зубастый (*щука, собака*) with big sharp teeth; (*разг*) sharp-tongued

зубец (*пилы, шестерни*) tooth (*мн* teeth); (*гребень, вилки*) prong

зубило chisel

зубной dental; **~ая боль** toothache; **~ая паста** toothpaste; **~ая щетка** toothbrush; **~ врач** dentist; **~ про-тез** dentures

зубоврачебный ~кабинет dental surgery (*BRIT*), dentist's office (*US*)

зубоскал scoffer

зубоскалить to scoff

зубочистка toothpick

зубр bison; (*перен: ретроград*) die-hard; (*разг: опытный специа-лист*) boffin

зубрила (*разг*) swot (*BRIT*), grind (*US*)

зубрить to swot (*BRIT*), grind (*US*)

зубчатый (*стена, башня*) castellated; **~ое колесо** cog (wheel); **~ая пе-редача** toothed gear; **~край** serrated edge

зуд itch

зудеть (*чесаться*) to itch; (*пчела, ко-мар*) to buzz; (*перен: нудиться*) to nag

зыбкий (*поверхность озера*) ripply; (*грунт, болото*) swampy; (*осно-вание*) shaky; (*перен: положение*) unstable

зыбучий ~ие пески quicksands *мн*

зыбь ripple

зычный (*голос*) booming; (*хохот*) thunderous

зябко (*разг: холодно*): **мне ~ I** feel chilly

зяблик chaffinch

зябнуть to be cold

зябь field ploughed in autumn ready for sowing in the spring

зять (*муж дочери*) son-in-law; (*муж сестры*) brother-in-law, sister's husband; (*муж золовки*) brother-in-law (*husband's sister's husband*)

И

и and; but; although

ибо *союз* (*так как*) for, because

ива willow

иван-чай rosebay willowherb

ивняк osierbed

ивовый willow

иволга oriole

игла needle; (*у ежа*) spine; (*проиг-рывателя*) stylus

иглистый needle-like; prickly, thorny

иглодержатель мед. needleholder; (*проигрывателя*) cartridge

иглоукалывание acupuncture

игнорировать to ignore

иго (*рабства*) yoke

иголка сидеть как на ~ках to be on tenterhooks

игольник needle-book, needle-case

игольный ~ое ушко eye of a needle

игольчатый мех. spiky; (*подшипник*) needle

игорный ~дом gaming club

игра game; (*на скрипке*) playing; (*актера*) performance; **~ вообра-жения** fantasy; **~слов** play on words

игральный ~ые карты playing cards *мн*

играть to play; (*пьесу*) to perform; **~(сыграть) в спорт.** to play; **~ в прятки** to play hide-and-seek (*BRIT*) или hide-and-go-seek (*US*); **~людьми/в демократию** to play with people/at democracy; **~ на муз.** to play; **~ конем/королем** to play one's knight/king; **~ (сыг-рать) на чьих-н слабостях** to play on sb's weaknesses; **на чьих-н нервах** to irritate sb; **сыграть свадьбу** to celebrate a wedding; **вино ~ло в бокале** the wine sparkled in the glass

играючи (*легко*) with one's eyes closed

игривый playful

игристый sparkling

игровой ~ая комната playroom; **~ые виды спорта** team sports; **игро-вой автомат** fruit machine

игрок player; *(в азартные игры)* gambler

игротека *(собрание игр)* compendium *(BRIT)*; *(комната)* games room

игрушечный toy; tiny

игрушка toy; puppet; **ёлочные ~ки** Christmas tree decorations

игумен *sm.* abbot; **~ья** abbess, Mother superior

идеал ideal; **~демократии** democratic ideal; **он - мой ~** he's someone I look up to

идеализировать to idealize

идеализм idealism

идеалист idealist

идеалистический idealistic

идеалистичный idealistic

идеальный ideal

идейный *(идеологический)* ideological; *(прогрессивный)* radical; **~йная основа романа** the main theme of the novel

идентифицировать to identify

идентичный identical

идеолог ideologist

идеологический ideological

идеология ideology

идея idea; **по ~e** supposedly; **по ~e** in accordance with; **подавать (подать) кому-н ~ю** to give sb an idea

идиллический idyllic

идиллия idyll

идиома idiom **идиот** мед. idiot

идиотизм мед. mental retardation; *(глупость)* idiocy

идиотский idiotic

идол idol

идти to go; *(пешком)* to walk; *(дни, годы)* to go by; *(фильм, спектакль)* to be on; *(часы)* to work; *(товар)* to sell

иезуит Jesuit

иерархия hierarchy

иероглиф *(китайский, японский)* character; *(египетский)* hieroglyph *(мн* hieroglyphics)

Иерусалим Jerusalem

иждивенец *(ребенок, престарелые)* dependant; *(бездельник)* sponger

иждивение maintenance; **состоять** *или* **быть на ~и у** to be dependent on

иждивенчество dependence

из out of; **он вышел из комнаты** he went out of the room; **она достала из кармана платок** she took a handkerchief out of her pocket; *(при обозначении происхождения источника)* from; **сведения из книги** information from a book; **из достоверных источников** from reliable sources; **я из Москвы** I am from Moscow; *(при выделении части из целого)* of; **вот один из примеров** here is one of the examples; *(при обозначение компонентов целого)* made of; **это стол сделан из сосны** this table is made of pine; **ваза из стекла** a glass vase; **варенье из яблок** apple jam; **блуза из нейлона** nylon blouse; *(при указании причины)* out of; **из осторожности/зависти** out of wariness/envy; **из экономии** in order to save money; *(во фразах):* **из года в год** year in, year out; **я бежал изо всех сил** I ran at top speed

из from, out of

изба hut

избавитель saviour

избавить ~ кого-н от *(проблем, от забот)* to relieve sb of; *(от врагов)* to deliver sb from

избавиться (избавляться) ~ся от *(проблем, от посетителей)* to get rid of; *(от страха, от предрассудков)* to get over

избавление liberation, rascue

избалованный spoilt

избаловаться to become spoilt

избегать to run around

избегать *от* **избежать, избегнуть; ~чего-н** to avoid sth/doing

избежание во ~ to avoid

избежать (бежать; избегать) to avoid

избиение beating; *(массовое убийство)* massacre

избиратель voter

избирательный *(система)* electoral; selective; **~ная кампания** election campaign; **избирательный участок** polling station; **избирательный бюллетень** ballot paper

И

избирать to elect

избитый cliched, hackeyed

избить *(человека)* to beat; *(обувь)* to wear out

избрание election

избранник chosen one; **~судьбы** fate's darling; **народные ~и** deputies

избранные select *или* chosen few мн

избранный *(рассказы, стихи)* selected; *(люди, круг)* select; *см* **избранные**

избрать *(профессию)* to choose; *(президента)* to elect; **избирать кого-н в парламент** to elect sb to parliament

избыток *(излишек)* surplus; *(обилие)* excess; **иметь что-н в ~ке** to have plenty of sth; **этого хватит с ~ком** it is more than enough; **она заплакала от ~ка чувств** overwhelmed by emotion, she burst into tears

избыточный *(вес, влага)* excess; *(информация)* abundant; **-ное предложение** экон. excess supply

изваяние effigy

изведать to come know

изверг monster

извергнуть to spew (out)

извержение eruption

извериться **~в** to lose faith in

извернуться to twist around; *(перен)* to pull through

извести *(истратить)* to fritter away; *(измучить)* to exasperate; *(истребить)* to exterminate

известие news; *см также* **известия**

известись to torment o.s.

известить **~ кого-н о** to inform sb of

известия *(издание)* bulletin

известка slaked lime

известно **~, что...** it is well known that..; **мне это ~** I know about it; **насколько мне ~** as far as I know; **как ~** as is well known

известность fame; **пользоваться ~ю** to be well know; **ставить (поставить) кого-н в ~** to inform sb

известный famous, wellknown; *(разг: лентяй, бабник)* notorious; *(условия)* certain; well know for;

он ~ен как талантливый руководитель he is known to be a talented leader; **~ное дело!** that's no surprrise!

известняк limestone

известь lime

извечный *(проблема, спор)* perpetual

извещать to advise, announce; to inform

извещение notification; *ком.* advice note; **почтовое ~** signed receipt of delivery

извиваться *(змея)* to slither; *(человек)* to writhe; *(дорога, река)* to wind

извилина bend; **~ мозга** convolution

извилистый winding, twisting

извинение apology; *(оправдание)* excuse; **просить (попросить) ~я (у кого-н)** to apologize (to sb)

извинительный *(улыбка, тон)* apologetic; excusable, forgivable

извинить *(простить)* to excuse; **~что-н (кому-н)** to excuse (sb for) sth; **~йте! excuse me!;** **~ите, Вы не скажете где вокзал?** excuse me, could you tell me where the station is?; **в этом, ~ите, я с Вами не согласен** sorry, but I cannot agee with you on that

извиниться **~ся** to apologize (for); **он ~ился, что не позвонил** he apologized for not phoing *(BRIT)* *или* calling *(US)*

извиняющийся apologetic

извлечение *(золота, пользы)* extaction; *(из документа)* extact, excerpt

извлечь *(занозу, осколок)* to remove, take out; *(золото)* to extract; *(пользу, выгоду)* to derive; **извлекать урок** to learn a lesson; **извлекать корень** мат. to find the root

извне from outside

извозчик *(кучер)* coachman (мн coachmen); *(экипаж)* cab *(coach)*

изволить to condescend to do; **~ьте не кричать** would you mind not shouting

изворотливый *(человек)* wily; *(ум, делец)* shrewd

извратить to distort

извращение distortion; **половое ~** sexual perversion

извращенный perverted

изгадить to mess up

изгиб bend

изгладить ~что-н из памяти to blot sth out of one's memory

изгладиться to be blotted out

изгнание *(ссылка)* exile; *(врага)* expulsion; *(злых духов)* exorcism

изгнанник exile

изгнать to drive out; *(сослать)* to exile

изгой outcast

изголовье у ~я at the head of the bed

изголодаться to be starving; *(по книгам)* to long *или* yearn for; **~ по ласке** to crave affection

изгородь fence; **живая ~** hedge

изготовить to manufacture

изготовление manufacture

изгрызть to gnaw (away) at

издавать *несов от* издать

издавна for a long time

издалека from a long way off *или* away; **начать (начинать) разговор ~** to start conversation in roundabout way

издание *(действие)* publication; *(изданная вещь)* edition

издатель publisher

издательский publishing

издательство publisher, publishing house

издать *(книгу)* to publish; *(закон, постановление)* to issue; *(крик, стон)* to let out; *(запах)* to give off

издевательский *(насмешливый)* mocking, scoffing; *(оскорбительный)* abusive

издевательство mockery; *(наглое)* jibe; *(жестокое)* abuse

издеваться *(над подчиненными)* to make a mockery of; *(над книгой)* to pour scorn on; *(над чьей-н одеждой)* to mock, ridicule

издевка jibe

изделие *(товар)* article; **ювелирные ~я** jewellery *(BRIT)*, jewelery *(US)*; **стеклянные ~я** glassware; **игрушка кустарного ~я** handmade toy

издерганный edgy

издергать to put on edge

издергаться to become adgy

издержать *(деньги)* to use up; *(ресурсы)* to exhaust

издержки *(мн (производственные)* expenses *мн;* **судебные ~** legal costs; **это все ~ плохого воспитания** It's all the result of bad upbringing

издыхание: при последнем ~и on one's deathbed

издыхать (издохнуть) to die *(of animals only)*

изжить *(плохую привычку)* to overcome; *(преступность)* to eliminate; **изживать себя** outlive its usefulness

изжога heartburn

из-за *(занавески)* from behind; *(угла)* from around; *(по вине)* because of; **вставать (встать) ~ стола** to get up from the tadle; **~того что** because; **~ тебя мы пропустили поезд** we missed the train because of you

иззябнуть to be frozen stiff

излечение *(лечения)* treatment; *(выздоровление)* recovery; **быть на ~и** to undergo treatment

излечиваться *(болезнь)* to be curable

излечимый curable

излечить ~ кого-н от to cure sb (of)

излечиться *(от болезни)* to recover from; *(от наркомании, от алкоголизма)* to be cured of

излить *(тоску)* to pour out; **изливать душу** to pour one's heart out; **изливать гнев** to vent one's anger

излиться (изливаться) to pour one's heart out; **изливаться в благодарностях** to express one's great appreciation

излишек *(остаток)* remainder; *(влаги; веса)* excess of

излишество overindulgence

излишний unnecessary; **комментарии ~ни** there is nothing to add

излияние *(чувств)* gush; *(обычно мн: дружеские, любовные)* outburst

изловчиться *(приспособиться)* to manage

изложение presentation

изложить *(события)* to recount; *(просьбу, решение)* to state

излом facture; **~анный** broken

изломанный *(судьба, жизнь)* ruined; *(характер)* unbalanced

изломать *(забор, игрушку)* to smash; *(перен: жизнь)* to ruin; *(характер)* to unbalance

излучать to radiate

излучаться to radiate

излучение radiation

излучина bend

излюбленный favourite *(BRIT)*, favorite *(US)*

измазывать (измазать) to grease, oil, smear

измалывать to grind

измельчиться to crumble

измена *(родине)* treason; *(другу)* betrayal; **государственная ~** high treason; **супружеская ~** adultery

изменение change; *(поправка)* alteration

изменить to change; *(родине, другу)* to betray; *(супругу)* to be unfaithful to; *(память)* to fail; **силы ему ~енили** his strength failed him

измениться to change

изменник *(родине)* traitor

изменчивый changeable

изменяемый ~ое окончание variable ending **измерение** *(действие: площади)* measurement; *(величина)* dimension

измерительный measuring

измерять to measure; **измерять температуру кому-н** to take sb's temperature; **~кого-н взглядом** to look sb up and down

измеряться ~ килограммами/метрами to be measured in kilogrammes/metres *(BRIT)* или meters *(US)*

измождение exhaustion

измождённый *(человек)* worn out; *(лицо, вид)* haggard

измокнуть to get soaked

измор: взять кого-н/что-н ~ом *(город)* to wage a war of attrition against sb/sth; *(перен: разг)* to wear down

изморозь hoarfrost

изморось drizzle

измотать to wear out

измотаться to be worn out

измученный *(человек)* worn out; *(лицо)* haggard

измучивать (измучить) to torment, weary; to harass

измываться ~над to taunt

измышление fabrication

изнанка *(одежды)* inside; *(ткани)* wrong side; *(перен: жизни, событий)* dark side

изнасилование violation

изначальный initial

изнеженный pampered

изнежить to pamper

изнежиться to be pampered

изнеможение exhaustion; **до ~я** to the point of exhaustion

изнемочь to be exhausted

износ *(механизмов)* wear; *(перен: организма)* ageing; **работать на износ** to work o.s. into the ground

износить to wear out

износиться to wear out

изношенный worn-out

изнурённый *(человек)* exhausted; *(лицо, вид)* haggard

изнурительный exhausting

изнурить to exhaust

изнутри from inside

изнывать to languish

изобилие abundance; **в ~и** in abundance

изобиловать to abound in

изобильный abundant

изобличать *(обнаружить):* **~кого-н в** *(одежа, акцент)* to give sb away as

изобличить *(шпиона, взяточника)* to expose; **изобличать кого-н во лжи/в мошенничестве** to expose sb's lies/deception

изображение image; *(действие: событий)* depiction, representation

изобразительный descriptive; **изобразительное искусство** line art

изобразить *(на картине, в романе)* to depict, portray; *(лицо)* to show; *(копировать)* to impersonate; **изображать из себя наивного/знатока** to make o.s. out to be naive/an expert

изобразиться to show; **на его лице ~зился ужас** a look of horror came over his face

изобрести to invent

изобретатель inventor

изобретательность inventiveness

изобретательство innovation

изобретение invention

изогнуть to bend

изогнуться to bend

изодрать to rip to shreds

изойти ~слезами to cry one's eyes out; **она ~шла горем** she was completely grief-stricken

изолированный *(случай, явление)* isolated; *(комната, провод)* insulated

изолировать *(больного, преступника)* to isolate; *(вход)* to cut off; *тех.,элек.* to insulate

изолироваться *(человек)* to isolate o.s.

изолятор *тех., элек.* insulator; *(в больнице)* isolation unit; *(в тюрьме)* solitary confinement

изоляционный ~ая лента insulating tape

изоляция isolation; insulation; **жить в ~и** to live in isolation

изорванный tattered

изорвать to rip up; **~в клочья** to rip to shreds

изотоп isotope

изощренный sophisticated

изощриться *(отличиться)* to surpass o.s.; *(вкус, ум)* to become sophisticated

изощряться to excel in

из-под from under(neath); *(около)* from outside; **~стола выползла кошка** a cat crawled from under the table; **он приехал ~ Киева** he comes from outside Kiev; **выходить (выйти) ~чьего-н влияния** to free o.s.from sb's influence; **бежать ~ стражи** to escape from custody; **банка ~ варенья** jam jar; **бутылка ~ водки** vodka bottle

изразец tile

изразцовый tiled

Израиль Israel

израильский Israeli

израильтянин Israeli

изранить to injure badly

израсходовать to spend

изредка now and then *или* alain

изрезать to cut up; *(дороги, каналы)* to crisscross

изречение utterance

изречь to utter

изрешетить ~кого-н пулями to pepper sb with bullets

изрубить *(убить)* to hack to pieces

изрыгать *(лаву)* to spew (out); *(проклятия)* to let out a torrent of

изрытый *(поверхность)* pitted; **~ слой** pockmarked

изрыть to riddle

изрядный *(сумма, доход)* fair; *(мошенник, пьяница)* real

изувер monster

изуверский monstrous

изуверство monstrosity

изувечить to maim

изувечиться to maim

изукрасить to adorn; *(избить)* to beat black and blue

изумительный marvellous *(BRIT)*, marvelous *(US)*, wonderful

изумить to amaze, astound

изумиться to be amazed

изумление amazement; **приходить (прийти) в ~** to be amazed; **с ~м** *(слушать, рассматривать)* in amazement; **я с ~м обнаружил, что...то** my great amazement I discovered that

изумруд emerald

изумрудное *(кольцо)* emerald; *(цвет)* emerald-green

изучать to study

изучение study

изучить to learn; *(понять)* to get to know; *(исследовать)* to study

изъездить to travel (round)

изъеденный ~ молью motheaten; **~ кислотой** eaten away by acid

изъесть *(мех, ткань)* to eat away; *(металл)* to corrode

изъявительный ~ое наклонение the indicative mood

изъявить to indicate

изъязвление ulceration

изъян flaw

изъяснить to clarify

изъятие withdrawal; removal

И

изъять *(из обращения, из продажи)* to withdraw; *(отобрать)* to remove

изыскание investigation; *(геологические)* exploration

изысканный refined

изыскатель surveyor

изыскательский exploratory

изыскать to find

изыскивать *(искать)* to seek out

изюм raisins *мн*

изюмина raisin

изюминка highlight; без ~ки lacklustre

изящество elegance

изящный elegant

Иисус Jesus

икать to hiccup

икнуть to hiccup

икона рел. icon

иконописец icon painter

иконопись icon painting

иконостас iconostasis

икота hiccups *мн*

икра *(рыбы)* roe; *(черная, красная)* caviar; *(кабачковая, баклажанная)* pate; анат. calf *(мн* calves)

икринка grain of caviar

икс мат. X; мистер И~ Mr X

ил silt

или or; either... or

илистый silt

иллюзионист conjurer

иллюзия illusion

иллюзорный illusory

иллюминатор *(корабля)* porthole; *(самолета)* window

иллюминация illuminations *мн*

иллюстратор illustrator

иллюстрация illustration

иллюстрированный illustrated, pictorial

иллюстрировать to illustrate

ильм (а) elm

им *см* он, оно, они

имбирь ginger

имение estate

именины рел. name day

именительный ~падеж the nominative case

именитый renowned

именно namely; particularly

именной *(оружие, часы)*

personalized; *(акции, чек)* non-transferable; именной пропуск pass; именной список nominal roll

именовать to name

иметь to have; to possess

иметься *(сведения, средства)* to be avaible; у нас ~ются средства we have the necessary resouces avaible

ими by them

имидж image

имитация imitation

имитировать to imitate

иммигрант immigrant

иммиграционный immigration

иммиграция immigration; immigrants *мн*

иммигрировать to immigrate

иммунитет *мед.* ~ к immunity (to); вырабатывать (выработать) ~к develop an immunity to; у меня ~ к шуму/критике I'm immune to noise/criticism; дипломатический ~ diplomatic immunity

иммунология immunology

императив imperative

император emperor

императорский imperial

императрица empress

империализм imperialism

империалист imperialist

империалистический imperialistic

империя empire

имперский imperial

импичмент *полит.* impeachment

имплантант *мед.* implant

имплантация implantation

имплантировать to implant

импонировать to appeal to

импорт importation *(товары)* imports *мн.* *(о заграничных товарах)* foreign goods *мн.* пошлины/налог на ~ import duty/tax; импорт капитала capital investment from abroad

импортер importer

импортировать to import

импортный imported; импортная квота import quota

импотент impotent male

импотентный *мед.* impotent

импотенция *мед.* impotence

импрессарио *(музыканта)* agent; *(устроитель концертов)*

impressario
импрессионизм impressionism
импрессионический impressionist
импровизатор improviser
импровизация improvisation
импровизировать to improvise
импульс физ., био impulse; *(к работе, к реформациям)* impetus (for)
импульсивный impulsive
имунный мед. ~**ая система** immune system
имущественный property
имущество property; *(принадлежности)* belongings *мн*; **движимое** ~ юрид. movables; **недвижимое** ~ юрид. property
имущий *(классы)* propertied; **власть** ~**ие** the powers that be
имя name; noun
инакомыслящий dissident
иначе *(по другому)* differently; otherwise, or else; **выглядеть** ~ to look different; **так или** ~ one way or another; **а как же** ~? how else
инвалид disabled person *(мн* people)
инвалидность disability; **пенсия по** ~**и** disablement benefit; **получать (получить) to** be registered as disabled
инвалидный ~**ая коляска** wheelchair; **инвалидный дом** home for the disabled
инвалюта *сокр.* (=*иностранная валюта)* foreign currency
инвалютный *(поступления, счет)* foreign-currency
инвентаризация stocktaking
инвентарь *(предметы)* equipment; *(опись)* inventory
инверсия линг. inversion
инвестировать экон. to invest
инвестиционный investment; **инвестиционный банк** investment bank
инвестиция *(обычно мн)* investment; **иностранные** ~**и** foreign investment; **доход от** ~**й** investment income
инвестор investor
ингалятор мед. inhaler
ингаляция inhalation

ингредиент ingredient
ингуш Ingush
Ингушетия Ingushetia
индеветь to become covered in frost
индеец Native American, North American Indian
индеец Indian
индейка turkey
индекс *(цен, книг)* index *(мн* indexes); **почтовый** ~ post *(BRIT)* или zip *(US)* code; **фондовый** ~ share index; **индекс (розничных/потребительских цен)** (retail/consumer) price index
индексация экон. index-linking *(BRIT),* indexing *(US)*
индексировать *(экон: зарплату)* to index, index-link *(BRIT)*
индивид individual
индивидуализм individualism
индивидуалист individualist
индивидуальность *(совокупность черт)* individuality; *(личность)* individual
индивидуальный individual
индивидуум individual
индиго indigo
индийский Indian; **Индийский оеан** the Indian Ocean
Индия India
индонезиец Indonesian
индонезийский Indonesian
Индонезия Indonesia
индоссант ком. endorser
индоссат ком. endorsee
индуизм Hinduism
индуктивный inductive
индукция физ. induction
индус Hindu
индустриализация industrialization
индустриализировать to industrialize
индустриальный industrial
индустрия industry; ~**моды/кино/туризма** the fashion/film/thourist industry
индюк turkey cock
иней hoar-frost
инертный физ., хим. inert; *(перен)* inactive
инерция физ. inertia; **двигаться по** ~ **и** to move by inertia; **делать что-н по** ~**и** to do sth out of habit; **я по** ~**и дал ему старый телефон** I

gave him my old telephone number automatically

инженер engineer; ~ **по технике безопасности** health and safely officer; **инженер-механик/-конструктор/-строитель** mechanical/design/construction engineer

инженерный ~**ая наука** engineering; ~**ое дело** engineering *(profession)*

инжир *(дерево)* fig; *(плоды)* figs *мн*

инициализировать *комп.* to initialize

инициалы *мн* initials

инициатива initiative

инициативный enterprising; **он очень** ~ **человек** he has a lot of initiative; **инициативная группа** action group

инициатор initiator

инкассатор security guard *(employed to collect and deliver money)*

инкассировать *ком.* to encash

инкассо *ком.* encashment

инквизитор inquisitor

инквизиция inquisition

инкриминировать что-н кому-н charge sb with sth

инкубатор incubator

инкубационный ~**период** био., мед. incubation period

инкубация incubation

иноверец *sm.* dissenter, heterodox

иноверие dissent, heterodoxy

иногда sometimes

иногородний from another town ◇ person from another town

иноземец *sm.* alien, stranger

иноземный foreign

инок monk *(in the Orthodox Church)*

инопланетянин alien

инородный alien; **инородное тело** *мед.* foreign body

иносказание allegory

иносказательный allegorical

иностранец foreigner

иностранный foreign; **Министерство** ~**ых дел** Ministry of Foreign Affairs, = Foreign Office *(BRIT)*, =State Department *(US)*

иноязычный *(слово)* foreign; ~**ое население** foreign-language-speaking population

инсинуация insinuation

инспектировать to inspect

инспектор inspector

инспекция inspection; *(организация)* inspectorate

инстанция полит. body, authority

инстинкт instinct

инстинктивный instinctive

институтский institute

инструктировать to instruct

инструктор instructor; ~ **по плаванию/лыжам** swimming/ski instructor

инструкция instructions *мн.* ~**по эксплуатации** instructions (for use)

инструмент *муз., тех.* instrument; *мн* instruments

инструментальный *муз.* instrumental; **инструментальная музыка** instrumental music; **инструментальный ансамбль** instrumental ensemble; **инструментальный цех** workshop

инсулин insulin

инсульт *мед.* stroke

инсценировать *(перен: обморок, ограбление)* to stage; *(роман)* to adapt

инсценировка adaptation

интеграл integral

интегральный ~**ое исчисление** integral calculus

интеграция *мат.* integration

интегрировать *мат.* to integrate

интеллигент member of the intelligentsia

интеллект intellect

интеллектуал intellectual

интеллектуальный intellectual; **интеллектуальная собственность** intellectual property

интеллигентный cultured and educated

интеллигенция the intelligentsia; **техническая/творческая** ~ the science/arts community

интендант *воен.* quartermaster

интенсивный intensive; *(окраска)* intense

интенсификация intensification

интенсифицировать to intensify

интерактивный ком. interactive

интервал interval; *типог.* spacing; **с~ом в 10 минут** with a 10 minute interval

интервент interventionist

интервенция intervention

интервью interview; **брать (взять)/ давать (дать)** ~ to do /give an interview

интерес ~ **к** interest (in); **представлять** ~ **для** to be of interest (to);

интересно, ~**он очень** ~ **рассказывает** he is very interesting to listen to; ~**,(что)** it's interesting (that...); **мне это очень** ~ I find it/that very interesting; **это никому не** ~ that in of no interest to anyone; ~**где он это нашёл** I wonder where he found that; ~**знать, где он был** I'd be interested to know where he was; **как** ~**!** that's really interesting!; *(разг: выражает недовольство, возражение)* so!; **она** ~ **мыслит** she has an interesting way of thinking

интересный interesting; *(внешность, женщина)* attractive

интересовать to interest

интересоваться to be interested in; *(осведомляться)* to inquire after; **он** ~**овался, когда ты приезжаешь/где ты будешь жить** he was asking when you would be arriving/where you would live

интересы *(государства, фирмы)* interests *мн; (духовные)* concerns *мн;* **в** ~**ах** in the interests of; **затрагивать (затронуть)** *или* **задевать (задеть) чьи-н** ~ to touch on sb's interests

интерлюдия *муз.* interlude

интермедия *театр.* interlude

интерн *мед.* =houseman *(BRIT) (мн* housemen), =intern *(US)*

интернат boarding-school

интернационал *ист.* the International

интернационализация internalization

интернационализм internationalism

интернационалист internationalist

интерпретатор interpreter

интерпретация interpretation

интерпретировать to interpret

интерфейс interface

интерьер *(здания)* interior

интимный intimate

интоксикация intoxication

интонация *муз.* intonation; *(недовольная, тревожная)* note

интрига *(политическая)* intrigue; *(любовная)* affair; *(романа)* plot

интриган intriguer

интриговать to intrigue; ~**против** to intrigue against

интроверт introvert

интуитивный intuitive

интуиция intuition

инфаркт ~**миокарда** heart attack; **обширный** ~ **(миокарда)** massive heart attack

инфекционный infectious; **инфекционная больница** hospital for infectious diseases

инфекция infection

инфинитив infinitive

инфицированный infected

инфляционный inflationary

инфляция *экон.* inflation

информативный informative

информатика information technology

информатор informant

информационный information; **информационная программа** news programme *(BRIT) или* program *(US)*

информация information

информированный well-informed

информировать to inform

инфракрасный infrared

инфраструктура infrastructure

инцидент incident

инъекция injection

иод iodine

ион ion

иорданец Jordanian

Иордания Jordan

иорданка Jordanian

иота iota, jot

ипостась *рел.* hypostasis; **в** ~**и** in the role of

ипотека *ком.* mortgage

ипотечный mortgage; ~**ая ссуда** mortgage; ~**банк** =building society

ипохондрия hypochondria

ипохондрик hypochondriac

ипподром racecourse *(BRIT),* racetrack *(US)*

иприт mustard gas

Ирак Iraq

И

иракец Iraqi

иракский Iraqi

Иран Iran

иранец Iranian

иранский Iranian

ирбис lynx

ирис *бот.* iris; *(нитки)* thread *(for embroidery etc)*

ирис *(конфета)* toffee

ириска toffee

ирландец Irishman *(мн Irishmen)*

Ирландия Ireland

ирландка Irishwoman *(мн Irishwomen)*

ирландский Irish

иронизировать ~ **над** to be ironic (about)

ироничный ironic

ирония irony; ~**судьбы** the irony of fate

иррациональный irrational

иррегулярный ~**ые войска** irregular forcess; *мн* irregulars

ирригация irrigation

иск lawsuit; **встречный** ~ counterclaim; **денежный** ~ damages; **предъявлять (предъявить) кому-н** ~ to take legal action against sb

искажение *(фактов)* distortion; *(в тексте)* error

исказить *(факты, смысл)* to distort; *(лицо)* to contort; *ком.* to corrupt; **злоба ~зила его лицо** his face contorted with malice

исказиться *(изображение, смысл)* to be distorted; *(выражение лица, голос)* to contort

искание *(обычно мн: творческие, научные)* quest

искатель *(золота)* prospector; *(стремящийся к новому)* explorer; ~**приключений** adventure seeker

искательница *см* искатель

искать to look *или* search for

исключая excluding; **не** ~ including

исключение *(из списка, из очереди)* exclusion; *(из института)* expulsion; *(отклонение от нормы)* exception; ~ **из правила** exception to the rule; **за** ~**м** with the exception of; **делать что-н в виде** ~**я** to make an exception of sth

исключительно *(особенно)* exceptionally; *(только)* exclusively

исключительный exceptional; *(право)* exclusive

исключить *(удалить из списка)* to exclude; *(:из института)* to expel; *(ошибку, случайность)* to exclude the possibility of; **это** ~**ено** that is out of the question; **компромис** ~**ен** a compromise is out of the question

исковеркать to mutilate; to corrupt

исколесить to travel; **он** ~**сил весь мир** he's been all over the world

искомкать to crumple

искомый *мат.* ~**ая величина** unknown value; *мат.* unknown

исконный *(население)* original; *(право)* intrinsic; ~**язык** the vernacular

ископаемое fossil; **полезное** ~**mineral**

ископаемый *(животное, растение)* fossilized

искоренить to eradicate

искоса *(взлянуть, смотреть)* sideways; **смотреть** ~ **на кого-н** to look askance at sb

искра *(огня)* spark; *(снега, бриллианта)* glint, glisten; **у меня** ~**ы из глаз посыпались** began to see stars; **зародить в ком-н** ~**у надежды** to give sb a glimmer of hope

искренне sincerely; ~**Ваш** Yours sincerely

искренний sencere

искренность sincerity

искривить to bend

искривление bend; **искривление позвоночника** *мед.* curvature of the spine

искристый glistening, sparkling

искриться to glisten, sparkle

искрометный *(взгляд)* fiery; *(остроумие)* sparkling

искромсать to chop up, mince

искупить *(вину, поступок)* to atone for, expiate; *(возмещать, также рел.)* to redeem

искупление *(вины, проступка)* atonement, expiation; *рел.* redemption

искусать *(комары)* to bite all over; *(пчелы)* to sting all over

искуситель tempter

искусник master

искусный (*работник*) skillful (*BRIT*), skilful (*US*); (*работа*) fine

искусственник bottle-fed baby

искусственный artificial; (*волокно, ткань, камин*) synthetic; tex. fake; (*притворный смех*) faked; **искусственное дыхание** artificial respiration; **искусственный интеллект** artificial intelligence; **искусственный спутник Земли** artificial satellite

искусство art; **делать что-н из любви к ~у** (*разг*) to do sth for its own sake

искусствовед art historian

искусствоведение art history

искушать to tempt; **~ судьбу** to tempt fate

искушение temptation; **поддаваться (поддаться) ~ю** to give in to temptation

искушённый (*зритель, публика*) sophisticated; (*политик*) seasoned; (*женщина*) worldly; **он искушён в таких делах** he is well versed in such matters

исламский Islamic

исландец Icelander

Исландия Iceland

исландский Icelandic; **~ий язык** Icelandic

испанец Spaniard

Испания Spain

испанский Spanish; **~язык** Spanish

испарение (*действие: воды*) evaporation; (*обычно мн: продукт*) vapour (*BRIT*), vapor (*US*)

испарина perspiration

испарить to evaporate

испариться to evaporate

испепелить to reduce to ashes; **испепелять кого-н взглядом** to give sb a withering look

испечь *от* **печь**

испещрить to speckle

исписать (*тетрадь, дневник*) to fill up; (*карандаш, ручку*) to wear out; (*бумагу*) to use up

исписаться (*карандаш*) to wear out; (*ручка*) to run out; (*разг: писатель*) to lose one's touch

испитой lean, meagre; hollow-cheeked

испить (*перен: горя, разочарований*) to suffer; (*воды*) to sup

исповедальня рел. confessional

исповедание denomination

исповедать (*религию, мораль, идею*) to profess; рел: **~ кого-н** to hear sb's confession

исповедник confessor

исповедоваться **~ся кому-н** *или* **у кого-н** to confess to sb

исповедь рел. confession

исподволь unbeknown to all

исподлобья глядеть на кого-н to look at sb with mistrust

исподтишка (*действовать*) on the sly *или* quiet

испокон **~ веков** from time immemorial

исполин giant

исполинский gargantuan

исполком (=*исполнительный комитет*) executive committee

исполнение (*приказа, указа*) execution; (*обещания, желания*) fulfilment (*BRIT*), fulfillment (*US*); (*симфонии, роли*) performance; **в ~и** performed by; **приводить (привести) что-н в ~** to carry sth out; **экспортное ~** ком. export version

исполненный full of, filled with

исполнимый (*просьба, желание*) realizable

исполнитель (*пьесы, роли*) performer; (*приказа, политики*) executive; **судебный ~** bailiff

исполнительный (*комитет, власть*) executive; (*старательный*) efficient; **исполнительный директор** executive director; **исполнительный лист** юр. court order

исполнить (*приказ*) to carry out; (*обещание, долг, желание*) to fulfil (*BRIT*), fulfill (*US*); (*танец, симфонию, роль*) to perform; **~ кого-н надеждой/радостью** to fill sb with hope/joy

исполниться (*желание*) to be fulfilled; (*надеждой, радостью*) to be filled with; **ему ~илось 10 лет** he is 10

использование use

использовать to use

испорченный *(замок)* broken; *(настроение)* bad; *(ребенок)* spoilt; ком. corrupt

исправимый correctable

исправительно-трудовой (исправительно-трудовая колония) labour *(BRIT)* или labor *(US)* colony

исправительный *(меры)* corrective; **исправительные работы** юр. corrective labour

исправить *(повреждение, телефон)* to repair; *(ошибку)* to correct; *(характер, дисциплину)* to improve

исправиться *(характер, человек)* to change (for the better)

исправление *(повреждения)* repairing; *(характера)* reforming; *(текста, преступника)* correction; **вносить (внести) ~я** to make corrections to

исправный *(механизм)* in good working order; *(работник)* diligent

исправность ; в (полной) ~и in (full) working order; **все в ~ти** everything's in order

испражнение feces *мн*

испражняться to defecate

испуг fright; **в ~е, с ~у** in *или* with fright

испуганный *(человек)* frightened; *(вид, взгляд)* frightened

испустить *(крик, стон)* to let out; *(свет)* to give off, emit

испытание *(машины, прибора)* testing; *(нового работника)* trial; *(обычно мн: экзамен)* test; *(несчастье)* ordeal

испытанный *(прием)* tried and tested; *(друг)* proven

испытатель tester; **летчик-испытатель** test pilot

испытать to test; *(работника)* to try out; *(нужду, трудности, радость)* to experience

испытательный **~срок** trial period, probation; **испытательная трасса** test circuit; **испытательный полет** test flight

испытующий взгляд searching look

иссечь *(кнутом)* to flog

иссиня- **черный** blue-black

исследование research; examination; *(научный труд)* study; **заниматься ~ями в области** to conduct research into

исследователь researcher

исследовательский **~ая работа** research; **~институт** reserch institute

исследовать to research; *(больного)* to examine

иссохнуть *(водоем)* to dry up; *(трава)* to dry out; *(исхудать)* to wither away

исстари since days of old

исстрадаться to suffer a great deal

исстрелять *(патроны)* to use up

исступление frenzy; **приходить (прийти) в ~** to go into a frenzy

исступленный frenzied

иссушать (иссушить) to shrink, wither

иссякнуть *(источник, запасы)* to run dry; *(перен: терпение, силы)* to run out

истасканный *(разг: вид)* bedraggled

истаскать *(разг)* to wear out

истаскаться to wear out

истаять to melt, thaw; to pine, waste away

истеблишмент Establishment

истекший past, previous

истереться *(подошвы, канат)* to wear down

истерзанный *(душа, вид)* tortured

истерик hysterical man *(мн теп)*

истерика hysterics *мн*; **устраивать (устроить)** *или* **закатывать (закатить) ~у** become hysterical

истерический *(больной, смех, плач)* hysterical; **~припадок** a fit of hysterics

истеричка hysterical woman *(мн women)*

истеричный hysterical

истерия мед. hysteria

истец plaintiff

истечение по ~и *(года, месяца)* after a period of; **по ~и этого срока** once this period has elapsed; **за ~м срока Вашего паспорта** due to expiry of your passport

истечь (*срок*) to expire; (*время*) to run out; **истекать кровью** to bleed

истина truth

истинность truthfulness

истинный true

истлеть (*сгнить*) to decompose; (*сгореть*) to turn to ash

исток (*обычно мн; реки*) source *только ед;* (*перен*) source

истолкование explanation, interpretation

истолкователь commentator

истолковать to interpret

истома languor

истопить to heat up

истоптать to trample all over; (*разг: обувь*) to wear out

исторгать (*исторгнуть*) to extort, wrench

историк historian

исторический historical; (*важный: событие, решение*) historic

история (*наука, предмет*) history; (*рассказ, происшествие*) story; **попадать (попасть) в ~ю** to get a tricky situation; **со мной произошла странная/забавная ~** a strange/funny thing happened to me; **вечная ~!** it's the same old story!; **история болезни** мед. case history

истосковаться ~по to yearn for

источать (*аромат, свет, тепло*) to emit; (*ненависть, доброту*) to exude

источник (*водный*) source, spring

источник (*крик*) desperate

истощение (*организма*) depletion; (*средства, запасов*) exhaustion; **~ нервной системы** nervous exhaustion; **доводить (довести) себя до полного ~** to run o.s. into the ground

истощённый (*человек*) malnourished; drained

истощить (*организм*) to run down; (*почву, ресурсы*) to deplete

истощиться (*силы, организм, почва*) to become depleted; (*запасы, терпение*) to run out

истребитель воен: (*самолёт*) fighter (plane): (*лётчик*) fighter pilot; (*тараканов, мышей*) exterminator **истребительный** (*огонь*) destructive; **~ая война** war of destruction; **~ая авиация** fighter planes

истребить (*лес, посевы*) to destroy; (*крыс, тараканов*) to exterminate

истребление destruction; extermination

истрескаться to crack

истукан idol

истый genuine

истязание torture

истязать to torture

исход outcome; **у меня деньги/терпение на ~е** my money/patience is running out; **на ~е дня** at the end of the day; **с летальным ~ом** resulting in death

исходить (*обойти*) to walk all over; **~из** (*сведения, слухи*) to emanate from; (*основываться: из данных*) to be derived from; **~одя из/от** on the basis of; **я ~ожу из того, что...** I am working on the premise that...

исходный (*идея, данные*) primary; **~тезис** premise; **~ое положение** спорт. starting position; **~ пункт** starting point

исходящий (*корреспонденция*) outgoing; **исходящий номер** админ. reference number

исхудалый emaciated

исхудать to become emaciated

исцарапать to scratch all over

исцеление healing

исцелить to heal

исцелиться to recover

исчадие ~ ада the devil incarnate

исчезновение disappearance

исчезнуть to disappear

исчеркать to scribble over

исчерпать to exhaust; **инцидент ~н** the matter is closed

исчерпаться (*запасы, терпение*) to be exhausted

исчерпываться (*разрешаться*) to end; **этим дело ~ется** the matter does not end here

исчерпывающий exhaustive

исчисление (*расходов, стоимости*) calculation; *мат.* calculus

исчислять to calculate
исчисляться *(тысячами)* to amount to
исщепать to chip, splinter
итак so, thus; and now...
Италия Italy
итальянец Italian
итальянский Italian; ~**язык** Italian
итог *(работы, переговоров)* result; *(общая сумма)* total; **в** ~**е** *(при подсчёте)* in total; **в (конечном)** ~**е** in the end; **подводить (подвести)** ~**и** to sum up
итого in total, altogether; ~, **мы заработали 100 рублей** in total *или* altogether we made 100 roubles
итоговый *(сумма, цифры)* total; *(результат)* final; **итоговый счёт** ком. financial report
итти to go; to suit; **это ему идёт** it suits him
иудаизм Judaism
иудей Israelite; ~**ский** Judaic; ~**ство** Judaism
ишак *зоол.* donkey; *(перен: работяга)* dogbody
ишачить to slog away
ишиас sciatica
ишь *(разг)*: ~**чего захотел!** you're asking a lot, aren't you?; ~ **какой он наглый!** how cheeky can he get
ищейка bloodhound; **полицейская** ~ sniffer dog
июль July
июльский July
июнь June
июньский June

Й

Йемен Yemen
йеменец Yemeni
йеменский Yemeni
йог yogi
йога yoga; **заниматься** ~**ой** to do yoga
йогурт yoghurt
йод iodine
йодный iodine
Йорк York

йота **ни на** ~**у** not one iota
йотация vowel softening
Йоханнесбург Johannesburg

К

к *(обозначает направление)* **1.** towards; **я пошёл к дому/вокзалу** I went towards the house/station; **звать (позвать) кого-н к телефону** to call sb the phone; **мы поехали к друзьям** we went to see friends; **поставь лестницу к стене** put the ladder against the wall **2.** *(обозначает добавление, включение)* to; **к уже существующим проблемам прибавились новые осложнения** new complications were added to the existing problems; **эта бабочка относится к очень редкому виду** this butterfly belongs to a very rare species **3** *(обозначает отношения)* of; **любовь к музыке/порядку** love of music/order; **он привык к хорошей еде** he is used to good food; **к моему удивлению** to my surprise **4** *(обозначает назначение)* with; **Вы хотите печенья к чаю?** would you like biscuits *(BRIT)* *или* cookies *(US)* with your tea?; **приправы к мясу** seasonings for meat
кабак tavern; *(разг)* pub
кабала slavery; **быть в** ~**е у кого-н** to be at sb's mercy
кабальный ~**труд** slave labour *(BRIT)* *или* labor *(US)*; ~**ая зависимость** slavery *(fig)*
кабан boar; *(дикий)* wild boar
кабаре cabaret
кабачок *уменьш от* кабак; *бот., кулин.* marrow *(BRIT)*, squash *(US)*
кабель cable
кабельный cable; **кабельное телевидение** cable television
кабина *(телефонная)* booth; *(грузовика)* cab; *(самолёта)* cabin; *(лифта)* cage; *(для голосования)* voting booth; **пляжная** ~**beach hut**

кабинет *(в доме)* study; *(на работе)* office; просвещ. classroom; *(врача)* surgery *(BRIT)*, office *(US)*; *полит. также* министров cabinet

каблограмма cablegram

каблук heel; **быть под каблуком у кого-н** *(разг)* to be under sb's thumb

каботаж coastal shipping

Кабул Kabul

кавалер *(в танце)* partner; *(поклонник)* suitor; *(награждённый орденом)*: **knight of**; **Георгиевский ~ knight** of St George

кавалерийский cavalry

кавалерист cavalryman *(мн cavalrymen)*

кавалерия cavalry

кавалерство knighthood

кавалькада cavalcade

кавардак mess

каверза dirty trick; **подстроить кому-н ~у** to play a dirty trick on sb

каверзник intriguer, trickster

каверзный tricky

Кавказ Caucasus

кавказский Caucasian

кавычки inverted commas *мн*; quotation marks *мн*; **открывать (открыть), закрывать (закрыть) ~** to open/close inverted commas; **в ~ках** *(перен)* in inverted commas

кагор red dessert wine

каденция cadence

кадет *воен.* cadet; *(ист: = конституционный демократ)* Cadet *(Constitution Democrat)* **кадетский** *(форма)* cadet's; **кадетский корпус** officer training corps

кадило *рел.* censer

кадить *рел.* to burn incense

кадка vat

кадмий cadmium

кадочный *(огурцы, капуста)* preserved in vats

кадр *фото, кино* shot; *(разг: работник)* worker

кадровый *(офицер, войска)* regular; *админ.* ~ая политика staffing policy

кадры *(работники)* personnel *ед*; staff *ед*; *воен.* regular army personnel *ед*; *(партийные)* cadres *мн*; **отдел ~ов** personnel department

кадык Adam's apple

каждодневный daily

каждый each, every

Казань Kazan

казарма barracks *мн*

казарменный ~ **порядок** barracks regime; **казарменное положение** confinement to barracks

казаться to look; **(мне) кажется/ казалось, что...** it seems/seemed (to me) that..; **он ~зался старше своих лет** he looked older than his years

казах Kazakh

казахский Kazakh

Казахстан Kazakhstan

казачество the Cossacks *мн*

казачий Cossack

казачок Russian dance

каземат cell

казённый public; *(отношение, язык)* officious; **на ~счёт** at public expense; **казённая квартира** tied accommodation; **казённое имущество** government property

казино casino

казна treasury

казначей treasurer

казнить to execute; *(перен)* to punish

казниться to torture o.s.

казнокрадство embezzlement of public funds

казнь execution; **смертная ~** the death penalty; **приговорить кого-н к смертной казни** to sentence sb to death

Каир Cairo

кайма hem

кайф high, kick

кайфовать *(разг: на пляже, в отпуске)* to chill out; *(от наркотиков, от вина)* to get high

как how, as, like; **~ будто** as though; **~ бы не** lest; **~ нибудь** somehow; **~ раз** exactly

какаду cockatoo

каказ Cossack

какао cocoa

какать to do a pooh

каков what; **~наглец!** what a cheek! **~он собой?** what does he look like?

какой what? which?

какой-либо *см* какой-нибудь

какой-нибудь *(тот или иной)* any; *(приблизительно)* some; **он ищет ~работы** he's looking for any kind of work; **~их-нибудь два-три месяца** in some two or three months

какофонический cacophonous

какофония cacophony

как-то *(каким-то образом)* somehow; *(в некоторой степени)* somewhat; **~раз** once; **мне было ~ не по себе** I was feeling somewhat *или* little out of sorts; **я ~ встретил его на улице** I bumped into him once in the street

как-то once: **он был ~ богат** he was once a rich man; **~еще я туда поеду** just when will I have another chance to go there?

кактус cactus *(мн* cacti)

кал excrement

каламбур pun

каламбурить to pun, make puns

каланча watch-tower; *(разг: человек)* beanpole

калач cottage loaf; **его калачом не заманишь** nothing will persuade him

калачиком свернуться ~to curl up in a ball

калейдоскоп kaleidoscope

калека cripple

календарный **~ месяц/год** calendar month/year

календарь calendar

каление incandescence; **довести кого-н до белого ~я** send sb into a blind rage

каленый red-hot; **выжигатель (выжечь)** ым железом to brand

калечить to cripple

калибр воен. calibre *(BRIT)*, caliber *(US)*, *тех.* gauge

калибровать to calibrate

калибровка calibration

калий potassium

калина guelder-rose

калитка gate

Калифорния California

каллиграфический **~ почерк** beauiful handwriting

каллиграфия calligraphy

калмык Kalmyk

Калмыкия Kalmykia

калорийность *(пищи)* calorie content; *физ.* calorific value

калория calorie

калька *(бумага)* tracing paper; *(копия)* traced copy; *линг.* calque

калькировать *(чертеж)* to trace

калькулятор calculator

кальмар squid

кальсоны *мн* long johns

кальций calcium

камбала flatfish

Камбоджа Cambodia

камбоджийский Cambodian

камбуз galley

камвольный worsted

камедь gum, resin

камелек fire-place

камелия camelia

каменеть *несов от* окаменеть

каменистый *(почва)* stony

каменноугольный coal; **~бассейн** coalfield

каменный stone; **у нее ~ое сердце** she has heart of stone; **каменный векthe** Stone Age

каменоломня quarry

каменотес stonemason

каменщик bricklayer; **вольный ~Freemason**

камень stone; **драгоценный ~** precious stone; **краеугольный ~cornerstone;** **~ в почках** kidney stone; **~преткновения** stumbling block; **у него ~ на сердце лежит** there's a weight lying heavy on his heart; **у меня ~ с души свалился** it was a great weight off my mind; **держать ~ за пазухой** to bear a grudge

камера *(тюремная)* cell; *авт.* inner tube; **телекамера, кинокамера** camera; *тех., анат.* chamber; **снимать (снять) что-н скрытой ~ой** to film sth secretly; **камера хранения** *(на вокзале)* left-luggage office *(BRIT)*, checkroom *(US)*; *(в музее)* cloakroom

камергер chamberlain

камердинер valet
камеристка lady's maid
камерный (обстановка) cosy; камерная музыка chamber music; камерный оркестр chamber orchestra
камертон tuning fork
камешек stone
камея cameo (in jewellery)
камзол frock coat
камин fire-place
камнеломка rock plant
каморка cubbyhole
кампания campaign
кампучийский Kampuchean
Кампучия Kampuchea
камуфлировать to camouflage
камуфляж camouflage
камфара camphor
камфорка rign (on stove)
камфорный ~ое масло camphorated oil
камчатка damask
камыш rushes мн
канава ditch; сточная ~gutter
Канада Canada
канадец Canadian
надский Canadian
канал (анат.) canal; (связь, тел.) channel; я буду действовать по своим ~ам shall use the means avaible to me
канализационный ~ая труба sewer pipe; канализационная сеть the sewers
канализация sewerage
каналья rogue
канарейка canary
канарский : К ~ие острова the Canary Islands, the Canaries
канат cable
канатный ~ая дорога cable car
канатоходец tightrope walker
канва (вышиваний) sampler; (перен: рассказа) outline
кандалы мн shackles
канделябр candelabra (мн candelabra)
кандидат candidate; просвещ. ~ наук Doctor
кандидатский candidate's; кандидатская диссертация = doctoral thesis; кандидатский экзамен

entrance exam for postgraduate study
кандидатура candidacy; выставлять (выставить) чью-н ~у to nominate sb
каникулы holidays мн (BRIT), vacation ед (US); парламентские ~ parliamentary recess
каникулярный holiday (BRIT), vacation (US)
канистра jerry can
канителиться to waste one's time (over)
канитель (золотая) thread; (перен) bore drag; тянуть ~ to drag things out
канифоль хим. resin; муз. rosin
канкан cancan
каннибал cannibal
каннибализм cannibalism
каноист canoeist
канон canon
канонада cannonade
канонерка gun-boat
канонизация canonization
канонизировать to canonize
каноник canon рел.
канонический рел. canonical; (правила, образец) definitive; ~ое правило canon law
каноэ canoe
кантата cantata
кантовать (окаймлять) to mount; (переворачивать) to tilt; "не ~!"" keep upright!"
канун eve; в ~ on the eve of; ~ вого года New Year's Eve
кануть (исчезнуть) to vanish; ~ в Лету или вечность to fade into obscurity; он словно в воду ~ул he vanished into thin air
канфорка top of a samovar
канцеляризм offical jargon
канцелярист clerk
канцелярия office
канцелярский office; ~слог или язык officialese
канцелярщина (формализм) red tape
канцлер (глава государства) chancellor
каньон canyon
канюк buzzard
канючить to whinge

каолин kaolin

капать *(вода)* to drip; **накапать** *(микстуру)* to pour out drop by drop; **дождь ~ет** it's spotting with rain

капелла муз chojr; рел. chapel

капеллан chaplain

капель thaw

капелька draplet; **~***(молока)* a drop of; *(счастья, правды)* a grain of; **все до последней ~ьки** every last little bit

капельку a tad *или* touch; **ну еще ~** a little bit more; **почитай хоть ~** read for just a little while at least

капельмейстер bandmaster

капельница мед.drip ; **ставить (поставить) кому-н ~у** to put sb on a drip

каперсы кулин. capers *мн*

капилляр capillary

капитал ком. capital; *(перен: политический)* power; **выпущенный акционерный ~** ком. issued capital

капитализация capitalization

капитализировать ком. to capitalize

капитализм capitalism

капиталист capitalist

капиталистический capitalist

капиталовложения capital investment

капитальный экон., ком. capital; main; *(вопрос, покупка)* major; **капитальная стена** supporting wall; **капитальное строительство** major construction work; **капитальные расходы** capital expenditure; **капитальный ремонт** major repairs; **капитальные товары** capital goods

капитан captain

капитанский captan's; **капитанский мостик** мор. bridge

капитель архит. capital

капитулировать to capitulate

капитуляция capitulation

капкан trap

капли мед. drops *мн*

капля drop; **ни ~ли** not a bit; **выпить до ~ли** to drink every last drop; **подождите одну ~лю** wait just one second; **они похожи как две ~ли воды** they're like two peas

in a pod; **в море** a drop in the ocean

капор hood, cape

капот авт. bonnet *(BRIT)*, hood *(US)*; *(халат)* housecoat

капрал corporal

каприз caprice, whim

капризничать to behave capriciously

капризный *(человек, характер)* capricious; *(мода, погода)* fickle

капрон synthetic thread

капсула мед., тех. capsule

капуста cabbage; **брюссельская ~** Brussels sprouts *мн*; **цветная ~** cauliflower

капустник amateur revue

капустный cabbage

капут магнитофону **~** the tape recorder's kaput; **ему ~** he's finished

капюшон hood

кара retribution

карабин воен. carbine; тех. karabiner

карабкаться to clamber up; *(растение)* to creep up

каравай cob *(loaf)*

караван *(судов)* convoy; *(верблюдов)* caravan

караван-сарай caravanserai

каракатица зоол. cuttlefish; *(перен)* clodhopper

каракулевый astrakhan

каракули scawl

каракуль astrakhan

карамболь cannon *(billiard)*

карамель *(леденцы)* caramels *мн*; *(жженый сахар)* caramel

карандаш pencil

карантин quarantine

карапуз fatty

карась crucian *(tupe of carp)*

карат carat *(BRIT)*, karat *(US)*

карательный punitive; **~отряд** death squad

карать to punist

каратэ karate

караул guard; **выставлять (выставить) ~** to post a guard; **стоять в ~е** to stand guard; **~l** help!

караулить to guard; *(ожидать)* to lie in wait for

карбованец karbovanets *(Ukrainian currency unit)*

К

карболовый ~ая кислота carbolic acid

карбункул *гео., мед.* carbuncle

карбюратор carburettor *(BRIT)*, carburetor *(US)*

карга hag

кардинал *рел.* cardinal

кардинально *(изменить)* drastically

кардинальный cardinal, of cardinal importance

кардиолог cardiologist, heart specialist

кардиологический *(отделение)* cardiac

кардиология cardiology

каре *воен.* square formation; *(карты)* four of a kind

карета carriage

каретка carriage

карий *(глаза)* hasel; *(масть)* chestnut

карикатура caricature

карикатурист caricaturist

карикатурный caricatured

каркас shell *(of a building)*

каркать *(ворона)* to caw; **накаркать** *(перен)* to predict the worst

карлик dwarf

карликовый *(племена)* pygmy; *(растения)* dwarf

кармадон cardamon

карман pocket; **набивать (набить)** ~ to line one's pockets; это мне не по карману I can't afford it; налоги ударили по ~у the taxes have the population hard; держи ~ шире! fat chance!; он не полезет за словом в ~ he's never short of something to say

карманник pickpocket

карманный ~ые деньги/часы pocket money/watch; карманный вор pickpocket; карманный нож pocketknife; карманные расходы petty expenses

кармашек *уменьш от* карман; *(мешочек)* pouch

карнавал carnival

карнавальный carnival

карниз *(под крышей здания)* cornice; *(над дверью)* lintel

карп carp

Карпаты *мн* Carpathians, Carpathian Mountains

карт go-cart

карта *гео.* map; **игральная** ~ (playing) card; **ставить (поставить) на ~у что-н** to put sth at stake

картавить to lisp

картавый он ~ he can't pronounce the letter "r" properly

картёжник card player

картель *экон.* cartel

картина *(кино)* picture; *(театр.)* scene; *(обычно мн: прошлого, природы)* image

картинка *уменьш от* картина; *(иллюстрация)* picture *(in book etc)*; книга с ~ми picture book; прямо как ~! it's beautiful!

картинный picture; *(красивый)* picturesque

картограф cartographer

картографировать to map

картографический cartographic

картография cartography

картон cardboard

картонный cardboard

картотека card index

картофелина potato *(мн potatoes)*

картофель *(растение)* potato plant; *(плод)* potatoes *мн;* ~ в мундире baked *или* jacket potatoes

картофельный potato; **картофельное пюре** mashed potato

карточка card; **фотокарточка** photo; **хлебная/визитная** ~ ration/business card

карточный ~ая игра card game; ~ая система rationing; ~ долг gambling debt; ~ домик *(перен)* house of cards

картошка potatoes *мн;* нос ~ой bulbous nose

картридж cartridge

картуз peaked cap

карты cards *мн;* играть в ~to play cards; раскрывать (раскрыть) свои ~ to show one's hand

карусель mery-go-round *(BRIT)*, carousel *(US)*

карцер isolation cell

карьер *тех.* quarre; *(галоп)* full gallop; **пускаться (пуститься) с места в** ~ to rush straight in

К

карьера career; **делать (сделать)** ~у to build a career for o.s.

карьеризм careerism

карьерист careerist

карьеристский careerist

касание contact

касательно concerning; **~ная линия** tangent

касаться (*дотрагиваться*) to touch; (*затрагивать*) to touch on; **это тебя не ~ется** it doesn't concern you; **что ~ется Вас, то...** as far as you are concerned...

каска helmet

каскад cascade; (*трюк*) stunt; (*перен*) flood

каскадёр stunt man (*мн* men)

Каспийское море Caspian Sea

касса *театр., кино* box office; (*железнодорожная*) ticked office; (*в магазине*) cash desk; (*аппарат*) cash register; (*ящик*) cash box; (*деньги*) cash; *типог.* case

кассационный суд court of appeal

кассация *юр.* cassation, annulment; **подавать (подать) на ~ю** to lodge an appeal

кассета (*магнитофонная*) cassette; *фото.* cartridge

кассир cashier

каста caste

кастелянша laundrywoman (*мн* laundrywomen)

кастет knuckle-duster

касторка (*разг*) =**касторовое масло**

касторовое масло castor oil

кастрировать to castrate

кастрюля saucepan

катавасия mayhem

катаклизм cataclysm

катакомбы catacombs *мн*

катализатор catalyst

каталог catalogue (*BRIT*), catalog (*US*)

каталогизировать (*книги*) to catalogue (*BRIT*), catalog (*US*)

катание на машине driving; **~на велосипеде** cycling; **~ на коньках** skating; **~ на лошади** horse (*BRIT*) *или* horseback (*US*) riding; **~ на лыжах** skiing

катапульта *тех.* catapult

катапультироваться to eject

катар catarrh

катаракта *мед.* cataract

катастрофа (*авиационная, железнодорожная*) disaster; (*перен*) catastrophe

катастрофический catastrophic, disastrous

катать (*что-н круглое*) to roll; (*что-н на колесах*) to wheel; **~ кого-н на машине** to take sb for a drive

кататься на машине/велосипеде to go for a drive/cycle; **~ ся на коньках/лошади** to go skating/horse (*BRIT*) *или* horseback (*US*) riding; **~ся от боли** to roll about in pain; **~ся со смеху** to fall about laughing; **как сыр в масле ~ся** to be in clover

катафалк hearse

категорический categoric

категоричный categorical

категория category

катер boat; **сторожевой/торпедный ~patrol/torpedo** boat

катехизис catechism

катить (*что-н круглое*) roll; (*что-н на колесах*) to wheel; (*в автомобиле*) to bomb along; **бочки на кого-н** to snipe at sb

катод cathode

каток ice *или* skating rink; **асфальтовый ~** steamroller

католик Catholic

католицизм Catholicism

католический Catholic

каторга hard labour (*BRIT*) *или* labor (*US*)

каторжанин convict (*in labour camp*)

катушка spool

каучук rubber

каучуковый rubber

кафе cafe

кафедра *прос.* department; *рел.* pulpit; (*лекторская*) rostrum; **заведующий ~ой** chair; **он получил ~у** he obtained a chair

кафедральный собор cathedral

кафель tiles *мн*

кафельный tiled

кафетерий cafeteria

кафтан caftan

качалка rocking chair

качание (*на качелях*) swinging; (*на

волнах) rocking, roll

качать *(колыбель)* to rock; *(подбрасывать)* to throw into air; *(нефть)* to pump; ~ **головой** to shake one's head; **корабль сильно ~ло** the ship was rocking violently

качаться to swing; *(на волнах)* to rock, roll; *(от усталости)* to sway

качели swing

качественно *(другой)* essentially; *(делать, работать)* to a high standard

качественный qualitative; high-quality; **качественное прилагательное** quealitative adjective

качество quality; **в ~е примера** by way of example; **я работаю в ~е механика** I work as a mechanic

качка бортовая rolling; **килевая ~** pitching

качнуть to swing

качнуться to swing

каша = porridge; **у него в голове ~** he's totally mixed up

кашалот sperm whale

кашевар army cook

кашель cough

кашемир cashmere

кашица pulp

кашка infant's food; clover

кашлянуть to cough

кашлять to cough

Кашмир Kashmir

кашне *narrow scarf, usually worn under a coat*

каштан *(дерево)* chestnut (tree); *(плод)* chestnut; *(несъедобный)* conker; **таскать ~ы из огня** to do the dirty work; **конский ~horse** chestnut

каштановый *(аллея, волосы)* chestnut

каюк *(разг:)* **ему ~** he's finished

каюта мор. cabin

кают-компания naval officer's lounge

каютюнга cabin-boy

кающийся contrite, penitent, repentant

каяться *(в чем-н перед кем-н)* to confess (sth to sb); **я хочу тебе покаяться в чем-н** I must tell you something; **должен покаяться, я**

никогда не любил ее I must confess, I never loved her

кБт *сокр.* (= **килобайт**) KB, kbyne (=kilobyte); = *килобит*

КВ *сокр.* (= *короткие волны*) SW = *short wave ed*

КВН *сокр* (= *клуб веселых и находчивых*) contest in which teams compete in various activities

квадрат square; **возводить (возвести) что-н в ~** to square sth

квадратный square; **~ корень** square root; **квадратные скобки** square brackets

квадратура quadrature

кваканье croaking

квакнуть to croak

квалификация qualification; *(профессия)* profession

квалифицированно competently

квалифицированный *(работник)* qualified; *(труд)* skilled

квалифицированный экзамен professional exam

квалифицировать *(спортсмена)* to rank; *(преступление, поведение)* to cotegorize

квант quantum

квантовая механика/физика quantum mechanics/physics

квартал quarter

квартальный *(отчет, план)* quarterly

квартет quartet

квартира flat *(BRIT)*, apartment *(US)*; *(снимаемое жилье)* lodgings *мн*; **жить на ~е** to rent a flat *или* apartment; **съезжать (съехать) с ~ы** to move out of lodgings

квартирант lodger

квартировать *(разг: снимать жилье)* to rent a flat *(BRIT)* или apartment *(US)*

квартиросъемщик leaseholder

квартплата *сокр* (=*квартирная плата)* rent *(for a flat)*

кварц quartz

кварцевый *(порода, руда)* quartz; **~ая лампа** quartz lamp

квас kvass *(mildly alcoholic drink made from fermented rye bread, yeast or berries)*

квасить to pickle; *(молоко)* to sour

квасцы alum

К

кваша leaven
квашенный *(молоко)* sour; **~ая капуста** sauerkraut, pickled cabbage
квашня *(кадушка)* fermenting bucket *(for dough)*; *(разг: человек)* clodhopper
Квебек Quebec
кверху up, upwards
квинта fifth
квинтет quintet
квинтэссенция quintessence
квитанция receipt
квиты *(разг)*: **мы ~** we're quits
кворум quorum
квота quota; **импортная ~** import quota
кегельбан skittle-alley
кегли *мн* skittles; *(игра)* skittles *ед*
кедр cedar (tree)
кеды pumps *мн*
Кейптаун Cape Town
кекс (fruit)cake
келейно secretly
келейный *(жизнь)* reclusive; *(тишина)* sublime; secret
Кельн Cologne
кельнер waiter; **~ша** waitress
кельт Celt
кельтский Celtic
келья *(монашеская)* cell
кем by whom
Кембридж Cambridge
кемпинг camping site, campsite
кенгуру kangaroo
кенийский Kenyan
Кения Kenya
кепи peaked cap
кепка cap
керамика caramics *мн*
керамический caramic
керосин paraffin, kerosene *(US)*
керосинка paraffin stove
кесарево сечение Caesarean *(BRIT)* или Cesarean *(US)* section
кессонная болезнь decompression sickness, the bends *мн*
кета Keta salmon
кефаль grey mullet
кефир kefir *(yoghurt drink)*
кибернетик specialist in cybernetics
кибернетика cybernetics
кибернетический cybernetic
кибитка carriage

кивать to nod; **~ на кого-н** to pin the blame on sb
кивнуть to nod
кивок nod
кидать to fling, throw; to abandon, leave
кидаться камнями to throw stones at each other; **~ся деньгами** to throw money around
Киев Kiev
кизил cornel
кизиловый cornel
кий *спорт.* cue
кикимора female goblin in Russian mythology; *(перенбр: человек)* fright
килобайт kilobyte
киловатт kilowatt
килограмм kilogram(me)
килограммовый of one kilogram(me)
километр kilometre *(BRIT)*, kilometer *(US)*
километровый *(расстояние)* of one kilometre *(BRIT)* или kilometer *(US)*; *(гонка)* one-kilometre
киль keel
кильватер wake
килька sprat
кимоно kimono
кинематографист cinematographer
кинематография cinematography
кинематоргаф *(киноиндустрия)* cinematography; *(кинотеатр)* cinema
кинематоргрфический cinematographic
кинетика kinetics
кинетический kinetic
кинжал dagger
кино cinema; *(разг: фильм)* film, movie *(US)*; **идти (пойти) в ~** to go to the pictures *(BRIT)* или movies *(US)*; **это просто ~** it's an absolute joke
киноактёр (film) actor
кинокартина film **кинооператор** cameraman *(мн* cameramen)
кинорежиссёр (film) director
киностудия film studio
киносъёмка filming, shooting
кинотеатр cinema
кинофильм film
кинуть *(дрова, камень)* to thow;

(взгляд) to cast; *(друзей)* to desert; *(силы, ресурсы)* to channel

кинуться *(на врага)* to attack; *(на еду)* to fall upon; **кидаться кому-н на шею** to fall on sb; **кидаться к кому-н** to throw o.s. at sb; **кидаться со скалы** to throw o.s. off a cliff

киоск kiosk

киот icon case

кипа bundle

кипарис cypress

кипарисовый cypress

кипение boiling; **температура** *или* **точка ~я** boiling point

кипеть *(вода, чайник)* to boil; **работа ~ит** work is in full swing; **жизнь ~ит** life is busy; *(вскипеть негодованием/злобой)* to seethe with indignation/anger

Кипр Cyprus

киприот Cypriot

кипучий bubbling; *(перен)* busy

кипятильник element *(for heating water)*

кипятить to boil

кипятиться *(овощи)* to boil; *(шприцы, белье)* to be boiled; *(разг: горячиться)* to get shirty

кипяченый boiled

кипяток boiling water

киргиз Kirghiz

киргизия Kirghizia

кириллица Cyrillic alphabet

кирка pick

кирпичный brick; **кирпичный завод** brickworks

кисейный muslin; **~ая барышня** prim young miss

кисель fruit jelly; **седьмая вода на киселе** distant relative

кисет tobacco pouch

кисея muslin

киска pussycat

кислинка sour taste

кисловатый sourish, tartish

кислород oxygen

кисло-сладкий *(хлеб)* sweet with a bitter aftertaste; *(ягоды)* bittersweet

кислота acid

кислотность acidity

кислотный acid; **~ дождь** acid rain

кислый sour; **~ая капуста** sauerkraut; **~ое молоко** soured milk

киснуть to go off; *(разг)* to mope (about)

киста cyst

кисточка (paint)brush; *(винограда)* bunch; *(на берете, на скатерти)* tassel

кисть анат. hand; *(гроздь рябины)* cluster; *(винограда)* bunch; *(на скатерти, на одежде)* tassel; *(художника, маляра)* (paint) brush; **он хорошо владеет кистью** he's good painter; **полотно кисти Матисса** painting by Matisse

кит whale

китаец Chinese

Китай China

китайский Chinese; **~язык** Chinese; **~ая грамота** double Dutch

китель military jacket

китобойный whaling

китовый whale

кичиться to preen o.s. on

кичливый conceited

кишеть *(мошкара, черви)* swarm; *(людьми, рыбой)* to teem with

кишечник intestines *мн*

кишечный intestinal

Кишинев Kishinev

кишка gut, intestine; **прямая ~** rectum; **толстая ~** large intestine

кишлак village in Central Asia

кишмиш seedless grapes *мн; (изюм)* currants *мн*

кишмя кишеть to swarm

клавесин harpsichord

клавиатура keyboard; **(малая) ~** *комп.* keypad

клавиша key; **~"возврат каретки"/выхода** *комп.* return/escape key

клавишный инструмент keyboard instrument

клад treasure

кладбище cemetery; *(возле церкви)* graveyard

кладбищенский cemetery; graveyard; **~сторож** sexton

кладезь знаний *или* **премудрости** mine of information

кладка *(действие)* laying; **кирпичная ~** brickwork; **каменная ~** masonry

К

кладовая store
кладовка cubby-hole
кладовщик storeman (*мн* storemen)
кладовщица storewoman (*мн* storewomen)
кладь load; ручная ~ hand luggage
клаксон horn
клан clan
кланяться to bow; (*свидетельствовать уважение*) to send one's regards; (*униженно просить*) to beg
клапан valve
кларнет clarinet
кларнетист clarinetist
класс class; (*комната*) classroom; (*выражает восхищение*) it's great; он вёл ~ фортепиано в консерватории he taught the piano at the conservatory; специалист высокого класса highly-qualifed specialist; показывать (показать) ~ to show one's class
классик (*литературы, музыки*) classic; (*учёный*) classical scholar
классика classics *мн*
классификация classification
классификационный (*экзамен*) assessment; (*таблица*) classification
классифицировать to classify
классицизм classicism
классический (*пример, работа*) classical; (*жулик, политикан*) typical; ~ая гимназия grammar school specializing in Latin and Ancient Greek; ~ое образование classical education
классный (*сочинение, собрание*) class;
класть to put; (*сложить; фундамент*) to lay; ~(положить *основание*) to lay down the foundations; ~(положить) жизнь за кого-н/что-н to lay down one's life for sb/sth; ~(положить) что-н на музыку to put sth to music; ~яйца to lay eggs
клацанье chattering
клацать to chatter
клёв bite; сегодня хороший ~ the fish are biting today
клевать (*птица*) to peck; (*рыба*) to bite; ~ носом to nod; у меня ~ёт I've got a bite
клеваться to peck
клевер clover
клевета (*устная*) slander; (*письменная*) libel
клеветать to slander; to libel
клеветник slanderer
клеветнический slanderous; libellous
клеёнка oil-cloth
клеёнчатый oil-skin
клеить to glue
клеиться to stick; (*перн: работа*) to come together; (*разговор*) to go smoothly
клей glue
клейкий sticky; клейкая лента sticky tape
клейкость viscosity
клеймёный (*товар*) stamped; (*скот*) branded
клеймить (*товар, груз*) to stamp; (*скот, преступника*) to brand; (*перен: человека, поведение*) to stigmatize; заклеймить кого-н позором to hold sb up to shame; его заклеймили предателем he was branded a traitor
клеймо stamp; (*на теле скота, осуждённого*) brand; ~ позора stigma
клейстер paste
клемма элек. terminal
клён maple
кленовый maple
клепать to rivet; to snitch on
клептоман kleptomaniac
клептомания Kleptomania
клерк clerk
клетка (*птиц, животных*) cage; (*на ткани*) check; (*на бумаге*) square; био. cell; бумага в ~ку squared paper; ткань в ~ку checked material; грудная ~ chest; лестничная ~ landing
клеточный био. cell
клетчатка бот. cellulose; анат. cell tissue
клетчатый (*ткань, шарф*) chequered, checked
клёцка (*обычно мн*) dumpling
клёш flare; брюки ~ flares; юбка ~ flared skirt

клешня claw, pincer
клещ зоол. tick
клещи tongs *мн*
кливер jib
клиент client
клиентура clientele
клизма enema
клик *(человека)* cry; *(птицы)* call
клика clique
кликать to call
кликуша hysterical woman *(мн* women); panicmonger
климакс био. menopause
климактерический menopausal; **климактерический период** menopause
климат climate
климатический climatic
клин wedge; *(солдат, журавлей)* V-formation; **борода клином** goatee; **~ клином вышибать** to fight fire with fire
клиника clinic
клинический clinical; **клиническая больница** training hospital; **клиническая смерть** мед. clinical death
клинок blade
клинообразный cuneiform
клинопись cuneiform characters
клипсы clip-on earrings *мн*
клир рел. the clergy
клирик clery-man
клиринг ком. clearing
клирос choir
клистир enema
клич cry; **боевой ~** battle cry
кличка *(собаки, кошки)* name; *(человека)* nickname
клише cliche; *типогр.* plate
клоака *(загрязненное место)* cesspit; *(безнравственная среда)* cesspool
клобук рел. cowl
клок *(волос)* tuft; *(ваты)* wad
клокотание *(воды)* gurgling
клокотать *(вода, поток)* to gurgle; *(перен: негодовать)* to seethe
клонить to bow, bend; **~ к** to drive at; **его ~ило ко сну** he was drifting off (to sleep); **лодку клонит на бок** the boat is tilting; **к чему ты клонишь?** what are you getting *или* driving at?

клониться *(пригибаться)* to bend; *(близиться)* to approach; **день ~ился к вечеру** evening was drawing near
клоп bed-bug
клоун clown
клоунский clown's; *(перен)* clownish
клохтать to chuckle, cluck
клочковатый flaky, flocky, patchy, shred-like
клочок *(земли)* plot; *(бумаги)* scrap
клуб *(общество, здание)* club; *(обычно мн: дыма, пыли)* cloud
клубень *(картофеля)* tuber
клубиться to swirl
клубника stawberry
клубничный strawberry
клубок *(ниток, шерсти)* ball; *(перен: противоречий)* tangle, knot; **свернуться ~ком** to curl up in a ball
клумба flower-bed
клуша clumsy woman
клык *(человека)* canine (tooth); *(животного)* fang
клюв beak
клюка walking stick
клюква cranberry; **развесистая ~** tall story
клюквенный *(морс, кисель)* chanberry juice/jelly
клюнуть to peck
ключ key; *(родник)* spring; *муз:* скрипичный/басовый **~** treble/bass clef; **гаечный ~** spanner; **~ от входной двери** front-door key; **бить** *или* **кипеть ~ом** *(вода)* to jet, spout; **жизнь бьет** *или* **кипит ~ом** life is really buzzing; **в прежнем ~е** as before; **сдавать (сдать) что-н под ~** *(здание)* to offer sth ready to immediate entry; **ключ зажигания** ignition key
ключевой *(позиция, проблемы)* key; **ключевая вода** spring water
ключица collar-bone
клюшка *(хоккей)* hockey stick; *(гольф)* club
клякса smudge
клянчить что-н у кого-н to pester sb for sth
кляп gag; **засунуть кому-н ~ в рот** to gag sb

клясть to curse

кля́сться to swear; **кля́сться в ве́чной любви́** to swear eternal love; **кля́сться жи́знью/Бо́гу** to swear on one's life/to God

кля́тва oath; **дава́ть (сде́рживать) ~у** to take *или* swear/keep an oath; **наруша́ть ~у** break one's oath

клятвопреступле́ние perjury

кля́уза backbiting

кля́узник scandalmonger

кля́узничать to spread gossip (about)

кля́узный *(письмо́)* slanderous letter

кля́ча *(ло́шадь)* old nag

км *сокр* *(=киломе́тр)* km *(=kilometre (BRIT) или kilometer (US))*

км/ч *сокр* *(= киломе́тров в час)* km/h *(= kilometres per hour)*

кне́ли quenelles *мн*

кни́га book; **кассо́вая ~** cash-book; **телефо́нная ~** telephone book *или* directory; **~ зака́зов** order book; **~уче́та** day book; **кни́га жа́лоб и предложе́ний** suggestions book

книгоизда́тельство publishing house

книголю́б book-lover

книгопеча́тание book printing

книгопрода́вец book-seller

кни́жечка booklet

кни́жка book; **записна́я ~** notebook; **зачётная ~** *просвещ.* register; **трудова́я ~** employment record book; **че́ковая ~** chequebook *(BRIT)*, checkbook *(US)*

кни́жник *(знато́к книг)* bibliophile

кни́жный *(зна́ния, стиль)* bookish; **кни́жный магази́н** bookshop; **кни́жный шкаф** bookcase; **кни́жный червь** bookworm

кни́зу downwards

кно́пка *(звонка́, ли́фта)* button; *(канцеля́рская)* drawing pin *(BRIT)*, thumbtack *(US)*; *(застёжка)* press stud, popper *(BRIT)*

кнут whip; **поли́тика ~а и пря́ника** the carrot and the stick policy

княги́ня princess *(wife a prince)*

кня́жеский princely

кня́жить to reign

княжна́ princess

князь prince *(in Russia)*; **вели́кий ~** *ист.* grand prince *(son or brother of the tsar)*

ко то, towards; by; for

коагули́ровать to coagulate

коагуля́ция coagulation

коа́ла koala (bear)

коалицио́нный ~ое прави́тельство coalition goverment; **~догово́р** coalition pact

коали́ция coalition

коба́льт cobalt

кобе́ль dog

ко́бра cobra

кобура́ holster

кобы́ла mare; *(перен)* strapping lass

кобы́лка filly; *mus.* bridge

ко́ваный *(меч, решётка)* forged; *(оби́тый желе́зом)* metal-bound

кова́рность treachery

кова́рный devious

кова́рство deviouness

кова́ть *(кую́; куёшь)* to forge; **куй желе́зо, пока́ горячо́** strike while the iron's hot

ковбо́й cowboy

ковёр carpet; **вызыва́ть на ~ кого́-н** to call to account

коверка́нье mangling

коверка́ть *(произноше́ние, слова́)* to mangle; *(язы́к)* to butcher; *(ду́шу)* to twist; **коверка́ть чью-н мысль/чьи-н слова́** to twist sb's ideas/words

ко́вка forging

коври́га loaf

коври́жка gingerbread

ко́врик rug; *(дверно́й)* mat

ковро́вая *(доро́жка)* runner

коврово́дие carpet weaving

ковче́г: Но́ев ~ Noah's Ark

ковш ladle; *(экскава́тора)* shovel

ковы́ль *бот.* feather grass

ковыля́ть to hobble

ковыря́ть to dig up; **~ в зуба́х/носу́** to pick one's teth/nose

ковыря́ться ~ся в *(копа́ться в земле́)* to root *или* poke about (in)

когда́ when; *(иногда́)* sometimes; **~ты зако́нчишь?** when will you finish?; **мы не зна́ем, ~ э́то произошло́** we don't know when it happened; **~ пью ко́фе, ~ чай** sometimes I drink coffee, sometimes tea

когда́-нибудь *(в вопроси́тельных*

предложениях) ever; *(в утвердительных предложениях)* some *или* one day; **Вы ~ там были?** have you ever been there?; **я ~ туда поеду** I'll go there some *или* one day

кого whom, **~ бы ни** whomsoever

когорта cohort

коготь *(кошки, льва)* claw; *(орла)* talon; **показывать ~ти** to bare one's teeth

код code; **передавать сообщение по коду** to send a message in code; **~ный ком.** character code

кодеин codeine

кодекс code; **гражданский/уголовный ~ юр.** civil/criminal code

кодировать to encode, code

кодировка coding

кодировщик coder

кодирующий ~ее устройство ком. encoder

кодификация юр. codification

кодифицировать to codify

кодовые знаки code symbols *мн;* **кодовое название** codename

кое-где here and there

кое-как *(небрежно)* any old how; *(с трудом)* somehow

кое-какой some; **нам нужна кое-какая помощь** we need some sort of help

кое-когда now and then, now and again

кое-кто (кое-кого) *(некоторые)* some (people)

кое-куда this place and that

кое-что (кое-чего) *(нечто)* something; *(немногое)* a little

кожа skin; *(материал)* leather; *(апельсина, яблока)* peel; **гусиная ~** goose bumps *мн или* pimples *мн;* **~ да кости** all skin and bone; **из ~и вон лезть** to sweat blood

кожаный leather

кожевенный lether; **кожевенный завод** tannery

кожевник currier, tanner

кожевня tannery

кожица pellicle, film; peel, rind

кожные болезни skin diseases; **кожный врач** dermatologist; **кожный покров** skin

кожура *(апельсина)* peel; *(ореха)* skin

кожух peasant's fur-coat

коза *(нанни)* goat

козел (billy) goat; *(в гимнастике)* horse; *(разг: игра)* dominoes; **от него как от ~ла молока** he's worse than useless; **забивать ~ла** to play dominoes; **козел отпущения** scapegoat

Козерог *(созвездие)* Capricorn

козий goat; **~ье молоко** goat's milk

козленок *зоол.* kid

козлиный *(голос)* reedy; **~ая бородка** goatee

козлы *(сиденье)* coach box *ед; (опора)* trestle *ед*

козни intrigues *мн;* **строить ~** to scheme

козырек *(картуза, фуражки)* peak; *(занавес)* lintel; **брать под ~** to salute

козырная карта trump

козырь *карты* trump; *(перен)* trump card

козырять *(в картах)* to play a trump; *(хвастаться):* to show off about; *(отдавать честь)* to salute

козявка *(букашка)* bug; *(пренеб:человек)* small fry

койка *(на судне)* berth; *(в казарме)* bunk; *(в больнице, в общежитии)* bed

кок *(повар)* ship's cook; *(вихор)* quiff

кокаин cocaine

кокаинист cocaine addict

кокарда cocarde

кокетка flirt, coquette

кокетливость flirtatiousness

кокетливый *(девушка, взгляд, смех)* flirtatious; *(шапочка, платье)* pretty

кокетничать to flirt

кокетство flirting

коклюш whooping cough

коклюшка bobbin

кокон cocoon

кокос coconut

кокосовая пальма coconut palm; **кокосовое молоко** coconut milk; **кокосовый орех** coconut

коксовать to coke

коктейль cocktail

К

кол stake; **у меня нет ни ~ ни двора** I don't have a thing to my name; **ему хоть ~ на голове чеши** it's like talking to a brick wall

колба flask

колбаса sausage

кол-во (= *количество*) amt (= *amount*)

колготки tights *мн (BRIT)*, panty hose *мн (US)*

колдобина (*на дороге*) pothole

колдовать to practise (*BRIT*) или practice (*US*) witchcraft; (*над картиной, над ужином*) to conjure up

колдовской magical; (*перен*) bewitching

колдовство sorcery, witchcraft

колдун wizard, sorcerer

колдунья sorceress

колебание *физ.* oscillation; (*маятника*) swing; (*почвы, здания*) vibration; (*перен: цен, температуры*) fluctuation; (*обычно мн: нерешительность*) wavering, vacillation

колебательный *физ.* oscillatory

колебать to rock, swing; **поколебать** (*авторитет*) to shake

колебаться to oscillate; (*листья, пламя*) to flicker; (*цены, погода*) to fluctuate; (*сомневаться*) to waver, vacillate

колеблющийся (*свет, тени*) flickering; (*человек*) vacilling

коленкор calico

коленкоровый calico

коленная чашка Kneecap

колено knee; (*трубы*) joint; (*разг: муз*) phrase; (*поколение*) generation; **вставать на ~и** to kneel (down); **стоять на ~ях** to be kneeling (down); **опускаться на ~и** to go down on one's knees; **сидеть у кого-н на ~ях** to sit on sb's knee или lap; **поставить кого-н на ~и** to bring sb to his knees; **ей море по ~** everything washes staight over her

коленопреклоненный kneeling

коленчатый вал crankshaft

колер colour (*BRIT*)

колесико *уменьш от* колесо; (*часовое*) wheel

колесить to get around; **я ~сил по всему городу** I've been all over town

колесница chariot

колесо wheel; **пятое ~** fifth wheel; **жизнь на колесах** life on the road; **жить на ~есах** to live out of a suitcase

колечко ringlet

колея (*на дороге*) rut; (*для поездов*) track; (*перен*) routine; **выбивать из ~** to gent out of a rut

колики colic

количественный quantitative

количество quantity

колка (*дров*) chopping; (*льда*) breaking up

колкий (*хвоя, трава*) prickly; (*перен: шутка, замечания*) biting

колкость (*нрава, замечаний*) abrasiveness; (*насмешка*) biting remark

коллаборационист collaborator

коллаж collage

коллега colleague

коллегиальность принцип ~и collective responsibility

коллегиальный collective

коллегия *полит.* collegium

колледж college

коллектив collective; **авторский ~** (team of) contributors

коллективизация *ист.* collectivization

коллективный collective

коллектор (*библиотечный*) book depository; (*канализационный*) manifold; *элек.* collector

коллекционер collector

коллекционирование collecting

коллекционировать to collect

коллекционный collectable

коллекция collection

колли collie

коллизия clash

коллоквиум *просвещ.* seminar; (*совещание специалистов*) colloquium

коллаборационизм collaborationism

коловорот (*водоворот*) eddy; *тех.* ice drill; (*перен: столпотворение*) hurly-burly; **событий** the vortex of events

колода (*бревно*) block; (*карт*) pack

К

deck; **через пень ~у** half-heartedly
колодезная вода water from the well
колодец well; *(в шахте)* shaft
колодка *(обувная)* shoetree; *(орденская)* strip
колокол bell; **звонить в ~** to ring a bell
колокольня bell tower; **смотреть со своей ~ни на что-н** to take a narrow view of sth
колокольчик bell; *бот.* bluebell
колониализм colonialism
колониальный colonial
колонизатор colonizer
колонизировать to colonize
колонизовать *см* колонизировать
колонист colonist
колония colony; **исправительно-трудовая ~** penal colony; **~ для малолетних преступников** *или* несовершеннолетних young offenders institution
колонка column; *(газовая)* geyser *(BRIT)*, water heater; *(для воды, для бензина)* pump
колонковый polecat
колонна *архит.* column; *(ряд):* **~ солдат/демонстрантов** column of soldiers/demonstrations
колоннада colonnade
колонок polecat
колоратурное сопрано coloratura soprano **колорит** *(перен: эпохи, страны)* colour *(BRIT)*, color *(US)*; искусство use of colour; **местный ~** local colour
колоритный colourful *(BRIT)*, colorful *(US)*
колос ear *(of corn wheat)*
колосс *(перен)* colossus; **~на глиняных ногах** a giant with feet of clay
колоссальный colossal; **~ьно!** that's fantastic!
колотить *(по столу, в дверь)* to thump; *(бить)* to whack; **у меня ~отит** *(дрожь)* I'm shaking all over
колотиться *(сердце)* to thump; **~ся в дверь** to thump on the door
колотый сахар lump sugar; **~ая рана** stab wound
колоть *(дрова)* to chop (up); *(орехи)* to crack; **заколоть** *(штыком)* to

spear; **уколоть** *(иголкой)* to prick; *(делать укол)* to give sb an injection; **~ кому-н что-н** to inject sb with sth; **у меня колет в боку** I've got a stitch; **правда глаза колет** the truth is hard to swallow
колоться *(еж, шиповник)* to be prickly; *(орех)* to crack; *(наркоман)* to be on drugs
колпак *(шутовской, поварской)* hat; *(лампы)* lampshade
колпачок *уменьш от* колпак; *(контрацептив)* (Dutch) cap
колумбийский Columbian
Колумбия Columbia
колун axe
колупать to scratch
колхоз Kolkhoz, collective farm
колхозник Kolkhoznik, collective farmer
колхозный kolkhoz, collective farm
колчан quiver
колчедан pyrite
колыбель cradle; **с ~и** from the cradle
колыбельная *(песня)* lullaby
колымага *(машина)* old banger
колыхание rocking, swaying
колыхать to rock
колыхаться *(море, грудь)* to heave; *(трава, дерево)* to sway
колышек *(для палатки)* (tent) peg
колье necklace
кольнуть *(иголкой)* to prick; *(обидным намеком)* to sting; **у меня ~уло в спине** a pain shot up my back
кольраби kohlrabi
кольт automatic (revolver)
кольцевать to ring
кольцевой round, circular; **кольцевая дорога** ring road; **кольцевая линия** circle line
кольцо ring; *(в маршруте автобуса)* circle
кольчатый annular
кольчуга *ист.* chain-mail shirt
колючий *(куст, усы, мороз)* prickly; *(перен: насмешка, замечание, юмор)* barbed; **колючая проволока** barbed wire
колючка *(чертополоха, розы)* thorn; *(проволоки)* barb

колядка =Christmas carol (*sung in rural Russia*)

колядовать to go carol singing

коляска (*экипаж*) carriage; (*детская*) pram (*BRIT*), baby carriage (*US*); (*инвалидная*) wheelchair

ком lump; **у меня ~ к горлу подкатил** I felt a lump in my throat; **первый блин комом...** (*перен*) if at first you don't succeed...

кома coma

команда command; (*судна*) crew; *спорт.* team; **пожарная ~** fire brigade; **~ президента** presidential team; **быть под ~ой кого-н** to be under sb

командир commander, commanding officer

командировать to post; **его ~овали в Москву** he has been posted to Moscow

командировка (*короткая*) business trip; (*длительная*) secondment (*BRIT*), posting; **ехать в ~у** to go away on business; **получать ~ку** to be seconded (*BRIT*) *или* posted

командировочное удостоверение person on business

командировочные (*деньги*) subsistence allowance *ед*

командный command; (*должность*) managerial; *спорт.* **~ое состязание** team event; **~ые высоты** *воен.* key positions; **командный состав** *воен.* command personnel

командование (*судном, войском*) command (of)

командовать to give orders; (*армией*) to command; (*мужем*) to order around

командующий commanding officer, commander

комар mosquito (*мн* mosquitoes); **~ носа не подточит** you can't fault it

коматозный comatose

комбайн combine (harvester); **кухонный ~** food processor

комбайнер combine operator

комбикорм (=*комбинированный корм*) mized fodder

комбинат plant; **молочный/пищевой ~** dairy-processing plant

комбинация combination; (*разг: план*) scheme; (*шахматы*) position; (*женское бельё*) slip

комбинезон overalls *мн*; (*детский*) dungarees *мн*

комбинированный (*метод, подход*) integrated

комбинировать (*блюда*) to combine; (*одежду*) to match up ◇ (*разг*) to scheme

комедиант comedian

комедийный comic; (*актер*) comedy

комедия comedy; (*смешное событие*) farce; **ломать ~ю** to play-act

комендант (*общежития, тюрьмы*) warden; *воен.* commandant

комендантский (*час*) curfew

комендатура *воен.* commandant's office

комета comet

комизм comedy; **~ ситуация** the funny side of the situation

комик (*акрет*) comedian, comic; (*смешной человек*) comedian

Коминтерн *скор.* (*ист.*= *Коммунистический Интернационал*) Comintern

комиссар (*ист.* **народный К~**) People's Commissar; (*милиции ООН*) commissioner

комиссионер agent

комиссионка (*разг*) secondhand shop which sells goods on a commision basis

комиссионные commission *мн*

комиссия *полит., ком.* commission; **брать что-н на ~ю** to take sth on commission; **постоянная ~** standing commitee

комитет commitee; **Комитет Государственной Безопасности** *ист.* the KGB

комический comic; **~ актер** comic actor

комичный comical

комкать (*письмо, белье*) to crumple; (*перен: лекцию*) to make a mess of

комментарий (*пояснение, репортаж*) commentary; **давать ~ к чему-н** to provide a commentary on sth; **~и излишни** it speaks for itself комментатор commentator

комментировать *(текст)* to comment on; *(события, матч)* to comment on

коммерсант businessman *(мн businessmen)*

коммерция commerce, trade

коммерческий commercial; **коммерческий банк** commercial bank; **коммерческий директор** sales and finance director; **коммерческий магазин** privately-run shop

коммивояжер travelling *(BRIT)* или traveling *(US)*; salesman *(мн salesmen)*

коммуна commune **коммуналка** communal flat *(BRIT)* или apartment *(US)*

коммунальный communal; **коммунальная квартира** communal flat *(BRIT)* или apartment *(US)*; **коммунальные платежи** bills; **коммунальные услуги** utilities

коммунар member of a commune

коммунизм communism

коммуникабельный sociable

коммуникативный *(методы)* communicative

коммуникационная линия line of communication

коммунист communist

коммунистический communist

коммутатор *тел.* switchboard; *элект.* commutator

коммутационная доска swichboad

коммутация *ком.* packet/message switching

коммюнике communique

комната room; **комната матери и ребенка** room for mothers with young children

комнатный indoor; **комнатная температура** room temperature; **комнатное растение** house plant

комод chest of drawers

комок *(ваты)* wad; **~бумаги** crumpled-up piece of paper; **он ~ нервов** he's a bag или bundle of nerves

компакт-диск compact disc

компактный compact; *(изложение, доклад)* concise

компанейский: **он ~ парень** he's

good company

компания *(друзья)* group of friends; **ком.** company; **выпей со мной за ~** have a drink to keep me company; **он тебе не ~** he's not the right company for you

компаньон companion; **ком.** parther

компаньонка *(старой дамы)* companion

компартия Communist party

компас compass

компенсационный compensatory

компенсация compensation

компенсировать to compensate

компетентность competence

компетентный competent; *(соответствующий)* appropriate

компетенция jurisdiction; **это не входит в нашу ~ю** that is outside of our jurisdiction

компилировать *(пренебр)* to cobble together

компилятивный **~ труд** compilation

компилятор hack (writer)

компиляция rehash

комплекс *(упражнений, мер, знаний)* range; **спортивный ~** sports complex; **комплекс неполноценности** inferiority complex

комплексный integrated; *(соединение, число)* complex

комплект set

комплектация assembly; **отдел ~и** *(в библиотеке)* acquisitions (department)

комплектовать to build up

комплекция build

комплимент compliment; **делать кому-н ~** to pay a compliment; **говорить ~ы кому-н** to pay (sb) compliments

композитор composer

композиционный compositional

композиция composition

компонент component

компоновать to arrange, set out

компоновка *(материалов)* arranging

компост compost

компостер ticket punch

компостировать punch или clip *(ticket)*

компостная яма compost pit

компот compote

компресс *мед* compress

компрессор *тех* compressor

компрометировать to compromise

компрометирующий *(поступок, слова)* damaging

компромиссный compromise

компромисс *(соглашение)* compromise; **идти на ~** to (make a) compromise; **приходить к ~у** to come to a compromise

компьютер computer

компьютерный computer

комсомол Komsomol *(communist youth organization)*

комсомолец komsomol member

комсомольский komsomol

кому whom

комфорт comfort

комфортабельный comfortable

кон *(партия)* round; *(для ставки)* kitty; *(место: в городках)* wicket

конвейер conveyor (belt); **поставить что-н на ~** to mass-produce sth; *(перен)* to churn sth out

конвейерная лента conveyor belt

конвенция convention

конвергенция convergence

конверсия conversion

конверт *(почтовый)* envelope; *(для младенца)* baby nest

конвертировать to convert

конвертируемый convertible

конвоир escort

конвоировать to escort

конвой escort; **под ~ем** under escort

конвойный escort ◇ escort

конвульсия convulsion

конгломерат conglomerate

Конго Congo

конголезский Congolese

конгресс *(съезд)* congress; *(в США)* Congress

конгрессмен Congressman *(мн Congressmen)*

конденсатор condenser

конденсация condensation

конденсироваться to condense

кондитер confectioner

кондитерская confectioner's

кондитерский confectionery; **кондитерский магазин** confectioner's

кондиционер conditioner

кондиционный *(условия поставки)*

conditional; *(продукт, овощи)* up to standard

кондиция standard; **я сейчас не в ~и** I'm not in good shape at the moment; **доводить что-н до ~и** to bring sth up to scratch

кондовый diehard

кондрашка его хватила ~ he had a fit

кондуктор *(автобуса)* conductor; *(поезда)* guard

коневод horse-breeder

коневодство horse-breeding

конек *спорт.* skate; *(перен: любимая тема)* hobby-horse; **кататься на ~ьках** to skate; **садиться на своего ~ька** to get on (to) one's hobby-horse; **морской ~**sea horse;

конец conclusion, end; termination

конечно of course, sertainly; **мне можно закурить? - ~**may I smoke? - of couse

конечность limb

конечный *(цель, итог)* final; *(станция, остановка)* last; **в конечном счете** *или* **итоге** in the final analysis; **конечный пользователь** *ком.* end user

конина horse meat

конический conical

конкретизировать что-н to make sth more concrete

конкретно *(говорить)* specifically

конкретный *(реальный)* concrete; *(факт)* actual

конкурент competitor

конкурентная борьба competition

конкурентноспособный competitive

конкуренция competition; **наш товар вне ~и** our product is in a class of its own

конкурировать to compete with

конкурс competition; **проходить вне ~а** to be admitted to university atc under special provisions; **приходить по ~у** to attain the pass mark

конкурсный competition; **~ая комиссия** *(в университете)* examining committee; *(в состязании)* judging panel; **конкурсный экзамен** entrance examination

конница cavalry

коногвардеец cavalryman (*мн* cavalrymen)

коннозаводство stud-farm

коннозаводчик stud-farm owner

конный (*двор, сбруя*) horse; **конная армия** cavalry; **конный завод** stud farm; **конная милиция** mounted police

коновал veterinary surgeon

конопатить (*сруб, лодку, пол*) to patch up

конопатый (*разг: веснушчатый*) freckled

конопля hemp

конопляный hemp

коносамент bell of lading

консервативность conservatism

консервативный conservative

консерватор conservative; *полит.* Conservative

консерватория conservatoire (*BRIT*), conservatory (*US*)

консервация (*стройки*) suspension; (*продуктов, здания*) preservation

консервирование (*в жестяных банках*) canning; (*в стеклянных банках*) bottling

консервированный canned; bottled

консервировать to preserve; (*в жестяных банках*) to can; (*в стеклянных банках*) to bottle; (*стройку*) to suspend

консервный завод canned-food factory; **консервная банка** can

консервы canned food

консилиум consultation between doctors about a patient

консистенция consistency

конский horse's

консолидация consolidation

консолидировать to consolidate

консоль cantilever

консорциум consortium

конспект notes *мн*

конспективный в ~ой форме in note form

конспектировать to take notes on

конспиративный conspiratorial; **конспиративная квартира** safe house

конспиратор conspirator

конспирация conspiracy

констатация фактов stating of the facts

констатировать to certify; (*факты*) to state

констатировать to contrast with

конституционный constitutional

конституция constitution

конструировать to construct

конструктивность constructiveness

конструктивный construction constructive

конструктор designer; (*детская игра*) construction set; **инженер-~** mechanical engineer

конструкторский бюро design studio

конструкция construction

консул consul

консульский consular

консульство consulate

консультант consultant

консультационный consulative

консультация (*у врача, у юриста*) consultation; (*учреждение*) consultancy; **женская ~** gynaecological and antenatal (*BRIT*) *или* gynecological and prenatal (*US*) *clinic*; **давать ~ю кому-н** to give professional advice to sb

консультироваться с кем-н to consult sb

контакт contact

контактный (*человек*) approachable; **контактные линзы** contact lenses; **контактный телефон** contact number

контейнер container

контекст context; **в ~е** in the context of

контингент contingent

континент continent

континентальный continental

контора office

конторка desk

конторский office; **конторская книга** account book

конторщик office clerk

контрабандист smuggler

контрабандный contraband

контрабас double bass

контрабасист double-bass player

контрадмирал rear admiral

контрразведка counter-espionage

контракт contract; **форвардный ~** *ком.* forward contract

контральто contralto

контрамарка complimentary ticket

контрапункт counterpoint

контраст contrast

контрастный contrasting

контратака counterattack

контрацептив contraceptive

контрацептивный contraceptive

контрреволюционер counter-revolutionary

контрреволюция conter-revolution

контрибуция reparations *мн;* **налагать ~ю** to exact reparations

контрминоносец destroyer, torpedo-boat

контрнаступление counteroffensive

контролер *(железнодорожный)* (ticket) inspector; *(театральный)* = usher; *(сберкассы)* cashier

контролировать to control

контрольная *(работа)* class test

контрольная комиссия inspection team; **~ая работа по** class test in; **контрольные цифры** control figures

контрфорс buttress

контузия *мед.* contusion **его ~ло** he was coutused

контур contour

контурный contour; **контурная карта** contour map

конура *(собачья)* kennel; *(перен: комната)* shoe box

конус cone

конусообразный conical

конферансье compere

конференц-зал conference room

конференция conference

конфета sweet

конфетти confetti

конфигурация configuration

конфиденциальный confidential

конфискация confiscation

конфисковать to confiscate

конфликт *(военный)* conflict; *(в семье, на работе)* tension

конфликтный *(ситуация)* conflict

конфликтовать to be at loggerheads with

конфорка ring *(on cooker)*

конфронтация confrontation

конфужусь *см* конфузить(ся)

конфуз embarrassment

конфузить to embarrass

конфузиться to get embarrassed

концентрат *(о корме)* concentrate; *(о руде)* concentration

концентрационный лагерь concentration camp

концентрация concentration

концентрированный concentrated

концентрировать to concentrate

концентрироваться *(капитал)* to be concentrated; *(ученик)* to concentrate

концентрический concentric

концепция concept

концерн *экон.* concern

концерт concert; **давать ~** to give a concert; **~для фортепиано с оркестром** piano concerto

концертировать to give concerts

концертмейстер *муз.* leader, concert-master *(US)*; *(аккомпониатор)* accompanist

концертный concert

концессия concession; **отдавать что-н на ~** to grant sth as a concession

концлагерь concentration

концовка ending

кончаться to end in; **все хорошо, что хорошо ~ется** all's well that ends well

кончая to; **начиная с кого-н/чего-н и ~ кем-н/чем-н** from sb/sth to sb/sth; **явились все, ~ самыми дальними родственниками** everyone turned up, including the most distant relatives

конченый, он ~ человек he's a lost cause

кончик tip

кончина end

кончить *(жизнь, представление, отношения)* to end; *(университет, игру, книгу, работу)* to finish; **кончать** *(бандитом)* to end up as; *(пьесой, словами)* to finish with; **кончать работу** *или* **работать** to finish work; **он плохо ~ил** he ended up in a bad way

кончиться *(разговор, книга, игра)* to end, finish; *(запасы, деньги)* to run out; *(пустыня, лес)* to end

конъюктивит conjunctivitis

конъюнктурный *(соображения)* tactical; **~ые цены** market prices

конъюнктура climeta; ~ **рынка** state of the market; **понижательная рыночная** ~ ком. falling market; **понижение/повышение** ~ downturn/upturn of the market; **он хорошо чувствует** ~у he is good at gauging the climate

конъюнктурщик opportunist

конь (лошадь) horse; (шахматы) knight; **быть на** ~е to be on the ball

коньки states мн; (разг: вид спорта) skating ед

конькобежец speed skater

конькобежный speed-skating; **конькобежный спорт** speed skating

коньяк brandy, cognac

конюх groom

конюшня stable

кооператив cooperative; (разг: квартира) flat in housing cooperative; **жилищный** ~ form of house or flat ownership

кооперативный cooperative; ~ **магазин или ларек** co-op; ~ **дом** cooperative

кооператор member of a private enterprise

кооперация cooperative enterprise; (труда) co-operation; **потребительская** ~ cooperative (society)

кооперировать (труд, средства) to organize through a cooperative

кооптировать to coopt

координата геом. coordinate; (разг: местонахождение) number (and address)

координация (усилий) coordination

координировать (действия, усилия, движения) to coordinate; **производство с требованиями рынка** to adjust production to meet the demands of the market

копать to dig; (выкапывать) to dig up; ~ **под** to cook up a scheme against

копаться (в огороде) to potter about; (в чужих вещах) to snoop about; (разг: в душе) to search; (:долго возиться) to dawdle

копеечка: это тебе встанет в ~у it'll cost you a pretty penny

копейка kopeck; **оставаться без**

~йки to be left without a penny

Копенгаген Copenhagen

копер piledriver

копилка piggy bank

копирайт copyright

копирка carbon paper; **писать под** ~у to make a carbon copy of

копировальная машина photocopying machine, photocopier; **копировальная бумага** carbon paper

копировально-множительный copying

копировать to copy

копить to save; (перен: обиды) to harbour (BRIT), harbor (US)

копиться to accumulate

копия copy; (перен) spitting image; **он** - ~ **своего отца** he's the spitting image of his father; **снимать** ~ю **с чего-н** to make a copy of sth

копна (сена) stack; (волос) thatch

копнуть to dig; (перен): **если** ~ **поглубже...** if you dig deeper...

копоть layer of soot

копошиться (мышь) to busy itself; (перен: подозрения) to stir; (возиться) to dawdle

коптеть to give off black smoke; (корпеть): ~ **над** to pore over

коптить (лампа) to give off soot; **закоптить мясо, рыбу**) to smoke; ~ **небо** to fritter one's life away

копуша slowcoach (BRIT), slowpoke (US)

копчение (ветчины) smoking; **рыба горячего/холодного** ~я fish smoked at a hight low temperature

копчености smoked food

копченый smoked

копчик coccyx (мн coccyxes)

копыто hoof (мн hooves)

копь mine, pit

копье lance, spear

копьеносец lancer, spearman

кора (дерева) bark; анат. cortex; **земная** ~ the earth's crust; ~ **головного мозга** cerebral cortex

корабельный ship's

кораблекрушение shipwreck

кораблестроение shipbuilding

кораблестроитель shipbuilder

К

кораблестроительный shipbuilding

кораблик small ship

корабль ship; **военный ~** warship

коралл coral

коралловый *(цвет)* coral; **коралло-вый риф** coral reef

Коран Koran

кордебалет corps de ballet

кордон cordon; **за ~ом** abroad

кореец Korean

корежить to twist; **его поведение меня ~ит** his behaviour makes me cringe

корейка smoked brisket of pork

корейский Korean

коренастый stocky

корениться to be rooted in

коренной *(население, традиции)* indigenous; *(вопрос, преобразования)* fundamental; **~ым образом** fundamentally; **коренной зуб** molar

корень root; **в ~е** fundamentally; **пресекать что-н в ~е** to nip sth in the bud; **пускать ~и** to put down roots; **подрубать под ~** to uproot; **смотреть в ~ вопроса/дела** to examine the root of the problem/matter

коренья *бот.* roots *мн*

кореш mate, pal

корешок *(чековой книжки)* counterfoil; *(переплета)* spine

Корея Korea

корж layer

коржик *(пряник)* shortbread

корзина basket; **валютная ~** *экон.* basket of currencies

корзинка (small)basket

корзиночка *кулин.* tart

корзинщик basket weaver

кориандр coriander

коридор corridor

коридорная chambermaid

коридорный room attendant *(in hotel)*

корить to chastise

корифей luminary

корица cinnamon

коричневый brown

корка *(апельсиновая)* peel; *(на коже)* scab; **прочитать что-н от ~ки до ~ки** to read sth from cover to cover

корм *(для скота)* fodder, feed; *(диких животных)* food

корма stern

кормежка *(для скота)* feeding; *(еда)* grub

кормилец breadwinner

кормилица breadwinner; *(грудного ребенка)* wet nurse

кормило: стоять *или* **быть у ~а власти** to be at the helm

кормить to feed; *(содержать)* to feed keep; **~ кого-н (чем-н)** to feed sb (sth); **~ грудью** to breast-feed; **его хлебом не ~и, только дай в футбол поиграть** he's never happier than when he's playing football

кормиться *(животное)* to feed; to live on

кормление feeding

кормовые сорта fodder crops; **кормовая свекла** beet; **кормовое весло** rudder

кормушка *(для скота)* trough; *(для птиц)* bird table; *(перен: разг)* slush fund

кормчий helmsman

корневище rhizome

корнеплод root vegetable

корнеплодное растение root plant

корнет cornet

корнишон gherkin

короб rectangular basket; **с три ~а наговорить** to talk through one's hat; **с три ~а наобещать кому-н** to promise sb the earth

коробейник pedlar

коробить to warp; **меня ~ит от его шуток** his jokes make me cringe

коробиться to warp

коробка box; *(остов дома)* frame; **коробка скоростей** gearbox

коробок *(спичек)* box of matches

коробочка *бот.* boll

корова cow; *(разг: пренебр)* silly cow; **дойная ~** dairy cow

коровай loaf

коровник cowshed

коровница milkmaid

коровье молоко cow's milk

королева *(также шахматы)* queen; **королева красоты** beauty queen

королевский royal

королевство kingdom

королек *(апельсин)* blood orange; *(хурма)* sharon fruit; *зоол.* gold crest

король *(шахматы, карты)* king

коромысло yoke *(for carrying)*; beam *(balance)*; rocking-shaft

корона crown

коронарный coronary

коронация coronation

коронный best, favourite; ~ **номер** party piece

коронование crowning

короновать to crown

короста scab

коростель corncrake

коротать *(вечер, время)* to while away; *(свои дни, жизнь)* to live out

короткий short; *(отношения)* close; **у него ~ая память** he has a short memory; **у него руки коротки** he's not up to it; **мы с ним на ~ой ноге** we're on good terms; **короткие волны** short wave; **короткое замыкание** short circuit

коротко briefly; *(стричься)* short; *(узнать)* intimately; **это платье мне ~** this dress is too short for me

коротковолновый short-wave

короткометражный фильм short (film)

коротконогий short-legged

коротыш shorty

короче говоря to put it briefly

корочка *(на пироге)* crust

корпоративный corporate

корпеть to slave away at

корпорация corporation

корпус body; *(самолета)* fuselage; *(остов: судна, здания)* frame; *(здание)* block; *(ист: учебное заведение)* academy; *(дипломатический, офицерский)* corps

корректив *(поправка)* amendment; **вносить ~ы в план** to amend a plan

коррективный correct

корректировать *(ошибку)* to correct; **откорректировать** *(рукопись, статью)* to proofread

корректировка *ком. (обновление)* update

корректор proofreader

корректура *(исправление ошибок)* proofreading; *(оттиск с набора)* proofs *мн*

коррекция correction

корреляция correlation

корреспондент correspondent

корреспонденция correspondence

коррида bullfight

корродировать to corrode

коррозийный corrosive

коррозия corrosion

коррумпированный corrupt

коррупция corruption

корсаж bodice

корсет corset

корт (tennis) court

кортеж *(траурный)* cortege; *(свадебный)* procession

кортик dagger, knife *(мн* knives)

корточки *мн:* **присесть на ~** to squat down; **сидеть на ~ках** to squat

корча convulsions; cramp; spasm

корчага large earthen pot

корчевать to uproot

корчевка clearing, uprooting

корчить to contort; **его всего ~ило от боли** he was doubled up in pain; **~ рожу** to pull a face; **~ из себя дурака/святого** *(разг)* to act the fool/saint

корчиться *(от боли, от смеха)* to writhe about

корчма inn, public-house

корчмарь innkeeper, publican

коршун *зоол.* kite

корыстный *(интерес, цель)* mercenary; *(любовь)* selfish

корыстолюбивый mercenary

корыстолюбие greed

корысть *(выгода)* gain; *(корыстолюбие)* greed

корыто tub; **остаться у разбитого ~а** to end up with nothing

корь measles *мн*

корюшка smelt

корявый *(дерево, пальцы)* gnarled; *(почерк)* squiggly; *(перен: фразы, стиль)* clumsy

коряга dead branches

коса *(волосы)* plait; *(оружие)* scythe; **заплетать косы кому-н** to plaint sb's hair; **носить косы** to wear one's hair in plaits; **нашла ~ на камень** they are an equal match for each other

косарь mower *(person)*

косатка killer whale

косвенный indirect; *(дополнение, падеж)* oblique; **косвенная речь** indirect speech

косец mower, hay-maker, reaper

косилка mower

косинус cosine

косить *(газон, сено)* to mow; *(эпидемия, болезнь)* to wipe out; *(рожь глаза)* to twist; *(глаза)* to slant; **у него ~сят глаза** he has a slight squint

коситься *(здание)* to lean to one side; **~ся на кого-н** *(смотреть искоса)* to give sb a sidelong glance; *(перен)* to look askance at sb

косичка pigtail

косматый shaggy

косметика make-up; cosmetics *мн*

косметический cosmetic; **~ ремонт** decorating; **~ кабинет** beauty salon

косметичка *(человек)* beautician; *(сумочка)* make-up bag

косметолог *(врач)* cosmetic surgeon

косметология cosmetic surgery

космический *(полет, ракета)* space; *(теория)* cosmic; **~ая скорость** terrific speed; **космический корабль** spaceship; **космическое пространство** (outer) space

космодром spaceport

космология cosmology

космонавт cosmonaut; *(в США)* astronaut

космонавтика space technology and exploration

космополит cosmopolitan

космополитизм cosmopolitanism

космос the cosmos

космы tousled locks

коснеть to stagnate (in)

косноязычный tonguetied

коснуться *см* **касаться**

косный *(ум, человек)* inflexible; *(среда, общество)* stagnant

косо *(расположить)* squint; **~ смотреть на** to look askance at

кособокий lopsided

косоворотка *traditional Russian shirt with a collar fastening at the side*

косоглазие squint

косоглазый cross-eyed

косогор hillside

косой *(глаза)* squinty; *(дождь, лучи)* slanting; **бросать ~ые взгляды (на)** to look askance (at); **у него ~ая сажень в плечах** he's built like an ox

косолапый *(человек)* pigeon-toed

костенеть to go stiff

костер camp-fire

костистый bony

костлявый bony

костный мозг (bone) marrow

костоправ bonesetter

косточка *(абрикосовая, вишневая)* stone; *(винограда)* seed; *(лимона)* pip; **перемывать ~ки кому-н** to bitch about sb

костыль *(инвалида)* crutch *(мн* cruches); *(гвоздь)* spike

кость bone; *(игральная)* dice *(мн* die); **лечь ~ми** *(погибнуть)* to lay down one's life; to do everything possible; **промокать до ~ей** to get soaked to the skin

костюм outfit; *(маскарадный, на сцене)* costume; *(пиджак и брюки/ юбка)* suit; **брючный ~** trouser *(BRIT)* или pant *(US)* suit

костюмер wardrobe assistant

костюмированный бал costume ball

костяк skeleton; *(перен)* backbone

костяной *(нож, украшение)* bone; **~ая мука** bone meal

костяшка *(пальцев)* knuckle; *(на счетах)* bead; *(домино)* domino

косуля зоол. roe deer

косынка (triangular) scarf

косяк *(двери)* jamb; *(рыб)* school, shoal; *(птиц)* flock

кот tomcat; **там хлеба ~ кот наплакал** there's hardly any bread left; **вся работа пошла коту под хвост** all the work has gone down the plughole; **~в мешке** a pig in a poke

котел *(сосуд)* pot; *(паровой)* boiler; **общий ~** kitty; **вариться в одном ~ле** to live in each other's pockets

котелок *(походная кастрюля)* billycan; *(шляпа)* bower (hat) *(BRIT)*, derby *(US)*

котельная boilerhouse
котельщик boiler-maker
котенок kitten
котик *(тюлень)* fur seal; *(мех)* sealskin
котиковый sealskin
котироваться to be quoted (at); to have a high value
котировка *ком.* quotation
котиться *(кошка)* to have kittens; *(зайцы, кролики)* to give birth
котлета rissole; **(отбивная ~)** chop
котлован pit
котловина *гео.* basin
котомка knapsack; *(разг)* bag
который what, which, who; that; **~ час?** what is the time?
коттедж cottage
кофе coffee; **~в зернах** coffee beans
кофеварка percolator
кофеин caffeine
кофейник coffeepot
кофейный coffee *мн.* **~ ого цвета** coffee coloured; **кофейный сервиз** coffee service
кофейня coffee shop
кофемолка coffee grinder
кофта blouse; *(шерстяная)* cardigan
кочан *(капусты)* cabbage
кочевать to lead a nomadic life; *(животные)* to roam
кочевник nomad
кочевой nomadic
кочевье nomad camp
кочегар stoker
кочегарка furnace room
коченеть *(руки, труп)* to go stiff; *(человек)* to get stiff
кочерга poker
кочерыжка heart *(of cabbage)*
кочка tussock
кочковатый hilly, abounding in hillocks
кошара sheepfold
кошатник cat-lover
кошачий feline; *(мех, лапа)* cat's
кошелек purse
кошелка basket
кошка cat; *(скалолаза: обычно мн)* crampon; **~ки-мышки с кем-н** to play cat and mouse with sb
кошмар nightmare
кошмарный *(сон)* nightmarish; *(не-*

рен) dreadful, nightmarish
кощей *(бессмертный)* evil spirit in Russian fairytales
кощунственный blasphemous
кощунство blasphemy
кощунствовать to blaspheme
коэффициент coefficient; **коэффициент полезного действия** cofficiency
КПСС *сокр* *(Коммунистическая партия Советского Союза)* CPSU *(= Communist Party of the Soviet Union)*
краб crab
краги teggings
краденый stolen
крадучись stealthily
краевед local historian
краеведение local studies *мн*
краеведческий **~ музей** local-history museum
краевой regional
краеугольный fundamental; **краеугольный камень** cornerstone
кража theft; **~со взломом** burglary
край edge; *(чашки, коробки)* rim; *(местность)* region; *полит.* krai; **непочатый ~ работы** an endless amount of work; **на ~света** to the ends of the earth; **на ~ю света** at the ends of the earth; **дальние/теплые ~я** far-off/warm climes; **родной ~** native country; **находиться на ~ю гибели** to be on the verge of disaster; **краем уха слушать** to half listen; **краем уха слышать** to overhear; **хватать через ~** to go too far; **бить через ~** to overflow
крайне extremely
крайний extreme; *(дом)* end; *(пункт маршрута)* last, final; **в ~ем случае** as a last resort; **по ~ей мере** at least; **~ нападающий** winger; **Крайний Север** the Arctic; **~ срок** (final) deadline
крайность *(крайняя степень)* extremity; *(противоположное)* extreme; **бросаться в ~и** to go from one extreme to the other; **твое поведение надоело мне до ~ти** I find your behaviour tedious in the extreme

К

краля *(подруга)* chick; *(красотка)* queen bee

крамола subversion; **говорить/писать ~y** to say/write subversive things

крамольный subversive

кран tap, faucet *(US)*; *строит.* crane

крановщик crane operator

крапать to marble; to sprinkle; to trickle

крапива nettle

крапивник wren

крапивница *мед.* nettle rash

крапивные щи nettle soup

крапинка fleck, speck

краплёный *(карты)* marked

крапчатый speckled

краса beauty; *(школы)* the pride of

красавец handsome *или* good-looking man

красавица beautiful woman

красавка deadly nightshade

красивость superficial beauty

красивый beautiful; *(мужчина)* handsome; *(решение, фраза, слово)* fine

красильный dye; **красильные вещества** dyestuffs

красильня dyers *(factory)*

красильщик dyer; house-painter

краситель dye

красить to paint; *(волосы)* to dye; **накрасить** *(щёки, губы)* to paint; *(украшать)* to adorn; **такое поведение тебя не ~сит** such behaviour does not become you

краситься to be covered in paint; *(пачкать)* to run; **накраситься** to wear make-up

краска paint; *(нежные, весенние)* colour *(BRIT)*, color *(US)*; *(стыда)* blush; **описывать что-н чёрными ~ми** to paint a gloomy picture of sth

краснеть to turn red; *(от стыда)* to blush, flush; *(от гнева)* to go red; **~ перед кем-н за кого-н** to be ashamed of sb in front of sb; **~ до корней волос** to blush to the roots of one's hair

красноармеец *ист.* Red-Army soldier

краснобай waffler

красногвардеец *ист.* Red Guardsman

краснодеревщик cabinet-maker

красноречивый *(оратор, письмо)* eloquent; *(взгляд, жест)* expressive; *(цифры, факты)* revaling

красноречие eloquence

краснота *(лица)* redness; *(в горле)* inflammation

краснощёкий rosycheeked

краснуха German measles

красный red; **проходить ~ной нитью** *или* **линией** to run through; **красная армия** Red Army; **красная рыба** salmon; **красная строка** new paragraph; **красное вино** red wine; **красное дерево** mahogany; **красный перец** paprica

красоваться *(перед зеркалом, людьми)* to parade

красота beauty; **красота!** wonderful!

красотка pretty girl

красоты *(природы)* beautiful scenery

красочный *(язык, расцветка)* colourful *(BRIT)*, colorful *(US)*

красть to steal

красться *(человек)* to creep, steal

крат, во сто ~ a hundred times

кратер crater

краткий short; *(беседа)* brief, short; *(словарь, отчёт)* concise; **~кое прилагательное** short-form adjective; **"и" ~кое** *the 10th letter of the Russian alphabet*

кратковременный short

краткосрочный *(отпуск, командировка)* short; *(заём, ссуда)* short-term

краткость brevity

кратный divisible

крах collapse; destruction

крахмал starch

крахмалить to starch

крахмальный starched

крашение dyeing

крашеный *(мех, ткань)* dyed; *(стол, дверь)* painted; **~ая блондинка** peroxide blonde

краюха *(хлеба)* doorstep

креветка shrimp

кредит credit; *(политический)* credibility; **в ~** on credit; **превышать to** overdraw; **брать ~ в банке** to arrange an overdraft кредитный credit; ~остаток на счете credit balance; кредитная карточка credit card; кредитный счет credit account

кредитовать to grant credit to

кредитор creditor; незастрахованный ~ unsecured creditor

кредиторский creditor's

кредитоспособность solvency

кредитоспособный solvent

кредо credo

крейсер воен.battleship, cruiser

крейсировать to sail; воен. to patrol

крекинг (нефти) cracking

крем cream; сапожный ~ shoe polish

крематорий crematorium

кремация cremation

кремень flint

кремировать to cremate

кремль citadel; Кремль the Kremlin

кремневый flint

кремний silicon

кремовый cream

крен (судна) list; (самолета) bank; ~ в сторону чего-н a move towards sth

крендель krendel

кренить (судно) to list; (самолет) to bank

крениться (судно) to list; (самолет) to bank

креозот creosote

креп crepe

крепдешин crepe de chine

крепежный reinforcing

крепительный тех. reinforcing; ~ое средство anti-diarrhoea tablets

крепить to fix; (делать прочным) to reinforce; меня ~ит I'm constipated

крепкий strong; (мороз, удар) hard; ~ орешек tough nut; крепкие напитки spirits

крепко strongly; (спать, любить) deeply; (завязать) tightly

крепко-накрепко (связать, закрыть) as tightly as possible

крепление (свай) reinforcement; (обычно мн: лыжные) binding

крепленое вино fortified wine

креплю см крепить

крепнуть to get stronger; (уверенность) to grow

крепостник ист. serf owner

крепостничество ист. serfdom

крепостной ист. (отношения) serf; (башня, сооружение) fortress; ~ крестьянин serf; крепостное право во serfdom

крепость strength; воен. fortress

крепчать (мороз) to harden; (ветер) to get stronger

крепыш (ребенок) chubby chops

кресло armchair; (в театре) seat

кресло-кровать sofa bed

крест-накрест crosswise

крест cross; поставить ~ на ком-н/чем-н to give sb/sth up for lost

крестец sacrum

крести (разг: карты) clubs мн

крестильный baptismal

крестины christening, baptism

крестить to christen, baptize; пере~ кого-н to make the sign of the cross over sb; ~ кого-н кем-н to christen sb sth

креститься to be christened или baptized; перекреститься (крестить себя) to cross o.s.

крестная мать godmother; ~ый отец godfather

крестник godson

крестница goddaughter

крестный (ход) religious procession; ~ое знамение sing of the cross

крестовый (поход) crusade; ~ая дама/десятка the queen/ten of clubs

крестоносец crusader

крестьянин peasant

крестьянский peasant

крестьянство peasantry

кретин imbecile

кречет gerfalcon

крещендо crescendo

крещение (обряд) christening, baptism; (праздник) = the Epiphany; он получил боевое ~he fought his first battle

крещенский (праздник) the Epiphany; ~ые морозы coldest time of the year traditionally following the Epiphany

кривая мат. curve

кривда falsehood, injustice

криветь to become cockeyed

кривизна *(пола, потолка)* uneven-ness; *(линии, позвоночника)* curvature

кривить to curve; *(лицо, губы)* to twist; **~душой** to be insincere

кривиться *(забор, стена)* to lean; *(лицо, губы)* to twist; *(человек)* to slouch

кривляться *(гримасничать)* to squirm; *(манерничать)* to show off

кривой *(линия, палка, улыбка)* crooked; *(ноги)* bandy; *(разг: человек)* cockeyed; **~ое зеркало** distorting mirror

криволинейный *(движение)* curvilinear

кривоногий bow-legged

кривотолки gossip

кривошип *sm. tech.* crank

кризис crisis; *(болезни)* critical point, crisis

кризисный crisis

крик *сгу*; *(человека)* shout, cry; *(птиц)* call, cry; **последний ~ моды** the last word in fashion

крикет *спорт.* cricket

крикливый *(женщина, платье)* lound; *(голос)* yapping

крикнуть to shout

крикун bawler

криминал criminal case; **я не вижу здесь ~а** I don't see anything criminal in it

криминалист specialist in crime detection

криминалистка crime detection

криминальный *(случай)* criminal; *(история, хроника)* crime

криминолог criminologist

криминология criminology

кринка *a ceramic container for milk*

кристалл crystal

кристаллизация crystallization

кристаллизоваться to crystallize

кристальный *(светлый)* crystal-clear; *(безупречный)* pure

Крит Crete

критерий criterion *(мн* criteria)

критик critic

критика criticism; **литературная ~** literary criticism; **это не выдер-живает никакой ~и** it doesn't

stand up to criticism; **подвергать кого-н/что-н ~е** to subject sb/sth to criticism

критикан nit-picker

критиковать to criticize

критицизм criticism

критический critical; **~отдел** review section; **~ая статья** critique

критичный critical

кричать *(птица)* to cry; *(человек: от боли, от гнева)* to cry (out); *(говорить громко)* to shout; **~ на** *(бранить)* to shout at

кричащий *(перен: наряды)* loud; *(реклама)* eye-catching

кров shelter; **остаться без крова** to have no roof over one's head

кровавый *(руки, одежда)* bloodied; *(нож)* bloodstained; *(рана, битва)* bloody; *(диктатура)* ruthless; **~ая баня** blood bath; **~ бифштекс** rare steak

кроватка cot *(BRIT)*, crib *(US)*

кровать bed

кровельный roofing

кровельщик roofer

кровеносный blood

кровля roof; **жить под одной ~лей** to live under one roof

кровный *(родство)* blood; *(обида)* grave; **~ые интересы** vested interests; **~ враг** deadly enemy; **~ые деньги** blood money; **кров-ная месть** blood feud

кровожадность bloodthirstiness

кровожадный bloodthirsty

кровоизлияние haemorrhage *(BRIT)*, hemorrhage *(US)*

кровообращение *мед.* circulation

кровоостанавливающий *(средства)* clotting

кровопийца bloodsucker

кровоподтек blood blister

кровопролитие bloodshed

кровопролитный bloody

кровопускание bloodletting

кровосмешение incest

кровотечение bleeding

кровоточить to bleed

кровь blood; **голос ~и** call of the blood; **портить ~ кому-н** to make sb's blood boil; **проливать свою ~ за кого-н** to sacrifice o.s. for sb/

sth; пить чью-н ~ to suck the lifeblood out of sb; ~ **с молоком** about a healthy ruddy-faced person; плоть и ~ (чья) (sb's) flesh and blood; **у меня сердце кровью обливается** my heart bleeds

кровяной blood; **кровяная колбаса** black pudding; **кровяное давление** blood pressure

кроить to cut out

кройка cutting out

крокодил crocodile

крокодиловый crocodile; **крокодильи** *(слезы)* crocodile tears мн

кролик rabbit; *(мех)* rabbit fur; **шапка из ~a** rabbit-fur hat

кроличий rabbit

крольчатник rabbit hutch

крольчиха doe *(rabbit)*

кроме *(за исключением)* except; *(сверх чего-н)* as well as; ~ **того** besides; ~ **него я никого не видел** I haven't seen anyone except for *или* apart from him

кромешный: ад ~ hell on earth; **здесь тьма ~ая** it's pitch-black here

кромка *(ткани)* trim; *(льда, поля)* edge

кромсать *(хлеб, материал)* to hack off; *(перен: рукопись, пьесу)* to chop

крона *(дерево)* crown; *(деньги)* krona

кронштейн *(балкона)* support; *(лампы, полки)* bracket

кропать to scribble

кропильница font

кропить рел. to sprinkle *(with holy water)*

кропотливый *(работа)* painstaking; *(человек)* fastidious

кросс *(бег)* cross-country; *(гонки)* cross country race

кроссворд crossword

кроссовка *(обычно мн)* trainer

крот mole

кроткий meek

кротовый moleskin

кротость meekness

кроха scrap; *(ребенок)* little one

крохобор miser

крохоборство stinginess

крохотный tiny

крошечный teeny-weeny, tiny

крошить *(хлеб)* to crumble; *кулин.* to dice; *(сорить)* to drop crumbs

крошиться *(хлеб, мел)* to crumble

крошка *(кусочек)* crumb; *(малютка)* little one

круг circle; спорт. lap; *(сыра, хлеба)* round; *(знакомых)* circle; *(обязанностей, интересов, вопросов)* range; **у меня голова кругом идет** my head is spinning; **ходить по кругу** to go round and round; **беговой ~** racing track; **полярный ~** polar circle

круги *(литературные, политические)* circles мн

круглеть *(полнеть)* to fill out; *(становиться круглым)* to become round

кругловатый roundish

круглогодичный all-year-round

круглолицый round-faced

круглосуточный *(работа)* round-the-clock; *(детский сад)* twenty-four-hour

круглый round; *(дурак, идиот)* complete, total; *(цифра)* round; ~ **год** all year (round); ~**ые сутки** twenty-four hours; ~**ая сумма** hefty sum

круговой circular; **круговая порука** mutual dependence; *(у преступников)* mutual cover-up

круговорот cycle; *(событий)* turmoil

кругозор: **он человек широкого ~а** he is knowledgeable

кругом around; *(разг: совершенно)* entirely; **идти ~** to make a detour; **Кругом!** About turn! *(BRIT)*, About face! *(US)*

кругооборот ком. turnover

кругосветный round-the-world

кружевница lace-maker

кружевной lace

кружево lace

кружить to spin; *(птица)* to circle; *(по лесу)* to go round in circles

кружиться *(в хороводе)* to move in a circle; *(в танце)* to spin (around); **у меня голова кружится** my head's spinning

кружковые занятия extracurricular activities

кружок circle; *(организация)* club

К

круиз cruise

круп *(лошади)* crupper; *мед.* croup

крупа grain

крупинка grain

крупица *(таланта, здравого смысла)* ounce; *(истины)* grain

крупнеть to grow larger

крупно *(нарезать)* coarsely; писать ~ to write in big letters; ~ поссориться с кем-н to have a big row with sb

крупномасштабный large-scale

крупный *(песок, соль)* coarse; *(размеры, ребенок, фирма)* large; *(талант)* great; *(ученый, дело, фабрикант)* prominent; *(ссора, событие, успех)* major; у меня будут ~ные неприятности I'll be in serious trouble; ~разговор serious talk; крупный город major city; крупный план close-up; крупный рогатый скот cattle

крупозное воспаление легких pneumonia with croup

крутизна steepness

крутить *(руль)* to turn; скрутить *(руки)* to twist; *(веревку)* to splice; *(папиросу)* to roll; ~ кем-н to manipulate sb; ~ роман с кем-н to have an affair with sb; как ни ~, нам придется... *(разг)* we've no choice but to...

крутиться *(вертеться)* to turn around; *(колесо)* to spin; *(дети)* to fidget; *(перен: хлопотать)* to be kept busy

круто *(подниматься)* steeply; *(поворачивать)* sharply; ~ обходиться с кем-н to give sb a hard time

крутой *(берег, подъем)* steep; *(поворот, перемены)* sharp; *(нрав, меры)* harsh; *(тесто)* stiff; *(каша)* thick; ~ кипяток fiercely boiling water; ~ парень cool guy; крутое яйцо hard-boiled egg

круча slope

крученый *(нитки)* twisted; крученый удар *(в теннисе)* spin shot

кручина afhiction, sorrow

крушение *(поезда)* crash; *(перен: надежд, планов)* shattering; терпеть ~ *(корабль)* to be wrecked; *(поезд)* to crash

крушина buckthorn

крушить *(врагов)* to crush; *(деревья, дома)* to wreck

крыжовник *(кустарник)* gooseberry (bush); *(ягода)* gooseberry

крылатый *(насекомое)* winged; ~ые слова proverbial expression; крылатая ракета *воен.* cruise missile

крыло wing; *(ветряной мельницы)* sail; подрезать крылья кому-н to clip sb's wings; расправлять крылья *(перен)* to spread one's wings

крылышко wing; под ~ом у кого-н under sb's wing

крыльцо porch

Крым Crimea

крымский Crimean

крынка см кринка

крыса rat

крысиный *(нора, хвост)* rat's; ~яд rat poison

крысолов rat-catcher

крысоловка rat-trap

крытый covered

крыть to cover; *(карту)* to trump; ~матом to trun the air blue

крыться *(причина)* to lie; в расчетах ~ылась ошибка the calculations contained a mistake; причина этого явления ~ется в том, что... the reason for this lies is the fact that...

крыша roof

крышка *(ящика, чайника)* lid; тут ему и ~ that was the end of him

крэк crack

крюк *(в стене)* hook; *(разг: лишнее расстояние)* detour

крючить ; его ~ит от боли he is bent double in pain

крючиться to be bent double

крючковатый hooked

крючок hook; ~для вязания crochet hook

крюшон *кулин.* punch

кряду: дождь шел пять дней ~ it rained for five whole days

кряж *(горный)* ridge

кряжистый stumpy

кряканье quacking

крякнуть *(утка)* to quack; *(перен: человек)* to grunt

кряхтеть to groan

ксерокопия photocopy, Xerox

ксерокс *(автомат)* photocopier; *(копия)* photocopy, Xerox

ксилография *(образец работы)* woodcut; *(процесс)* wood engraving

ксилофон xylophone

кстати apropos, opportunely, relevantly

кто who

кто-нибудь *(в вопросительных предложениях)* anybody, anyone; *(в утвердительных предложениях)* somebody, someone; **мне ~ звонить?** did anybody *или* anyone phone for me?; **~ должен ему помочь** somebody *или* someone should help him

кто-то somebody, someone; **~ Вам звонил** somebody *или* someone phoned for you

куб *геом., матем.* cube; **3 в кубе** 3 cubed

Куба Cuba

кубарем headfirst

кубизм cubism

кубик *(игрушка)* building brick *или* block

кубинец Cuban

кубинский Cuban

кубист cubist

кубический cubic; **кубический корень** cube root

кубок goblet; *спорт.* cup

кубометр cubic metre *(BRIT)* *или* meter *(US)*

кубрик crew's quarters

кувалда sledgehammer

Кувейт Kuwait

кувшин jug *(BRIT)*, pitcher *(US)*

кувыркаться to somersault

кувыркнуться to trun a somersault

кувырком head over heels; **жизнь у меня пошла ~** my life has been turned on its head

кувырок somersault

куда where

куда-нибудь *(в вопросительных предложениях)* anywhere; *(в утвердительных предложениях)* somewhere; **Вы ~ съездили летом?** Did you go anywhere in the summer?; **давай ~ пойдем** let's go somewhere

куда-то somewhere; **он ~ ушел** he has gone somewhere

кудахтанье clucking

кудахтать to cluck

кудесник sorcerer

кудреватый florid, ornate

кудри curls

кудрявый *(волосы)* curly; *(человек)* curly-haired; *(дерево)* bushy; *(перен: слог)* flowery

кузнец blacksmith

кузнечик grasshopper

кузнечный blacksmith's; **кузнечные меха** bellows

кузница smithy, forge

кузов back

кукарекать to crow

кукареку *(крик петуха)* cock-a-doodledoo

кукиш fig; **он показал мне ~** he told me to get lost

кукла doll; *(в театре)* puppet; **театр ~ол** puppet theatre *(BRIT)*, theater *(US)*

куковать to cuckoo; *(перен: разг)* to twiddle one's thumbs

куколка *зоол.* pupa

кукольный *(игрушечный):* **~ домик** doll's house; **кукольный театр** puppet theatre *(BRIT)*, theater *(US)*

кукситься to sulk

кукуруза *бот.* maize; *кулин* (sweet) corn

кукурузный maize, corn

кукушка cuckoo

кулак fist; *ист.* kulak

кулачный *(бой)* fist fight

кулебяка pie made with meat, fish or rice

кулек paper bag

кулик *зоол.* wader

кулинар master chef

кулинария *(приготовление пищи)* cookery; *(магазин)* = delicatessen; *(продукты)* cooked foods groceries

кулинарный *(искусство)* culinary

кулиса *театр.* wing; **за ~ми** backstage, behind the scenes

кулич kulich

кулички *(разг):* **у черта на ~ках** to the back of beyond

кулон *(украшение)* pendant;

К

кулуарный *(встречи, сделки)* backstage

кулуары *полит.* lobby; **в ~ах беседы иду** behind-the-scene talks are currently in progress

куль sack

кульминация *астрон.* culmination; *(перен)* high point, climax

культ *(служение божеству)* cult; *(совокупность обрядов: православный)* religion; *(перен: красоты, денег)* cult worship; **служители культа** church officials; **культ личности** personality cult

культивирование cultivation

культивировать to cultivate

культовый religious

культура culture; *(разведение: льна)* cultivation, culture; *(быта)* high quality; **~ труда** work ethic

культуризм body building

культурист body builder

культурный cultural; *(растение)* cultivated

кым godfather

кума godmother

кумач red bunting

кумачовый calico

кумир idol

кумовство nepotism

кумушка gossip

кумыс fermented horse's milk

кунжут *ст.* sesame

куница marten

купальник swimming *или* bathing costume *(BRIT)*, bathing suit *(US)*

купальный *(костюм)* swimming *или* bathing costume *(BRIT)*, bathing suit *(US)*; **~ сезон** swimming season

купальня bath, bathing-place

купальщик bath-attendant

купание bathing; *(плаванье)* swimming

купать to bath

купаться to bathe; *(плавать)* to swim; *(в ванне)* to have a bath; **~ся в золоте** to be rolling in money

купе compartment

купейный *(вагон)* Pullman (car)

купель font

купец merchant

купеческий *(сословие)* merchant; *(перен: нравы)* vulgar

купечество the merchants *мн*

купить to buy

куплет couplet

купля purchase; **~-продажа** buying and selling

купол cupola

купон *(ценных бумаг)* ticket; *(денежный знак)* coupon; **стричь ~ы** to make easy money; **подарочный ~** gift voucher

купчий deed of purchase

купюра *(сокращение)* cut; *экон.* denomination; **статья печатается без купюр** the article is printed in full

курага dried apricots *мн*

кураж courage; **~иться** to bully; to swagger

куражиться ~ над кем-н to bully sb

куранты chiming clock

куратор supervisor

курган *(могильник)* (burial) mound

курево smokes *мн*, fags *мн*

курение smoking

куренок *ст.* chicken

курилка smoking room

курильница censer

курильщик smoker

куриный *(яйцо)* hen's; *(бульон, перья)* chicken; **куриная слепота** *мед.* night blindness

курительный *(табак)* rolling tobacco; **курительная комната** smoking room

курить to smoke; **"~ запрещается"**, **"не ~"** "no smoking"; **"у нас не курят"** "kindly refrain from smoking"

куриться *(вулкан)* to smoke; *(вершины гор)* to be shouded in mist

курица hen, chicken; *(мясо)* chicken; **~ам на смех** *(разг)* it's a complete joke; **денег у нее ~ы не клюют** *(разг)* she's absolutely loaded

курносый snub-nosed

куроводство poultry-farm

курок hammer; **взводить ~** to cock a gun

куролесить to play up

куропатка grouse

курорт *(holiday)* resort

курортный *(зона, город)* resort; **курортный сезон** the holiday season

курочка pullet

курс course; *полит.* policy; *ком.* exchange rate; *просвещ.* year; **брать ~ на** to set a course for; **идти по курсу** to be on (the right) course; **переходить на четвертый ~** to go into the fourth year; **быть в курсе дела** to be up on what's going on; **входить в ~ чего-н** to put sb in the picture (about sth)

курсант *воен.* cadet

курсив italics; " **~ мой**" "the italics are mine"

курсивный *(шрифт)* italic

курсировать *(самолет, автобус)* to shuttle between... and ..; *(судно)* to sail between ... and ...

курсовая *(работа)* project; **~ое собрание** student's year meeting; **~ая разница** ком. difference in exchang rates

курсор cursor

куртка jacket

курточка jacket

курчавый *(волосы)* curly; *(человек, животное)* curly-haired

курьез curious thing

курьезный curious

курьер messenger; *(дипломатический)* courier

курьерский *(отдел)* dispatch department; **курьерский поезд** express train

курятина chicken

курятник chicken coop

курящий smoker

кусать to bite; *(сахар, конфеты)* to crunch

кусаться *(животное)* to bite; *(растение)* to sting; *(разг: цена, налоги)* to hurt

кусаться to wrap o.s. up in

кусачки wire cutters

кусковой *(сахар)* lump sugar

кусок piece; **~ сахара** sugar lump; **~ мыла** bar of soap; **~ хлеба** daily bread

кусочек small piece

куст *бот.* bush; **прятаться в ~ы** to run for cover

кустарник shrubbery

кустарный handicraft; *(методы, оборудование)* crude, primitive; **~ труд** craftwork; **кустарные изделия** handicrafts

кустарь craftsman

кустистый bushy

кутать *(плечи, ноги)* to cover up; *(ребенка)* to bundle up

кутеж drinking spree

кутерьма mayhem, chaos

кутить to go on a drinking spree

кутузка the slammer, the clink *(BRIT)*

кухарка cook

кухня *(помещение)* kitchen; *(еда)* cooking; **русская ~** Russian cuisine

кухонный kitchen

куцый *(собака)* with no tail; *(программа, права)* limited

куча *(песка, листьев)* pile, heap; *(денег, проблем)* heaps или loads of; **валить все в одну ~у** to lump everything together

кучевые облака cumulus (clouds *мн*)

кучер coachman *(мн* coachmen)

куш jackpot; **срывать ~** to hit the jackpot

кушак sash

кушанье food

кушать to eat; **~йте, пожалуйста** have something to eat

кушетка couch

кувшинка water lily

кювет gutter

Л

лабаз corn-shop

лабазник corn-merchant

лабиринт maze; *(перен)* labyrinth

лаборант *(в лаборатории)* lab technician: *(на кафедре)* secretary

лаборатория laboratory

лава lava *(забой)* drift

Лаванда lavender

лаваш lavash

лавина avalanche

лавировать *мор.* to tack; to manoeuvre, maneuver

лавка *(скамье)* bench; *(магазин)* shop

лавочка *уменьш. от* лавка; shady business

лавочник shopkeeper

лавр laurel; *см также* лавры

лавра monastery

лавровый laurel; лавровый лист bay leaf

лавры *(венок)* laurels; пожинать ~ to be crowned with laurels; почивать на ~ах to rest on one's laurels

лавсан lavsan

лагерный camp

лагерь camp

лагуна lagoon

лад *(разг: гармония)* harmony; *(муз.: обычно ни: деление на грифе)* fret; *(: клавиша)* key; *(: строй)* mode; быть не в ~ах с to be at odds with; на свой ~ in one's own way; на все ~ы in all sorts of ways, every which way; ругать кого-н на все ~ы to call sb every name under the sun; дело идет на ~ things are getting better

ладан incense; дышать на ~ *(разг)* to be on one's last legs

ладить ~с to get on *(well)* with

ладиться to go well

ладно concord, in tune; ~! right! very well! O.K.!

ладный well-built; у него ~ная фигура he's a fine figure of a man

ладожский Л ~ое озеро Lake Ladoga

ладонь (и) *анат.* palm; отсюда Москва видна как на ~и from here you can see Moscow clearly

ладья *шахмат.* rook, castle

ладоши бить в ~ to clap one's hands; хлопать в ~ to clap

лаз gap

лазарет *воен.* field hospital

лазейка gap, loop-hole

лазер laser

лазерный laser; лазерный принтер laser printer

лазить to climb; *(под стол, под кровать)* to crawl

лазурит lapis lazuli

лазурный azure, sky-blue

лазурь azure

лазутчик *sm.* scout

лай barking

лайка husky; *(кожа)* kid

лайковый kid

лайнер liner

лак *(для ногтей, для пола)* varnish; *(для волос)* lacquer; покрывать что-н лаком to varnish sth

лакание lapping

лакать to lap up

лакей *(слуга)* footman; *(подхалим)* lackey

лакированный *(шкатулка)* lacquered; *(туфли)* patent-leather

лакировать *(изделие)* to lacquer *(кожу)* to patent

лакировка *(медиков)* lacquer

лакмусовый ~ая бумага litmus paper

лаковый *(изделия)* lacquered; *(раствор. краски)* lacquer; лаковая кожа patent leather

лакомиться to feast on

лакомка *(любящий вкусное)* gourmand; она настоящая ~а *(сладкоежка)* she has a sweet tooth

лакомлюсь *см* лакомиться

лакомство dainties, delicacies

лакомый delicious; лакомый кусок titbit, tidbit

лаконизм succinctness

лаконично laconically, succinctly

лаконичный *(речь)* laconic, succinct; *(формы здания, рисунок)* spare, austere

лакрица liquorice

лактоза lactose

лама *зоол.* lama *рел.* lama

Ла-Манш the (English) Channel

лампа *(осветительная, керосиновая)* lamp; *тех.* tube: лампа дневного света fluorescent light

лампада icon lamp

лампас stripe

лампочка lamp; *(для освещения)* light bulb; ему все до ~ки *(разг)* he couldn't care less

лангет fillet steak

лангуст lobster

ландшафт landscape

ландыш lily of the valley

ланолин lanolin

ланцет *мед.* lancet

лань fallow deer

Лаос Laos
лаосский Laotian
лапа *(зверя)* paw; *(птицы)* foot; *(сосны, елки)* bough; *(якоря)* fluke; попадать кому-н в ~ы fall into sb's clutches; давать кому в ~у to give sb a backhander; ходить на задних ~м перед кем-н *(перен: разг)* to dance attendance on sb
лапоть bast shoe
лапочка *(разг)* dear, darling
лапта lapta
лапушка dear, darling
лапша noodles; *(суп)* noodle soup
ларек stall
ларец *(шкатулка)* casket
ларингит laryngitis
ларингология laryngology
ларь bin
ласка tenderness; weasel
ласкательный ~ суффикс *линг.* diminutive suffix
ласкать *(ребенка, девушку)* to cares; *(собаку)* to pet: ~ слух/взор to be pleasing to the ear/eye
ласкаться ~ся к *(ребенок)* to snuggle up to; *(кошка)* to rub up against; *(собака)* to fawn on
ласковый affectionate; *(перен: ветер, солнце)* gentle
ласт *зоол.* flipper
ластик *(разг)* rubber, eraser
ластиться to fawn
ласточка swallow; городская/береговая ~ house/sand martin
лат lat
латать to patch
латвийский Latvian
Латвия Latvia
латинский Latin; ~ язык Latin
латка *(разг)* patch
латунь brass
латы armour, armor
латынь Latin
латыш Latvian
латышский Latvian; ~ язык Latvian
лауреат winner
лафа (*разг)*: нам здесь ~ we've got it easy here
лафет gun-carriage
лацкан lapel
лачуга hovel
лаять to bark

лгать to lie
лгун liar
лгунья см лгун
лебеда *бот.* orache
лебеденок cygnet
лебединый swan; swanlike; *(: поступь)* graceful; ~ая стая flock of swans: лебединая песня swan song
лебедка winch
лебедь swan
лебезить ~ *(перед (разг)* to fawn (on)
лебяжий ~пух swan's- down
лев (льва) lion *(созвездие)*: Л~ Leo
левкой stock
левосторонний on the left; в Великобритании ~ее движение in Britain they drive on the left
левша left-handed person: он/она ~ he/she is left-handed
левый left, left-hand *(партия, взгляды)* Left-wing; ~ая работа *(разг)* moonlighting
легавый *type of gun dog*
легальность legality
легальный legal
легенда legend; *(перен)* fairy story
легендарный legendary
легион legion
легированный ~ая сталь steel alloy
легкий *(нетяжелый)* light; *(нетрудный, несерьезный)* easy: *(боль, насморок)* slight; *(фигуру)* graceful; *(характер, человек)* easy-going; у него слишком ~ое отношение к жизни he doesn't take life seriously enough: у него ~кая рука he brings good luck; он нашел работу с моей ~кой руки he found work thanks to me; он ~ок на подъем he doesn't take much persuading; ~ок на помине! talk of the devil!; легкая атлетика atletics, track-and-field; легкая промышленность light industry
легко easily; ~ сказать easier said than done: мне здесь ~ I feel it easy here; это ~ it's easy
легкоатлет athlete
легкоатлетка см легкоатлет
легковерный gullible, credulous
легковесный superficial
легковой ~ая машина, ~ автомобиль

car, automobile

легковушка motor, auto

легкое lung

легкомысленный *(человек)* frivolous; *(поступок)* thoughtless; *(отношение)* frivolous, flippant

легкомыслие *(человека)* frivolity; *(поступка)* thoughtlessness

легкоплавкий fusible

легкость *(походки, веса)* lightness; *(задания)* simplicity, easiness; *(характера)* easy-going nature; у него много друзей благодаря ~и его характера he has many friends thanks to his easy-going nature

легализоваться to legalize

легочный pulmonary, lung ~**больной** patient with a pulmonary *или* lung condition

легчать to lighten; to mitigate

лед *(льда, льду)* ice; ~ **тронулся** *(перен.)* things are moving now

леденеть; to freeze; *(человек, руки)* to be freezing; **он оледенел от страха** fear made his blood run cold

леденец fruit drop

леденить to blood run cold; to freeze

леденящий *(ветер, вода)* icy; *(перен. ужас, страх)* chilling

леди lady

ледник ice-box, ice-house; refrigerator

ледник glacier

ледниковый glacial

ледоруб ice axe

ледоход breaking up and drifting of ice on rivers is spring

ледяной ice *(ветер, вода, взгляд)* icy

лежак lounger

лежалый *(хлеб)* stale; *(товар)* old

лежать to lie; to be (lying); to be; ~**в больнице** to be in hospital; **на нем ~ат заботы о семье** he is responsible for looking after his family; **(у меня) душа не ~ит к этой работе** my heart's not in this work; **(у меня) душа не ~ит к нему** I don't feel very well disposed towards him

лежачий lying; ~ **больной** bedridden patient; **работа — не бей ~его** it's a cushy job

лежбище rookery

лежебока couch potato

лезвие blade

лезть *(проникать куда-н):* ~ **в** to climb in(to); ~ **на** to climb; ~ **в карман** to reach into one's pocket; ~ **в чужие дела** to poke one's nose into other people's business; ~**в разговор** to butt into a conversation; ~**кому-н на глаза** to hang around sb

лейбористский Labour

лейка watering can

лейкоз leukaemia, leukemia

лейкопластырь leucocyte

лейкопластырь sticking plaster, adhesive tape

лейкоцит leucocyte

Лейпциг Leipzig

лей *см.* **лить** ◊ *(лея)* lay

лейтенант lieutenant

лейтмотив leitmotive

лекало French curve

лекарственный medicinal; **лекарственная форма** medicine

лекарство medicine; ~ **от** medicine for; ~**от кашля** cough medicine; **принимать/прописывать** ~ to take/prescribe medicine

лексика vocabulary

лексикограф lexicographer

лексикографический lexicographical

лексикография lexicography

лексикология lexicology

лексикон lexicon, vocabulary

лексикорафический lexicographical

лектор lecturer

лекционный lecture; ~ **курс** course of lectures

лекция lecture

лелеять to cherish

лемех ploughshare, plowshare

лемур Lemur

лен *(льна)* бот. *(ткань)* linen

ленивец idler, lazy person; sloth

ленивый lazy

Ленинград Leningrad

ленинизм Leninism

лениться to be lazy; ~ **(полениться)** to be too lazy to do

лента *(в косе, на шляпе)* ribbon; *(изоляционная, магнитная)* tape; *(фильм)* film

ленточный ~ **червь** tapeworm: ~ **транспортер** conveyor belt

лентяй lazy-bones

лентяйничать to lounge about

лень laziness ◊ **ему** ~ **учиться/работать** he can't be bothered studying/working; **(все) кому не** ~ anyone who feels like it

леопард leopard

лепесток petal

лепет babble; **детский** ~ drivel

лепетание chattering; murmur

лепешка flat bread

лепить *(из глины, из пластилина)* to model; ~ **слепить**; *(соты, гнезда)* to build

лепиться *(на деревьях, на склонах)* to cling

лепка modelling, modeling

лепной modelled, modeled; *(потолок)* moulded, molded

лепта contribution; **вносить свою** ~**у (во что-н)** to do one's bit (for sth); *(внести деньги)* to make a contribution (to sth)

лес *(большой)* forest; *(небольшой)* wood ◊ *(материал)* timber, lumber; **кто в** ~, **кто по дрова** at sixes and sevens

леса *(строит.* scaffolding

лесбиянка lesbian

лесистый wooded

леска fishing line

лесник forestguard

лесничество *(участок леса)* area of forest; *(учреждение)* forestry commission

лесничий forest ranger

лесной forest; woodland

лесоводство forestry

лесозаготовка logging

лесозащитный ~**ая зона** sheeter belt *(of trees)*

лесоматериал timber; lumber

лесонасаждение *(искусственный лес)* plantation; *(разведение леса)* afforestation

лесопарк woodland park

лесопилка sawmill

лесопромышленность *(лесная промышленность)* timber *или* lumber industry

лесопромышленный timber-industry, lumber-industry

лесоразработки timber *или* lumber processing

лесоруб lumberjack

лесосека felling area

лесосплав timber rafting

лесостепь forest-steppe

лестница *(лестничная клетка)* staircase; *(ступени)* stairs; *(переносная)* ladder; *(стремянка)* stepladder **служебная** ~ career ladder

лестничный ~**ая площадка** landing; ~ **пролет** stairway; ~**ая клетка** stairwell

лестный flattering

лесть flattery

лета *(лет)* см **год**; *(возраст)*: **сколько Вам лет?** how old are you?; **ему 16 лет** he is 16 (years old); **он в** ~**х** he is getting on: **он одних лет со мной** he is the same age as me

летальный fatal; ~**ьная доза** lethal dose

летаргический lethargic

летательный flying

летать to fly

лететь to fly; *(перен: мчаться)* to fly, rush; ~ **с** *(со стула)* to fall off *(с лестницы)* to fall down; **время** ~**тит** time flies; **все наши полетели** all our plans were dashed

лет на лету in flight; *(перен: понимать, усваивать)* very quickly; **он понял все с** ~**у** he understood everything in a flash

летний summer

летний summer

летный ~**ая погода** good weather for flying; **летное поле** airfield; **летная школа** flying school

лето summer; **сколько лет, сколько зим!** it's been ages!

летоисчисление calendar

летописец chronicler

летопись chronicle

летун flyer

летучий *(газ, масло)* volatile; *(семена)* winged; *(песок)* shifting; *(перен: собрание, разговор)* brief; **летучая мышь** bat

летучка *(разг: собрание)* brief

Л

meeting; (: *листок*) leaflet

летчик pilot: (*~испытатель* test pilot: ~ **истребитель** fighter pilot

лечащий ~ врач consultant-in-charge, attending physician

лечебница clinic

лечебный (*учреждение*) medical; (*свойства, трава*) medicinal; (*ванна*) medicated; **у него богатая ~ая практика** he has extensive clinical experience; **~ая гимнастика** therapeutic exercise; **лечебное средство** medication

лечение (*раненных, детей*) treatment; (*от простуды, от туберкулеза итп*) cure

лечить от вылечить ⋄ to treat; (*больного*): ~ **кого-н от** to treat sb for

лечиться *от* **вылечиться ⋄ to** undergo treatment

лечь (ложиться) (*на землю, на диван итп*) to lie down; (*пойти спать*) to go to bed; (*снег*) to fall; ~ **на** (*ответственность, заботы*) to fall an; **ложиться ~ в больницу** to be in hospital; **ложиться ~ в дрейф** to drift

леший wood goblin

лещ bream

лещина hazel

лженаука pseudoscience

лжесвидетель perjurer

лжесвидетельство perjury

лжесвидетельствовать to commit perjury

лжец liar

лживость falseness

лживый (*человек*) deceitful; (*улыбка, заверения*) false

ли if, whether; **или ... или,** either ... or ... (*ли cannot commence a sentence, use* **если**)

лиана *бот.* (*растение*) liana

либерал Liberal: (*о терпимом человеке*) liberal

либерализация liberalization

либерализм liberalism; (*с бездельниками, с подчиненными итп*) tolerance

либералист liberalist

либеральничать ~ с (*с подчиненными*) to fraternize with; (*с бездельниками*) to connive at

либеральный liberal; (*партия*) Liberal

либо or; **~ ... ~ ...** either ... or ...

либретто libretto

Ливан (*the*) Lebanon

ливанский Lebanese

ливень (*дождь*) downpour (*перен: огня, свинца*) shower

ливер offal

ливерный ~ая колбаса *sausage made with offal*

Ливерпуль Liverpool

ливневый ~ дождь downpour; **~ые воды** rainwater

ливрея livery

лига *полит. спорт.* league

лигатура *мед. линг.* ligature

лидер leader

лидерство leadership

лидировать to be in the lead, lead

лизать (*тарелку, мороженое*) to lick; (*пламя, волны*) to lap

лизинг leasing

лизнуть to lick

лизоблюд sponger

лик countenance

ликбез *ист.* (*перен: обучение элементарному*) basic teaching

ликвидатор (*пожара, последствий аварии*) relief worker *комм.* liquidator

ликвидация *экон.* liquidation; (*оружия*) destruction; **добровольная ~** *экон.* voluntary liquidation

ликвидировать (*не*) *оружие*) to destroy; (*фирму, дела*) to liquidate

ликвидироваться *экон.* (*фирма, трест итп*) to be liquidated

ликвидность liquidity

ликвидный ~ые активы *или* **средства** liquid assets

ликвиды liquid assets

ликер liqueur

ликеро-водочный ~ завод distillery

ликование rejoicing

ликовать to be elated

ликующий jubilant, triumphant

лилейный lily-white

лилипут midget

лилия lily

лиловый purple

лиман mud flats

лимит (*на электроэнергию, на бен-*

зин) quota; *(цен)* limit

лимитировать *(потребление, импорт)* to limit *(цены)* to cap

лимон *(дерево)* lemon tree; *(плод)* lemon; **он как выжатый ~** he's completely wasbed out

лимонад lemonade; *(разг: любой газированный напиток)* fizzy drink

лимонный lemon; **лимонная кислота** citric acid

лимузин limousine

лимфатический lymphatic

лингафонный ~ кабинет language laboratory

лингвист linguist

лингвистика linguistics

лингвистический linguistic

линейка *(линия)* line; *(инструмент)* ruler; *(шеренга)* assembly; **тетрадь в ~йку** lined notebook

линейный *(расположение, построение)* linear; **~ солдат** soldier of the line; **~ые меры linear measures; линейные войска** regular forces; **линейный крейсер** battle cruiser

линза lens

линия line; *(перен: партийная, профсоюзная)* policy, **по ~и** in the line of; **вести** *или* **проводить ~ю на** to pursue a policy of; **проводить ~ю** to draw a line; **вести** *или* **гнуть свою ~ю** to have one's own way; **железнодорожная ~** railway *или* railroad track **воздушная ~** airway; **морская ~** sea route; **трамвайная ~** tramway; **линия фронта** *воен.* front line **линия ворот** goal line

линкор *(линейный корабль)* destroyer

линованный lined, ruled

линовать to rule

линолеум linoleum

линчевать lynch

линялый discoloured, discolored

линять to run *(colour)*; to moult, molt

Лион Lyon

липа *(дерево)* lime *(tree)*; *(фальшивка)* fake

липкий sticky

липнуть *(грязь, тесто)* to stick *(перен: человек)* to cling

липовый *(цвет, лист)* lime; *(из липы)* lime-blossom; *(разг: фальшивый)* forged

липучка *(разг: липкая лента)* sticky tape; *(: застёжка)* Velcro fastening

лира *муз.* lyre; *(денежная единица)* lira

лиризм lyricism

лирик lyric poet

лирика lyric poetry

лирический lyrical

лирический lyrical

лис (а) *(male)* fox, dog fox

лиса fox; *(перен: хитрый человек)* sly fox

лисёнок fox cub

лисий *(след, нора)* fox's; *(шуба, воротник, горжетка)* fox-fur

лисица vixen

лисичка *от лиса; (гриб)* chanterelle

лист *(растения, дерева)* leaf; sheet; **исполнительный ~** writ of execution; **опросный ~** questionnaire

листать *(страницы)* to turn; **~ книгу** to leaf through a book

листва foliage, leaves

лиственница larch

лиственный deciduous

листик *ст.* small leaf, single, sheet

листовка leaflet

листовой *(сталь, железо)* sheet; *(табак)* leaf

листок см листовка

листок *(бумаги)* sheet; *(бланк: контрольный, техосмотра)* certificate; **листок нетрудоспособности** disability certificate

листопад fall of leaves

листья см лист

лисята см лисёнок

лит lit

литавры kettledrum; **бить в ~** *(перен: торжествовать)* to sound the trumpets

Литва Lithuania

литейный ~ цех foundry

литейщик foundry worker

литера *типог.* type

литератор literary man

литература literature; *(художественная)* fiction

литературный literary; **литературный язык** literary language
литературовед literary critic
литературоведение literary criticism
литературоведческий literary
литерный (*с цифрой*) lettered; ~ **набор** typesetting
литий lithium
литовец Lithuanian
литовский Lithuanian; ~ **язык** Lithuanian
литографический lithographic
литография (*искусство*) lithograph; *типог.* lithography
литой *тех.* moulded, molded; cast; **литое изделие** cast
литр litre, liter
литровый (*бутылка, фляга итп*) (one-)litre, (one-)liter
литургия liturgy
лить (*воду*) to pour (*слезы*) to shed; *тех.:* (*детали, изделия*) to cast, mould, mold ◇ (*вода, дождь*) to pour; **дождь льет как из ведра** it's pouring (down)
литье (*действие: деталей*) casting, moulding, molding ◇ (*литье изделия*) casts
литься (*вода*) to pour (*перен: звуки*) to float; (*: свет*) to flood
лиф bodice
лифт lift
лифтер lift operator
лифчик bra
лихач (*разг*) reckless driver
лихачество (*при вождении*) reckless driving (*в поведении*) recklessness
лихва он отплатил мне с ~ой за мою доброту he more than repaid me for my kindness: **тебе времени/денег хватит с ~ой** you've got more than enough time/money
лихо : не поминай(те) ~м remember me kindly
лихой (*наездник*) dashing; (*скакун*) swift; (*пора, враг*) evil; ~ **беда начало** the first step is the hardest
лихорадить меня ~ит I feel feverish; **экономику ~ит** the economy is ailing
лихорадка *мед.* fever; (*: на губах*) cold sore; **золотая** ~ gold fever
лихорадочный feverish

Лихтенштейн Liechtenstein
лицевой facial; ~**ая сторона материи** the right side of the material: **лицевой счет** personal account
лицезрение aspect
лицезреть to behold
лицеист lycee pupil, secondary school pupil
лицей lycee, = secondary school
лицемер hypocrite
лицемерие hypocrisy
лицемерить to be hypocritical *или* a hypocrite
лицемерный hypocritical
лицензирование licensing
лицензия licence, license
лицеприятный partial
лицо face; (*перен: индивидуальность*) image; (*ткани итп*) right side; *линг.* person; **от** ~**ца** in the name of, on behalf of; ~**м in the face of**; **эта блуза тебе к** ~**цу** that blouse suits you; **тебе не к** ~**цу бездельничать** shame on you for being so lazy; **знать кого-н** ~ to know sb's face; **на ней** ~**ца нет** she looks dreadful; **они не ударили в грязь** ~**м** they didn't disgrace themselves; **стирать с** ~**ца земли** to wipe from *или* off the face of the earth; **первое/третье** ~ *линг.* first/third person; **показать товар** ~**м** to show sth to advantage; ~**м к лицу** face to face; **официальное** ~ official; **физическое** ~ *юрид.* natural person, individual
лицо face; person; **лицом к лицу** face-to-face
личина mask; **под** ~**ой** under the guise of
личинка maggot
лично (*знать*) personally; (*встретить*) in person; ~ **я ...** as for me ...; ~ **мне все равно** personally, I don't care; **он все проверяет** ~ he checks everything personally *или* himself
личность (*выдающаяся, загадочная*) individual; (*обычно мн: обидные замечания*) personal remark: **устанавливать чью-н** ~ to establish sb's identity
личный (*персональный*) personal;

(частный) private; **личная ссуда** *комм.* personal loan; **личное дело** personal records; **личный состав** staff

лишай herpes

лишайник lichen

лишать *от* **лишить**

лишенец disfranchised, person

лишение *(прав, привилегий)* deprivation; *(большое, горькое)* loss *(обычно мн: нужда)* privation; **~ свободы** imprisonment; **терять ~я** to suffer privation; **права собственности** *юрид.* foreclosure

лишён он ~ такта/чувства юмора he is devoid of tact/a sense of humour; **это не лишено основания/смысла** this is not totally lacking in reason/sense

лишить ~ кого-н/что-н *(отнять: прав, привилегий)* to deprive sb/ sth of; *(покоя, счастья)* to rob sb/ sth of **лишать кого-н наследства** to disinherit sb: **лишать жизни кого-н** to take sb's life; **лишать кого-н слова** to deny sb the right to speak

лишний *(вес)* extra; *(деньги, билет)* spare; *(расходы, вещи)* unnecessary; **~ раз** once again *или* more; **не ~ее** *или* ... it would not be a bad idea to ...; **сказать ~ее** to say the wrong thing; **три килограмма с ~им** over three kilogrammes; **третий ~** three's a crowd

лишь as soon as

лоб forehead; **сказать кому-н в~** to tell sb straight; **у него на лбу написано, что он врет** it's written all over his face that he's lying

лобби lobby

лоббист lobbyist

лобзик fret saw

лобный *анат.* frontal

лобовой frontal; **лобовое стекло** windscreen, windshield

лоботряс lazy-bones

лов catching

ловец catcher; **~ жемчуга** pearl diver

ловить to catch: *(случай, момент)* to seize; **~ рыбу** to fish; **~ кого-н на лжи** to catch sb out; **поймать кого-н на слове** to take sb at their

word; **~ поймать на себе чей-н взгляд** to catch sb's eye; **~ поймать себя на мысли, что ...** to catch o.s. thinking that ....

ловкач dodgy character

ловкий *(человек)* agile; *(прыжок, движение)* nimble; *(удар)* swift; *(разг: торговец)* sharp

ловко *(прыгнуть)* nimbly; *(придумать)* smartly; *(придумано, сделано)* smartly ◊ that's smart

ловкость dexterity

ловля *(действие)* catching; **рыбная ~** fishing

ловушка trap

логарифм logarithm

логарифмический ~ая линейка slide rule

логика logic

логический logical

логичный logical

логовище den, lair

лоджия recess balcony

лодка boat; **подводная ~** submarine

лодочка *уменьш. от* **лодка;** *(обычно мн: открытые туфли)* court shoe

лодочный *(весла)* boat's; **лодочная станция** boat-hire place

лодыжка ankle

лодырничать to idle

лодырь idler

ложа *(в театре, в зале)* box; *(масонская)* lodge; **ложа прессы** press gallery

ложбина dip

ложе bed

ложиться to lie down; **~ спать** to go to bed

ложка spoon

ложный false; *(вывод)* wrong; **представлять что-н в ~ном свете** to show sth in a false light; **ложные показания** false evidence; **ложная тревога** false alarm

ложь *(лжи, ложью)* lie

лоза *(ивы итп)* cane; *(винограда)* vine

лозунг *(призыв)* slogan; *(плакат)* banner

локализация localization

локализовать to localize

локальный local

локатор оптический ~ radar; **звуковой** ~ sonar

локомобиль steam-engine, tractor

локомотив locomotive

локон singlet

локоть elbow; **кусать ~ти** to kick o.s.; **чувство ~тя** team spirit

лом crowbar ◇ *(для переработки)* scrap; **металлический** ~ scrap metal

ломаный broken; **~ая линия** zigzag

ломать *(разделять на куски)* to break; to challenge; *(планы)* to frustrate; ~ **голову над чем-то** to rack one's brains over sth; ~ **привычки** to force os. to change one's habits; **жизнь сломала его** life dealt him a cruel blow

ломать slice

ломаться to break; *(обычаи, устои)* to be challenged; *(: человек)* to show off; *(: заставлять себя просить)* to be fussy

ломбард pawnshop; **закладывать что-н в** ~ to pawn sth

ломбардный pawn

ломить: у меня ломит кости my bones are aching; **народ ломит туда** the people are flocking there

ломиться *(ветки, деревья)* to groan; *(разг: идти насильно)* to pour in; **стол ~ился от еды** the table groaned under the food

ломка breaking

ломкий *(хрупкий: стекло)* fragile; *(: лед)* brittle

ломовой ~ая лошадь carthorse; dogsbody

ломота ache

Лондон London

лондонец Londoner

лоно *(женщины)* bosom; **на ~е природы** in the open air

лопасть *тех.* blade

лопата spade

лопатка *уменьш. от лопата; анат.* shoulder blade; **класть кого-н на обе ~ки** to beat sb hands down

лопать to gobble (up)

лопнуть *(разрываться: шар)* to burst; *(стекло)* to shatter; *(веревка, струна)* to snap; *(разг: банк, предприятие)* to go bust; **у меня**

терпение ~уло I've run out of patience

лопух burdock; *(перен: простак)* simpleton

лорд lord

лорнет lorgnette

Лос-Анджелес Los Angeles

лосина *(кожа лося)* elkskin; *(мясо лося)* elk *(meat):* см **лосины**

лосины leggings

лосиха female elk *или* moose

лоск *(глянец)* shine; *(перен: в доме)* spotlessness; *(в одежде)* flair; **наводить** ~ **на что-н** to give sth a polish

лоскут *(материи, кожи)* scrap

лоскутный ~ое одеяло patchwork quilt

лосниться *(от жира, от крема)* too shine

лососевый salmon

лососина salmon

лосось salmon

лось elk, moose

лосьон lotion

лот *морю* lead line; *комм. (на аукционе, на торгах)* lot

лотерейный lottery

лотерея lottery

лото lotto

лоток *(прилавок)* stall; *(ящик для торговли)* trader's tray; *(желоб)* trough

лотос lotus

лоточник stallholder

лохань washtub

лохматить to fluff up

лохматый *(животное)* shaggy; *(волосы)* straggly; *(человек)* dishevelled

лохмотья rags

лоция sailing directions

лоцман pilot

лошадиный *(седло, упряжь)* horse's; *(лицо)* equine; **лошадиная сила** horsepower

лошадник *(разг: любитель лошадей)* horse-lover; *(торговец лошадьми)* horsetrader

лошадь horse

лошак mule

лощеный *(бумага)* glossy; *(человек, внешность)* polished

лощина dell

лояльный loyal

Луара the Loire

лубок (*кора*) bark; (*повязка*) splint; **русский ~ фольклор.** lubok

лубрикатор lubricant

луг meadow

лудильщик *sm.* tinsmith

лудить to tin

лужа (*на улице, на дороге*) puddle; (*на полу, на столе*) pool; **садить-ся в ~у** to get o.s. into a mess

лужайка (*полянка*) glade; (*газон*) lawn

луженый (*самовар, чайник итп*) tinplated; **у него ~ая глотка** he has iron lungs

луза pocket

лук onions ◊ (*оружие*) bow; **зеле-ный ~** spring onion, scallion; **реп-чатый ~** onion bulbs

лукавить to be deceitful; **ты, кажет-ся, ~ишь** you're being a bit vague

лукавство slyness

лукавый (*человек, поступок*) crafty; (*взгляд, улыбка*) sly; (*девушка*) coquettish

луковица bulb; (*волоса*) follicle

лукошко basket

луна moon; **ты что, с ~ы свалился?** where've you been all this time?

луна-парк funfair, amusement park

лунатик sleep-walker

лунка hole

лунный ~ые фазы phases of the moon; **лунный свет** moonlight

луноход lunar research module

лунь harrier

лупа magnifying glass

лупить (*яйцо*) to shell; to thrash; to hammer on

лупиться (*шелушиться*) to peel (*off*)

луч rays; (*прожектора, фонаря*) beam; **рентгеновские ~и** X-ray; **~ надежды** a ray of hope; **лазер-ный луч** laser beam

лучевой *физ.* (*энергия*) beamed; **~ая кость** radius (*bone*); **лучевая бо-лезнь** radiation sickness

лучезарный (*будущее*) glorious; (*улыбка*) radiant

лучина (*щепка*) splinter ◊ (*щеп-ки*) kindling wood

лучистый (*улыбка, лицо*) beaming; (*глаза*) shining

лучник archer

лучший best

лущение husking, shelling

лущить (*вылущить*) to husk, shell; to crack

лыжа ski; *см* лыжи

лыжи (*вид спорта*) skiing; **водные ~** (*сами лыжи*) water-skis; (*вид спорта*) waterskiing; **горные ~** downhill skis; **ходить на ~ах** to go cross-country skiing

лыжник skier

лыжный (*крепления, мазь итп*) ski; (*соревнования*) skiing; **лыжный костюм** ski suit; **лыжные палки** ski poles

лыжня ski track

лыко (*липы, ивы*) bast; **он ~а не вя-жет** he's roaring drunk; **он не ~м шит** he's someone to be reckoned with

лысеть to go bald

лысина bald patch

лысый (*голова, человек*) bald; (*гора, холм*) bare

львенок lion cub

львиный (*шкура, грива, итп*) lion's; **~ая стая** pride of lions; **~яя доля** the lion's share; **львиный зев** *бот.* snapdragon

львица lioness

Львов Lvov

льгота (*инвалидам, беременным итп*) benefit(*обычно мн: предприяти-ям, экспортерам итп*) special term; (*элите, ветеранам*) privilege; **налоговые ~ы** tax relief

льготный (*тариф*) concessionary; (*условия*) privileged; (*заем*) special-rate; **льготный билет** concessionary ticket

льдина ice-floe

льдинка piece of ice

льноводство flax-growing

льнуть **~к** (*к матери*) to cling to; (*перен: к богачам, к влиятельным людям*) to try to get in with

льняной (*полотенце, платье*) linen; (*цвет*) flaxen; **~ое полотно** linen; **льняное масло** linseed oil

льстец flatterer

льстивый *(человек)* smarmy; *(улыбка)* unctuous; *(заверения, речь)* flattering

льстить *(хвалить из корысти)* to flatter: *(доставлять удовлетворение)* to gratify; **~ себя надеждой** to live in hope

любвеобильный loving

любезник gallant, wooer

любезничать to court, pay compliments, seek favours

любезность *(одолжение)* favour, favor; *(комплимент)* compliment; *(в поведении)* courtesy; **оказывать ~ кому-н** to do sb a favour; **не откажите в ~и?** would you do me a favour?

любезный polite; **будьте ~ны!** excuse me, please!; **будьте ~ны, принесите мне кофе!** could you be so kind as to bring us some coffee?

любимая beloved

любимец *(человек, животное)* favourite, favorite

любимчик pet; **быть в ~ах у кого-н** to be sb's pet

любимый *(женщина, брат)* beloved; *(писатель, занятия итп)* favourite, favotite ◇ beloved

любитель *(непрофессионал)* amateur; **~ музыки/спорта** music-/sports-lover

любительница **~ музыки/чтения** music-/book-lover

любительский *(спорт, театр итп)* amateur; **любительские права** driving licence *или* driver's licence

любить *(родину, мать, мужа итп)* to love; *(музыку, спорт итп)* to like: **а ~лю его всем сердцем** I love him with all my heart; **цветы любят тепло** plants like the warmth; **я ~лю, когда мне говорят комплименты** I like it 'when people pay me compliments; **я ~лю, когда люди приходят вовремя** I like it when people come on time

любоваться to admire; **полюбуйтесь на него!** take a look at him!

любовник lover

любовный *(дела, похождения)* lover's; *(песня, письмо)* love: *(от-*ношение, подход)* loving

любовь love; *(привязанность):* **~ к** *(к родине, к матери итп)* love for; *(а чтению, к искусству итп)* love of; **заниматься ~ю** to make love

любознательность inquisitiveness

любознательный inquisitive

любой *(всякий)* any ◇ *(любой человек)* anyone; **в ~ое время** at any time; **~ ценой** at any price

любопытно curiously ◇ **~!** that's interesting!; **(мне) ~ узнать** I'm intrigued *или* curious to know

любопытный *(пример, книга итп)* interesting; *(человек, толпа)* curious

любопытство curiosity; **из ~а** out of curiosity

любострастие lust

любострастный lecherous

любящий loving

люд folk

люди people; *(солдаты и офицеры)* men; *(кадры)* staff; **выходить в ~** to get on in life; **на ~ях** in public; **молодые ~** young men; **молодёжь** young people; *см* **человек**

людный *(улица итп)* busy; *(город)* lively; *(сборище)* crowded

людоед *(человек)* cannibal; *(животное)* man-eater; *(в сказке)* ogre

людоедство cannibalism

людской human; **род ~** humankind

люк *(танка, самолета)* hatch; *(на дороге)* manhple; *(на сцене)* trap door

люкс *(о вагоне)* first-class carriage; *(о каюте)* first-class cabin ◇ *(высшего класса)* first-class; **мы живем в люксе** we've got a luxury suite

Люксембург Luxemburg

люлька *(также строит.)* cradle; *(мотоцикла)* sidecar

люмпен member of the lumpen proletariat

люпин lupin

люрекс lurex

люстра chandelier

лютеранин Lutheran

лютеранка Lutheran

лютик buttercup

лютня lute

лютый *(враг, зверь)* fierce; *(ненависть, горе)* intense; *(мороз)* severe

люцерна lucerne

ля *муз.* lah

лягавая hound; setter

лягать *(лошадь, корова)* to kick

лягаться *(лошадь, корова)* to kick

лягнуть to kick

лягушатник shallow end

лягушка frog

лягушонок young frog

ляжка thigh

лязг *(звук, цепей, оружия)* clanging; *(: зубов)* gnash; *(: подков)* clatter

лязгать *(засов, цепь)* to clang; *(зубами)* to gnash; *(ключами)* to rattle

лямка strap; тянуть ~ку to toilaway

ляпать *от* ляпать ◇ to slap together ◇ to make a mess of

ляпнуть ~ глупость to make a blunder

ляпсус blunder

М

мавзолей mausoleum

маг magician, wizard; *(разг)* ‘tape recorder

магазин shop; *(ружья)* magazine

магистр *(ученая степень)* master’s degree; **~гуманитарных наук** Master of Arts

магистраль *(железнодорожная)* main line; *(дорожная)* arterial road; **водная ~** main waterway

магистральный main

магический magic

магия magic

магнат magnate

магнезия magnesia

магнетизм magnetism

магний magnesium

магнит magnet

магнитный magnetic; **~ диск** ком. magnetic disk

магнитола radio cassette player

магнитофон tape recorder; *(кассетный)* tape *или* cassette recorder

магнитофонная *(запись)* tape recording; **~ая кассета** (audio) cassette

магнолия magnolia

Мадагаскар Madagascar

мадам madame

мадемуазель mademoiselle

мадонна madonna

Мадрид Madrid

маета bother

мажор major key

мажоритарная *(система)* полит. system of majority rule

мажорный major; *(настроение)* cheerful

мазать to spread; *(пачкать)* to get dirty; *(рисовать)* to daub; *(разг)* to miss; **~чем-н что-н** to spread sth with sth; **~ намазать губы помадой** to put on lipstick

мазаться *(разг: делать макияж)* to put on make-up; **вымазаться** to get dirty; **~ся кремом/мазью** to apply cream/ointment

мазилка brush; dauber

мазня *(разг: о рисовании)* daub; *(о письме)* scribble

мазок *(кости)* stroke; *мед.* smear

мазурка mazurka

мазут fuel oil

мазь *мед.* ointment; *(лыжная)* wax; *(колесная)* grease; **дело на ~и** things are going smoothly

май May

майка vest *(BRIT)*, sleeveless undershirt *(US)*

майолика majolica

майонез mayonnaise

майор *воен.* major

майский May; **майский жук** May beetle, cockchafer

мак poppy; *кулин.* poppy seeds

макака macaque

макаронный *кулин.* pasta; **макаронные изделия** pasta

макароны pasta

макать to dip

македонец Macedonian

Македония Macedonia

макет *(медель)* model; *ком.* breadboard

макинтош mackintosh

маклер *ком.* broker

макнуть *(перо, кисть)* to dip

маковка poppyhead; *(разг: купол церкви)* (onion) dome

маковый poppy-seed; **с ~о зернышко** as small as a pinhead; **у него с утра во рту ~ой росинки не было** he hasn't had a bite eat since morning

макраме macrame

макрель mackerel

макроэкономика macroeconomics *мн*

максималист maximalist

максимальный maximum

максимум maximum

макулатура wastepaper; *(перен: пренебр)* pulp literature

макушка *(дерева, горы)* top; *(головы)* crown; **у него ушки на ~ке** he's keeping his ear to the ground

Малайзия Malaysia

малайский Malaysian

малахит malachite

малевать to daub

малейший *(ошибка, промах)* the slightest; **не иметь ни ~его представления о чем-н** do not have the slightest idea about sth

малек young (fish), fry

маленький small, little; *(незначительный)* slight; *(малолетний)* little; little one; **мое дело ~ое** it's none of my business; **маленькая буква** small lettler

Мали Mali

малина *(кустарник)* raspberry cane *или* bush; *(ягода)* raspberries *мн*; **не жизнь, а ~!** it's a cushy life!

малинник raspberry canes *мн*

малиновка robin (redbreast)

малиновый *(варенье, куст)* raspberry; *(цвет)* crimson

мало few, little; **~ по-малу** by degress

маловажный of little importance

маловат *(о размере)* on the small side

маловато not quite enough

маловер sceptic

маловероятный improbable

маловодье low water level; *(недостаток воды)* drought

малогабаритный unrofitable

малогабаритный small

малоговорящий unimpressive

малограмотный semiliterate; *(руко-*

водитель) incompetent

малодоступный *(место)* inaccessible

малодушничать to be yellow

малодушный cowardly

малозаметный *(пятно, окраска)* hardly noticeable; *(человек, событие)* insignificant

малознакомый unfamiliar

малокалиберный small-bore, small-calibre *(BRIT)*, small-caliber *(US)*

малокровие (sickle-cell) anaemia *(BRIT)* *или* anemia *(US)*

малолетка kid

малолетний young

малолитражка small car

малолитражный *(автомобиль)* small car

малолюдный *(улица)* unfrequented; *(район, село)* unpopulated

мало-мальски quite

маломальский the slightest

маломощный weak

малонаселенный sparsely populated

малообеспеченный disadvantaged

малооблачный *(небо, погода)* slightly cloudy

малообразованный under-educated

малоподвижный *(образ жизни)* sedentary

малоразвитый under-developed

малорослый undersized

малосемейный with a small family

малосильный *(двигатель)* low-powered; *(лошадь)* weak

малосольный pickled

малость trifle; *(разг)* a bit

малочисленный small; *(поселения)* scarce

малый little

малыш little boy

малышка little girl

малышня little kids *мн*

мальва mallow

Мальта Malta

мальчик boy

мальчишеский *(задор, вид)* boyish; *(несерьезный)* childish, puerite

мальчишество childishness

мальчишник stag night *или* party *(BRIT)*, stag *(US)*

малюсенький tiny, wee

малютка baby; **книжка/фотоаппарат ~** miniature book/camera

малявка small fish; *(разг: пренебр)* shrimp

маляр painter (and decorator)

малярийный malarial

малярия malaria

малярный painter's; **~ая кисть** paintbrush

мама mummy *(BRIT)*, mommy *(US)*

мамалыга polenta, maize porridge

мамаша *(мать)* mummy *(BRIT)*, mommy *(US)*; *(обращение к пожилой женщине)* missus

маменькин *(сынок)* mummy's boy; **~ дочка** mummy's girl

мамонт mammoth

манатки stuff

манго mango

мангуста mongoose

мандарин tangerine

мандариновый tangerine

мандат mandate

мандолина mandoline

маневр manoeuvre *(BRIT)*, maneuver *(US)*

маневрировать *(войска, дипломат)* to manoeuvre *(BRIT)*, maneuver *(US)*; *(финансами, ресурсами)* to make full use of

маневры manoeuvres мн *(BRIT)*, maneuvers *(US)*; *(на железной дороге)* shunting

манеж *(для верховой езды)* manege; *(цирка)* ring; *(для младенцев)* playpen; **легкоатлетический ~** indoor stadium *(мн* stadia)

манекен *(портного)* dummy; *(в витрине)* dummy, mannequin

манекенщик model

манер *(разг):* **таким ~ом** like this; **на ~** like

манера manner; *(художника, поэта)* style

манерничать to put on airs

манерный affected

манеры manners

манжета cuff

маниакальный maniacal

маникюр manicure

маникюрный manicure

маникюрша manicurist

Манила Manila

манипулировать to manipulate

манипуляция manipulation

манить to beckon; *(привлекать)* to attract

манифест manifesto

манифестация demonstration

манишка *(часть рубашки)* shirt front; *(нагрудник)* dicky

мания mania

манка semolina

манна manna; **как ~ы небесной** to wait impatiently

манная каша, ~ая крупа semolina

манометр manometer

мансарда garret

мантия robe

манто (ladies') fur coat

мануфактура *(ист. фабрика)* (textile) mill

Манчестер Manchester

Маньчжурия Manchuria

маньяк maniac

маразм dementia; *(перен: разг)* idiocy; **старческий ~** senility, senile dementia

марал Siberian deer

марать *(разг: пачкать)* to get dirty; **замарать** to drag through the dirt; *(рисовать, писать)* to scribble; **~ руки** to get one's hands dirty

мараться *(пачкаться)* to get dirty; *(портить репутацию)* to ruin one's reputation

марафет *(разг):* **навести ~** to tidy up; *(прихорашиваться)* to smarten (o.s.) up

марафон marathon

марафонец marathon runner

марганец manganese

марганцовка potassium permanganate

маргарин margarine

маргаритка daisy

марево mirage

маринад *(соус)* marinade; *(обычно мн: маринованные овощи)* pickle

мариновать *(грибы, овощи)* to pickle; *(мясо, рыбу)* to marinade; *(дело)* to put off

марионетка puppet

марионеточный puppet

Мариуполь Mariupol

марка *(почтовая)* stamp; *(торговая)* trademark; *(сорт)* brand; *(качество)* grade; *(модель)* make;

(денежная единица) mark; **держать** ~ to keep up one's reputation; **держите ~ку школы/фирмы** don't let your school/the firm down

маркетинг marketing

маркий: это пальто очень ~кое this coat shows the dirt easily

маркировать *(продукцию)* to trademark

марксизм Marxism

марксист Marxist

марлевый gauze

марля gauze

мармелад fruit jellies

мародер looter; *(разг: спекулянт)* profiter

мародерство looting

Марокко Marocco

марочный *(изделие)* branded; *(вино)* vintage

Марс Mars

Марсель Marseilles

март March

мартышка marmoset; *(перен)* monkey

марципан marzipan

марш march; **~! forward march!; лестничный ~** flight of stairs; **~ домой!** off you go home!

маршал marshal

маршировать to march

маршрут route

маршрутка fixed-route taxi

маршрутное такси fixed-route taxi

маска mask; *(косметическая)* face pack

маскарад masked ball; masquerade

маскировать to camouflage

маскировка воен. camouflage; *(перен)* disguise

маскировочный camouflage

масленица Shrovetide

масленка butter dish; техн. oilcan

масленок annulated *или* boletus

масленый *(в масле)* buttery; *(запачканный маслом)* oily; *(перен: разг: льстивый)* slick; *(сластолюбивый)* voluptuous; **масленая неделя** = Shrovetide

маслина *(дерево)* olive (tree); *(плод)* olive

маслить to butter

масличный oil-yielding

масло *(сливочное)* butter; *(растительное, смазочное)* oil; искуст. oils *мн;* **дело идет как по ~лу** things are going smoothly; **подливать ~ла в огонь** to add fuel to the fire; **~масляное** *(разг)* tautology

маслобойня creamery

маслозавод creamery

маслянистый oily

масляный *(краска, фильтр)* oil; *(пятно)* oily

масон Freemason, Mason

масса mass; *(керамическая)* paste; *(древесная)* pulp; *(много)* loads *мн;* **денежная ~** money supply

массаж massage; **~ сердца** cardiac massage

массажист masseur

массажистка masseuse

массив *(водный)* expanse; *(земельный, лесной)* tract; комп. array; **горный ~**massif; **жилой** *или* **жилищный ~**housing estate *(BRIT)*, project

массивный massive

массированный *(атака)* all-out

массировать to massage

массовик *organizer of group activities*

массовка театр. *(массовая сцена)* crowd scene; *(статисты)* extras *мн;* *(разг)* group outing

массовый mass; *(поставка)* bulk; **товары ~ого спроса** mass-market goods; **массовое производство** экон. mass production

массы *(народ)* the masses *мн*

мастак a dab hand at

мастер master; *(на производстве)* foreman *(мн* foremen); *(ремесленник)* craftsman *(мн* craftsmen); **часовой ~** watchmaker; **~ на все руки** handman *(мн* handmen); **мастер спорта** master sportsman

мастерить to make (by hand)

мастерок trowel

мастерская *(часовая, столярная)* workshop; *(художника, скульптора)* studio; *(на заводе)* shop

мастерство *(квалификация)* skill; *(ремесло)* trade

мастика mastic; *(для натирания полов)* floor polish

маститый mastitis

масть *(лошади)* colour *(BRIT)*, color *(US)*; *(карты)* suit

масштаб scale

масштабный scale; *(произведение, стройка)* large-scale; **масштабная линейка** scale

мат checkmate; *(половик)* mat; *(ругательства)* bad language; **ругаться матом** to use bad language

матадор matador

математик mathematician

математика mathematics

математический mathematical; *(факультет)* mathematics

материал material; *(обычно мн: служебные, следствия)* document

материализм materialism

материальный material; *(финансовый)* financial material; **~ый ущерб** material damage; **материальная помощь** financial assistance

материк continent; *(суша)* mainland

материковый mainland

материнский maternal; бот. био. parent

материнство mathernity, motherhood; *(чувство)* matherliness

материться to swear

материя matter; *(ткань)* cloth; **говорить о высоких ~ях** to speak about elevated matters

матерный obscene

матерчатый cloth

матерый *(волк, медведь)* mature, fullgrown; *(перен: преступник)* hardened

матерь М ~ Божья Mother of God

матка uterus, womb; **пчелиная ~** queen bee

матовый *(без блеска)* mat(t); **матовое стекло** frosted glass

матрас mattress

матрешка Russian doll

матриархат matriarchy

матричный *(принтер) комп.* dotmatrix printer

матрос sailor

матроска sailor top *или shirt*

матушка *(мать)* mother

матч *спорт.* match

мать mother; *(как обращение)* missus; **в чем ~ родила** *(разг)* one's birthday suit; **мать-одиночка** single mother

мать-и-мачеха coltsfoot

мафиози mafioso

мафиозный mafia

мафия Mafia

мах *(крыла)* flap; *(колеса)* turn; *(ногой)* swing; *(рукой)* stroke; **дать маху** *(ошибиться)* to boob

махать to wave to sb

махина monster

махинатор machinator, schemer

махинация machination scheme

махнуть to give a wave; *(поехать)* to go; *(через забор)* to jump; **~ на кого-н/что-н рукой** to give sb/sth up as a bad job

махнуться to swap

махорка shag, coarse tobacco

махровый *(халат)* towelling; *(цветок)* double; *(перен: отъявленный)* out-and-out; **~ая ткань** terry towelling

мачеха stepmother

мачта mast

машбюро typing pool

машина machine; *(автомобиль)* car

машинально machanically

машинальный machanical

машинист *(комбайна, экскаватора)* driver, operator; **~ локомотива** engine driver *(BRIT)*, engineer *(US)*

машинистка machine; **пишущая ~** typewriter

машинный *(производство, часы, масло)* machine; *(счет, обработка)* mechanical; **машинное отделение** engene room; **машинный код/язык** *комп.* machine code/language

машинописный *(текст)* typewritten; **машинописное бюро** typing pool

машинопись *(печатание)* typing; *(текст)* typescript

машиностроение mechanical engineering

маяк lighthouse

маятник pendulum

маяться *(томиться)* to suffer

маячить *(разг: виднеться)* to be visible; *(надоедливо возникать)* to hang around

мгла haze; *(вечерняя)* gloom

мгновение moment; **в одно ~** right away

мгновенный *(решение, реакция, фотография)* instant; *(смерть)* instantaneous; *(злость, раздражение)* momentary; *(вспышка)* lightning

мебель furniture; **мягкая ~** three-piece suite

мебельщик furniture-maker

мегабайт megabyte

мегаватт megawatt

мегафон megaphone

мегера dragon

мед honey

медалист *(человек)* medallist *(BRIT)*, medalist *(US)*

медалистка medallist *(BRIT)*, medalist *(US)*

медаль medal; **оборотная сторона ~и** the other side of the coin

медальон medallion

медбрат nurse

медведица she-bear; **Большая М~** the Great Bear

медведка truck

медведь bear

медвежий bear; **медвежья услуга** more of a hindrance than a help

медвежонок bear-cub

медик medic

медикамент medicine

медицина medicine

медицинский medical

медленно slowly

медленный slow

медлительный slow

медлить to delay; **с решением/ответом** to be slow in deciding/answering

медный copper; *муз.* brass

медовый honey; **~ вкус/аромат** taste/smell of honey; **медовый месяц** honeymoon

медоносный honey-sweet, mellifluous

медпункт first-aid post

медсестра nurse

медуза jellyfish

медь copper

межа boundary

межведомственный interdepartmental

междометие interjection

между among, between; **~ тем** whereas; **~ прочим** by the way, in passing

междугородний intercity

международный international

мезонин attic

Мекка Mecca

Мексика Mexico

мексиканец Mexican

мексиканский Mexican

мел chalk.

меланхолик melancholic

меланхоличный melancholic

меланхолия melancholy

мелеть to become shallower

мелиорация soil improvement

мелкий *(почерк)* small; *(песок, дождь)* fine; *(неглубокий)* shallow; *(малозначительный)* petty; *(собственник)* small; *(несущественный)* minor; **~ие деньги** *(мелочь)* small change; **мелкая буржуазия** petty bourgeoisie

мелко *(резать, дробить)* finely; *(писать)* small; *(у берега)* it's shallow

мелководный shallow

мелкокалиберный small-bore, small-calibre *(BRIT)*, small-caliber *(US)*

мелодичный melodious

мелодия tune, melody

мелодрама melodrama

меломан music-lover

мелочиться to be petty

мелочный *(человек)* small-minded, petty

мелочь *(пустяк)* triviality; *(подробность)* detail; *(мелкие монеты)* small change; **"Тысяча мелочей"** *name of shops selling household goods;* **размениваться по мелочам** to waste one's talents

мель shallows; shoal; **садиться на ~** to run aground; **быть на мели** to be (stony *(BRIT)* или stone *(US)*) broke

Мельбурн Melbourne

мелькать *(появиться, исчезнуть)* flash past; *(мерцать)* to twinkle; ~ **в уме** *или* **голове** to flash through one's mind

мелькнуть to flash

мельком in passing

мельник miller

мельница mill

мельничный mill

мельхиор nickel silver

мельчать *(река, залив)* to get shallower; *(интересы, люди)* to become petty; *(хозяйство)* become smaller

мельчить *(ножом)* to cut up small; *(в ступке)* to crush

мелюзга small fry

мембрана diaphragm

меморандум memorandum

мемориал memorial

мемориальный memorial

мемуары memoirs

менеджер manager; ~ **по маркетингу** marketing manager

менеджмент management

менее less; **тем не** ~ nevertheless; ~ **всего удобный** least convenient of all

мензурка measuring glass

менингит meningitis

менструация menstruation

ментол menthol

меньше less than; ~ **всего** least of all

меньший *(младший)* younger; **по** ~**ей мере** at least; **самое** ~**ее** no less than

меньшинство minority; **национальное** ~ ethnic minority

меню menu

меня me, of me, myself; **у** ~ I have

менять to change; ~**что-н на** to exchange sth for

меняться to change; *(жилплощадью)* to swap; *(погоды, вкусы)* to change; ~**ся чем-н с кем-н** to exchange sth with sb

мера measure; *(предел)* limit; **без** ~**ы** extremely; **сверх** ~**ы** excessively; **в полной** ~**е** fully; **по** ~**е** with; ~**е того как** as; **по** ~**е сил** as much as one can; **по** ~ **е возможности** as far as possible; **принимать** ~**ы по** to take measures as regards;

высшая ~ **наказания** capital punishment

мережка open-work

мереть to snuff it

мерещиться to appear; **ему** ~**ился образ** he thought he saw a figure

мерзавец nasty piece of work

мерзкий *(слова, личность, поступок)* disgusting; *(погода, настроение)* foul

мерзлый *(земля)* frozen; *(овощи)* frost-damaged

мерзнуть to freeze

мерзость disgusting thing; *(поступка)* baseness; **какая** ~! how disgusting!

меридиан meridian

мерило criterion *(мн* criteria)

мерин gelding

мерить to measure; *(применять)* to try on; ~ **взглядом кого-н** to look sb up and down

мериться *(знаниями, силой с кем-н* to measure one's knowledge/ strengths against sb

мерия city hall

мерка measurements *мн; (критерий)* standard; *(мерило)* measure; **снимать** ~**ку с кого-н** to take sb's measurements

меркнуть to fade

Меркурий Mercury

мерлушка lambskin

мерный *(размеренный)* measured

мероприятие measure; **культурное** ~ cultural event

мертветь *(от холода)* to go numb; *(от страха, от горя)* to be numb

мертвец dead person

мертвечина garbage

мертворожденный stillborn

мертвый dead; *(взгляд, улица)* lifeless; **спать** ~**ым сном** to sleep the sleep of the dead; **лежать** ~**ым грузом** to lie unused; **мертвый сезон** dead season; **мертвая хватка** mortal grip; **мертвый язык** dead language

мертвящий *(обстановка)* lifeless

мерцание blinking, twinkling

мерцать to glimmer, flicker; *(звезды)* to twinkle

M

месиво mush; *(на дороге)* slush
месить *(тесто, глину)* to knead; ~
   грязь to wade through the mud
мести *(пол, комнату)* to sweep; *(му-*
   сор, листья) to sweep up; *(ме-*
   тель) to whirl; **на дворе ~тет** it's
   a bizzard outside
местность *(холмистая, ровная)*
   terrain; *(сельская, дачная)* area,
   district
местный local; **местные власти** local
   authorities; **местный наркоз** local
   anaesthetic *(BRIT)*, anesthetic
   (US)
место place; *(для постройки)* site;
   (действия, происшествия) scene;
   (работа) job; *(вакантное)* post;
   (в театре, поезде) seat; *(багажа,*
   груза) item; *(в книге, в пьесе)* part;
   слабое ~ weak spot; **здесь не ~**
   говорить о деньгах this is not the
   place to talk about money
местожительство place of residence
местоимение pronoun
местонахождение location
местопребывания residence
месторождение *(скопление)* deposit;
   (угля, нефти, золота) field
месть vengeance, revenge
месяц month; *(часть луны)* crescent
   moon; *(диск луны)* moon
месячный monthly
металл metal; *(блеск, скрежет)*
   metallic
металлолом scrap metal
металлургия metallurgy
метаморфоза metamorphosis
метание throwing, tossing
метатель thrower; ~ **диска** discus
   thrower
метать *(гранату, диск)* to throw;
   наметать *(шов)* to tack, baste;
   сметать *(для примерки)* to tack;
   ~ **жребий** to draw lots; ~ **стог**
   сена to stack hay; ~ **икру** to spawn;
   рвать и ~ to storm and rage
метаться *(в постели, в бреду)* to toss
   and turn; *(по комнате)* to rush
   about
метафора metaphor
метель snowstorm
метение sweeping
метеор meteor

метеорит meteorite
метеоролог meteorologist
метеорология meteorology
метеосводка *(метеорологическая*
   сводка) weather forecast *или*
   report
метис mongrel; half-breed
метить to mark; *(в противника, в*
   цель) to aim at; **он ~ил в профес-**
   сора/начальники his ambition
   was to becone a professor/manager
метиться to aim at
метка mark
меткий *(точный)* accurate; *(перен)*
   apt; **иметь ~ глаз** to have a good
   aim
метла broom; **новая ~** new broom
метнуть *(диск, камень)* to throw
метнуться *(разг: устремиться)* to
   rush
метод method
методика *(преподавания)* teaching
   methodology; *(исследований, ра-*
   боты) methods
методический systematic
метр metre *(BRIT)*, meter *(US)*; *(ли-*
   нейка) measure
метраж *(квартиры, помещения)*
   (metric) area; *(ткани)* length
метрдотель head waiter
метрика birth certificate
метрический metric; ~**ая система**
   мер metric system; ~**ая тонна**
   metric ton
метро metro, tube
метёлка whisk; panicle
мех fur
меха *(кузнечный, аккордиона)*
   bellows
механизатор machine operator
механизировать to mechanize
механизм mechanism; *(бюрократи-*
   ческий) mechinery
механик mechanic
механика mechanics
механический mechanical; *(цех)*
   machine
Мехико Mexico City
меховой fur; ~ **магазин** furrier's
меховщик furrier
меч sword
меченый marked
мечеть mosque

мечта dream; **не отдых, а мечта!** it's a dream holiday!
мечтание daydream; **предел ~й** ultimate dream
мечтатель dreamer
мечтательный dreamy
мечтать to dream (of); **стать врачом/учиться** to dream of becoming a doctor/studying
мешалка mixer, stirrer
мешать (пере~) to disturb, hinder
мешкать (за~) tp loiter, tarry
мешковатый baggy; clumsy
мешковина sacking
мешок sack; *(спальный, вещевой)* bag; *(человек)* lump; денежный ~ moneybags; **у него ~ки под глазами** he has bags under his eyes; **костюм сидит на нем ~ком** his hangs like a sack on him
мешочек *(яйцо)* soft-boiled
мещанин petty bourgeois
мещанский *(взгляды)* petty-bourgeois; *(вкусы)* philistine
мещанство petty-bourgeois mentality; *(вкусы)* vulgarity; *(сословие)* petty bourgeoisie
мзда remuneration, reward; bride
мздоимство bribery, venality
ми муз. mi
миг moment
мигать to wink; to twinkle
мигнуть to wink
мигом as quick as a flash; **приду ~!** I'll be there in a jiffy!
миграция migration
мигрень migraine
мидия mussel
мизерный meagre *(BRIT)*, meager *(US)*
мизинец little finger; *(на ноге)* little toe
микроавтобус minibus
микроб microbe
микробиолог microbiologist
микробиология microbiology
микроклимат microclimate; *(перен)* atmosphere
микрон micron
микроорганизм microorganism
микропроцессор microprocessor
микрорайон catchment area
микроскоп microscope

микроскопический microscopic
микросхема (micro)chip
микрофильм microfilm microfilm
микрофон microphone
микрохирургия microsurgery
микроэкономика microeconomics
миксер mixer
микстура mixture; **~ от кашля** cough mixture *или* linctus
Милан Milan
миленький *(хорошенький)* pretty *или* sweet little; *(любимый)* darling; **он сделает это как ~** he'll do it or else
милитаризм militarism
милитаризовать to militarize
милитарист militarist
милиционер policeman *(in Russia)*
милиция police *(in Russia)*; *(участок)* police station
миллиард billion
миллиардер billionaire
миллиграмм milligram(me)
миллиметр millimetre *(BRIT)*, millimeter *(US)*
миллиметровка graph paper
миллион million
миллионер millionaire
миллионный *(посетитель, автомобиль)* millionth; *(исчисляемый миллионами)* million-strong; **у него ~ое состояние** he is worth millions
мило *(улыбнуться)* swetly; **как ~!** how sweet!
миловать to have mercy on
миловидный pleasing; **она ~на** she has a pleasing appearance
милосердие compassion; **сестра ~я** nurse
милосердный compassionate
милостивый gracious
милостыня alms
милость *(доброта)* king-heartedness; **делать что-н из ~и** to do sth out the kindness of one's heart; **~и просим!** welcome!; **по твоей ~и опоздали** thanks to you we are late; **скажите на ~** you don't say
милочка *(обращение)* dearest
милый *(симпатичный)* pleasant, nice; *(дорогой)* dear; *(возлюбленный)* darling

миля mile; морская ~ nautical mile
мим mime (artist)
мимика expression
мимо by, passing by, past; ~ходом by the way, in passing
мимоза mimosa
мимолетный fleeting
мимоходом on the way; (утомлять) in passing
мина mine; (выражение лица) expression
минарет minaret
миндалевидный almond-shaped; у него миндалевидные глаза he is almond-eyed
миндалина tonsil
миндаль almond
минер воен. person who lays mines
минерал mineral
минералка mineral water
минеральный mineral
мини mini; ~ юбка miniskirt; ~ платье minidress
миниатюра искусст. miniature; театр. short play; в ~е in miniature
миниатюрный (статуэтка) miniature; (женщина) dainty
минимум minimum; прожиточный минимум minimum living wage
минировать воен. to mine
министерский ministerial
министерство minister
миновать to pass; (избежать) to escape, avoid
минога lamprey
миноискатель mine detector
миномет mortar
миноносец destroyer
минор minor key
минорный муз. minor; (перен) subdued
минувшее the past
минус матем. minus; (недостаток) drawback; пять ~ два-три five minus two equals three
минусовый (температура) subzero
минута minute; (одну) ~! (просьба подождать) just a minute!; ~ в минуту to the minute; он без пяти минут врач/юрист he's step away from qualifying as a doctor/lawyer; она придет с ~ы на ~ту she will be here any minute

минутный (стрелка) minute; (дело, разговор) brief; (порыв, увлечение) momentary
минуть to pass
мир universe, world
мираж mirage
мирить to reconcile
мириться to make up или be reconciled with; примириться (с недостатками, с положением) to come to terms with, reconcile o.s. to
мирный peaceful; мирное время peacetime; мирное население civilian population; мирные переговоры peace talks или negotiations
мировоззрение (писателя, общества) philosophy of life
мировой world; (хороший) fantastic
мироздание universe
миролюбивый peaceable
миропонимание conception of the world
миротворец peacemaker
миротворческий peacemaking; миротворческие войска peacekeeping force
мирской рел. worldly
миска bowl
мисс Miss
миссионер missionary
миссис Mrs
Миссисипи Mississippi
миссия mission
мистер Mr
мистика mysticism; (о чем-н загадочном) mystery
мистификация hoax
мистический mystical
митинг mass meeting, rally
митинговать to hold a mass meeting или rally
митрополит рел. metropolitan
миф myth
мифический mythical
мифология methology
мишень target
мишка bear; (игрушка) teddy (bear)
мишура tinsel
младенец infant, baby
младенческий ~ие годы infancy
младенчество infancy, babyhood

младший younger; *(самый младший)* (the) youngest; *(сотрудник, класс)* junior; ~**лейтенант** second lieutenant

млекопитающее mammal

млеть *(от счастья, от любви)* to be overcome (with)

млечный milky; **М~ Путь** Milky Way; **млечный сок** latex

мне me, to me

мнение opinion

мнимый *(кажущийся)* imaginary; *(ложный)* fake

мнительность suspiciousness

мнительный suspicious

многие many, several

много a lot of; **они создали нам много проблем** they created a lot of problems for us; **много книг тебе дали?** did they give you many *или* a lot of books?; **много работы тебе дали?** did they give you much *или* a lot of work?; *(разговаривать, пить)* a lot; *(гораздо)* much

многогранник polyhedron

многогранный *(талант, камень, личность)* multifaceted; *(фигура)* polyhedral

многодетный with many children

многое a great deal

многозначительный significant

многозначный *(число, номер)* multydigit; *(слово, глагол)* polysemantic

многократный *(визиты)* repeated; *(виза)* multiple ; ~**чемпион/призер** many-times champion/ prizewinner

многолетний *(планы)* long-term; *(труд, усилия)* of many years; *(растения)* perennial

многолюдный *(улица)* crowded; *(митинг)* well-attended

многонациональный multinational

многообещающий promising

многообразие *(жизни)* variety; *(растений, животных)* diversity

многосемейный with a large family

многословный verbose long-winded

многосторонний *геом.* polygonal; *(переговоры, встреча)* multilateral; *(вопрос, личность)* many-sided; *(интересы)* diverse

многотиражка factory news sheet

многоточие ellipsis

многоуважаемый esteemed; *(в письме)* Dear

многоугольник polygon

многочисленный numerous

многочлен *матем.* multinomial

многоэтажный multistorey *(BRIT)*, multistory *(US)*

множественный *(множественное число)* the plural (number)

множество multitude

множительная *(техника)* photocopying equipment

множить to multiply; **помножить** to multiply (by)

множиться to multiply

мной, мною by me

мобилизация mobilization

мобилизовать to mobilize; ~ **на кого-н что-н** to mobilize sb for sth

мобильный *(войска, дом)* mobile; *(ум, руководство)* active

могила grave; **стоять одной ногой в** ~**е** to have one foot in the grave

могильник burial ground; *(для радиоактивных отходов)* dumping groung

могильщик grave digger

могучий mighty; *(талант, ум)* great

могущественный mighty, powerful

могущество might, power

мода fashion; *(манера поведения)* habit; **по** ~**е** fashionably; **быть в** ~**е** to be in fashion; **входить в** ~**у** to come into fashion; **выходить из** ~**ы** to go out of fashion

моделировать *(одежду)* to design; **смоделировать** *(процесс, поведение)* to simulate

модель model

модельер fashion designer

модельный *(обувь, одежда)* high-fashion

модерн art nouveau

модернизация modernization

модернизировать to modernize

модицикация modification

модник snappy dresser

модничать to be a snappy dresser

модно *(одеваться, стричься)* fashionably; ~ **носить мини** miniskirts are in fashion

модный fashionable; *(журнал)* fashion

моды fashions *мн;* **журнал мод** fashion magazine

может maybe, perhaps

можжевельник juniper

можно *(возможное)* it is possible to do; **~ курить** smoking is allowed *или* permitted; **~ (войти)?** may I (come in)?; **как ~** *(выражает осуждение)* how could he; **как ~ лучше/быстрее** as well/quickly as possible

мозаика *(узор)* mosaic; *(искусство)* mosaic work

мозаичный mosaic

Мозамбик Mozambique

мозг brain; *(перен: центр)* nerve centre *(BRIT) или* center *(US);* **спинной ~**spinal cord; **костный ~** (bone) marrow; **до мозга костей** through and through; **шевелить ~ами** to use one's head

мозговать to think

мозговитый brainy

мозговой cerebral; *(интеллектуальный)* intellectual; **~ центр** nerve centre *(BRIT),* center *(US)*

мозолистый calloused

мозолить **; ~ глаза кому-н** to bug sb by one's very presence

мозоль corn, callus

мозольный пластырь corn plaster

мойка *(мытьё)* washing; *(раковина)* sink

мокнуть to get wet; *(лежать в воде)* to be soaking

мокро it's wet

мокрота phlegm

мокрый wet

мол breakwater, mole; **он, ~, ничего не знает** he says he knows nothing

молва rumour *(BRIT),* rumor *(US)*

молдавский Moldavian

Молдова Moldova

молдованин Moldavian

молебен *рел.* service

молекула molecule

молитва prayer

молитвенник prayer book

молиться to pray to; **~ на** to idolize

моллюск mollusc

молниеотвод lightning-conductor

молниеносный lightning

молния lightning; *(застёжка)* zip (fastener) *(BRIT),* zipper *(US);* **телеграмма- ~** express telegram

молодёжь young people *мн*

молодожён newlywed

молодёжный *(клуб, театр)* youth; *(мода, газета)* for young people

молодеть *(выглядеть моложе)* to look younger; *(чувствовать себя моложе)* to feel younger; *(население)* to become younger

молодец brave lad, fine young man

молодецкий *(вид)* dashing; *(поступок)* valiant

молодиться to try to look younger

молодняк young; *бот.* saplings

молодой young; *(картофель, листва)* new; *(задор, отвага)* youthful; *(вино, пиво)* young; *(сыр)* unripe

молодость youth; **он не первой ~и** he's getting on in years

молодцеватый sprightly

молодчик thug

моложавый *(человек)* younglooking; *(вид, лицо)* youthful

молоки soft roe

молоко milk

молокосос greenhorn

молот hammer

молотилка threshing machine

молотить *(пшеницу)* to thresh; *(колотить)* to hammer

молоток hammer; **продавать что-н с ~ка** to sell sth by auction, auction sth

молотый *(кофе, перец)* ground

молоть *(зерно, кофе)* to grind; **~ вздор** *или* **чепуху** to talk rubbish

молочко *(жидкий крем)* lotion

молочник *(посуда)* milk jug; *(разносчик молока)* milkman

молочный *(продукты, скот)* dairy; *(каша, коктейль)* milk; *(поросёнок, телёнок)* sucking; *(железа)* mammary; *хим.* lactic; **молочная сестра** foster sister; **молочный зуб** milk tooth

молча *(кивнуть, уйти)* silently; *(согласиться)* tacitly

молчаливый silent; *(согласие, одобрение)* tacit; **~ мужчина** a man of few words

молчание *(безмолвие)* silence; ~- **знак согласия** silence can be taken to mean approval

молчать to be silent; ~ **о** to keep silent *или* quiet about

моль moth

мольба entreaty

мольберт easel

момент moment; *(в фильме)* episode; *(доклада, исследование)* point; **текущий** ~ the current situation

моментально instantly

моментальный instant

монарх monarch

монархия monarchy

монастырь *(мужской)* monastery; *(женский)* convent

монах monk

монахиня nun

монашеский monastic

монашество monastic life

Монблан Mont Blanc

монгол Mongol, Mongolian

Монголия Mongolia

монета coin; **платить кому-н той же** ~**ой** *(отомстить)* to pay sb back in kind; **принимать что-н за чистую** ~**у** to take sth at face value

монетарист monetarist

монетарный monetary

монетный двор mint

монитор monitor

монограмма monogram

монография monograph

монолит monolith

монолог monologue

монополизация monopolization

монополизировать to monopolize

монополист monopolist

монополия monopoly

монопольный monopoly

Монреаль Monreal

монтаж *(сооружения)* erection; *(оборудования)* mouting, assembly; *(кадров, фильма)* editing

монтажник *(на стройке)* rigger; *(на фабрике)* fitter

монтер fitter; *(электромонтер)* electrician

монтировать *(оборудование, схему)* to assemble; *(фильм, передачу)* to edit

монумент monument

монументальный monumental

мопед moped

мор pestilence, plague

морализовать to moralize

мораль *(этика поведения)* morals, ethics; *(басни, сказки)* moral; *(нравоучение)* moralizing

моральный moral; *(кодекс, нормы)* moral, ethical; ~ **износ**, ~**ое устаревание** obsolescence

мораторий moratorium

морг morgue

моргать to blink; *(подмигивать)* to wink (at)

моргнуть to blink; *(подмигнуть)* to wink (at); **не** ~**ув и глазом** without batting an eyelid

морда *(животного)* muzzle; *(лицо)* mug

море sea; **открытое** ~ open sea; **ему** ~ **по колено** he's afraid of nothing

мореплавание *(плавание)* seafarion

мореплаватель seafarer

мореходка naval college

мореходный *(училище, испытание)* naval; *(инструменты)* navigational

морж walrus

моржовый walrus

морилка *(краска)* stain; *(от насекомых)* insecticide

морить *(насекомых)* to exterminate; *(дерево)* to stain; *(дуб)* to fume; *(сон, жара)* to exhaust, drain; ~ **голодом кого-н** to have sb in stitches with one's jokes

морковка *(одна штука)* carrot; *(морковь)* carrots *мн*

морковный carrot

морковь carrots

мороженица *(аппарат)* ice-cream maker; *(кафе)* ice-cream parlour *(BRIT)* или parlor *(US)*

мороженое ice cream

мороженый frozen; *(испорченный морозом)* frost-damaged

мороз frost; **у нас стоят** ~**ы** we're having a spell of freezing (cold) weather; **Дед Мороз** Father Christmas

морозильник freezer

морозильный freezing; **морозильная камера** deepfreeze

морозить to freeze; **на улице ~зит** it's freezing outside

морозный frosty

морозостойкий frost-resistant

моросить to drizzle

морочить to fool; **~ голову кому-н** to pull sb's leg

морошка cloudberry

морс (fruit) drink

морской sea; *воен.* marine; *(курорт, лечебница)* seaside; **~ страхование** marine insurance; **~ое право** maritime law; **морская болезнь** seasickness; **морской волк** sea dog; **морская свинка** guinea pig

мортира mortar; **окопная ~** trench mortar

морфий morphine, morphia

морфология morphology

морщина *(на лице)* wrinkle; *(на ткани)* crease

морщинистый *(лицо)* wrinkled

морщить *(брови)* to knit; *(нос, лоб)* to wrinkle; *(лицо)* to screw up

морщиться to screw up one's face; *(одежда, ткань)* to crease; **~ся от** *(старости, солнца)* to become wrinkled from; *(от боли)* to wince in

моряк sailor

Москва Moscow

москвич Muscovite

мост bridge; *(телевизионный, космический)* link; *авт.* axle

мостик bridge; **капитанский ~** bridge

мостить *(площадь, улицу)* to pave; *(пол)* to lay

мостки *(через лужу)* duckboard; *(у реки, у пруда)* wooden platform

мостовая road

мотать *(нитки)* to wind; *(уехать)* to go off; *(головой)* to shake; **~й отсюда!** get lost!; **~ мотать кому-н нервы** to get on sb's nerves

мотаться to swing; *(хлопотать)* to rush about

мотель motel

мотив *(преступника)* motive; *(для развода)* grounds; *(мелодия)* motif

мотивировать to justify

мотогонщик motorcycle racer

моток motor; *(автомобиля, лодки)* engine

моторист motor mechanic

моторный motorized

мотороллер (motor) scooter

мотоцикл motorcycle

мотыга hoe

мотылёк moth

мох moss

мохер mohair

мохеровый mohair

мохнатый *(животное)* shaggy; *(ель, сосна)* bushy; *(шапка, плед)* fluffy

моховик *бот.* variegated boletus

моцион *(прогулка)* constitutional

моча urine

мочалка sponge

мочевой пузырь bladder

мочегонный diuretic

моченый *(яблоко, брусника)* preserved

мочить *(ноги, волосы, одежду)* to wet; **замочить** *(бельё)* to soak; *(яблоки)* to preserve

мочиться to urinate

мочка ear lobe

мочь to be able to do; **изо всей мочи** with all one's might; **я ~гу играть на гитаре/говорить по-английски** I can play the guitar/talk English; **он может прийти** he can come *или* is able to come; **она не ~гла купить дом** she could'n buy *или* wasn't able to buy the house; **я сделаю всё, что ~гу** I will do all I can; **завтра можешь не приходить** you don't have to come tomorrow; **он может обидеться** he may will be offended; **не ~гу понять этого** I can't understand this; **можешь больше не извиняться** don't bother apologising any more; **может быть** maybe; **не может быть!** *(выражение сомнения)* it's impossible!

мошенник swindler, crook

мошенничать to swindle

мошенничество deviousness

мошка midge

мошкара midges

мощеный paved

мощности facilities *мн*

мощность power; *(воздействие)* force; **неиспользуемая производственная ~** idle capacity мощный *(взрыв, выступление)* powerful; *(организм, дуб)* mighty; *(рост, подъем)* vigorous; *(массивный)* massive; *(двигатель, агрегат)* powerful

мощь power, might

мрак *(темнота)* darkness; *(перен)* gloom

мракобес obscurantist

мрамор marble

мраморный marble; *(узор, линолеум)* marbled; **Мраморное море** Sea of Marmara

мрачнеть *(небо, горизонт)* to grow dark; *(взгляд, лицо)* to darken

мрачный *(небо, мысли, взгляд)* gloomy; *(времена, годы, период)* dark

мститель avenger

мстить **(мщу, мстишь)** to take revenge on sb

мудреный *(непонятный)* strange; *(сложный)* tricky, complicated; **не ~ено, что...** it's no wonder that...

мудрец wise man *(мн* men)

мудрить to try to be clever

мудрость wisdom; **зуб ~и** wisdom tooth

мудрый wise

муж husband; **государственный ~** elder statesman *(мн* statesmen); **ученый ~** man of science

мужать to mature

мужаться to take heart, have courage

мужеподобный masculine

мужественный *(лицо, натура)* strong; *(поступок, шаг)* courageous

мужество courage

мужик *(мужчина)* man *(мн* men); *(крестьянин)* muzhik

мужиковатый boorish

мужской *(ботинки, туалет, парикмахер)* men's; *(характер, рукопожатие)* masculine; *(органы, клетка)* male; **мужской пол** male sex; **мужской пол** masculine gender

мужчина man *(мн* men)

муза muse

музей museum

музейный museum

музыка music

музыкальный musical; **музыкальная школа** music school

музыкант musician

мука flour; *(грубого помола)* meal; **костная ~** bone meal; **картофельная ~** *(крахмал)* potato starch

мул mule

мулла mullah

мультипликатор multiplier

мультипликационный фильм cartoon

мумия mummy

мундир uniform; **картофель в ~e** jacket potatoes

мундштук cigarette holder; муз. mouthpiece

муниципалитет municipality, city council

муниципальный municipal

мура rubbish

муравей ant

муравейник ant hill

мурашки **у меня ~ по спине бегают** shivers are running down my spine; **покрыться ~ками** to come out in goose pimples *(BRIT) или* goose bumps *(US)*

мурлыкать to purr; **промурлыкать** to hum

мускат *(орех)* nutmeg; *(сорт винограда)* muscat; *(сорт, вина)* muscat(el)

мускул muscle

мускулатура musculature

мускулистый muscular

мускус musk

мусор rubbish *(BRIT)*, garbage *(US)*

мусорить to make a mess

мусорный rubbish *(BRIT)*, garbage *(US)*; **мусорное ведро** dustbin

мусоропровод refuse *или* garbage *(US)* chute

мусс *кулин.* mousse

мусульманин Muslim

мусульманский Muslim

мусульманство Islam

мутить *(жидкость)* to muddy; **помутить** *(рассудок)* to cloud; *(народ, толпу)* to work up; **меня мутит** I feel sick

мутиться *(вода, раствор)* to become cloudy; **помутиться** *(рассудок)* to become clouded; **у меня в гла-**

зах/голове помутилось I felt giddy

мутнеть (жидкость) to become cloudy; (взор, глаза) to grow dull; он так устал, что у него сознание ~ет he is so tired, he can't think straight

мутный (жидкость) cloudy; (стекло, взор, глаза) dull, glazed; (голова, рассудок) confused

муть sediment; (фильм, книга) rubbish; (перен: на душе) ache

муфта тех. sleeve; (женская одежда) muff

муха fly; делать из ~и слона to make a mountain out of a molehill; под ~ой (разг) legless

мухомор fly agaric

мучение torment, torture

мученик martyr

мучитель tormentor

мучительный agonizing

мучить to torment

мучиться (сомнениями, угрызениями совести) to be tormented by; ~ся от (болей и приступов) to suffer from; ~ся с to have a lot of hassle with; ~ся над to agonize over

мучное starchy foods мн

мушка (для прицела) beauty spot; брать кого-н/что-н на ~ку (прицелиться) to take aim at sb/sth; (перен) to keep a close eye on sb/sth

мушкет musket; ~ер musketter

муштровать (солдат) to drill

мчать (поезд, автомобиль) to speed along; (лошадь) to race along

мчаться (поезд, автомобиль) to speed along; (лошадь) to race along; (перен: годы, время) to fly fast

мщение revenge, vengeance

мы (нас) we; ~ с тобой/женой you/my wife and I; кто закончил работу? - мы who finished the job? - we did; кто виноват? - мы who is to blame? - we are

мыкать to hackle; ~ горе to live in misery

мылить to lather, soap

мыло soap; он весь в ~е (в поту) he's in a lather

мыльница soap dish

мыльный soap

мыс cape, promontory

мысленно mentally

мысленный mental

мыслитель thinker

мыслительный (процесс) thought; (способности, уровень) intellectual

мыслить to think, reason; я не ~ю жизни без работы! I can't imagine life without work

мысль thought; (идея) idea; задняя ~ulterior motive; образ мыслей way of thinking; собираться (собраться) с мыслями to collect one's thoughts; это ~! that's a thought!

мыслящий thinking

мытарство tribulation; trying experience

мыть to wash

мычать (корова) to moo; (бык) to bellow; (разг: человек) to mumble

мышеловка mousetrap

мышечный muscular

мышиный (цвет) grey (BRIT), gray (US); ~ая нора mouse hole; мышиная возня intrigue

мышка под ~кой under one's arm

мышление thought, thinking

мышца muscle

мышь зоол., комп. mouse

мышьяк arsenic

мэр mayor

мягкий soft; (движения, походка) smooth; (характер, человек) mild, gentle; (приговор, выговор, наказание) lenient; (климат, зима, погода) mild; мягкий знак soft sign

мягко gently; (отгружать) mildly; ~ выражаясь to put it mildly

мягкосердечный king-hearted

мякиш crumb

мякоть flesh; (мясо без костей) meat off the bone

мямлить to mumble

мясистый meaty; (плечи, лицо, плод) fleshy

мясник butcher

мясной (из мяса) meat; (корова, скот) beef; (отдел, магазин) butcher's; ~ые консервы tinned meat

мясо meat; (разг: говядина) beef

мясорубка mincer *(BRIT)*, grinder *(US)*

мята mint

мятеж revolt

мятежный rebellious; *(душа, характер)*

мятный mint

мятый *(одежда)* creased; *(бумага)* crumpled

мять *(глину)* to knead; *(кожу)* to work; **(измять, смять):** *(одежду)* to crease; *(бумагу, волосы)* to rumple; *(волосы)* to ruffle

мяться *(человек)* to shilly-shally; *(одежда)* to get rumpled

мяукать to miaow, mew

мяч ball; **ручной ~** *спорт.* handball; **футбольный ~** football

Н

набавить to increase

набалдашник knob

набалтывать *см* **наболтать**

набат alarm bell; **бить в ~** to sound the alarm

набег raid

набегать *(километра)* to run; **~ инфаркт** to give o.s. a heart attack

набегаться to wear o.s. out running

набедренная повязка loincloth

набежать *(тучи)* to gather; *(толпа, букашки)* to come running; *(вода)* to well up; *(проценты, выходные)* to mount up; *(наскочить):* **~на** to run into; *(волны: на берег)* to lap against

набекрень *(шапка)* tilted to one side; **у него мозги ~** he's not with it

набело *(переписать что-н)* to write sth out in neat

набережная embankment

набивать *(набить)* to cram, fill, pack; to print

набивка stuffing

набивной *(матрас, подушка)* stuffed; *(ткань)* printed

наблюдатель observer

наблюдательный *(человек)* observant; **~ пункт** observation point

наблюдать to observe; *(пациента)* to treat; **~ за** to monitor; *(за порядком, за детьми)* to watch over

наблюдаться *(случаться)* to be; **~ся у** *(лечиться)* to be treated by; **в стране ~ется рост преступности** there has been an increase in crime across the country

набожный devout

набойка *(ткани, узора)* printing; *(ткань)* printed fabric; *(на каблуке)* heel

набок to one side

наболевший *(перен: проблема, тема)* sensitive; **~ вопрос** sore point

наболеть to become sore; *(проблема)* to become acute; **у нее ~ло на душе** she has suffered a great deal

наболтать *(глупостей)* to talk a lot of rubbish; **~ кому-н про кого-н** to tell sb stories about sb

набор *(совокупность)* set; *(студентов)* selection; *(армии, штата)* recruitment; *типор.* typesetting; **~слов** gibberish

наборный *типогр. (цех)* typesetter's; *(станок)* galley

наборщик *типогр.* typesetter

набрать *(грибов, цветов)* to pick; *(воды)* to fetch; *(работы, студентов, работников)* to take on; *(армию, трупу)* to assemble; *(скорость, высоту, баллы)* to gain; *(код, номер телефона)* to dial; *(статью, текс)* to typeset; **набирать опыт** to gain experience

набраться *(много народу)* to gather; *(сумма денег)* to accumulate; *(разг: напиться)* to get sloshed; **~ся** *(предрассудков)* to acquire; **набраться сил** to build up one's strength; **набраться храбрости** to muster up courage; **набраться терпения** to arm o.s. with patience

набрести to come across; **~на мысль** to hit upon an idea

набросать *(план, текст)* to sketch out; *(вещей, окурков)* to throw about

набросить *(пальто, платок)* to throw on; *(покрывало)* to throw over

наброситься *(на добычу, на жертву)* to fall upon; *(на еду, на работу)* to get stuck into; ~**ся на кого-н** *(с упреками)* to lay into sb

набухнуть to swell up

наваждение apparition

навалить *(мусора, кирпичей)* to pile up *(толпа)* to flock; **наваливать на кого-н работу/обязанности** to load sb with work/responsibilities; **в этом году ~лило много снегу** there was a lot of snow this year

навалиться *(на дверь)* to lean into; *(насыпаться: земля)* to. pile up on; *(разг: наброситься: на еду)* to get stuck into; **на меня ~алилось много работы** I'm swamped with work

навалом to pile up; *(разг: фруктов, денег)* there's loads of

навар *(бульон)* broth; *(жир)* fat; *(разг: прибыль)* take-in

наваривать см **наварить**

наваристый rich

наварить *(стали)* to weld; *(кусок металла)* to weld on; *(супа, варенья)* to make a lot of

наведаться to call in on

наведение *(порядка)* establishment; *(справок)* making; *(орудия)* aiming

навезти to bring a lot of

навек *(навсегда)* for good, forever

наверно probably; *(точно)* for sure

навернуть *(навинтить)* to screw on(to); *(намотать)* to wrap (around)

навернуться *(слезы)* to well up

наверняка *(конечно)* certainly; *(несомненно)* definitely, for sure; **он действует ~** he doesn't take any chances

наверстать *типогр.* to typeset; **наверстывать упущенное/потерянное время** to make up for lost time

навертеть to twist (around)

наверх up; *(на верхний этаж)* upstairs; *(на поверхность)* to the top; **посмотреть ~** to look up; **обращаться ~** to go to the top

наверху at the top; *(в верхнем этаже)* upstairs; *(на поверхности)* on

(the) top, at the top of

навес *(над прилавком, у подъезда)* canopy; *(скалы, берега)* overhang

навесить *(дверь, замок)* to hang; *(разг: картин, плакатов)* to hang up; *спорт.* to lob

навести *(вызвать: ужас, грусть)* to cause; *(бинокль, объектив)* to focus; *(орудие)* to aim; *(мост)* to lay; *(лак, краску)* to apply; *(разг: гостей, приятелей, друзей)* to bring; *(порядок)* to establish; **наводить кого-н на** *(место, на след)* to lead sb to; **наводить справки** to make inquiries; **наводить чистоту** to clean up; **наводить красоту** to tart o.s. up; **эта музыка ~одит на меня тоску** this music makes me sad; **наводить кого-н на мысль** to give sb an idea; **его рассказ ~ел меня на размышления** his story started me thinking

навестить to visit

наветренный windward

навечно for evermore

навешать *(картин, белья, украшения)* to hang up; *(муки, печений)* to weigh out

навещать to call on, visit

навеять *(тоску)* to evoke

навзрыд *(плакать)* to sob loudly

навзничь on one's back

навивать *(навить)* to roll, wind; to stack

навигатор navigator

навигация navigation

навинтить *(гайку, пробку)* to screw in; *(крышку)* to screw on

нависнуть *(волосы на лоб)* to hang down over; **нависать на** *(сосульки на ветках)* to hang from; **нависать над** *(скалы)* to overhang; *(тучи, опасность)* to loom over

нависший *(берег, скала)* overhanging

навлечь *(подозрения, несчастье)* to attract; **навлекать на кого-н беду** to bring sb bad luck; **навлечь на себя чей-н гнев** to incur sb's wrath

наводка *(объектива)* focusing; *(оружия)* aiming

наводнение flood; *(рынков товаром)* flooding

наводнить *(товарами, продуктами)* to flood sth with

наводящий *(вопрос)* pointer, hint

навождение obsession, temptation; delusion

навоз manure

навозить to manure

наволочка pillow-case

навострить to sharpen

навряд hardly, scarcely; unlikely

навсегда always

навстречу towards; **итти ~** to go to meet someone

навыворот inside out

навык skill

навыкат(е) *(глаза)* bulging eyes

навылет right through; **его ранило пулей** the bullet went right through him

навынос to take away *(BRIT)*, to go *(US)*; **мы не продаем ~** we don't do takeways *(BRIT)*, takeouts *(US)*

навыпуск outside, over; **он носит рубашку ~** he wears his shirt outside his trousers

навытяжку *(стоять)* to stand to attention

навьючить to load

навязать *(на шею, на удочку)* to tie on(to); **навязать** *(связать)* to knit a lot of; *(снопов, веников)* to tie a lot of; *(веников)* to weave a lot of; **навязывать что-н кому-н** to impose sth on sb

навязаться *(кому-н в друзья)* to impose o.s. on sb; **~ся в гости** to invite o.s. round

навязчивый *(мысль)* persistent; *(человек)* bothersome; **она ужасно ~ая** she's a real pest

нагадать to predict

нагайка whip

наган revolver

нагар snuff

нагишом stark-naked

нагладить to iron

наглеть to get impudent

наглец impudent upstart

нагло impudently

наглость impudence, impertinence

наглотаться to swallow

наглухо tight, securely; **застегиваться ~to** do one's coat right up

наглый insolent, impudent; **~ая ложь** brazen lie

наглядеться to tire of looking; **дай мне на тебя ~** let me take a good look at you

наглядный *(пример, случай)* clear; *(метод, обучения)* visual; **наглядные пособия** visual aids

нагнать *(беглеца)* to catch up with; *(упущенное, пройденное)* to make up for; *(ветер: грозу, тучи)* to blow; *(спирта, самогона)* to distil *(BRIT)*, distill *(US)*; **нагонять страх на кого-н** to strike fear into sb; **нагонять тоску на кого-н** to fill sb with sadness

нагнести to pump

нагнетать *(напряжение)* to heighten

нагноение festering

нагноиться to fester

нагнуть *(ветку, человека)* to pull down; *(шею, голову)* to bend

нагнуться to bend down

наговор *(клевета)* slander; *(колдовской)* spell

наговорить *(текст: на пленку)* to record; *(наклеветать)* to slander; **~ чепухи** to take a lot of nonsense; **~ кому-н комплиментов** to shower sb with compliments

наговориться to take one's fill **нагой** *(человек)* naked, nude; *(руки, ноги, лес)* bare

наголо *(шашки)* drawn swords

наголову *(разбить, разгромить)* to rout

наголо остричься to shave one's head; **обрить кого-н ~** to shave sb's head

нагоняй получить ~ (от кого-н) to get a ticking off (from sb)

нагореть *(израсходоваться)* to be used up

нагорный *(пастбище, растительность)* alpine, mountain; *(гористый)* hilly

нагородить *(построек)* to put up; **он ~одил ерунды** he came out with a load of nonsense

нагорье plateau

нагота nudity, nakedness

наготове at the ready

наготовить *(запасти)* to stock up

with; *(сварить)* to cook

награбить to plunder

награда reward; *(за учебу, за работу)* prize; воен. decoration; **дать что-н кому-н в ~у** to give sb sth as a reward

наградить кого-н чем-н *(орденом)* to award sb sth to sb; *(перен: способностями)* to endow sb with sth; *(поцелуем, улыбкой)* to reward sb with sth

награждение awards ceremony

нагревание heating

нагревательный *(прибор)* heating appliance

нагрести to rake together

нагреть to heat warm; **~руки на** to line one's pockets (with)

нагреться to warm up

нагромождение *(предметов)* pile; *(фактов)* mound

нагрудник bib; *(рыцарский)* breastplate

нагрудный *(карман)* breast pocket

нагрузить to load up; **нагружать кого-н работой** to load sb with work

нагрузка *(действие)* loading; *(груз)* load; *(занятость)* workload; *(общественная)* responsibilities мн

нагрянуть *(гости, полиция)* to descend on; *(холода)* to set in; **~ула беда** tragedy struck

нагулять *(аппетит)* to work up an appetite; **нагуливать румянец** to get some colour in one's cheeks

нагуляться to have a good walk

над above, over

надавать *(подарков, советов, обещаний)* to give sb lots of sth; **~ кому-н** to thrash sb

надавить *(авлю; -авишь)* to equeeze; *(разг: тараканов)* to squash; *(на дверь)* to lean against; *(на кнопку)* to press **надарить** *(кому-н подарков)* to give sb lots of presents

надбавка *(к зарплате)* rise; *(к пенсии)* supplement; *(к цене)* surcharge; **надбавка за вредность** danger money *(BRIT)*, hazard pay *(US)*

надвинуть to pull down sth (over)

надвинуться *(гроза, опасность, старость)* to apporoach; **надвинуться** *(на лоб, на уши)* to slide down (over)

надводный above water; *(корабль)* surface

надвое in(to) two

надворные постройки outbuildings мн

надвязать *(свитер, рукава)* to lengthen; *(веревку, нитку)* to tie on

надгробие gravestone, tombstone

надгробный *(речь)* at the graveside; *(надпись)* gravestone; **надгробный камень** headstone; **надгробный памятник** memorial

надеванный worn

надевать *(надеть)* to put on; to harness; **~ траур** to go into mourning

надежда hope, trust; reliance

надежно securely

надежность reliability

надежный reliable; *(дверь, механизм)* secure; *(средство, путь)* safe

надел allowance, share

наделать *(ошибок, салатов)* to make lots of; *(неприятностей, вреда)* to cause a lot of; **не ~й глупостей** don't do anything stupid; **что ты ~ал?** what have you done?

наделить *(землей; участком)* to grant sb with sth; *(перен: талантом, умом)* to endow sb with sth

надергать *(перьев, сорняков)* to pull out; *(разг: цитат, примеров)* to choose carefully

надернуть to pull over

надеть to put on

надеяться *(отдохнуть, успеть)* to hope to do; **понадеяться** *(на друга, на семью)* to rely on; *(на улучшение)* to hope for; **я надеюсь, что...** I hope that

надземный *(сооружение)* overground; *(часть растения)* above ground

надзиратель guard

надзирать to supervise

надзор control

надкусить to take a bite of

надлежащий appropriate, suitable;

Н

~им **образом** in the appropriate manner

надлом *(на ветке)* crack; *(угнетение)* breakdown

надломить to break; *(здоровье, психику)* to damage

надломиться to break; *(перен: здоровье)* to suffer; *(человек)* to damage one's health

надменность arrogance, pride

надменный haughty, supercilious

на-днях before long, in the near future; in a day or so; lately; recently

надо necessary, one ought; **так ему и ~!** it serves him right!

надобность necessity, requirement

надобный needful, requisite

надоедать *(надоесть)* to annoy, bother, tire

надоедливый irksome, tiresome

надоить *(молока)* to get

надолго for a long time; **Вы здесь ~?** are you here for long?

надомник homeworker

надорвать *(лист, материю)* to make a tear in; *(пакет)* to start to tear open; *(перен: голос)* to strain; *(силы, здоровье)* to tax

надорваться *(конверт, воротник)* to tear slightly; *(перенапрячься)* to do o.s. an injury; *(перен)* to overexhaust o.s.

надоумить to advise sb to do; **это он меня ~ил** he was the one who gave me the idea

надписать *(книгу, фотографию)* to inscribe; *(посылку, конверт)* to address; **надписывать адрес на** to address

надпись inscription

надрез cut

надрезать to cut into

надругательство *(над памятью, над честью)* violation (of); *(над человеком)* abuse (of)

надрыв *(надорванное место)* tear, rip; *(физический)* strain; *(в пении)* hysterical streak; **с ~ом в голосе** with a trembling voice

надрываться *(кричать)* to scream away; **~ся (над)** to break one's back (over) ; **у меня сердце/душа**

~**ется** my heart bleeds

надрывный hysterical

надсмотр control, supervision

надсмотрщик *(тюремный)* warden; *(на плантации)* overseer

надстроить *(стену, дом)* to build onto; *(этаж)* to add

надстройка *(здания)* additional floor; *(философия)* superstructure

надстрочный interlinear; diacritical

надувание inflation

надувательство cheating, trickery

надувной inflatable

надуманный contrived

надумать to take it into one's head to do

надутый *(почки, вена)* swollen; *(высокомерный)* puffed-up; *(обиженный)* sulky

надуть *(мяч, колесо)* to inflate, blow up; *(обмануть)* to con; *(пыли, холоду)* to blow; *(в ухо, в шею)* to catch a chill; **мне ~ло в грудь** I've caught a chill (on my chest)

надуться *(матрас, мяч)* to inflate; *(парус)* to billow; *(почка, вена, река)* to swell; *(перен: от важности)* to swell up; *(разг: обидеться)* to sulk; **~ губы** to go into a sulk

надушить to sprinkle, scent about

надышать *(в комнате, в купе)* to get warm; *(на стекло, на очки)* to breathe on

наедине alone, privately

наезд incursion, inroad; flying visit

наездить *(сто километров)* to clock up; *(дорогу)* to flatten; *(лошадь)* to break in

наездиться to travel a lot; **я ~ился в командировки** I'm tired going away on business

наездник rider

наезжать *(наехать)* to collide; to come across

наезженный well-used

наем hiring; *(квартиры)* renting

наемник воен. mercenary; *(наемный работник)* casual worker

наемный *(труд, работник)* hired; *(помещение)* rented, leased; *(земля)* leased; **~ убийца** hitman

наесться *(сладкого, овощей)* to eat a

Н

lot of; *(суп)* to fill o.s. up on; **я
наелся** I'm full

наехать *(туристы, гости)* to arrive
in droves; **наезжать на** to drive
into

нажаловаться (кому-н) to complain
(to sb about)

нажарить to fry

нажать *(соку)* to squeeze; *(снопа,
хлеба)* to reap; *(на работников,
на руководство)* to put pressure
on; *(разг: на работу, на учебу)* to
get moving with; **нажимать** *(на
кнопку)* to press; *(на рычаг)* to
press (down)

наждак emery

наждачный *(бумага)* emery paper

нажечь *(дров, угля, керосина)* to burn
a lot of; *(лицо, спину)* to burn

нажива gain

наживить to bait

наживка bait

нажим pressure; **сделать что-н под
~ом** to do sth under pressure

нажить *(состояние, миллионы)* to
acquire; **~ себе врагов** to make
enemies; **~ себе неприятности** to
get o.s. into trouble

пажиться *(на войне, на спекуляции)*
to gain (from)

нажраться *(животное)* to eat its fill;
(разг: человек) to stuff o.s.; *(напиться)* to get plastered

назавтра next day

назад back, backwards; ago; **~1 stand
back!**

названивать to keep ringing

название denomination, name; title
(of books, etc)

назвать to call; *(ребенка, собаку)* to
name, call; *(назначить: кандидатов, день, цену)* to name; **называть вещи своими именами** to call
a spade a spade

наземный surface; **наземные войска** ground troops

наземь *(упасть, броситься)* to the
ground

назидание edification

назидательный edifying

назло out of spite; **~ кому-н** to spite
sb; **как ~** to make things worse

назначение appointment;

nomination

назначить *(начальником)* to appoint;
(время, цену) to set; *(встречу)* to
arrange; *(лекарство, курс лечения)*
to prescribe; **он ~ил ей свидание**
he asked her to meet him

назойливый *(человек)* tiresome;
(вопрос, мысль) persistent

назубок (выучить/знать ~) to lean/
know off by heart

называемый *(так называемый)* so-
called

называться *(носить имя)* to be
called; **как ~ется это место?** what
is this place called?; **ситуация, что
~ется критическая** the situation
is what you might call critical

наиболее *(интересный, красивый)*
most interesting/beautiful

наибольший greatest

наивный naive

наивысший the highest

наигранный armificial, false

наиграть *(мелодию)* to play; *(для
записи)* to record

наиграться to play for a long time

наигрыш tune

наизнанку inside out

наизусть *(знать/выучить)* to know/
learn by heart

наилучший the best

наименее *(удачливый/способный)*
the least successful/capable

наименование name; *(проекта, книги)* title, name

наименьший *(длина, высота)* the
smallest; *(усилие)* the least

наискосок *(разг: разрезать)*
crosswise; *(идти)* diagonally

наискось diagonally

наихудший the worst

найденыш foundling

найти to find; *(толпа, гости, тучи)*
to gather; *(натолкнуться)* to
stumble into; **на него ~шла тоска** he was overcome with sadness;
на меня ~шел смех I couldn't
help laughing; **~шел чем гордиться!** is that all you've got to be
proud of?; **находить общий язык**
to find a common language; **себя**
to find o.s.

найтись *(ключи, ребенок)* to turn up;

(*добровольцы, желающие*) to come forward; (*не растеряться*) to come up with an answer

наказ mandate; (*наставление*) wish

наказание punishment; (*перен: разг*) pain hassle

наказать (*за поступок*) to punish; (*приказать*) to order

накал (*борьбы*) heat

накалить to heat up; (*обстановку*) to hot up

накалиться to heat; (*обстановка*) to become heated; (*страсти*) to become inflamed; **~ся докрасна/добела** to become red-/white-hot

накалывать to cleave; to prick

накануне the day before, the previous day, on the eve of

накапливаться (*силы, толпа*) to build up; (*средства*) to accumulate; (*раздражение*) to mount

накаркать (*кому-н беду*) to bring sb bad luck

накатать to roll; (*дорогу, колею*) to flatten out; (*разг: написать*) to rattle off

накататься (*на коньках*) to have a good time skating; (*на лыжах*) to have a good time skiing

накатить (*разг: толпа, гости*) to descend; (*тоска*) to be overwhelming; **~ что-н** to roll sth onto; **накатывать на** (*волна*) to roll up (onto)

накатиться (*волна, лавина*) to roll up onto

накачать (*воды, воздуха*) to pump; (*камеру, шину*) to pump up

накидаться to throw

накидка (*одежда*) wrap; (*покрывало*) bedspread, thrower

накинуть (*платок*) to throw on; (*разг: набавить*) to add on

накинуться (*на человека*) to hurl o.s. at; (*разг: на еду, на книгу*) to get stuck into; **накидываться на кого-н с вопросами/жалобами** to bombard sb with question/complaints

накипеть (*накипь, пена*) to form; (*перен: злоба, обида*) to build up

накипь (*на бульоне*) scum; (*в чай-*

нике); fur (*BRIT*), scale (*US*)

накладка (*шиньон*) hairpiece; (*разг: недоразумение*) mix-up

накладная *ком.* bill of lading (*BRIT*), waybill (*US*); **грузовая ~** consignment note

накладной (*волос, борода*) false; (*карман*) sewn-on; **накладное золото** rolled gold; **накладные расходы** *экон.* overheads *мн* (*BRIT*), overhead (*US*)

накладывание laying on; superposition

наклеить (*афишу, марку*) to stick on; (*фонариков, украшений*) to make

наклейка label

наклепать to rivet on

наклепка stud

накликать (*кому-н несчастье*) to bring misfortune on sb

наклон incline, slope; (*головы*) tilt; (*почерка*) slope

наклонение mood

наклонить to tilt

наклониться to bend down

наклонность (*к музыке*) aptitude for; (*к меланхолии*) tendency toward; **дурные/хорошие наклонности** bad/good habits

наклюнуться (*цыпленок*) to peck its way out of the shell; (*почки, росток*) to form; (*выгодное дело*) to turn up

наковальня anvil

накожный skin

наколенник *спорт.* Kneepad

наколка (*татуировка*) tattoo

наколоть (*руку, палец*) to prick; (*татуировку*) to apply; (*прикрепить: на шляпу, на дверь*) to pin on (to); (*дров*) to chop; (*сахару*) to break up

наколоться to prick o.s. (on)

наконец at last, finally; *вводн сл* after all; **~-то!** at long last; **он ~ понял** he finally understood; **ты мог бы, позвонить** if nothing else, you could have phoned; **ну, иди же ~!** come on, it really is time for you to go!

наконечник tip, end

накопать to dig up

накопительство acquisitiveness

накопить *(силы, информацию)* to store up; *(средства)* to accumulate

накопление *(действие)* accumulation; **~данных** *комм.* data storage

накопления *(сбережения)* savings *мн*

накоптить *(рыбы, колбасы)* to smoke

накрапывать to drizzle

накрасить to paint

накраситься to put on make-up

накрепко *(запереть, забить)* tight; *(крепко ~: запретить, наказать)* strictly; **запомни ~** be sure to remember

накрест crosswise

накричать *(на ребенка, на подчиненного)* to shout at

накричаться to shout a lot; **ну, что, ~ался?** are you through shouting?

накрутить *(веревок, пряжи)* to twist; *(разг: ерунды, небылиц)* to spin; **накручивать** *(гайку на болт)* to screw on (to); *(канат: на столб)* to wind (round)

накрутиться *(завить)* to put one's hair in rollers; **накручиваться на** to wind around

накрыть to cover; *(преступника, вора)* to nail nab; **накрывать на стол** to lay the table

накрыться *(мероприятие, прогулка)* to fall through; **накрываться** *(пледом, одеялом)* to cover o.s. up (with)

накупить to buy lots of

накуренный *(помещение, вагон)* smokefilled; *(воздух)* smoky

накурить (**~ в комнате**) to fill a room with smoke

накуриться to smoke too much

наладить *(мотор, станок)* to repair fix; *(сотрудничество)* to initiate; *(хозяйство)* to sort out; *(порядок)* to establish; *(разг: гитару, рояль)* to tune

наладиться *(работа)* to go well; *(отношения, здоровье)* to improve

налево on the left, to the left

налегке lightly, scatily; without luggage

налезть *(разг: насекомые, дети)* to accumulate; *(надеться)* to fit; *(шапка на глаза)* to slide over

налепить *(фигурок, птиц)* to model

налет *(птиц, авиации)* flying in, approach; *(на врага, на город)* raid; *(на банк, на квартиру)* robbery; *(пыли, плесени)* thin coating *или* layer; *мед.*spot, patch; **с ~а** *(на полном ходу)* at full pelt; *(перен: сразу)* in a flash

налететь *(натолкнуться)* to fly against; *(перен: разг: на приятеля, на столб)* to run into; *(напасть)* to swoop down on; *(перен: разг: с бранью, с упреками)* to lay into; *(буря, ветер)* to spring up; *(саранча, стая)* to fly in; *(пыль, листва)* to drift in

налетчик burglar

налечь *(на стол)* to lean on; *(плечом: на дверь)* to press against; *(перен: на работников)* to exert pressure on; *(на учебу, на работу)* to apply o.s. to; *(роса, снег)* to settle on; **налегать на весла** to ply one's oars

налив sap, juice

наливка fruit liquor

наливной *(судно)* tanker; *(яблоко, хлеба)* ripe

налим *зоол.* burbot, eelpout

налипнуть to stick to

налитой *(колос,яблоко)* ripe; *(мускулы, щеки)* fleshy

налить to pour (out); **наливать стакан вина** to pour a glass of wine

налиться *(натечь во что-н)* to pour into; *(наполниться)* to fill with; *(рожь, плоды)* to ripen; *(перен: злобой)* to brim over; **~ся кровью** to turn red

налицо *(факты)* the facts are obvious; **доказательство ~** there is proof; **свидетели ~** there witnesses on hand

наличие presence

наличность cash

наличные *(платеж ~ыми при доставке груза)* cash on delivery

наличный *(деньги)* cash; **~ расчет** cash payment; **~ счет** cash account

наловчиться *(разг)* to get the hand doing

налог tax; **подоходный ~** income tax;

поимущественный ~ property tax; ~ на ввоз import duty on; ~ на прибыль profits tax; ~ на предметы роскоши luxury tax; ~ на перевод капитала capital transfer tax; косвенный ~ hidden tax

налогоплательщик taxpayer

наложенным платежом cash on delivery

наложить to put или place on; *(кальку)* to superimpose; *мед. (шину)* to fasten; *(компресс, бинт)* to apply; *(лак, позолоту)* to apply; *(печать)* to affix; *(резолюцию)* to append; *(кашу)* to dish up; *(дров в печку)* to put on; *(налагать: штраф)* to impose; *(запрет)* to place

наломать to break; ~**дров** to do something stupid

налюбоваться to gaze one's fill; **не могу ~ садом** I am lost in admiration for the garden

нам us, to us

намек hint

намекать to hint at

наменять *(денег, марок, значков)* to get или obtain by exchange

намереваться to intend to do

намерен he intends to leave

намерение intention

намеренный intentional, deliberate

намертво tightly, fast

наместник deputy

наметанный *(глаз)* trained eye; **у него глаз наметан** he has a good eye

наметить to plan; *(план)* to project; *(контуры)* to outline

наметиться *(маршрут)* to take shape; *(разногласия, усы)* to begin to show

наметка *(юбки, платья)* tacking *(BRIT)*, basting; *(нитка)* tacking *(BRIT)* или basting thread; *(плана)* rough draft; *(маршрута)* preliminary outline

нами by us, through us

намного much, far; ~ **хуже/интереснее** much worse/more interesting

намокнуть to get wet

намолоть to grind, mill

намордник muzzle

наморщивать to frown; to wrinkle

намотать to wind

намотаться *(нитка на шпульку)* to be wound; *(разг: устать)* to run o.s. ragged

намучиться to wear o.s. out

намыть to wash; *(плотину)* to deposit; *(золота)* to pan out

намять *(льна, кож, глины)* to mash; *(траву, солому)* to trample

нанести *(подарков, продуктов)* to bring; *(снегу, песку)* to head pile up; *(лак, мазь, краску)* to apply; *(узор, рисунок, резьбу)* to draw; *(на карту, на схему)* to plot; *(удар)* to deliver; *(урон)* to inflict; **наносить кому-н оскорбление** to insult; **наносить кому-н поражение** to defeat sb; ~ **кому-н визит** to pay sb a visit

нанизывать *(жемчуг, бусинки)* to string, thread; *(перен: слова, фразы)* to string

наниматель tenant; *(рабочей силы)* employer

нанос *(речной)* alluvium; *(ледниковый, снежный)* drift

наносить *(воды, песку, камней)* to bring

наносный *(ил)* alluvial; *(перен: увлечения)* alien

нанять *(работника)* to hire; *(лодку, машину)* to hire, rent

наняться to get a job; **наниматься секретарем/редактором** to get a job as a secretary/editor

наоборот *(прочитать слово)* backwards; *(поступать, делать)* to wrong way (round); *(противопоставление)* on the contrary

наобум *(делать, отвечать)* without thinking; *(стрелять)* at random

наотмашь with a bold swipe

наотрез flatly, point-blank

нападающий спорт. forward

нападение attack; спорт. forwards мн

напалм napalm

напарник fellow worker

напастись *(на тебя сахара не ~ешься)* you haven't got in enough sugar

напасть calamity; to attack; *(на зо-*

лотую жилу) to come across, stumble (up) on; (перен: на идею) to have; (тоска, грусть, страх) to grip, seize

напев tune, melody

напевать (песенку) to hum

напевный melodious

наперебой vying with each other

наперевес (держать ружье) to hold one's gun at the ready

наперегонки (разг) racing each other

наперед (знать, угадать) in advance; задом ~ back to front

наперекор (говорить, поступить, идти) defiantly; (судьбе, врагу, здравому смыслу) in defiance of

наперерез (бежать, идти, плыть) in order to intercept

напереть (на дверь) to push against

наперечет (знать, помнить) without exception

наперсток thimble

напеть (мотив, песню, мелодию) to sing; **напевать пластинку** to make a recording of one's singing

напечь (блинов, пирогов) to bake; (разг: голову, плечи) burn

напильник file

напирать (теснить) to push against; (перен) to stress

написание writing; (буквы) spelling

напиток drink

напитывать (напитать) to satiate; to saturate

напиться (воды, сока, чаю) to have a drink; (квасом, лимонадом) to quench one's thirst; (разг: опьянеть) to get drunk

напихать to stuff into

наплакать (кот наплакал) very little; у нас денег — кот наплакал we have very little money

наплакаться (ребенок) to cry one's eyes out; **наплачешься ты с ней** you'll have nothing but problems with her

наплевательский (отношение) harum-scarum

наплевать to spit; **наплевать!** to hell with it!

наплыв (перен: туристов) influx; (заявлений, чувств) flood

наплыть (на мель, на камень) to run

against; (облако, туча) to drift over или in front of; (тина, водоросли) to be washed up; (перен: воспоминания) to come flooding back

наповал outright

наподобие like, resembling

напоказ for show

наползти (на преграду) to crawl onto; (туча) to creep up; (муравьи) to crawl in

наполнить to fill with

наполниться to fill with

наполовину (уменьшить, увеличить) by half; (наполнить, налить) half

напольный floor; ~ые часы grandfather clock

напоминание reminder

напомнить (иметь сходство) to resemble; **он ~ет мне моего отца** he resembles my father

напор (воды, воздуха) pressure; (ветра) force; (войск) onslaught; (разг: настойчивость) push, go

напористый forceful

напороть (руку, ногу) to cut

напороться (разг: на гвоздь, на сучок) to cut o.s. on; (на беду, на скандал) to run up against

напортить (бумаги, материала) to spoil; (делу) to wreck; (другу) to harm

напоследок in the end, finally

направить (взгляд, внимание, разговор) to direct; (в госпиталь, к врачу) to refer; (на завод) to assign; (телеграмму, послание) to send; **направлять свой путь куда-нибудь** to make one's way somewhere

направиться (в город, к острову) to make for

направление direction; (специалистов) sending; (деятельности, также воен) line; (политики) orientation; (течение) school; (документ: в больницу) referral; (на работу, на учебу) directive; по ~ю к towards

направленность focus

направо (идти, повернуть) (to the) right; (от дороги, от дома) to the right

напрасно in vain

напрасный *(труд; условия)* vain; *(тревога, страх)* unfounded

например for example *или* instance

напрокат **(взять ~)** to hire; **отдавать ~** to hire out

напролет without a break

напролом stopping at nothing

напроситься *(в гости, на должность)* to force o.s.; **напрашиваться на** *(комплимент, на оскорбление)* to invite

напрочь completely

напряжение tension; *(внимания, с ресурсами)* strain; *(механическое)* strain, stress; *(электрическое)* voltage

напряженный tense; *(отношение, голос, встреча)* stained

напрямик *(идти, ехать)* straight; *(перен: сказать)* staight out

напрячься *(мускулы, леска)* to become tense; *(внутренне)* to strain o.s.

напускной *(грубость)* affected; *(спокойствие)* feigned

напустить *(дым, воды, рыбы)* to fill with; **~ на** to put on; *(разг: собак)* to let loose; **напускать на себя что-н** to assume sth

напуститься *(на)* to attach

напутать *(ниток, пряжи)* to tangle; **напутывать** *(в делах)* to make a mess of

напутственный *(речь)* farewell; **~ое слово** parting words *мн*

напутствие parting words *мн или* wishes *мн*, farewell speech

напыщенный *(вид, человек)* pompous; *(речь, рассказ)* high-flown, bombastic

наравне *(по одной линии)* on a level with; *(на равных правах)* on an equal footing with

нарадоваться to fully enjoy

нараспашку *(разг: одежда)* unbuttoned; **душа ~ у нее** she is very open

нараспев drawlingly

нарасти *(много грибов, трава)* to spring up; *(долги, проценты)* to accumulate; *(волнение, сопротивление)* to grow; **нарастать на**

(мох) to grow on; *(плесень)* to form on; *(водоросли)* to build up on

нарастить *(мускулы)* to develop; *(канат, трубу)* to lengthen

нарасхват *(продаваться, покупаться)* like hot cakes; **такие специалисты сейчас ~** such specialists are in great demand nowadays

наращивать *(темпы, объем)* to increase

нарвать *(травы, цветов, земляники)* to pick; *(бумаги)* to tear

нарваться *(на хулигана, грубияна)* to run up against; *(на оскорбление)* to have to take *или* swallow; **нарываться на неприятность** to run into some trouble

нарезать *(колбасы, хлеба, сыр)* to slice, cut; *(веток, цветов)* to cut; *(земли, участок)* to allot; *тех.* to thread

нарезка *(винта)* thread

нарекание reprimand, censure

наречие *(говоры)* dialect; *(часть речи)* adverb

нарзан Narzan

нарицательный *(имя)* линг. common noun; **~ая стоимость** экон. nominal cost

наркоз *мед.* narcosis, anaesthesia *(BRIT)*, anesthesia *(US)*

нарколог *мед.* expert in narcotics

наркологический *(диспансер)* drug-abuse clinic

наркоман drug addict *или* abuser

наркомания *мед.* drug addiction *или* abuse

наркотик narcotic, drug

народ people *мн*; **русский ~** the Russian people; **много ~у** many people

народность nationality; *(литературы)* national character

народный national; *(фронт)* popular; *(исскуство)* folk; **~ поэт** national poet *или* bard; **~ художник/артист** artist/actor who has received an official honour from the state

народовластие democracy

народонаселение population

нарожать to give birth to

нарост *(наслоение)* covering; *(утол-*

В

щение: *на дереве*) outgrowth; (*на суставах*) growth

нарочитый deliberate, intentional

нарочно (*опоздать, отвернуться*) purposely, on purpose; (*разг: сказать, заплакать*) for fun; **как ~ to make things worse; ~ не придумаешь!** this is quite something!

нарочный courier

нарта sledge (*BRIT*) *или* sled (*US*)

нарубить (*дров, капусты*) to chop

наружность exterior; (*строения, города*) outward appearance

наружный (*дверь, стена*) exterior; (*лекарство*) for external application; (*спокойствие, сдержанность*) outward

наружу out

наручник handcuff

наручный (*часы*) wristwatch

нарушитель (*закона*) transgressor, infringer; (*границы*) trespasser; (*порядка*) offender; **~ дисциплины** troublemaker

нарушить (*покой, тишину*) to break, disturb; (*связь*) to break; (*правила, договор*) to break, violate; (*дисциплину*) to breach; **нарушать границу** to illegally cross a border

нарушиться to be broken *или* disturbed

нарцисс daffodil, narcissus

нары plank bed *ед*

нарыв мед. abscess, boil

нарывать (*рана*) to fester; **у меня палец ~ет** I have a boil on my finger

наряд (*одежда*) outfit; (*красивая одежда*) attire; (*распоряжение*) directive; комм. order; воен. (*подразделение*) division; (*здание*) assignment

нарядить (*невесту*) to dress; (*в караул, на кухню*) to assign; **наряжать ёлку** to decorate (*BRIT*) *или* trim (*US*) the Christmas tree; **наряжать кого-н** to dress sb as/in

нарядиться to dress o.s.

нарядный (*человек*) welldressed; (*комната, улица*) well-decorated; (*шляпа, платье*) fancy

наряду at the same time as; (*направление*) on an equal footing with

насадить (*надеть*) to put

насадка (*для рыбы*) bait; техн. nozzle

насаждение бот. plantation

насвистывать (*мелодию*) to whistle a tune under one's breath

наседать (*толпа*) to press forward

наседка broody hen

насекомое insect

население population

населённый (*район, область*) populated, inhabited; (*квартира*) inhabited; **~ пункт** locality

населить (*край*) to settle; (*дом*) to move into

населять (*лес, страну*) to inhabit

насест (*для кур*) roost

насестка perch, roost

насесть (*пыль, копоть*) to settle; **наседать на** (*перен: разг: с просьбами, с вопросами*) to pester; (*на противника*) to fall upon

насечка notch

насиженный (*место*) familiar surroundings мн

насиживать (насидеть) to hatch, sit

насилие (*физическое*) violence; (*над личностью*) suppression

насиловать (*женщину, девушку*) to rape; (*личность*) to suppress

насилу (*успеть, догнать*) only just

насильник person who commits an act of violence; (*над женщиной*) rapist

насильно forcibly; **~ заставить кого-н** to force sb to do

насильственный (*меры*) violent; **насильственная смерть** violent death

насквозь through; **видеть ~ кого-н** to see (right) through sb

наскок slagging; **~а** impromptu

насколько how much? to what extent? as far as

наскоро hastily, hurriedly

наскочить to run into; (*на обидчика, на оппонента*) to attack; (*на неприятность*) to get into

наскрести (*крошек, муки*) to collect; (*перен: мелочи, денег*) to scrape together

наскучить to bore sb

насладиться to ejoy

наслаждение enjoyment

наследие (*культурное*) heritage;

(идеологическое) legacy
наследник *(престола, состояния)* heir; *(перен: преемник)* inheritor
наследница heiress, inheritor
наследный *(принц)* prince nex in line *(to the throne)*
наследование inheritace; *(престола)* succession
наследовать *(престол)* to succeed
наследственный inherited; *(черты, болезнь)* hereditary
наследство *(имущество)* inheritance; *(культурное)* heritage; *(идеологическое)* legacy; **получать (получить) что-н в ~** to inherit sth
наслоение reo. stratification
наслоиться to settle on; *(перен)* to add to
наслушаться to hear enough of
наслышан *(я ~ об этом/о нем* I have heard a lot about it*)*
наслышаться to hear a lot about
насмарку to be wasted
насмерть *(сражаться)* to the death; *(разбиться, ранить)* fatally; *(перен: разг: перепугаться)* to death; *(поругаться)* strongly
насмехаться to mock
насмешка *(обидная шутка)* jibe; **сказать что-н в ~ку** to say sth mockingly
насмешливый mocking
насмеяться to offend
насморк runny nose
насмотреться to see enough (of); *(чудес, людей)* to see a lot of
насовсем for good
насолить to preserve; *(перен: разг: сделать неприятности)* to be nasty to
насос pump
наспех hurriedly
наставительный *(тон)* preaching
наставить *(поставить)* to put; *(синяков, шишек)* to cause; *(платье, рукав)* to lengthen; *(револьвер, ружье)* to aim; **наставлять кого-н на путь истинный** to set sb on the right path
наставление *(поручение)* lecture; *(руководство)* instructions мн
наставлять *(учеников)* to teach

наставник mentor
настать *(лето)* to begin; *(молчание, ночь)* to fall; *(день отъезда)* to come
настежь *(открыть)* wide; *(окно, дверь)* wide open; **распахнуть ~** to fling wide open
настенный wall
настил *(из сена)* bedding; *(деревянный)* boarding
настичь to catch up with
настой infusion
настойка *(экстракт)* tuncture; *(алкоголь)* liqueur
настойчивый *(человек, характер)* persistent; *(просьба, взгляд)* insistent
настолько so much, thus far
настольный *(лампа, часы)* table; *(календарь)* desk; **~ая книга** bible; **настольный теннис** table tennis
настороже on the alert
настороженно intently
настороженный alert
насторожить to alert
насторожиться to become more alert
настояние *(по настоянию кого-н)* on sb's insistence
настоятельный *(просьба)* persistent; *(задача)* urgent
настоять to insist on; *(ромашку)* to infuse; **настаивать на своем** to insist on having one's own way
настояться *(чай, ромашка)* to infuse
настоящее the present
настоящий real; *(момент, время)* present; *(данный: статья)* this; **по ~ему** *(как надо)* properly; *(преданный)* really; **настоящее время** линг. the present tense
настрадаться to suffer a lot
настрого strictly
настроение mood; **общественное ~** the mood in society
настроить *(домов, мостов, больниц)* to build; *(гитару, пианино)* to tune; *(приемник)* to lune in; *(механизм)* to adjust; **настраивать кого-н на** to put sb in right frame of mind for; **настраивать кого-н против** to incite sb against
настроиться *(приемник)* to be tuned in; *(дружелюбно, враждебно)* to

be disposed; **~ся** to be disposed to do

настрой mood

настройщик *(рояля)* piano tuner

наступательный *(бой, действие)* offensive

наступать to go on the offensive

наступить *(на камень, на ногу)* to step on; *(ночь, тишина)* to fall; *(утро, лето)* to begin; *(день отъезда)* to come

наступление воен. offensive; *(весны, старости)* beginning; *(темноты)* fall; **с ~ем зимы** at the beginning of winter; **с ~ем темноты** at nightfall

настурция nasturtium

настырный persistent

насупиться to frown

насухо *(вытереть что-н)* to dry sth thoroughly

насущный vital

насчёт regarding

насчитать to count

насчитывать to have; **деревня ~ет тысячу жителей** the village has a thousand inhabitants

насыпать to pour; *(набросать)* to strew

насыпь embankment

насытить *(голодного ребёнка)* to satiate; *(запахом, водой, радостью)* to fill; *(раствор, рынок)* to saturate

насытиться *(наестся)* to eat one's fill; *(земля)* to be saturated

насыщенный хим. saturated; *(перен: жизнь)* rich

натаскать *(дров, сучьев)* to bring; *(разг: перен: цитат, отрывков)* to fish out; *(студента, ученика)* to coach

натащить *(камней, сучьев, грязи)* to bring in

натворить to get up to

натереть *(ботинки, полы)* to polish; *(руку, шею)* to chafe; *(морковь, сыр)* to grate; **натирать что-н чем-н** *(руки: кремом, мазью)* to rub into sth; **натирать себе мозоли** to get a callus

натереться *(мазью, кремом)* to rub o.s. (with)

натерпеться *(разг: горя, беды)* to experience a lot of

натиск pressure

наткнуться *(разг: на пень, на преграду)* to bump into; *(перен: на непонимание, на сопротивление)* to come up against

натолкнуть ~ кого-н на *(разг: на идею)* to lead sb to; **наталкивать кого-н на мысль** to put a thought into sb's head

натолкнуться to bump into

натопить *(избу, печь)* to heat; *(жир, воск)* to melt

натоптать to make dirty footmarks across

натощак on an empty stomach

натравить ~ кого-н на to set sb on; *(перен)* to incite sb against

натренированный trained

натрий sodium

натрое in (to) three

натрудиться to work hard

натуга *(разг)* effort

натуго *(разг)* tightly

натужиться to strain

натура *(характер)* nature; *(натурщик)* model; **увидить что-н/кого-н ~ето** see sth/sb real life; **рисовать с ~ы** to paint from nature; **~ой, в ~е** экон. in kind

натурализация naturalization

натурализм naturalism

натуралист naturalist

натуральный natural; *(мех, кожа, слёзы)* real; *(обмен, доходы, налог)* in kind; **~ьвая величина** life-sized

натурщик model

натюрморт still life

натяжка *(в аргументах)* distortion; **с ~кой** at a pinch

натянутый strained

натянуть *(струны, вожжи, холст)* to pull tight; *(разг: сапоги, перчатки)* to pull on; *(одеяло)* to pull over; **он ~ул ему пятёрку** he stretched his mark to an A

натянуться to tighten

наугад *(идти, взять)* at random; **отвечать ~то** to guess

наудачу by chance

наука science; *(разг: урок)* lesson; **естественные ~и** science; **гума-**

нитарные ~и arts

наутек (*разг: пуститься, броситься*) at full tilt

наутро next morning

научно-популярный (*программа*) science; (*литература*) scientific

научно-технический scientific

научный scientific; **научная фантастика** science fiction

наушник (*обычно мн: на шапке*) earflap; **магнитофонные ~и** headphones

нафталин naphthalene

нахал cheeky beggar

нахальный cheeky

нахальство cheek

нахватать (*разг: товаров, знаний*) to pick up

нахлебник sponger

нахлобучить to pull down

нахлынуть (*поток*) to surge; (*перен: толпа*) to surge forward; (*мысли*) to surge up; **~ули воспоминаниями** memories came flooding back

находиться (*дом, город*) to be situated; (*человек*) to be

находка (*потерянного*) discovery; (*прием: писателя, актера*) innovation; **он -~для нас** he is a real find for us; **Бюро ~ок** lost property office (*BRIT*), lost and found (*US*)

находчивый (*человек*) resourceful; (*ответ*) apt

нахождение (*преступника*) whereabouts

нахоженный (*тропа*) well-trodden

нахохотаться to have a good laugh

нахрапистый (*разг: продавец, посетитель*) pushy

нахрапом (*разг*) **действовать ~** to be pushy

нацеленный (*на победу*) aiming for

нацелить to push sb towards

наценка (*на товар*) surcharge; (*ресторанная*) cover change

нацепить (*повесить*) to hang on; (*разг: украшения, шляпу*) to doll o.s. up in

нацизм Nazism

национализация nationalization

национализировать to nationalize

национализм nationalism

националист nationalist

националистический (*политика, лозунг*) nationalistic

национальность (*нация*) nation; (*принадлежность к нации*) nationality

национальный national; **национальный округ** administrative division of minor nationalities

нацист Nazi

нацистский Nazi

нация nation; **Организация Объединенных Наций** United Nations Organization

начало beginning, start; (*основа: организующее, сдерживающее*) foundation; (*волевое, поэтическое*) nature; **быть под ~м кого-н** или **у кого-н** to be under sb; **брать ~** to start; **вести свое ~ от** to have its origins in; **положить (дать) ~ чему-н** to make a start on sth

начальник (*цеха*) floor manager; (*управления*) head; (*экспедиции*) leader

начальнический (*тон*) authoritative

начальный (*период, этап*) intial; (*глава, книги*) first; (*первоначальный, сведения, уроки*) very first; **начальная школа** primary (*BRIT*), elementary (*US*) school; **начальное образование** primary (*BRIT*) илиeducation; **начальные классы** просв. *the first three clases of primary school*

начальственный superior

начальство (*власть*) authority; (*руководители*) management; **под ~м кого-н** (*служить, находиться*) under sb

начальствующий managing

начать to begin, start; (*начать использовать*) to start; **начинать что-н делать** to start doing

начеку to be on one's guard

начеркать (*разг: линии, штрихи*) to draw (*randomly*); (*записку*) to scribble

начерно (*написать, подготовить*) roughly

начертание (*букв*) outline

начес (*на шерсти, на ткани*) nap; (*вид прически*) bouffant

Н

начет *(денежное взыскание)* penalty
начинание initiative
начинатель initiator
начинаться to read a lot of
начинающий *(писатель, учитель)* novice; beginner
начиная including; ~ **с** from; ~ **от** или **с** *(включая)* including
начинить *(пирог)* to fill
начинка filling
начисление *(действие)* addition; *(начисленная сумма)* surcharge
начислить *(проценты)* to add on
начистить *(туфли)* to clean; *(картошки)* to peel
начисто *(набело)* cleanly; *(разг: совершенно)* absolutely
начистоту straight
начитанный well-read
начитать to read
начихать *(пере: разг):* **ему** ~ **на советы** he doesn't live a toss about taking people's advice
наш our, ours; **по нашему** in our opinion, in our way
нашатырный *(спирт)* liquid ammonia
нашатырь ammonium chloride; *(разг: нашатырный спирт)* liquid ammonia
нашествие invasion
нашивка *(на погонах)* stripe *(showing rank)*
нашить *(тесьму, эмблему)* to sew on; *(нарядов)* to sew
нашлепать *(разг)* to smack
нашуметь to make a lot of noise; *(фильм, книга)* to cause a stir
нащупать to find
наяву in realty; **как** ~ distinctly
не not; no; in-, mis-, un-, none
неадекватный inadequate
неаккуратный *(человек)* untidy; *(подсчет)* inaccurate; *(работа)* sloppy
неактуальный irrelevant
неаполитанский neapolitan
Неаполь Naples
небезопасный somewhat dangerous
небезосновательный not unreasonable
небезызвестный *(факты)* reasonably well-known; *(сплетник,*

интриган) notorious
небезынтересный resonably interesting
небесный *(небосвод, сфера)* celestial; *(перен)* heavenly; **небесные тела** heavenly host; **небесный цвет** sky blue
небесполезный reasonably useful
небладовидный unseemly
неблагодарность ingratitude
неблагодарный *(человек)* ungrateful; *(занятие, работа)* thankless
неблагозвучный dissonant
неблагополучный unsuccessful
неблагородный ignoble
неблагосклонный illdisposed
небо heaven; sky
небогатый *(страна)* not wealthy; *(выбор, улов)* fairly poor; **он человек** ~ he has a modest income
небольшой small; *(расстояние, промежуток времени)* short; *(должность, звание)* minor; *(польза, авторитет)* limited; **на** ~ **глубине/высоте** not very deep/high; **ей тридцать с** ~**им** she is a little over thirty
небосвод heavens *мн*
небоскреб sky-scraper
небось I dare say
небрежность *(в работе, подсчетов)* carelessness; *(родителей, работников)* negligence; *(тона, в обращении)* offhandedness
небрежный *(человек, работа, подсчет)* careless; *(прическа, почерк)* untidy; *(тон, отношение)* offhand
небывалый *(чувство, ощущение)* unknown; *(случай)* unprecedented
небылица tall story
небытие nonexistence
Нева the Neva
неважно *(работать, делать что-н)* not very well; **я чувствую себя** ~ I'm not feeling too good; **он** ~ **учиться в школе** he isn't doing very well at school
неважный unimportant; *(не очень хороший)* poor; **обед был неважный** dinner wasn't great; **у нее** ~**ное здоровье** her health isn't very good
невдалеке *(слышаться, видеться)*

not far off; ~ **от** not far from

невдомек she doesn't realize that

неведение ignorance; **сделать (сказать) что-н по ~ю** to do/say sth out of ignorance; **он пребывает в полном ~и** he doesn't know anything (about it)

неведомо *(кто, что, как)* God knows who/what/how

неведомый unknown

невежа boor

невежда ignoramus

невежественный ignorant

невежество ignorance

невежливый impolite

невезение bad luck

невеликий *(по размеру)* small; *(по длине)* short; *(убытки, ущерб)* minor; **он ростом невелик** he's not very tall; **невелика беда!** it's no big deal!

неверие lack of faith

неверно incorrectly; **это ~** that's not right

неверность *(рассуждений, понятия)* incorrectness; *(друга, союзника)* disloyalty; *(жены, мужа)* infidelity

неверный incorrect; disloyal; unfaithful; *(шаги, движения)* unsteady; *(голос, звук)* faltering; *(нота)* false

невероятно incredibly, it's incredible

невероятность *(сообщения, результатов)* improbability; **до ~и** incredibly

невероятный *(неправдоподобный)* improbable; *(чрезвычайный)* incredible

неверующий faithless; -его unbeliever

невеселый gloomy

невесомость физ. weightlessness

невесомый weightless; *(перен: преимущество, превосходство)* negligible

невестка *(жена сына)* daughter-in-law; *(жена брата)* sister-in-law

невесть *(кто/что/куда)* goodness knows who/what/where

невеста *(после помолвки)* fiancee; *(на свадьбе)* bride

невзгода *(обычно мн)* adversity

невзлюбить to take a dislike to

невзирая in spite of

невзначай by accident

невзрачный ordinary looking

невзыскательный undemanding

невидаль oddity; **~ какая!** now there's surprise!

невиданный unprecedented

невидимка *(человек)* invisible being; *(шпилька)* hairpin

невидимый invisible

невидящий unseeing

невинность innocence

невинный innocent

невиновность innocence

невиновный innocent

невкусно (она ~ готовит) she is a bad cook; **здесь ~ кормят** the food here is not very nice

невкусный *(суп, салат, пища)* tasteless

невменяемость derangement; **в состоянии ~и** юр. non compos mentis

невменяемый deranged

невмешательство non interference; эконом. laissez faire

невнимание *(невнимательность)* lack of attention; *(равнодушие)* lack of concern

невнимательность inattention; lack of consideration; carelessness

невнимательный *(ученик, слушатель)* inattentive; *(незаботливый: сын, дочь)* inconsiderate; *(:отношение, обращение)* careless

невнятный muffled

невод fishing net

невозвратимый irretrievable

невозвращенец defector

невоздержанный highly strung *(BRIT)*, high-strung *(US)*

невозможно *(сделать, найти)* it is impossible to do; *(большой, трудный)* impossibly; **это ~** that's impossible

невозможность **до ~** exceedingly

невозможный impossible; *(боль, жара)* unbearable; *(тон, поведение, вид)* insufferable

невозмутимый *(человек)* unflappable; *(тон, ответ)* unruffled; *(тишина, спокойствие)* undisturbed

неволить *(согласиться, отказаться)* to force sb to do

Н

невольник slave

невольный *(ложь, вина)* unintentional; *(движение, улыбка, свидетель)* involuntary

неволя captivity; **в ~e** in captivity

невообразимый unimaginable

невооруженный unarmed; **~ым глазом** *(без оптических приборов)* with the naked eye; **это видно ~ым глазом** it's plain for all to see

невоспитанный ill-bred

невостребованный unclaimed **невпопад** out of turn

невразумительный unintelligible

невралгический neuralgic

невралгия neuralgia

неврастеник neurotic

неврастеничный neurotic

неврастения мед. nevrous tension

невредимый *(лодка, машина)* undamaged; *(человек)* unharmed

неврит neuritis

невроз neurosis *(мн neuroses)*

невропатолог neurologist

невтерпеж *(ей ~ пойти/узнать)* she can't wait to go/find out; **ему все ~** he is always in a hurry

невыгодный unprofitable; *(условия, ситуация, впечатление)* unfavourable *(BRIT)*, unfavorable *(US)*; *(внешность)* unattractive

невыдержанный *(человек, поведение)* uncontolled; *(стиль)* erratic

невыносимый unbearable, intolerable

невыполнение *(обязательства, плана)* failure to carry out; *(обещания)* failure to keep

невыполнимый not feasible

невыразимый inexpressible

невыразительный *(лицо, глаза)* expressionless; *(рассказ, исполнение)* bland

невысокий low; *(человек)* short

нега bliss

негатив фото negative

негативный negative

негашеный *(негашеная марка)* unused stamp; **негашеная известь** quicklime

негде nowhere; no room

негибкий inflexible

негласный secret

неглубокий *(яма, река)* shallow; *(знания, человек, чувство)* superficial; *(сон)* light

неглупый fairly clever; **он очень неглуп** he's by no means stupid

негодность worthlessness; **приходить в ~** *(оборудование)* to become defunct; *(одежда)* to be worn out

негодный *(непригодный)* unusable; *(скверный)* good-for-nothing

негодование indignation

негодовать to be indignant

негодующий indignant

негодяй scoundrel

негр black man *(мн men)*

неграмотный *(человек, ученик)* illiterate; *(содержащий ошибки: речь)* ungrammatical; *(специалист, работа)* incompetent

негритенок black child *(мн children)*

негритянка black woman *(мн women)*

негритянский black

негромкий quiet

негры black people *мн*

недавний recent; **до ~его времени** until recently

недавно recently

недалекий *(место)* nearby; *(расстояние, путь)* short; *(недавний)* near; limited; **в ~ом будущем** in the near future; **она недалека от истины** she is not far from the truth

недалеко *(жить, находиться)* nearby; *(идти, ехать)* not far; **~ до** isn't far (to); **~от** not far from; **до утра ~** it will soon be morning

недальновидный short-sighted

недаром *(не напрасно)* not in vain; *(не без цели)* for a reason; **я ~ столько учился** all of that studying has paid off; **я ~ приехал сегодня** I do have a reason for coming today

недвижимость property

недвижимый *(неподвижный)* motionless; *(не способный двигаться: больной)* immobile

недвусмысленный unambiguous

недееспособный *(человек)* incapacitated; *(организация, структура)* impotent, ineffective

недействительный invalid

неделикатный (*человек*) tactless; (*замечание, вопрос*) indelicate, tactless

неделимый indivisible; **неделимое число** prime number

неделовой unbusinesslike

недельный (*срок, отпуск*) one-week; (*запас, заработок*) a *или* one week's

неделя week; **через ~ю** in a week; **на прошлой/этой/следующей ~е** last/this/next week

недобор shortage

недоброжелательный hostile

недоброкачественный poor-quality

недобросовестный (*небрежный*) unconscientious; (*несчастный*) unscrupulous

недобрый unkind; (*чувства, намерения*) ill; (*время, сон, предчувствие*) bad; **~ые вести** ill tidings

недоварить to undercook

недоверие mistrust, distrust; **отнеситься (отнестись) к кому-н/чему-н с ~ем** mistrustful *или* distrusful of sb/sth

недоверчивость mistrusful, distustful

недовес shortfall

недовесить to give sb too little of sth

недовольный discontented, dissatisfied; **она всем ~ьна** she is never satisfied

недовольство dissatisfaction (with)

недогадливый inscrutable

недоглядеть (*ошибки, опечатки*) to overlook; **~ за** to fail to keep an eye on

недоговорить to leave unsaid; **он что-то недоговаривает** there is something that he's not saying

недоделанный unfinished

недоделка loose end

недоедать to eat badly; **они постоянно ~ют** they never eat enough

недозволенный unlawful, unauthorized

недозрелый unripe

недоимка arrears *мн*

недолго for a short time, not for long; **мне ~ это сделать** it won't take me long (to do); **~ после** not long after; **я там буду ~** I won't

be there for long; **ему осталось ~ (жить)** he hasn't got long (to live)

недолговечный short-lived

недолюбливать to dislike

недомогание queasiness; **чувство ~** to feel queasy

недомогать to feel unwell

недомолвка indirect reference; **говорить о чем-н ~ми** to refer to sth indirectly

недомыслие (**по ~ю**) without thinking

недоношенный (*ребенок*) premature baby

недооценить to underestimate

недооценка underestimation

недопустимый not permissible

недоработка *см* недоделка

недоразвитый underdeveloped; dumb

недоразумение misunderstanding

недорого cheaply

недорогой inexpensive

недосмотр oversight; **по ~у** through lack of attention

недосолить (**ты недосолил суп**) you have't put enough salt in the soup

недоспать to not get enough sleep

недоставать (*не хватать*) to lack; (*быть нужным*) to need; **ей ~ет терпения** she lacks patience; **нам очень тебя ~вало** we really needed you; **этого еще ~вало!** as if that were not enough!

недостаток shortage lack; (*в характере, в работе*) shortcoming

недостаточно insufficiently; **у нас ~ еды/денег** we don't have enough food/money; **я ~ знаю об этом** I don't know enough about it; **~ критиковать, надо помочь** it's not enough to criticize, you need to help

недостаточность inadequacy; **сердечная ~** heart failure

недостаточный insufficient

недостача (*разг: материалов, оборудования*) lack; (*денег: при проверке*) shortfall; **у нас в кассе ~ денег** the till is short

недостающий missing

недостижимый (*высота, уровень*) unreachable; (*мечта, идеал*)

Н

unattainable
недостоверный unreliable
недостойный unworthy (of)
недоступный inaccessible; *(цена)* unaffordable; *(человек)* unapproachable; это ~но моему пониманию it is beyond my understanding
недосуг he can never find the time (to...)
недосчитаться to be short; мы ~лись двух человек we are missing two people
недосягаемый unattainable
недотрога he's very touchy
недоумевать to be perplexed *или* bewildered
недоумевающий perplexed, bewildered
недоумение perplexity, bewilderment
недоуменный perplexed, bewildered
недоучка he/she is badly educated
недочет *(в подсчетах)* shortfall; *(обычно мн: в работе)* deficiency
недра depths *мн;* в ~х земли in the bowels of the earth; в ~х души in the depths of one's soul; в ~х общества at the heart of society
недремлющий vigilant
недруг foe
недружелюбный unfriendly
недуг ailment
недурно not bad
недурной not bad; он ~ен собой he's not bad-looking
неестественный unnatural
нежданный unexpected
нежелание unwillingness
нежелательный undesirable
неженатый unmarried
неженка softy
неживой dead; *(природа, мир)* inorganic; *(перен: взгляд, голос)* lifeless
нежизнеспособный *(организм, растение)* incapable of surviving; *(перен: теория)* impractical
нежилой nonresidential
нежиться to laze about; ~ на солнце to bask in the sun
нежничать to make a fuss of
нежно gently

нежность tenderness; шептать ~и кому-н на ухо to whisper sweet nothings in sb's ear
нежный tender, gentle; *(кожа, пух)* soft; *(запах)* subtle; *(сложение, здоровье)* fragile
незабвенный beloved
незабудка forget-me-not
незабываемый unforgettable
незавидный unenviable
независимо independently; ~от *(условий, времени)* regardless of
независимость independence
независимый independent
независящий (по ~им от нас обстоятельствам) due to circumstances beyond our control
незадача pain
незадачливый unlucky
незадолго (~ до *или* перед) shortly before
незаинтересованный *(ученик, слушатели)* indifferent; *(лицо, сторона)* disinterested
незаконность illegality
незаконный illegal: *(ребенок)* illegitimate
незаконченный unfinished, incomplete
незамедлительный immediate
незаменимый irreplaceable
незаметно *(изменяться)* imperceptibly, it isn't noticeable; он ~ подошел/ушел he apporoached/left unnoticed; ~, что ты всю ночь не спал you may not have slept all night, but it doesn't show
незаметный not noticeable; *(перемены, изменения)* imperceptible; *(перен: человек, внешность)* unremarkable
незамеченный unnoticed
незамужняя unmarried
незамысловатый uncomplicated
незанятый *(дом, помещение)* unoccupied; *(человек, работник)* not occupied; *(вечер, утро)* free; ~ая часть населения the nonworking population
незапамятный (с ~ых времен) from time immemorial; в ~ые времена in the days of yore

Н

немощный *(старик, человек)* sick, ailing

немудреный simple

немыслимый unthinkable

ненавидеть to hate

ненавистный *(человек, работа)* hateful

ненависть hatred

ненаглядный beloved

ненадежный *(человек, сведения)* unreliable; *(механизм)* unsafe

ненадобность выбросить что-л за ~ю to throw sth out *или* away because it is not needed

ненадолго for a short while

ненападение nonaggression

ненароком *(разг: случайно)* without meaning to

ненастный *(день, осень)* wet and dismal

ненастоящий *(мех, золото)* artificial; *(дружба, любовь)* contrived

ненастье awful weather

ненасытный insatiable

ненатуральный *(мех, свет)* arificial; *(смех)* forced; *(поведение)* affected

ненормальность abnormality

ненормальный abnormal; *(разг: сумашедший)* mad; crackpot

ненужный *(человек)* dispensable; *(инструмент)* inessential

необдуманно *(поступить)* rashly

необдуманный ill-considered

необеспеченный poor

необитаемый *(место)* uninhabited; ~ остров desert island

необозримый *(просторы, дали)* vast

необоснованный unfounded

необработанный *(земля)* uncultivated; *(деталь)* unfinished; *(металл, дерево)* untreated

необразованный uneducated

необузданный *(страсть)* unbridled; *(человек, характер)* ungovernable

необходимо it is necessary; мне ~ с Вами поговорить I really need to talk to you

необходимость *(увидеть, сделать)* need, necessity; ~ в need for; по мере ~и as (far as is) necessary; по ~и out of necessity; предметы первой ~и bare essentials

необходимый necessary

необщительный unsociable

необъективный *(отношение, критика)* not objective, bias(s)ed

необъяснимый inexplicable

необъятный *(просторы, дали, познания)* vast

необыкновенный exceptional

необычный *(человек, явление)* unusual

необязательный *(предмет, лекция)* optional; *(факты)* nonessential; *(человек)* unreliable

неогранизованный disorganized; *(массы)* unorganized

неограниченный unlimited; неограниченная монархия absolute monarchy

неодинаковый *(размер)* different

неоднократно *(говорить)* repeatedly; *(повторять)* time after time

неоднократный repeated

неоднородный *(масса)* heterogeneous; *(тесто)* mixed; *(явления)* dissimilar

неодобрение disapproval

неодобрительный disapproving

неодолимый *(упорство, страх)* insurmountable; *(сила)* invincible

неодушевленный inanimate

неожиданно unexpectedly

неожиданность *(атаки)* unexpectedness; *(приятная, большая)* surprise; вздрагивать (вздрогнуть) от ~и to start in surprise

неожиданный unexpected

неокончательный *(вариант, решение)* not final

неоконченный unfinished

неолит Neolithic

неологизм neologism

неон хим. neon

неонацизм Neo-Nazism

неоновый neon

неопасно safely, it's safe, it's not dangerous

неопасный *(путешествие, место)* safe; *(противник, заболевание)* harmless

неописуемый indescribable

неоплатный ~ долг debt that cannot be repaid; я твой ~ должник I'm greatly indebted to you

H

неоплаченный unpaid
неопознанный unidentified
неоправданный *(вывод, обвинение)* unjustified; *(траты, потери)* unwarranted
неопределенность uncertainty
неопределенный *(время, срок)* indefinite; *(путь)* undecided; *(ответ, выражение, жест)* vague; *(звук)* indistinct
неопровержимый irrefutable
неопрятный untidy
неопытность inexperience
неопытный inexperienced
неорганический inorganic
неосведомленный ill-informed
неослабный *(надзор)* constant; *(контроль)* unrelenting
неосмотрительный *(человек)* careless; *(поступок)* imprudent
неоспоримый *(преимущество)* unquestionable; *(доказательство)* incontroversial
неосторожность carelessness
неосторожный *(поступок)* careless; *(поведение, высказывание)* imprudent
неосуществимый unrealizable, unattainable
неотвратимый inevitable
неотделимый inseparble (from)
неотесанный unpolished; *(перен: разг)* crude
неотложка *(разг: учреждение)* ambulance service; *(машина)*emergency medical care
неотложный urgent; **неотложная медицинская помощь** emergency medical service
неотразимый *(атака, красота)* irresistible; *(перен: довод)* compelling; *(удар, впечатление)* powerful
неотступный *(мечта, мысль)* constant; *(преследование)* relentless
неотъемлимый *(право)* inalienable; *(часть)* integral
неофашизм Neo-fascism
неофашист Neo-fascist
неофашистский neo-fascist
неофициальный unofficial
неохота *(разг: нежелание)* reluc-

tance; **мне ~ спорить** I don't feel like arguing
неохотно reluctantly
неохотный reluctant
неоценимый invaluable
неощутимый *(незаметный)* imperceptible
Непал Nepal
непальский Nepalese
непарный *(перчатки, ботинки)* odd
непереводимый untranslatable
непередаваемый *(страх, впечатление)* inexpressible
непереходный *(глагол)* intransitive verb
непечатный unprintable
неписаный unwritten
неплатеж non-payment
неплатежеспособный *(человек)* unable to pay; *(предприятие)* insolvent
неплательщик *(налогов, алиментов)* defaulter
неплодородный infertite, berren
неплотно not tightly *или* firmly
неплохо not badly, quite well, it's not bad
неплохой not bad, quite good
непобедимый invincible
неповиновение disobedience, insubordination
неповоротливый *(неуклюжий)* clumsy; *(медлительный)* slow
неповторимый unique
непогода bad weather
непогрешимый infallible
неподалеку not far off, not far from
неподвижно without moving
неподвижный *(больной, рука, туман)* motionless; *(взгляд)* fixed; *(лицо)* rigid; *(медлительный)* slow
неподдающийся *(разг: перевоспитанию, лечению)* resistant, unresponsive
неподдельный genuine
неподкупный *(человек, ревизор)* incorruptible; *(совесть, принципы)* honourable *(BRIT)*, honorable *(US)*
неподражаемый inimitable
неподходящий *(место)* unsuiatable; *(время)* inappropriate
неподчинение *(закону, властям)*

Н

insubordination
неподъемный very heavy
непозволительный inadmissible
непоколебимый unshakable
непокорный *(конь, слуга)* recalcitrant; *(характер, нрав)* rebellious
непокрытый (с ~ой головой) bareheaded
неполадки fault, defect; *(разг:в семье)* quarrel
неполноправный not possessing full rights
неполнота incompleteness
неполноценность lack; **комплекс ~и** inferiority complex
неполноценный insufficient
неполный *(чашка, мешок)* not full; *(список, перечень, данные)* incomplete
непомерный excessive
непонимание *(задачи, происходящее)* incomprehension; *(равнодушие)* indifference
непонятливый *(ученик, студент)* slow on the uptake, dull
непонятно incomprehensibly, it is incomprehensible; **мне ~, что происходит** I cannot understand what is going on
непонятный incomprehensible
непоправимый *(ошибка)* irreparable; *(шаг, несчастье)* irreversible
непорочный pure, chaste
непорядок disorder
непорядочный *(человек, поведение)* dishonourable *(BRIT)*, dishonorable *(US)*
непоседа fidget
непоседливый restless
непосильный *(труд, задача)* beyond one's strength
непоследовательность inconsistency
непоследовательный inconsistent
непослушание *(детей, подчиненных)* disobedience
непослушный *(ребенок, собака)* disobedient; *(перен: волосы, кудри)* unmanageable
непосредственность spontaneity
непосредственный *(начальник)* immediate; *(результат, свидетель, участник)* direct;

spontaneous
непостижимый *(загадка, сила)* incomprehensible; **уму ~о** it's incomprehensible
непостоянный changeable
непостоянство inconstancy, changeability
непотребный indecent
непохожий dissimilar
непочатый *(бутылка, пачка)* unopened; *(чашка кофе)* full, untouched; *(перен: силы)* unused; *(запас, энергии)* untapped; **непочатый край** no end, a great deal
непочтение disrespect
непочтительно disrespectfully
неправ (ты неправ) you are wrong
неправда lie, untruth, it's not true; **это неправда!** it's *или* this is a lie!
неправдоподобный *(история, рассказ)* improbable, implausible
неправильно *(решить)* incorrectly, wrongly; **это ~** it's wrong; **~ думать, что...** it's wrong to think that...; **~ понимать (понять)** to misunderstand; **~написать** to misspell
неправильный *(решение, произношение, идея)* wrong; **неправильная дробь** improper fraction
неправомерный unjustifiable
неправомочный *(неправомочная организация)* organization without legal authority
неправый unjust
непревзойденный *(рекорд, мастерство)* unsurpassed; *(тупость, жестокость)* unprecedented
непредвиденный unforeseen
непреднамеренный unpremeditated
непредсказуемый unpredictable
непредубежденный unbias(s)ed
непредусмотренный unforeseen, unanticipated
непредусмотрительный short-sighted
непреклонный *(человек)* unbending; *(противник)* uncompromising; *(воля)* unshakable; *(характер)* strong, firm; *(решение)* firm
непрекращающийся *(дождь)* persistent; *(ссора)* endless; *(стрельба)* continuous

H

непреложный *(правило, закон)* immutable; **непреложная истина** unquestionable truth

непременный *(условие)* necessary; *(следствие)* unavoidable; *(деталь, черта)* indispensable

непременно *(обязательно)* by all means

непреодолимый *(препятствие)* insurmountable; *(желание, смущение)* overwhelming

непререкаемый *(авторитет)* unquestionable; *(интонация)* peremptory

непрерывно *(спрашивать, меняться)* uninterruptedly, continuously

непрерывный uninterrupted, continuous

неприветливый *(человек, тон)* unfriendly; *(перен: лес, место)* bleak

непривлекательный unattractive

непривычно I am not used to do it

непривычный *(мысль)* unusual; *(обстановка)* not the usual; *(человек)* unaccustomed

неприглядный *(вид, внешность)* unsightly, unattractive; *(поступок, поведение)* unseemly

непригодный unsuitable

неприемлемый unacceptable

непризнанный *(писатель, художник)* unrecognized

неприкаянный restless and drifting

неприкосновенность inviolability; **дипломатическая ~** diplomatic immunity

неприкосновенный *(фонд)* reserve; *(ценность)* inviolable; *(лицо, личность)* protected by law; **неприкосновенный запас** emergency ration

неприкрашенный *(действительность)* plain, unvarnished; *(вид)* plain

неприкрытый *(дверь)* open; *(отряд, батальон)* open, exposed; *(перен: правда)* plain; *(ложь)* barefaced, blatant; *(грубость)* undisguised

неприлично indecently, improperly

неприличный *(вид, анекдот, рисунок)* indecent; *(платье)* outrageous

неприметный *(незаметный)*

имperceptible; *(непримечательный)* unremarkable

непримиримый *(спорщики, противоречия)* irreconcilable; *(характер)* uncompromising

непринужденность *(беседы)* informality; *(движений)* freeness, casualness

непринужденный informal, relaxed

неприсоединение *полит.* non-alignment

непристойность obscenity

неприступный *(крепость)* impregnable; *(высота)* inaccessible; *(человек)* inapproachable; *(характер, вид)* unfriendly

непритворный unfeigned

непритязательный *(читатель, зритель, вкус)* undiscriminating; *(острота, стихи)* unsubtle

неприхотливый *(человек, студент)* unpretentious; *(вкус, требования)* modest; *(растение, цветок)* undemanding; *(простой, пища)* frugal; *(рисунок)* simple

неприязненный hostile

неприязнь hostility

неприятель the enemy

неприятие rejection

неприятно *(думать, слушать)* it's unpleasant *или* disagreeable to do; **мне ~ говорить об этом** I don't enjoy talking about it

неприятность *(обычно мн: на работе, в семье)* trouble

неприятный unpleasant, disagreeable

непробиваемый *(броня, борт)* impregnable; *(перен: спокойствие)* imperturbable; *(разг: дурак)* utter

непробудный *(пьяница)* inveterate; **~ сон** deep sleep; **~ное пьянство** drunken stupor

непроглядный *(ночь)* pitch-dark; *(тьма)* impenetrable

непродолжительный short

непродуктивный unproductive

непродуманный ill-considered

непроезжий impassable

непрозрачный opaque

непроизводительный *(труд)* unproductive; *(расходы)* wasteful

непроизвольный involuntary

непролазный impassable

непромокаемый (куртка, сапоги) waterproof

непроницаемый (мрак, туман) impenetrable; (перен: вид, лицо) inscrutable; ~ для impervious to

непропорциональный disproportionate

непростительный unforgivable, inexcusable

непроходимость мед. blockage

непроходимый (чаша, болото) impassable; (перен: дурак)utter

непрочный (дом) unstable; (материал) flimsy; (перен: чувства) questionable; (привязанность) precarious

непрошенный uninvited

непрямой (путь) indirect; (ответ) evasive

Нептун Neptune

непьющий (человек) teetotal

неработоспособный unable to work

нерабочий ~ время time off; ~ая обстановка atmosphere which is not conductive to work

неравенство inequality; знак ~a мат. inequality sign

неравнодушный not indifferent (to); он к ней ~ен he finds her attractive

неравномерный (развитие, глубина) uneven; (движения) irregular

неравноправие inequality (of rights)

неравноправный unequal

неравный unequal

нерадивый careless, negligent

неразбериха muddle

неразборчивый (буквы, почерк) illegible; (читатель, вкус) undiscriminating; ~ в средствах unscrupulous

неразвитой undeveloped

неразгаданный unsolved

неразговорчивый taciturn

нераздельный inseparable, indivisible

неразличимый (схожий) indistinguishable; (издали, в темноте) indiscernible

неразлучный inseparable

неразрешенный (запрещенный) prohibited; (оставшийся неясным) unsolved

неразрешимый unsoluble

неразрушимый indestructible

неразрывный indissoluble

неразумный (поведение, поступок) foolish; (разг: малыш, ребенок) silly

нераспространение non-proliferation; ~ ядерного оружия nonproliferation of nuclear weapons

нерассудительный lacking (in) common sense

нерастворимый insoluble

нерасторжимый indissoluble

нерасторопный slow sluggish

нерасчетливый wasteful

нерв анат. nerve; больные нервы nervous disorder; он всем действует на нервы he gets on everyone's nerves; перестань трепать мне нервы! stop getting on my nerves!

нервировать to make nervous

нервничать to fret

нервно nervously

нервнобольной person suffering from a nervous disorder

нервный nervous; (работа, занятие) nerve-racking; (окончания, клетки) nerve; нервная система the nervous system

нервозность nervousness

нервозный (человек) nervous, highly (BRIT) или high (US) strung; (тон, характер) nervous; (обстановка) nerve-racking

нервотрепка hassle

нереальность (событий, обстановки) unreality; (неосуществимость) impracticality

нереальный (мир, события) unreal; (неосуществимый) impractical

нерегулярный irregular

нередко (часто) not infrequently, quite often

нерентабельность unprofitability

нерентабельный unprofitable

нерест spawning

нерешимость indecision

нерешительно indecisively

нерешительность indecision, indecisiveness; быть в ~и to be undecided

Н

нерешительный indecisive

нержавейка stainless steel

нержавеющий *(крыша, бочка)* rustproof; **нержавеющая сталь** stainless steel

неровно *(порезать)* unevenly

неровный *(поверхность, край)* uneven; *(местность)* rough, rugged; *(линия)* crooked; *(пульс)* irregular; *(характер, поведение)* unbalanced

нерпа зоол. seal

нерушимый *(союз)* indestructible

неряха scruff

неряшливый *(человек, одежда)* scruffy; *(работа)* careless

несамостоятельный dependent; **Ваша работа ~ьна** this is not all your own work

несбыточный unrealizable; **~ые мечты** pipe dreams

несварение **~ желудка** indigestion

несведущий ignorant

несвежий *(рубашка)* dirty; **овощи ~ие** the vegetables are not very fresh; **у тебя ~вид** you look weary

несвоевременный untimely

несвязный disjointed

несгибаемый staunch

несговорчивый pig-headed

несгораемый fireproof

несдержанный *(характер, человек)* fiery; *(тон, поведение)* passionate

несение *(охраны, службы)* carrying out; *(наказания)* taking

несерийный *(изделие)* custom-made

несерьезный *(человек)* frivolous; *(предложение)* flippant; *(болезнь)* mild; **~ная рана** flesh wound

несессер dressing-case

несимметричный asymmetrical

несказанный inexpressive

нескладный *(рассказ, жизнь)* disjointed; *(человек, фигура)* ungainly

несклоняемый линг. indeclinable

несколько a few; *(немного: обидеться)* somewhat; **в ~их словах** in a few words, briefly

нескончаемый unending

нескромный *(человек, поведение)* immodest; *(вопрос)* indelicate; *(жест, предложение)* brazen

нескрываемый undisguised

несложный simple

неслыханный unheard of

неслышно *(сказать, проехать)* quietly; **мне ~** I can't hear

неслышный inaudible

несметный infinite

несмолкаемый unceasing

несмотря *(на трудности, усталость)* in spite of, despite; **~ на то что...** in spite of *или* despite the fact that...; **~ ни на что** no matter what

несмываемый *(пятно)* indelible; *(позор)* ineradicable

несмышленный *(ребенок)* innocent

несносный *(человек, поведение)* insufferable; *(жара, холод)* unbearable

несоблюдение non-observance

несовершенный flawed; **несовершенный вид** imperfective (aspect)

несовершенство *(общества, системы)* imperfect nature

несовершеннолетний minor; **~ ребенок** minor

несовместимость incompatibility; **несовместимость тканей** мед. antagonism

несовместимый incompatible

несогласованность lack of coordination

несогласованный *(действия)* uncoordinated

несознательность irresponsibility

несознательный irresponsible

несоизмеримый *(понятия)* disproportionate

несокрушимый indestructible

несомненно *(правильный, хороший)* indisputably, вводн сл without a doubt; **это ~** this is indisputable; **~, что он придет** there is no doubt that he will come

несомненный *(факт, успех)* indisputable

несообразительный *(человек)* slow, thick

несообразность *(поведения)* foolishness; **говорить (делать) ~to** say/do foolish things

несообразный *(поведение)* foolish; **~ с** *(с возможностями, с обстоя-*

Н

тельствами) out of line with
несоответствие (правилам, закону) nonconformity with; (возможностям, обстоятельствам) discrepancy with
несоразмерный unbalanced
несостоятельность (довода) lack of substantiation; ком. insolvency; обнаруживать (обнаружить) свою ~ to prove to be worthless
несостоятельный (довод) unsubstantiated; (комм: компания, должник) insolvent; (руководитель) incompetent
неспешный unhurried
несподручно it is inconvenient; мне ~ делать это it's inconvenient for me to do this
несподручный inconvenient
неспокойно (в доме, в стране) there's unease; у меня на душе ~ I feel uneasy
неспокойный (сон) uneasy; (жизнь) troubled
неспособность inability; (на жертвы, на уступки) inability to make
неспособный incapable of; ~ к языкам/математике incapable of languages/doing maths; (на жертвы, на уступки) incapable of making
несправедливо unfairly, unjustly; это ~ this is unfair или unjust
несправедливость injustice
несправедливый (человек, суд, упрек) unjust; (сообщение) unfounded
неспроста for a reason
неспрягаемый линг. inconjugable
несработанность lack of harmony at work
несравненно (лучшее, красивее) incomparably
несравненный incomparable
несравнимый incomparable
нестандартный (поход) original; (товар) substandard
нестерпимый intolerable
нести to carry; (влечь: хаос, разруху, неприятности) to bring; (разг: чепуху, вздор) to spout; (охрану, службу) to carry out; (снести: яйцо) to lay; ~ет бензином/водкой there's a smell of petrol

(BRIT) или gas (US)/of vodka; с моря ~ет прохладой coolness wafted in from the sea; ~ наказание to take punishment; понести потери to suffer losses; (понести) ущерб to be damaged; куда тебя ~ет? where on earth are you going?; кого это ~ет? who on earth is that?
нестоящий (человек) worthless; (дело) valueless
нестройный shapeless; (ряды) ragged
несудоходный not navigable
несуразность ~и to say/do silly things
несуразный silly; (характер) idiotic
несущественный inconsequential
несходный dissimilar
несчастливый (человек) unhappy; (попытка) unfortunate
несчастье (беда) misfortune; к ~ю unfortunately
несчетный incalculable
несъедобный inedible
нет no, not; there is (are) not; у меня ~ I have not
нетактичность tactlessness
нетактичный tactless
нетвердый (походка) unsteady; (решение) shaky
нетерпеливо impatiently
нетерпеливый impatient
нетерпение impatience; с ~ем ждать/слушать to wait/listen impatiently
нетерпимость intolerance
нетерпимый (недопустимый) intolerant; (непримиримый) intolerant of
неторопливо unhurriedly
неторопливый unhurried
неточность (данных, описания) inexactness; (в работе, в описании) inexactitude
неточный inexact
нетребовательный (начальник) undemanding; (вкус, публика) unsophisticated; (человек) unassuming
нетрезвый drunk; в нетрезвом состоянии drunk
нетронутый (снег) virgin; (обед) untouched

Н

нетрудно (это ~) it's easy или not difficult; **~ понять** it's easy или not difficult to understand

нетрудный easy

нетрудовой *(доход)* unearned income

нетрудоспособность disability; **пособие по ~и** disability living allowance

нетто *(о весе)* net; **вес ~** net weight; **~ активы** ком. net assets

неубедительный unconvincing

неубранный *(урожай)* ungathered; *(поля)* unharvested; *(постель)* unmade; *(комната)* untidy

неуважение disrespect

неуверенно uncertainly

неуверенный *(человек)* unsure; *(тон)* uncertain; **~ в себе** unsure of o.s.

неувядаемый *(талант, слава)* enduring; *(красота)* unfading

неувязка *(разг: в описании, в аргументации)* discrepancy; *(недоразумение)* misunderstanding

неугасимый inextinguishable

неугомонный unruly

неудача *(в делах)* failure; **терпеть (потерпеть) ~** to meet with failure

неудачливый *(человек)* unlucky

неудачно unsuccessfully; **ее жизнь сложилась ~** her life was a failure

неудержимый *(поток, бег)* uncontrollable; *(слезы, радость)* unrestrained

неудивительно it's surprising

неудобно *(расположенный, сидеть)* uncomfortable, it's uncomfortable; *(неприлично)* it's awkward; **мне ~** I am uncomfartable; **~ задавать людям такие вопросы** it's awkward to ask people such questions; **(мне) ~ сказать ему об этом** I feel uncomfortable telling him that

неудобный uncomfortable

неудобоваримый indigestible

неудобство *(неловкость)* discomfort; *(в поезде)* lack of comfort

неудовлетворенность *(работой, жизнью)* dissatisfaction with

неудовлетворенный *(любопытство)* unsatisfied; *(читатель, зритель)* dissatisfied

неудовлетворительный unsatisfactory

неудовольствие dissatisfaction

неуемный *(энергия)* irrepressible; *(тоска)* unrestrained

неужели really; **~ она так думает?** does she really think that?

неуживчивый unaccommodating

неузнаваемость (до ~и) beyond (all) recognition

неузнаваемый unrecognizable

неуклонно steadily

неуклонный steady

неуклюжий clumsy

неукоснительно strictly

неукоснительный strict

неукротимый *(гнев)* unrestrained; *(энергия)* irrepressible

неуловимый imperceptible; *(человек)* elusive

неумелый inept

неумение incapability

неумеренный *(восторг)* boundless; *(потребности)* unlimited

неуместный inappropriate; **шутка была совершенно ~на** the joke was completely out of place

неумный *(политика)* unintelligent

неумолимый *(мстить)* relentless; *(закон)* stringent

неумолчный unremitting

неумышленный *(поступок)* unintentional; *(убийство)* unpremeditated

неупеваемость poor performance

неуплата non-payment

неупорядоченный disorderly

неуправляемый *(недисциплинированный)* unruly

неуравновешенность irascibility

неуравновешенный unbalanced

неурожай poor harvest

неурочный *(время, час)* unearthly

неурядица *(разг: обычно мн: в семье, на работе)* squabble

неуспевающий *(ученик)* poor

неустанно indefatigably

неустанный indefatigable

неустойка ком. penalty; *(разг: неудача)* flop

неустойчивый *(стул, цены)* unstable; *(погода)* unsettled

неустранимый insurmountable

неустрашимый fearless

неустроенный *(жизнь, быт)* uncomfortable

неусыпный vigilant

неутешительный upsetting

неутешный inconsolable

неутолимый *(жажда)* unquenchable; *(голод)* insatiable

неутомимый untiring

неучтивость lack of civility; **говорить ~и** to be uncivil

неучтивый uncivil

неуютно *(сидеть)* uncomfortably, it's uncomfortable; **мне ~ с чужими людьми** I don't feel at ease with strangers **неуязвимый** *(противник, позиция)* impregnable; *(аргумент)* unassailable

неформал member of a nonconformist organization

неформальный *(отношение)* relaxed; *(организация)* nonconformist

нефрит nephritis; *геол.* jade

нефтедобывающий *(промышленность)* oil

нефтедобыча drilling for oil

нефтепереработка oil-processing plant

нефтепровод pipeline

нефтехранилище oil storage tank

нефть oil petroleum

нефтяник worker in the oil industry

нефтяной *(платформа)* oil rig; **нефтяная вышка** (oil) derrick

нехватка shortage of

нехитрый *(простой)* simple

нехороший bad

нехорошо *(поступить)* badly, it's bad; **мне ~** I'm not well; **~ на душе** I feel uneasy; **он нехорош собой** he isn't good-looking

нехотя unwillingly

нецензурный unprintable; **~ое слово** swearword

нечаянно unintentionally

нечаянный *(неумышленный)* unintentional; *(неожиданный)* chance

нечеловеческий inhuman; *(колоссальный: усилия)* superhuman

нечесаный unkempt

нечестно dishonestly; **это ~this is dishonest

нечестность dishonesty

нечестный dishonest

нечеткий illegible

нечетный *(число)* odd

нечистоплотный *(неопрятный)* untidy; *(неразборчивый)* unscrupulous

нечистоты sewage; *(отбросы)* waste

нечистый *(одежда, комната)* dirty; *(произношение)* indistinct; *(приемы, игра)* unscrupulous; **у него ~ая совесть** he has a guilty conscience; **он нечист на руку** *(нечестен)* he is dishonest; *(ворует)* he is light-fingered; **нечистая сила** evil spirit

нечисть *(нечистая сила)* evil spirit; *(перен: преступная, нацистская)* scum

нечленораздельный inarticulate

нечто something

нечувствительность insensivity

нечувствительный insensitive

нечуткий *(человек)* unsympathetic

нешуточный *(серьезный)* serious; *(значительный)* large; **это ~ое дело** it's no laughing matter

нещадно unmercifully

нещадный *(критика, наказание)* merciless; *(перен: жара)* relentless

неэкономичность *(методов, технологии)* inefficiency

неэкономичный *(технология, отрасль)* inefficient; *(мотор)* uneconomical

неэтичный *(поведение)* unethical

неэффективный ineffective

неявка *(на работу)* absence; *(на суд)* failure to appear; **за ~кой, по ~ке** by default

неясность vagueness; *(в тексте)* ambiguity

неясный *(очертания, звук)* indistinct; *(мысль, вопрос)* vague

нёбо palate

ни not; neither, nor; whatever

нива field

нивелировать to even out

нигде nowhere; **его ~ не было** he was nowhere to be found; **~ нет моей книги** I can't find my anywhere, my book is nowhere to

Н

be found; ~ не мог поесть I couldn't find anywhere to get something to eat

нигерийский Nigerian

Нигерия Nigeria

нигилизм nihilism

нигилист nihilist

нидерландский Dutch

Нидерланды Netherlands

нижайший most humble; lowest; mean

ниже below, less, under

нижеподписавшийся undersigned

нижестоящий lower

нижеуказанный undermentioned

нижний inferior; lower; ~ этаж ground floor; ~жняя Палата Lower House, House of Commons

низ bottom, ground floor; *med.* stool; ~ы lowest classes

низвергать to overthrow

низвергнуться to hurtle down

низина low-lying land

низкий base, mean; low

низкокачественный low-quality

низкооплачиваемый low-paid

низкопоклонство sycophancy

низкопробный *(золото, серебро)* low-grade; *(книга, газета)* trashy; *(делец)* amoral

низкорослый *(человек)* small; *(дерево, кустарники)* stunted

низкосортный low-quality

низложить to depose

низменный *(местность, болота)* low-lying; *(интересы, мысли)* base; *(инстинкты)* basic

низом along the bottom

низость baseness; **говорить** ~и to say base things; **делать** ~и to behave basely

низший *(звание)* junior; ~ие чины the lowest ranks

никак *(никаким образом)* no way; ~ не могу запомнить это слово I can't remember this word at all; **дверь** ~ не открывалась the door just wouldn't open; **ему** ~ не удавалось ее встретить there's no way he could have managed to meet her; ~ нельзя one can't do

никакой none, not any

Никарагуа Nicaragua

никарагуанский Nicaraguan

никелировать to nickel

никелировка *(действие)* nickelling *(BRIT)*, nickeling *(US)*; *(покрытие)* nickel plate

никель nickel

никогда never; **как** ~ as never before

никто nobody; **она мне** ~ *(не родственник)* she's not a relative of mine; *(не друг)* she's nothing to me; **ни у кого нет сомнений** nobody has any doubts; **ни к кому не подходил** I didn't approach anyone; **ни с кем не говорил** I didn't speak anyone; **ни о ком не знаю** I don't know anything about anyone

никуда nowhere; **обслуживание здесь** - ~ the service here is terrible; **я** ~не поеду I'm not going anywhere; ~ **я не поеду** I'm going nowhere; **это** ~ не годится that just won't do

никудышный good-for-nothing

никчемный no good for anything

Нил the Nile

нимб nimbus

ниоткуда from nowhere; ~ **нет помощи** I get no help from anywhere

ниппель nipple

нисколько not at all, not in the least

ниспадать to fall

ниспровергнуть to overthrow

нисходящий *(линия)* descending; *(интонация)* falling

нитевидный long and thin

нитка *(обычно мн: для шитья)* theard; *(для вязания)* yarn; ~ **жемчуга** string of pearls; ~ **газопровода** gas pipeline; **промокнуть до** ~ки to get soaked right through; **вдевать (вдеть)** ~ку в иголку to thread a needle

нитрат nitrate

нить thread; *(для вязания)* yarn; *(повествования, воспоминаний)* thread of; **нити заговора** strands of a plot; **нити дружбы** threads of friendship

Ницца Nice

ничего fairly well; **(это)** ~,**что...** it's

all right that..; **извините, я Вас побеспокою - ~!** sorry to disturb you - it's all right!; **как живешь? - ~** how are you? - all right; **~ себе** *(сносно)* fairly well; **~ себе!** *(выражает удивление)* well, I never!

ничей nobody's; **он не слушает ~ьих советов** he doesn't follow anybody's advice; **ни к чьему совету не прислушивается** he doesn't listen to anybody's advice; **ни с чьим мнением не считается** he doesn't consider anyone's views; **ни о чем благополучии не беспокоится** he doesn't worry about anyone's wellbeing

ничейный *(полоса, зона)* no man's; **~ая земля** no-man's -land; **~ый результат, ничейная партия** draw

ничком face down

ничто nothing; **ни для чего не пригодный** not suitable for anything; **ни с чем не согласен** I don't agree with anything; **ни о чем не прошу** I don't ask for anything; **~мне не интересно** nothing interests me; **~его с ним не случится** nothing happens to him; **~его подобного не видел** I've never seen anything like it; **~его подобного!** *(разг: совсем не так)* nothing like it!; **всего ~его** next to nothing; **ни за что!** *(ни в коем случае)* no way!; **ни за что не соглашайся** whatever you do, don't agree; **ни за что ни про что** for nothing; **я здесь ни при чем** it has nothing to do with me; **~его не поделаешь** there's nothing to be done

ничтожество nonentity

ничтожный paltry

ничуть *(нисколько)* not at all; *(не лучше, не больше)* no; *(не испугался, не огорчился)* at all; **,~ не** бывало not at all

ничья спорт. draw; **сыграть в ~ю** to draw *(BRIT)*, tie *(US)*

ниша niche

нищать to become impoverished

нищая beggar

нищенка см нищая

нищенский *(ничтожный)* beggarly; **~ая жизнь** life of begging

нищета poverty

нищий poverty-stricken; beggar

но but; *(препятствие)* setback, gee up; **я предложил ему помощь, ~ он отказался** I offered to help him, but he refused; **~ вдруг** then suddenly; **~ только** only; **но-но осторожнеее!** now then, be more careful!

новатор innovator

новаторство innovation

новация innovation

Новая Зеландия New Zealand; **Новая Земля** Novaya Zemlya

новелла novella

новеллист writer of novellas

новенький newcomer; *(в классе)* new pupil

новизна *(идей, подхода)* novelty

новинка new product; **~ моды** new fashion item; **книжная ~** new book; **мне это в ~ку** it's new to me

новобранец new recruit

новобрачный newlywed

нововведение innovation

новогодний New Year; **новогодняя елка** Christmas tree

новозеландский New Zealand

новоиспеченный new

новокаин *мед.* Novocaine

новолуние new moon

новорожденная newborn girl

новорожденный newborn; newborn boy

новосел *(в доме)* new owner

новоселье house-warming

Новосибирск Novosibirsk

новостройка *(строительство)* construction of new buildings; *(новое здание)* new building; **больница-** ~ newly-built hospital

новость *(известие)* news; *(медицины, техники)* innovation

новоявленный new

новшество *(в жизни, в обществе)* novelty; *(техническое)* innovation

новый new; **новая история** modern history;

Новый завет the New Testament; **новь** era

нога (ступня) foot; (выше ступни) leg; переступать (переминаться) с ~и на ~у to shift from one foot to the other; идти в ногу со временем to move with the times; он бежал со всех ног he ran as fast as his legs would carry him; сбиться с ног to be run off one's feet; поставить кого-н на ~и (перен: больного) to get sb back on his feet; (детей) to make sb stand on his own two feet; с ног на голову переворачивать (перевернуть) или ставить (поставить) что-н to turn или put sth on its head; еле ноги унести to escape by the skin of one's teeth; ~и моей не будет I won't step foot there again; в ~х (постели) at the foot of the bed; вверх ~ми upside down; в доме все вверх ~ми the house is completely topsy-turvy; жить на широкую ногу to live lavishly; на короткой или дружеской ~е on friendly terms with

ноготки marigold

ноготь nail; до кончиков ногтей (перен: совершенно) from top to toe

нож knife; быть с кем-н на ~ах (враждовать) to be at daggers drawn with sb; твои поступки мне - ~ острый (перен: раз) your behavior gives me a lot of grief

ножевой (рана) knife

ножик (перочинный) penknife; (складной) flick knife (BRIT), switchblade (US)

ножка (стула, стола) leg; (циркуля) arm; подставлять (подставить) ~ку кому-н to trip sb up

ножницы (инструмент) scissors мн, pair of scissors (мн pairs of scissors); (расхождение) disproportion

ножны (для кинжала) sheath ед; (для шпаги, сабли) scabbard ед

ножовка hacksaw

ноздреватый (сыр) holey

ноздря (обычно мн) nostril

нокаут knockout

нокаутировать to knock out

нокдаун knockdown

ноль мат. zero, nought; (при исчислении температуры) zero; (перен: человек) nothing; ~ целых пять десятых (0,5) zero или nought point five; встретиться в десять ~-ноль to meet at exactly ten o'clock

номенклатура (товаров, услуг) list; (номенклатурные работники) nomenklatura

номенклатурный (единица) listed; номенклатурный работник nomenklature

номер number; (журнала, газеты) issue; (перчаток) size; (в гостинице) room; (концерта) number, turn; номер машины registration (number)

номерок (для пальто) ticket

номинал комм. face value

номинальный (зарплата) nominal; ~ьная цена face value

нонсенс nonsense

нора (зайца) burrow; (лисы) den; (барсука) set; (перен) hole

Норвегия Norway

норвежец Norwegian

норвежский Norwegian; ~ язык Norwegian

норка mink

норковый mink

норма standard; (выработки, прибыли) rate; ~ поведения behavioural norm; войти (прийти) в ~у (обычное состояние) to return to normal; он сегодня в ~е he's fine today

нормализация normalization

нормализовать (обстановку, отношения) to normalize

нормализоваться to stabilize

нормально normally; это вполне ~ this is quite normal; как дела? - нормально; how are things? - not bad; у нас все ~ everything's fine with us

нормальный normal; (психически) of sound mind

Нормандия Normandy

норматив norm

нормативный normative

нормирование (цен) standardization; (мяса) rationing

нормировать to standardize

норовистый capricious, stubborn, touchy

нос nose; *(корабля)* bow; *(птицы)* beak, bill; *(ботинка)* toe; **из-под носа у** from under the nose of; **отъезд/экзамен на ~у** the departure/exam is imminent; **под носом** *(близко)* under one's (very) nose; **с носом остаться** to be left with nothing; **водить кого-н за ~** to lead sb by the nose; **он не видит дальше собственного носа** he can't see further than his own nose; **совать ~ в** to poke *или* stick one's nose into

носатый with a big nose

носик *(человека)* small nose; *(чайника)* spout

носилки *(для раненых)* stretcher

носильщик porter

носитель *(идей, прогресса)* bearer; *(инфекции)* carrier; *(данных, информации)* transmitter; **носитель языка** native speaker

носить *(вещи, камни)* to carry; *(платье, очки)* to wear; *(усы, бороду, прически)* to sport; *(фамилию мужа)* to use; *(отличаться: подлеж: предложение, спорт)* to be characterized by; **наши отношения носят деловой характер** our relations are of a business nature; **~ на руках** to carry; *(перен: любить)* to adore

носиться *(человек)* to rush; *(слухи)* to spread; *(одежда)* to wear; *(разг: увлекаться)*: **~ся с** *(идеей)* to be preoccupied with; *(с человеком)* to make a fuss of; **~ся в воздухе** *(настроения)* to be in the air; *(идея)* to be widespread

носка *(одежды, обуви)* wearing; **удобный в ~е** comfortable (to wear)

ноский *(туфли, ткань)* hard-wearing

носовой *(звук)* nasal; **~ая часть** bow; **носовой платок** handkerchief

носок *(обычно мн: чулок)* sock; *(ботинка, чулка, ноги)* toe; **вставать (встать) на ~ки** to stand on tiptoe

носорог rhinoceros, rhino

ностальгический nostalgic

ностальгия *(по дому)* homesickness,

nostalgia; *(по утраченному)* nostalgia

нота note

нотариальный *(услуги)* notarial; **нотариальная контора** notarial office

нотариус notary (public)

нотация *(выговор)* lecture

нотный *(письмо)* musical notation

ноты муз. sheet music; **как по ~ам** *(перен)* smoothly

ноу-хау know-how

ночевать to spend the night

ночлег *(место)* somewhere to spend the night; **остановиться на ~** to spend the night

ночлежный *(дом)* hostel

ночник night-light

ночной *(час, холод)* night; **ночная рубашка** nightshirt; **ночная смена** night shift

ночь night; **с утра до ~и** from dawn to dusk; **на ~** before bed; **спокойной ночи!** good night!

ноша burden

ношеный *(одежда, туфли)* second-hand

ноябрь November

ноябрьский November

нрав *(человека)* temperament; **это мне по нраву** this is to my liking

нравиться *(по ~)* to please; to like

нравоучение ethics

нравоучительный *(рассказ, история)* with moral; *(тон)* moralizing

нравственность morals мн

нравственный moral

нравы *(обычаи)* customs мн

ну *(выражает побуждение)* come on; **ну, начинай!** come on, get started!; *(выражает восхищение)* what; **ну и сила!** what strenght!; *(выражает иронию)* well (well); **ну и умник же ты!** well (well), what a clever fellow you are!; *(неужели)*: **(да) ну?!** not really?!; **я женюсь - да ну?!** I'm getting married - not really?!; *(усиливает выразительность)*: **ну конечно!** why of course!; **ну я тебе покажу!** why, I'll show you!; *(допустим)*: **ты говоришь по-английски? — ну, говорю** do you

Н

speak English? — what if I do; *(во фразах)* ну и ну! well well!; ну-ка! come on!; ну тебя/его! to hell with you/him

нуворищ nouveau riche

нуга *(бедность)* nougat

нудист nudist

нудно tediously

нудный tedious

нужда *(бедность)* poverty; *(потребность)* need (for); **нужды населения** the needs of the population; **в этом нет ~ы** there is no need for it

нуждаться *(бедствовать)* to be needy; **~ в** to need, be in need of

нуждающийся destitute

нужный necessary

нулевой *(температура)* temperature of zero; **~ая отметка** (mark of) zero; **~ой результат** no result

нуль nil, nought, zero

нумерация numbering

нумеровать to number

нумизмат numismatist

нумизматика numismatics

нутрия зоол. coypu

нутро *(разг: интуиция)* instincts *мн;* **это мне не по ~у** I'm not too keen on this

ныне today

нынешний *(события, правительство)* the present; *(молодежь)* today's; **~ее лето** this summer

нырнуть to dive

ныряльщик diver

ныть *(рана, зуб)* to ache; *(жаловаться)* to moan

Нью-Йорк New York

нюанс nuance

Нюрберг Nuremberg

нюх *(собаки)* nose; *(перен: разг)* **~ на** nose for

нюхать *(цветы, воздух)* to smell; *(спирт)* to sniff; **~ табак** to take snuff

нянчить to mind

няня nanny; *(работающая на дому)* child minder; *(в больнице)* auxiliary nurse; *(в детском саду)* cleaner; **приходящая ~** baby-sitter

O

о, об, обо about, concerning

оазис oasis

оба both

обагрять (обагрить) to redden; to stain

обалдеть to go crazy

обанкротиться to bankrupt; *(перен: идея, политика)* to prove (to be) bankrupt

обаяние charm

обаятельный charming

обвал *(в шахте, в штольне)* rock fall; *(снежный)* avalanche; *(здания, этажа)* collapse

обвалиться to collapse; *(потолок, крыша)* to cave in, collapse

обварить to pour boiling water over; кулин. to blanch; *(обжечь)* to scald

обвенчать to marry

обвести *(букву, чертеж)* to go over; *(окаймить: заголовок, рисунок)* to edge; *(футболиста)* to pass; **обводить вокруг** *(стола, дома)* to lead *или* walk round; **обводить что-н/кого-н глазами** to run one's eye over sth/sb; **~ кого-н вокруг пальца** to twist sb round one's little finger

обветренный weather-beaten

обветриться to become weather-beaten

обветшалый dilapidated

обвивать to entwine, wind

обвинение accusation, charge

обвинитель accuser; юр. prosecutor

обвинительный *(речь, выступление)* accusatory; **~ приговор** verdict of guilty; **~ акт** indictment

обвиняемый accused *или* defendant

обвинять to prosecute

обвисать to droop

обвислый *(кожа)* sagging; *(усы)* drooping; *(тело)* flabby

обвить *(плющ, вьюн)* to twine around; **обвивать кого-н/что-н чем-н** to wind sth round sb/sth; **обвивать чью-н шею руками** to wrap one's arms around sb's neck **обводнить** to irrigate

обволакивать to envelop, wrap
обворовать (*разг: квартиру*) to do over; (*соседа*) to rob
обворожительный captivating
обворожить to captivate
обвязать (*кого-н/что-н веревкой, платком*) to tie sth round sb/sth; ~ **что-н спицами/крючком** to knit/crochet a border on sth
обглодать to pick clean
обговорить to discuss
обгон overtaking
обгорелый (*дом, дерево*) burnt; (*разг: спина, плечи*) sunburnt
обгореть (*дом*) to be burnt; (*разг: на пожаре*) to get burnt; (*на солнце*) to get sunburnt
обгрызть (*яблоко, кость*) to gnaw; **обгрызать ногти** to bite one's nails right down
обдавать pour over
обделить (**он обделил ее деньгами**) he didn't give her the money; **природа ~елила его умом/силой** he is not blessed with intelligence/strength; **всем дарили подарки, а его ~елили** everybody got a present but he was left out
обделывать (**обделать**) to arrange, fashion, finish
обдерганный shabby
обдирать to peel, skin
обдуманный considered
обдумать to consider, think over
обдурить (*обмануть*) to pull the wool over sb's eyes; (*смошенничать*) to rip sb off
обегать to rush round
обед lunch, dinner; (*время*) lunch *или* dinner time; (*разг: перерыв*) lunch break; **за ~ом** at lunch *или* dinner; **после ~а** after lunch *или* dinner; (*после 12 часов дня*) in the afternoon; **закрыт на ~** closed for lunch
обедать to have *или* dinner; (*разг: уходить на перерыв*) to take a lunch break
обеденный (*стол, сервиз*) dinner; (*часы, время*) lunch, dinner
обедневший impoverished
обедня Mass; **идти (пойти) к ~не** to go to Mass; **служить ~ню** to hear Mass

обеднить to impoverish; make scanty
обежать (*разг: магазины*) to rush round; ~ **вокруг** to run round
обезболивание anaesthezation (*BRIT*), anesthezation (*US*)
обезболивать to anaesthetize (*BRIT*), anesthetize (*US*); **обезболивать кому-н роды** to give sb anaesthetic (*BRIT*), anesthetic (*US*) during childbirth
обезболивающее painkiller
обезболивающий anaesthetic (*BRIT*), anesthetic (*US*)
обезводить (*землю*) to drain; (*организм*) to dehydrate
обезвредить to defuse; (*воду*) to purify; (*преступника*) to make powerless
обезглавить to behead; (*перен: восстание*) to leave without a leader
обездоленный deprived
обездолить to deprive
обезжирить (*молоко, творог*) to skim; (*шерсть*) remove fat from
обеззараживание disinfection
обезличить to depersonalize; (*работу, руководство*) to remove individual responsibility from
обезобразить to disfigure
обезопасить (*себя, друга*) to protect
обезоружить to disarm
обезуметь (*от страха, от горя*) to go out of one's mind with
обезьяна (*с хвостом*) monkey; (*без хвоста*) ape; (*перен: разг*) copycat
обезьяний (*хвост*) monkey's; (*повадки*) apelike
обезьянничать to be a copycat
обелиск obelisk
обелить to whitewash
оберегать (*человека*) to protect; (*имущество*) to guard
обернуть (*книгу, посылку*) to wrap (up); (*оборачивать капитал*) to turn over; **обертывать** (*оборачивать*) **что-н вокруг** (*талии, головы*) to wrap sth round; **оборачивать дело в свою пользу** to turn things to one's own advantage
обертка (*книжная, конфетная*) wrapper; (*на посылке*) wrapping
обертывать to envelop, wrap up;

O

~ся to turn round; to wriggle out

обескровить to sap the strength of

обескураженный baffled

обескуражить *(озадачить)* to baffle

обеспечение *(мира, безопасности, договора)* guarantee; *(сырьем, продуктами)* provision of; **материальное** ~ financial security

обеспеченность (material) comfort; *(школ, завода)* provision; **финансовая** ~ financial security

обеспеченный well-off, well-to-do

обеспечить *(семью)* to provide for; *(мир, успех)* to guarantee, ensure; **обеспечивать кого-н/что-н чем-н** to provide *или* supply sb/sth with sth, provide *или* supply sth for sb/sth

обессилеть to become *или* grow weak

обессилить to weaken

обесславить to besmirch

обессмертить to immortalize

обесточить to cut off the power to

обесцветить to bleach; *(перен: рассказ)* to tone down

обесцветиться to be bleached; *(ткань: от времени)* to fade; *(перен: рассказ)* to become flat

обесценивание *(валюты)* depreciation; *(намеренное)* devaluation

обесценить to devalue

обесцениться to be devalued; *(вещь)* to depreciate

обет vow

обетованный *(земля)* the Promised Land

обещание promise

обещать to promise

обжалование appeal

обжаловать to appeal against

обжарить to brown

обжечь to burn; *(кирпич)* to fire; *(дерево)* to scorch; *(крапива)* to sting

обжитой *(дом)* lived-in

обжора pig, greedy guts

обжорство greediness

обжулить to con

обзавестись to get o.s.

обзвонить to phone round

обзор view; *(статьи, новостей)* review

обзорный general; **~ая статья** review

обивка upholstery

обида *(несправедливость)* insult; *(горечь)* grievance; **какая ~!** what a pity!; **наносить (нанести) ~ кому-н** to hurt *или* offend sb; **не давать (дать) кого-н в ~у** to stand *или* stack up for sb; **быть в ~е на кого-н** to be in a huff with sb

обидеть to hurt, offend; **он ~жен умом/красотой** he's not too smart/good-looking

обидно it's offensive, it's annoying; **мне ~ слышать это** it hurts me to hear this; **~, что мы не встретились** it's annoying that we didn't meet

обидный *(оскорбительный)* offensive; *(разг: досадный)* annoying

обидчивый touchy

обиженный aggrieved

обилие abundance

обильный abundant; *(рыбой, талантами)* rich in; **~ная еда** food in abundance

обитаемый inhabited

обитатель inhabitant

обитать to live

обитель cloister, convent, monastery

обить to cover (with); **обивать пороги у кого-н** to camp on sb's doorstep

обиход **быть в ~е** to be in use; **входить (войти) в ~** to come into use; **выходить (выйти) из ~а** to go out of use

обиходный everyday

обкатать *(поверхность, дорогу)* to flatten (out); *(машину)* to run in; *(станок)* to test (out)

обкатка *(дороги)* flattening; *(машины, станка)* testing

обклеить *(плакатами, бумагой)* to cover; *(обоями)* to (wall) paper

обкурить *(разг: комнату)* to fill with smoke; **ты меня совсем ~урил** your smoke is suffocating me

обкусать to nibble; **обкусывать ногти** to bite one's nails

облава *(на преступников)* roundup

обладатель possessor

обладать to possess; *(женщиной)*to

have; **здоровьем** to enjoy good health; **красотой** to be beautiful

облазить to go round

облако cloud; **витать в облаках** to have one's head in the clouds

обласкать to be kind to

областной (*центр, театр*) regional oblast; (*выражение, слово*) regional

область region; *админ.* region, oblast; (*науки, искусства*) field; **в ~и** (*в сфере*) in the field of

облачать to array; to invest with

облачение vestments

облачность cloud

облачный cloudy

облаять to bark at; (*перен: разг*) to swear at

облегать to fit

облегающий close-fitting

облегчение (*условий труда, жизни*) improvement; (*успокоение*) relief

облегченно with relief

облегченный (*ткань, инструмент*) light; (*труд, экзамен*) easier; (*ответ, улыбка*) relieved

облегчить (*вес*) to lighten; (*экзамен, жизнь*) to make easier; (*боль, страдание*) to relieve; **облегчать душу** to ease one's mond

обледенелый (*ступени, горка*) icy; (*борода*) frozen

облезлый (*разг: собака, птица*) mangy; (*вид, внешность*) scruffy; (*стены*) peeling

облезть to grow mangy; (*краска, обои*) to peel (off); (*стены*) to peel

облениться to grow lazy

облепить (*грязь, глина*) to stick to; (*подлеж: люди, мухи*) to surround; (*разг: покрыть*): **~что-н чем-н** to plaster sth with sth

облететь to fly round; (*новость*) to spread; (*листья*) to fall off

обливать что-н слезами to shed tears over sth

облигация комм. debenture (bond); **премиальные ~и** premium bond; **правительственные ~и** goverment stock

облизать (*губы, ложку*) to lick; **пирог — пальчики ~ижешь** the pie is scrumptious

облизаться (*человек*) to lick one's li ps; (*собака, кошка*) to lick itself

облик (*внешний вид*) appearance; (*характер*) character

облиться (*водой*) to sluice o.s. with; (*соком*) to spill over o.s.; **обливаться потом** to be bathed in sweat

облицовка facing

обличительный damning

обличить to expose

обложение (*действие: налогом*) imposition; (*сбор*) levy

обложить to surround; (*печь*) to face; (*тучи, облака*) to cover; (*разг: обругать*) to swear at; **облагать кого-н/что-н чем-н** to impose sth on sb/sth; **горло ~ожило** my throat is furred

обложка (*книги, тетради*) cover; (*для паспорта*) holder

облокотиться to lean on

обломать (*ветки, ногти*) to break off; (*перен: разг*) **~ кого-н** to talk sb round

обломок fragment

облупить to peel

облупленный peeling; **знать кого-н как ~ого** to know sb inside out

облучение irradiation

облучиться to be irradiated

облюбовать to choose

обман deception; **~ зрения** optical illusion

обманный fraudulent; **обманным путем** fraudulently

обмануть to deceive; (*поступить нечестно*) to cheat; (*не выполнить обещание*) to fail

обмануться to be disappointed in

обманчивый deceptive

обманщик cheat

обмахнуть (*пыль*) to brush off; (*стол*) to wi pe down; **обмахивать лицо веером** to fan one's face *или* o.s.

обмен exchange; (*документов*) renewal; **~веществ** metabolism; **~ жилплощадью** exchange; **в ~ен на** in exchange for

обменять (*вещи, билеты*) to exchange

обменяться to exchange

О

обмер measure, measurement

обмерить *(участок)* to measure

обмести *(песок, паутину)* to brush away

обметать to oversew: губы ~ало my lips are chapped

обмолвиться *(сказать невзначай)* to slip in; *(оговориться)* to slip up; **словом не** ~ to keep mum

обмолот *(действие)* threshing; *(количество)* yield

обмолотить to thresh

обморозить *(ногу, руку)* to get frostbite in one's foot/hand

обморок faint; **падать (упасть) в** ~ to faint

обмотаться *(вокруг)* to be wound round

обмотка winding

обмундирование *(воен. действие)* fitting out; *(комплект одежды)* uniform

обмундировать to fit out

обмыть *(рану)* to bathe; *(разг: событие, премию)* to celebrate

обнадежить to reassure; *(обещать)* to assure

обнаженный bare; *(корни)* exposed

обнажить to expose; *(руки, ноги)* to bare; *(ветки)* to strip bare; *(шпагу, мечь)* to draw

обнажиться to be exposed; *(человек)* to strip; *(рука,нога)* to be bared; *(лес, дерево)* to become bare

обнародование publication; promulgation

обнародовать *(факты, статью)* to make public; *(закон, указ)* to promulgate

обнаружить *(найти)* to find; *(проявить)* to show; *(раскрыть)* to reveal

обнаружиться *(найтись)* to be found; *(проявиться)* to show; *(стать явным)* to become evident

обновить *(оборудование, гардероб)* to replenish; *(репертуар, знания)* to refresh; *(памятник, дом)* to renovate; *(жизнь, искусство)* to revitalize; *(разг: платье)* to christen

обновление replenishment; refreshment; regeneration; revialization

обноситься *(разг: старик, ребенок)* to wear out one's clothes; *(одежда)* to become worn to bits

обноски old clothes *мн*

обнюхать to sniff

обнять to embrace

обобрать *(смородину, черешню)* to pick; *(разг, прохожего, клиента)* to fleece

обобраться (забот не ~оберешься) to end of worries

обобщение generalization

обобщенный general

обобществить *(производство, хозяйство)* to socialize; *(землю, труд)* to collectivize

обобществление socialization

обобщить *(результаты, факты)* to generalize from; *(статью, выступление)* to summarize

обогатить to enrich; *(руду)* to concentrate

обогатиться *(человек, страна)* to be enriched; *(почва, руда)* to be concentrated

обогнать to overtake; *(перен)* to outstrip

обогнуть *(стол, дом)* to go round

обогрев heating

обогреть *(помещение)* to heat; *(замерзших)* to warm; *(перен: приласкать)* to be kind to

обогреться *(согреться: человек)* to warm o.s.; *(помещение)* to heat up; *(душа)* to be warmed

обод rim; *(ракетки)* frame

ободок *(на рисунке, платье)* border

ободранный *(стена)* stripped; *(дом, одежда)* shabby; *(руки)* scratched; *(колени)* skinned

ободрать *(кору, шкуру)* to strip; *(руки)* to scratch; *(колени)* to skin; *(перен: разг: покупателя, клиента)* to fleece

ободрение encouragement

ободрительный encouraging

ободрить to encourage

обожать to adore; ~ **что-н** to adore sth/doing sth

обожествить to worship

обожествление worship

обожраться to stuff o.s.

обоз convoy
обознаться to be mistaken
обозначать *(о знаках)* to signify
обозначение *(границы, направления)* marking; *(на карте, в тексте)* symbol
обозначить *(границу, направление)* to mark; ~**что-н** *(нос, черты лица)* to make sth stand out
обозначиться to appear; *(становиться ощутимым)* to become noticeable
обозреватель *(событий)* observer; *(на радио и телевидении)* editor; **международный/политический ~** international/political editor
обозрение review; *(представление)* revue
обозримый *(пространство)* visible; *(события)* observable; ~**ое будущее** the foreseeable future
обои wallpaper
обойма воен.(cartridge) clip; техн. ring, hoop; *(перен: вопросов, аргументов))* round
обойти to go round; *(пройти стороной: лужу, канаву)* to walk round; *(перен: вопрос, тему)* to skirt; *(закон, указ)* to get round; *(обогнать)* to pass; *(перен: обмануть)* to take in; **обходить что-н молчанием** to ignore
обойтись *(уладиться)* to turn out; *(стоить)* to cost; **обходиться с кем-н/чем-н** to treat sb/sth; **обходиться без** to get by without; **обходиться без** *(без скандала)* to be settled without
обокрасть to rob
оболгать *(человека)* to slander
оболочка *(плода)* pericarp; *(зерна)* testa, (seed) coat; *(Земли)* crust; *(перен: человека)* shell; *(вопроса)* surface; *(аэростата)* hull; **слизистая ~** mucous membrane
оболтус waster
обольстить *(соблазнить)* to seduce; *(увлечь)* to captivate
обольщаться to be under a delusion
обольщение enticement
обомлеть to freeze
обоняние sense of smell
оборачиваемость turnover

оборванец scruff
оборванный *(разг: одежда)* tattered; *(рассказ, мысли)* fragmented
оборвать *(веревку, нитку)* to break, snap; *(ягоды, цветы)* to pick; *(перен: разговор, дружбу)* to break off; *(разг: говорящего)* to cut short
оборка frill
оборона defence *(BRIT)*, defense *(US)*; *(линия сооружений)* defences мн *(BRIT)*, defenses мн *(US)*; **занимать (занять) ~у** to take up a defensive position; **держать ~у** to hold the defence
оборонный *(промышленность)* defence *(BRIT)*, defense *(US)*
обороноспособность defence *(BRIT)* или defense *(US)* capacity
оборонять to defend
оборот *(полный круг)* revolution; комм. turnover; *(обратная сторона)* back; *(перен: поворот событий)* turn; *(судов, вагонов)* turnaround; *(словесное выражение)* turn of phrase; **в ~е** in use; **входить (войти) в ~** to come into use; **пускать (пустить) в ~** *(деньги)* to put into circulation; *(средства, сбережения)* to invest; **брать (взять) кого-н в ~** to take sb in hand
оборотливый resourceful
оборотный комм. working
оборудование *(действие: завода)* equipping; *(предметы)* equipping; комм.hardware
оборудовать to equip
обоснование *(действие: теории)* substantion; *(довод)* basis
обоснованный substantiated; ~**износ** комм. fair wear and tear
обосновать *(теорию, вывод)* to substantiate
обосноваться *(расположиться)* to be (situated); *(разг: прочно устроиться)* to settle
обособить to set apart; *(предложение)* to detach
обособиться *(от коллектива, от семьи)* to alienate o.s.
обособленный *(дом)* detached; *(комната)* separate; *(жизнь)* solitary
обострение   sharpening;

O

intensification; aggravation; straining

обострить to sharpen; *(желания, комфорт)* to intensify; *(боль, какое-н чувство)* to aggravate; *(отношения)* to stain

обочина verge

обоюдный mutual

обработать *(камень)* to cut; *(кожу)* to cure; *(деталь на станке)* to turn; *(статью, песню)* to polish up; *(землю, поле)* to till; *(перен: разг: человека)* to work on

обработка cutting; curing; turning; polishing up; tilling; *(перен: человека)* influencing; *(данных комп.* computing; **плата за ~ку** handing charge

образ image; *(человека, зверя)* appearance; *(литература)* figure; *(жизни, мыслей)* way; *(икона)* icon; **каким ~ом?** in what way?; **таким ~ом** in this way; *(следовательно)* consequently; **главным ~ом** mainly; **равным ~ом** similarly; **некоторым ~ом** to some extent

образец *(ткани, изделий, оружия)* sample; *(скромности, мужества)* model

образный vivid; **образное выражение** линг. figure speech

образование formation; *(получение знаний)* education

образованный educated

образовательный educational

образовать to form

образоваться *(трещина, опухоль)* to form; *(группа, комиссия)* to be formed; *(разг: удалиться)* to turn out all right

образок small picture of a saint

образумить to make sb see sence

образцовый exemplary

обрасти *(травой, деревьями)* to become overgrown with; *(разг: волосами, грязью)* to be covered in; *(хозяйством, барахлом)* to surround sb with

обратимый reversible

обратить *(взгляд, мысли)* to turn; **обращать кого-н/что-н в** to turn sb/sth into; **обращать внимание**

на **to** pay attention to; **обращать кого-н в бегство** to force sb to take flight; **обращать кого-н в свою веру** to convert sb one's own faith

обратно back; **туда и ~** there and back; **билет туда и ~** return ticket *(BRIT),* round-trip ticket *(US)*

обратное the opposite; **убеждать (убедить) кого-н в ~ом** to convince sb of the opposite

обратный *(порядок, мысль)* reverse; *(дорога, путь)* return; **на ~ом пути** on the way back; **в ~ую сторону** in the opposite direction; **в ~ом направлении** the other way; **обратная сторона** reverse (side); **обратный адрес** return address; **обратный билет** return *(BRIT),* round-trip *(US)* ticket

обращаться *(деньги, товар)* to circulate; **~ся с** *(применять)* to use; *(уметь справляться)* to handle; *(с человеком)* to treat

обращение address; эконом. circulation; *(к народу)* address to; *(с прибором, с огнем)* handling of; *(с животными, с больными)* treatment of; **находиться в ~и** to be in circulation

обрез *(книги, альбома)* edge; *(оружие)* sawn-off *(BRIT),* sawed-off *(US)* shotgun; **времени, денег в ~** there's just enough time/money

обрезать to trim; *(разг: прервать)* to cut short; рел. to circumcise

обрезок scrap

обременительный onerous

обременять (обременить) to overburden, overtax; to encumber

обрести to find

обречение consecration

обреченный doomed

обрисовать to describe

обронить to drop; *(замечание, фразу)* to let drop

обросший overgrown

обрубить to lop off

обрубок *(пень, хвоста)* stump; *(дерева)* chunk

обругать *(выбранить)* to curse; *(обозвать)* to swear at; *(разг: раскритиковать)* to pan, slate *(BRIT)*

обруч hoop; *(для волос)* (Alice) band
обручальный *(кольцо)* wedding ring
обручение betrothal
обручить to betroth
обручиться to get betrothed
обрушить *(у; -ишь) (стену, крышу)* to bring down; обрушивать что-н на to bring sth down onto; ~ обвинения/угрозы на кого-н bombard sb with accusations/ threats
обрушиться *(крыша, здание)* to collapse; обрушиваться *(на голову)* to crash down onto; *(на врага)* to fall upon; *(на человека: с упреками)* to come down on; на него ~илась беда he was struck down by misfortune
обрыв precipice; *(на линии)* break
обрывистый *(склон, берег)* steep; *(мысли, фразы)* fragmentary
обрывок *(веревки)* piece; *(бумаги)* scrap; *(обычно мн: мыслей, воспоминаний)* fragment; *(разговора)* snatch
обрывочный fragmentary
обрызгаться to get splashed with
обряд ritual
обрядовый *(песни)* ceremonial; *(действия)* ritual
обсерватория observatory
обследование inspection; examination
обследовать to inspect; *(больного)* to examine
обслуживание service; медицинское ~ health care; сфера ~ия service industry
обслуживать *(магазин)* to supply; *(поликлиника)* to see to
обслуживающий *(персонал)* ancilliary staff
обсосать to suck
обставить *(квартиру, кабинет)* to furnish; обставлять стол стульями to put chairs around the table
обстановка *(квартиры, кабинета)* furnishings *мн; (в мире, в семье)* situation; международная ~ the international situation
обстоятельно in detail
обстоятельный detailed; *(разг: человек)* solid

обстоятельство circumstance; линг. abverbial modifier; ни при каких ~ах under no circumstances; стечение обстоятельств coincidence; смотря по ~ам depending on the circumstances; *(как ответ на вопрос)* it depends
обстоять *(дела, работа, учеба)* to be; как дела? how are things going?; все ~ит хорошо everythings is going well
обстрел fire; артиллерийский ~ artillery fire
обстрелять to fire
обстрогать to plane
обструкция obstruction
обступить to surround
обсудить to discuss
обсуждение discussion; предложить (предлагать) что-н на ~ to bring sth up for discussion
обсчитать to overcharge; *(результат, параметры)* to calculate
обсчитаться to miscalculate
обсыпаться to get covered in
обтекаемый *(поверхность, форма)* streamlined; *(разг: ответ, объяснение)* ambiguous
обтереть to wipe
обтереться to sponge o.s. down
обтесать *(бревно)* to trim; *(разг: манеры, человека)* to bring up to scratch
обточить *(на станке)* to turn; *(на точильном камне)* to sharpen
обточка turning; sharpening
обтрепанный shabby
обтрепать to wear out
обтяжка skintight
обтянуть *(кресло, диван)* to cover; *(фигуру)* to fit tightly
обувной shoe
обувь footwear
обуглиться to become charred
обуза burden; быть ~ой для кого-н to be burden to sb
обузить to make too tight
обусловить *(явиться причиной)* to lead to; обуславливать что-н чем-н to make sth conditional on sth
обуть *(туфли, сапоги)* to put on; *(разг: снабдить обувью)* to provide with shoes or boots; *(ре-*

O

бенка) to put shoes on

обух *(топора)* blunt end; **как ~ом по голове** like a bolt from blue

обучение *(преподавание)* teaching of, instruction in; *(изучение)* education in

обуять to overcome

обхамить to be rude to

обхват circumference; **в ~е** in circumference

обхватить *(что-н руками)* to put one's arms round sth

обход *(путь)* way round; *(в больнице, на предприятии)* round; воен. turning movement; **в ~** *(озера, закона)* bypassing; **идти в ~** *чего-н* to go round sth; *(закона, правил)* to evade sth

обходительный courteous

обходной *(путь)* detour; *(маневр, движение)* turning

обхождение manners *мн*

обхохотаться to kill o.s. laughing

обшарить to ransack

обшивка *(платья, пальто)* trim; *(корабля)* plating; *(дома)* cladding

обширный extensive; *(комната)* spacious

обшитый *(бахромой, мехом)* trimmed with; *(досками)* faced with; *(металлом)* plated with

обшить *(разг: семью)* to make clothes for; **обшивать** *(мехом, бахромой)* to trim (with); *(деревом)* to face (with); *(металлом)* to plate или cover (with)

обшлаг cuff

общаться *(с друзьями, с родственниками)* to spend time with; *(с политиками, с преступниками)* to associate with; **я больше с ним не ~юсь** I don't see him any more

общевойсковой military

общегородской town, city

общегосударственный state

общедоступный *(средства, способ)* available to everyone; *(цены)* affordable; *(изложение, лекция)* accessible

общее similarity; **в ~ем** on the whole; **в ~ем и целом** by and large; **у них много/нет ничего ~его** they have a lot/nothing in common

общежитие *(рабочее)* hostel; *(студенческое)* hall of residence *(BRIT)*, dormitory или hall *(US)*; *(сосуществование)* communal living

общеизвестный well-known

общенародный national

общенациональный national

общение *(деловые, дружеские)* relations *мн*; *(с природой, с друзьями)* communication

общеобразовательный comprehensive

общепризнанный universally recognized

общепринятый generally accepted; **в ~ом смысле слова** in the accepted sense of the word

общераспространенный widespread

общественность community

общественный social; *(признание, собственность, жизнь)* public; *(организация)* civic; **~ое мнение** public opinion; **~ые науки** social sciences

общество society; *(компания)* company; **в ~е** in the company of

обществоведение social science

общеупотребительный commonly-used

общечеловеческий universal

общий general; *(труд)* communal; *(дом, книги, друзья)* mutual; *(интересы, увлечения, ненависть)* common; *(стоимость, количество)* total; general; **~ими усилиями** together; **в ~ей сложности** altogether; **на ~их основаниях** on equal terms; **в ~их чертах** in general terms; **находить (найти) ~ язык** to find a common language; **~ие слова** waffle; **общее образование** general education

община community

общипать to pluck

общительность sociability

общительный sociable

общность *(взглядов, целей)* similarity; *(историческая, социальная)* community

объединение *(сил, усилий, талантов)* concentration; *(литературное,* *производственное)* association; воен. unit

объединенный *(заседание, собрание)* joint; *(усилия, ресурсы)* joint, united; **О~ые Арабские Эмираты** United Arab Emirates

объединить *(ресурсы)* to join, unite; *(ресурсы)* to pool; *(компании)* to amalgamate

объедки leftovers *мн*

объезд detour; *(с целью осмотра)* tour; **ехать (поехать) в ~** to make a detour

объездить *(место)* to travel round; *(лошадь)* to break in; *(друзей)* to visit

объект *(изучения, наблюдения)* subject; строит., воен. site

объектив lens

объективность objectivity

объективный objective

объем volume; *(ведра, чашки)* capacity; *(работы, знаний)* amount

объемистый bulky

объемный volumetric; *(изображение, кино)* tree-dimensional; *(книга, папка)* bulky

объесть *(кость, яблоко)* to nibble (at); **~кого-н** to eat sb out of house and home

объесться to overeat

объехать *(камень, яму)* to go *или* drive round; *(с целью осмотра)* to travel round; *(друзей, страны)* to visit

объявить to announce; *(войну)* to declare; *(о решении, о случившемся)* to announce; **объявлять собрание закрытым/кого-н победителем** to declare the meeting closed/sb the winner

объявиться to turn up

объявление announcement; *(войны)* declaration; *(рекламное сообщение)* advertisment; *(извещение)* notice

объяснимый explicable

объяснить to explain

объясниться to clear things up (with); **все ~илось** everything became clear; **~ кому-н в любви** to declare one's love (to sb)

объясняться *(жестами, на английском языке)* to communicate; *(трудностями, усталостью)* to be expained by

объятие embrace; **встречать (встретить) кого-н с распростертыми ~ями** to welcome sb with open arms

обыватель philistine; ист. resident

обывательский philistine

обыденный mundane

обыкновение habit; **иметь ~** to be in the habit of doing; **по ~ю** as usual; **против ~я** against the norm; **по своему ~ю** as is his want

обыкновенно usually

обыкновенный *(заурядный: человек, явление)* ordinary; *(частый)* common

обыск search; **производить (произвести) ~** to carry out a search

обыскать to search

обычай custom

обычно usually

обычный usual; *(заурядный)* ordinary

обязанности *(директора)* duties *мн*, responsibilities *мн*; **исполнять ~** to act as; **он исполняет ~ директора** he is the acting director

обязанный *(помочь, сделать)* obliged to do; **я Вам очень обязан** I am greatly obliged to you

обязательно definitely, without fail; **не ~** not necessarily

обязательный *(правило, условие)* binding; *(исполнение, обучение)* compulsory, obligatory; *(человек, работник)* reliable; **в ~ном порядке** as a compulsory measure

обязательство commitment, obligation; *(обычно мн: комм.)* liability; **долговое ~** *комм.* promissory note; **брать (взять) на себя ~** to take on some commitment

обязаться to pledge **обязывать** *(правила, закон, факты)* to oblige; **положение ~ет** his position demands it

овал oval; **у нее красивый ~ лица** her

face is a lovely shape

овация ovation

овдоветь *(женщина)* to become a widow, be widowed; *(мужчина)* to become a widower, be widowed

Овен *(созвездие)* Aries

овес oats *мн*

овечий *(шерсть, сыр)* sheep's; *(молоко)* ewe's

овладеть *(городом, высотой)* to control of; *(вниманием)* to capture; *(языком, профессией)* to master; им ~ла радость he was overcome with joy

овод gadfly

овощи vegetables *мн*

овощной *(суп, блюдо)* vegetable; **овощной магазин** greengrocer's *(BRIT)*, fruit and vegetable shop

овраг ravine

овсянка *(крупа)* oats *мн*; *(каша)* porridge *(BRIT)*, oatmeal *(US)*

овсяный oat

овуляция ovulation

овца sheep *(мн sheep)*; *(самка)* ewe

овцеводство sheep-farming

овчарка sheepdog

овчарня sheepfold

овчина sheepskin

огарок candle-end

оглавление contents

огласить *(решение, проект)* to announce; *(приказ, закон)* to proclaim; *(телеграмму)* to read out; что-н чем-н to fill sth with sth

огласиться to resound with

огласка publicity; **предавать (предать) что-н ~e** to make sth public

оглобля shaft

оглушать (оглушить) to deafen

оглушительный deafening

оглядеть to look round

оглядеться to look around

оглядка with caution; **делать (сделать) что-н без ~и** to do sth resolutely; **он бежал без ~и** he ran as fast as his legs would carry him

оглянуться to look back; **я не успел ~, как...** before I knew it...

огневой *(характер, взгляд)* fiery; **огневая завеса** curtain of fire; **огневая позиция** firing position; **ог-**

невая точка воен. emplacement

огнедышащий *(дракон)* fire-breathing; *(вулкан)* erupting

огнемет flame-thrower

огненный *(цвет, глаза, характер)* fiery; *(поцелуй)* passionate; ~ **столб** burst of flames

огнеопасный (in)flammable

огнестойкий fireproof

огнестрельный *(оружие)* firearms *мн*; **огнестрельная рана** bullet wound

огнетушитель fire-extinguisher

огнеупорный *(материал)* fire-proof; **огнеупорная глина** fire clay; **огнеупорный кирпич** fire-brick

ого! well!; ~, **каким ты стал взрослым!** my, you've grown!

оговорить to slander; *(условия, срок)* to agree (on); *(правила)* to stipulate

оговорка *(обмолвка)* slip of the tongue; *(условие)* proviso; **я могу сказать без ~ок, что...** I can say without reservation that...

оголенный bare

оголить to bare, expose; *(деревья, провод, землю)* to strip; *(меч, кинжал)* to draw; *(фронт, участок)* to expose

оголиться *(шея, плечо)* to become uncovered; *(деревья, земля)* to become bare; *(провод)* to be exposed; *(фронт, участок)* to become exposed

оголтелый mad

огонек *(блеск глаз)* twinkle; **работать с ~ком** to work enthusiastically *или* with enthusiasm; **заходить (зайти) на ~** to drop in

огонь fire; *(фонарей, в окне)* light; *(перен: любви, негодования)* flame; **разводить(развести) ~** to light a fire; **зажигать (зажечь) ~** to turn on the light; **открывать (открыть) ~** to open fire; **в ~е сражения** in the heat of battle; **бояться чего-н/кого-н как ~ня** to be terrified by sb/sth; **играть с ~нем** to play with fire; **между двух ~ей** between two fires

огород vegetable *или* kitchen garden

огорошить to astound
огорчение distress; **к моему ~ю** to my dismay
огорченный distressed; **у него был огорченный вид** he looked upset
огорчительный distressing
огорчить to distress
огорчиться to be upset или distressed
ограбление robbery
ограда (*стена*) wall; (*забор*) fence; (*решетка*) railings *мн*
оградить to defend, protect
ограждение barrier
огранить to cut
ограничение restriction, limitation; (*правило*) restriction
ограниченный limited; (*человек*) narrow-minded
ограничить to limit, restrict
ограничиться (*удовлетвориться*) to content o.s. with; (*свестись*) to become limited to
огреть to whack
огромный enormous
огрубелый (*руки, кожа*) coarse; (*сердце, душа*) hardened
огрызаться to snap
огрызок (*огурца, яблока*) half-eaten bit; (*карандаша, ластика*) stub; (*бумажки*) scrap
огульный unfounded
огурец cucumber; (*маринованный*) gherkin
ода ode
одаренный gifted
одаривать (*одарить*) to endow; to shower with gifts
одежда clothes *мн*
одеколон eau de Cologne
одеревенелый (*руки, пальцы*) numb; (*человек*) paralysed (*BRIT*), paralyzed (*US*)
одержать (*победу*) to be victorious; **одерживать верх на соревновании/в споре** to win a competition/argument
одержимый (*эмоциями*) possessed by; (*мыслью*) obsessed by
одернуть (*одежду*) to straighten; (*разг: человека*) to check
Одесса Odessa
одетый dressed; (*разг: обеспеченный одеждой*) clothed; (*покрытый снегом*) covered with
одеть to dress; (*разг: снабдить одеждой*) to clothe; (*перен: снегом*) to cover
одеться to get dressed; (*тепло, легко, приобретать одежду*) to dress; (*покрываться*) to be covered with
одеяло (*шерстяное*) blanket; (*стеганое*) quilt; (*пуховое*) eiderdown
один a, an, one
одинаково in the same way
одинаковый similar
одинарный single
одиннадцатичасовой eleven-hour; (*отправление*) eleven-o'clock
одиннадцатый eleventh
одиннадцать eleven
одинокий (*дом, дерево*) solitary; (*жизнь, человек*) lonely; (*без семьи: женщина, мужчина*) single
одиночество loneliness
одиночный (*стук, выстрел*) single, lone; (*прохожие, дома*) solitary; **полет** solo flight; **~ое заключение** solitary confinement; **одиночное катание (на коньках)** singles figure skating
одиозный odious
одичалый wild
однажды once
однако but, however, yet
одноактный one-act, in one act
однобортный single-breasted
одновременно at the same time (as)
одновременный simultaneous
однодневный (*зарплата, работа*) one day's; **~ая поездка** day trip
однозвучный monotonous
однозначный (*тождественный*) synonymous; (*с одним значением: слово*) monosemantic; (*выражение, ответ*) unambiguous; мат. single-figure; **однозначное число** single-digit number
одноименный of the same name
одноклассник classmate
одноклеточный single-cell
одноколейный single-lane
однократный single
однолетний annual
одноместный (*купе, номер*) single; (*каюта*) single-berth
однообразие monotony

O

однообразный monotonous

однополый unisexual

одноразовый disposable; ~ пропуск temporary pass

однородный *(явления, понятия)* similar; *(жидкость, масса)* homogenous

односложный monosyllabic

одноствольный single-barrelled

односторонний *(ткань)* one-sided; *(разоружение)* unilateral; *(движение, связь)* one-way; *(воспитание, развитие)* narrow; *(мышление)* parochial; **у него ~ла паралич** he is paralysed *(BRIT)* или down one side

однотипный of the same type или kind

однотомный one-volume

однофамилец namesake *(with same surname)*

одноцветный plain

одночлен monomial

одноэтажный single-storey *(BRIT)*, single-story *(US)*, one-storey *(BRIT)* , one-story *(US)*

одобрительно favourably

одолеть *(врага)* to overpower; *(смущение, неприязнь)* to overcome; *(разг: книгу, задачу)* to get through; *(жара, комары)* to bug; *(науку)* to master; **его ~ла грусть/лень** he was overwhelmed by sadness/a feeling of laziness

одолжение favour *(BRIT)*, favor *(US)*; **сделайте ~** would you do me a favour?; *(ответ)* be my guest

одолжить to lend, loan; to oblige

одуванчик dandelion

одуматься to think again

одурелый befuddled

одурь stupidity; deadly nightshade

одутловатый puffed up, puffy

одухотворенный *(вид, лицо)* spiritual; *(речь)* inspired

одухотворить to inspire

одышка asthma; panting

ожерелье necklace

ожесточение bitterness; **с ~м** furiously

ожесточенный *(человек)* hardened, embittered; *(спор, сражение)* fierce

ожесточить *(человека)* to harden, embitter

ожесточиться to become hardened или embittered

оживить to revive; *(глаза, лицо)* light up; *(улицу, долину)* to bring to life; *(торговлю, работу)* to revitalize

оживиться to liven up; *(лицо)* to brighten; *(улица, школа)* to come to life

оживление *(на улице, в доме)* bustle; *(организма, растения)* revival

оживленный *(беседа, спор)* animated; *(улица, место, деятельность)* lively; *(торговля)* brisk; lively

ожидание atici pation; *(обычно мн: надежды)* expectation; **в ~и чего-н** in antici pation of sth; **обманывать (обмануть) чьи-н ~я** to fail to come up to sb's expectations

ожидать *(ждать)* to expect; *(надеяться)* to expect; **его ~ет блестящая карьера** he has a brilliant career ahead of him; **этого можно было ~** that was to be expected

ожидаться to be expected

ожирение obesity

ожить to come to life; *(перен: чувства, человек)* to revive

ожог burn

озаботить to worry, trouble

озабоченный worried

озаглавить to entitle

озадаченный puzzled

озадачить to puzzle, perplex

озарить *(солнце, улыбка)* to light up; *(идея, догадка)* to dawn on

озариться to be lit up by

озвереть to become violent

озвучить *(фильм)* to record the soundtrack for a film

оздоровительный *(мероприятия)* health-improving measures; **оздоровительный комплекс** = health farm

оздоровить *(перен: коллектив, обстановку)* to clean up; **оздоровлять организм** to improve one's health; **~ местность** to improve the ecology of an area

озеленить to green

озеро lake

озимые winter crops мн

озираться (по сторонам) to glance about *или* around
озлобить to anger
озлобиться to become angry
озлобление anger
озлобленный angry
ознакомить to familiarize sb with
ознаменование *(в память)* in commemoration of
ознаменовать to commemorate, mark; *его победа ~овала этот год* his victory made this a memorable year
ознаменоваться to be remembered for
означать to mean
озноб shivering
озон ozone
озорник scallywag
озорной mischievous
озорство mischief
ой *(выражает испуг)* argh!; *(выражает удивление, восхищение)* oh!; *(выражает боль)* ouch!, ow!; *им жилось ~ как трудно* their life was ever so difficult
оказия opportunity; *посылать (послать) что-н с ~ей* to send sth with somebody
оказывать *(оказать)* to express, show, to render
окаменелый *(дерево, растение)* fossilized; *(сыр, хлеб)* rock-hard; *(перен: человек, взгляд)* motionless
окаменеть *(дерево, растение)* to fossilize; *(сыр, хлеб)* to go stale; *(перен: лицо, взгляд)* to freeze; *(душа, сердце)* to turn to stone; *~ от страха* to turn rigid with fear; *~ от горя* to be numb with grief
окантовать *(картину, фотографию)* to frame; *(воротник, платок)* to border
окаянный cursed, damned
океан ocean
океанология oceanography
окинуть *(кого-н взглядом)* to glance over *at* sb/sth
окисел oxide
окисление oxidation
окислить to oxidize
окись oxide
оккупант *(захватчик)* occupier

оккупационный occupation
оккупация occupation
оккупировать to occupy
оклад *(зарплата)* salary; *(на иконе)* overlay
оклеветать to slander
оклеивать to glue, paper, paste
окликнуть to call out to
окно window; *(подоконник)* windowsill; *(разг: между уроками)* grap
око eye
оковы fetters
околачиваться to hang about
околдовать to bewitch
околесица claptrap, tripe; **нести ~у** to talk tripe
околеть *(животное)* to die
около nearby; *(рядом с)* near; *(приблизительно)* about
околоземный around the earth; *~ая орбита* the earth's orbit
окольный roundabout; *(перен: метод)* devious; *мы пошли ~ым путем* we took a roundabout route
окончание end; линг. ending
окончательно *(решить, ответить)* definitely; *(разбить, победить, влюбиться)* completely; *(отредактировать, проверить)* finally
окончательный *(вывод, редакция, ответ)* final; *(победа, свержение)* complete
окончить to finish; *(вуз)* to graduate from
окоп trench
окопаться to dig (o.s.) in; *(разг: в библиотеке, в кабинете)* to bury o.s.
окорок gammon
окосеть *(разг: косить)* to squint; *(ослепнуть)* to lose an eye; *(опьянеть)* to get drunk
окостенелый ossified; *(руки, ноги)* stiff; *(ум, жизнь)* fossilized
окостенеть to ossify; *(руки, ноги)* to stiffen; *(ум)* to fossilize
окот *(кошки)* birth of kittens; *(овцы)* lambing
оченелый stiff with cold
окраина *(поля, леса)* edge; *(города)* outskirts; *(страны)* remote parts мн

О

окрасить *(ткань, волосы)* to dye; *(рассказ, жизнь)* to colour *(BRIT)*, color *(US)*

окраска *(ткани, волос)* dyeing; *(животного, выражения)* colouring *(BRIT)*, coloring *(US)*; **принимать (принять) совсем другую ~ку** to take on a different complexion

окрестность *(города, деревни)* environs; **в ~и** in the vicinity of

окрестный *(города, деревни)* neighbouring *BRIT)*, neighboring *(US)*; **~ое население** the population of the surrounding area

окрик shout

окрикнуть *(кого-н)* to shout to sb

окровавленный bloodstained

окрошка okroshka

округ *(административный, военный)* district; *(избирательный)* ward; *(национальный)* territory; *(города)* area

округлить *(форму, заготовку)* to round off; *(цифру, результат)* to round up *или* down; *(разг: сумму, капитал)* to increase; **округлять глаза** *(от удивления, от страха)* to open one's eyes wide

округлиться *(фигура, лицо)* to fill out; *(перен: разг: капитал, сумма)* to increase; **у нее ~ились глаза** her eye widened

округлый rounded; *(лицо)* round

окружать to surround

окружающий surrounding; **окружающая среда** environment

окружение *(среда)* environment; *(компания)* company; воен. encirclement; **в ~и** *(в сопровождении)* in the company of; *(среди)* surrounded by

окружить to surround; **окружать что-н** to surround sth by; **окружать кого-н** to surround sb with

окружной *(центр, конференция)* regional; **окружная дорога** bypass; **окружная избирательная комиссия** constituency electoral commitee

окружность circle; **на три километра в ~и** three kilometres *(BRIT)*, kilometres *(US)* in circumference

Оксфорд Oxford

октава octave

октябрь October; **приеду первого октября** I shall arrive on the first of October; **в прошлом/будущем октябре** last/next October; **в конце/начале/середине октября** at the end of/beginning of/in the middle of October

октябрьский October

окулист ophthalmologist

окунуть to dip

окунуться to plunge

окунь зоол. perch

окупаемость viability

окупить *(расходы)* to cover; *(поездку, проект)* to cover the cost of

окупиться to pay for itself; *(перен: усилия, работа)* to be rewarded

окуривать to fumigate

окурок stub, butt

окутать *(туман, дым)* to envelop; **окутывать что-н/кого-н чем-н** to wrap sth/sb (up) in sth

окутаться to wrap up in; *(перен: земля)* to be enveloped in

окучить to earth up

оладья drop scone; (Scotch) pancake

оледенелый frozen, iced

оледенение freezing

олененок fawn

олений deer's; **~ьи рога** antlers

оленина venison

олень deer *(мн* deer)

оливка olive

оливковый olive; *(цвет)* olive-green

олимпиада спорт. the Olympicks *мн*; *(по физике)* Olympiad; **Белая/ Летняя О~** the Winter/Summer Olympics

олимпийский Olympic; **~ое спокойствие** superhuman calm; **олимпийские игры** the Olympic Games

олифа drying oil

олицетворить to personify

олово tin

оловянный tin

олух oaf

Ольстер Ulster

ольха alder

Оман Oman

омар lobster

омега omega

О

омерзение disgust
омерзительный disgusting
омертвелый dead
омлет omelette
омовение ablution
омолодить to rejuvenate
омолодиться to be rejuvenated
омоним homonym
омрачить *(настроение, радость, лицо)* to cloud; *(праздник, встречу)* to cast a cloud over
омрачиться *(взгляд, лицо, настроение)* to darken
омут *(водоворот)* whirlpool
омывать *(море, океан)* to wash
омыть to wash
он *(человек)* he; *(животное, предмет)* it
она *(человек)* she; *(животное, предмет)* it
онанизм masturbation
ондатра musquash, muskrat
онемелый numb
они *(их)* they
онколог oncologist
онкологический oncological; ~**ая клиника** cancer clinic
оно it; ~ **и видно!** sure!; **я хотел помочь Вам - ~ и видно** I was only trying to help you — sure you were; **вот ~ что или как!** so that's what it is!
опал opal
опала disfavour *(BRIT)*, disfavor *(US)*; **быть в ~е** to be out of favour (with)
опалить *(волосы, крылья, дерево)* to singe; *(лицо, кожу)* to burn; *(курицу, утку)* to singe
опара leaven
опасаться *(неприятеля, резидента)* to be afraid of; *(сквозняка, простуды)* to avoid; ~ **за** to be worried about
опасение apprehension
опасно dangerously; it's dangerous; **это ~ для жизни** it's life-threatening
опасность danger; **в ~и** in danger; **с ~ю для жизни** endangering one's life
опасный dangerous
опасть *(цветы, листья)* to fall; *(опу-*

холь, шишка) to go down; *(разг: щеки, бока)* to get thinner
опека *(попечительство: государства)* guardianship; *(матери, отца)* custody; *(забота)* care; guardians *мн*; **брать (взять) кого-н под ~у** to take sb into one's care; **она работет под моей ~ой** she works under my supervision
опекать to take care of; *(сироту)* to be guardian to
опекун *(сироты)* guardian; *(наследника, наследства)* trustee
опекунша *(сироты)* guardian
опенок *бот.* honey agaric
опера opera
оперативность efficiency
оперативный *(работа, группа, штаб)* executive; *(меры, действия, руководство)* efficient; *(хирургические)* surgical; **оперативное вмешательство** surgical intervention
оператор operator
операционная operating theatre *(BRIT)* или room *(US)*
операционный *(инструменты, отделение)* surgical; **операционный стол** operation table
операция operation
опередить *(в беге, в учебе, в развитии)* to outstrip; ~**кого-н (в разговоре)** to beat sb to
оперение *зоол.* plumage; *авиа.* хвостовое ~ tail
оперетта operetta
опереться *(на дерево, на трость)* to lean on; *(перен: на товарища, на коллектив)* to rely on; *(перен: на факты, на теорию)* to be supported или backed up by
оперировать *(больного)* to operate on; *воен.* to operate; *(акциями, ценными бумагами)* to deal in; *(перен: цифрами, фактами)* to use
оперіться to become fully fledged
оперный *(ария, партитура)* operatic; *(певец)* opera; ~ **театр** opera house
опечатать to seal
опечатка misprint; **список ~ок** errata
опешить to be taken aback
опилки *(древесные)* sawdust; *(металлические)* filings *мн*
опираться to lean against, to recline,

to support oneself
описание description
описательный descriptive
описать to describe; *(составить перечень)* to make a list *или* an inventory of; *(наложить арест)* to distrain
описаться to wet o.s.
опись *(список)* list, inventory; *(арест)* distraint
опиум opium
оплакать to mourn
оплата payment
оплатить *(работу, труд)* to pay for; *(счет)* to pay
оплеуха clout; *(перен: оскорбление)* slap in the face
оплодотворение fertilization
оплодотворить to fertilize
оплот stronghold, bastion
оплошать to boob
оплошность mistake; **допускать (допустить)** ~ to make a mistake
оповестить to notify
оповещение notification
опоздавший latecomer
опоздание lateness; *(поезда, самолета)* late arrival; **приходить (прийти) с** ~**ем/без опоздания** to arrive late/on time
опоздать *(в школу, на работу)* to be late (for); **опаздывать с чем-н** to be late with sth; ~ **на поезд/самолет** to miss the train/plane
опозиционный *(партия, блок)* opposition; ~**ные настроения** mood of opposition
опознавательный *(знак)* identifying; *(огни)* distinguishing
опознание identification
опознать to identify
оползень landslide
ополоснуть *(посуду)* to rinse; *(лицо, руки)* to wash
ополоуметь to go wild
ополченец member of the home guard
ополчение home guard
ополчиться ~ **на** *или* **против** *(человека)* to turn against; *(теорию, недостатки)* to attack
опомниться *(прийти в сознание)* to come round; *(одуматься)* to come

to one's senses; ~**ись, что ты делаешь!** think what you're doing!
опора support; строит. pile; **точка** ~**ы** fulcrum; **опора электропередач** electricity pylon
опорный supporting; **опорный прыжок** vault; **опорный пункт** base; *воен.* strongpoint
опорожнить to drain, empty
опохмелиться to take the hair of the dog
опошлить *(мысль, человека, имя)* to debase, demean; *(слово, песню)* to vulgarize
оппозиция opposition; **быть в** ~**и** to be in opposition; **быть в** ~**и к** to oppose
оппонент external examiner; *(в споре)* opponent
оправа frame
оправдание justification; *юр.* acquittal; *(извинение)* excuse; **говорить (сказать) что-н в свое** ~ to say sth in one's defence *(BRIT)*, defense *(US)*
оправданный justified
оправдать to justify; *юр.* to acquit, find not guilty
оправить *(платье, постель)* to straighten; *(драгоценный камень, зеркало)* to mount; *(линзы)* to frame
оправиться to recover from
опрашивать to question
определение determination; *(понятия, значения)* definition; линг. attribute; *юр.* ruling
определенный *(установленный)* definite; *(некоторый)* certain; *(явный: успех, способности)* unqualified; **при** ~**ых обстоятельствах** under certain circumstances
определиться *(болезнь)* to be diagnosed; *(задачи)* to become clear; *(разг: характер)* to take shape; *(пилот)* to get one's bearings
опрелость rash; *(у младенца)* nappy *(BRIT)* *или* diaper *(US)* rash
опреснить to desalinate
опробовать to test
опровергнуть to refute
опровержение refutation

опрокинуть (*стакан, стул*) to knock over; (*лодку*) to capsize, oуerturn; (*прохожего, ребенка*) to knock down *или* over; (*перен: войска, наступление*) to repel; (*взгляды, представления*) to demolish

опрокинуться (*стакан, стул, человек*) to fall over; (*лодка*) to capsize

опрометчивый precipitate, hasty

опрометью headland

опрос questioning

опросить (*свидетелей*) to question; (*население*) to survey

опросный (*лист*) questionnaire

опротестовать юр. to appeal against; (*вексель*) to protest

опротиветь (**мне это ~ ло**) I am sick of it

опрыскать to spray

опрыскиватель sprayer; (*садовый*) sprinkler

опрятный neat, tidy

оптика (*раздел физики*) optics; optical instruments *мн*

оптимальный optimum

оптимизм optimism

оптимист optimist

оптимистичный optimistic

оптический optical

оптовик wholesaler

оптовый wholesale; **~ые закупки** комм. bulk buying

опубликование (*статьи, книги*) publication; (*закона*) promulgation

опубликовать (*статью, книгу*) to publish; (*закон*) to promulgate

опустелый (*дом, сад*) empty; (*улица*) deserted

опустить to lower; (*голову*) to bow; (*воротник*) to turn down; (*слово, параграф*) to miss out; **~ в** (*стакан, в ящик*) to drop *или* put in(to); (*человека в яму*) to lower into; **~ руки** to give up

опуститься (*человек: на диван, на землю*) to sit (down); (*солнце*) to sink; (*мост, шлагбаум*) to be lowered; (*перен: человек*) to let o.s. go

опустошенный (*человек, душа*) empty

опустошительный devastating

опустошить (*страну, поле*) to devastate; (*разг: бутылку, ящик*) to empty; (*перен: жизнь, человека*) to ruin

опутать (*ветки, плющ*) to entangle; **опутывать чем-н** (*веревками, интригами*) to enmesh in sth

опухнуть to swell (up)

опухоль (*на руке, на ноге*) swelling; (*внутренняя*) tumour (*BRIT*), tumor (*US*)

опухший swollen

опушка (*леса*) edge; (*шапки, воротника*) trim (ming)

опущение (*деталей, слов*) omission; (*желудка, матки*) prolapse

опыление pollination

опылить to pollinate; (*от вредителей*) to spray

опыт (*знания*) experience; (*эксперимент*) experiment; (*попытка*) attempt; **на собственном ~е** from (one's own) experience

опытный (*врач, рабочий*) experienced; (*лаборатория, отдел*) experimental; (*экземпляр*) sample; (*полет*) test; **~ экземпляр** (test) sample; **~ый образец** trail sample; **доказывать** (**доказать**) **что-н ~ным путем** to prove sth by experiment; **~ный образец** sample

опьяненный drunk, intoxicated

опьянеть to become drunk

опять again; **~ же** yet again; **~ двадцать пять!** not again!

орава gang

оракул oracle

орангутанг orang-utan

оранжевый orange

оранжерея hothouse

оратор oratori

ораторский oratorical

орать to yell; (*: ребенок*) to bawl, howl; **~ во все горло** to yell at the top of one's voice

орбита orbit

орбитальный orbital

орган organ; (*здравоохранения*) body; (*орудие пропаганды*) vehicle for; **местные ~ы власти** local authorities (*BRIT*), goverment (*US*); **половые ~** genitals

О

организатор organizer
организаторский organizational
организация organization; (устройство) system; **Организация Объединённых Наций** United Nations Organization
организм organism
организованный organized; **организованная преступность** organized crime
организовать (создать) to organize
органист organist
органический organic; (перен: неприязнь, отвращение) natural; ~ **порок сердца** héart defect
оргия orgy
орда horde
орден order; (рыцарский, масонский) order
орденоносный (батальон, театр) order-bearing
ордер (на арест, на обыск) warrant; (на квартиру) authorization
ординарный ordinary
ординатор registrar (BRIT), resident (US)
ординатура two-year period in which junior doctor specializes in particular field
орёл eagle; (перен: человек) hero; ~ **или решка?** heads or tails?
Оренбург Orenburg
ореол halo; (перен: славы, таинственности) aura
орех nut; (древесина) walnut; **мне досталось на ~и** I got it in the neck
орешник (кустарник) hazel; (заросль) hazel grove
оригинал original; (разг: чудак) eccentric
оригинальный original
ориентация orientation; **иметь хорошую ~ю в чём-н** to have a good grasp of sth
ориентир landmark
ориентировать to orient, orientate; ~ **кого-н на** to orient или orientate sb towards
ориентироваться to find или get one's bearings; (перен: в ситуации) to find one's feet; (разбираться) to be versed; ~**ся на что-н** to

be oriented или orientated towards; (на маяк, на солнце) to find one's bearings by
оркестр orchestra
оркестрант member of an orchestra
оркестровка orchestration
орлиный (клюв, гнездо) eagle's; ~ **взгляд** proud look
орлянка toss
орнамент (decorative) pattern
орнитолог ornithologist
орнитология ornithology
оросительный irrigation
оросить to irrigate; (дождь) to water
орошение irrigation
ортодоксальный orthodox
ортопед orthopaedic (BRIT), orthopedic US) surgeon
ортопедический orthopaedic (BRIT), orthopedic (US)
орудие tool; воен. gun (used of artillery)
орудовать (вёслами, лопатой) to work away with; (вор, браконьер) to be at work
оружейный (завод) arsenal; ~**мастер** armourer (BRIT), armorer (US); **Оружейная палата** The Armoury Palace
оружие weapon; (собир) arms мн
орфографический orthographical
орфография (правописание) spelling; (правила) orthography
орхидея orchid
оса wasp
осада siege; **снимать (снять) ~у** to lift a siege
осадить to besiege; хим. to precipitate; (осаживать: коня,лошадь) to rein in; **осаждать кого-н чем-н** to besiege sb with sth; ~ **кого-н** to put sb in his place
осадки precipitation ед
осадок sediment; **у меня остался неприятный ~ от этой встречи** the meeting left me with an unpleasant aftertaste
осадочный sedimentary
осаждаться to precipitate
осанистый imposing
осанка posture
осатанелый frenzied; (человек) furious

осатанеть to go wild; *(надоедать):* ~кому-н to drive sb mad

осведомитель informer

осведомить to inform

осведомляться to inquire about; **осведомляться о чьем-н здоровье** to inquire after sb's health

осведомлённый knowledgeable

освежить *(воздух)* to freshen; *(комнату, платье)* to freshen up; *(краски)* to liven up; *(воспоминания, знания)* to refresh; **отдых** ~ил меня I feel refreshed after my rest

осветитель *театр.* lighting technician

осветить to light up; *(вопрос, проблему, дело)* to highlight

осветиться to be lit up; *(лицо)* to light up

освещение lighting; *(вопроса, проблемы, дела)* coverage

освистать to boo

освободитель liberator

освободительный liberation; ~ая война war of liberation

освободить to release; *(из капкана)* to free; *(город, деревню)* to liberate; *(полку, комнату)* to clear; *(дом, квартиру)* to vacate; *(время, день)* to leave free; ~ кого-н от хлопот/наказания to spare sb the trouble/from punishment; ~ кого-н от эксплуатации to liberate sb from exploitation; ~ кого-н от должности to dismiss sb

освободиться *(из тюрьмы)* to be released; *(из капкана: зверь)* to free itself; *(человек)* to free o.s.; *(квартира, дом)* to be vacated; *(место, полка)* to be cleared; ~ся от наказания to escape punishment; ~ся от работы to finish work

освобождение release, freeing; *(города, деревни)* liberation; ~ от должности dismissal; ~ от налогов tax exemption

освоение mastering; cultivation

освоить *(технику, язык)* to master; *(земли, пустыню)* to cultivate

освятить to bless

оседлать *(разг: стул, бревно)* to straddle; *(родственников, знакомых)* to take advantage of

оседлый settled

осёл donkey; *(перен: разг)* ass

осенить *(мысль)* to strike; **меня** ~ило, что... it struck me that...; **осенять крестом** to bless

осенний autumn, fall *(US)*; *(похожий на осень: погода, день)* autumnal, fall

осень autumn, fall *(US)*

осесть *(пол, дом)* to subside; *(пыль, осадок)* to settle; **они** ~ели в городе they settled in the city

осетин Ossetian

Осетия Северная/Южная ~ North/South Ossetia

осётр sturgeon

осетрина sturgeon

осечка cockup *(BRIT)*, mess *(US)*; **давать (дать)** ~ку to misfire

осечься to stop short

осилить *(противника)* to overpower; *(разг: книгу)* to get through; *(физику, упражнение)* to get to grips with

осина aspen

осиновый aspen

осиный *(гнездо)* wasp's nest; *(перен)* hornet's nest

осиротевший *(ребёнок)* orphaned; *(перен: дом, сад)* orphaned

оскалить *(зубы)* to bare one's teeth

оскалиться to bare one's teeth; *(разг: осклабиться)* to smirk

оскандалиться to show o.s. up

осквернить to defile; *(чувства, идеи)* to debase

оскоблить to scrub off

осколок *(стекла, чашки)* piece; *(мелкий)* sliver; *(бомбы, снаряда)* shrapnel; *(перен: прошлого)* fragment

оскомина acidic taste; **набить кому-н** ~у to bore sb stupid

оскопить to castrate

оскорбительный offensive

оскорбить to insult, offend; **оскорблять кого-н в лучших чувствах** to offend sb's finer feelings; **оскорблять слух** to offend the ear

оскорбиться to be offended, take offence *или* offense *(US)*

O

оскорбление insult

оскудеть *(страна)* to become impoverished; *(запасы)* to become depleted

ослабеть to weaken; *(давление, ветер)* to drop; *(внимание)* to wander; *(дождь)* to slacken *или* ease off; *(шум)* to die down; *(ремень)* to loosen; *(дисциплина)* to slacken

ослабить to weaken; *(внимание)* to let wander; *(ремень)* to loosen; *(дисциплина)* to relax

ослабление weakening; *(давления, шума)* reduction; *(внимания)* slackening; *(дисциплины)* decline; **завтра ожидается ~ ветра/дождя** the wind/rain should ease off by tomorrow

ославить to smear

ославиться to get o.s. a bad name

осленок foal

ослепительный dazzling

ослепить to blind; *(солнце, красота)* to dazzle

ослепление blindness

ослиный donkey's; **~ое упрямство** pigheadedness

ослица female donkey

Осло Oslo

осложнение complication

осложнить to complicate

ослушание disobedience

ослышаться to mishear

осмелиться to dare

осмеять *(поведение, человека)* to mock; *(теорию)* to ridicule

осмотр inspection; *(больного)* exmination; *(выставки, музея)* visit

осмотреть to inspect; to examine; to visit

осмотреться *(по сторонам)* to look around; *(перен: на новом месте)* to settle in

осмотрительность circumspection

осмотрительный prudent, cautious

осмысление comprehension

осмысленный *(взгляд)* intelligent; *(поступок, поведение)* premeditated

осмыслить to comprehend

оснастить *(предприятие, лаборато-*

рию) to equip; *(судно)* to rig

оснащение *(предприятия, лаборатории, армии)* equipment; *(судна)* rigging

оснащённость equipping

основа *(сооружения)* foundation; *(общества, развития)* basis; *(ткани, материи)* warp; линг. stem; **на ~е on the basis of; класть (положить) в ~у чего-н** to use as a basis for sth; **быть (лежать) в ~е чего-н** to be the basis of sth

основание base; *(города: общества)* founding; *(теории, науки)* basis; *(опоздания, поступка)* grounds мн; *(здания)* foundation; **без всяких ~й** without any reason; **до ~я** completely; **на ~и on the grounds; на каком ~и?** on what grounds?; **на общем ~и on an equal basis; с полным ~м** with good reason

основатель founder

основательный *(причины, довод)* good; *(сооружение, человек)* solid; *(разг: вес, сумма)* fair; *(проверка, осмотр)* thorough

основать to found; **основывать что-н на** to base sth on *или* upon

основаться *(общество, компания)* to be founded; *(разг: в Москве, на новом месте)* to settle down

основной *(цель, задача)* main; *(закон, принцип)* fundamental, basis; **в ~ом** on the whole

основоположник founder

основы *(физики)* basics мн, rudiments мн

основываться to be based on

особа individual

особенно particularly; *(смотреть, вести себя)* in an unusual way; *(приятно, хорошо)* especially, particularly; **не ~** not particularly

особенность *(по обыкновенности)* uniqueness; *(свойство)* peculiarity; **в ~и in particular

особенный special; **ничего ~ного** nothing special

особняк mansion

особый *(вид, случай)* special, particular; *(вход, помещение)* separate; **у него ~ое мнение на этот **счет** he has his own opinion about this

особь individual

осовременить to update

осознавать to realize

осознанный *(риск, поступок)* calculated; *(необходимость)* acknowledged

осока sedge

оспа smallpox; *(шарм)* pockmarks *мн*

оспаривать *(первенство)* to contend *или* compete for

оспорить *(мнение, решение)* to question

оставить to leave; *(сохранить)* to keep; *(задержать после уроков)* to keep in; *(работу, занятие, разговор)* to stop; *(перен: мысли, мечты, надежды)* to give up; ~ь! stop it!; **оставлять кого-н позади** to leave sb standing; **оставлять кого-н/что-н в покое** to leave sb/sth in peace *или* alone; **оставлять кого-н на второй год** to make sb repeat a year; **оставлять кого-н в дураках** to make a fool of sb; **мы ~или гостей ночевать** we asked our guests to stay overnight; **сознание ~ило его** he lost consciousness

остальное the rest; **в ~ом** in other respects

остальной *(часть)* the remaining; **~ые деньги/дети** the rest of the money/children; **~ое время** the rest of the time

остальные the others; **все ~ое** all the others; *(вещи)* all the rest

останавливать *(взгляд, внимание на чем-н)* to let one's gaze/attention rest on sth; **останавливать свой выбор на** to choose

останки remains *мн*

остановить to stop

остановиться to stop; *(в гостинице, у друзей)* to stay; **~ся** *(на вопросе, на описании)* to dwell on; *(на решении, на заключении)* to come to; *(взгляд)* to rest on; **не останавливаться ни перед чем** to stop at nothing

остановка *(мотора, часов, эксперимента)* stopping; *(в речи, в рабо-те)* pause; *(автобусная, поезда, в пути)* stop; **за кем/чем ~?** who/what is holding us up?

остаток remainder, surplus; balance *(of account)*

остаться to stay; *(сохраниться: дом, чувство)* to remain; *(оказаться)* to be left; *(разг: проиграть)* to lose; **оставаться сидеть/стоять** to remain sitting/standing; **мне ~лось дочитать 2 страницы** I have 2 pages left to read; **оставаться на второй год** to repeat a year; **оставаться при своем мнении** to stick to one's opinion; **оставаться ни с чем** to end up with nothing; **оставаться ни при чем** to be survive; **не остается ничего другого как...** there is nothing for it but...

остепениться to settle down

остервенелый frenzied, furious

остерегать to warn

остерегаться to beware of; **~йтесь простуды!** mind you don't catch cold!

остов *(здания, корабля)* frame; *(зверя)* skeleton; *(романа, словаря)* framework

остолоп dimwit

осторожно *(взять, поднять)* carefully; *(ходить, выступать, говорить)* cautiously; **~!** look out!

осторожность *(обращения, ухода)* care; *(поступка, поведения)* caution; **о всякой ~** to throw caution to the winds

осторожный careful; *(осмотрительный)* cautious

осточертеть to bore rigid

острие *(пера, иглы, шпиля)* point; *(ножа, меча, бритвы)* edge; *(критики, сатиры)* cutting edge

острить *(нож, меч)* to sharpen; *(шутить)* to make witty remarks

остров island

островок island; **островок безопасности** traffic island

острога harpoon

остроконечный pointed

остроносый *(человек)* sharpnosed; *(туфли)* pointed

острословить to be witty

О

остросовременный *(пьеса)* extremely topical

остросюжетный *(фильм, пьеса)* gripping; ~ **фильм,~ роман** thriller

острота witticism

остроугольный acuteangled

остроумие wit; *(рассказа)* wittiness

остроумный witty

острый *(нож, память, вкус)* sharp; *(борода, нос, носок)* pointed; *(зрение, слух)* keen; *(шутка, слово)* witty; *(запах)* pungent; *(блюдо, еда)* spicy; *(сыр)* strong; *(желания)* burning; *(боль)* acute; *(ситуация)* critical; *(игра)* tense; *(аппендицит, воспаление легких)* acute; **острый угол** acute angle; **острый язык** sharp tongue

остряк wit

остудить *(молоко, чай, суп)* to cool; *(перен: желание)* to curb; *(чувства)* to restrain

оступиться to trip, stumble; *(разг: совершить ошибку)* to trip up

остыть to cool down; *(чувства, желания)* to cool; *(суп)* to get cold; **остывать** to lose interest in

осудить to condemn; *(приговорить)* to convict

осуждение condemnation; conviction

осуждённый convict

осунуться to look drawn

осушение drainage

осушительный drainage

осушить to drain

осуществимый *(мечты, желания)* realizable

осуществить *(мечту, намерение)* to realize; *(идею)* to put into practice; *(план, реорганизацию)* to implement

осуществление *(мечты, идеи, намерения)* realization; *(плана, реорганизации)* implementation

осчастливить to make happy

осыпать *(кучу песка, землю)* to knock down; **осыпать кого-н/что-н** to scatter sth over sb/sth; *(перен: подарками, поцелуями)* to shower sb/sth; *(оскорблениями)* to heap sth on sb/sth

осыпаться *(земля, насыпь, песок)* to subside; *(штукатурка, потолок)* to crumble; *(листья, цветы)* to fall

ось *(колеса, механизма)* axle; *геом.* axis; *(перен: событий, происходящего)* centre *(BRIT)*, center *(US)*, hub

осьминог octopus *(мн octopuses)*

осязаемый *(перен: результат)* tangible

осязание touch

осязательный *(нервные окончания, органы)* tactile; *(перен: результат, разница, успех)* tangible

от, ото from, of

отапливать to heat

отапливаться to be heated

отара flock *(of sheep)*

отбавить *(сахар, порцию)* to take away; *(молоко, воду)* to pour off; **хоть отбавляй** more than enough

отбарабанить *(мелодию)* to tap out; *(разг: ответ, вопрос)* to rattle off

отбежать to run off

отбеливатель bleach

отбелить to bleach

отбивная tenderized steak; ~ **котлета** chop

отбить *(отколоть)* to break off; *(мяч, удар)* to parry; *(атаку, нападение)* to repulse; *(город, пленных)* to recapture; *(разг: жениха, невесту)* to pinch; *(такт, мелодию)* to beat out; *(мясо)* to tenderize; **запах ~бил у меня желание есть** the smell put me off my food; **я ~бил себе ноги** my feet are sore

отблагодарить to show one's gratitude to

отблеск reflection

отбой the last post; *(после воздушной тревоги)* all-clear (signal); *(к отступлению)* retreat; **у неё ~ю нет от поклонников** she has an endless stream of admirers

отбойный *(молоток)* pickaxe *(BRIT)*, pickax

отбор selection

отборный *(картофель, семена)* selected; *(ругань, выражения)* well-chosen; ~**ые войска** crack troops

отборочный *спорт.* qualifying; ~**ая комиссия** selection commitee

отбросить to throw aside; *(противника, войска)* to repel; *(перен: сомнения, тревоги)* to cast aside; *(тень, свет)* to cast

отбросы *(производства)* waste; *(пищевые)* scraps *мн*

отбытие departure

отбыть to depart (from/for); ~ **наказание** to serve a sentence

отвага bravery

отважиться *(пойти, сказать)* to find the courage to do; ~ **на** to venture on

отважный brave

отвал *(породы, земли)* heap; **наесться до ~а** to eat one's fill; **накормить кого-н до ~а** to stuff sb with food

отвалить *(камень, бревно)* to push aside; *(разг: кучу денег)* to fork out

отвалиться *(обои, штукатурка)* to fall off; *(разг: откинуться назад)* to slump

отвар *(из трав)* decoction; **мясной ~** meat broth

отварить to boil

отварной boiled

отвезти *(увезти)* to take away; **отвозить кого-н/что-н в город/на дачу** to take sb/sth off to town/ the dacha

отвергнуть *(решение, помощь)* to reject; *(жениха)* to spurn

отвердеть to harden

отвернуть *(гайку, пробку)* to unscrew; *(кран)* to turn on; *(поля, рукав)* to turn back; *(лицо, голову)* to turn aside; *(разг: отломать ручку)* to twist off

отвернуться *(гайка, пробка)* to come unscrewed; *(кран)* to turn on; *(поля, рукав)* to be turned back; *(человек)* to turn away; ~**ся от кого-н** to ostracize sb

отверстие opening

отвертка screwdriver

отвес *(груз)* plumb; ~ **скалы** cliff face

отвесить to weigh out; ~ **кому-н пощечину** to give sb a slap in the face

отвесный *(берег, стена)* vertical

отвести *(человека: домой, к врачу)* to take (off); *(от окна)* to lead

away; *(войска, полк)* to relocate, move; *(воду, реку)* to divert; *(ветки)* to push aside; *(глаза, взгляд)* to avert, turn away; *(перен: беду, удар)* avert; *(заявление, кандидатуру)* to reject; *(участок, сад)* to allot; *(средства)* to allocate; **отводить кого-н в сторону** to lead *или* lead sb aside; **отводить время на что-н** *(себе)* to set aside time for sth; *(другим)* to allocate time for sth; **отводить душу** to unburden one's soul

ответ *(на вопрос)* answer; *(реакия)* response; *(на письмо, на приглашение)* reply; **в** ~ in response (to); **быть в** ~**е за** to be answerable for; **призывать (призвать) к** ~**у** to call to account

ответвиться to branch

ответвление *(дерева, дороги)* branch; *(перен: движения, религии)* branch, offshoot

ответить answer, reply (to); *(на увольнение, на грубость)* to retaliate (against); *(за преступление, за поступок)* to answer for; **отвечать любовью на (чью-н) любовь** to return sb's love

ответственность *(задания, заказа)* importance; *(за поступки, за действия)* responsibility; **нести(понести)** ~ **за** to be responsible for; **привлекать (привлечь) кого-н к** ~**ти** to call sb to account

ответственный responsible; *(работа, поручение, момент)* important; **ответственный квартиросъемщик** responsible tenant; **ответственный работник** executive

ответчик юр. defendant

отвечать *(требованиям)* to meet; *(описанию)* to answer; *(интересам)* to suit; ~ **за кого-н/что-н** to be responsible for sb/sth

отвинтить to unscrew

отвинтиться to come unscrewed

отвислый *(щеки)* sagging; *(уши)* droopy

отвиснуть to sag

отвлечение *(внимания, интереса)* distraction; *(абстракция)* abstraction

отвлеченный abstract

отвлечь *(противника)* to divert (from); *(от дел)* to distract (from); **отвлекать чье-н внимание** to distract sb's attention

отвлечься to be distracted (from); *(от темы)* to digress (from); *(абстрагироваться)* to abstract o.s. (from)

отвод *(воды, газа)* diversion; *(войск)* relocation; *(кандидатуры, судьи)* rejection; **для ~а глаз** as a distraction

отводной drainage

отвоевать to win back; *(кончить, воевать)* to finish fighting

отворить to open

отворот facing, lapel; boot-top(s)

отвратительно *(пахнуть)* disgusting; *(поступить)* abominably, disgusting

отвратительный disgusting

отвратить to avert

отвратный revolting

отвращение disgust, repulsion

отвыкнуть *(от наркотиков)* to give up; *(от людей, от дома, от работы)* to become unaccustomed to; **отвыкать от курения** to give up smoking; **он отвык от дома/работы** he is not used to living at home/working any more

отвязать *(веревку)* to untie; *(собаку, коня)* to untie, untether

отвязаться *(веревка)* to come undone; *(собака, конь)* to break loose; **~ся** *(от человека)* to leave in peace; *(отделаться)* to get rid of; **~яжись (от меня)!** get lost!

отгадать to guess

отгадка answer

отглагольный verbal

отгладить to iron

отгладиться to be ironed

отговорить to dissuade

отговориться *(незнанием, болезнью)* to plead; **~ незнанием** to plead ignorance; **он ~ился болезнью** he gave the excuse that he was ill

отговорка excuse

отголосок echo

отгородить *(дом, участок)* to fence off; *(часть комнаты)* to partition

off; *(от жизни)* to isolate; *(от забот)* to shelter

отгородиться *(забором)* to fence o.s. off; *(ширмой)* to screen o.s.; *(от жизни, от забот)* to cut o.s. off

оттреметь *(гром, аплодисменты)* to stop; **его слава ~ла** he is no longer famous; **бой ~ел** the battle is over

отпрести *(листья, снег)* to rake away; *(от берега)* to row away

отгрузить *(отправить)* to ship

отгрузка shipment

отгрызть to bite off

отгул day off

отгулять *(разг: отпуск, праздники)* to finish *(one's holidays, etc)*; *(за дежурство, за сверхурочные)* to have time off; **мы ~ли отпуск** our holidays are over

отдавать *(разг: пахнуть)* to reek of

отдавить to crush

отдаление aloofness, remoteness

отдаленный distant; *(место, сходство)* remote

отдалить *(смерть, разлуку)* to postpone; *(сына, друзей)* to alienate

отдалиться *(от берега, от города)* to move away from; *(от темы, от дел)* to digress from; *(от друзей, от семьи)* to become alienated from

отдать *(возвратить)* to return; *(дать)* to give; *(сдать: город, крепость)* to surrender; *(ребенка: в школу, в детский сад)* to send; *(разг: заплатить)* to pay; *(ружье)* to kick; *(боль)* to spread; **он ~л жизнь науке** he devoted his life to science; **отдавать туфли в ремонт** to put one's shoes in for repair; **отдавать что-н за бесценок** to give sth away; **отдавать дочь замуж** to give one's daughter away *(in marriage)*; **отдавать кому-н распоряжение/приказ** to give (sb) instructions/an order; **отдавать кому-н/чему-н предпочтение** to give preference to sb/sth; **отдавать кого-н под суд** to prosecute sb; **отдавать кому-н честь** to salute sb; **отдавать себе**

отчет to realize; **отдавать должное (справедливость) кому-н** to
give sb his due; **отдавать кому-н
последний долг** to pay one's last
respects to sb; **отдавать концы**
(умереть) to kick the bucket

отдаться *(голос, эхо)* to resound,
reverberate; **отдаваться** to give o.s.
или surrender to; *(воспоминани-
ям)* to lose o.s. in; *(искусству)* to
devote o.s. to; *(любовнику)* to give
o.s.to; **боль отдавалась в спине**
the pain spread to his back

отдача *(при выстреле)* recoil; спорт.
return; **работать с полной ~ей** to
put a lot into one's work

отдел *(учреждения, универмага)*
department; *(книги, газеты)*
section; *(истории, науки)* branch;
отдел здравоохранения health
department; **отдел кадров**
personnel department; **отдел от-
правки** dispatch department

отделать *(квартиру)* to do up; *(разг:
поколотить)* to do over; **отделы-
вать что-н чем-н** *(пальто мехом)*
to trim sth with sth; *(комнату
деревом)* to do sth out with sth

отделаться *(разг: от работы, от
дел)* to get away from; *(от человека)* to get rid of; **~** *(разг: лег-
ким ушибом)* to get away with;
он легко ~лся he got off lightly;
он ~лся обещаниями he did no
more than make a few promises;
он ~лся испугом more than
anything he got a fright

отделение *(от семьи)* separation;
(пенала, стола) section; *(сумки)*
compartment; *(учебного заведе-
ния, больницы)* department; *(банка)* branch; *(концерта)* part; воен.
section; **отделение связи** post
office; **отделение милиции** police
station

отделить to separate (from); *(участок, часть комнаты)* to separate,
divide off

отделка decoration; *(в квартире)*
decor; *(на платье)* trimmings мн

отделочный *(материалы, тесьма,
пуговицы)* decorative; **отделочные
работы** decorating

отдельно separately

отдельный separate; *(единичный:
примеры, возражения)* isolated

отдуваться to pant; *(за ошибки, за
других)* to carry the can

отдушина vent; *(перен)* escape

отдых rest; *(отпуск)* holiday; **на ~е
(в отпуске)** on holiday; **он на
заслуженном ~е (на пенсии)** he
is having a well-earned rest; **дом
~а** holiday centre; **без ~а** without
a moment's rest

отдыхать to (have a) rest; *(на море)*
to have a holiday; **я хорошо ~ул** I
had a good rest

отдыхающий holidaymaker *(BRIT)*

отдышаться to get one's breath back

отек swelling; **отек легких** мед.
emphysema

отекать to inflate, swell

отел calving

отель hotel

отец father

отеческий fatherly, paternal

отечество fatherland

отечный swollen

отечь to swell up

отжать *(руками)* to wring out; *(в
стиральной машине)* to spin-dry

отживший obsolete

отжиг tempering

отзвенеть to stop ringing

отзвонить *(колокол)* to ring out;
часы ~или полночь the clock
struck midnight

отзвук echo

отзвучать to come to an end *(of
music, speeches etc)*

отзыв *(мнение)* impression; *(рецензия)* review; *(перен: в душе)* echo;
воен. reply *(to a password)*

отзывчивый ready to help

отит мед. otitis *(are infection)*

отказ refusal; *(на заявление, от решения)* rejection; *(механизма)*
failure; **закручивать (закрутить)
до ~а** to turn full on; **работать
без ~а** to operate smoothly; **набивать (набить) до ~а** to cram

отказать to refuse: *(лишить кого-н
чего-н)* to deny sb sth; *(мотор, нервы)* to fail; **ему не ~ажешь в та-
ланте** you can't that he's talented

О

отказаться to refuse; **отказываться от своих слов** to retract one's words; **отказываться от мысли** to give up on an idea; **не ~ажусь I wouldn't say no**

откат rebound; recoil

откатить *(что-н круглое)* to roll away; *(что-н на колесах)* to wheel away; *(быстро отъехать)* to speed off

откачать *(жидкость, газ)* to pump (out); *(привести в чувство)* to resuscitate

откидной foldaway

откинуть to throw; *(перен: тревоги, сомнения)* to cast aside; *(верх, сиденье)* to open; *(руку)* to throw back; *(волосы, голову)* to toss back; *(в дуршлаг: макароны,рис)* to tip out; *(разг: войска, противника)* to push back

откинуться to lean back against; **откидываться назад** to lean backwards

отклеить to peel off

отклеиться to come off

отклик response; *(перен)* echo; *(обычно мн: в печати)* comment

откликнуться to answer; *(на события, на просьбу)* to respond (to)

отклонение deflection; *(перен: просьбы)* rejection; *(от курса)* deviation; *мед.* abnormality; **~от темы** digression

отклонить *(стрелку)* to deflect; *(перен: предложение, просьбу)* to reject

отключить to switch off; *(телефон)* to cut off

отключиться to switch off

отковырять to pick off

отколотить кого-н to give sb a thrashing

отколоть *(кусок)* to break off; *(бант, булавку)* to unpin; **~ номер** to pull a fast one

отколоться to break off; *(бант, булавка)* to come unpinned

откомандировать to post, second

откопать to dig up; *(перен: книгу, сведения)* to unearth

откормить to fatten (up)

откос *(горы, берега)* slope; *(желез-*

ной дороги) embankment; **пускать (пустить) поезд под ~** to derail a train

открепить *(значек, вывеску)* to unfasten; *(снять с учета)* to take off the register

открепиться *(вывеска)* to come unfastened; *(сняться с учета)* to sign o.s. the register

откровение revelation

откровенничать to bare one's soul (to)

откровенность frankness

откровенный frank; *(хамство, обман)* blatant; *(разг: платье, туалет)* revealing

открутить to unscrew

открывалка *(для консервов)* tin-opener; *(для бутылок)* bottle-opener

открытие discovery; *(сезона, выставки, клуба)* opening

открытка postcard **открытый** open; *(голова, шея)* bare; *(лицо, взгляд, человек)* frank; **в ~ую** openly; **на ~ом воздухе** outside, outdoors; **музей под ~ым небом** open-air museum; **~ая машина** open-top car; **~ое платье** low-cut dress; **открытая рана** open wound; **открытое голосование/письмо** open vote/letter; **открытый вопрос** open question

открыть to open; *(лицо)* to uncover; *(намерения, правду)* to reveal; *(воду, кран)* to turn on; *(возможность, путь, позицию)* to open up; *(явление, закон)* to discover; **открывать торговлю чем-н** to start selling sth; **открывать Америку** to reinvent the wheel; **открывать счет** to open an account; *спорт.* to open the scoring; **открывать огонь** to open fire

откуда where from, whence, from where; **Вы ~?** where are you from?; **~ Вы приехали?** where have you come from?; **~ ты это знаешь?** how do you know about that?; **он не мог не понять, ~ слышался звук** he couldn't work out where the sound was coming from; **~ следует...** hence...; **~ ни**

возьмись out of nowhere; **~ я знаю?** how do I know?

откуда-нибудь from somewhere (or other)

откуда-то from somewhere

откуп lease

откупиться to buy one's way out of

откупорить to unseal

откусить (*зубами*) to bite off; (*кусачками*) to snip off

отлагательство delay

отладка debugging

отлежаться to rest up

отлепить to peel off

отлепиться to peel off

отлёт (*птиц*) flight; (*самолёта*) departure; **на ~e** (*жить*) on the outskirts; (*держать*) in one's outstretched hand

отлететь to fly off; (*мяч*) to fly back; (*человек: от удара*) to be sent flying back

отлив (*в море*) ebb; (*оттенок*) sheen

отливать (*серебром, лиловым*) to be tinted with

отливка (*деталей, форм*) casting

отлить (*воду, вино*) to pour off; (*деталь, форму*) to cast; **у него кровь ~лила от лица** the blood drained from his face

отличать (*красота, новизна*) to be a feature of

отличаться to be different (from); (*оригинальностью, красотой*) to be distinguished; **она ~ется умом** she has a distinguished mind

отличие distinction; **знаки ~я** decorations; **диплом с ~ем** = first-class degree with distinction; **в ~ от** unlike

отличительный distinguishing

отличить (*кого-н/что-н от*) to tell sb/sth from; (*наградить*) to honour (*BRIT*), honor (*US*); **отличать плохое от хорошего** to tell the difference between good and bad; **я не могу ~ их** (*друг от друга*) I can't tell them apart

отличиться to distinguish o.s.; (*разг: сделать что-н необычное*) to outdo o.s.

отличник A'grade pupil

отлично extremely well; it's great;

просв. excellent *или* outstanding (*school mark*); **он ~ знает, что он виноват** he knows perfectly well that he's wrong; **здесь ~ it's great here; учиться на ~** to get top marks; **~!** (that's) excellent!

отличный excellent; (*иной*) distinct from

отлогий sloping

отложение гео., мед. deposit

отложить to put aside; (*отсрочить*) to postpone; (*яйцо*) to lay

отложной (*воротник, манжеты*) turndown

отломать to break off

отломаться to break off

отломить to break off

отломиться to break off

отлучить (*от дома, от семьи*) to take sb from; **отлучать кого-н от церкви** to excommunicate sb

отлынивать to try to get out of

отмахнуться (*от мухи*) to brush away; (*от человека, от предложения*) to brush *или* wave aside

отмель (*песчаная*) sandbank

отмена repeal, reversal; abolition; cancellation

отменить (*закон*) to repeal; (*решение, приговор*) to reverse; (*налог*) to abolish; (*лекцию*) to cancel

отменный exquisite

отмереть (*ткань, ветка*) to die; (*перен: обычаи, привычки*) to die (out)

отмёрзнуть (*ветки, побеги*) to freeze; (*разг: руки, ноги*) to be frozen

отмерить to measure out

отмести (*мусор, снег*) to sweep away; (*перен: доводы, возражения*) to sweep aside

отместка (**в ~ку за**) in revenge for

отметина mark

отметить (*на карте, в книге*) to mark; (*затраты, расходы*) to record; (*присутствующих, отсутствующих*) to take a note of; (*достоинства, недостатки, успехи*) to recognize; (*юбилей, день рождения*) to celebrate; **нужно ~, что...** it should be noted that...

отметиться to register

отметка (*в документе, в паспорте*) note

O

отмечаться *(успех, талант)* to be apparent

отмокнуть to get damp; *(бельё)* to soak; *(отклеиться)* to come off *(as a result of soaking)*

отмолчаться to keep silent

отмороженный frost-bitten

отморозить *(руки, ноги)* to get frostbite in one's hand/feet

отмотать to unwind

отмочить *(наклейку, бинт)* to soak off; *(разг: глупость)* to come out with

отмыкать to unlock

отмыть to get sth clean; *(грязь, пятно)* to wash out

отмычка skeleton key

отнекиваться *(разг: отказываться)* to keep saying no; *(не признаваться)* to refuse to own up

отнести to take (off); *(течение, ветер)* to carry off; *(причислить к)*: ~ что-н *(к периоду, к году)* to date sth back to; *(к разряду, к категории)* to classify sth as; **относить что-н за (на счёт)** to put sth down to, attribute sth to

отнестись *(к человеку)* to treat; *(к предложению, к событию)* to take; **как он ~ёсся к Вашему предложению?** what did he think of your suggestion?

относительно relatively; *(в отношении)* regarding, with regard to

относительный relative; **относительное местоимение/прилагательное** relative pronoun/adjective

относить *(к классу, к категории)* to belong to; *(к году, к эпохе)* to date from; **он к ней хорошо относится** he likes her; **как ты относишься к нему?** what do you think about him; **это к нам не относится** it has nothing to do with us

отношение attitude (to); *(связь)* relation (to); *мат.* radio; *(документ)* letter; **в ~и** with regard to; **по ~ю к** towards; **в этом ~и** in this respect *или* regard; **в некотором ~и** in certain respects *или* regards; **во всех ~ях** in all respects *или* regards; **иметь ~ к** to be connected with; **не иметь ~я к** have nothing to do with

отныне henceforth

отнюдь by no means, far from; ~ **не** absolutely not

отнять to take away; *(силы, время)* to take up; *(ногу, руку)* to take off; **отнимать от груди** to wean; **это-го у него не ~имешь** you can't take that away from him

отображение representation

отобразить to represent

отобрать *(отнять)* to take away; *(выбрать)* to select

отовсюду from all around

отогнать to chase away; *(перен: мысли, сомнения)* to drive out

отогнуть *(металл)* to bend back; *(скатерть, страницу)* to fold back

отогнуться to bend back

отогреть to warm

отогреться to get warm

отодвинуть *(шкаф)* to move; *(щеколду, засов)* to slide back; *(срок, экзамен)* to put back

отодвинуться *(человек)* to move; *(срок, экзамен)* to be put back

отодрать *(разг: оторвать)* to rip off; *(высечь)* to thrash

отодраться to come off

отождествить to equate

отождествление equating

отозвать to call back; *(посла, представителя, документы)* to recall; **отзывать кого-н в сторону** to take sb aside; **отзывать иск** to drop a case

отозваться to respond (to); **хорошо/плохо ~ся** to speak well/badly of; ~**ся** *(о книге)* to voice one's opinion on

отойти to move away from; *(от друзей, от взглядов)* to distance o.s. from; *(от темы, от оригинала)* to depart from; *(поезд, автобус)* to leave; *(войска, полк)* to withdraw; *(обои, краска)* to come off; *(пятно, грязь)* to come out; *(отлучиться)* to go off; *(оттаять)* to thaw; *(перестать сердиться)* to calm down; **я ~йду на 5 минут** I'll be back in 5 minutes

отоларинголог ear, nose and throat specialist

О

отопительный *(прибор)* heating; *(сезон)* the cold season

отопление heating

оторванный *(от жизни, от друзей)* to cut off from; *(воротник, пуговица)* torn-off

оторвать to tear away (from); *(воротник, пуговицу)* to tear off; **ему ~ало ногу** his leg was blown off; **отрывать что-н от себя** to sacrifice sth

оторваться *(от работы)* to tear o.s. away (from); *(от отряда, от бегунов, от преследователей)* to break away (from); *(от семьи, от друзей, от жизни)* to lose touch (with); *(воротник, штанина)* to tear; *(пуговица)* to come off; **отрываться от земли** to take off

оторопелый dumbstruck

оторопеть to be dumbstruck

отослать ~ **кого-н к** to refer sb to; *(письмо, посылку)* to send (off); *(человека, машину)* to send back

отоспаться to have a good sleep

отпаривание steaming

отпарить *(брюки, юбку)* to steam, press

отпарывать to rip

отпасть *(обои, штукатурка)* to come off; *(желание, необходимость)* to pass; **у меня ~ла охота идти туда** I don't feel like going there any more

отпаять to melt off

отпевание funeral service

отпереть to unlock

отпереться *(дверь, ворота, шкаф)* to open

отпетый out-and-out

отпеть to read a service for

отпечатать *(фото)* to print; *(на компьютере)* to finish typing; *(следы)* to leave; *(помещение)* to open up

отпечататься *(на земле, на песке)* to leave a print; *(перен: в памяти, в сознании)* to imprint itself

отпечаток imprint; **отпечатки пальцев** fingerprints

отпилить to saw off

отпирательство denial

отписаться to send a formal reply

отписка formal reply

отпить *(полстакана)* to drink; ~ **глоток** to take a sip

отпихнуть to shove

отпихнуться *(от берега)* to push off (from)

отплата repayment; **в ~ту за** in repayment *или* as a reward for

отплатить *(наградить)* to repay; *(отомстить)* to pay back

отплытие *(отправление)* departure

отплыть *(человек)* to swim off; *(корабль)* to set sail

отповедь rebuke

отпоить ~**кого-н чем-н** to give sb sth (to drink)

отползти to crawl away

отпор дать ~ *(врагу)* repulse; *(идее)* to rebuff; **получать (получить) решительный** ~ to be rebuffed

отпороть *(рукав, пуговицу)* to unstich

отпороться *(рукав)* to come unstiched; *(пуговица)* to come off

отправитель sender

отправить to send; **отправлять кого-н на тот свет** to do away with sb

отправиться *(человек)* to set off; *(поезд, теплоход)* to depart

отправка *(письма, посылки)* posting; *(груза)* dispatch; *(поезда, теплохода)* departure

отправление *(письма, посылки)* dispatch; *(поезда, теплохода)* departure; *(обязанностей, правосудия)* administration; *(заказное, почтовое)* item; **отправления организма** bodily function

отправлять *(обязанности)* to exercise; *(правосудие)* to adminster

отпроситься to ask to be let off; **он ~осился домой** he asked to be allowed to go home

отпрыгнуть to jump

отпрыск shoot; *(перен)* offspring

отпрянуть to recoil

отпрячь to unharness

отпугнуть to scare off

отпуск leave, holiday *(BRIT)*, vacation *(US)*; *воен.* leave; *(товаров)* sale; **ежегодный** ~ annual leave; **быть в ~e** to be on holiday; **идти (пойти) в** ~ to go on holiday;

брать (взять) ~ to take leave
отпускник holiday-maker; *воен.* soldier on leave
отпускные holiday pay
отпустить to let out; *(из рук)* to let go of; *(разг: боль)* to ease off; *(товар, продукты)* to sell; *(деньги, средства)* to release; *(бороду, волосы)* to grow; **отпускать кому-н грехи** to absolve sb of his sins; **отпускать комплимент** to compliment sb; **отпускать шутку** to crack a joke
отработанный *(порода)* worked out; *(газ)* waste
отработать *(долги)* to work off; *(какое-то время)* to work; *(окончить работать)* to finish work; *(освоить)* to work on, polish
отрава poison
отравитель poisoner
отравить to poison; *(перен: удовольствие, праздник)* to spoil
отравиться to poison o.s.; *(едой)* to get food-poisoning; *(газом)* to be poisoned
отравление poisoning
отравляющий poisonous, toxic
отрада joy
отрадный satisfying
отражатель reflector
отражение reflection; deflection
отразить to reflect; *(нападение, удар)* to deflect
отразиться to be reflected; **отражаться** *(на здоровье, на успехах)* to have an effect on
отрасль branch *(of research, industry)*
отрасти to grow
отрастить to grow
отребье *(пренебр)* scum
отрез piece of fabric; **линия** ~a dotted line
отрезать to cut off; *(резко сказать)* to cut short
отрезвить to sober up
отрезвление sobering
отрезной *(талон)* tear-off; *(рукав)* detachable
отрезок *(ткани)* piece; *(пути)* section; *(времени)* period; *геом.* segment
отречение renunciation of; **отрече-**

ние от престола abdication
отречься to renounce; **отрекаться от престола** to abdicate
отрешенный resolute
отрешиться to reject
отрицание denial; *линг.* negation
отрицательный negative
отрицать to deny; *(литературу, моду)* to reject
отрог *геол.* spur
отродье *(разг: пренебр)* scum
отросток shoot; *(ответвление)* branch; ~ **слепой кишки** appendix
отрочество adolescence
отруби bran
отрубить *(ветку, голову)* to chop off; *(разг: резко ответить)* to cut short
отрыв *(отряда, семьи)* separation from; **линия** ~a perforated line; **учиться без** ~а **от производства** to study without giving up work; **быть в** ~e **от** to be cut off from
отрывистый *(смех)* spasmodic; *(сигнал)* interrupted; *(речь, замечания)* disjointed
отрывной *(блокнот, талоны)* tear-off
отрывок excerpt
отрывочный fragmented, disjointed
отрыгнуть to burp
отрыжка burp
отрыть to dig up
отряд party, group; *воен.* detachment; *зоол.* order; **поисковый** ~ search party
отряхнуть *(снег, пыль)* to shake off; *(пальто, сапоги)* to shake down
отряхнуться to shake o.s. down
отсадить *(ученика, болтуна)* to move; *(растение, цветок)* to add new soil to
отсвет reflection
отсвечивать to reflect the light
отсев *(действие: шелухи)* separation; *(то, что отсеяно)* siftings мн; *(кандидатов)* elimination; *(студентов)* expulsion
отсек *(судна, помещения)* compartment; *(ракеты)* module
отсесть to move away (from); ~ **подальше** to further away
отсеять *(семена, шелуху)* to sift out;

(перен: кандидатов) to eliminate; *(учеников)* to expel

отсеяться to be separated; to be eliminated; to drop out

отсидеть *(просидеть)* to wait; *(лекцию)* to sit through; *(разг: в тюрьме)* to do time; **я ~дел ногу** my leg has gone dead; **я ~дел там два часа** I sat (and waited) there for two hours

отсидеться to sit tight

отскочить *(мяч)* to bounce off; *(человек)* to jump off; *(в сторону, назад)* to jump; *(разг: пуговица, кнопка)* to come off; **отскакивать в сторону/назад** to jump to the side/back

отскрести to scratch off

отслоить to strip away

отслойка exfoliation

отслужить *(какое-то время)* to serve; *(военную службу)* to serve out; *(панихиду, молебен)* to conduct

отснять *(пленку)* to finish off; *(фильм, серию)* to finish shooting

отсоветовать *(кому-н делать, ездить)* to advise sb not to do *или* against doing

отсоединить to disconnect

отсос *(действие)* suction; *(устройство)* suction pump

отсосать to draw off

отсохнуть to wither

отсрочка deferral

отставание *(в работе, в учебе)* falling behind; *(в развитии)* retardation

отставить to move aside; **~!** *воен.* as you were!

отставка *воен.* retirement; *(с государственной службы)* resignation; **подавать (подать) в ~ку** to offer one's resignation; **уходить (уйти) в ~ку** to resign one's commission; **офицер в ~ке** retired officer; **~ правительства/кабинета** resignation of the government/cabinet

отсталость backwardness

отсталый backward

отстать *(от группы, от друзей)* to fall behind; *(от поезда, от автобуса)* to be left behind; *(перен: в работе, в развитии)* to fall behind; *(обои, пластырь)* to come off; *(часы)* to be slow; **~нь от меня!** stop pestering me!; **часы отстают на 5 минут** the clock is 5 minutes slow; **отставать от времени** to be behind the times; **отставать от жизни** to be out of touch

отстегнуть *(крючок)* to unfasten; *(капюшон, рукава)* to detach

отстегнуться *(крючок)* to come unfastened

отстирать *(пятно, грязь)* to wash out; *(рубашку, юбку)* to wash clean

отстой sediment

отстойник *техн.* settling tank

отстоять *(город, свое мнение)* to defend; *(воду, раствор)* to allow to stand; *(службу, концерт)* to stand through; *(два часа)* to wait; **мы ~яли всю службу** we stood through the whole service; **я ~ял два часа в очереди** I stood (and waited) for two hours in the queue; **~ от** to be situated away from; **их дом ~ит на 3 километра от города** their house is situated 3 kilometres from town

отстояться to settle

отстранить *(уволить)*: **~ от** *(должности)* to relieve of; *(отодвинуть)* to push away

отстраниться *(от должности)* to relinquish; *(отодвинуться)* to draw back

отстреляться to drive back *(with gunfire)*; *(разг: кончить дело)* to do one's bit

отстричь to cut off

отстроить to finish building

отступ *(в начале строки)* indentation

отступить to step back; *воен.* to retreat; *(перен: перед трудностями, перед опасностью)* to give up; *(морозы, холода)* to abate; **отступать назад** to step back; **он ~упил 2 шага** he took 2 steps back; **отступать от своих взглядов** to retreat from one's beliefs; **отступать от темы** to digress

отступиться *(от взглядов, от тре-*

О

бований) to abandon
отступление retreat; *(от темы)* digression
отступник apostate
отступничество apostasy
отступя away, off; **немного ~ от** away from
отсутствие *(человека)* absence; *(денег, вкуса)* lack; **в ~** in the absence of
отсутствовать *(в классе)* to be absent; *(желание, аппетит)* to be lacking
отсутствующий *(взгляд, вид)* absent; absentee
отсчет *(шагов, минут)* calculation; **~ времени** time-keeping
отсчитать *(шаги, минуты)* to count; *(деньги)* to count out
отсылка cross-reference
отсыпать to pour off; **отсыпать кому-н чего-н** to give sb sth
отсыреть to get damp
отсюда from here; **~можно заключить, что...** from this we can conclude that...
Оттава Ottawa
отталкивающий repellent
оттащить *(от огня, от окна)* to drag away (from); *(в сторону, назад)* to drag
оттаять *(земля)* to thaw; *(мясо, рыба)* to thaw out; *(перен: человек)* to soften; *(разморозить)* to defrost
оттенить *(рисунок, контур)* to shade in; *(перен: главное, подробности)* to highlight
оттенок shade
оттепель thaw; *полит.* the Thaw *(the period of political liberalization)*
оттереть *(грязь, пятно)* to rub out; *(щеки, руки)* to rub
оттеснить to drive back
оттиск *(ступни, ладони)* impression; *(рисунка, гравюры)* print; **корректурный ~** proof; *(статьи)* offprint
оттого that is why; **~ что** because
оттолкнуть to push away; *(перен: друзей)* to shun
оттолкнуться *(от берега)* to push o.s. away *или* back from; *(перен: от какого-н положения, от данных)* to take as one's starting point

оттопыриться to stick out; *(карман)* to bulge
отторгнутый torn away
отторгнуть *(орган, ткань)* to reject; *(земли, имущество)* to seize
отторжение rejection; seizure
оттуда from there
оттяжка delay
оттянуть to pull back; *(разг: человека)* to pull away; *(карман)* to stretch; *(разг: наполнение, решение)* to delay; **оттягивать время** to play for time
отупевший dull, sluggish, torpid
отупение stupor
отучить *(от курения, от бутылки)* to wean sb off; *(воровать, врать)* to teach sb not to do
отучиться to get out of the habit of doing; **отучаться от плохих привычек** to get out of bad habits
отфильтровать to filter off
отфутболить to send sb packing
отхаркивающий *мед.* **~ее средство** expectorant
отхватить *(разг: отрубить)* to cut off; *(достать)* to get
отхлебнуть to take a swig of
отхлестать *(кого-н)* to give sb a hiding
отхлынуть *(волны)* to roll back; *(кровь от лица)* to drain; *(перен: толпа)* to draw back
отход departure; воен. withdrawal; **~ от традиций/действительности** departure from tradition/reality
отходная *рел.* prayer for the dying
отходчивый he doesn't stay angry for long
отходы *(промышленности)* waste *мн*
отцвести to finish blossoming
отцедить to strain off
отцепить *(вагон, паровоз)* to uncouple; *(колючку)* to unsnag
отцепиться *(вагон, паровоз)* to come uncoupled; **~епись от меня!** *(разг)* leave me alone!
отцовский father's; *(перен)* paternal, fatherly
отцовство fatherhood
отчалить to set sail
отчасти partially
отчаяние despair

отчаянно *(пытаться)* desperately; *(кричать)* in despair; *(спорить)* terribly

отчаянный desperate; *(смелый)* daring; *(разг: врун, болтун)* terrible

отчаяться to despair (of doing)

отчего *(почему)* why; *(вследствие чего)* which why; ~ **же?** what for?

отчего-нибудь for any reason

отчего-то for some reason

отчеканить *(монету)* to mint; *(изделие)* to emboss; *(перен: слово)* to pronounce distinctly; **отчеканить** ответ to answer distinctly

отечественный *(не иностранный: промышленность)* domestic; **товар** ~ого производства home-produced goods; **Великая О~ная Война** patriotic war

отчество patronymic

отчет account; **финансовый** ~ financial report; **годовой** ~ annual report; **отдавать (отдать) себе** ~ **в чем-н** to realize sth

отчетливый *(звук, отпечаток)* distinct; *(объяснение, повествование)* clear

отчетность accountability; *(финансовая, административная)* records *мн*

отчетный *(собрание)* review; *(год)* current; ~ **доклад** report; **отчетный период** accounting period

отчизна mother country

отчий *(ласка, совет)* fatherly; ~ **дом** one's father's house

отчим stepfather

отчисление *(работника)* dismissal; *(студента)* expulsion; *(на строительство)* allocation; *(денежные: удержания)* deduction; *(выделение)* assignment

отчислить *(работника)* dismiss; *(студента)* to expel; *(деньги: удержать)*to deduct; *(выделить)* to assign

отчислиться to leave

отчистить *(грязь)* to clean off; *(пятно)* to remove; *(пальто, туфли)* to clean

отчиститься *(грязь)* to come off; *(пятно)* to come out; *(пальто, туфли)* to come clean

отчитать *(ребенка)* to tell off

отчитаться to report; **отчитываться перед** to report to/on

отчуждать to alienate

отчуждение *(прекращение отношений)* estrangement; *юр.* alienation

отчужденность alienation

отчужденный *(взгляд, вид)* indifferent

отшатнуться *(от удара)* to recoil; *(назад, в сторону)* to move; **отшатываться** *(от друзей)* to ditch

отшвырнуть *(разг: предмет)* to toss away; *(человека)* to shove aside

отшельник hermit

отшиб *(разг: жить)* alone on one's tod *(BRIT)*; *(стоять: дом)* on its own

отшибить *(разг: руку, ногу)* to hurt; **у меня память отшибло** my memory's gone

отшлепать *(ребенка)* to give sb a walloping

отшлифовать *(деталь, поверхность)* to grind; *(рассказ, пьесу)* to put the finishing touches to

отшутиться to reply with a joke

отщепенец heretic; renegade

отщепить *(кусочек дерева)* to chip off

отщепиться *(кусочек дерева)* to split off

отъезд departure; **быть в** ~e to be away

отъесться *(после голода)* to eat one's fill; *(потолстеть)* to grow fat

отъехать to travel; **отъезжать от** to move away from

отъявленный *(мошенник)* absolute

отыграть to win back

отыграться *(в карты, в шахматы)* to win again; *(перен)* to get one's own back

отыгрыш money won back

отыскать to hunt out; *комп.* to retrieve

отыскаться to turn up

отяготить ~ **кого-н чем-н** to burden sb with sth

отягощение oppression; overburdening

отягчающий *юр.* aggravating circumstances

О

отягчить *(вину, положение)* to aggravate

офис office

офицер воен. officer; *(разг: шахматы)* bishop

офицерский *(звание, форма)* officer's; *(комната, столовая)* officers'

офицерство officer мн

официальный official; **официальное лицо** official

официант waiter

официантка waitress

оформитель *(интерьера/спектакля)* interior/set designer; **~ витрины** window-dresser

оформить *(книгу)* to design the layout of; *(витрину)* to dress; *(спектакль)* to design the sets for; *(документы, договор)* to draw up; **оформлять кого-н на работу** to take sb on (as)

оформиться *(мнение, взгляды)* to form; **оформляться на работу** to be taken on (as)

оформление design; *(документов, договора)* drawing up; *(на работу)* taking on; **музыкальное ~** music

офорт etching

офсет offset (process)

офтальмолог ophthalmologist

ox oh

охапка armful; **схватить что-н в ~ку** to grab sth in one arms

охать *(от боли)* to groan; *(от сожаления, печали)* to sigh

охаять to slate *(BRIT)*, to slag (off)

охват scope; envelopment

охватить *(пламя, чувства, темнота)* to seize; *(подписчиков, население)* to cover; воен. to envelop; **охватить что-нчем-н** *(руками, лентой)* to put sth round sth; **охватывать взглядом** to take in; **охватить умом** to grasp

охладеть *(отношения)* to cool; **охладевать** *(к мужу, к невесте)* to grow cool towards; *(к футболу, к сладкому)* to go off

охладительный cooling

охладить *(воду, чувства)* to cool; *(забияку)* to cool down

охладиться *(печка, вода)* to cool down; *(человек: водой)* to cool off

охлаждение cooling

охламон loafer

охмурить to lead on

охнуть to gasp

охота *(желание)* desire for sth/to do; **~ на лис** fox hunting *(to kill)*; **~ за лисой** fox hunting *(to catch)*; **ходить (пойти) на ~y** to go hunting; **~ за преступником/убийцей** the hunt for a criminal/murderer; **мне ~ посмотреть эту передачу** I fancy watching that programme; **что Вам за ~ спорить с ней?** what do you get out of arguing with her?; **~ тебе спорить!** do you really have to argue?

охотиться to hunt *(to kill)*; **~ за** to hunt *(to catch)*; *(перен: разг)* to hunt for

охотник hunter; volunteer to do; **быть большим ~ом** *(до женщин, сладкого)* to be crazy about

охотничий hunting

охотно gladly

охра ochre, ocher *(US)*

охрана *(защита: помещения, президента)* security; *(группа людей: президента)* bodyguard; *(помещения)* guard; *(здоровья, растений, животных)* protection; **под ~ой закона** protected by law; **~ порядка** maintenance of law and oreder; **~ природы** nature conservation; **~ труда** health and regulations мн

охранение protection

охранник guard

охранный *(зона, территория)* guarded; **~ая рота** security company

охранять *(помещение, президента)* to guard; *(здоровье)* to look after; *(природу)* to protect

охриплый *(голос, крик)* hoarse

охрипший hoarse

охрометь to go lame

оценить *(определить цену)* to value; *(определить уровень)* to assess; *(признать достоинства)* to appreciate; **оценивать что-н по достоинству** to appreciate the true value of sth

оценка *(вещи)* valuation; *(работника, поступка)* assessment; *(отметка)* mark

оценщик valuer

оцепенелый *(взгляд, человек)* stunned; **оцепенелое состояние** stupor

оцепенение numbness; био. dormancy

оцепить to cordon off

оцинковать техн. galvanize

очаг hearth; *(перен: заболевание)* source; *(культуры)* heart; **~ войны** flash point; **домашний ~** hearth and home

очарование charm

очаровательный charming

очаровать to charm

очевидец eyewitness

очевидно obviously; **~, что он виноват** it's obvious that he is guilty; **~, что он не придет** apparently he's not coming; **это совершенно ~!** it is perfectly obvious!; **он виноват? — ~!** is he guilty? — obviously

очевидный *(факт, истина)* plain; *(желание, намерение)* obvious

очень very; very much; **~ удобный/удобно** very comfortable/comfortably; **мы ~ хотим, чтобы она пришла** we would very much her to come

очередной next; *(ближайший: задача)* immediate; *(номер: газеты)* latest; *(следующий по порядку: собрание, отпуск)* regular; *(повторяющийся: ссора, глупость)* usual

очередь *(порядок)* order; *(место в порядке)* turn; *(группа людей)* queue *(BRIT)*, line *(US)*; *(тоннеля, завода)* section; **в первую ~** in the first instance; **в порядке ~и** when one's turn comes; **в свою ~** in turn; **~ за ними** it is their turn; **по ~и** in turn; **стоять на ~и** *(квартиру)* to be on the waiting list for; **пулеметная ~** воен. burst of automatic rifle fire; **на ~и стоит вопрос/задача** this is the next question/task

очерк *(литературный)* essay; *(газетный)* sketch

очертание *(обычно мн)* outline

очертить to outline

очески combings; flocks

очистительный purifying, purification

очистить to clean; *(газ, воду)* to purify; *(совесть, город, квартиру)* to clear; *(душу)* to cleanse; *(разг: обокрасть: дом)* to clean out; *(яблоко, картошку)* to peel; *(рыбу)* to clean

очиститься *(газ, вода)* to be purified; *(перен: совесть)* to be cleared; *(душа)* to be cleansed; **небо ~стилось от туч** the sky cleared

очистка purification; **для ~и совести** to ease one's conscience

очистки peelings мн

очистной *(сооружения)* purification plant

очищенный хим. purified; *(яблоко, картошка)* peeled; *(рыба)* cleaned

очки *(для чтения)* glasses мн, spectacles мн; *(для плавания)* goggles мн; **солнечные ~** sunglasses; **защитные ~** safety specs

очко спорт.point; *(карты)* pip; **дать сто ~ов вперед** to be miles better

очковтиратель deceiver

очковтирательство deception

очнуться *(после сна)* wake up; *(после обморока)* to come to; *(после испуга)* to steady o.s.

очный *(обучение, институт)* with direct contact between students and teachers; **очная ставка** юр. confrontation

очуметь to go off one's head

очутиться to find o.s.

ошарашить *(разг: вопросом, поведением)* to dumbfound

ошейник collar

ошеломительный stunning

ошеломить to stun

ошибиться to make a mistake; **ошибаться в ком-н** to misjudge sb

ошибка mistake, error; комп. bug; **по ~ке** by mistake

ошибочный *(мнение, представление)* mistaken, erroneous; *(суждение, вывод)* wrong

ошиваться *(разг: пренебр)* to hang about

О

ошпарить (*разг: ногу, палец, помидор*) to scald

ошпариться to scald o.s.

ощипывать (ощипать) to pluck

ощупать (*стол*) to feel for; (*лицо*) to feel

ощупь: на ~ by touch; **пробираться на** ~ to grope one's way through

ощупью by touch; (*перен*) blindly; **пробираться** ~ to grope one's way through

ощутимый (*потепление, запах*) noticeable; (*успех, расходы*) appreciable

ощутить (*запах*) to notice; (*радость, желание, боль*) to feel

ощущение (*прикосновения, запаха*) sense; (*радости, боли*) feeling

П

па (dance) step

павиан baboon

павильон pavilion; (*кино*) studio

павлин peacock

паводок flood

пагубный (*последствия*) ruinous; (*влияние, привычка*) pernicious

падалица windfall

падаль carrion; fallen fruit

падать to drop, fall

падеж case

Па-де-Кале Pas de Calais

падение fall; (*нравов, дисциплины*) decline

падкий greedy for

падчерица stepdaughter

падший fallen

паевой экон. share; **на ~ых началах** on a shareholder basis

паек ration; **сухой** ~ dry ration

паж page (boy)

паз техн. groove

пазуха bosom; **держать камень за ~ой на кого-н** to bear a grudge against sb, bear sb a grudge; **жить как у Христа за ~ой** to be without a care in the world

пай экон. share; **на ~ях** jointly

пайка см паек

пайщик shareholder

пакгауз warehouse

пакет packet, parcel

пакетный (*обработка*) комп. batch processing

Пакистан Pakistan

пакистанец Pakistani

пакистанский Pakistani

паковать to pack

пакостить to soil, dirty; ~ **кому-н** to play a dirty trick (on sb)

пакостник mischief-maker, nasty person

пакостный vile, nasty

пакость filth; trash

пакт pact

палас double-sided woven rug

палата (*в больнице*) ward; полит. chamber, house; **верхняя/нижняя** ~ полит. Upper/Lower Chamber; ~ **общин/лордов** House of Commons/Lords; **Книжная** ~ Book Chamber (*Bibliographical centre in Moscow*); **Торговая** ~ Chamber of Commerce

палатка (*туристическая*) tent; (*ларек*) stall

палач executioner

Палестина Palestine

палестинский Palestinian

палец (*руки*) finger; (*ноги*) toe; **безымянный** ~ fourth *или* ring finger; **большой** ~ (*руки*) thumb; (*ноги*) big toe; **средний** ~ middle finger; **указательный** ~ index finger; **знать что-н как свои пять ~цев** to know sth like the back of one's hand; **он ~ о ~ не ударил, он пальцем не шевельнул** he didn't lift a finger; **смотреть сквозь ~цы на что-н** to shut one's eyes to sth

палисадник (small) front garden (*BRIT*) *или* yard (*US*)

палитра (*также перен*) palette

палить (*волосы*) to singe; (*солнце*) to scorch; (*разг: стрелять*) to fire

палка stick; **лыжные ~ки** ski poles; **делать (сделать) что-н из-под ~ки** to be bludgeoned into doing sth; **это ~о двух концах** it cuts both ways; **~ки в колеса вставлять кому-н** to put a spoke in sb's wheel

паломник pilgrim
паломничество pilgrimage
палочка *мед.* bacillus *(мн* bacilli); **дирижерская** ~ (conductor's) baton; **волшебная** ~ magic wand
палочный *(дисциплина)* heavy-handed discipline
палтус halibut, turbot
палуба deck *(of ship)*
пальба gunnery
пальма palm-tree
пальто overcoat
памфлет lampoon
памятка *(туриста, отдыхающих)* guidelines *мн;* *(на работе)* memorandum *(мн* memoranda)
памятник monument; *(на могиле)* tombstone; *(археологический)* relic; ~ **старины** ancient monuments; **памятники письменности** ancient manuscripts
память memory; *(воспоминание)* memories *мн;* **в чью-н** ~, **в** ~ **ком-н** in memory of sb; **на** ~ *(читать стихи)* from memory; *(подарить, взять)* as a momento; **быть без** ~**и** to be unconscious; **он любит ее без** ~**и** he is crazy about her; **она без** ~**и от этого актера** she's mad about that actor
Панама Panama
Панамский канал Panamanian Canal
панацея panacea
панда panda
пандемия pandemia
панель *(тротуар)* pavement *(BRIT),* sidewalk *(US);* *строит.* panel; *техн.* control panel
панибратство familiarity
паника panic
паниковать to panic
панихида *рел.* funeral service; **гражданская** ~ civil funeral
панический *(состояние, бегство)* panic-stricken; *(слухи)* alarming
панно decorative panel
панорама panorama
пансион *(школа)* boarding school; *(полное содержание)* (full) board and lodging
пансионат boarding house
панталоны trousers

пантеон pantheon
пантера panther
пантомима mime
панцирь *(черепахи)* shell; *(рыцаря)* coat of armour *(BRIT),* armor *(US)*
папа dad; *(также* **Римский** ~*)* the Pope
папаха papakha *(tall fur cap)*
папаша *(разг: папа)* old man; *(как обращение)* grandad
паперть church porch
папироса type of cheap Russian cigarette with cardboard filter
папиросный *(бумага для курения)* cigarette paper; *(тонкая бумага)* tissue paper
папирус papyrus
папка folder *(BRIT),* file *(US)*
папоротник fern
папье-маше papier-mache
пар steam, fallow land; **на всех парах** full steam ahead
пара *(туфель)* pair; *(супружеская)* couple; *просв.* poor *(school mark);* ~ **слов/минут** *(разг)* a couple of words/minutes; **работать (играть) в** ~ **с кем-н** to work/play sb; **это** ~ **пустяков** it's child's play; **они два сапога** ~ they are as bad as each other
Парагвай Paraguay
параграф paragraph
парад parade; **в полном (при всем)** ~ dressed up to the nines
парадное entrance
парадный *(обед)* formal; *(стол)* festive; *(вид)* smart *(BRIT),* stylish *(US);* *(вход, лестница)* front, main; **парадный костюм/парадная форма** full dress
парадокс paradox
парадоксальный paradoxical
паразит parasite
парализовать *(также перен)* to paralyze; **ужас** ~**овал его** he was paralyzed with fear
паралич paralysis
параллель *(также перен)* parallel
параллельный parallel
параметр parameter; *комп.* default option
паранжа yashmak

П

паранойя paranoia
парапет parapet
парапсихология parapsychology
парафин paraffin (wax)
парашют parachute
парашютист parachutist
парень (разг: юноша) lad, boy; (мужчина) chap или fellow (BRIT), guy (US); он свой ~ he's an easy-going guy
пари bet; держать ~, что... to bet that...; заключать (заключить) ~ с кем-н (на что-н) to make a bet with sb (about sth)
Париж Paris
парижанин Parisian
парижанка Parisienne
парик wig
парикмахер hairdresser
парикмахерская hairdresser's (BRIT), beauty salon (US)
парилка steam room (in sauna)
парировать to parry
паритет parity
парить (овощи) to steam
париться (овощи) to be steamed; (в бане) to have a sauna; (разг: в теплой одежде) to sweat
парк park; (трамвайный) depot; вагонный ~ rolling stock; автомобильный ~ fleet of cars
паркет parquet
парковать to park
парламент parliament
парламентарий parliamentarian
парламентский parliamentary
парник (из стекла) greenhouse; (из полиэтилена) (poly)tunnel
парниковый (растение) hothouse; ~ое хозяйство glasshouse nursery; парниковый эффект greenhouse effect
парный (ботинок, носок) one of a pair of boots/socks; ~ое катание (на коньках) pairs' ice-skating; где ~ ботинок? where is the other boot?
паровоз steam engine или locomotive
паровой steam
пародировать to parody
пародия parody (of)
пароль password
паром ferry

парообразный vaporous
пароход steamer, steamship
пароходство shipping; (учреждения) port and navigation authority; (фирма) shipping company
парта desk
партбилет (партийный билет) (Party) membership card (of the Communist Party)
партер stalls мн
партизан partisan, guerrilla
партийный (съезд) party; Party member
партитура score
партия полит. party; (в СССР) the (Communist) Party; муз. part; (груза) consignment; (изделий: в производстве) batch, lot; (группа): поисковая ~ search party; спорт. ~ в шахматы/волейбол a game of chess/volleyball
партком (партийный комитет) (Communist) Party committee
партнер partner
партнерство эконом.partnership
парторганизация (партийная организация) (Communist) Party organization
парус sail; на всех парусах at full speed
парусина canvas
парусиновый canvas
парусник sailing vessel
парфюмерия perfume and cosmetic goods
парча brocade
паршивый lousy, rotten
пары vapour (BRIT), vapor (US)
пас спорт. pass
пасека apiary
пасечник bee keeper
пасквиль send-up
паскудный nasty
пасмурно it is overcast today
пасмурный overcast, dull; (перен) gloomy
пасовать (мяч) to pass; ~ перед to give in to
паспорт passport; (автомобиля, станка) registration document; заграничный ~ passport
пассаж arcade; муз. passage
пассажир passenger

пассажирский passenger

пассив liabilities *мн; линг.* passive (voice)

паста *(томатная)* puree; *(в ручке)* ink; зубная ~ toothpaste

пастбище pasture

паства flock, herd

пастель pastel

пастельный pastel

пастеризованный pasteurized

пастеризовать to pasteurize

пастернак parsnip

пасти *(скот)* to graze

пастила marshmallow

пастись to graze

пастор minister, pastor

пастух *(коров)* herdsman *(мн* herdsmen); *(овец)* shepherd

пастушеский pastoral

пастырь pastor

пасть *(крепость, правительство)* to fall; пасти зверя mouth

пасха *(в иудаизме)* Passover; *(в христианстве)* = Easter; *(кушанье)* paskha

пасынок stepson

патент *(на изображение)* patent; *(торговый)* licence *(BRIT)*, licence *(US)*

патентный patent; патентное бюро/ право patent office/rights

патентовать to patent

патетический *(страстный)* passionate, emotional

патока treacle

патологический pathological

патриарх patriarch

патриархальный patriarchal

патриот patriot

патриотизм patriotism

патрон *воен.* cartridge; *(дрели)* chuck; *(дрели)* chuck; *(лампы)* socket; *(покровитель)* patron

патронаж *мед.* home visiting by a district nurse for newborn babies or the chronically ill

патрубок branch pipe

патрулировать to patrol

пауза *(также муз)* pause

паук spider

пафос zeal, fervour *(BRIT)*, fervor *(US)*

пах groin

пахарь ploughman *(BRIT)*, plowman *(US)* *(мн* ploughmen *или* plowmen

пахать to plough *(BRIT)*, plow *(US)*

пахнуть to smell (of); *(скандалом)* to smack of; от нее ~нет духами she smells of perfume

пахота ploughing *(BRIT)*, plowing *(US)*

пахотный arable

пахучий strong-smelling

пацан boy, lad

пациент patient

пачка *(сигарет, бумаг)* bundle; *(чая, сигарет)* packet; *(балерины)* tutu

пачкать to get sth dirty; *(перен: репутацию)* to sully, tarnish

пачкаться to get dirty

пашня ploughed *(BRIT)* или plowed *(US)* field

паштет pate

паюсный *(икра)* pressed caviar(e)

паяльник soldering iron

паяльщик tinsmith

паясничать to lay the fool

паять to solder

паяц clown

певец singer

пегий piebald

педагог *(учитель)* teacher

педагогика education science

педагогический *(коллектив)* teaching; ~ институт teacher-training *(BRIT)* или teachers' *(US)* college; у нее ~ талант she has a talent for teaching; у него ~ое образование he trained as a teacher

педаль pedal

педант pedant

педиатр paediatrician *(BRIT)*, pediatrician *(US)*

педиатрия paediatrics *(BRIT)*, pediatrics *(US)*

педикюр pedicure

пейзаж *(также искусст.)* landscape; морской ~ seascape

пейзажист landscape painter

пекарня bakery

пекарь baker

Пекин Beijing, Peking

пекло *(зной)* scorching heat; *(перен: ед)* hell

пелена *(тумана, облаков)* veil,

shroud; **у него словно ~ с глаз упала** the scales fell from his eyes

пеленать to swaddle

пеленговать to take the bearings of

пеленка swaddling clothes *мн;* **с ~ок** from very early age

пелеринка cape

пеликан pelican

пельмень ravioli

пемза pumice

пена *(мыльная)* suds *мн; (морская)* foam; *(бульонная)* froth; **говорить с ~ой у рта** to foam at the mouth

пенал pencil case

пенальти penalty

Пенджаб Punjab

пение singing

пенистый frothy

пениться to foam, froth

пенициллин penicillin

пенни penny

пенопласт foam plastic

пенс pence *мн*

пенсионер pensioner

пенсионный *(фонд)* pension; **пенсионный возраст** pension age

пенсия pension; **~ по инвалидности** invalidity benefit; **выходить (выйти) на ~ю** to retire

пенсне pince-nez

пень (пня) (tree) stump; *(разг: пренебр: о человеке)* dolt, blockhead

пеньюар neglige

пеня fine

пенять *(на себя)* to blame *или* reproach o.s.; **пусть он ~ет на себя** he has only himself to blame

пепел ash; *(хлопья)* ashes *мн*

пепелище site of a fire

пепельница ashtray

первенец first-born

первенство *(положение)* first place; *(соревнование)* championship

первенствовать to take first place, come first

первичный *(самый ранний)* initial, primary; *(низовой)* grass root

первобытный primeval; primitive

первозданный primordial

первоисточник primary source

первоклассник *pupil in first year at school (usually seven years old)*

перво-наперво first of all

первоначальный *(исходный)* original, initial

первооткрыватель discoverer

первопроходец *(поселенец)* pioneer; *(исследователь)* explorer

перворазрядный first-class, top-class

первосортный top-quality, top-grade, first-rate

первостепенный *(задача, значение)* paramount

первоцвет primrose

первоочередной *(неотложный)* immediate

первый first; *(по времени)* first, earliest; *(US)* floor; **~ое время** at first; **в ~ую очередь** in the first place *или* instance; **~ час дня/ночи** after midday/midnight; **из ~ых рук** first-hand; **он ~ ученик** he is top of the class; **~ым делом** *или* **долгом** first of all; **товар ~ого сорта** top grade product *(on a scade of 1-3)*; **первая помощь** first aid;

пергамент parchment

переадресовать to readdress

перебазировать to relocate

перебегать (перебежать) to run across

перебеситься to run riot; *(разг)* to sow one's wild oats

перебирать (перебрать) to examine, sift, sort out; to reset; **~ся** to move, remove

перебить to interrupt; *(убить)* to kill; *(разбить)* to break; *(обить)* to reupholster; **перебивать аппетит** to spoil *или* ruin one's appetite; **перебивать мысль** to interrupt one's train of thought; **перебивать запах чего-н** to conceal the smell of sth

перебиться to make ends meet, get by; *(обойтись)* to do without; **они с трудом ~ились до зарплаты** they managed to get by till payday; **он ~ется!** he'll survive *или* manage!

перебой *(сердца)* irregularity; *(двигателя)* misfire; *(задержка)* interruption, break

переболеть to recover from; *(дети, люди: корью, гриппом)* to come down with; **у него душа ~ла** he is over the heartache

перебор *муз.* strumming; *(излишнее):* **это уже ~** that's too much

переборка sorting; resetting

перебороть to overcome

переборщить to go over the top with

перебранка quarrel

перебрать *(пересмотреть: бумаги)* to sort out; *(крупу, ягоды)* to sort; *(мысленно воспроизвести)* to go over *или* through (in one's mind); *(взять слишком много)* to take too much; *(выпить лишнее)* to drink too much; *(струны)* to pluck (*BRIT*), pick (*US*)

перебраться *(разг: через реку)* to manage to get across; *(на новую квартиру)* to move

перебросить *(мяч, мешок)* to throw over; *(войска)* to transfer, move

переброситься *(войска)* to be transferred; **перебрасываться** *(мячом)* to throw (to each other); *(словами)* to exchange (with one another)

перебывать *(у многих людей)* to call on; *(во многих местах)* **он везде ~л** he has been all over the world

перевал *(в горах)* pass

переваливать to cross; **перевалить за** to top

переварить to overcook (by boiling); *(пищу, информацию)* to digest

перевариться to be overdone *или* overcooked; *(пища)* to be digested

перевезти *(переместить)* to take *или* transport across; *(доставить)* to transport, take

перевернуть to turn over; *(изменить)* to change (completely); *(комнату)* to turn upside down

перевес *(преимущество)* advantage

перевесить *(товар)* to reweigh; *(аргумент)* to outweigh

перевести *(помочь перейти)* to take across; *(часы)* to reset; *(учреждение, сотрудника)* to transfer, move; *(текст)* to translate; *(устно)* to interpret; *(переслать: деньги)* to send, transfer; *(доллары, метры)* to convert; *(разг: израсходовать)* to waste; **пере-**

-водить разговор to change the subject; **переводить текст с русского языка на английский** to translate a text from Russian into English; **переводить дух (дыхание)** to take a (deep) breath

перевидать to see

перевод *(на другую должность)* transfer; *(стрелки часов)* resetting; *(текст)* translation; *(деньги)* remittance; **~ строки** *комп.* line feed; **кредитный ~** *комм.* credit transfer, bank giro

переводный in translation

переводчик translator; *(устный)* interpreter

перевоз *(груза)* transportation

переволноваться to be worried sick

перевооружать *(армию)* to rearm; *(промышленность)* to re-equip

перевоплотиться *(актер)* to be transformed

переворот *полит.* coup (d'etat); *(в судьбе)* upheaval

перевоспитать to re-educate

переврать *(разг:содержание)* to muddle

перевыборы election *(occurring at regular intervals)*

перевыполнить *(задание, план)* to overfulfil; *(норму)* to exceed

перевязать *(руку, раненого)* to bandage; *(рану)* to dress, bandage; *(коробку)* to tie up; *(чулки, свитер)* to reknit

перевязка *(раны, раненых)* bandaging

перегар *smell or taste of (stale) alcohol;* **от него несет ~ом** he reeks of alcohol

перегиб *(страницы, ткани)* fold; *(перен: крайности)* excesses *мн*

переглянуться to exchange glances (with)

перегнать *(переместить: скот, машину)* to drive; *(обогнать: бегуна, конкурента)* to overtake; *(нефть)* to refine; *(спирт)* to distil (*BRIT*), distill (*US*)

перегной humus

перегнуть *(бумагу)* to fold (over); *(с критикой)* to go too far; **перегибать палку** *(перен)* to go too far

переговариваться to exchange

П

remarks (with)

переговорный *(пункт)* telephone office *(for long-distance calls)*

переговоры negotiations *мн;* talks *мн; (по телефону)* call; **заказывать (заказать)** to book a call to

перегон *(на железной дороге)* stage *(between two railway stations)*

перегонка *(нефти)* refining; *(спирта)* distillation

перегореть *(лампочка)* to fuse; *(двигатель)* to burn out

перегородить *(комнату)* to partition (off); *(дорогу)* to block

перегородка partition

перегреть to overheat

перегрузить to overload

перегрузка overload; *(обычно мн: нервные)* stain

перегрызть to gnaw through

перегрызться to fight

перед before, in front of

передавать to deliver, hand over, pass on, transmit

передаточный transferable

передача transmission

передвигать (передвинуть) to move, shift

передвижение locomotion; removal, travel

передвижной *(выставка, цирк)* tralling *(BRIT),* traveling *(US); (лаборатория, библиотека)* mobile

переделать *(работу)* to redo; *(характер)* to change; *(рассказ)* to rewrite; **~ все дела** to get everything done

переделка *(одежды)* alteration; *(характера)* change; **попадать (попасть) в ~ку** to get into a fix; **побывать в ~ах** to be in a fix

передернуть *(разг: факты, цифры)* to massage; **его ~уло от холода** he convulsed from the cold; **его ~уло от отвращения** he shuddered in disgust

передний front; **П~яя Азия** the Middle East; **~ план** *комп.* foreground; **передний край** *воен., перен.* front line

передник apron

передняя (entrance) hall

передовая editorial; воен. vanguard

передовой *(отряд)* advance, forward; *(машина)* front; *(технология)* advanced; *(писатель, взгляды)* progressive

передохнуть to take a breather *(BRIT)* или break *(US)*

передразнить to mimic

передроглый chilled through and through

передряга commotion; row

передумать to change one's mind

передышка rest; *(перерыв)* (short) break

переезд *(в новый дом)* move; *(на железной дороге)* level crossing

переехать *(переселиться)* to move; **переезжать через** to cross

переждать to wait for the rain to pass

переживание *(обычно мн)* feeling

переживать to worry (about)

пережиток relic

пережить *(прожить дольше)* to outlive; *(выжить)* to survive; *(испытать)* to experience; *(вытерпеть)* to suffer

перезарядить *(аккумулятор)* to recharge; *(ружье)* to reload

перезвонить to phone *(BRIT)* или call *(US)* back

перезреть to become overripe

переиграть *(играть сначала)* to replay; to overact; **это дело надо ~** this will have to be looked at again

переизбрать to re-elect

переиздать to republish

переименовать to rename

перейти (через) to cross; **~ в/на** *(поменять место)* to go to; *(на другую работу)* to move to

перекатить *(что-н круглое)* to roll; *(что-н на колесах)* to wheel

перекатиться to roll

переквалифицироваться to retrain

перекинуться *(мячом)* to throw to each other

перекладина crossbeam; *спорт.* (horizontal или high) bar

перекладные stagecoach *ед*

перекликаться *(люди, животные)* to call to each other; *(перен: образы, идеи)* to have something in

common (with)

перекличка roll call

переключатель switch

переключение switching; *(скорости)* changing *(BRIT)*, shifting *(US)*

переключить to switch; **переключать скорость** to change *(BRIT)* или shift *(US)* gear; **переключать разговор** to change the subject

перековать *(коня)* to reshoe; *(изделие, деталь)* to reforge

перекормить to overfeed

перекос bending, curving

перекосить *(рисуя)* to draw crooked; *(вырезая)* to cut crooked

перекоситься *(деталь, рисунок)* to come out crooked; *(лицо, тело)* to become distorted

перекочевать *(стадо, табор)* to move on

перекреститься to cross

перекрестный intersecting; **перекрестный допрос** cross-examination; **перекрестный огонь** crossfire

перекресток crossroads

перекричать *(в споре)* to shout down; *(шум, музыку)* to shout above

перекрытие ceiling; *(реки)* damming

перекрыть *(покрыть заново)* to recover; *(реку)* to dam; *(дорогу, улицу)* to close off; *(воду, газ)*to cut off; *(разг: план)* to exceed

перекупить to buy

перекупщик dealer

перекур *(разг: перерыв)* cigarette break

перекурить to break for a cigarette; *(сделать перерыв)* to take a break

перекусить to bite through;*(разг)* to have a snack

перелезть *(через забор, канаву)* to climb (over); **перелезать в/на** to get или climb into

перелесок *(небольшой лес)* copse, coppice; *(редкий лес)* sparsely wooded area

перелет flight; *(птиц)* migration

перелетный *(птицы)* migratory

перелив *(красок, звуков)* (subtle) gradation; *(голоса)* modulation

переливание *(крови)* blood transfusion

переливать *(блестеть)* to shimmer

with; ~ **всеми цветами радуги** to be iridescent

переливаться to overflow, run over

перелистать *(просмотреть)* to leaf through; *(быстро перебрать)* to flick through

переловить to catch

переложение *(пьесы, повести)* adaption; *(музыкального произведения)* arrangement

переложить to move, shift; **перелагать** *повесть, пьесу)* to adapt; **перекладывать что-н на кого-н** *(ответственность, работу)* to pass sth onto sb; ~ **соли в суп** to put too much salt in the soup

перелом мед. fracture; *(перен)* turning point

переломать to break

переломить *(палку)* to break in two; *(ход событий)* to change dramatically

переломный critical

перемазать to cover

переманить to entice

перемежающий intermittent

перемена change; *(в школе)* break *(BRIT)*, recess *(US)*

переменить to change

перемениться *(жизнь, погода)* to change; **он ~енился в лице** *(от волнения)* his expression changed

переменный *(погода)* changeable; *(успех, ветер)* variable; **переменный ток** alternating current

переменчивый fickle, inconstant

перемерить *(измерить снова)* to remeasure; *(примерить)* to try on

переместить *(предмет)* to move, shift; *(людей)* to transfer

переместиться to move

переметнуть to throw over

переметнуться *(на сторону противника)* to go over; ~**ся через** to leap over

перемешать *(кашу)* to stir; *(угли, дрова)* to poke; *(вещи, бумага)* to mix up

перемешаться to get mixed up

перемещение reshuffle *(in gavernment of jobs)*; *(передвижение)* transfer

перемещенный displaced person

перемигнуться to wink at each other;

он ~улся с девушкой he winked at the girl and she winked back

перемирие (*достаться*) truce

перемножить (*числа*) to multiply

перемолоть to grind

перемыть to wash; (*вымыть заново*) to wash again, rewash; **перемывать косточки кому-н** to gossip about sb

перемычка (*соединение*) crosspiece; (*перекрытие: окна, двери*) lintel

перенапряжение (*физическое, умственное*) overexertion

перенапрячь to overstain, overexert

перенаселённый overpopulated

перенести (*что-н через*) to carry sth over *или* across; (*поменять место*) to move; (*встречу, заседание*) to reschedule; (*болезнь*) to suffer from; (*несчастье, голод, холод*) to endure; **переносить слово на другую строку** to carry a word over to the next line

перенестись to be transported

перенос (*вещей, предметов*) transfer; (*заседания*) rescheduling; линг. hyphen

переносица bridge of the nose

переносной portable

переносный (*значение*) figurative

переносчик *мед.* carrier

перенять (*опыт, идеи*) to assimilate; (*обычаи, привычки*) to adopt

переоборудовать to reequip

переобуть (*туфли*) to change (out of); **переобувать кого-н** to change sb's shoes

переодеть (*одежду*) to change (out of); **переодевать кого-н** to change sb's clothes

переосмыслить (*осмыслить заново*) to reassess

переоценивать (*дать новую цену*) to re-value; (*оценить слишком высоко*) to overestimate

переоценка re-evaluation, revaluation; overestimation; ~ **ценностей** reappraisal *или* reassessment of values

перепад drop in

перепаивать (*перепаять*) to resolder; (*перепоить*) to intoxicate

перепалка row

перепасть (*достаться*) to come one's way; **мне ~ала кое-какая мебель** some furniture has come my way

перепачкать to get filthy

перепел quail

перепелятник sparrow hawk

перепечатать (*статью*) to reprint; (*рукопись*) to type

перепечатка reprint

перепиваться to become intoxicated

перепилить (*много дров*) to saw; (*доску*) to saw in two

переписать (*написать заново*) to rewrite; (*скопировать*) to copy; (*сделать список*) to list of; комп. to overwrite

переписка rewriting; copying; listing; (*деловая*) correspondence; (*письма*) letters *мн*; **быть в ~ке** to be in correspondence with

переписчик copyist; typist

переписываться to correspond (with)

перепись (*населения*) census; (*имущества*) inventory

переплата overpayment, surplus payment

переплатить to pay too much

переплести (*книгу, диссертацию*) to bind; (*верёвки, пальцы*) to interlace

переплестись to interwine; (*перен: события*) to become interwoven

переплёт (*обложка*) binding; **попадать** (**попасть**) **в** ~ to get into a fix; **отдавать** (**отдать**) **книгу/диссертацию в** ~ to have a book/thesis bound; **оконный** ~ window sash

переплётная (book) bindery

переплыть (*вплавь*) to swim (across); (*на лодке, на корабле*) to sail (across)

переплюнуть to go one up on

переподготовка retraining

переползти to crawl; **переползать** (*через дорогу, поле*) to crawl across

переполнить (*сосуд, контейнер*) to overfill; (*вагон, автобус*) to overcrowd; **моё сердце ~ено любовью** my heart is overflowing with love

П

переполниться *(сосуд)* to be overfilled; *(душа, сердце)* to overflow

переполох hullabaloo

переполошиться to become alarmed

перепонка membrane; **барабанная ~** eardrum

перепончатый membranous; webbed; webfooted

переправа crossing

переправить *(через реку, границу)* to take across; *(посылку, письмо)* to forward; *(ошибку, фразу)* to correct

переправиться *(через реку, горы)* to cross

перепродать to resell

перепроизводство overproduction

перепрыгнуть to jump (over)

перепрягать to change

перепуг in fright

перепугать to scare the life out of sb

перепутаться *(нитки, провода)* to get tangled up; *(перен: мысли, воспоминания)* to get confused

перепутье crossroads; **на ~** at a crossroads

переработать *(сырье, нефть)* to process; *(идеи, статью, теорию)* to rework; *(переутомиться)* to be overworked

перераспределить to redistribute

перерасти to outgrow; **перерастать в** *(превратиться)* to escalate into

перерасход *(энергии, денег)* overexpenditure; комм. overdraft

перерасчет *(счет заново)* recalculation; *(комм.: в другие единицы)* conversion

перерезать *(провод)* to cut in two; *(перен: преградить)* to cut off

перерисовать to copy

переродиться *(природа, общество)* to be regenerated; *(человек)* to be transformed

перерождение regeneration; transformation

переругаться to quarrel

перерыв break, interruption; interval

перерыть *(перекопать)* to dig up; *(разг: вещи, книги)* to rummage through

пересадить to move; *(на другой по-*

езд, самолет) to transfer; *(дерево, цветок, сердце)* to transplant; *(кость, кожу)* to graft; **пересаживать кого-н на другое место** to move sb to another seat

пересадка *(растения)* transplantation; *(на поезд)* change; *(мед. сердца)* to transplant; *(кожи)* graft; **делать (сделать) пересадку в Москве** to change in Moscow

пересаливать см **пересолить**

пересдавать to resit

пересдать *(экзамен, зачет)* to pass *(after resit)*

переселенец *(на новую территорию)* settler; *(временно переселяемый)* person having to move to temporary accommodation

переселить *(на новые земли)* to settle; *(в новую квартиру)* to move

пересесть *(на другое место)* to move; **пересаживаться на другое место** to move to another seat; **пересаживаться на другой поезд/самолет** to change trains/planes

пересечение *(действие)* crossing; *(место)* intersection

пересеченный *(гео: местность)* broken

пересечь to cross

пересилить *(человека)* to overpower; *(чувство)* to overcome

переселиться *(в другую страну)* to emigrate; *(в новый дом)* to move

пересказ *(содержание фильма)* retelling; *(изложение)* exposition

пересказать to tell

переслать *(отослать)* to send; *(по другому адресу)* to forward

пересмена *(на заводе, на вахте)* change of shift

пересмотр review; revision

пересмотреть *(книги, вещи)* to look through; *(решение, вопрос, позицию)* to reconsider

переснять *(документ)* to make a copy of; *(сцену в фильме)* to reshoot; *(фотографию)* to take again

пересолить to put too much salt in sth

П

пересохнуть *(почва, белье)* to dry out; *(река, ручей)* to dry up

переспать *(спать слишком долго)* to oversleep; ~ **с кем-н** to sleep with sb

переспелый overripe

переспеть to become overripe

переспорить defeat sb in an argument

переспросить to ask again

перессориться to quarrel *или* fall out (with)

переставить to move; *(изменить порядок)* to rearrange

перестановка permutation; rearrangement; transposition

перестараться to overdo it

перестать to stop; to stop doing; ~**ньте! stop it!**

перестирать *(все вещи)* to wash; *(постирать заново)* to wash again, rewash

перестрадать to suffer

перестраховаться to reinsure; *(перен)* to play safe

перестрелка exchange of fire

перестроить *(дом, мост)* to rebuild, reconstruct; *(программу, экономику)* to reorganize; *(ряды, колонны)* to re-form; *(музыкальный инструмент)* to retune

перестроиться *(человек)* to reorganize o.s.; *(фабрика, коллектив)* to restructure; *(солдаты, шеренги)* to re-form

перестройка *(дома)* rebuilding, reconstruction; *(расписания, экономики)* reorganization; муз. retuning; ист. perestroika

переступить to overstep; **переступить через** *(порог, предмет)* to step over

пересуды gossip

пересчет count; *(повторный)* re-count; **сколько это в ~е на рубли?** how much is it when converted into roubles?

пересчитать to count; *(повторно)* to re-count, count again; *(в других единицах)* to convert

пересылка sending; *(тюрьма)* transit prison *(where prisoners stay temporarily)*

пересыпать *(насыпать)* to pour; *(перен: речь, рассказ)* to intersperse

перетасовать *(карты)* to shuffle; *(перен: министров)* to reshuffle

перетащить *(мешок)* to drag over

перетрясти to shake out

переть *(разг: идти)* to trudge; *(ломиться)* to barge through; *(красть)* to pinch

переться *(разг: идти)* to trudge

перетянуть *(передвинуть)* to pull, tow; *(быть более тяжелым)* to outweigh; *(стянуть что-н чем-н)* to tie sth tightly round sth

переулок lane, alley

переутомиться to tire o.s. out

переутомление exhaustion

переучет stocktaking

переучить to retrain

переучиться to undergo retraining

перефразировать to paraphrase

перехват intake; waist *(of dress)*

перехватить *(захватить на пути)* to intercept; *(разг: переборщить)* to go too far; *(обязать)*: ~ **что-н чем-н** to tie sth round sth; **у него** ~**атило дыхание** he caught his breath; **перехватить бутерброды** to grab a sandwich; **перехватывать чей-н взгляд** to catch sb's eye

перехитрить to outwit

переход crossing; *(к другой системе)* transition; *(в здании, между зданиями)* passage

переходный *(промежуточный)* transitional; **переходный глагол** transitive verb

перец pepper; *(зернышко)* peppercorn; **жгучий** ~ chilli pepper; **болгарский** ~ capsicum

перечень list; ~**служебных обязанностей** job specification

перечеркнуть to cross out; *(перен: надежды)* to shatter

перечертить *(начертить снова)* to draw again; *(скопировать)* to copy

перечесть *(пересчитать)* to re-count, count again; *(перечитать)* to reread, read again

перечисление transfer; **платить (заплатить) по** ~ to pay by transfer

перечислить (*упомянуть*) to list; *комм.* to transfer

перечитать to read; (*читать заново*) to reread, read again

перечить to contradict

перечница pepper-box

перешеек isthmus

перешёптываться to whisper to each other

перешить (*платье, костюм*) to alter; (*пуговицу, крючок*) to move (*by sewing on somewhere else*)

перещеголять to outshine

переэкзаменовка resit

перила railing; (*лестницы*) banisters *мн*

периметр perimeter

перина feather bed

период period; **первый/второй ~** *спорт.* first/second half (of the game)

периодика periodicals *мн*

периодически periodically

периодический periodical; **периодическая печать** the periodical press

периодичность regularity

перипетия (*обычно мн*) upheaval

перитонит peritonitis

периферийный peripheral

периферия the provinces; *комп.* peripherals *мн*; peripheral devices *мн*

перифразировать to paraphrase

перл pearl

перламутр mother-of-pearl

перловка pearl barley

перманентный permanent

пернатый bird

перо (*птицы*) feather; (*для письма: гусиное*) quill; (*стальное, золотое*) nib

перочинный (*нож*) penknife (*мн* penknives)

перпендикулярный perpendicular

перрон platform

перс Persian

персидский Persian; **Персидский залив** Persian Gulf

персик (*дерево*) peach tree; (*плод*) peach

Персия Persia

персона person

персонаж character

персонал personnel, staff

персональный personal; **персональная выставка** one-man exhibition; **персональный компьютер** PC (*personal computer*)

перспектива *геом.* perspective; (*вид*) view; (*планы*) prospects *мн*; **в ~е** (*в будущем*) in store

перспективный (*изображение*) in perspective; (*планирование*) long-term; (*многообещающий*) promising; **~ план** plan of future developments

перстень ring

Перу Peru

перфокарта (*перфорационная карта*) punched *или* punch (*BRIT*) card

перфолента (*перфорационная лента*) punched tape

перхоть dandruff

перчатка glove; (*боксёра*) champion boxer

перчить to pepper

першить to tickle (*in throat*)

пес dog

песенник songbook; (*композитор*) songwriter

песец arctic fox

пескарь gudgeon

песня song; **старая ~** the same old story

песок sand; **сахарный ~** granulated sugar;

песочный (*цвет*) sandy; (*тесто, печенье*) short; **песочные часы** hourglass

пессимист pessimist

пестик pestle

пестицид pesticide

пестовать (*перен*) to nurture

пестреть (*виднеться*) to be colourful (*BRIT*); colorful (*US*); (*мелькать*) to make a colo(u)rful display; **в саду/ на лугу ~ют цветы** the garden/meadow is bright with flowers

пёстрый (*ткань, ковёр*) multicoloured (*BRIT*), multicolored (*US*); (*перен: разнородный*) mixed

петиция petition

петлица (*петля*) buttonhole; (*на-*

П

шивка) tab *(on uniform)*
петля loop; *(в вязании)* stitch; *(двери, крышки)* hinge; *(в одежде: для пуговицы)* buttonhole; *(для крючка)* eye
петлять to meander
петрушка parsley
петуния petunia
петух cock, rooster *(US)*
петушиный *(пение)* cocks'; **~ бой** cock fight; **~ голос** a squeaky voice
петь to sing
пехота infantry
пехотинец infantryman *(мн infantrymen*
печалиться to be sad
печаль *(грусть)* sadness, sorrow; **не было ~!** what a nuisance!
печально *(петь, выглядеть)* sadly; **~, что мы не встретились** it's sad that we didn't meet; **~ известный** notorious
печатать *(также фото)* to print; *(публиковать)* to publish; *(на пишущей машинке)* to type
печатающий (**~ая головка** комп. printhead; **~ее колесо** комп. printwheel
печатник *(работник)* printer
печать stamp, seal; *(на дверях, на сейфе)* seal; *(издательское дело)* printing; *(страданий)* mark; *(пресса)* press; **выходить (выйти) из ~и** to come out, be published
печёнка liver; **в ~ах сидеть у кого-н** to get on sb's nerves
печень *анат.* liver
печенье biscuit *(BRIT),* cookie *(US)*
печка stove; *техн.* furnace; *(обжиговая)* kiln;
печь to bake; **микроволновая ~** microave oven
пешеход pedestrian
пешеходный pedestrian; *(совершаемый пешком)* on foot; **пешеходный мост** footbridge
пешка pawn
пешком on foot
пещера cave
пещерный *(живопись)* cave
пианино (upright) piano
пианист pianist
пивная bar, pub *(BRIT)*

пиво beer
пивовар brewer
пивоварение brewing
пигалица *(перен: пренебр)* pi psqueak
пигмей pygmy
пигмент pigment
пиджак jacket
пижама pyjamas *мн*
пижма *(трава)* feverfew; *(дерево)* wild rowan
пижон *(разг: пренебр)* pose(u)r
пик *(часы, период, время)* peak; **часы ~** *(в работе транспорта)* rush hour; *(электростанции, телефона)* peak period
пика *(рыцаря)* lance; *(солдата)* pike; **в ~у кому-н** to get at sb
пикантный *(вкус)* piquant; *(случай, слухи)* spicy; *(женщина, внешность)* alluring
пикет picket
пикетировать to picket
пики *(в картах)* spades *мн*
пикировать to dive
пикник picnic
пикнуть *(разг: животное)* to let out a squeak; *(птица)* to let out a squawk; **он при ней не смел и ~** he wouldn't dare speak out in her presence
пиковка spade *(card)*
пиковый *(наивысший)* peak; *(в картах)* of spades; **~ое положение** mess
пила saw
пиликать *(на скрипке)* to scrape away on
пилить to saw; *(перен: разг)* to nag
пиломатериалы sawn timber
пилот pilot; *спорт.* driver
пилотировать to pilot
пилюля pill; **проглотить ~ю** to swallow a bitter pill
пинать to kick
пингвин penguin
пинг-понг table tennis, ping-pong
пинетка bootee
пинок kick
пинцет *мед.* tweezers *мн;* tex. pincers *мн*
пион peony
пионер pioneer; *(в СССР)* member of Communist Youth organisation

пипетка pipette
пир feast
пирамида pyramid
пират pirate
Пиренеи Pyreness
пировать to feast
пирог pie
пирожковая *(тип закусочной)* snack-bar
пирожное cake, sweet pastry
пирс pier
пиршество feast
писание *(действие)* writing; **Священное П~** Holy Scripture
писатель writer
писать to write; *(картину, пейзаж)* to paint; *(ребенок, ученик)* to be able to write; *(ручка)* to write; **он написал, как доехал/где устроился** he wrote to say he had arrived safely/where he was staying; **~ши пропало** it is as good as lost
писец *ист.* scribe
писк *(ребенка)* squeak; *(птицы)* cheep
писклявый *(голос)* squeaky
пискнуть *(ребенок, животное)* to give a squeak; *(птица)* to give a cheep
пистолет pistol
пистон *(в патроне)* percussion cap
письменно in writing
письменность written language; *(памятники)* literary text **мн**
письмо letter; *(иероглифическое, алфавитное)* script; *(исскуство: манера)* style
питание *(больного, ребенка)* feeding; *тех.* supply; *(вегетарианское, плохое)* diet; **общественное ~** public catering
питательный *(соли, вещества)* nutritious; *(крем, лосьон)* nourishing; *(клапан, станция, насос)* supply; filling; **питательная среда** breeding ground
питать to feed; *(снабжать)* to supply; *(перен: испытывать)* to feel
питаться *(человек, растение)* to live on; *(животное)* to feed on; *техн.* to run on, use

питомец *(воспитанник)* pupil
питомник *бот.* nursery
питон python
пить to drink; **за кого-н/что-н** to drink to sb/sth; **как ~ дать** for sure
питье beverage, drink
питьевой *(вода)* drinking water
пихать *(разг: толкать)* to shove; *(разг: засовывать)* to cram
пихнуть to give a shove; *(сунуть)* to push
пихта fir (tree)
пиццерия pizzeria
пичкать *(кого-н чем-н) (конфетами)* to stuff sb with sth; *(лекарствами)* to pour sth down sb's neck
пишущий *(машинка)* typewriter
пища food; **~для размышлений** *или* **ума** food for thought; **для воображения** fuel to the imagination
пищать *(птицы)* to cheep; *(животные)* to squeak; *(ребенок)* to сгу
пищеварение digestion
пищевой food; *(соль)* edible; **пищевая сода** baking soda
пиявка leech
плавание swimming; *(на судне)* sailing; *(рейс)* voyage; **заниматься ~ем** to train as a swimmer; **плавание бассейн** swimming pool
плавательный swimming
плавать *(человек, животное)* to swim; *(корабль)* to sail; *(лист, облако)* to float; *(перен: на экзамене)* to be out of one's depth; *(служить на судне)* to work (at sea) as
плавить to smelt
плавка *(действие)* smelting; *(продукт)* smelt
плавки swimming trunks **мн**
плавленый *(сыр)* processed cheese
плавник *(у рыб)* fin; *(у водных животных)* flipper
плавный smooth
плавучий floating; **плавучая база** *(в рыболовстве)* floating unit for storing and processing fish
плагиат plagiarism
плазма plasma
плакат poster

плакать to cry, weep; ~ *(от боли)* to cry from; *(от радости)* to cry with; *(от горя)* to cry in; ~кал мой выходной so much for my day off; ~кали мои деньги that's my money up the spout; палка по нему ~чет he's asking for a beating

плакса crybaby

пламенный *(цвета пламени)* flame-coloured *(BRIT)*, flame-colored *(US)*; *(горячий)* burning; *(перен: страстный)* ardent

пламя flame

план plan; *(чертеж)* plan, map; крупный ~ close-up; планы на будущее future plans; передний ~ foreground; задний ~ background; на первом плане учеба her priority is studying; в теоретическом плане in theory; отходить (отойти) *или* отступать (отступить) на второй ~ to become less important

планер glider

планета planet

планетарий planetarium

планирование planning

планировать to plan; авиа. to glide; *(запланировать, намереваться)* to plan

планка *(деревянная)* strip of wood; *(металлическая)* strip of metal

планктон plankton

плановик planner

плановый *(задание, продукция)* planned; *(отдел, комиссия)* planning

планомерный systematic

плантация plantation

планшет mapcase

пласт stratum *(мн* strata)

пластика *(скульптура)* the plastic arts *мн; (гармония)* grace; *(балетная)* eurhythmics; *мед.* plastic surgery

пластилин plasticine

пластина *гео.* plate

пластинка *муз.* record; долгоиграющая ~ album, L.P.*(long-playing record)*

пластический plastic; пластическая масса plastic; пластическая опе-

рация мед plastic surgery

пластичный *(жесты, движения)* graceful; *(материалы, вещества)* plastic

пластмасса *(пластическая масса)* plastic

пластырь *мед.* plaster

плата *(за труд, за услуги)* pay, salary; *(за квартиру)* payment; *(за проезд)* fee; *(перен: награда, кара)* reward; заработная ~ wages *мн*

платеж payment; наложенным ~ежом cash on delivery

платежеспособность solvency

платежеспособный *комм.* solvent

платина platinum

платный *(вход, стоянка)* chargeable; *(школа)* fee-paying; *(больница)* private

платок *(головной)* headscarf *(мн* headscarves); *(наплечный)* shawl; *(также: носовой)* handkerchief

платформа platform; *(маленькая станция)* halt; *(открытый вагон)* open goods truck; *(основание)* foundation

платье dress; *(одежда)* clothing, clothes *мн*

плафон decorated ceiling; *(абажур)* shade *(of ceiling light)*

плаха ист. (executioner's) block

плацдарм *воен.* bridgehead

плацента placenta

плацкартный *(вагон)* railway car with open berths instead of compartments

плач crying

плашмя flat

плащ cloak; *(пальто)* raincoat

плебей plebeian

плевательница spittoon, cuspidor *(US)*

плевать to spit; *(на правила, на мнение других)* to not give a damn about; ~ в потолок to loaf (about)

плевок spit, spittle

плеврит pleurisy

плед (tartan) rug

плейер Walkman

племенной *(язык, территория)* tribal; *(скот)* purebred; *(хозяйство, животноводство)* (purestrain) stockbreeding; **племенной бык** pedigree bull; **племенная лошадь** thoroughbred (horse)

племя tribe; **молодое ~** the younger generation

племянник nephew

племянница niece

плен captivity; **брать (взять) кого-н в ~** to take sb prisoner; **попадать (попасть) в ~** to be taken prisoner

пленительный captivating, charming

пленить (*очаровать*) to captivate, charm

пленка (*также фото*) film; (*кожица*) film, membrane; (*магнитофонная*) tape; **записывать (записать) что-н на ~ку** to record sth (on tape)

пленник (*пленный*) prisoner, captive

пленум plenum

плесень mould (*BRIT*), mold (*US*)

плеск splash

плескать to splash; (*слегка*) to lap

плескаться to splash; (*волны: слегка*) to lap

плесневеть to go mouldy (*BRIT*), moldy (*US*)

плести (*сети*) to weave; (*венок, волосы*) to plait; (*глупости*) to spout; **интриги (козни)** to weave a web of intrigue; **~ небылицы** to spin yarns

плетеный (*корзина, мебель*) wicker; (*сандали*) woven

плетень wattle fence

плечики (*вешалка*) coat hangers *мн*; (*подкладки*) shoulder pads *мн*

плечо shoulder; **~ем к ~чу** shoulder to shoulder; **это мне не по плечу** I am not up to it; **за ~ами у него 5 лет учебы** he has 5 years of study behind him *или* under his belt; **с чужого ~а** (*одежда*) secondhand; **выносить (вынести) что-н на своих ~ах** to carry on one's shoulders

плешивый bald

плешь patch

плеяда (*ученых, музыкантов*) galaxy

плинтус skirting board (*BRIT*), baseboard (*US*)

плита (*каменная*) slab; (*металлическая*) plate; (*печь*) cooker, stove

плитка (*керамическая, кафельная*) tile; (*шоколада*) bar; (*электрическая*) not plate; (*газовая*) camping stove

плов pilaff

пловец swimmer

пловучесть buoyancy

плод *бот.* fruit; *био.* foetus (*BRIT*), fetus (*US*); (*перен*) fruits of

плодиться to multiply

плодовый fertile; (*перен*) prolific

плодородный fertile

плодотворный fruitful

пломба (*в зубе*) filling; (*на дверях, на сейфе*) seal

пломбир *rich creamy ice-cream*

пломбировать (*зуб*) to fill; (*дверь, сейф*) to seal

плоский (*перен: неоригинальный*) feeble

плоскогубцы pliers *мн*

плоскость (*также перен*) plane

плот raft

плотина dam

плотник carpenter

плотность density

плотный (*дым, туман*) dense, thick; (*население, толпа, лес*) dense; (*бумага, кожа*) thick; (*тело, человек*) thick-set; (*завтрак, обед*) substantial

плотоядный carnivorous; (*перен*) lustful

плоттер *комп.* plotter

плоть flesh; **~ и кровь** flesh and blood; **ангел/дьявол во ~и** angel/devil incarnate

плохо badly, poorly

плохой bad, nasty, poor

площадка platform; landing place; pleasure-ground

площадь area, square; esplanade

плуг plough

плут impostor, rogue

плутовать to cheat

плутоний plutonium

плыть (*человек, животное*) to swim; (*судно*) to sail; (*лист, облако*) to float

плюгавый (*разг: пренебр*) wimpish

плюнуть to spit; **на что-н** to stop bothering about sth; **плюнь!** forget

П

it!; это мне раз ~уть it's a doddle (for me)

плюрализм pluralism

плюс plus; *(разг: преимущество)* plus *(мн* pluses); два ~ два — четыре two plus two is four; ~ минус 2 см plus or minus *или* give or take 2 cm

плюхнуться *(человек)* to flop down

плюш plush

плющ ivy

пляж beach

плясать to dance

пляска dance

пневматический pneumatic

пневмония pneumonia

пнуть to boot

по at, by, in, on, to, up to, along

побаиваться to be a bit frightened of

побаливать *(разг: иногда)* to ache now and again; *(слегка)* to hurt a bit

побег *(из тюрьмы)* escape; *бот.* shoot, sprout

победа victory; **одерживать (одержать) ~у над кем-н/чем-н** to win a victory over sb/sth

победитель *(в войне)* victor; *(в состязании)* winner

победить to defeat; to win

победный victorious, triumphant; *(марш, салют)* victory

победоносный *(армия, атака)* victorious; *(перен: вид, слова)* triumphant

побежать *(человек, животное)* to start running; *(дни, годы)* to start to fly by; *(ручьи, слёзы)* to begin to flow

побережье coast

поберечь *(деньги, время)* to save; *(здоровье, мать)* to take care of, look after

побеседовать to have a chat

побеспокоить to disturb, bother; **позвольте Вас ~**may I trouble you?; ~ **кого-н приездом** to inconvenience sb by one's arrival

побеспокоиться *(проявить заботу)* to concern o.s.

побить *(повредить)* to destroy; *(перебить)* to kill; *(разбить)* to

break; *спорт.* to beat; **побивать рекорд** to break a record

поблажка indulgence

побои beating

побоище bloodshed, slaughter

побольше rather more

побороть to overcome

побочный *(продукт, реакция)* secondary; ~ **эффект** side effect

по-братски brotherly

побрезговать to disdain, dislike

побросать *(вещи)* to throw about

побрякушка trinket

побудитель instigator

побуждать (побудить) to instigate, rouse, stir

побуждение incentive, motive

побывать to visit occasionally

побыть to stay *(for little time)*

повадка way

повалить *(снег, град)* to begin to fall; *(толпа)* to come pouring in

повар cook

поваренный *(книга)* cookery *(BRIT)*, cook *(US)* book; **~ая соль** table salt

поведать to relate, to tell

поведение behaviour, conduct

повести *(начать вести: человека)* to take; *(войска)* to lead; *(машину, поезд)* to drive; *(войну, следствие)* to begin; *(бровью)* to raise; *(плечом)* shrug; ~ **себя нахально** to start to behave impudently; **он и бровью не ~ел** he didn't bat an eyelid

повезти to take

повелевать (повелеть) to command, order

повелительный dictatorial, imperative

повергать (повергнуть) to plunge, precipitate, throw down

поверенный *(в делах)* charge d'affaires; **присяжный ~** barrister *(in tsarist Russia)*

поверие tendency

поверить *(что-н кому-н)* to confide sth to sb

поверка check, control; verification; proof

повернуть to turn

поверх over

П

поверхностный surface; superficial
поверхность surface; лежать на ~и to be perfectly obvious
поверье (popular) belief
повеса madcap, tomboy, rascal
повествование narrative
повествовать (роман) to tell (the story) of
повестка summons (мн summonses); ~ дня agenda
повесть story
повешение hanging; смертная казнь через ~ sentence of death by hanging
повивальщица midwife
по-видимому apparently, seemingly
повидло jam (BRIT), jelly (US)
повинная confession; явиться (прийти) с ~ой to give o.s. up
повинность duty; воинская ~ conscription
повинный guilty
повиноваться to obey
повиновение obedience
повиснуть to hang; (тучи) to hang motionless; (птица, вертолет) to hover
повлечь см влечь
повод (лошади) rein; (причина) reason; по ~у regarding
поводить (водить недолго) to walk
поводок lead, leash
повозка cart
поворачиваться (разг: быстро действовать) to get a move on
поворот (действие) turning; (место) bend, turn; (перен) turning point
поворотливый (человек) agile, nimble
повредить (поранить) to injure; (поломать) to damage
повреждение injury, damage
повременный (оплата) payment by the hour
повседневность everyday; (занятия, встречи) daily
повсеместный widespread
повскакать to jump up
повстанец insurgent, rebel
повстречать to bump into
повсюду everywhere
по-всякому in different ways
повторение repetition

повторить to repeat
повторный repeated
повысить to increase; (интерес) to heighten; (качество, культуру) to improve; (работника) to promote; повышать кого-н в общественном мнении to raise sb in the opinion of the public; повышать голос to raise one's voice
повыситься to increase; (интерес) to heighten; (качество, культура) to improve
повязать to tie
повязка bandage; (стерильная) gressing; гипсовая ~ plaster
поганка toadstool
поганый (разг: отвратительный) lous pay (off)
погашение (срок ~) manurity date
погибать (погибнуть) to perish
погибель destruction, doom, ruin
поглотить to absorb; (средства, время) to take up; takeover bid
поглядывать to have или take aquint
погнать (стадо, лошадь) to drive; (машину, поезд) to drive fast
поговаривать to talk about; ~, что... they say that...
поговорка saying
погода weather
погожий fine
поголовье (скота, лошадей) total number
погон (обычно мн) (shoulder) stripe
погонщик (cattle) driver
погоня pursuit of; (преследователи) pursuers мн; в ~е за in pursuit of
погонять (лошадь, скот) to drive; ~ кого-н to hurry sb up
погорелец one left destitute after a fire
погореть to lose everything (in a fire); погореть на взятках/краже to be caught taking bribes/stealing
погорячиться to get worked up
погост churchyard
пограничник frontier или border guard
пограничный (город, район) frontier, border; (конфликт, знак) border
погреб cellar; винный ~ wine cellar
погребальный funeral
погребение (похороны) burial,

П

interment; *(могила)* grave

погремушка rattle

погреть to warm up

погрешность error, mistake

погром pogrom; *(разг: беспорядок)* chaos

погружение immersion, sinking

погрузка loading, shipment

погрязнуть *(в грязи)* to get stuck in; *(в долгах, во лжи)* to sink into; *(в разврате)* to wallow in

под under; towards; *sm.* hearth

подавить to suppress; **подавлять кого-н чем-н** to intimidate sb with sth

подавление *(восстания)* suppression

подавленный *(настроение, состояние, человек)* depressed; *(смех, стон)* suppressed

подавляющий overwhelming

подагра gout

подарок gift, present

податливый pliable; *(тело)* supple

подать to give; *(еду)* to serve up; *(поезд, такси)* to bring; *(заявление, жалобу)* to submit; *(спорт: в теннисе)* to serve; *(в футболе)* to pass; **подавать что-н кому-н** to give sth; *(еду)* to serve sb up with sth; **подавать голос за** to cast a vote for; **подавать идею** to put forward an idea; **подавать реплику** to make a comment; **подавать в отставку** to hand in *или* submit one's resignation; **подавать на кого-н в суд** to take sb to court; **подавать кому-н руку** *(при встрече)* to give sb one's hand *(в трудной ситуации)* to give sb's hand; **подавать кому-н пальто** to help sb into their coat

подача *(действие: заявления, прошения)* submission; *(:обеда)* serving; *(спорт: в теннисе)* serve; *(: в футболе)*

подаяние alms *мн*

подбавить to add

подбежать to turn up

подберёзовик *бот.* shaggy boletus

подбить *(птицу, самолёт)* to shoot down; *(глаз, крыло)* to injure; **подбивать каблуки на** to reheel

подбодрить to cheer up

подбор selection; *(собрание)* collection; **как на ~** all alike and all the very best

подбородок chin

подбросить *(мяч, шар: камень)* to toss; *(добавить)* to put; *(тайно подложить: анонимку)* to leave; *(ворованный товар, наркотики)* to plant; *(разг: подвезти)* to give a lift

подвал cellar; *(для жилья)* basement

подвальный *(помещение)* basement; **подвальный этаж** basement

подведомственный dependent

подвезти *(машину, товар)* to take up; *(человека)* to give a lift

подвергнуть *(подвергать)* to expose, inflict, subject; **~ся** to undergo

подвернуть *(сделать короче)* to turn up; **подворачивать ногу** to turn *или* twist one's ankle

подвёртывание screwing; spraining; wricking

подвесить to hang up

подвеска pendant

подвесной *(в висячем положении)* hanging; **подвесной мост** suspension bridge

подвести *(человека)* to bring up to; *(машину)* to drive up to; *(поезд)* to bring up to; *(корабль)* to sail up to; *(электричество)* to bring to; *(дорогу)* to link to; *(разочаровать)* to let down; **подводить глаза/губы** to put eyeliner/lipstick on; **подводить итоги** to sum up

подветренный leeward

подвиг exploit

подвижной состав *(на железной дороге)* rolling stock

подвижный *(человек, животное)* agile; *(no short form; войска, контакт)* mobile

подвинуть *(передвинуть: человека, предмет)* to move; *(перен: работу, дело)* to push ahead with

подвластный subject to; *(президенту)* under the control of

подвода cart

подводник *(моряк)* submariner; *(водолаз)* diver

подводный *(растение, работы)*

underwater; **подводная лодка** submarine; **подводное течение** undercurrent

подворотня passage (way)

подвох *(ловушка)* catch

подвязать to tie

подглядеть to peep through

подгореть *(мясо, пирог)* to burn slightly

подготовить to prepare

подготовка *(к экзамену, к отъезду)* preparation; *(запас знаний, умений)* training

подготовленный *(предварительный)* preparatory; **подготовленный класс** *(в начальной школе)* reception

подгузник nappy *(BRIT)*, diaper *(US)*

поддавать (поддать) to add, increas; ~**ся** to give in, give way

поддакивать to agree with

подданный subject, citizen

подданство nationality, citizenship

поддаться *(дверь)* to give way; **поддаваться** *(панике)* to give way to; *(влиянию, соблазну)* to give in to; **поддаваться** *(на просьбы)* to give in to

подделать to forge

подделаться to imitate

подделка forgery

поддельный *(документ)* forged; *(радость, гостеприимство)* feigned

поддержать to support; *(падающего)* to hold on to; *(выступление, предложение)* to second; *(беседу)* to keep up

поддерживать to support; *(переписку)* to keep up; *(порядок, отношения)* to maintain

поддержка support

поддеть *(приподнять)* to prise *(BRIT)* или prize *(US)* off; *(перен: разг)* to gibe at; **поддевать свитер под куртку** to put on a sweater under (neath) one's jacket; **поддевать крючком** to hook

поддон *(для грузов)* pallet; *(для жидкости)* tray

поддувало damper

подействовать to have an effect, to operate, work *(as medicine)*

поделать to do; ~**ешь, ничего не**

~**ешь, ничего нельзя** ~ it can't be helped

подергиваться *(лицо)* to twitch

подержанный *(одежда, мебель)* second-hand

поджаривание drying, roasting, toasting

поджарый lean, meager; stingy

поджать *(губы)* to purse; *(живот)* to pull in; **поджимать ноги под себя** to tuck one's legs under o.s.; **поджимать колени** to pull one's knees up

поджечь to set fire to

поджигатель arsonist

поджигательство incendiarism

поджидать to wait for

поджог arson

подзаголовок subheading

подзатыльник clip round the ear

подзащитная *см* **подзащитный**

подзащитный client

подземелье *(комната)* vault; *(проход)* underground passage; *(ряд помещений)* catacombs *мн*

подземный underground

поди go; *(наверное)* probably

подкалывать to cleave, split, to tuck

подкараулить to lie in wait for

подкатить *(что-н круглое)* to roll; *(что-н на колесах)* to wheel; *(машина, экипаж)* to race up

подкачать to fail

подкидыш abandoned bady

подкинуть *(кинуть вверх)* to toss; *(добавить)* to put; *(тайно подложить: анонимку)* to leave; *(ворованный товар, наркотик)* to plant; **подкидывать кому-н денег** to give sb a sub; **подкидывать кого-н** to give sb a lift

подкладка lining

подклеить to stick together

подключить *(телефон)* to connect; *(лампу)* to plug in; *(специалистов)* to involve; **подключать к системе центральной сети** *комп.* to network, hook up to the main network

подкова *(лошади)* shoe

подкованный shod *(of horse)*

подковать *(лошадь)* to shoe

подкожный hypodermic

П

подколоть (*скрепить*) to pin up; (*уязвить*) to taunt; **подкалывать документ к делу** to file document

подкоп (*ход*) secret underground passage

подкормить (*животных*) to fatten up; (*ребенка, больного*) to feed up

подкосить (*удар, пуля*) to fell; (*несчастье*) to devastate; (*усталость*) to overcome

подкрасться to sneak *или* steal up

подкрепить (*стену, крышу*) to support; (*мысли, утверждение*) to support, back up

подкрепиться to fortify o.s.

подкрепление воен. reinforcement

подкуп bribery

подкупить to bribe; (*перен: добротой*) to win over

подле (*рядом*) nearby, beside, next to

подлежать (*проверке, обложению налогом*) to be subject; **приговор не ~ит обжалованию** the sentence is not open to appeal; **это не ~ит сомнению** there can be no doubt about that

подлежащее subject

подлететь (*самолет*) to fly in; (*птица*) to fly up; (*разг: человек*) to race up

подлец scoundrel

подлечить to treat

подливка sauce

подлиза crawler

подлизываться to crawl to

подлинник original

подлинный original; (*документ*) authentic; (*герой, друг*) true

подлить to add; **подливать вина в стакан** to top up a glass with wine; **подливать масла в огонь** to add fuel to the fire *или* flames

подло (*поступить*) meanly; it's mean

подлог forgery

подложить (*анонимку*) to leave; (*ворованный товар*) to plant; (*добавить*) to put; (*дров, сахара*) to add; **подкладывать что-н под что-н** to put sth under sth

подложный forged

подлокотник arm (rest)

подлость (*качество*) baseness; **какая ~!** what a base thing to do!

подлый base

подмастерье apprentice

подменить (*заменить*) to substitute; **подменить кого-н** to stand in for sb

подмести (*пол*) to sweep; (*мусор*) to sweep up

подметка (*подошва*) sole; **он в ~и ей не годится** he's not worth her little finger

подметывать (подметать) to baste, tack

подмешивать (подмешать) to mix

подмигнуть (*кому-н*) to wink at sb

подмостки театр. stage

подмочить to dampen, moisten; (*разг: репутацию*) to blacken

подмыть (*ребенка, больного*) to wash; (*берег, мост*) to undermine

подмышка armpit

подмять to crush

поднебесный terrestrial

поднебесье atmosphere; the heavens

подневольный (*человек*) subordinate; (*труд*) forced

поднести to bring up to; (*подарить что-н кому-н*) to present sth to sb

подновить (*здание*) to refurbish; (*краску*) to touch up

подножие (*горы, памятника*) foot

подножка (*трамвая, автобуса*) step; **дать** (*поставить*) **~ку кому-н** to trip sb up

поднос tray

поднять to raise; (*что-н легкое*) to pick up; (*что-н тяжелое*) to lift (up); (*флаг*) to hoist; (*спящего человека*) to rouse; (*панику, восстание*) to start; (*экономику, дисциплину*) to improve; (*архивные материалы*) (документацию) to unearth; **поднимать крик** (шум) to make a fuss; **поднимать чьё-н настроение** (чей-н дух) to raise sb's spirits; **поднимать кого-н на смех** to make a laughing stock of sb

подняться to rise; (*на другой этаж, на сцену*) to go up; (*с постели, со стула*) to get up; (*паника, метель,*

драка) to break out; **подниматься
на гору** to climb a hill; ~**ялся крик**
there was an uproar; ~**ялся ветер**
the wind got up

подобие likeness, similarity

подобно like, similar to; ~**тому как**
in the same way as, just as

подобный *(сходный с)* like, similar
to; ~**ные люди — редкость** there
are very few people like this *или*
this type; **и тому** ~**ное et cetera,**
and so on; **ничего** ~**ного** nothing
of the sort

подобострастный obsequious, servile

подобрать to pick up; *(приподнять
вверх)* to gather (up); *(выбрать
подходящее)* to select, pick

подобраться *(коллектив)* to get
together; *(библиотека, коллекция)*
to be built up; *(подкрасться)* to
steal up

подогнуть *(рукава, штанину)* to turn
up

подогревание warming

подогреть warm up; *(перен: любопытство)* to heighten

пододвинуть to move closer

пододеяльник duvet cover

подождать to wait for; ~ **с чем-н**
to put sth off; to put off doing; ~**ите!**
wait a minute!; ~**ите, может все
не так плохо** wait a bit, maybe it
won't be all that bad; ~**ите, я ведь
знал Вашего отца** wait a minute,
I think I knew your father

подозвать to call over

подозревать to suspect; **кого-н в
чем-н** to suspect sb of sth; ~ **о
чем-н** to have an idea (about sth)

подозрение suspicion ~ **на** *(предположение)* suspicion of; **быть под
~ем (на ~и)** to be under
suspicion; **он был задержан (аре-
стован) по ~ю в убийстве** he was
held/arrested on suspicion of
murder

подозрительный suspicious

подойти to approach; *(соответствовать: юбка)* to go (well)
with; **подходить на должность** to
be suited to a position; **это мне
подходит** this suits me; **подходить
к концу** to come to an end

подоконник windowsill

подол hem

подолгу for a long time

по-домашнему homely, simoly,
unceremoniously

подонок scum

подопечный ward; ~ **ребенок** ward;
подопечная территория *(под опекой ООН)* trust territory,
trusteeship

подоплека underlying reason

подорвать to blow up; *(перен: авторитет, доверие)* to undermine;
(здоровье) to destroy

подорожать become expensive

подорожник plantain

подослать to send *(secretly)*

подоспеть to arrive in time

подотчетный *(организация, работник)* accountable; **счет ~ных сумм**
expense account; **подотчетные
деньги** expenses

подоходный *(налог)* income tax

подошва *(обуви)* sole

подпевать to join in with; *(перен:
разг: пренебр)* to echo

подпереть *(что-н чем-н)* to prop up;
подпирать щеку кулаком to rest
one's head in one's hands

подписание signing

подписать to sign

подписка subscription; *(о невыезде,
о неразглашении)* signed
statement

подписной subscription; **акционерный капитал** *комм.* subscribed
capital; **подписной лист** list
subscribers

подписчик subscriber

подпись *(фамилия)* signature; *(под
картиной)* title, caption; *(под
стихами)* title

подплыть *(лодка)* to sail (up); *(пловец, рыба)* to swim (up)

подполковник lieutenant colonel

подполье *(подвал)* cellar

подпольщик member of a secret
organization

подпорка prop, support

подпоручик subsoil

подпоясать to belt

подправлять to make minor
corrections to

подпрыгнуть to jump
подпустить *(человека, зверя)* to allow to approach
подработать *(статью)* to polish up; to earn extra
подрагивать to tremble; *(ресницы)* to flutter
подражание imitation
подражать to imitate
подразделение *(воинское)* subunit; *(производственное)* subdivision
подразделить to subdivide
подразумевать to mean
подрасти to grow (a little)
подрезать *(платье)* to shorten; *(волосы)* to cut; ~ **крылья кому-н** to clip sb's wings
подробность detail; **вдаваться в ~ти** to go into detail
подробный detailed
подровнять to trim
подростковый *(одежда)* teenage; *(проблемы)* adolescent; **подростковый возраст** teens *мн*
подросток teenager, adolescent
подруга (girl)friend
по-другому *(иначе)* differently
подружиться to make friends with; **они быстро ~ужились** they quickly became friends
подрулить *(самолет)* to taxi; *(автомобиль)* to drive (up)
подрумяниться *(женщина)* to put on blusher; *(пирожки, булочки)* to brown
подручный *(материал, инструмент)* the material/instrument to hand; assistant
подрывной subversive
подряд in succession; *(рабочий договор)* contract; **работали 5 дней ~** they worked 5 days in a row *или* in succession; **все/всё ~** everyone/everything without exception
подрядный contract
подрядчик contractor
подсадить *(на коня)* to help to mount; *(на высокий стул)* to help up; *(посадить рядом)* to place nearby
подсвечник candlestick
подсечь to cut down; *(несчастье, болезнь)* to lay low
подсказать *(перен: идею, решение)* to suggest; *(разг: адрес, телефон)* to tell; **подсказывать что-н кому-н** to prompt sb with sth; **не ~ажите, где улица Пушкина?** can you please tell me where Pushkin Street is?
подсказка prompt; **действовать по чьей-н ~ке** to do as sb says
подскочить to jump; *(подбежать)* to turn up; **подскакивать от испуга/неожиданности** to start (in fright/surprise)
подсластить to sweeten
подследственный the accused, the defendant; **~ые** the accused
подслушать to eavesdrop on
подслушивание eavesdropping
подсмеиваться to laugh at, ridicule, tease
подсмотреть *(увидеть)* to spy on; **~ что...** to notice that...; **я ~отрел, как он брал конфеты** I saw him take the sweets
подснежник snowdrop
подсобный *(помещение, хозяйство)* subsidiary; **подсобный рабочий** auxiliary
подсознание the subconscious
подсознательный subconscious
подсолнух sunflower
подсохнуть to dry out a little
подставить to put under; **подставлять кого-н под удар** to lay sb open to attack
подставка stand
подставной *(ложный)* false
подстаканник glassholder
подстанция substation
подстегнуть to urge on; **~ кого-н** to get sb moving
подстелить *(плед, простыню)* to spread out
подстерегать *(ожидать)* to await
подстеречь to lie in wait for
подстраховать *(гимнаста)* to be on hand for; *(в рискованном деле)* to insure
подстрекатель instigator
подстрекать *(кого-н к)* to drive sb to
подстрелить to wing

подстричь to trim; *(для укорачивания)* to cut

подстроить to fix

подступить *(слезы)* to well up; *(рыдания)* to rise; **подступать к** to approoach

подсудимый *юр.* the accused, the defendant; **~ые** the accused

подсудный *юр.* subjudice; **~ое дело** *(подлежащий суду)* case due to come before court; *(преступление)* crime

подсунуть to shove; *(разг: что-н ненужное, плохое)* to get rid of

подсушить to dry slightly

подсчет counting; *(обычно мн: итог)* calculation

подсчитать to count (up)

подтасовать to juggle (with)

подтвердить to confirm; *(фактами, цифрами)* to back up

подтвердиться to be confirmed

подтверждение confirmation

подтекст hidden meaning

подтереть to mop up

подтолкнуть to nudge; *(перен)* to urge on

подточить to sharpen (a little); *(перен: силы)* to weaken; *(здоровье)* to destroy

подтяжки braces *мн* *(BRIT)*, suspenders *мн* *(US)*

подтянутый smart

подтянуть *(тяжелый предмет)* to haul up; *(гайку, болт)* to tighten; *(войска)* to bring up

подтянуться *(на брусьях, на перекладине)* to pull o.s. up; *(войска)* to move up; *(перен)* to get one's act together

подумать to consider, reflect

подуть to blow; *(ветер)* to begin to blow

подучить *(разг: выучить)* to learn; *(научить)* to teach

подушить to spray lightly with perfume

подушка *(для сидения)* cushion; *(под голову)* pillow

подхалим toady

подхватить *(падающее)* to catch; *(течение, толпа)* to carry away; *(слово, идею, болезнь)* to pick up;

(песню, мелодию) to join in

подхлестнуть to whip on

подходящий *(дом)* suitable; *(момент, слова)* appropriate

подцепить to attach; *(разг: болезнь, девушку, жениха)* to pick up

подчас at times

подчеркнуть *(в тексте)* to underline; *(в речи)* to emphasize

подчинение obedience

подчиненный subordinate; subordinate

подчинить *(народ, страну)* to subjugate; **подчинить что-н кому-н** to place sth under the control of sb

подчиниться to obey

подчистить to clean; *(написанное)* to erase

подшивка *(газет, документов)* bundle

подшипник *тех.* bearing

подшить *(рукав)* to hem; *(подол)* to take up; *(документ)* to file; *(пачку газет)* to bundle up

подштанники drawers, pants

подштопывать (подштопать) to darn

подшутить to make fun of

подъем *(груза)* lifting; *(флага)* raising; *(на гору)* ascent; *(промышленный, культурный)* revival; *(в речи, в действиях)* enthusiasm; *(сигнал: к пробуждению)* reveille

подъемник lift *(BRIT)*, elevator *(US)*

подъемные *(деньги)* relocation costs *мн*

подъехать *(на автомобиле)* to drive up; *(на коне)* to ride up; *(разг)* to call in

подыграть to accompany

подыскать to find

подытожить *(расходы, доходы)* to add up; *(сделанное, сказанное)* to sum up

подыхать *(животные)* to be dying; **~** *(от голода, от скуки)* to be dying of

подышать to breathe

поединок duel

поежиться to shiver slightly

поездка trip

поезд **скорый ~** express train; **~**

дальнего следования long-distance train; **ехать ~ом (на ~е)** to travel by train; **ехать в ~е метро** to travel by tube *(BRIT)*, subway *(US)*

поесть *(чего-н)* to eat a little bit of sth; *(съесть все)* to eat up; *(моль)* to eat away

поехать *(автомобиль, поезд)* to set off

пожаловать *(посетить)* to visit; **добро ~** welcome

пожалуй *(возможно)* perhaps; *(выражает предпочтение)* likely; **он, ~, не придет** he may not come; **я, ~, пойду** I am likely to go

пожалуйста please; *(в ответ на благодарность)* don't mention it, you're welcome; **~, помогите мне** please help me; **скажите ~!** you don't say!; **закончил школу и, ~, женился** he left school and then, would you believe it, he got married

пожар fire; *(перен: войны, революции)* the inferno

пожарище site of fire

пожарник fireman *(мн* firemen)

пожарный fireman; **~ая команда** fire brigade *(BRIT)* или department *(US)*; **~ая машина** fire engine; **на всякий ~ (случай)** in case of emergency

пожатие *(руки)* handshake

пожать to squeeze; **он ~ал мне руку** he shook my hand; **пожимать плечами** to shrug one's shoulders

пожелание wish; **примите мои наилучшие ~я** pass on my best wishes

поженить to marry

по-женски womanly

пожертвование donation

поживать *(разг):* **как ты поживаешь?** how are you?

поживиться to live off

пожизненный lifelong, life; **пожизненное заключение** life imprisonment

пожилой elderly

пожирать *(книги)* to devour; **любопытство/честолюбие ~ало его** he was devoured by curiosity/ambition; **~ кого-н глазами** to

devour sb with one's eyes

пожитки belongings *мн*

пожить *(пробыть где-нибудь)* to stay for a while; **~ивем — увидим** we shall see

пожрать *(животное)* to devour; *(разг: человек)* to gobble up

поза posture; *(перен: поведение)* pose

позавчера the day before yesterday

позади *(сзади)* behind; *(в прошлом)* in the past, behind

позапрошлый before last; **~ая неделя** the week before last

позарез terribly

по-зверски beastly, brutally

позволение permission; **с Вашего ~я** with your permission

позволить *(погода, обстоятельства)* to permit; **~что-н кому-н** to allow sb sth; **позволять кому-н** to allow sb to do; **~ьте! excuse me!; ~ьте мне представить моего коллегу** allow me to introduce my colleague; **~ьте пройти** excuse me please; **позволять себе что-н** to afford sth

позвонок vertebra *(мн* vertebrae)

позвоночник spine, spinal column

позднее later, after; **(не) ~ чем** (no) later than

поздний late; **самое ~ее** at the latest

поздравительный greetings

поздравить to congratulate sb on; **поздравлять кого-н с днем рождения** to wish sb a happy birthday

поздравление congratulation; *(с днем рождения)* greeting

позировать to pose for

позитив *фото* positive

позитивный positive

позиция position; *(контракта, проекта)* item

познавательный educational

познакомиться to get acquainted

познание familiarization; *(приобретение знаний)* cognition

познания knowledge

познать *(любовь, бедность)* to experience

позолотить to gild

позор disgrace; **выставлять (выставить) кого-н на ~** to bring disgrace on sb

позорить to disgarce
позорный disgraceful
позывные call sign
поименный *(список)* list of names
поимка capture
по-иному differently
поинтересоваться to take an interest in
поиск *(научный, творческий)* quest; *комп.* search; "~ и замена" "search and replace"
поискать to have a look for
поиски search (for); в ~ах in search of
поистине truly
поить to water *(horses)*
пойло to catch
пойма flood plain
поймать to catch
пойти to go; ~ сюда to come here
пока meanwhile, until, whilst; for the present
показ *(фильма)* showing; *(опыта)* demonstration; *(изменений, тенденций)* portrayal, depiction
показание evidence *ед; (на счетчике)* reading
показатель indicator; *(мат., экон.)* index *(мн* indices)
показательный *(явление, пример)* revealing; **показательное выступление гимнастов** gymnastics display; **~ый опыт** demonstration *(of an experiment)*
показать to show; *(часы, счетчик)* to say; *(на суде)* to testify; **показывать что-н/кого-н кому-н** to show sth/sb to sb; **показывать на что-н/кого-н** to point to sth/sb; **показывать пример** to set an example; **показать себя** to prove o.s.; **он ~зал себя не в лучшем свете** he didn't show himself in a very good light; **я тебе ~жу!** I'll show you!
показаться to appear; **~ся врачу** to see a doctor
показной *(энтузиазм, радость)* affected; *(роскошь)* ostentatious
покатить *(что-н круглое)* to roll; *(что-н на колесах)* to wheel; *(машина)* to shoot off
покатываться *(со смеху)* to roll about

with laughter (laughing)
покатый sloping
покачать to rock; ~ **головой** to shake one's head
покачиваться to rock
покаяние repentance
покер poker
покинуть to abandon
покладистый flexible
поклон *(жест)* bow; *(приветствие)* greeting; **посылать (послать)** *или* **передавать (передать) кому-н ~** to send sb one's regards
поклонение aboration, worship
поклонник admirer
поклоняться to worship
покоиться *(быть похороненным)* to be at rest; *(основываться):* ~**на** to rest on
покой peace; **оставлять (оставить) кого-н в ~е** to leave sb in peace; **он не дает мне ~я** he doesn't give me any peace
покойник the deseased
покойный the late, the deseased
поколебаться to waver
поколение generation
покорение subjugation
покоритель conqueror
покорить *(страну, народ)* to conquer; *(женщина, стихи)* to conquer the heart of; ~ **чьем-н сердце** to win sb's heart
покориться to submit (to)
покос *(трав)* mowing; *(время покоса)* haymaking
покраснеть to blush; to become red
покрикивать to yell (at)
покров *(верхний слой)* layer; *рел.* shroud; **снежный** ~ a blanket of show; **под ~ом ночи** under cover of darkness
покровитель protector
покровительственный patronizing
покрой cut *(of clothing)*
покрывало bedspread
покрыть *(звуки, шум)* to cover up; *(расходы, убытки, расстояние)* to cover; **покрывать что-н чем-н** to cover (sth/sb with sth)
покрышка tyre *(BRIT)*, tire *(US)*
покупатель *(в магазине)* customer; *(товара, дома)* buyer, purchaser

покупательный *(способность)* purchasing power

покупать to buy, purchase

покупка purchase; **делать (сделать) ~ки** to go shopping

покупной *(цена)* purchase price

покушать to have sth to eat

покушаться to attempt, try

покушение attempt, endeavour

пол floor, ground; sex; demi-, half-, semi-

полагать to deem, suppose; **~ся** to rely

полвека half a century

полгода half a year

полдень *(полудня)* midday, noon; **2 часа после полудня** 2 p.m.

полдник *(afternoon)* tea

полдороги на ~е halfway; **останавливаться (остановиться) на ~е** *(также перен)* to stop halfway

поле field; **~ деятельности** sphere of activity; **~ зрения** field of vision

полеводство crop cultivation

полевой field; **~ые работы** work in the fields; **полевой госпиталь** field hospital

полегоньку easily, steadily

полежать *(человек)* to have a lie down; *(книга на полке, продукты в ящике)* to lie

полезный useful; *(пища)* healthy; **чем могу быть ~ен?** how can I be of help?; **~ная нагрузка** comm. payload; **полезные ископаемые** minerals; **полезная жилая площадь** living space

полезть *(начать лезть)* to start climbing; *(в драку, в спор)* to get involved

полемика polemic

полено log

полет flight; **~ фантазии (мысли)** flight of fancy

полететь *(птица, самолет)* to fly off; *(годы, дни)* to start to fly by; *(слухи, новости)* to start to fly

ползать to crawl; **~в ногах у кого-н** to come crawling to sb

ползти to crawl; *(разг: медленно двигаться)* to crawl (along)

ползунки *(одежда)* rompers *мн*

ползучий *(животные)* crawling; *(растения)* creeping

поливитамины multivitamins *мн*

поливка watering

полигамия polygamy

полигон *(для учений)* shooting range; *(для испытания оружия)* test(ing) site

полиграфия printing

поликлиника clinic

полиомиелит polio(myelitis)

полировать to polish

полис *(страховоовой)* insurance policy

политехнический *(институт)* polytechnic

политик politician

политика *(курс)* policy; *(события, наука)* politics

политикан *(пренебр)* politico

политический political; **политическая экономия** political economy; **политический обозреватель** political observer

политолог political scientist

полить *(дождь)* to start pouring, start to pour; **~ что-н чем-н** to pour sth on sth; **поливать цветы** to water the flowers

полицейский police; policeman *(мн* policemen); **полицейский участок** police station

полиция the police; **вызывать (вызвать) ~ю** to call the police

полиэтилен polythene

полк regiment

полка shelf; *(в поезде: для багажа)* luggage rack; *(для лежания)* berth

полководец commander

полковник colonel

пол-литра *(полулитра)* half a litre *(BRIT)*, lite *(US)*

полнеть to put on weight

полновесный *(аргумент, статья)* weighty; *(описание)* full-bodied

полновластный fully empowered

полноводный deep

полнокровный *(жизнь)* full-blooded

полнолуние full moon

полнометражный *(фильм)* full-lengh film

полномочие authority; *(обычно мн: право)* power; **облекать (облечь) кого-н ~ями** to authorize sb to

П

do; **слагать (сложить) с себя ~я** to relinquish one's authority; **это не входит в мои ~я** it is not within my jurisdiction

полноправный (*гражданин*) fully-fledged; (*наследник*) rightful; **он ~ владелец** he has full ownership rights

полностью fully, completely

полнота (*целостность*) completeness; (*тучность*) stoutness; **обладать всей ~ой власти/прав** to enjoy full power/rights; **описывать (описать) что-н во всей ~е** to describe sth in its entirety; **от ~ы чувств (души)** overcome by emotion

полноценный (*отдых, пища*) proper; (*работа, исследование*) valuable; (*деньги, валюта*) valued

полночь midnight

полный full; (*победа, власть, счастье*) complete, total; (*толстый*) stout; **~ чего** full of; (*тревоги, любви*) filled with; **ведро, ~ное воды** a bucket, full of water; **комната была полна людьми** the room was full of people; **она была полна тревоги** she was filled with anxiety; **~ным ходом** at full speed; **в ~ную силу** at full strength; **полным-полно** loads and loads (of); **полное собрание сочинений** complete works

половик mat

половина half; **на ~е дороги** halfway; **сейчас ~ первого/второго** it's (now) half past twelve/one; **приходите в ~е двенадцатого** come at half past eleven; **встреча назначена на ~у десятого** the meeting has been set for half past nine

половник ladle

половодье high water

половой (*тряпка, мастика*) floor; **бот.**sexual; **половая жизнь** sex life; **половая зрелость** puberty; **половой орган** reproductive organ; **половые органы** genitals

пологий (*склон*) gentle; (*гора, берег*) gently sloping

положение situation; (*географичес-

кое*) location, position; (*тела, головы*) position; (*социальное, семейное*) status; (*правила*) regulations *мн*; (*обычно мн: тезис*) point; **быть на высоте ~я** to be on top of the situation; **входить (войти) в чье-н ~** to put o.s. in sb's position; **выходить (выйти) из трудного/неприятного ~я** to get o.s. out of a difficult/unpleasant situation; **она в ~и** she's expecting; **положение дел** the state of affairs

положительный positive

положить ~ожим, ты прав/это так let us assume that you're right/this is the case; **~ожа руку на сердце** with hand on heart

положиться to count on

поломка (*действие*) breakdown; (*поврежденное место*) damage

полоса (*ткани, металла*) strip; (*на ткани, на рисунке*) stripe; (*тумана, леса*) belt; (*неудач, плохой погоды*) spell; (*в газете*) column

полосатый striped, stripy

полоска (*ткани, бумаги, металла*) (thin) strip; (*на одежде, на ткани*) (thin) stripe; **в ~ку** striped

полоскание gargle; mouth-wash; rinsing

полоскать (*белье, посуду*) to rinse; (*рот*) to rinse out; **~ (прополоскать) горло** to gargle

полость *анат.* cavity

полотенце towel

полотно sheet; (*картина*) canvas; **бледный как ~** white as a sheet

полоть to weed

полоумный (*разг: идея, речь*) crackpot

полпути half; **на ~** halfway; (*перен: остановиться, бросить дело*)halfway through; **вернуться с ~** to turn back halfway

полслова (*полуслова*) half of the word; **можно Вас на ~?** could I have a quick word?; **прерывать (прервать) кого-н на пол(у)слове** to cut sb short; **понимать (понять) с пол(у)слова** to understand in an instant

полтора one and a half; **ей ~ года** she is one and a half; **ей около

П

~утора лет she is about one and a half; **книга стоит** ~ **рубля/полторы марки** the book costs one and a half roubles/one and a half marks
полтораста one hundred and fifty
полуботинок man's desert boot
полугласный semi-vowel
полугодие semester; экон. half *(of the year)*
полугодовой six-monthly, half-yearly
полузащитник midfielder
полукруг semicircle
полумера half-measure *(fig)*
полумесяц half-moon
полумрак semidarkness
полуостров peninsular
полупроводник элект. semiconductor
полутон муз. semitone, half step *(US)*
полуфинал semifinal
получатель recipient
получение receipt; *(урожая, результата)* obtaining
получить to receive, get; *(урожай, результат, насморк, удовольствие)* to get; *(известность, распространение, применение)* to gain; *(разг: быть наказанным)* to get it in the neck
получиться to turn out; *(удасться)* to work; *(фотография)* to come out; **из него** ~**учится хороший учитель** he'll make a good teacher; **пирог хорошо** ~**учился** the pie turned out well; **у меня это не** ~**учается** I can't do it; **из этого ничего не** ~**учится** it won't come to anything
получка pay
полушарие hemisphere
полушубок *(из овчины)* sheepskin jacket; *(из меха)* short fur coat
полчаса half an hour; **каждые** ~ every half hour; **прошло (прошли)** ~ half an hour went by
полчище *(обычно мн: врагов)* horde; *(насекомых, крыс)* swarm
полый hollow
полынь wormwood
полыхать blaze
польза benefit; **в** ~**у** in favour *(BRIT)*, favor *(US) of;* **идти (пойти) на** ~**у**

кому-н to be of benefit to sb
пользование use (of)
пользователь *(также комп)* user
пользоваться to use; *(авторитетом, успехом)* to enjoi
полька polka; Polish woman
Польша Poland
польщенный flattered (by)
полюбить *(человека)* to come to love; ~ **что-н** to develop a love sth/doing
по-людски humanly
полюс геогр., элект. pole
поляк Pole
поляна glade
полярный гео. polar; *(интересы, точки зрения)* diametrically opposed; **полярная звезда** the Pole Star; **полярная ночь** Arctic night; **полярный день** Arctic day
помада *(губная)* lipstick
помазание anmointing; unction
помаленьку bit by bit; **живем** ~ we're getting by
помалкивать to keep quiet
помарка crossing out *(мн crossings out)*
помахать to wave
поместить to put; *(поставить)* to place, put; *(поселить)* to put up; *(устроить)* to settle
поместиться *(уместиться)* to fit
поместье estate
помет dung
пометить to note
пометка note
помеха hindrance; *(связь: обычно мн)* interference
помешанный mad; *(разг)* crazy about
помешательство madness
помешаться to go mad; *(разг)* ~ **на** to be crazy about
помещаться *(находиться)* to be situated
помещение room; *(под офис)* premises *мн; жилое* ~ living space
помещик landowner
помидор tomato *(мн tomatoes)*
помилование *(преступника)* pardon
помимо besides; *(без участия)* bypassing; ~ **денег нам нужна машина** besides money we need a car; ~ **того/всего прочего** apart

from that/everything else

поминальный *рел.* funeral

поминать (помянуть) to mention, remember; to say Mass for the dead

поминки wale; **справлять** (справить) ~ **по кому-н** to give a wake for sb

поминутно every minute, minute by mibute

помнить to remember

помниться to be remembered; **мне ~ится наша встреча** I remember our meeting; **~ится, мы об этом говорили** I remember that we spoke about that

помножать (помножить) to multiply

по-моему to my mind; in my own way

помои dish-water, slops

помойка kitchen, sink

помолвка betrothal, engagement

помолодевший rejuvenated

по-молодецки bravely, daringly, sportingly

помолчать to pause

поморщиться to screw up one's face

помост (обозрения) platform; (для выступлений) rosturm; (для казни) scaffold

помочь to help; (в работе) to help, assist; (другой стране) to aid

помощник helper; (должностное лицо) assistant; ~ **капитана** mate

помощь help, assistance; **с ~ю, при помощи** with; **звать** (позвать) **на** ~ to call for help; **оказывать** (оказать) **кому-н** ~ to help или assist sb; **просить** (попросить) **о ~и** to ask for help

помпа pump; pomp

помпон pompom

помучить to torment

помучиться to suffer

помысел intention

помышлять (помыслить) to ponder, think

помянуть (упомянуть) to mention; (устроить поминки) to give a wake for; **~яните мое слово** mark my words

помятый (разг: одежда, внешность) rumpled; (бок машины) dented

понадобиться to need, require

понапрасну in vain

по настоящему properly

поначалу at first

по-нашему our way;

поневоле one's will

понедельник Monday

понемногу a little; (постепенно) little by little; **как поживаете?** ~ ~ how's life? — not too bad

понести (начать нести) to take

понестись (человек) to tear off; (лошадь) to charge off; (машина) to speed off

пони pony

понижение reduction; (в должности) demotion

понизить to reduce; (в должности) to demote; (голос) to lower

понизиться to be reduced

понизу (близко к земле) low

поникать (поникнуть) to droop, wither

понимание (способность ума) understanding; (толкование) interpretation; **относиться** (отнестись) **к чему-н с ~ем** to be understanding about sth; **это выше моего ~я** this is beyond me

понимать to understand, to know about; **~ете** you see; **вот это я ~ю!** that's great!

пономарь рел. acolyte

понос diarrhoea (BRIT), diarrhea (US)

поносить to carry for a while; (одежду) to wear; (ругать) to curse

поношенный (одежда) worn

понтон pontoon bridge

понудительный coercive, impellent

понукать to urge on

понурый downcast

пончик doughnut (BRIT), donut (US)

поныне to this day

понятие (времени, пространства) conception; (о политике, о литературе) idea; **я ~ не имею** I've no idea

понятливый quick

понятно intelligibly; **мне** — I understand; **~! I** see!

понятный intelligible; (ясный) clear; (оправданный) understandable

понятой witness (*during official search*)

понять to understand; **давать (дать)** ~ **кому-н** to give sb to understand

поодаль a little way away; ~ **от** a little way from

поодиночке one at a time

по-отцовски fatherly

по-очереди alternately, in turn

поощрение encouragement, incentive

поощрительный (*плата*) комм. incentive bonus

поп priest

попарно in pairs

попасть (*в цель*) to hit; (*в ворота*) to end up in; (*в чужой город*) to find o.s. in; (*в беду*) to land in; **мыло ~ло в глаза** the soap got in my eyes; **он ~л мячом в корзину** he put the ball in the basket; ~ **в университет/на курсы** to get into university/onto a course; **попадать в аварию** to have an accident; ~**в плен** to be taken prisoner; **попадать под дождь** to be caught in the rain; **ему ~ло** he got a hiding; **(Вы) не туда ~али** you've got the wrong number; **где ~ало** anywhere; **как ~ло** anyhow; **что ~ло** anything

попасться (*быть пойманным*) to be caught; ~**ся на взятках/воровстве** to be caught taking bribes/stealing; **мне ~лась интересная книга** I came across an interesting book; **попадаться кому-н на глаза** to catch sb's eye

поперек crossways, accross

попеременно in turns

поперечный horizontal

поперхнуться to choke

попечение (*о детях*) care; (*о делах, о доме*) charge; **оставлять (оставить) кого-н/что-н на чье-н** ~ to leave sb/sth in sb's care

попечитель guardian; комм. trustee

пописать to write; **ничего не ~ешь** there's nothing you can do

поплавок (*на удочке*) float

поплыть (*человек, животное*) to start swimming; (*судно*) to set sail

попойка carousal, spree

пополам in half, in two

пополнение (*запасов*) replenishment; (*коллекции*) expansion; (*то, чем пополняется*) reinforcement

пополнять (пополнить) to fill up, replenish, supplement

поправка correction; recovery; repair

поправлять (поправить) to mend, repair; to correct; ~**ся** to get better, pick up, recover; to correct oneself (*error in speech, etc*)

по-прежнему as before, as usual

попрекать to reproach

попрекнуть to reproach

поприще (*науки*) field

попробовать (~**уйте!**) just you try!

попросту simply; **он ~ устал** he's just (simply) tired

попрощаться to say goodbye to

попугай parrot

популяризировать to popularize

популярный popular; (*изложение*) accessible

популяция population

попурри муз. medley

попустительствовать to tolerate

попусту in vain

попутный (*замечание, исправление*) accompanying; (*машина*) passing; (*ветер*) favourable (*BRIT*), favorable (*US*); мор. fair

попутчик travelling (*BRIT*), traveling (*US*) companion

попытка attempt; ~**к бегству** attempted escape; **со второй/третьей ~ки** on или at the second/third attempt

пора pore

поработить to enslave

порабощение enslavement

поравняться (*человек*) to draw level with; (*машина*) to come alongside

поражение (*цели*) hitting; (*легких*) damage; (*в войне, в состязании*) defeat; **наносить (нанести) кому-н** ~ to defeat sb; **терпеть (потерпеть)** ~ to be defeated

поразительный (*красота, талант*) striking; (*жестокость*) astonishing

поразить (*цель*) to hit; (*болезнь*) to

affect; *(изумить)* to astonish

поразиться to be astonished

поранить to hurt

порвать to tear; *(с женой, с друзьями)* to break up with; **порывать что-н с кем-н** to break off sth with sb

порваться *(нить)* to break; *(платье)* to tear

порез cut

порезать to cut

порей leek

пористый porous

порицание reprimand

порицать to reprimand

порнографический pornographic

порнография pornography

поровну equally

порог threshold; *(на реке)* rapids *мн;* **переступать (переступить)** ~ to cross the threshold; **я его на ~ не пущу** he won't darken my door again

порода *(животных)* breed; *(древесная)* species; *(горная)* rock; *(перен: людей)* type

породистый pedigree; *(лицо)* aristocratic

породить *(стать причиной)* to give rise to

порожний empty; **переливать из пустого в ~ее** to rabbit on

порожняком without a load

порознь apart

порой from time to time

порок vice; **порок сердца** heart disease

поролон foam rubber

поросенок piglet

поросль *(побеги)* shoots *мн;* *(перен)* generation

пороть *(швы)* to unpick; **выпороть** to belt; ~ *(напороть)* **чушь (ерунду)** to talk nonsense; ~ **горячку** to get a move on

порох gunpowder

порочить to bring shame on; *(чернить: человека)* to defame; *(работу)* to bring into disrepute

порочный *(безнравственный)* depraved; *(неправильный)* flawed

пороша first fall of snow

порошок powder

порт port; **воздушный** ~ airport

портал portal

портативный portable

портвейн port *(wine)*

портить *(механизм, здоровье, карьеру)* to damage; *(настроение, праздник, ребенка)* spoil; ~ **себе нервы** to worry

портиться *(механизм)* to deteriorate; *(настроение)* to be spoiled, *(молоко)* to go off; *(мясо, овощи)* to go bad

портниха dressmaker

портной tailor

портрет portrait

портсигар cigarette case

Портсмут Portsmouth

Португалия Portugal

португальский Portuguese; ~ **язык** Portuguese

портфель briefcase; полит., комм. portfolio; ~ **ценных бумаг** investment portfolio

портье *(в гостинице)* porter

портьера curtain

портянка puttee

поругание desecration

поругать to scold

поругаться to fall out (with)

порука брать кого-н на ~и to take sb on probation; *юр.* to stand bail for sb; **круговая** ~ mutual dependence; *(у преступников)* mutual cover-up; **отпускать (отпустить) кого-н на ~и** to release sb on bail

по-русски *(разговаривать: написать)* Russian; **говорить/ понимать** ~ to speak/understand Russian; **как** ~ **"book"?** what is the Russian for "book"?

поручение *(задание)* errand; *(важное)* mission; **по ~ю** on behalf of

поручень handrail

поручик first lieutenant

поручительство guarantee

порфира purple

порхать *(бабочка)* to flutter about; *(птица)* to flit about

порция portion: **принести нам две ~ии жареной говядины** bring us two steaks

порча damage

поршень *(в двигателе)* piston; *(в насосе)* plunger

порыв *(ветра)* gust; *(негодования, восторга)* surge

порываться *(стремиться)* to strive to do

порывистый *(ветер)* gusty; *(движения)* jerky; *(характер, человек)* impetuous

порядковый *(номер)* ordinal; **порядковое числительное** ordinal number

порядком pretty; **я ~ устал** I'm pretty tired

порядок order; *(правила)* procedure; **в ~ке** *(в качестве)* as; **~ка** about; **в рабочем ~ке** in the course of the proceedings; **это в ~ке вещей** *(это нормально)* that's nothing out of the ordinary; **в ~ке** in order; **все в ~ке** everything's OK; **порядок дня** agenda; **порядок слов** word order

порядочно decently; *(утал)* pretty; *(хорошо)* quite well

порядочный *(честный)* decent; *(значительный)* fair

посадка *(овощей, деревьев)* planting; *(пассажиров)* boarding; *(самолета)* landing; **производится ~ на самолет...** the flight... is boarding

посадочный *(трап, талон)* boarding; *(площадка, огни)* landing

посвещение dedication, devotion; ordination

по-своему in one's own way

посвящать *(посвятить)* to consecrate, dedicate, devote; to ordain

посев sowing

поселение *(селение)* settlement; *(как наказание)* deportation

поселок village; **дачный ~** village made up of dachas

посередине in the middle, in the middle of

посетитель visitor

посетить to visit

посещаемость attendance

посещение visit

посеять *(разг: потерять)* to lose

поскользнуться to slip

поскольку as

послабление leniency

посланец envoy

послание *(официальное)* dispatch; *(дружеское, любовное)* message

посланник *(дипломатический)* diplomat

послать to send; **посылать кого-н к черту** to tell sb to go to hell

после *(потом)* afterwards, **~ того как** after

послевоенный postwar

последний final, last; latter

последователь disciple, follower, partisan

последовательность sequence; *(политики)* consistency

последовательный *(этапы, движения)* consecutive; *(выход, ход мысли)* consistent

последствие consequence

последующий subsequent

послезавтра the day after tomorrow

послеродовой postnatal

пословица proverb, saying; **войти в ~у** to become proverbial

послушание *(покорность)* obedience

послушать to listen to; *(курс, лекции)* to attend; *(ответ, объяснение)* to miss; *(радио, музыку)* to listen to

послушник рел. novice

послушный *(ребенок, ученик)* obedient; *(механизм)* user-friendly

посматривать to glance occasionally

посмеиваться *(смеяться)* to chuckle; **~ над** *(насмехаться)* to laugh at

посменный shift

посмертный posthumous

посмещище laughing stock; **выставлять кого-н на ~** to make a laughing stock of sb

пособие *(помощь)* benefit; *(учебное)* handout; *(наглядное)* visual aids *мн*; **пособие по безработице** unemployment benefit; **пособие по инвалидности** disability living allowance

посол ambassador

посольство embassy

поспеть *(успеть)* to make it

поспешность haste; promptness

поспешный hasty, hurried; prompt

поспорить to argue

П

посрамить to disgrace
посреди in the middle, in the middle of; ~ толпы in the midst of the crowd
посредник intermediary; *(при конфликте)* mediator; торговый ~ middleman *(мн* middlemen*)*
посреднический intermediary
посредничество mediation
посредственно *(учиться, писать, сочинять)* averagely; просв. satisfactory *(school mark)*
посредственный mediocre
пост *(люди)* guard; *(место)* lookout post; *(должность)* position, post; рел. fast; ~ автоинспекции (traffic) police checkpoint
поставить *(товар)* to supply
поставка *(снабжение)* supply
поставщик supplier; судовой ~ ship chandler
постамент pedestal
постановка *(памятника)* erection; *(учебного процесса)* organization; театр. production; у нее хорошая ~ головы she holds her head well; ~ вопроса/проблемы the formulation of the question/problem
постановление *(решение)* resolution; *(распоряжение)* decree
постановщик producer
по-старому as before, as of old
постель bed
постепенно gradually
постепенный gradual
постижение comprehension
постилка covering
поститься рел. to fast
постичь *(смысл, значение)* to grasp; *(несчастья)* to befall; я не могу ~, как он мог это сделать I can't comprehend how he could do something like that; его ~гло разочарование he was disappointed
постный *(суп, обед)* vegetarian; *(мясо)* lean; *(разг: хмурый)* cheesed off; постное масло vegetable oil
постовой *(служба, будка)* sentry; militiaman on duty
постой military quarters; billet; ~! halt!

постольку in as much as
посторонний *(чужой)* stange; *(помощь, влияние)* outside; *(вопрос)* irrelevant; stranger, outsider; ~им вход воспрещен authorized entry only
постоялец lodger, tenant
постоянный constant, invariable, lasting, perpetual
постричься to have a haircut; ~в монастырь to be initiated into a monastery
построение *(предложения, фразы)* construction
постройка construction
постромка trace *(of vehicle)*
поступательный *(движение)* forward; ~ ое развитие progress
поступить *(благородно, разумно)* to act; *(товар, известия)* to come in; *(жалоба: в суд)* to be received; поступать *(в университет)* to enter; поступать *(на работу, на курсы)* to start
поступиться to give up
поступление *(действие: в университет)* entrance; *(на работу)* starting; *(жалобы: в суд)* receipt; *(то, что поступило: бюджетное)* revenue; *(в библиотеке)* acquisition
поступок *(благородный, подлый)* deed
поступь *(походка)* gait
постыдный shameful
посуда crockery; кухонная ~ kitchenware; стеклянная ~ glassware; мыть (помыть) ~у to wash *или* do *(BRIT)* the dishes
посудить to consider; to judge
посылка parcel, sending
посыльный messenger
посыпать to sprinkle
посягательство на что-н infringement of sth; ~ на чью-н жизнь an attempt on sb's life
посягнуть to infringe; посягать на чью-н жизнь to make an attempt on sb's life
пот sweat; в поте лица hard; потом и кровью добывать (добыть) что-н to sweat blood to get sth; работать в поте лица to sweat blood

потайной secret
потакать *(агрессии)* to turn a blind eye to; *(агрессору)* to ignore
потаскуха hussy
потасовка punch-up
по-твоему your way, in your opinion
потворствовать *(агрессии)* to turn a blind eye to; *(агрессору)* to ignore
потемки darkness
потенциал potential
потенциальный potential
потепление warmer spell
потереть *(ушиб)* to rub; *(морковь)* to grate
поджечь to set fire to
потерпевший *юр.* victim, ~**ая сторона** injured party
потертый *(одежда)* worn
потеря loss; **нести (понести)** ~**и** *(в войне)* to suffer losses
потерянно *(смотреть)* lost
потерянный *(растерянный: вид)* lost
потеснить to squeeze up
потеть to sweat
потеха amusement, diversion, fun
потечь *(вода)* to start flowing; *(дни, жизнь)* to begin
потешный amusing, funny
потирать *(потереть)* to rub lightly
потихоньку gently, noiselessly, silently
поток flow, stream
потолок ceiling
потом after, afterwards, then
потомки progeny
потомок descendant
потомственный hereditary
потомство posterity
потому for, in consequence of; that's why
потоп deluge, flood
поторапливаться to hurry
поточный *(производство)* mass ; **поточная линия** production line
потребитель consumer
потребительский *(спрос, товар)* consumer; **потребительская кооперация** cooperative (society)
потребление *(действие)* consumption; **товары широкого** ~**я** consumer goods
потреблять to consume

потребность *(надобность)* requirement, demand; *(желание)* need
потрепанный *(книга, одежда)* tattered, tatty; *(вид, лицо)* worn
потрескивание crackling
потроха *(птицы)* giblets *мн*
потрошить *(курицу, рыбу)* to gut
потрудиться to work; ~ **to take the trouble to do; ~дитесь передать это письмо** if you could be so kind as to pass on this letter
потрясающий *(музыка, стихи)* fantastic; *(красота)* stunning
потрясение breakdown
потрясти shake; *(взволновать)* to stun, to shake
потуга *(обычно мн)* contraction; *(перен: пренебр. усилия)* attempt
потупится to lower one's eyes
потупить *(голову, глаза)* to lower
потусторонний on the other side
потухнуть *(лампа, свет)* to go out; *(жизнь, веселье)* to end
потчевание regaling
потягивать *(веревку)* to pull; *(вино, чай)* to sip
потянуться to start to drag; *(в постели, в кресле)* to stretch out
поучать to teach
поучение preaching
поучительный *(пример, история)* instructive; *(тон, голос)* didactic; **его пример был для нас** ~**ен** we learnt from his example
похабный *(непристойный)* dirty
похаживать *(в парке)* to stroll
похвала praise; **отзываться (отозваться) с** ~**ой о ком-н** to praise sb
похвальный praiseworthy; *(отзыв)* complimentary; ~**ное слово** word of praise; **похвальная грамота** certificate of merit
похваляться to brag
похититель abductor, kidnapper
похитить *(предмет)* to steal; *(человека)* to abduct; *(для выкупа)* to kidnap
похищение theft; abduction; kidnap(ping)
похлопать to pat; *(человек: в ладоши)* to clap; *(птица)* to flap

похмелье hangover

поход *(военный)* campaign; *(туристический)* hike *(walking and camping expedition)*

походить to resemble

походка gait, step

похождение adventure

похожий resembling, similar

похолодание cold spell

похоронный funeral; похоронное бюро undertaker's

похороны funeral

похотливый lecherous, wanton

похоть desire, lust

поцелуй kiss

почасовик part-time worker

почасовой *(оплата)* hourly; ~ая работа hourly-paid work

початок *(кукурузы)* cob

почва soil; *(перен)* basis: на ~е owing to; он потерял ~у под ногами he lost his confidence

почем how much; ~ яблоки? how much are the apples

почему why; (и) вот ~ and that is why

почему-либо for some reason

почему-то for some reason

почерк handwriting; *(перен: художника, грабителя)* hallmark

почерпнуть *(сведения)* to obtain; *(идею)* to draw

почесть homage

почет honour *(BRIT)*, honor *(US)*

почетный honorary; honourable

почечник jade

почечный nephritic; ~ камень gallstone

почивать to rest, sleep awhile

почин initiative

починка *(обуви, телевизора)* repair

почитатель admirer

почитать to admire, to read

почка *бот.* bud; *анат.* kidney; ~ки *кулин.* kidneys

почта *(учреждение)* post office; *(корреспонденция)* mail, post; отправлять (отправить) что-н ~ой *или* по почте to send sth by post

почтальон postman *(BRIT)* (мн postmen), mailman *(US)* (мн mailmen)

почтение esteem

почтенный venerable; ~ые годы advanced years

почти almost, nearly; ~ что almost

почтительный respectful; на почтительном расстоянии at a respectful distance

почтить *(память)* to pay homage to; кого-н своим присутствием to honour *(BRIT)* или honor *(US)* sb with one's presence

почтовый *(служба, связь)* postal; *(марка)* postage; почтовая открытка postcard; почтовая бумага writing paper; почтовый индекс postcode *(BRIT)*, zip code *(US)*; почтовый перевод *(деньги)* postal order; почтовый ящик postbox

пошатнуть *(веру)* to shake; *(здоровье)* to affect

пошатываться *(человек)* to sway slightly

пошевеливаться to stir; *(разг: поторапливаться)* to get a move on

пошевельнуться to stir

пошиб manner

пошив *(действие)* sewing; индивидуальный ~ tailoring

пошлина duty; судебная ~ legal costs *или* expenses; облагать (обложить) что-н ~ой to impose a duty on sth

пошлинный customs

пошлость vulgarity; говорить ~и to make trite and vulgar comments

пошлый *(человек, поступок)* vulgar; *(анекдот)* corny; *(картина)* kitsch; *(речи)* trite and vulgar

поштучно piecemeal

пощада mercy, pardon

пощелкивание clicking, snapping

пощечина slap, smack *(on the cheek)*

поъезд *(к городу, к дому)* approach; *(в здании)* entrance

поэзия poetry

поэма poem

поэт poet; ~ический poetic(al)

поэтический poetic

поэтому therefore

появиться to appear; у него ~явились идеи/сомнения he had an idea/has begun to have doubts; появляться на свет to come into the world

появление appearance

пояс (ремень) bell; (талия) waist; геогр. zone; спасательный ~ life bell; тарифный ~ экон. tariff zone

пояснение explanation

пояснительный explanatory

поясница small of the back

прабабушка great-grandmother

права (водительские) driving licence BRIT), driver's license (US); права человека human rights

правда truth, really; true; он ~ изменился he really has changed; он, ~, сам сознался true, he did confess; ты виноват в этом — ~ you are to blame, it's true; ~у или по ~е говоря (сказать) to tell the truth; он уже уехал, не ~ ли? he's already gone, hasn't he?; хорошая погода, не ~ ли? the weather's good, isn't it?

правдивый truthful

правдоподобный plausible

праведник рел. righteous man (мн men)

праведный (человек) righteous; (суд) just

правило rule; это не в моих ~ах that's not my way; как ~ as a rule; по всем ~ам by the rules; правила дорожного движения rules of the road, Highway Code

правильно correctlly, that's correct

правильный (написание, произношение) correct; (вывод, ответ) right; (совет, суждение) sound

правитель ruler

правительственный government

правительство government

править (исправлять) to correct; (страной) to rule, govern; (машиной) to drive

правка proofreading

правление government; (орган) board

правнук great-grandson

правнучка great-granddaughter

право (норма, наука) law; (свобода) right; really; иметь ~ на что-н to have the right или be entitled to sth/to do; быть в ~е to be entitled или have the right to do; на правах as; по ~у (законно) by rights;

(с полным основанием) rightly; на равных правах с on equal terms with

правовед jurisprudent

правоведение jurisprudence

правоверный orthodox

правовой (нормы) legal; правовое государство lawful state

правозащитник human rights activist

правомерный (вопрос) valid; (сомнения) justifiable; (действие, поступок) lawful

правомочный (орган) competent; (лицо) authorized

правонарушение offence

правонарушитель offender

правописание spelling

правопорядок law and order

православие orthodoxy

православный (церковь, обряд) orthodox; member of the Orthodox Church

правосудие justice

правота correctness; я не сомневаюсь в Вашей ~е I don't doubt that you are right

правый right; полит. right-wing; (справедливый) just; (невиновный) innocent; он прав he is right; ~ суд fair trial

правящий ruling

Прага Prague

прагматизм pragmatism

прадед great-grandfather

прадедушка см прадед

празднество festival

праздник (по случаю какого-н события) public holiday; (религиозный) festival; (нерабочий день) holiday; (радость, торжество) celebration; с ~ом! best wishes!

праздничный (салют, обед) celebratory; (одежда, настроение) festive; ~ день, праздничная дата holiday

праздновать to celebrate

праздный idle; ~ная жизнь life of idleness

практик (о каком-н специалисте) expert; (практичный человек) practical person (мн people); он хороший ~, но плохой теоретик he's techically very good, but not so good at the theory

практика practice; *(часть учебы)* practical experience *или* work; **на ~е** in practice

практикант trainee *(on a placement)*

практиковать to practise *(BRIT)*, practice *(US)*

практиковаться *(методы, приемы)* to be used; *(обучаться):* **в чем-н** to practise sth

практически *(на практике)* in practice; *(по сути дела)* practically

практический practical

практичный practical

прапорщик воен. warrant officer

прах *(умершего)* ashes *мн;* **пойти прахом** *(усилия, работа)* to be wasted

прачечная laundry

прачка laundress

пребывание *(в каком-н месте)* stay; **~ у власти** term of office

пребывать *(находиться)* to be

превзойти *(соперника, врага)* to break; *(прежние результаты, ожидания)* to surpass; *(доходы, скорость)* to exceed; **~ самого себя** to surpass o.s.

превозмочь to overcome

превосходно excellently, it's excellent

превосходный superb; *(превосходная степень)* superlative degree

превосходство superiority

превращать *(превратить)* to convert, change, transform

превращение transformation

превысить to exceed; *(рекорд)* to break

преграда barrier

преградить кому-н дорогу/вход to block *или* bar sb's way/entrance

предание legend

преданный devoted; **он предан делу/ жене** he is devoted to the cause/ his wife

предатель traitor

предательский treacherous

предательство treachery

предать to betray; **предавать что-н гласности** to make sth public; **предавать кого-н суду** to

prosecute sb; **предать забвению** to consign to oblivion

предварительный preliminary; *(продажа билетов)* advance; **~ счет-фактура** комм. pro-forma invoice; **предварительное заключение** юр. remand

предварить *(события)* to anticipate

предвестие indication

предвещать *(будущее, успех)* to foretell; *(изменения, кризис)* to portend; *(плохую погоду)* to herald

предвзятый prejudiced

предвидение foresight; *(предложение)* prediction

предвидеть to foresee, predict

предвкушать to look forward to, anticipate

предводитель leader

предводительство leadership

предвосхитить to anticipate

предвыборный *(собрание)* pre-election; **~ная компания** election campaign

преддверие beginning, eve; vestibule

предел boundary, landmark, limit; term

предельный maximum; *(восторг, важность)* utmost; **предельный срок** deadline

предзнаменование omen

предисловие foreword, preface

предистория background

предки ancestors *мн*

предлог pretext; *линг.* preposition; **под ~ом** on the pretext of; **под ~ом того что, под тем ~ом, что** on the pretext that

предложение *(конкретное, умное)* proposal, suggestion; *(замужество)* proposal; комм. offer; экон. supply; линг. sentence; **делать (сделать) ~ кому-н** *(девушке)* to propose to sb; комм. to make sb an offer; **вносить (внести)** *(на собрании, на съезде)* to propose a motion

предложить to offer; *(план, кандидатуру)* to propose, to suggest, propose; *(попросить)* to ask, invite; *(потребовать)* to ask; **предлагать что-н кому-н** to offer

П

sth to sb, offer sb sth; **он ~ожил нам пойти туда** he suggested that we went there

предложный *линг.* prepositional; **предложный падеж** prepositional case

предместье suburb

предмет object; *(обсуждения, изучения)* subject; **на ~** concerning; **предметы домашнего обихода** household goods; **предметы первой необходимости** necessities

предназначаться to be destined for

предназначение role

преднамеренный *(преступление)* premeditated; *(обман)* deliberate

предопределить *(определить)* to predetermine; *(обусловить)* to bring about

предоставлять *(предоставить)* to allow, let

предостережение warning

предосторожность caution; **меры ~ти** precautionary measures, precautions

предосудительный reprehensible

предотвратить *(войну, кризис)* to avert; *(болезнь, аварии)* to prevent

предотвращение averting; prevention

предохранение preservation, protection

предохранитель safety device; *(электрический)* fuse *(BRIT)*, fuze *(US)*; *(ружейный)* safety catch; *(замка)* snib

предохранительный *тех.* safety

предписание *(распоряжение)* instruction; *(президента, полиции)* order; *(врача)* prescription

предписать что-н кому-н *(назначить)* to prescribe sth sb; **~ кому-н** to order sb to do

предполагать to demand; *(намереваться)* to intend to do

предполагаться *(намечаться)* to be planned

предположение *(догадка)* supposition; *(намерение)* intention

предположительный *(результат, вопрос)* hypothetical; *(срок, доход)* anticipated

предположить *(допустить возможность)* to allow for; **~им** *(воз-можно)* suppose; **~ожим, он опоздает** suppose he is late

предпослать что-н кому-н to preface sth with sth

предпоследний *(номер журнала)* penultimate; *(в очереди)* last but one

предпосылка *(условие)* precondition, prerequisite; *(исходное положение)* premise

предпочтение preference; **оказывать (оказать)** *или* **отдавать (отдать) кому-н/чему-н** to show a preference for sb/sth

предпочтительный preferable

предприимчивый enterprising

предприниматель entrepreneur, businessman *(мн* businessmen*)*

предпринимательский enterprise, business

предпринимательство enterprise

предпринять to undertake; *(атаку, наступление)* to launch; *(меры)* to take

предприятие enterprise, business

предрасположение predisposition

предрассудок prejudice

предрекать *(успех)* to foretell; *(плохую погоду)* to herald

предрешить to predetermine

председатель chairman *(мн* chairmanship; **под ~ом** under the chairmanship of

председательствовать *(на заседании)* to be in the chair; *(работать председателем)* to be chairman; **~ на собрании** to chair a meeting

предсказание *(действие)* predicting; *(то, что предсказано)* prediction

предсказать to predict; *(чью-н судьбу)* to foretell

предсмертный *(агония)* death; *(вдох)* dying; *(воля)* last

представитель representative; *(разряда животных)* specimen

представительница representative

представительство *(учреждение)* representatives *мн*; *(наличие представителей)* representation; **торговое ~** trade mission; **дипломатическое ~** diplomatic corps

представить to present; **представлять кого-н кому-н** *(познако-*

мить) to introduce sb to sb; **представлять (представить) кого-н** *(к награде, к премии)* to recommend sb for, put sb forward for; **представлять интерес** to be of interest; **представлять себе** to imagine; **~ьте (себе)!** (just) imagine!

представиться *(при знакомстве)* to introduce o.s.; *(появиться: возможность)* to present itself; **представляться кому-н** *(вид)* to meet sb's eyes; **ему ~илась будущая встреча** he pictured the future meeting; **ей ~илась возможность поехать в Лондон** an oportunity arose for her to go to London; **представляться больным/спящим** to pretend to be ill/asleep

представление presentation; *(документ)* statement; театр. performance; *(здание)* idea; representation; **не иметь (никакого) ~я** to have no idea about

представлять *(действовать от имени)* to represent; **~ собой (из себя)** *(являться)* to be ; **~ себе что-н** *(понимать)* to understand sth; **он ничего из себя не ~ет** he doesn't amount to much

предстоять to lie ahead; **нам ~ит много работы** there is a lot of work ahead of us

предстоящий *(сезон)* coming; *(трудности)* impending; *(работа, встреча)* forthcoming

предтеча forerunner, precursor

предубеждение prejudice

предугадать to anticipate

предупредительный *(предохраняющий)* preventive; *(любезный)* solictous, attentive

предупредить to warn; *(предотвратить)* to prevent; *(определить)* to anticipate; **предупреждать кого-н** o to warn sb about

предупреждение warning; *(аварии, заболевания)* prevention; *(извещение)* notice

предусмотреть *(учесть)* to foresee; *(принять меры)* to make provision for; *(программа, закон)* to provide for

предусмотрительный prudent

предчувствие premonition

предчувствовать to have a premonition of

предшественник predecessor

предшествующий previous; *(событие)* foregoing

предъявление *(паспорта, билета)* showing; *(претензий)* making; *(иска)* bringing; **по ~ю** комм. at sight

предъявлять *(паспорт, билет)* to show; *(доказательства)* to produce; *(требования, претензии)* to make; *(иск)* to bring; **предъявлять права на что-н** to lay claim to sth

предыдущий previous

преемник successor

преемственность *(власти, традиций)* continuity

преемственный successive

прежде *(в прошлом)* formerly; *(сначала)* first, before; **~ всего** first of all; **~ чем** before; **она никогда об этом не думала** she never used to think about it

преждевременный premature

прежний former

презентация presentation

презерватив condom

президент president

президиум presidium

презирать to hold in contempt

презрение *(ко лжи, к предателю)* contempt; *(к опасности)* disregard; *(к богатству)* scorn

презрительный contemptuous

преимущественно chiefly

преимущество advantage; юр. privilege; **по ~у** *(главным образом)* chiefly; **иметь ~ перед** to have an advantage over

преисполниться to be filled with

прейскурант price list

преклонение admiration (for)

преклонный *(возраст)* old age

преклоняться *(перед)* to admore

прекрасное beauty

прекрасный *(красивый: женщина, природа)* beautiful; *(город, вид, день)* fine, beautiful; *(отличный)* excellent; **в один ~ день** *(однажды)* one fine day

прекратить to stop; *(подачу энергии)* to cut off; to stop doing; **прекращать отношения с кем-н** to break off relations with sb

прекращение *(работы)* stopping; *(поставок)* cutting off; *(отношений)* breaking off

прелестный charming

прелесть charm; **какая ~!** how charming!

преломиться to be refracted; to take on a different cast

прелый rotten

прельстить to attract; *(увлечь):*~ **кого-н чем-н** to entice sb with sth

прельститься *(возможностями)* to be attracted by; *(богатством)* to be enticed by

прельщение captivation, fascination

прелюбодение adultery

прелюдия prelude

премиальный bonus

премировать *(работника)* to give a bonus to; *(победителя)* to award a prize to

премия *(работнику)* bonus; *(победителю)* prize; комм. premium

премудрость ins and outs *мн*

премьер prime minister, premier

премьера primiere

премьер-министр prime minister, premier

пренебрежение *(законами)* disregard; *(обязанностями)* neglect; *(высокомерие)* contempt

пренебрежительный contemptuous

пренебречь *(опасностью, последствиями)* to disregard; *(модной одеждой, правилами)* to scorn; *(советом, просьбой)* to ignore

прения debate *ед*

преобладать to predominate (over)

преобразить to transform

преобразиться to be transformed

преобразование *(общества, жизни)*transformation; *(тока, энергии)* conversion; *(революционное, социальное)* reform

преобразователь *(тока, радиосигналов)* transformer; *(общества)* reformer

преодолеть to overcome; *(преграду)* to break down; *(трудный переход)* to get through

преосвященный Right Reverend

препарат *мед.* preparation

препинание знаки ~ия punctuation marks *мн*

препираться to squabble *или* bicker (with)

преподавание teaching

преподаватель *(школы, курсов)* teacher; *(вуза)* lecturer

преподавать to teach

преподать to teach; **~ кому-н урок терпения** to teach sb patience

преподобие *рел.* **Вашего/Его ~** Your/His Eminence

преподобный *рел.* Venerable

препятствие obstacle

препятствовать to impede

прервать *(разговор, работу)* to cut short; *(отношения, знакомство)* to break off; *(говорящего)* to intrerrupt; комп. to abort

прерваться *(разговор, игра)* to be cut short; *(отношения, знакомство)* to be broken off

прерогатива prerogative

прерывистый *(звонок)* intermittent; *(линия)* broken

пресечение suppression; **мера ~я** юр. injunction

пресечь to suppress

преследование pursuit; *(инакомыслия)* persecution

преследовать to pursue; *(перен: женщину)* to chase; *(мысли, чувства)* to haunt; *(правозащитника)* to persecute

пресмыкаться *(унижаться)* to craw to

пресмыкающееся reptile

пресноводный freshwater

пресный *(вода)* fresh; *(пища)* bland; *(перен: шутка)* feeble; *(история, разговоры)* tedious

пресс *тех.* press; **общенациональная ~** national press

пресс-конференция press conference

прессовать *(детали)* to press; *(порошок, газ)* to compress

пресс-центр press office

престарелый aged; **дом (для) ~ых** old people's home

престижный prestigious

престол *(трон)* throne; **вступать (вступить)** *или* **восходить (взойти) на ~ол** to ascend the throne; **свергать (свергнуть) кого-н с ~а** to dethrone sb

преступить to breach

преступление crime

преступник criminal

преступность criminal nature; *(количество)* crime; **организованная ~** organized crime

претендент *(на престол)* claimant; *(на должность)* candidate; *(на руку женщины)* suitor; спорт. contender; *(шахматы)* challenger

претендовать *(стремиться* to aspire to; *(заявлять права)* to lay claim to

претензия *(обычно мн: на наследство, на престол)* claim; *(на ум, на красоту)* pretension; *(жалоба)* complaint; **быть в ~и** to bear a grudge against

претерпеть *(изменения)* to undergo; *(невзгоды)* to suffer

Претория Pretoria

преть *(листья)* to rot; *(пища)* to stew

преувеличение exaggeration

преувеличить to exaggerate

преуменьшить *(недооценивать)* to underestimate; *(показать в меньших размерах)* to minimize

преуспевать *(бизнесмен, писатель)* to be successful

преуспеть to be successful

преходящий *(временный)* transient

прецедент precedent

при at, by, during, in near; in the time of

прибавить to add; *(увеличить)* to increase; **прибавлять в весе** to put on weight

прибавиться *(проблемы, работа)* to mount up; *(воды в реке)* to rise; *(народу в толпе)* to grow

прибавление addition; *(к зарплате, воды в реке)* rise; **~ семейства** new addition to the family

прибаутка catch phrase

прибегнуть to resort to

прибедняться to pretend to be poor; *(преуменьшать свои возможности)* to show false modesty

прибежать to come running

прибежище refuge; **находить (найти) ~ в** to find refuge in

прибить *(прикрепить гвоздями)* to nail; *(вода, волна)* to wash up

прибиться *(лодка к берегу)* to be washed up

приближение *(дня события)* approach

приблизительно approximately

приблизительный approximate

приблизить *(придвинуть)* to move nearer; *(ускорить)* to bring nearer

приблизиться *(человек к окну, машина к дому)* to approach; *(развязка, победа)* to draw near

прибой breakers мн

прибор *(измерительный)* device; *(оптический)* instrument; *(нагревательный)* appliance; *(бритвенный, чернильный)* set

прибрать to clear up; **прибирать что-н к рукам** to lay one's hands on sth; **прибирать кого-н к рукам** to take sb in hand

прибрежный *(у берега моря)* coastal; *(у берега реки)* riverside

прибыль profit; **нереализованная ~** комм. paper profit

прибыльный profitable

прибытие arrival

прибыть to arrive; *(вода в реке)* to rise

привал *(в пути)* stop; *(место остановки)* stopping place

привалить *(придвинуть что-н тяжелое)* to heave; *(перен: разг)* to turn up

приватизация экон. privatization

приватизировать to privatize

приведение *(чего-н в порядок)* bringing; *(примерное)* introduction; **~ к присяге** swearing in; **~ приговора в исполнение** юр. carrying out of a sentence; **~ в движение** setting in motion

привезти to bring

привередливый fussy

приверженец *(идеи, традиций)* adherent

привести *(ребенка домой)* to bring; *(к дому)* to take; *(пример)* to give;

(чьи-н слова) to quote; ~ **в ужас** to horrify; ~ **в отчаяние** to bring to the point of despair; ~ **в восторг** to delight; ~ **в изумление** to astonish; ~ **в исполнение** to put into effect; ~ **в готовность** to make ready; ~ **в порядок** to put in order; ~ **в движение** to set in motion

привет greeting, reception, welcome; regards; ~! hail! **~ливость** affability; **~ливый** courteous; **~ствие** salutation

приветливый friendly

приветствие *(при встрече)* greeting; *(съезду, делегации)* welcome

приветствовать to welcome

прививка *мед.* vaccination

привидеться to appear to; **мне ~елся страшный сон** I had terrifying dream

привилегированный privileged

привилегия privilege

привинтить to screw on

привить *(растение)* to graft; ~ **кому-н что-н** to inoculate *или* vaccinate sb against sth; *(перен)* to cultivate sth in sb

привкус flavour *(BRIT)*, flavor *(US)*

привлекательный attractive

привлечение *(покупателей, внимания)* attraction; *(ресурсов)* use; ~ **у суду** taking to court; ~ **к ответственности** calling to account

привлечь to attract; **привлекать кого-н** *(к работе, к участию)* to coax sb into; *(к суду)* to take sb to; **привлекать кого-н к разговору** to draw sb into a conversation; **привлекать кого-н к ответственности** to call sb to account

привод *(электрический)* drive; *(ручной)* gear

привоз *(товаров, сырья)* supply

привозной imported

приволье *(степное, полевое)* expanse

привольный *(луга, поля)* expansive; *(жизнь)* free and easy

привратник doorman *(мн* doormen)

привстать to half rise

привычка habit; **по ~ке** out of habit

привычный *(работа, звуки)* familiar

привязанность attachment

привязать *(что-н/кого-н)* to tie sth/

sb to; **привязывать к себе** *(вызвать любовь)* to endear o.s. to

привязаться *(ремнем к сиденью)* to fasten o.s. to; *(полюбить)* to become attached to; *(разг: надоедать)* to pester

привязчивый affectionate, loving

привязь tie

пригладить *(складки на платье)* to smooth out; *(волосы)* to smooth back

пригласить to invite; *(врача)* to call; **приглашать кого-н в гости** to invite sb; **приглашать кого-н на танец** to ask sb to dance

приглашение invitation; *комп.* prompt

приглушить *(звуки)* to deaden; *(радио)* to turn down; *(краски)* to tone down; *(тона)* to soften; *(перен: боль, тоску)* lessen

приглядеть to look after; to search out, find

приглядеться *(к картине, к незнакомцу)* to look closely (at)

приглянуться кому-н to attract sb

пригнать to drive; *(костюм)* to adjust, alter

пригнуть *(ветку, кусты)* to bend

пригнуться *(нагнуться: человек)* to bend down; *(ветки, кусты)* to bend

приговаривать *(сопровождать словами)* to talk at the same time *(as doing sth)*

приговор *юр.* sentence; *(перен)* condemnation; **выносить (вынести)** ~ to pass sentence

приговорить to sentence sb to

пригодиться to be useful to

пригодный suitable

пригожий comely, good-looking, pretty

пригорелый burnt

пригореть to burn

пригород suburb

пригородный *(поселок, житель)* suburban; *(поезд, автобус)* local

пригорок hillock

пригоршня handful

приготовить to prepare; *(постель)* to make; *(ванну)* to run

приготовиться *(к путешествию)* to

get ready (for); *(к уроку)* to prepare (o.s.) (for)

приготовление preparation

пригреть *(солнце, землю)* to warm; *(перен: сироту)* to take in

пригубить to take a sip of

придавить to press, to squash

приданое *(невесты)* dowry; *(ново-рожденного)* layette

придаток appendage

придаточный subordinate clause

придать *(уверенности)* to instil sth in sb; **придавать что-н чему-н** *(вид, форму)* to give sth to sth; *(важность)* to attach sth to sth; **придавать бодрости кому-н** to hearten sb; **придавать сил кому-н** to strengthen sb

придвинуть to move over *или* up (to)

придворный court, courtier

приделать to attach *или* fix sth to

придержать *(дверь)* to hold (steady); *(лошадь)* to restrain

придерживаться *(каких-н взглядов)* to hold; *(за перила)* to hold onto

придира nagger

придираться to cavil, nag, quibble

придирка nagging, sophistry

придирчивый captious, quarrelsome

придорожный roadside, wayside

придумать *(отговорку, причину)* to think of *или* up; *(новый прибор)* to devise; *(песню, стихотворение)* to make up; **он ~л, как спасти положение** he thought of how to save the situation

придуриваться to pretend to be ignorant

придушить to choke, smother, strangle

придыхание aspiration, breathing

приезд arrival

приезжий visiting

прием reception; *(у врача)* surgery *(BRIT)*, office *(US)*; *(борьбы, гимнастический)* technique; *(наказания, воздействия)* means; **за один ~** in one go; **в два/три ~а** in two/tree attempts; **устраивать (устроить) ~** to organize a reception; **записываться (записаться) на ~ к** to make an

appointment to see

приемка *(товаров)* receipt

приемная reception

приемник *(радиоприемник)* radio; *(связь)* receiver

приемный *(часы)* reception; *(день)* visiting; *(экзамены)* entrance; *(комиссия)* selection; *(родители, дети)* adoptive; **приемный покой** room where newly arrived patients register and are given inital checkup before going to the ward

приемыш adopted child

приесться to bore sb stiff

приехать to arrive *или* come (by transport)

прижать *(разг: притеснить)* to put the screws on; **прижимать что-н/кого-н** to press sth/sb *или* against

прижаться to press o.s.against; *(ребенок к груди)* to snuggle up to

прижечь to cauterize

прижимистый tightfisted

прижиться *(человек)* to settle in, get o.s. settled; *(животные)* to adapt, become acclimatized *(BRIT)* или acclimated *(US)*; *(растения)* to take rest

приз prize

призадуматься to reflect upon

призвание *(к искусству, к науке)* vocation; *(предназначение)* calling; **~ театра — воспитывать** the purpose of the theatre is to educate

призвать *(на борьбу, к защите страны)* to call, summon; **призывать к миру/разоружению** to call for peace/disarmament; **призывать кого-н к спокойствию/повиновению** to appeal to sb to be calm/obedient; **призывать кого-н к порядку** to call sb to order; **призывать в армию** to call up (to join the army)

приземистый *(человек)* squat

приземлить to land

призер prizewinner

призма prism; **сквозь** *или* **через ~у** in the light of

признак *(кризиса, успеха)* sign; *(отправления)* symptom; **без ~ов жизни** not showing any sign of life

П

признание *(государства, писателя)* recognition; *(своего бессилия, чьих-н достижений)* acknowledgment, *(в любви)* declaration; *(в преступлении)* confession

признанный recognized

признательность gratitude

признательный grateful

признать *(правительство, чьи-н права)* to recognize; *(положительно оценить: книгу, фильм)* to acclaim; *(счесть)* ~ что-н/кого-н to recognize sth/sb as

признаться кому-н в чем-н *(в преступлении)* to confess sth to sb; **признаваться** кому-н в любви to make a declaration of love to sb; ~ся (признаюсь), я Вас не понимаю I have to admit that I don't understand you

призовой *(деньги)* prize; ~ая медаль prizewinner's medal; ~ое место medal position

призрак ghost

призрачный *(успех, надежды)* illusory; *(опасность)* imagined

призыв *(к восстанию, к защите)* call; *(в армию)* conscription; *(лозунг)* slogan, call-up

призывник conscript

призывной *(возраст)* call-up

призывный summoning

прииск mine

прийти *(идея, достичь)* to come *(on foot)*; *(письмо, телеграмма)* to arrive; *(весна, час свободы)* to come; *(достигнуть)* ~ *(к власти, к выбору)* to come to; *(к демократии)* to achieve; **приходить в ужас/недоумение** to be horrified/bewildered; **приходить в восторг** to go into raptures; **приходить в негодность** to become worthless; **приходить в упадок** to go into decline; **приходить в запущенность** to fall into neglect; **приходить** кому-н **в голову (на ум)** to occur to sb; **приходить в себя** *(после обморока)* to come to *или* round; *(успокоиться)* to come to one's senses

прийтись to fall on; *(попасть)* to land on; *(подойти: одежда, ключ)* to fit; *(вещь: по вкусу)* to suit; *(уступить, пойти на компромисс)* to have to do; **(нам) придется согласиться** we'll have to agree; **нам пришлось тяжело** we had a hard time; **как придется** anyhow; **где придется** anywhere; **что придется** anything

приказ order; **отдавать (отдать)** ~ to give an order

приказание *см* приказ

приказать to order sb to do; **как ~ажете** as you like

приказной *(тон, жест)* commanding; **в приказном порядке** in the form of an order

приказчик *(в магазине)* sales assistant *(BRIT)* или clerk *(US)*; *(в помещичьем хозяйстве)* manager of estate or farm

прикатить to roll up; *(разг: приехать)* to show up

прикарманить to pocket

прикармливать *(младенца)* to supplement the diet of

прикасание *(рук)* touch

прикинуть *(разг: посчитать)* to work out (roughtly)

приклад *(ружья, автомата)* butt *(of gun, etc)*

прикладной applied; **прикладная программа** *комп.* application program; **прикладное искусство** applied art

приклеить to glue, stick

приклеиться to stick

приключение adventure

приключенческий adventure

приключиться *(разг: произойти)* to happen

приковать *(перен: внимание, взгляд)* to fix; **приковывать** кого-н к to chain sb to; *(перен)* to confine sb to

приколоть to fasten, fix

прикомандировать to second

прикончить *(умертвить)* to finish off

прикорнуть to curl up

прикоснуться to touch lightly

прикрепить *(деталь, бант)* to fix sth to; **прикреплять** кого-н/что-н к *(советника к предприятию, ин-*

П

ститут *к заводу)* to attach sb/ sth to

прикрытие *(махинаций)* cover-up; *(тыла, воен.)* cover; **под ~ем** under the guise of

прикрыть to cover; *(закрыть)* to close (over); *(разг: ликвидировать)* to wind up; *(скрывать)*to cover up

прикрыться *(одеялом, плащом)* to cover o.s. with; *(отговорками, риторикой)* to nide behind; *(разг: ликвидироваться)* to close down

прикурить to get a light *(from lit cigarette)*

прикусить *(губу, язык)* to bite

прилавок *(в магазине)* counter; *(на рынке)* stall

прилагательное adjective

приладить to fit sth on to

приласкать to caress, pat, stroke

прилегать *(касаться)* to fit tightly; *(находиться рядом)* to adjoin

прилегающий adjacent

прилежание diligence

прилежный diligent

прилепить to stick

прилетать to arrive *(by air), fly in*

прилечь to lie down for a while

прилив *(в море, в океане)* tide; *(денег, туристов)* flood; *(негодования, энергии)* surge

прилизанный *(разг: волосы)* slicked-down; *(вид)* fastidious; *(человек)* pernickety *(BRIT),* persnickety *(US)*

прилизать to slick down

прилипание adhesion, sticking

прилипнуть to steck to; *(разг: к девушке, к незнакомцу)* to cling to

прилипчивый contagious

прилить *(вода в море)* to flow; *(кровь)* to rush

приличие decency; *(обычно мн)* manners *мн*

приличный *(пристойный человек)* decent; *(манеры)* proper; *(достаточно хороший, большой)* fair, decent

приложение *(силы, энергии)* application; *(к журналу)* supplement; *(к журналу)* supplement; *(к документации)*

addendum *(мн* addenda)

приложить *(присоединить)* to affix; *(силу, знания)* to apply; *(руку ко лбу)* to put sth to; *(трубку к уху)* to hold sth to; **прилагать руку к** to put one's hand to; **ума не ~ожу** I don't have a clue

прильнуть *(приникнуть: к чьей-н груди)* to cling to; *(к двери, к окну)* to press o.s. against

прима *(ведущий голос)* lead; *(разг: о балерине)* prima ballerina

приманить to lure

приманка bait

примачивать (примочить) to foment; moisten

применить *(меры)* to implement; *(силу)* to use; **применять что-н** *(метод, теорию)* to apply sth (to); **применять санкциии** to impose sanctions on

применяться *(оружия)* use; *(машин, лекарства)* application; *(мер, метода)* adoption; **в ~и к** in application to

применимый applicable

применительно in conformity with

применяться *(использоваться)* to be used

пример example; **к ~у** for example; **не в ~unlike;** **по ~у** *(сходно с)* after the example of; **ставить кого-н/ что-н в ~ to** hold sb/sth up as an example; **брать (взять) ~ с** to follow the example of

примерзнуть freeze (to)

примерить to try on

примерка trying on

примерно *(образцово)* in an exemplary fashion; *(приблизительно)* approximately

примерный *(образцовый)* exemplary; *(приблизительный)* approximate

примета *(признак)* sign; *(суеверная)* omen; **она у него на ~е** he has his eye on her

приметать to stitch on, tack on *(BRIT)*

приметить to notice

приметливый observant

приметный perceptible, visible

примечание note, comment; footnote

примечательный notable, noteworthy

примешать to bring; **примешиваться** to add (to), mix in(to)

примирение reconciliation

примирить to reconcile sb with sb; **примирять кого-н с чем-н** to help sb come to terms with sth

примириться *(с врагом, с мужем)* to be reconciled with; *(с действительностью)* to reconcile o.s. to

примитивный primitive

примолкнуть *(разг: умолкнуть)* to shush

приморский seaside

приморье seaside

примоститься to perch o.s.

примочка *(процедура)* bathing; *(лекарство)* lotion

примула primrose

примус primus (stove)

примчаться to come tearing up

примыкать *(прилегать)* to adjoin

примять *(траву)* to trample on

принадлежать to appertain, belong

принадлежность characteristic; *(обычно мн: охотничьи, рыболовный=)* tackle; *(письменные)* accessories *мн*; *(вхождение в состав)* membership of

принести *(стул, ребенка, удачу)* to bring; *(животные)* to bear; *(растения)* to yield; *(доход, прибыль)* to bring in; *(извинения, благодарность)* to express; *(присягу)* to take; **приносить пользу** to be of use; **приносить вред** to harm; **приносить что-н в жертву** to sacrifice sth

приниженный humble, servile

принизить *(унизить)* to humiliate; *(умалить)* to belittle

приникнуть *(к земле)* to press o.s. to; *(к подушке)* to nestle up against; *(к другу)* to snuggle up to; *(к двери, к окну)* to press o.s. against

приноравливаться to adapt oneself to; to accomodate oneself; to conform

принтер комп. printer

принудительный *(труд, лечение)* forced; *(меры)* compulsory

принуждать (принудить) to

compel, force

принуждение compulsion; **по ~ю** under compulsion

принужденный forced

принц prince

принцесса princess

принцип principle; **в ~е** *(в основном)* in principle; **из ~а** on principle; **по ~у** on the principle of

принципиальный *(человек, политика)* of principle; *(согласие, договоренность)* in principle

принятый accepted

принять to take; *(подарок, критику, условия)* to accept; *(какой-н пост)* to take up; *(делегацию, телеграмму)* to receive; *(закон, резолюцию, поправку)* to pass; *(отношение, вид)* to take on; *(христианство)* to adopt; **принимать в/на** *(в университет, на работу)* to accept; **принимать что-н/кого-н за** to mistake sth/sb for; *(счесть)* to take sth/sb as; **принимать роды** to deliver a baby

приняться *(растение)* to take root; *(приступить)* to get down to doing; **приниматься за** *(приступить)* to get down to; *(за лентяев, за преступников)* to take in hand; *(за десерт, за вино)* to start или get started on

приободрить to cheer up

приобрести to acquire; *(друзей, врагов)* to make; *(опыт)* to gain

приобретение acquisition; *комм.* procurement

приобщить *(приложить)* to attach; *(познакомить)* **кого-н/что-н** to introduce sb/sth to; **приобщать к делу** to file

приобщиться become involved in

приодеть to dress up

приоритет priority

приоритетный main

приостановить to suspend

приоткрыть *(дверь)* to open slightly; *(глаза)* to half open

припадок *(сердечный)* attack; *(гнева)* fit; *(веселья)* outburst; **истерический ~** fit of hysterics

припарка poultice

припасти *(еду)* to store up; *(деньги)* to save up

припасы *(еды, денежные)* supplies; *(боевые, ружейные)* ammunition

припаять *(приделать паянием)* to solder on

припев *(песни)* chorus, refrain

припевать to harmonize vocally; to join singing with someone

припекать *(солнце)* to be burning hot

приписать *(написать в дополнение)* to add; *(прикрепить)* ~ кого-н/что-н to attach sb/sth to; *(счесть следствием)* ~ что-н чему-н to put sth down to sth; *(счесть принадлежащим)* ~ что-н кому-н to attribute sth to sb

приписка *(в письме)* postscript; *(в документе)* addition; *(обычно мн: ложные данные: в отчете , в докладе)* tampering with facts and figures

приплести *(вплетаю, присоединить)* to plait in; *(разг: имя)* to drag in; *(событие, факт)* to drag up

приплюснутый *(нос)* flat

приплясывать to skip

приподнятый *(оживленный)* cheerful; *(торжественный)* elevated

приподнять *(чемодан)* to lift slightly; *(занавес)* to raise slightly

припомнить to remember; **припоминать что-н** to make sb remember sth

приправа seasoning

припрятать to stash (away)

припугнуть to put the wind up

припуск allowance

припустить *(побежать)* to speed up

припутывать *(припутать)* to entangle, implicate

припухлый slightly swollen

приравнивать *(приравнять)* to level

приращение augmentation, increase, increment

природа nature

природный innate; native; natural

природоведение natural history

природоохрана nature conservation

прирост *(населения)* growth; *(доходов, урожая)* increase

приручить *(животное)* to tame; *(пе-*

рен: человека) to bring to heel

присвоить to appropriate; *(дать):* ~ что-н кому-н to confer sth on sb

приседать to squat; to curtsy

прискакать *(лошадь, всадник)* to gallop up, come galloping up; *(разг: быстро приехать (прийти)* to come tearing up

прискорбие к моему глубокому ~ю to my deepest regret; **с глубоким ~ем** with deepest regret

прискорбный regrettable

прислать to send

прислонить to lean sth against

прислуга servants мн

прислуживать *(официант)* to wait on

прислуживаться to ingratiate o.s., grovel

прислушаться *(к звуку)* to listen to; *(к совету)* to take heed of

присмиреть to quieten *(BRIT)* или quiet *(US)* down, calm down

присмирить to quieten *(BRIT)*, quiet *(US)*

присмотр care

присмотреть to find; to look after

присмотреться to take a good look (at)

присовокупить *(к делу)* to file; *(к сказанному)* to add

присоединение attachment; connection; annexation; *(к протесту)* joining; *(к чьему-н мнению)* supporting

присоединить to attach sth to; *(провод)* to connect sth to; *(территорию)* to annex sth to

присоединиться *(к экскурсии, к протесту)* to join; *(к чьему-н мнению)* to support

присосаться to attach itself by suction

приспешник accomplice

приспособить to adapt

приспособление *(к условиям)* adaptation; *(устройство, механизм)* appliance

приспособленный *(пригодный)* fit for, well-suited to

приставание pestering

приставить to put sth against; *(пистолет: к груди)* to put sth to;

П

приставлять кого-н к to assign sb to look after

приставка fitting; линг. prefix

пристальный (взгляд, внимание) fixed; (интерес, наблюдение) determined, resolute

пристанище refuge

пристань pier

пристать to stick to; (присоединиться) to join; (разг: с вопросами) to pester; (причалить) to put into; ему не ~ло так поступать he shouldn't behave like that

пристегнуть to fasten

пристегнуться (в самолете, в автомобиле) to fasten one's seat belt

пристойный (приличный) decent

пристрастие (склонность) passion; (предубеждение) bias

пристраститься to develop a liking for

пристрелить (животное) to put down; (разг: человека) to shoot

пристроить (комнату) to build onto; (разг: устроить) to fix up

пристроиться (на диване, в углу) to settle o.s.; (разг: на работу, на службу) to get fixed up

пристройка extension

приступ (атака) attack; (смеха, гнева): fit; (кашля) bout; (припадок): сердечный ~ heart attack; ~ удушья asthma attack

приступить (начать) to get down to

присудить (приз, алименты) to award sth to sb; (ученую степень) to confer sth on sb; (приговорить): кого-н к sentence sb to

присутственный (день, часы) working

присутствовать to be present

присутствующие those present

присущий characteristic of

присыпка powder

присяга oath; под ~ой under oath

присягать to swear an oath to

присяжный juror; суд ~ых jury

притаиться to hide

притащить (что-н тяжелое (громоздкое) to drag; (заставить пойти) to drag along

притворить to shut (not fully)

притвориться to pretend to be

притворный feigned

притворство pretence

притеснение (людей) oppression; (обычно мн: гонения) persecution

притеснитель oppressor

притеснить to oppress

притирание grinding, rubbing

притихнуть to grow quiet

приткнуть to stick

приток (река) tributary; (сил, энергии, средств) supply of; (населения) influx of

притом and what's more

притон den

приторный (вкус, торт) sickly sweet; (перен: улыбка, выражение, лица) unctuous

притронуться to touch

притупиться (нож, бритва, топор) to go blunt; (перен: внимание) to diminish; (чувства) to fade; (слух) to fail

притча parable

притягательный attractive

притяжательный possessive

притязание (на наследство, на территорию) claim to; (на остроумие, на красоту) pretensions мн of

приукрасить (события, чьи-н достоинства) to exaggerate

приумножить to increase

приуныть to get depressed

приурочивать (приурочить) to fix a date; to appoint a time

приучать (приучить) to accustom, school, train

прифронтовой front (line)

прихвастнуть to blow one's own trumpet a bit

прихватить (разг: схватить) to grab; (взять с собой) to take; (о боли) to grip

прихлебатель sponger

прихлопнуть (крышку) to slam shut; (разг: насекомое) to swat

прихлынуть (волна, толпа) to surge; (перен: воспоминания) to come flooding back

приход (поезда, гостя, весны) arrival; комм.receipts мн; рел. parish; ~ и расход credit and debit

приходовать (сумму) to enter (in receipt book)

приходский parish

приходящий nonresident; *(медсестра)* visiting; ~**ая няня** babysitter; ~ **больной** outpatient

прихожанин parishioner

прихожая entrance hall

прихорашиваться to smarten o.s. up

прихоть whim, caprice

прихотливый *(человек)* capriciuos, whimsical; *(вкус)* quirky; *(узор)* intricate

прицел *(ружья, пушки)* sight(s); *(прицеливание)* aiming; **брать (взять)** кого-н /что-н на ~ to aim at sb/sth; *(перен)* to keep a close watch on sb/sth

прицелиться to take aim

прицениться to enquire about the price of

прицеп trailer

прицепить *(вагон)* to couple

прицепиться *(пристать)* to be a pain in the neck; **прицепляться** к to stick to; *(пере: разг: к человеку)* to nag; *(к словам)* to find fault with

причал mooring; *(пассажирский)* quay; *(грузовой, ремонтный)* dock

причалить to moor

причастие *линг.* participle; *рел.* commonion

причастить *рел.* to give communion to

причаститься to receive communion

причащение *рел.* Eucharist

причем moreover

причесать *(волосы)* to comb, brush; **причесывать** кого-н to comb *или* brush sb's hair; **причесывать голову** to do one's hair

причесаться to comb *или* brush one's hair

прическа hairstyle

причина cause, reason; **по** ~**е** on account of

причинить to cause

причислять *(причислить)* to number reckon; to add; to attach

причитание lamentation; *(похоронные)* keening; **свадебные** ~**я** *old Russian wedding ritual where women wail and lament the bride*

причитать *(на похоронах)* to wail

причуда whim

причудливый *(узор)* intricate

пришелец stranger

пришествие *рел.* advent

пришибленный crestfallen

пришить to sew on; *(перен: разг)*: кому-н что-н to pin sth on sb

пришлый *(человек)* strange; *(кошка)* stray

пришпорить to spur

прищемить to catch

прищепка clothes peg *(BRIT)*, clothespin *(US)*

прищурить *(глаза)* to screw up

прищуриться to screw up one's eyes

приют shelter; *(для сирот)* orphanage

приютить to shelter

приютиться to take shelter

приятель friend

приятно *(удивлен, поражен)* pleasantly; it is nice *или* pleasant; **мне** ~ **это слышать** I'm glad to hear that; **очень** ~ *(при знакомстве)* pleased to meet you

приятный *(встреча, поездка)* pleasant, enjoyable; *(разговор, вкус)* pleasant; *(человек, лицо, улыбка)* nice, pleasant

про about

проба *(испытание)* test; *(образец)* sample; *(драгоценного металла)* standard *(of precious metals)*; *(клеймо)* hallmark

пробег *спорт. (автомобильный, марафонский)* race; *(лыжный)* run; mileage

пробегать to run around

пробежать *(бегло прочитать)* to skim; *(5 километров)* to cover; *(время, годы)* to pass; *(миновать бегом)*: ~ **мимо** to run past; *(появиться и исчезнуть)* *(шум, дождь)* to run through; *(по земле)* to run along; **пробегать через** to run through

пробежаться to run

пробел gap

пробиваться *(прорваться)* to fight one's way through; *(растения, ростки)* to push through *или* up; *(разг: прожить с трудом)* to struggle through

П

пробивной *(сила снаряда)* pene-trating; *(перен: разг: человек)* pushy

пробирка test-tube

пробить *(дыру, отверстие)* to knock; *(крышу, стену)* to make a hole in; *(разг: с трудом добиться)* to force through; **пробивать себе дорогу** to carve one's way

пробка *(древесной коры)* cork; *(для закупоривания)* cork, stopper; *(перен: транспортная)* jam; *(электрическая)* fuse

проблема problem

проблематический problematic(al)

проблеск *(блеск)* ray; *(таланта, понимания)* hint; **~ надежды** ray of hope

пробный *(образец, экземпляр)* trail; *(полет)* test; **~ камень** touch-stone

пробовать *(мотор)* to test; *(пирог, вино)* to taste; *(пытаться)* to try to do

прободение *мед.* perforation

пробоина hole

проболтаться *(разг: проговориться)* to blab; *(пробездельничать)* to loaf about

пробор parting

пробрать *(разг: страх)* to strike; *(дрожь)* to come over; *(мороз)* to chill

пробраться *(с трудом пройти)* to fight one's way through; *(тихо пройти)* to steal past *или* through

пробудить *(массы, людей)* to rouse, stir; *(перен: желания, чувства)* to arouse

пробудиться *(проснуться)* to awake, wake up; *(перен: появиться)* to appear

пробуждение *(ото сна)* waking up; *(сознания, чувств)* awakening

пробыть *(прожить)* to stay, remain; *(провести)* to go; **он пробыл 10 лет учителем** he was a teacher for 10 years

провал *(в почве, в стене)* hole; *(перен: неудача)* flop; *(памяти)* failure

провалить *(крышу, пол)* to cause to collapse; *(разг: перен: дело, затею)* to make a mess of; *(студента)* to fail

провалиться *(упасть)* to fall; *(рухнуть)* to collapse; *(разг: перен: студент, попытка)* to fail; *(исчезнуть)* to vanish; **как сквозь землю ~алился** he disappeared into thin air

проварить to boil *(for a long time)*

проведать *(навестить)* to call on; *(разг: узнать)* to find out

проведение *(урока)* taking; *(границы)* drawing; *(линии передач)* installation; *(машины)* driving; *(судна)* piloting

проверить *(выполнение правил)* to monitor; *(знание ученика, двигатель)* to test

провериться *(у врача)* to get a check-up

проверка check; monitoring test

провернуть *(кран, винт)* to crank; *(перен: разг: дело, обмен квартиры)* to rush through

проверяющий examiner

провести *(черту, границу)* to draw; *(дорогу, ход)* to build; *(линию передачи)* to install; *(план, реформу)* to implement; *(урок, репетицию)* to hold; *(операцию)* to carry out; *(детство, день)* to spend; *(обмануть)* to trick; **проводить мимо/через** *(людей, экскурсантов)* to take past/across; **проводить что-н в жизнь** to put sth into effect

проветрить to air

проветриться *(комната, одежда)* to have an airing; *(человек: на свежем воздухе)* to take a breath of fresh air; *(перен: разг)* to have a change of scene

провиант provisions *мн*

провидение foresihgt

провиниться to be guilty (of)

провинность fault

провинциал provincial

провинциальный provincial

провинция province; *(отдаленная местность)* provinces *мн*

провод cable

проводимость conductivity

проводить to see off; *(сына: в ар-*

мию) to send off; **провожать глазами/взглядом кого-н** to follow sb with one's eyes/gaze

проводка wiring

проводник *(в горах)* guide; *(в поезде)* steward *(BRIT)*, porter *(US)*; элект. conductor; *(перен: идей, политики)* vehicle

проводница *(в поезде)* stewardess *(BRIT)*, porter *(US)*

провожатый escort

провоз *(багажа)* transport; *(незаконный)* smuggling

провозгласить to proclaim; **провозглашать кого-н/что-н** to hail sb/ sth as

провозглашение proclamation

провозиться to muck around *или* about; **~ся с кем-н/чем-н** to spend time with sb/on sth

провокатор agent provocateur

провокационный provocative

провокация provocation; **поддаваться (поддаться) на ~ю** to give in to provocation

проволока wire

проволочка hold-up

проворный agile

провороваться to be caught stealing

проворство alertness, promptness

проворчать *(человек)* to grumble, to mutter

провоцировать to provoke; **(спровоцировать) кого-н/что-н на что-н** to provoke sb/sth into sth

прогадать to miscalculate

прогалина glade

прогиб *(пола, балки)* sagging; *(место)* sag

проглотить to swallow; *(перен: разг: книгу)* to devour; **язык ~отишь, так вкусно** it's so tasty it makes your mouth water

проглядеть *(ошибку, изменения)* to overlook

проглянуть to peek out; **на его лице ~янула улыбка** there was a hint of a smile on his face

прогнать *(заставить двигаться)* to drive; *(заставить уйти)* to turn out; *(уволить)* to dismiss; *(избавиться)* to drive away

прогневать to anger, displease

прогнить to rot through

прогноз forecast

прогнозировать to forecast

прогнуться to sag

проговорить *(произнести)* to utter; *(разговориться)* to chat

проголодаться to fell hungry

прогореть *(дрова)* to burn through; *(перен: разг: дело)* to go bust

прогорклый *(масло)* rancid

программа programme *(BRIT)*, program *(US)*; полит. manifesto; вещательная ~ channel; просвещ. curriculum; комп. program

программирование *комп.* programming

программировать *комп.* to program

программист *комп.* programmer

программный programmed *(BRIT)*, programed *(US)*; *(экзамен, зачет)* set; *комп.* programming *(BRIT)*, programing *(US)*

прогресс progress

прогрессивный *(писатель, идеи)* progressive

прогрессировать to progress

прогреть to warm up

прогреться to warm up

прогрызть to gnaw through

прогул *(на работе)* absence; *(в школе)* trancy

прогуливать *(собаку)* to take

прогулка walk; *(недалекая поездка)* trip

прогульщик *(работник)* absentee; *(ученик)* truant

прогулять *(работу)* to be absent from; *(уроки)* to miss, to walk

прогуляться to go for a walk

продавец seller; *(в магазине)* (shop-)assistant

продавить *(стекло)* to go through; **продавливать сиденье стула** to make the seat of a chair sag

продажа *(дома, товара)* sale; *(торговля)* trade; **быть в ~е, поступать (поступить) в ~у** to be on sale

продажный *(цена)* sale; *(вещь)* for sale; corrupt

продать to sell; *(перен: друга)* to betray

продаться *(врагам)* to sell out

продвижение *(по территории)*

advance; *(по службе)* promotion

продвинуть to move; *(перен: работник)* to promote

продвинуться to move; *(войска)* to advance; *(перен: работник)* to be promoted; *(работа, строительство)* to progress

проделать *(отверстие)* to make; *(работу)* to do

проделка trick

продержать *(держать)* to hold; *(библиотечную книгу, человека)* to keep

продержаться *(держаться)* to hold out

продеть to thread; **продевать нитку в иголку** to thread a needle

продление extension; prolongation

продлить *(командировку, отпуск)* to extend; *(жизнь)* to prolong

продовольственный food; **продовольственный магазин** grocer's (shop) *(BRIT)*, grocery *(US)*

продовольствие provisions *мн*

продолговатый elongated

продолжатель successor

продолжать to continue *или* carry on doing

продолжаться to continue, carry on

продолжение *(борьбы, лекции)* continuation; *(романа, рассказа)* sequel; **в ~** for the duration of

продолжительность duration; **средняя ~ жизни** life expectancy; **продолжительность жизни** lifespan

продолжительный *(болезнь, разговор)* prolonged; *(урок)* extended

продольный longitudinal

продрать to fight one's way through

продрогнуть to be frozen to the bone

продукт product

продуктивность productivity; *комп.* throughput

продуктивный productive

продуктовый food

продукты foodstuffs *мн*

продукция produce

продуманный well thought-out

продумать *(действия, выступление)* to think out; *(ответ)* to consider, to think

продуть *(трубу)* to blow through; *(разг: проиграть)* to lose; **меня**

~ло I've caught a chill

продырявить to make a hole in

продюссер producer

проезд *(в транспорте)* journey; *(место)* passage

проездной *(документ)* travel; **проездной билет** travel card

проезжий *(человек)* passing; traveller *(BRIT)*, traveler *(US)*; **~ая часть (улицы)** road

проект *(дома, памятника)* design; *(закона, договора)* draft; *(замысел)* project

проектировать *(дом)* to design; **запроектировать** *(наметить)* to plan

проектировщик designer

проектор *(оптика)* projector

проекция projection

проем *(дверной, оконный)* aperture

проесть to eat through; *(разг: деньги)* to blow on food

проехать *(миновать)* to pass; *(остановку, поворот)* to miss; **~ мимо/по/через** to drive past/ along/across

проехаться *(на велосипеде, на санках)* to go for a ride; *(на машине)* to go for a drive

прожарить to fry

прожариться to be well-fried

прождать to wait a long time for

прожектор floodlight

прожечь *(огнем, кислотой)* to burn a hole in

проживание *(в гостинице)* stay

проживать to live

прожилка vein; *(дерева)* grain

прожиточный *(минимум)* minimum **living wage**

прожить to live; *(жить)* to spend; *(деньги, состояние)* to squander

прожорливый voracious

прожёвывать to masticate

проза prose; *(повседневность)* routine

прозаик prosaist

прозаический *(произведение)* prose; *(жизнь)* prosaic

прозвание nickname

прозвать to nickname

прозвище nickname

прозвучать *(стать слышным)* to

resound; *(проявиться)* to come through

прозорливость insight, penetration, sagacity

прозорливый *(человек, ум)* preceptive; *(политика)* farsighted

прозрачность transparency

прозрачный *(стекло, намерение)* transparent; *(воздух, вода)* clear; *(ткань, одежда)* see-through

прозреть to gain one's sight; *(перен)* to see the light

прозябание sprouting, vegetating, vegetation

прозябать *(человек)* to vegetate

проиграть to lose; *(запись)* to play; *(играть)* to play

проигрыватель record player

проигрыш loss

произведение *(литературы, искусства)* work; мат. product

произвести *(обыск, операцию)* to carry out; *(впечатление, суматоху)* to create; **производить посадку** to land; **производить кого-н в офицеры/генералы** to confer the rank of an officer/a general on sb

производитель producer

производительность productivity

производительный *(продуктивный)* productive; **производительные силы** экон. labour *(BRIT)* или labor *(US)* force

производить *(изготавливать)* to produce

производный derivative; **производное слово** derivative

производственный *(процесс, план)* production; ~ **спрос** комм. derived demand; ~ **несчастный случай** occupational accident; **производственные отношения** industrial relations

производство *(товара)* production, manufacture; *(отрасль)* industry; *(завод, фабрика)*factory; *(опыта)*carrying out; **сельскохозяйственное** ~ agricultural yield; *(отрасль)* agriculture; **промышленное** ~ industrial output; *(отрасль)* industry

произвол *(самовластие)* arbitrary rule; **оставлять (оставить)** или

бросать (бросить) кого-н на ~ **судьбы** to leave sb in the hands of fate

произвольный *(свободный)* free; спорт. freestyle; *(неосновательный)* arbitrary

произнести *(выговорить)* to pronounce; *(сказать)* to say; **произносить (~) речь /тост** to make a speech/toast

произношение pronunciation

произойти *(случиться)* to occur; **происходить от** to come from

происки machinations мн

проистекать to result from

происходить to come from

происхождение origin; **по** ~**ю** by birth

происшествие event; **дорожное** ~ road accident

пройдоха cad

пройма hole, opening; slit *(in dress)*

пройти to pass; *(расстояние)* to cover; *(слух, весть)* to spread; *(дорога, канал)* to stretch; *(дождь, снег)* to fall; *(состояться: операция, переговоры)* to go; *(завершить: практику, службу)* to complete; *(изучить: тему)* to do; **проходить в** *(институте)* to get into

прок use

проказа mischief; мед.,leprosy

проказник mischief-maker

проказничать to get up to mischief

прокат *(телевизора, палатки)* hire; *(металл)* rolled iron; **брать (взять) что-н на** ~ to hire sth; **выпускать (выпустить) фильм в** ~ to release a film

прокатить *(раскритиковать)* to pick holes in; *(разг)* to whizz past; **прокатывать кого-н** *(на машине)* to take sb for a ride

прокатиться *(гром)* to roll; *(на машине)* to go for a spin; *(перен: выстрел)* to ring out

прокатка тех. rolling

прокатный *(производство, цех)* rolling; *(пункт, плата)* hire

прокипятить to boil

прокиснуть to go off

прокладка *(действие: труб)* laying

out; *(линий передач)* laying; *(защитная)* padding

проклинать to curse

проклинающий maledictory

проклясть to curse

проклятие curse

проклятый damned; **работать как проклятый** to work like a dog

прокол *(действие: шины)* puncturing; *(нарыва)* lancing; *(ушей)* piercing; *(отверстие: в шине)* puncture; *(в ушах)* hole; *(разг: неудача)* flop

проколоть *(шину)* to puncture; *(уши)* to pierce; *(нарыв)* to lance

прокопать *(канаву, ход)* to dig out

прокорм feeding

прокрасться to creep *(BRIT)* или sneak *(US)* in(to)/past/through

прокручивание turning; mincing; rolling; playing

прокуратура юр. public prosecution office, procurators *мн*

прокурить to fill with smoke

прокурор *(района, города)* procurator; *(на суде)* counsel for the prosecution; **Генеральный ~** юр. general procurator, attorney, general *(US)*

прокурорский *(надзор)* procurator's powers *мн*

прокусить to bite through

пролежать to lie

пролежень bedsore

пролезть to get through; *(перен: разг: в руководство)* to worm one's way in

пролет span; **~ лестницы** a flight of stairs

пролетариат proletariat

пролетарский proletarian

пролетать to fly; *(человек, поезд)* to fly past; *(лето, отпуск)* to fly by

пролечь *(дорога, тропинка)* to stretch

пролив strait(s) *мн*

проливной *(дождь)* pouring rain

пролить to spill; **проливать чью-н кровь** to spill sb's blood

пролог prologue *(BRIT)*, prolog *(US)*

проложить to lay; **прокладывать что-н чем-н** interlay sth with sth; **~дорогу** или **путь кому-н/чему-н** to pave the way for sb/sth

пролом *(льда)* cracking; *(место)* crack

проломать to break through

проломить *(лед)* to break; *(череп)* to fracture; **проламывать дыру в чем-н** to make a hole in sth

промаршировать to march past

промаслить *(растительным маслом)* to oil; *(сливочным маслом)* to grease

промах miss; *(перен)* blunder; **давать (дать) ~** to miss the target; *(перен)* to make a blunder

промахнуться to miss; *(перен: разг)* to blunder

промашка stroke of bad luck; *(упущение)* blunder

промедление delay

промедлить to delay

промежуток *(пространство)* gap; *(перерыв)* break

промежуточный *(участок, период)* intervening; *(стадия, положение)* intermediate

промелькнуть to flash past; *(в голове, в памяти)* to flash through

променять кого-н на что-н to prefer sb/sth to

промерзнуть *(комната, дом)* to be chilled through; *(человек)* to freeze

промеривать *(промерить)* to measure, sound; to ascertain correct measurement

промозглый cold and wet

промокательный промокать to let water through

промокашка blotting paper

промокнуть *(одежда, ноги)* to get soaked

промолвить to utter

промолчать to say nothing

промотать to blow

промочить to get wet

промтовары manufactured goods *мн*

промчаться *(год, лето, жизнь)* to fly by; **~ мимо/через** *(поезд, человек)* to fly past/through

промывание *(желудка)* pumping; *(глаза, раны)* bathing

промысел *(ремесло)* trade; **охотничий ~** hunting; **пушной ~** trapping; **рыбный ~** fishing

П

промысловый trading; *(рыба, зверь)* marketable

промыслы *(нефтяные)* fields мн; *(горные, соляные)* mines мн

промыть *(желудок)* to pump; *(рану, глаз)* to bathe; *(золотой песок)* to pan out

промышленник industrialist

промышленность industry; **легкая/ тяжелая ~** light/heavy industry

промышленный industrial

промышлять *(охотой)* to hunt; **~** *(рыбой)* to fish; **~ переводами** to earn a living from translation

пронести to carry; *(тайком)* to sneak in; *(сохранить)* to preserve; *(перен)* to blow over

пронестись *(машина, пуля, бегун)* to shoot by; *(лето, годы)* to fly by; *(буря, тайфун)* to whirl past

пронзительный piercing; *(свет, цвет)* glaring

пронзить to pierce

пронизать to penetrate (into)

проникновенный *(слова)* heartfelt; *(голос)* emotional

проникнутый full of

проникнуть to penetrate (into); *(запеть)* to break into; *(распространиться)* To spread into; *(понять)* to understand

проникнуться to be filled with

проницательный *(человек, ум)* shrewd; *(взгляд)* penetrating

проницать *(свет)* to penetrate (into)

проныра dodgy character

пронырливый dodgy

пронять *(холод)* to seize; *(музыка)* to move

прообраз *(образец)* model; *(прототип)* prototype

пропаганда propaganda; *(спорта)* promotion

пропагандировать *(политическое учение)* to spread propaganda about; *(знаний, спорт)* to promote

пропагандист propagandist

пропагандистский *(шумиха, кампания)* propagandist

пропадать (пропасть) to be lost; to disappear; vanish; *(то, что пропало)* to perish

пропажа *(денег, документов)* loss; *(то, что пропало)* lost object

пропасть preci|pice; *(перен: во взглядах)* abyss; *(разг)* masses мн

пропахать to plough *(BRIT)*, plow *(US)*

пропахнуть to become filled with the smell of

пропащий *(разг: безнадежный)* hopeless; *(долго не проходивший)* longlost; **эти деньги — ~ие** that money is lost for good

пропеллер propeller

пропеть to sing

пропечь to bake

пропечься to be well-baked

пропилить to saw through

прописать *(человека)* to register; *(лекарство)* to prescribe; *(статью, письмо)* to write

прописка *(в городе, в доме)* registration

прописной *(общеизвестный)* commonplace; **~ая истина** truism; **прописная буква** capital letter

пропись writing samples мн

прописью in full; **писать (написать) сумму ~** to write out sum или amount in words

пропитание food

пропитанный imbued, impregnated

пропитать *(смочить)* to soak; *(насытить: бумагу)* to saturate; *(комнату, воздух)* to fill

пропитаться *(водой)* to be soaked in sth; *(запахом: воздух)* to be filled with sth; *(одежда)* to be saturated with sth

пропитка *(ткани, дерева)* soaking; *(водонепроницаемая)* impregnation; *(ромовая)* flavouring

пропить *(деньги, состояние)* to squander on drink; *(талант, карьеру)* to ruin, to drink

пропихнуть *(разг: в дверь)* to shove; *(в университет)* to push

проплутать to wander

проплывать *(человек)* to swin; *(судно)* to sail

проплыть *(человек)* to swim; *(миновать)* to swim past; *(судно)* to sail; *(миновать)* to sail past; *(перен: птица, облака)* to sail by или past; *(воспоминая, мысли)* to flash past

П

проповедник *рел.* preacher; *(перен: убеждений, теории)* advocate

проповедовать *рел.* to preach; *(идею)* to advocate

проповедь *рел.* preaching; *(идей)* endorsement; *(речь)* sermon

пропойца soak

проползти *(насекомое, человек)* to crawl along/in(to); *(змея)* to slither along/in (to)

прополис propolis

прополка weeding

прополоскать to rinse (out); **прополаскивать (полоскать) горло** to gargle

прополоть *(грядку)* to weed

пропорциональность proportion

пропорциональный *(фигура, тело)* well-proportioned; *(развитие, распределение)* proportional; **пропорциональное представительство** proportional representation

пропорция proportion

пропотеть to sweat profusely; *(пропитаться потом)* to be soaked with sweat

пропуск *(действие: в зал, через границу)* admission; *(в школе)* non-attendance; *(в тексте, в изложении)* gap; *(неявка на работу, в школу)* absence; *(документ)* pass

пропускать *(чернила, свет)* to let through; *(воду, холод)* to let in

пропустить to miss; *(дать дорогу, обслужить)* to admit; *(разрешить)* to allow; *(заставить пройти)* to put through; *(выступить)* to miss out; **пропускать кого-н через границу** to let sb across the border; **пропускать кого-н вперед** to let sb go ahead

пропылиться to be full of dust

прораб *(производитель работ)* foreman *(мн foremen)*

проработать to work; *(учебник, статью, урок)* to study in detail; *(разг: критиковать)* to rip into

прорастание germination

прорасти *(семена)* to germinate; *(трава)* to sprout

прорва *(очень много)* heaps *мн*; masses *мн*; *(о человеке)* pig

прорвать *(одежду, сумку)* to tear;

(плотину) to burst; *(оборону, фронт)* to break through; *(перен)* to explode; **наконец его ~ало** he finally exploded

прорваться *(карман, сумка)* to tear; *(плотина, шарик)* to burst; *(гнев, раздражение)* to erupt; *(горе)* to break out; **прорываться в** to burst in(to)

проредить *(грядки, всходы)* to thin out

прорез slot, notch

прорезать to cut through; *(резать: мясо, рыбу)* to cut; *(овощи, фрукты)* to chop

прорезаться *(появиться: зубы)* to come through; *(листья)* to come out

прорезинить to cover with rubber

прорезной *(карман)* slit pocket; **~ая петля** buttonhole

прорезь *(на ткани)* slit; *(на прицеле орудия)* aperture

проректор vice-principal

прореха *(дыра)* tear; *(разг: недостаток)* shortcoming

проржаветь to rust through

прорицание prophecy

прорицатель prophet

прорицать to prophesy

пророк *рел.* prophet

проронить *(сказать)* to utter

пророческий *(сон, слова, дар)* prophetic

пророчество prophecy

пророчить to predict

прорубить *(стену, лед, гору)* to make a hole in; **прорубить просеку в лесу** to make a clearing in a forest

прорубь ice-hole

прорыв *(фронта)* break-through; *(плотины)* bursting; *(прорванное место)* breach

прорыть *(прокопать)* to dig

просадить *(разг: истратить)* to blow

просверлить to bore, drill

просвет *(в тучах, в облаках)* break; *(в заборе, в занавеске)* crack; *(перен: в тяжелой ситуации)* light at the end of the tunnel

просветитель person who enlightens others about progressive ideas

просветительный enlightening
просветить to enlighten; *(легкое)* to x-ray
просветление *(ясность)* lucidity
просветленный lucid
просвечивать *(солнце)* to shine through; *(небо)* to be visible through; *(ткань)* to let light through
просвещение education; **Министерство ~я** Department of Education
просвещенный educated
просвира *рел.* communion bread, Host
просвистеть *(мотив, песню)* to whistle (through) ; *(пуля, снаряд)* to whistle past
проседь grey *(BRIT)*, gray *(US)* streak
просеивание *(муки, песка)* sifting
просека *(в лесу)* clearing
проселок dirt-track
просеять *(муку, песок)* to sift
просидеть *(сидеть)* to sit; *(пробыть)* to stay
проситель applicant, petitioner
просительный pleading
просить to ask; *(приглашать)* to invite; **~шу Вас!** if you please!; **~(попросить) кого-н о чем/и** to ask sb for sth /to do; **попросить кого-н за кого-н** to ask sb a favour *(BRIT)*, favor *(US)* on behalf of sb
проситься *(просить разрешения)* to ask permission; **слово так и ~ся с языка** to have a word on the tip of one's tongue; **ее лицо просится на картину** her face was crying out to be painted
просиять *(солнце)* to begin to shine; *(радуга)* to appear; *(перен: человек)* to beam; *(лицо)* to light up
проскакивать *(человек)* to hop; **~ через/сквозь** *(лошадь)* to gallop across/through; *(олень, заяц)* to bound across (by, through)
просквозить: меня просквозило I caught a chill
проскользнуть *(монета)* to slide in; *(человек)* to slip in; *(перен: сомнение, страх)* to creep in
проскочить *(проскользнуть)* to slide in; *(пройти, проехать)* **в/мимо** to

race in(to)/past; *(проникнуть):* **~в/через** to break in(to)/through
прославить *(сделать известным)* to make famous; *(восхвалять)* to glorify
прославиться *(актер, писатель)* to become famous; *(перен: разг: преступник)* to become notorious
прославление celebration, glorification
прославленный renowned
проследить *(следить глазами)* to follow; *(исследовать)* to trace; **~ за** to follow; *(за выполнением приказа, за чьим-н поведением)* to monitor
проследовать **(мимо/сквозь)** to pass slowly (by/through)
прослезиться to cry
прослойка *(слой)* layer; *(в горной породе)* stratum *(мн* strata)
прослужить to serve; *(туфли, пальто)* to last
прослыть to pass (for), be reputed
просматриваться to be visible
просмолить to coat with tar
просмотр *(фильма, спектакля)* viewing; *(документов)* inspection; *(ошибка)* blunder
просмотреть *(ознакомиться: читая)* to look through; *(смотря)* to view; *(пропустить)* to overlook
проснуться to wake up; *(перен: любовь, страх)* to be awakened
просо millet
просолить to salt
просохнуть to dry out
просочиться to filter through
проспать *(спать)* to sleep; *(встать поздно)* oversleep; *(остановку)* to sleep through
проспект avenue; *(план)* draft; *(издание)* brochure
проспорить to lose in a bet; *(спорить)* to argue
просроченный common
просрочить *(платеж)* to be late with; *(паспорт, билет)* to let expire
просрочка *(платежа)* expiry of time limit; *(паспорта, билета)* expiry
проставить to fill in
простак simpleton

П

простецкий informal
простирать *(планы, замыслы)* to raise; *(протягивать):* **руки** to hold out one's hands; *(стирать тщательно)* to wash thoroughly; *(стирать)* to wash
простираться to extend
простительный excusable, forgivable
проститутка prostitute
проституция prostitution
простить *(врага, ошибку)* to forgive; **прощать что-н кому-н** to excuse/forgive sb (for) sth; **прощать долг кому-н** to cancel sb's debt; **простите меня, я был очень груб** forgive me, I was very rude; **простите, как пройти на станцию?** excuse me, how do I get to the station? **нет (уж) простите, я не согласен** I'm sorry, but I cannot agree
проститься to say goodye to; *(покинуть)* to leave
просто plainly, simply; memely
простоватый simple-minded
простоволосый bareheaded
простодушие ingenuousness
простодушный ingenuous
простой common, ordinary, simple; demurrage
простокваша soured milk
простонародный of the common people
простонать to groan
простор expanse; *(свобода)* scope
просторный open-hearted
простота simplicity; *(задачи)* easiness, simplicity; *(одежды, рисунка)* plainness; *(характера)* unaffectedness; **по ~е душевной (сердечной)** in all innocence
простофиля dimwit
простоять to stand; *(бездействуя)* to stand idle; *(просуществовать)* to stand
пространный *(подробный)* verbose
пространственный spatial
пространство *(астрономия)* space; *(территория)* expanse
прострел backache
простреливать *(обстреливать)* to cover *(with artillery fire)*
прострелить to shoot through

простуда *мед.* cold
простудить to give a cold to sb; **простужать уши/горло** to get a cold in one's ears/throat
простудиться to catch a cold
простудный cold-related
проступок misconduct; *юр.* misdemeanour *(BRIT)*, misdemeanor *(US)*
простыня sheet
простыть to catch a cold; **его и след ~л** he disappeared without a trace
просушить to dry
просуществовать to exist
просфора *рел.* communion bread, Host
просчёт *(счёт)* counting; *(ошибка в подсчёте)* error; *(в действиях)* miscalculation
просчитать *(считать)* to count; *(ошибиться)* to miscount
просчитаться *(при счёте)* to miscount; *(в планах, в предположениях)* to miscalculate; **мы ~лись на сто рублей** we are out by one hundred roubles
просыпать to spill
просьба request; **выполнять (выполнить) ~у** to fulfil a request; **обращаться (обратиться) к кому-н с ~ой** to make a request to sb
проталина bare patch
проталкивание heating
протащить *(силой устроить)* to wangle; *(критиковать)* to pan; **протаскивать что-н по /сквозь** to drag sth along through
протеже protege(e)
протез artificial *или* prosthetic limb; **зубной ~** denture
протеин protein
протеиновый protein
протекание *(болезни, явлений)* progression; *(в крыше)* leakage
протекать *(вода)* to flow, run; *(болезнь, явление)* to progress
протекционизм *экон.* protectionism
протекция patronage; **оказывать (оказать) ~ю кому-н** to use one's influence on behalf of sb
протереть *(сделать дыру)* to wear a hole in; *(очистить)* to wipe; **протирать что-н через сито** to rub

sth through a sieve; ~ **глаза** to rub one's eyes

протереться to wear through

протёртый mashed

протест protest; *юр.* objection

протестанский Protestant

протестант Protestant

протестовать to protest (against); *(вексель, решение суда)* to object to

протестующий protestor

протечь *(вода)* to seep; *(крыша)* to leak; *(время, юность)* to pass by

противень baking tray

противиться to oppose

противник opponent; *воен.* the enemy

противница opponent

противно offensively, it's disgusting; **мне ~ видеть это** it disgusts me to see this

противное the opposite

противоатомный *(защита)* anti-nuclear; **~ое укрытие** nuclear shelter

противоборство struggle

противоборствовать to fight

противовес counterbalance; **в ~ общественному мнению** contrary to public opinion

противовоздушный anti-aircraft

противогаз gas mask

противодействие opposition; **встречать (встретить) ~ чему-н** to meet with opposition over sth

противодействовать to oppose

противоестественный unnatural

противозаконный unlawful

противозачаточный contraceptive; **противозачаточное средство** contraceptive

противопожарный *(меры)* fire-prevention; *(техника)* fire-fighting

противопоказание contraindication

противоположность *(мнений, политики)* contrast; *(противоположное явление)* opposite; **в ~** in contrast to

противоположный *(берег, сторона)* opposite; *(мнение, политика)* opposing

противопоставить to contrast sb/sth with; *(направить против)* to

oppose sb/sth with

противопоставление *(мнений, взглядов)* contrasting; *(силы)* opposing

противоречивость paradox

противоречивый paradoxical

противоречие contradiction; *(классовое, политическое)* conflict; *(возражение: закону, старшим)* defiance (of); **быть в ~и с** to be in conflict with

противоречить *(человеку)* contradict; *(логике, закону)* to defy; **их показания ~ат друг другу** their evidence is contradictory

противостоять *(ветру, буре)* to withstand; *(уговорам, давлению)* to resist; **~ друг другу** to confront each other

противоядие antidote

протиснуть to squeeze through

проткнуть to pierce

протодьякон archdeacon

протоиерей high priest

проток *(рукав реки)* tributary; *(соединяющая река)* channel; *мед.* duct

протокол *(собрания)* minutes *мн;* *(допроса)* transcript; *(соглашения)* protocol; **Дипломатический ~** Diplomatic Protocol; **вести собрания** to take the minutes of a meeting; **составлять (составить)** to record the details of a search; **журнал ~ов** minute book

протоколировать *(собрание, заседание)* to minute; *(осмотр, обыск)* to record

протокольный *(стиль)* condensed; **протокольная запись** record of proceeding; **~ журнал** minutes book

протолкнуть to push through

протолкнуться to push one's way through

протопить *(комнату, дом)* to warm through; *(печь)* to stoke up

протоптать *(тропинку, дорожку)* to beat

проторговать *(потерять)* to make a loss of; *(торговать: товары)* to sell; *(жизнь)* to fritter away

проторенный *(путь, дорога)* well-trodden

проторить to beat

проточить *(прогрызть отверстие)* to nibble through; *tex.* to bore

проточный *(вода)* running; **~ое озеро** lake with rivers flowing out of it; **~ая труба** pipe

протрезвиться to sober up

протрава mordant

протухнуть to go bad *или* off

протяженность length

протяженный prolonged

протяжный *(песня, крик)* long drawn-out

протянуть *(веревку)* to stretch; *(линию передачи)* to extend; *(руки, ноги)* to stretch (out); *(предмет)* to hold out; *(слово, ответ)* to say slowly; *(разг: критиковать)* to pan; *(прожить)* to last; **~ ноги** to turn up one's toes; **протягивать руку помощи** to lend a (helping) hand

проулок lane

проучить *(разг: наказать)* to teach a lesson; *(учить)* to study

проучиться to study

профан ignoramus

профанация *(непочтительное отношение)* profanity; *(обман)* sham

профашист fascist sympathizer

профашистский fascist

профбюро *(профсоюзное бюро)* trade-union office

профессионал professional

профессионализм professionalism

профессиональный professional; *(болезнь, привычка, обучение)* occupational; **профессиональный союз** trade *(BRIT)*, labor *(US)* union

профессия profession; **по ~и он инженер** he is an engineer by profession; **получать (получить)** *или* **приобретать (приобрести) ~ю** to get professional qualifications

профессор professor

профессура professorship, professors *мн*

профилактика prevention

профилактический *(меры)* prevent(at)ive; *(прививка)* prophylactic; **~ое средство** prophylactic

профиль profile; *(предмета, дороги)* cross section; *(учебное заведение)* type; *(работника)* field

профком *(профсоюзный комитет)* trade-union commitee

профорг *(профсоюзный организатор)* trade-union boss

проформа formality

профсоюз *(профессиональный союз)* trade *(BRIT)* или labor *(US)* union

прохватить *(холод, мороз)* to chill to the bone

прохвост crook

прохлада cool

прохладительный *(напиток)* cool soft drink

прохладно *(встретить)* coolly; it's cool

прохладный cool

прохлаждаться *(бездельничать)* to doss about

прохлопать to miss

проход passage; **задний ~** *анат.* back passage, anus; **~а нет от кого-н/чего-н** you can't get away from sb/sth; **не давать ~а кому-н** to pester sb

проходимец swindler

проходимость *(местности)* passability; *авт.* off-road capability; *мед.* permeability

проходимый passable

проходить *(ходить)* to walk

проходка sinking of shafts

проходная checkpoint *(at entrance to factory etc)*

прохождение *(по дороге)* passage; *(испытание)* passing; *(службы)* term

прохожий passer-by

прохудиться to wear thin

процветать *(фирма, бизнесмен)* to prosper; *(театр, наука)* flourish; *(разг: человек, семья)* to thrive

процедить *(бульон, сок)* to strain; *(произнести):* **~ (сквозь зубы)** to say through one's teeth

процедура procedure; *мед.* course treatment

процедурный procedural; *мед.* **~ая сестра** nurse; **~ кабинет** treatment room процент percentage; **в размере 5 ~ов годовых** at a yearly rate of 5 percent; **на все сто ~ов** *(доверять, поддерживать)* one hundred percent *(выраженный в процентах)* percentage; **процентная ставка** interest rate

проценты **комм** interest; *(вознаграждение)* commission; **простые/ сложные/наросшие ~** simple/ compound/accrued interest

процесс process; *(порядок разбирательства)* proceedings *мн;* **судебный ~** trial; **воспитательный ~** inflammation; **в ~е** in the course of; **возбуждать (возбудить) ~** to institute proceeding

процессия procession

процессор word processor

прочерк line

прочесать to comb

прочий other; **и прочее (и пр.)** etc; **между прочим** by the way

прочистить to clean out; *(нос)* to clear

прочитывать (прочитать) to peruse thoroughly

прочно *(закрепить)* firmly; *(заучить)* well

прочность *(материала)* durability; *(отношений, семьи)* stability; **запас ~и** reliability

прочный *(материал)* durable; *(постройка)* solid, stable; *(здания)* sound; *(отношения, семья)* stable; *(мир, счастье)* lasting

прочтение reading

прочувствованный heartfelt

прочувствовать to feel deeply; **~ роль** to get inside a role

прочь away! be off! clear out!

прошвырнуться to stretch one's legs

прошение application, petition

прошептать to whisper

прошибить *(дверь, окно)* to smash through; **пот прошиб его** he broke out in a sweat; **дрожь ~ила ее** a shiver went down her spine

прошить *(пришить)* to sew a seam on; *(перен: пулями стены)* to pepper

прошлогодний last year's; **~ ие события** the events of last year

прошлое to become a thing of the past

прошлый last; *(прежний)* past; **в ~ раз** last time; **на ~ой неделе** last week; **в ~ом году/месяце** last year/month; **дело ~ое** it's in the past

прошмыгнуть to dart past/through

проштрафиться to lapse

прощайте goodbye, farewell

прощальный parting; *(вечер, визит)* farewell

прощание *(действие)* parting; **на ~** on parting; **они ему подарили на ~** they gave him a leaving present

прощение *(ребенка, друга)* forgiveness; *(преступника)* pardon; **просить (попросить) ~я** to say; **прошу ~я! (i'm) sorry!**

прощупать to feel for; *(перен)* to check out; **прощупывать почву** to explain how the land lies

проявление display; *(жизни)* manifestation

проявитель developer

проявить to display; *(фото)* to develop; **проявить себя плохо/ хорошо** to show o.s. bad/good light

проявиться *(талант, потенциал)* to reveal itself; *(решительность, смелость)*to show itself; *(фото)* to be developed

прояснение *(погоды)* brightening (clearing up); *(ситуации)* clarification; **у меня наступило ~ сознания (ума)** my mind cleared

прояснить *(обстановку)* to clarify; *(мысли)* to sort out; **прояснять чье-н сознание** to bring sb round

проясниться *(погода, небо)* to brighten (clear up); *(обстановка)* to be clarified; *(мысли)* to be sorted out; **у него ~илось сознание** his mind cleared

пруд *(естественный)* pool, pond; *(искусственный)* pond

прудить to dam; **денег у него ~уд пруди** he is rolling in cash

пружина spring; *(перен: движущая сила)* mainspring

пружинистый springy; **у него ~ шаг** he has a spring in his step

прут twig; *mex.* rod

П

прыгалка skipping-rope *(BRIT)*,skip rope *(US)*
прыгать to jump; *(мяч)* to bounce
прыгнуть to jump; *(мяч)* to bounce
прыгун jumper; ~ в длину long jumper; ~ в высоту high jumper
прыжок *(через лужу, с парашютом)* jump; *(в воду)* dive; ~ки в высоту/длину high/long jump; ~ки с шестом pole vault; опорный ~ *спорт.* vault
прыснуть *(кровь)* to spurt; *(водой)* to sprinkle with; *(духами)* to spray with; *(прыскать* со смеху to go into a fit of giggles
прыткий *(подвижный)* bouncy
прыщ spot
прыщавый spotty
прядильщик spinner
прядь lock
пряжа yarn
пряжка *(на ремне)* buckle; *(на юбке)* clasp
прялка spinning wheel
прямая straight line; по ~ой in a straight line
прямиком he went straight across the garden
прямо straight(ly), upright(ly)
прямодушный *(человек)* forthright; *(ответ)* candid
прямой direct, erect; straight, upright
прямолинейный rectilinear
прямота rectitude; bluntness
прямоугольник rectangle
прямоугольный rectangular
пряник gingerbread
пряность spice
пряный spicy
прясть to spin
прятать to hide; он ~тал глаза от меня he didn't look me straight in the eye
прятаться *(человек: от холода, ветра)* to shelter; *(солнце)* to hide; ~ся *(спрятаться)* за чужую спину to redirect responsibility
прятки hide-and-seek; играть в ~ки с кем-н to play hide-and-seek with sb; *(перен)* to avoid sb
пряха spinner
псалом psalm

псаломщик sexton
псалтырь Psalter
псарня kennels *мн*
псевдо- pseudo-
псевдоним pseudonym
псих psycho
психиатр psychiatrist
психиатрический psychiatric
психика psyche
психический *(заболевание, отклонение)* mental
психоанализ psychoanalysis
психовать to freak out
психоз *мед.* psychosis; *(странность в психике)* neurosis
психолог psychologist
психологический psychological
психология psychology
психопат psychopath
психотерапевт psychotherapist
психотерапия psychotherapy
птаха bird
пташка bird
птенец chick
птица bird; **(домашняя)** poultry; важная ~ big shot
птицевод poulterer, poultry farmer
птицеводство poultry farming
птицеводческий *(ферма)* poultry farm
птицефабрика poultry farm
птичка *(в тексте)* tick *(BRIT),* check *(US)*
пуант ballet shoe
публика audience; широкая ~ public; играть на ~у to show off; на ~е in company
публикация publication
публиковать to publish
публицист writer of sociopolitical literature
публицистика sociopolitical journalism
публицистический sociopolitical
публичная продажа (public) auction, public sale
публичный public; публичный дом brothel; публичные торги public auction
пугало scarecrow; *(перен: некрасивый человек)* fright
пугать to frighten, scare
пугаться to be frightened (scared)

П

пугливый timid
пуговица button; **застегивать (застегнуть) ~у** to fasten a button
пуд pood *(Russian measure of weight equivalent to 16 kiligrammes)*
пудель poodle
пудинг pudding
пудра powder; **сахарная ~** icing sugar
пудреница powder compact
пудрить to powder; **~ мозги кому-н** to pull the wool over sb's eyes
пудриться to powder one's face
пузатый *(человек)* tubby; *(перен: чайник, комод)* rounded
пузо *(живот)* belly; *(брюхо)* paunch
пузырек *(для лекарства, чернил)* vial
пузыриться *(жидкость)* to bubble; *(краска)* to blister; *(разг: одежда)* to blow up
пузырь *(мыльный)* bubble; *(на коже)* blister; *(с водой)* water bottle; **желчный ~** gall bladder; **мочевой ~** (urinary) bladder
пук bundle
пукать to fart
пулевой bullet
пулемет machine gun
пулеметчик machine gunner
пуленепробиваемый bullet-proof
пуловер pullover
пульверизатор atomizer
пульпа pulp
пульс *мед.* pulse
пульсировать *(артерии)* to pulsate; *(кровь)* to pulse; *(нарыв)* to throb
пульт panel; *(музыканта)* stand; **пульт управления** control panel
пуля bullet; **~ей вылететь из** to shoot out (from)
пума puma
пункт point; *(документа)* clause; *(медицинский)* center *(US)*; *(наблюдательный, командный)* post; **населенный ~** inhabited area
пунктир dotted line
пунктуальность accuracy, punctuality
пунктуальный precise, punctual
пунктуация punctuation
пункция *мед.* lumber puncture
пунцовый scarlet
пунш *кулин.* punch

пуп belly button; **~ земли** the bee's knees
пуповина umbilical cord
пупок *анат.* navel
пурга snowstorm
пурген phenol phthalene
пуританин puritan
пурпур wine, Burgundy
пурпурный wine, Burgundy
пуск *(завода)* starting up; **~ в эксплуатацию** commission
пусковой *(период)* intial; *(механизм, установка)* starting; *(платформа)* launching
пустеть to become empty
пустить *(руку, человека)* to let go of: *(лошадь, санки)* to send off; *(завод, станок, электростанцию)* to start; *(в вагон, в зал)* to let in; *(пар, дым)* to give off; *(камень, снаряд)* to throw; *(сплетни)* to spread; *(корни)* to put out; **пускать что-н на/под *(использовать)*** to use sth as/for; **пускать кого-н куда-н** to let sb go somewhere; **пускать товар в продажу** to put goods onto the market; **пускать пузыри** to blow bubbles; **пускать слюни** to dribble; **пускать воду/газ** to turn on the water/gas
пуститься *(в объяснение)* to go into
пусто empty; *(ничего нет)* there's nothing there; *(никого нет)* there's noone there; **в городе/холодильнике ~** the town/fridge is empty
пустовать to be empty
пустой empty; *(взгляд)* vacant; *(предлог, причина, затея)* trifling; **он — ~ое место** he's real nobody; **с ~ыми руками** empty-handed
пустомеля babbler, chatterbox
пустословие idle talk
пустота emptiness; *(пустое место)* cavity
пустошь wasteland
пустынный desert; *(безлюдный)* deserted
пустыня desert; *(безлюдное место)* wilderness
пустырник motherwort
пустырь wasteland
пустышка *(соска)* dummy *(BRIT)*,

П

pacifier *(US)*; *(перен: о человеке)* airhead

пусть *(выражает приказ, угрозу)*: **пусть он придет утром** let him come in the morning; **пусть она только попробует отказаться** let her just try to refuse; *(выражает согласие)*: **пусть она так be it; **пусть будет по-твоему** have it your way; *(все равно)* OK, all right; **она винит меня, пусть!** OK *или* all right, so she blames me! *(допустим)* even if; **пусть он плохой директор, зато хороший человек** even if he is a bad director, he is good person

пустяк *(неценный предмет)* trinket; **это ~** it's nothing; **говорить пустяки** to talk nonsense; **Вы огорчены? — пустяки!** are you upset? — it's nothing!

пустяковый *(повод, жалоба)* trivial; **это пустяковая работа** it's a piece of cake

путаница *(в мыслях, в делах)* muddle; *(дорог, дверей)* maze

путаный *(объяснение, рассказ)* muddled

путать *(нитки, волосы)* to tangle (up); *(сбить с толку)* to bamboozle; *(бумаги, факты)* to mix up; **~ кого-н в** to get sb mixed up in; **я его с кем-то ~ю** I'm confusing him with somebody else; **он всегда ~л наши имена** he always got our names mixed up

путаться to get tangled (up); *(в рассказе, в объяснении)* to get mixed up; *(с мошенниками, с хулиганами)* to get mixed up with

путевка holiday voucher; *(водителя)* manifest

путеводитель guidebook

путеводный *(перен: идея, теория)* guiding; **~ная нить** guiding light

путевой *(пост, сигнал)* railway; *(записки, дневник)* travel

путем by means of

путепровод viaduct

путешественник traveller, tourist

путешествие journey, trip; *(морской)* voyage

путешествовать to travel

путник traveller *(BRIT)*, traveler *(US)*

путный *(человек)*, decent; *(план, предложение)* practical

путч *полит.* putsch

путы fetters *мн*

путь way; *(платформа)* platform; **запасной ~** siding; **водные ~и** waterways; **воздушные ~и** air lanes; **нам с Вами не по ~и** we're not going the same way; *(перен)* we don't see eye to eye; **счастливого ~и!** have a good trip!; **быть на ~и** to be on the road *или* way to

пуф pouffe

пух *(животных)* fluff; *(у птиц, у человека)* down; **в ~ и прах** totally and utterly; **ни пуха ни пера!** good luck!

пухлый *(щеки, человек)* chubby; *(губы)* full; *(портфель, папка)* bulging

пухнуть to swell (up); **у меня голова ~нет** my head's buzzing

пучина deep

пучить *(глаза)* to goggle; **он выпучил глаза** his eyes popped out of his head; **меня ~ит** I have flatulence

пучиться to swell (up)

пучок bunch; *(света)* beam

пушинка piece of fluff; *(снега)* flake

пушистый *(мех, ковер)* fluffy; *(волосы)* fuzzy; *(ткань)* fleecy; *(кот)* furry; *(цыпленок)* downy

пушка *(на танке)* artillery gun; ист. cannon

пушнина furs *мн*

пушной furry; **~ товар** furs *мн*

пуща dense forest

пфенинг pfennig

Пхеньян Pyongyang

пчела bee

пчелиный *(мед)* bee's; **~ воск** beeswax; **~ рой** swarm of bees

пчеловод bee-keeper

пчеловодство bee-keeping

пшеница wheat

пшеничный wheat

пшенка millet porridge

пшено millet

пыж wad

пыжиться *(напрягаться)* to puff and pant; *(держаться важно)* to puff up

пыл ardour *(BRIT)*, ardor *(US)*; в ~у спора/сражения in the heat of the argument/battle

пылать *(костёр)* to blaze; *(лицо)* to burn; *(любовью, гневом)* to burn with

пылесос vacuum cleaner, hoover

пылесосить to vacuum, hoover

пылинка speck of dust

пылить to raise dust

пылиться to get dusty

пылкий passionate

пыль dust; **вытирать (вытереть)** ~ to dust; **пускать (пустить)** ~ в глаза кому-н to give wrong idea

пыльный dusty

пыльца pollen

пырнуть to stab; *(ножом)* to knife

пытать to torment

пытаться to endeavour, try; to sound

пытка torture

пытливый inquisitive

пыхать to give off; ~ злобой/завистью to burn with anger/envy; она ~шет здоровьем she's bursting with health

пыхтение panting; snorting

пыхтеть to pant, puff

пышноволосый fuzzy-haired

пышногрудый busty

пышность *(волос)* luxuriance; *(хвоста)* bushiness; *(обстановки, приёма)* splendour *(BRIT)*, splendor *(US)*; придавать (придать) ~ волосам to give body to one's hair

пышный *(волосы, хвост, усы)* bushy; *(полный)* voluptuous; *(роскошный)* splendid

пьедестал *(основание)* pedestal; *(для победителей)* winner's rostrum

пьеса *(литература)* play; *муз.* piece

пьющий heavy drinker

пьянеть to get drunk; *(перен)* to become intoxicated

пьянить to get drunr; *(воздух, счастье)* to intoxicate

пьяница drunkard

пьянка booze-up

пьянство drinking; борьба с ~ом anti-drinking campaign

пьянствовать to drink heavily

пьянчуга (old) soak

пьяный *(человек)* drunk; *(крики, песни)* drunken; drunk; под ~ую руку in a drunken rage

пэр peer

пюпитр lectern

пюре *(фруктовое)* puree; картофельное ~ mashed potato

пядь *(мера)* span; *(небольшое пространство)* stretch; семи пядей во лбу extraordinarily intelligent

пялиться to gawk

пяльцы tambour

пята *(очень длинный)* to the ground; с головы до пят from head to toe; ходить (гнаться) за кем-н по ~ам to follow for sb's heels

пятачок five-kopeck piece; *(небольшая площадка)* spot; *(небольшое пространство)* stretch; *(свиньи)* shout

пятёрка *(цифра, карта)* five; *(денежный знак)* fiver; *просв.* five *(school mark)*; *(группа из пяти)* group of five; *(разг: автобус, трамвай)* (number) five

пятерня paw

пятиборье pentathlon

пятидесятилетие fifty years *мн*; *(годовщина)* fiftieth anniversary

пятидесятилетний *(период)* fifty-year; *(человек)* fifty-year-old

пятидесятый fiftieth; я читаю ~ую страницу I am on page fifty; я живу в ~ой квартире I live in flat fifty; я приехал в Петербург в ~ом году I came to Petersburg in nineteen fifty; ~ые годы the Fifties; в ~ых годах in the Fifties

пятидневка five-day week

пятидневный five-day

пятиклассник *pupil in fifth year at school (usually eleven years old)*

пятилетка five-year plan

пятилетний *(промежуток)* five-year; *(ребёнок)* five-year-old

пятимесячный five-month; *(ребёнок)* five-month-old

пятисотлетие *(срок)* five hundred years; *(годовщина)* quincentenary

пятисотый five-huundredth

пятиться to move backwards; он

попятился от меня he backed away from me

пятиугольник pentagon

пятичасовой (*рабочий день*) five-hour; (*поезд*) five o'clock

пятиэтажка five-storey block of flats (*BRIT*), five-story aparment block (*US*)

пятка heel; наступать кому-н на ~ки to tread on sb's toes

пятнадцатый fifteenth

пятнадцать fifteen

пятнать to tarnish

пятнистый spotted

пятница Friday; в ~у on Friday; по ~ам on Fridays; в следующую/прошлую ~у next/last Friday; сегодня ~, десятое мая today is Friday (the) tenth (of) May

пятно stain; (*выделяющееся по цвету*) spot

пятый fifth; сегодня ~ое июля today is the fifth of July (July the fifth); приеду ~ого июля I will arrive on the fifth of July; встреча отложена до ~ого июля the meeting was postponed until the fifth of July; сегодня уже ~ое чило today is already the fifth; сейчас десять минут ~ого it is ten minutes past four; я приехал в Петербург в тысяча девятьсот пятьдесят ~ом году I came to Petersburg in nineteen fifty five; лекция будет в ~ой аудитории the lecture will take place in room five; я закончил ~ым I finished fifth; я был ~ым ребёнком в семье I was child number five in the family; ~ое — десятое this and that; перескакивать с пятого на десятое to skip from one subject to another

пять five

пятьдесят fifty

пятьсот five hundred

Р

раб slave; ~ любви/моды a slave to love/fashion

рабовладелец slave owner

рабовладельческий slave-owning

раболепный servile

раболепствовать to crawl (to)

работа (*труд, произведение*) work; (*источник заработка*) work, job; (*функционирование*) working; поступать на ~у to start a job; постоянная/временная/случайная ~ permanent/temporary/casual work *или* employment; сдельная ~ piecework; сменная shiftwork

работать to work; (*магазин, библиотека итп*) to be open; ~ на кого-н/что-н to work for sb/sth; ~ над чем-н to work on sth; кем Вы ~ете? what do you do for a living?; я ~ю инженером I'm an engineer

работник worker; (*учреждения*) employee; руководящие ~и management; научный ~ researcher

работодатель employer

работоспособность (*человека*) ability to work hard; (*машины*) efficiency

работяга workhorse

работящий hardworking

рабочий (*движение, поселок, столовая*) worker's; (*человек, одежда, часть механизма, чертеж*) working; в ~ее время during working hours; у нас нехватка ~их рук we are undermanned; в ~ем порядке in working order; рабочая лошадь workhorse; рабочая сила workforce; рабочая станция *комп.* work station; рабочее место (*помещение*) workplace; position; рабочие руки workers; рабочий визит working visit; рабочий день working day, workday; рабочий класс the working class

рабский (*существование, условия*) slave-like; :(послушание, подражание) slavish; ~ труд slave labour *или* labor

рабство slavery

раввин rabbi

равенство equality; (*чисел*) equal value; знак ~а *мат.* equals sign; ставить знак ~а между чем-н и чем-н to equate sth with sth

равнение equalization, levelling; ~ направо eyes right!

равнина plain, tract of level ground

равно alike, equally

равновесие balance, equilibrium

равноденствие equinox

равнодушие ~(к) indifference (to)

равнозначный equivalent, synonymous

равномерный proportional

равноправие (equal) right

равносильный equivalent *или* equal to

равносторонний equilateral

равноценный of equal value *или* worth

равный equal, similar

равнять to equalize, even, level

равняться ~ся по to draw level with; *(считать себя равным);* ~ся с to compare o.s. with; *(быть равносильным):* ~ся to be equal to; *(следовать примеру):* ~ся на то emulate; два плюс два ~ется четырем two plus two equals four

рагу ragout

рад glad; glad *или* pleased to do; ~ познакомиться с Вами pleased to meet you; я за него I'm pleased *или* happy for him; я всегда ~ помочь I'm always glad to be of help; я уже и не рада, что согласилась I'm already regretting that I agreed

ради for the sake of; чего~?; what for?; шутки ~ for a joke; Бога ~! for God's sake!

радиатор radiator

радиация radiation

радий radium

радикал *полит. мат.* radical

радикальный radial

радикулит lower back pain

радио radio; по ~ on the radio; слушать ~ to listen to the radio

радиоактивность radioactivity

радиовещание *(radio)* broadcasting

радиолокатор radar (device)

радиолюбитель radio ham

радиопередача radio programme *или* program

радиоприемник radio (set)

радиосвязь radiocommunication

радиослушатель *(radio)* listener

радиостанция radio station

радиотелефон radiotelephone

радиотехника radio engineering

радиоузел public-address facilities

радист radio opecator

радиус radius; *(влияния, действия)* range

радовать кого-н to make sb happy, please sb; ~ глаз/слух to be a joy to behold/hear

радоваться *(душа, сердце)* to rejoice; *(солнцу, успех);* to take pleasure in: я обрадовалась ему *или* встреча с ним I was overjoyed to see him

радостно joyfully; они меня ~ встретили they gave me a very warm welcome

радость joy; от ~ти *(плакать, смеяться)* with joy; прыгать от ~ти to jump for joy; с ~ю gladly: на ~тях я его простил I was so happy, I forgave him

радуга rainbow

радужный *(настроение, надежды)* bright; ~ные цвета rainbow colours; радужная оболочка *анат.* iris

радушие warmth

радушный warm

раз time; *(один)* one; *(разг: однажды)* once; *(разг: если)* if; в два/три/четыре раза больше/меньше two/three/four times bigger/smaller; в пять/шесть/семь ~ больше/меньше five/six/seven times bigger/smaller; не ~ more than once; в первый ~ for the first time; *(в первом случае)* on the first occasion

разбавить to dilute

разбазарить to squander

разбег *(машины)* acceleration; to run off, scatter; *(перед прыжком)* take a run-up

разбирательство *юрид.* examination

разбирать *от* разобрать *(сотрудника, нарушителя)* to take to task

разбираться *от* разобраться *(разг: понимать):* ~ся в to understand

разбитной carefree

разбить *(стекло, тарелку, голову)* to break; *(машину)* to smash up

(врага, армию)) to crush; (на уча-
стке, на части) to break up; (ал-
лею, клумбу) to lay

разбогатевший newly-rich

разбогатеть to acquire wealth

разбой robbery

разбойник robber (разг: шалун)
troublemaker

разбойничать to thieve; (разг: шалить) to get up to mischief

разболеться (человек) to be taken
ill; (: рука, живот итп) to hurt
badly; **у меня голова ~лась** I've
got a splitting headache

разболтанный slack; **~ная походка**
swagger

разболтать (порошок, смесь итп) to
mix in: (замок, гайку) to weaken:
(разг: секрет, новость) to blab; ~
дисциплину to let discipline slip;
ребенка to lose control over a
child

разбомбить to bomb

разбор (статьи, вопроса итп)
analysis; юрид. examination; линг.
parsing; **без ~а** without exception

разборный collapsible

разборчивость (требовательность)
discernment; (почерка) legibility

разборчивый (человек, вкус)
discerning; (почерк) legible

разбрасываться to try to too
much; (друзьями, поклонниками
итп) to underrate

разбрестись to wander off

разбросанный disconnected,
dispersed

разбросать to scatter

разбудить to awaken, rouse

разбухнуть to swell; (папка, чемодан итп) to bulge; (лицо, рука
итп) to swell up

разбушеваться (море) to rage; (разг)
to rant

развал (в квартире, в делах) chaos;
(экономики) ruin; (системы)
break-up; **у нас дома полный ~**
our home is in a state of chaos

развалина ruins; (перен: человек)
wreck

развалить (стену, дом) to knock
down; (дело, хозяйство) ruin

развалиться to collapse: **он ~алил-**
ся в кресле he sat slumped in the
armchair

развариться to be overcooked; **быс-**
тро ~ариваться to cook quickly

разве really; ~ **он согласился/не**
знал? did he really agree/not
know?; ~ **только** или **что** except
that

развеваться (флаг) to flutter; (волосы) to flow

разведать гео. to prospect; воен. to
reconnoitre, reconnoiter; ~ **(о)** to
find out (about)

разведение (животных) breeding;
(растений) cultivation; (костра)
building; (клея, краски) dilution;
~пчел beekeeping

разведенный (в разводе) divorced;
(: раствор, водка) diluted

разведка гео. prospecting; полит.
intelligence: воен. reconnaissance

разведчик гео. prospector; полит.
intelligence agent; воен. scout;
(самолет) reconnaissance plane

развезти to deliver; **меня ~езло от**
жары/водки the heat/vodka
knocked me out; **дорогу ~езло** the
mad has become impassable

развенчать to discredit

развернутый detailed; (строительство) extensive

развернуть (бумагу, карту) to unfold;
(ковер) to unroll; (парус, флаг) to
unfurl; (проект, торговлю итп)
to launch; (выставку, лагерь) to
set up; (свои силы, талант) to
develop fully; (корабль, машину,
самолет) to turn around; (батальон, полк итп) to deploy; ~ **пле-**
чи to pull one's shoulders back

развернуться (борьба, кампания, работа) to get under way; (талант,
человек) to develop fully; (автомобиль, судно) to turn around; (батальон) to be deployed; (вид, зрелище) to open up

развеселять (развеселить) to
amuse, cheer up

развесистый spreading

развесить (ветви) to spread: (картины, вещи) to hang; (белье) to
hang up или out; ~ **уши** to listen
wide-eyed

развесной sold by weight

развести to take; *(разъединить)* to divorce; *(порошок)* to dissolve; *(сок, краску)* to dilute; *(животных)* to breed; *(цветы, сад)* to grow; *(мост)* to raise

разветвить to expand

разветвиться *(дерево, река, дорога)* to branch; *(компания, учреждение)* to branch out

разветвление *(действие: дорог, кроны деревьев)* branching; *(: компании)* expansion; *(место: железной дороги, канала)* fork

развешать *(картины, фотографии)* to hang; *(бельё)* to hang up *или* out

развеять *(облака, туман)* to disperse; *(подозрения, сомнения, грусть)* to dispel

развеяться *(облака)* to disperse; *(туман)* to lift; *(тоска, сомнения, мрачные мысли)* to be dispelled; *(человек)* to relax

развилка fork

развитие development; **высокое/низкое** ~ a high/low level of development

развитой developed; *(духовно зрелый)* mature

развить to develop; *(наступление, деятельность)* to step up; *(верёвку, плётку)* to unwind; *(волосы)* to straighten; **развивать скорость** to gather speed; **развивать ребёнка** to help a child to develop

развиться to develop; *(скорость)* to build up; *(верёвка, коса, плётка)* to come unwound; *(волосы)* to become straighter

развлекательный entertaining

развлечение *(гостей, публики)* entertaining; *(спектакль итп)* entertainment

развлечься to have fun

развод *(расторжение брака)* divorce; *(моста)* opening; **они в ~е** they are divorced; **подавать на ~** to apply for a divorce

развозка carrying, conveying, transport

разволновать to alarm

разволноваться be alarmed

разворовать to loot

разворот *(машины)* U-turn; *(в книге)* double page

разворотить *(дорогу)* to dig up

разврат promiscuity; *(духовный)* depravity

развратить to pervert; *(деньгами)* to corrupt

развратиться to become promiscuous; to become corrupted

развратник promiscuous man

развратница promiscuous woman

развратничать to lead a life of promiscuity

развратный promiscuous

развязаться *(шнурки, бант итп)* to come untied; **~ся с** *(разг: с людьми, с экзаменами)* to be through with; *(: с долгами)* to get rid of

развязка *(конец)* ending; *авт.* junction

развязно free and easy

развязный familiar

разгадать *(кроссворд, загадку)* to solve; *(замыслы, тайну)* to guess; *(сны)* to decipher; *(человека)* to fathom out

разгадка *(снов, мыслей)* deciphering; *(тайны)* key; *(феномена)* explanation; *(решение загадки)* solution

разгар culmination, climax; in full swing

разгильдяй layabout

разгладить to smooth out

разглаживание ironing, pressing; smoothing

разгласить to divulge, disclose

разглядеть *(рассмотреть)* to scrutinize; to discern

разгневанный angry (with)

разговаривать to talk (to); **она больше со мной не ~ет** she doesn't talk to me any more

разговор conversation; **это другой ~!** that's another matter!; **без ~ов** without a word

разговорник phrase book

разговорный colloquial

разговорчивый talkative

разгон *(демонстрации)* breaking up; *(самолёта, автомобиля)* acceleration; **устраивать кому-н ~** to give sb a roasting

разгореться *(костер, спор)* to flare up; *(закат)* to be ablaze; *(щеки, уши)* to burn; *(перен: страсти, любопытство)* to become inflamed

разгоряченный *(человек)* inflamed (by); excited

разгорячиться *(от волнения, от работы)* to get het up; *(от бега)* to be hot

разграбление plundering

разграничить *(район, земли)* to demarcate; *(обязанности, понятия)* to delimit

разгрести to sweep aside

разгром *(беспорядок)* mayhem, havoc; *(статьи)* savaging

разгромить *(врага, сопротивление)* to crush; *(город, страну)* to destroy; *(политику, статью, соперника)* to savage

разгромный savage

разгрузить to unload: *(программу)* to ease; **разгружать кого-н** to lighten sb's load

разгрузка *(вагонов, баржи)* unloading; *(перен: человека)* unburdening; *(: программы, плана)* easing up

разгрызть *(редиску, кость)* to gnaw at; *(орех)* to crack open

разгул revelry; *(реакции, национализма итп)* ourburst of

разгуливать to have a wander

разгульный dissolute

раздавание distribution

раздать to give out, distribute

раздаться *(голос, шум итп)* to be heard; *(толпа)* to make way; *(обувь, сапоги)* to stretch; **раздаваться в бедрах** to put weight on around the hips

раздача distribution

раздвинуть to move apart; *(шторы)* to open; *(толпу)* to part; *(перен: рамки наблюдения, исследования)* to broaden

раздвинуться *(шторы)* to open; *(толпа)* to part; *(перен: мир, возможности)* to open up

раздвоиться *(дорога, река)* to divide

into two; *(перен: мнение)* to be divided

раздевалка changing room

раздел *(действие: имущества)* division; *(часть, область)* section

разделать *(мясо, рыбу)* to dress; *(грядки)* to prepare; *(мебель)*: **что-н под дуб/мрамор** to give sth an oak/a marble finish

разделаться *(с делами, с долгами)* to settle; *(с соперником, с хулиганом)* to take care of

разделение division; **~ труда** division of labour *или* labor

разделить *(мнение, взгляды, энтузиазм)* to share

разделиться *(мнения, общество)* to become divided

раздеть to undress: *(разг: ограбить)* **~ кого-н** to strip sb bare

раздеться to get undressed

раздирать *(душу, человека, общество)* to tear apart

раздобыть to get hold of, lay one's hands on

раздолье expanse; freedom; **мне здесь ~** I feel free here

раздольный vast; free

раздор strife

раздосадовать to upset

раздражение irritation

раздраженно *(сказать)* irritably

раздраженный *(человек, волос)* irritated; irritable; **у меня нервы ~ены до предела** my nerves are on edge

раздражительный irritable

раздражить *мед.* to irritate; *(нервы)* to agitate; *(аппетит)* to stimulate

раздражиться *(кожа, глаза)* to become irritated; *(человек)*; **~ся** to be irritated (by)

раздробить to shatter

раздробленный fragmented

раздумать *(пойти, жениться итп)* to decide not to do, decide against doing

раздумывать *(долго думать)* to contemplate

раздумье contemplation; thought; **впадать в ~** to sink deep into thought; **после долгих ~ий** on *или* after lengthy consideration

Р

раздуть *(огонь, костер)* to fan; *(пузырь)* to blow; *(разг: дело, скандал)* to overstaff; **раздувать ноздри** to flare one's nostrils

раздуться to swell; *(щека, губа)* to swell up; *(карманы, портфель)* to bulge

разжалобиться to be moved with compassion

разжалование degradation

разжаловать to demote; **~ кого-н в рядовые** to reduce sb to the ranks

разжать *(пальцы, губы)* to relax; *(пружину)* to uncoil

разжевать to chew; *(мысль)* to spell out in simple terms

разжечь to kindle; *(войну, ненависть)* to incite

разжижение dilution; rarefaction

разжиться *(разг: жить в достатке)* to do well for o.s.; *(деньгами)* to rake in

раззадорить to excite

разинуть **~ рот** to gape; **слушать, ~ув рот** to listen open-mouthed

разиня scatterbrain

разительный striking

разить to strike; to strike out; **от нее ~зит духами/чесноком** she reeks of perfume/garlic

разлад *(в делах, в работе)* disorder; *(с женой)* discord

разлениваться to become lazy, succumb to idleness

разлететься *(птицы, перья)* to fly off; *(перен: выросшие дети)* to fly the nest; *(разг: стекло, ваза итп)* to shatter; *(: новости)* to get around; *(: поезд)* to speed up

разлечься to stretch out

разлив flooding; *(место, залитое водой)* flood plain; *(вино, воды)* bottling; *(металла)* casting

разливать to rule

разливаться *(соловьи)* to sing; **~ся соловьем** to wax lyrical

разливка bottling

разлить to pour out; *(по бутылкам)* to bottle; *(пролить)* to spill; **их водой не ~ольешь** they are never apart

разлиться *(пролиться)* to spill; *(река)* to overflow; **румянец ~лился по его щекам** the colour flooded into his cheeks; **по ее лицу улыбка ~лилась** a smile spread across her face

различаться to differ in

различие difference; **без ~я** indiscriminately

различный different

разложение *хим.* *био.* decomposition; *(общества, армии итп)* disintegration; *мат.* expansion

разложить to place, arrange: *(еду по тарелкам)* to dish out, serve; *(карту, диван, стол)* to open out; to decompose; *мат.* to expand; to demoralize; **раскладывать костер** to build a fire

разлом break, fracture

разломать *(по части: хлеб итп)* to break up

разломаться to break up; *(постройка)* to fall to pieces

разлука separation; **жить в ~е с кем-н** to live apart from sb

разлучаться to part, separate; to sever

разлучение severance

разлюбить *(читать, гулять итп)* to lose one's enthusiasm for doing; **он меня ~юбил** he doesn't love me any more

размазать to smear

размазаться to be smeared

размазня ditherer

размах *(рук, крыльев)* span; *(маятника, колокола)* swing; *(перен: деятельности)* scope; *(проекта)* scale; **ударить кого-н с ~у** to take a swing at sb; **он человек с ~ом** he thinks on a large scale

размахивать *(руками, флажком)* to wave; *(шашкой)* to brandish

размахнуться to swing one's arm back; *(перен: со свадьбой, в делах итп)* to go to town

размачивать *(размочить)* to saturate, soak, steep

размашистый sweeping

размен *(денег, пленных)* exchange; **~ квартиры** flat swap

разменять *(деньги)* to change; *(квар-*

Р

тиру) to exchange; *(перен: талант)* to waste; ~ **совесть** to sell out

разменяться *(обменять площадь)* to do a flat swap; **размениваться по мелочам** *или* **пустякам** to waste o.s.

размер size; *(строительства: масштабы)* dimension; *линг.* metre, meter; **какой у тебя ~?** what size do you take?

размеренный *(звон, шаги)* measured; *(жизнь)* well-regulated

разместить *(найти место для)* to place; *(расположить)* to arrange

разместиться to accommodate o.s.; **гости ~стились за столом** the guests took their seats at the table

разметать *(листву, пепел итп)* to scatter; *(руки)* to fling open

разметаться *(волосы)* to fly everywhere; *(человек: во сне)* to sprawl out

размечтаться to start dreaming

размешать to stir

размещение *(вещей)* placing; *(расположение)* arrangement; *(людей: по комнатам)* accommodation

разминка *(ног, мускулов)* loosening up; *(спортсменов)* warm-up

разминуться *(не встретиться)* to miss each other; *(дать пройти)* to pass; **мы с ним ~улись (на 5 минут)** we missed each other (by 5 minutes)

размножаться *био.* to reproduce

размножение reproduction

размножить to make copies of

размножиться *био.* to reproduce

размозжить to smash

размокнуть *(хлеб, картон)* to go soggy; *(почва)* to become sodden

размолвка squabble

размолоть to grind

разморить *(сон, усталость)* to come over; **меня ~ило от жары/свежего воздуха** the heat/fresh air has made me drowsy

размориться to become drowsy

разморозить to defrost

разморозиться to defrost

размотать to unwind

размытый blurred

размыть to wash away

размышление reflection

размягчение mollification, softening

размягчить *(воск, кожу, душу)* to soften; *(перен: человека)* to soften up

размякнуть *(глина, почва)* to soften; *(перен: от спиртного, от духоты)* to (become) mellow; *(: от похвалы)* to soften up

размять to loosen up

размяться to warm up

разнарядка directive

разнести *(письмо, посылки)* to deliver *(еду)* to serve (up); *(тарелки, чашки)* to put out; *(тучи, обрывки бумаги)* to disperse; *(заразу, слухи)* to spread; *(разг: разбить)* to smash up: *(: раскритиковать)* to slam, pan; *(: опухнуть)* to puff up; *(: пополнеть)* to get fat; **разносить что-то в клочья** to smash sth to pieces

разнестись *(весть, слух, запах)* to spread; *(звон, гудок, крик)* to resound

разниться to differ

разница difference; **какая ~** what difference does it make?; **~ в весе/в возрасте** weight/age difference; **без ~ы** it makes no difference

разнобой *(в работе, в действиях)* lack of coordination; *(в правилах)* contradictions

разновес weights

разновидность *био.* variety; type, kind

разновременный alternative

разногласие discord; dissonance

разномыслие dissidence

разнообразие diversity

разнообразить to vary

разнообразный *(вкусы, звуки, мнения)* various; **~ые люди** different sorts of people; **~ная, публика** a diverse audience

разнорабочий labourer, laborer

разноречивый conflicting

разнородный heterogeneous; *(вещества, предметы)* of various sorts *(впечатления)* varied

разнос delivery; *(разг: выговор)* pounding

Р

разносить *(туфли, сапоги)* to break in

разноситься to wear loose

разносторонний *(деятельность)* wide-ranging; *(соглашение, договор)* multilateral; *(ум, личность)* multifaceted; **он ~ человек** he has a wide range of interests; **~ее образование** a broad education

разность difference

разносчик *(товара)* delivery man; *(телеграмм)* bearer; *(инфекции)* carrier

разноцветный multicoloured, multicolored

разношерстный motley

разноязычный speaking different languages

разнузданный unruly

разночинец *ист.* raznochinets

разный different

разнять *(руки, зубы)* to unclench; *(драчунов, боксеров)* to separate, pull apart

разоблачить to expose

разобрать *(разг: раскупить, взять)* to snatch up; *(привести в порядок)* to sort out; *(подвергнуть анализу)* to analyse; *(распознать: вкус, подпись итп)* to make out; **разбирать (на части)** *(часы, механизм итп)* to take apart; **его ~бирает смех** he can hardly control his laughter

разобраться *(в вопросе, в деле)* to form an understanding of

разобщение isolation; insulation

разобщенный isolated

разогнать *(толпу, демонстрацию)* to break up; *(разг: организацию)* to purge; *(бездельников, тунеядцев)* to come down on; *(тучи, туман)* to disperse; *(перен: сон, тоску, мысли)* to drive away; *(машину, самолет)* to speed up

разогнаться to build up speed

разогнуть *(спину)* to straighten up; *(проволоку, скрепку)* to straighten out

разогнуться to straighten up

разогреть *(чайник, суп)* to heat

разогреться *(человек, двигатель)* to warm up

разодетый overdressed

разодеться to get dressed up

разодрать to tear up

разозлить to anger

разозлиться to get angry

разойтись (расходиться) *(гости)* to leave; *(облака, туман, толпа)* to disperse; *(запасы, деньги)* to run out; *(тираж)* to sell out; *(не встретиться)* to miss each other; *(дать дорогу)* to pass each other; *(супруги)* to split up; *(шов, крепления)* to come apart; *(перен: мнения, взгляды)* to diverge

разом all at once; *(в один прием)* all in one go

разомкнуть *(цепь, крепление)* to unfasten; *(пальцы)* to uncurl

разомкнуться *(цепь крепление)* to come unfastened; *(пальцы)* to open

разорвать *(письмо, бумагу)* to tear или rip up; *(перен: знакомство, связь)* to break off; *(ногу, руку)* to be blown off

разорваться *(одежда)* to tear, rip; *(веревка, цепь)* to break; *(связь, знакомство)* to be severed; *(снаряд, ракета)* to explode

разорение plundering; impoverishment, ruin

разорительный ruinous

разорить *(деревню, гнездо)* to plunder; *(семью, население)* to impoverish; *(компанию, страну)* to ruin

разориться to go to rack and ruin; *(человек)* to become impoverished; *(разг)*: **~ся на** *(потратить деньги)* to splash out on

разоружение *(противника, пленных)* disarming; *(политический процесс)* disarmament

разоружить to disarm

разоружиться to disarm

разослать to send out

разочарование disappointment; *(потеря веры)*: **~ в** *(в друге, в идеалах)* disenchantment with

разочарованный disappointed; **~ в** disenchanted with

разочаровать to disappoint

разочароваться **~ в** to become

P

disenchanted with

разработать *(план, технологию, теорию)* to develop; *(месторождение)* to exploit

разработка developmen; exploitation; *(научные)* groundwork; разработки

разравнять to level

разразиться *(гроза, катастрофа)* to break out; ~ аплодисментами/смехом to break into applause/laughter

разрастись *(лес, растение)* to spread; *(город, движение)* to grow

разреветься to start bawling

разреженный rarified

разрез *(на юбке)* slit; *геом.* section; в ~е in the context of; ~ глаз the shape of one's eyes

разрезать to cut up

разрекламировать to publicize

разрешаться *от* **разрешиться** *(допускаться)* to be allowed *или* permitted; здесь не ~ется курить smoking is not permitted here

разрешение *(действие)* authorization; *(позволение, право)* permission, authorization; *(документ)* permit; *(решение)* resolution; с Вашего ~я with your permission

разрешить to resolve; *(позволить):* ~ кому-н to allow *или* permit sb to do; ~ите ... may I ...; ~ите войти? may I come in?; ~ите пройти let me through; **разрешать** фильм/книгу to pass a film for screening/book for publication

разрешиться to be resolved

разрисовать *(карандашом)* to draw all over; *(краской)* to paint all over

разрозненный *(действие, силы)* uncoordinated; *(коллекция, сервиз)* made up of odd parts; *(тома)* odd

разрубить to chop in two; **разрубить на куски** to chop up

разруха ruin; в стране ~ the country is in ruins

разрушение destruction; downfall

разрушительный destructive

разрушить to destroy; *(планы, жизнь)* to ruin

разрушиться to be destroyed; to be ruined

разрыв *(дипломатических отношений, связей)* severance: *(провода, цепи)* breaking; *(разорванная часть)* tear; *(снаряда, гранаты)* explosion; *(несоответствие, промежуток времени)* gap; с ~ом в 10 лет with a gap of 10 years; **разрыв сердца** *мед.* heart attack

разряд *(людей, растений)* class; *(спортивный)* grade; *(профессиональный)* status; *физ.* discharge

разрядить *(ружье, батарейку)* to discharge; **разряжать обстановку** to diffuse the situation

разрядиться to become less tense

разрядка release, outlet; *(в тексте)* spacing; ~ *(международной)* напряженности detente

разубедить : ~ кого-н (в) to dissuade sb (from)

разувериться : ~ в to lose faith in

разузнать to find out

разукрасить to decorate

разум reason

разуметь to comprehend

разумный intelligent; *(поступок, решение, довод)* reasonable

разуть : ~ кого-н to take sb's shoes off

разуться to take one's shoes off

разучить to learn

разучиться : ~ся to forget how to do

разъедать *(перен: душу)* to eat away at

разъединить *(отвода, телефон)* to disconnect; *(друзей, любимых)* to separate

разъезд *(гостей)* departure; *(для поездов)* siding, sidetrack

разъезды *(поездки)* travel; он все время в ~ах he does a lot of travelling

разъесть to corrode

разъесться to get fat

разъехаться to leave; *(разг: лыжи, ноги на льду)* to slide apart; она ~халась с мужем/матерью she doesn't live with her husband/mother any more; мы с ними ~хались в темноте we missed

Р

each other in the darkness; **ма-шины не могли ~** the cars couldn't get past each other

разъяренный *(зверь, человек, лицо)* furious; *(перен: река, стихия)* raging

разъярить *(толпу, человека)* to infuriate, enrage; *(зверя)* to provoke

разъяриться to become infuriated

разъяснить to clarify

разъясниться to be clarified

разыграть *муз. спорт.* to play; *(сцену)* to act out; *(в лотерею, по жребию)* to raffle; *(разг: подшутить)* to play a joke *или* trick on

разыграться *(увлечься игрой)* to get carried away with one's game; *(начать лучше играть)* to get going; *(перед концертом)* to warm up; *(перен: буря)* to rage; *(: драма, сражение)* to unfold; **у меня ~лась мигрень** I had a nasty migraine; **после прогулки у него ~лся аппетит** the walk gave him a big appetite

разыскать to find

разыскаться to turn up

разъяснение clarification

рай paradise

район region; *полит.* district

районный district

райский heavenly

рак *зоол. (речной)* crayfish; *(морской)* crab; *мед.* cancer; *(созвездие):* **Р ~** Cancer

ракета *космос.* rocket; *воен.* missile; *(судно)* hydrofoil

ракетка *спорт.* racket; **первая ~** the top player

ракетный *космос.* rocket; *воен.* missile; **ракетное оружие** missiles

раковина *зоол.* shell: *(для умывания)* sink; **ушная ~** aural cavity

раковый *зоол. кулин.* crab; *мед.* cancer; **раковая опухоль** malignant tumour

ралли *спорт.* rally

рама frame; *авт.* chassis; **двойные ~ы** double glazing

рамазан Ramadan

рамка *(для фотографии, для картины)* frame; *(текста, рисунка)*

border

рампа *театр.:* **огни ~ы** footlights

рана wound

раненый injured; *воен.* wounded; injured person; *воен.* wounded person

раненько rather early

ранец *(школьный)* satchel; *(солдатский, походный)* backpack

ранимый vulnerable

ранить to wound; **~кого-н в руку/ногу** to wound sb in the arm/leg; **~ кому-н душу** to wound sb (fig)

ранний early

рано early; it's early; **еще ~ (о раннем времени)** it's still early; **~ делать выводы** it's too early to draw conclusions; **он женился/умер ~** he married/died young; **или поздно** sooner or later

рант welt; brim, edge

рань early morning

раньше *от* **рано** *(прежде)* before; *(сначала)* earlier

рапира foil

рапорт report **подавать ~** to submit a report

рапортовать to report back (to sb on)

раса race

расизм racism

расист racist

расисткий racist

раскаленный burning hot

раскалить to bring to a high temperature

раскалиться to get very hot

раскалываться *от* **расколоться: у меня ~ется голова** I have a splitting headache

раскат *(: грома, смеха)* peal

раскатать *(ковер, рулон)* to unroll; *(тесто)* to roll out; *(дорогу, гору)* to flatten (out); *(бревна, шары)* to send rolling

раскатистый *(гром, хохот)* booming

раскачать to swing; *(качели, ребенка)* to push

раскачаться *(лодка)* to rock; *(качели)* to swing; *(медлить: человек)* to dither

раскачивание swaying, swinging

раскаяние repentance

раскаяться to repent

Р

расквасить to crush, squash

расквитаться : ~ с *(с кредиторами)* to settle up with; *(перен: с врагом, с обидчиком)* to settle a score with

раскидать to throw around, scatter; **жизнь ~ла их по всему свету** life has scatterd them across the globe

раскидистый *(дерево)* spreading

раскинуть *(руки)* to throw open; *(ковер, сети)* to spread out; *(лагерь)* to set up; *(палатку, шатер)* to pitch; ~ **что-н умом** *или* **мозгами** to think sth over

раскинуться to stretch out

раскладка *(действие)* arranging; *(соотношение: сил, средств)* balance

раскладной folding

раскладушка camp bed, cot

раскланяться *(актер, выступающий)* to take a bow; *(при встрече, при расставании)* to bow

расклеить *(конверт)* to unglue; *(плакаты, афиши, рекламы)* to paste up

расклеиться to come unstuck; to fall through; **я совсем ~ился** I feel (like) a complete wreck

раскованный relaxed

раскол *(организация, движения)* split; *рел.* schism

расколоть *дрова, страну, движение)* to split; *(лед, орех)* to crack

расколоться *(полно, орех)* to split open; *(перен: движение, организация)* to be split

раскольник sectarian

раскопать to dig up

раскопка *(действие)* excavation

раскопки excavations; *(место)* dig

раскормить to overfeed

раскосый *(глаза)* slonting

раскошелиться to fork out

раскрасить *(рисунок, картинку)* to colour, color; *(вазу, поделку)* to paint

раскраска colouring, coloring; painting; *(цветовая гамма)* colours, colors

раскраснеться to go red

раскрашивание graining; marbling; painting

раскрашивать *от* **раскрасить**

раскритиковать to criticize severely

раскроить to cut

раскрутить *(что-н сплетенное)* to untwist; *(что-н закрученное)* to unscrew; *(интригу, тайну)* to unravel

раскрытый discovered, exposed, open

раскрыть to open; *(перен)* to discover; **раскрывать свои карты** to show one's hand

раскупить to buy up

раскусить to suss out; *(яблоко, конфету)* to bite into

расовый racial

распад break-up, collapse; *хим.* decomposition

распадаться to disintegrate, fall to pieces

расплакаться to burst into tears

распаковка unpacking

распаривать to steam, stew

распасться to break up; *(вещество, молекула)* to decompose; **распадаться на части** to fall apart

распахать to plough *или* plow up

распахнуть to throw open; ~ **душу** to bare one's soul

распахнуться *(дверь, шуба)* to fly open; *(поля, равнина)* to open out

распев drawl

распевать to sing loudly; ~ **песню** to sing away

распеленать to unwrap

распечатать *(письмо, пакет)* to open; *(помещение)* to unseal; *(размножить)* to print off; *комп.* to print out

распечатка *(доклада)* printout; *комп.* hard copy

распилить to saw up

расписание timetable

расписать *(дела, мероприятия, расходы итп)* to arrange; *(день, месяц)* to fill up; *(стены, шкатулку, вазу)* to paint; *(перен: разг. будущее, приключения)* to paint a rosy picture of; *(разг: жениха и невесту)* to marry

расписаться *(поставить подпись)* to sign one's name; *(в невежестве, в бессилии)* to acknowledge;

(зарегистрировать брак); to get married (to); to sign for sth
расписка *(о получении денег)* receipt; *(гарантия)* warrant: **принимать что-н под ~ку** to sign for sth
распить to get through
распихать *(толпу, очередь)* to push through; *(: вещи, бумаги):* **~ по** to stuff into
расплавить to melt
распластать *(крылья, руки)* to spread
распластаться to sprawl out
расплата payment; *(перен)* retribution; **час ~ы** the day of reckoning
расплатиться *(с продавцом, с кредитором)* to pay; *(перен: с предателем, с негодяем)* to get even (with); **расплачиваться за ошибку/преступление** to pay for a mistake/crime
расплевать to spill
расплести *(плетку)* to untwist; *(косу)* to unplait
расплестись to come untwisted; *(коса)* to come out
расплывчатый *(рисунок, очертания)* blurred; *(перен: мысли, ответ, намек)* vague
расплыться *(утки итп)* to swim off; *(чернила, краски)* to run: *(нефть, дым)* to diffuse: *(облака)* to disperse; *(перен: фигуры, силуэт)* to blur *(разг: расползнеть)* to spread *(широко улыбнуться)* to beam; **он ~лся** *или* **его лицо ~лось в улыбке** a smile spread across his face
расплющить to crush
распогодиться to clear up
распознать to identify
располагать *(данными, временем итп)* to have at one's disposal, have available; **Вы можете мной ~** I am entirely at your disposal
располагаться *от* **расположиться** *(находиться)* to be situated *или* located
располагающий welcoming
расползтись to crawl off; *(туман, плющ)* to spread; *(пятно, строчки)* to smudge; *(разг: ткань,*

одежда) to become threadbare
расположение *(действие: предметов)* arranging; *(место: отряда, лагеря)* location; *(комнат)* layout; *(мебели)* arrangement; *(симпатия)* disposition; **~духа** mood; **я испытываю к нему ~** he is well-disposed towards me; **у меня нет сейчас ~я ехать туда** I'm not in the mood for going there right now
расположенный *(к человеку)* well-disposed towards; *(к инфекции, к простуде)* susceptible to; *(читать, работать, играть)* in the mood for doing; **я не расположен это сейчас обсуждать** I am not in the mood to discuss it right now
расположить *(мебель, вещи итп)* to arrange; *(отряд)* to station; *(лагерь)* to set up;
расположиться *(человек: в кресле, под деревом)* to settle down: *(отряд)* to position itself
распорка strut
распорядитель *комм.* manager; *(церемониала, вечера)* organizer
распорядительный *(хозяйка, начальник)* efficient; **распорядительный директор** managing director; **распорядительный комитет** management committee
распорядок routine; **правила внутреннего ~ка** regulations
распоряжение *(управление)* management; *(приказ)* instructions; *(указ)* enactment; **банковское ~** banker's order; **в ~ at sb's/sth's disposal; предоставлять что-н в чье-н ~** to place sth at sb's disposal; **я в Вашем ~м** I am at your disposal
распоясаться to get cocky
расправа reprisals
расправить *(складки, смятую бумагу)* to straighten out; *(грудь, плечи)* to straighten (up); *(крылья)* to spread
расправиться to be straightened out; to straighten up; to spread; *(парус)* to unfurl; *(наказать):* **~ся с** *(с демонстрантами, с забастовщиками)* to take reprisals against,

to be finished with

распределить *(обязанности, доходы)* to distribute; *(книги по полкам)* to arrange; *(учеников по классам)* to divide up; ~ **кого-н** *(выпускника)* to give sb a work placement

распределение distribution; *(после института)* work placement

распределиться to get work placements; *(по группам, по бригадам)* to divide up

распродажа sale

распродать *(вещи, имущество, товар)* to sell off; *(билеты)* to sell out of

распростёртый *(руки)* outstretched; *(тело)* prostrate; welcome sb with open arms

распроститься to say *или* bid farewell to

распространение *(информации, опыта, знаний)* dissemination; *(инфекции)* spreading; *(ядерного оружия)* proliferation; *(приказа, правила)* extension

распространённый widespread

распространить *(информацию, знания)* to disseminate; *(опыт)* to share; *(сплетни, инфекцию)* to spread; *(правило, приказ)* to apply; *(владения)* to widen; *(газеты)* to distribute; *(запах)* to emit

распространиться *(подробно говорить)* to go into detail; ~**ся на** to extend to; **этот приказ ~яется на всех** this order applies to everybody

распря feud

распрямить *(проволоку, крючок)* to straighten (out); *(спину, грудь, плечи)* to straighten (up)

распрячь to unharness

распугать to scare away *или* off

распускание solution; blossoming

распустить *(армию)* to disband; *(студентов, школьников)* to dismiss; *(шнурки, корсет, ремень)* to loosen; *(волосы, косу)* to let down; *(шов, вязанье)* to unpick; *(ребёнка итп)* to let sb run wild; **распускать парламент** to dissolve parliament; **распускать слухи** to spread rumours

распуститься *(цветы, почки)* to open out; *(шнуровка, завязки)* to come undone; *(дети, люди)* to get out of hand

распутать *(узел, нитки)* to untangle; *(перен: дело, преступление, загадку)* to unravel; *(лошадь)* to unfetter

распутаться to come untangled; to unravel itself

распутица *period during autumn and spring when the roads become impassable*

распутник libertine

распутный depraved

распутье crossroads; **быть, на ~и** to be at a crossroads

распухнуть *(лицо, нога итп)* to swell up; *(бумажник, папка)* to bulge

распущенный unruly; *(безнравственный)* dissolute

распылитель spray

распылить to spray

распятие crucifixion

распять to crucify

рассада *бот.* seedlings

рассадить *(гостей, публику)* to seat; *(болтунов)* to seat apart; *(цветы)* to thin out

рассадник hotbed

рассвет daybreak

расседлать to unsaddle

расселина fissure

расселить *(по комнатам, по квартирам)* to accommodate, put up

рассесться *(по столам, в зале)* to take one's seat; *(разг: развалиться: на диване, в кресле)* to slump

рассечь *(тушу, канат)* to cut in two; *(губу, лоб)* to cut; **рассекать волны** to cut through the water

рассеянный *(человек)* absent-minded; *(свет)* diffuse

рассеять *(семена, людей)* to scatter; *(свет)* to diffuse; *(сомнения, подозрения)* to dispel; *(горе, тоску)* to alleviate

рассеяться *(люди, семена)* to be scattered; *(тучи, туман, дым)* to disperse; *(сомнения, печаль)* to be dispelled; *(развлечься)* to find a distraction

рассказ *(свидетеля)* account

Р

рассказать to tell

рассказчик storyteller; *(автор)* narrator

расслабить *(мышцы, ноги, руки)* to relax; *(ремень, галстук)* to loosen; *(болезнь, работа)* to weaken

расслабиться to relax

расслабление enfeeblement, weakening

расслабленный relaxed

расследование investigation

расследовать to investigate

расслоиться *(горная порода, общество)* to stratify; *(пирог, фанера)* to split

расслышать to hear; извините, я не ~ал I'm sorry, I didn't catch what you said

рассматривать *(рассмотреть)* to examine, inspect, look through, scrutinize

рассмеяться to burst out laughing

рассмотрение examination

рассмотреть to examine; *(различить: в темноте, вдали)* to discern

рассол brine

рассольник soup made with meat and pickled cucumbers

рассориться to fall out, to quarrel

рассосаться *(опухоль)* to go down; *(перен: очередь, пробка)* to ease off; *(толпа)* to thin out

расспрос *(действие: свидетелей)* questioning; *(обычно мн: вопросы)* question

расспросить to question (about)

рассрочка installment, instalment; в ~ку *(купить, продать)* on hire purchase, on the installment plan; выплачивать в ~ку to pay in instal(l)ments

расставание parting

расставить *(книги, мебель итп)* to arrange; *(шахматы)* to set up или out; *(знаки препинания, ударения)* to add; *(ножки циркуля)* to open; *(пальцы)* to splay; *(расширить: платье, воротник)* to let out; **расставлять ноги** to open one's legs

расстановка arrangement; ~ сил distribution of power; читать/говорить с ~кой to read/speak slowly and clearly

расстаться to part with; *(с любимым делом)* to abandon; *(перен: с мечтой, с детством)* to say goodbye to

расстегнуть to undo

расстегнуться *(человек)* to unbutton o.s.; *(рубашка, молния, пуговица)* to come undone

расстелить to spread out

расстилаться *(равнина, степь)* to extend; *(туман)* to spread

расстояние distance; держать кого-н на ~и to keep sb at arm's length; держаться на ~и to keep one's distance

расстрел shooting или bring at; *(казнь)* execution; приговаривать кого-н к ~у to sentence sb to be shot

расстрелять *(демонстрацию)* to open fire on; *(казнить)* to shoot; *(патроны, снаряды)* to use up

расстрига degraded, unfrocked priest

расстроенный *(здоровье, нервы)* weak; *(человек, вид)* upset; *(рояль, скрипка)* out of tune

расстроить *(планы, дела, свадьбу)* to disrupt; *(нервы)* to unsettle; *(человек, желудок)* to upset; *(здоровье)* to compromise; *(ряды противника)* to throw into confusion или disarray; *муз.* to put out of tune

расстроиться *(поездка, планы)* to fall through; *(дела, бизнес)* to fall apart; *(человек)* to get upset; *(колонна, ряды)* to fall into disarray; *(нервы)* to weaken; *(здоровье)* to become poorly; *муз.* to go out of tune

расстройство *(в делах, в хозяйстве)* disorder; *(в рядах противника)* confusion, disarray; *(огорчение)* upset; *(речи, нервной системы)* dysfunction; ~ желудка stomach upset; приходить в ~ *(дела, хозяйство)* to be thrown into confusion; *(человек)* to become upset

расступиться *(толпа)* to make way; *(перен: тайга, волны, земля)* to part

расстыковаться *(космос)* to undock

расстыковка undocking

P

рассудительность consideration, judiciousness, sagacity, sense
рассудительный judicious
рассудить *спорт* to settle; *(людей)* to settle a dispute between; **она ~удила правильно** she made the correct decision
рассудок reason; **быть в своем ~ке** to be in possession of one's facilities
рассуждать to reason; **~ о** to debate
рассуждение *(умозаключения: логическое итп)* ment; **~я (о политике, о морали итп)** reasoning; **без ~й** without arguing
рассчитать *(стоимость, траекторию, политику)* to calculate; *(работника)* to lay off; **словарь рассчитан на студентов** the dictionary is designed for students
рассчитаться *(уволиться)* to hand in one's notice; *воен. (в строю)* to call out one's number; **рассчитываться (с продавцом, в гостинице)** to settle up (with); *(перен: с врагом, с обидчиком)* to settle a score (with)
рассчитывать *(надеяться: на удачу, на друга)* to count *или* rely on; **~ что-н делать** to count on doing
рассыльный errand-boy
рассыпать *(рассыпать)* to scatter, spill, to intersperse
рассыпной sold loose
рассыпчатый *(каша, рис)* fluffy; *(печенье, пирог)* crumbly
растаскать *(по комнатам)* to drag; *(разворовать)* to filch
растащить *(разг: драчунов, мальчишек)* to drag apart
раствор *хим.* solution; *(циркуля)* span, spread; *(строительный)* mortar; **цементный ~** cement
растворимый soluble; **растворимый кофе** instant coffee
растворитель solvent
растворить *(окно, дверь)* to open; *(порошок, сахар)* to dissolve
растение plant
растениеводство horticulture
растереться *(полотенцем, мочалкой)* to rub s.o. down
растерянность confusion

растерянный confused
растеряться to go missing
растеряха careless, untidy person
растечься *(ручьи, вода)* to spill; *(чернила, краска)* to run
расти to grow; *(проводить детство)* to grow up
растительность vegetation
растительный plant; **растительное масло** vegetable oil; **растительный мир** the plant kingdom; **растительный покров** vegetation
растить *(детей)* to raise; *(цветы)* to grow; *(животных)* to rear; *(перен: кадры)* to nurture; *(талант, дарование)* to cultivate
растлевать (растлить) to contaminate; corrupt, deprave
растолкать *(толпу, людей)* to push away; *(разг: разбудить)* to shake
растолковать to clarify sth (for sb)
растолочь to grind, pound, pulverize
растолстеть to put on weight
растопить *(печку)* to light; *(воск, жир, лед)* to melt
растопка firelighter; melting; smelting
растопленный molten
растоптать to trample on
растопырить to spread
расторгнуть to annul
расторжение breach, break rupture; dissolution
растормошить to shake
расторопный quick, efficient
расточать to dissipate, squander; to lavish
расточительный extravagant
расточительство extravagance
растравить **~ кому-н душу** to torment sb
растрата *(времени, сил, денег)* waste; *(хищение)* embezzlement *(растраченная сумма)* loss
растратить to waste; *(расхитить)* to embezzle
растревожить to alarm; **~ кому-н душу** to stir sb's emotions
растревожиться to become alarmed
растрепанный *(вид, внешность)* bedraggled; *(волосы)* tousled; *(тетрадь, книга)* tatty; **быть в ~ных чувствах** to be confused

растрепать *(волосы)* to mess up; *(тетрадь, книгу)* to tatter; *(разг: разболтать)* to blab

растрепаться *(разг: волосы)* to get messed up; *(тетрадь, книга)* to become tattered

растроганный *(человек)* moved, touched; *(голос)* full of emotion

растрогать *(письмом, вниманием)* to touch *или* move sb (by)

раструб funnel-shaped opening; bell

растяжение *мед.* strain

растяжимый ~ое понятие a loose concept

растянутый lengthy

растянуть to stretch; *(скатерть)* to spread out; *(связки, сухожилие)* to strain; *(ногу, руку)* to sprain; *(доклад, рассказ)* to drag out; *(удовольствие)* to prolong; *(средства)* to stretch out

растянуться to stretch; *(человек, обоз)* to stretch out; *(связки, сухожилие)* to be strained; *(собрание, работа)* to drag on

расформирование disbandment

расформировать to disband

расфрантиться to array oneself, dress up, overdress

расхаживать to saunter

расхвалить to enthuse about

расхватать to snatch up

расхититель embezzler

расхитить to embezzle

расхищение embezzlement

расхлябанный *(жест, движение)* irreverent; *(человек, поведение)* lax

расход *(энергии, воды)* consumption; *(обычно мн: затраты)* exspense; *комм. в бухгалтерской книге)* expenditure

расходовать *(деньги)* to spend; *(материалы, энергию)* to expend; *(потреблять: бензин)* to consume

расхождение *(между словом и делом)* discrepancy: *(во взглядах)* divergence

расхожий *(мнение)* widely accepted

расхотеть *(спать, гулять итп)* to no longer want to do; **я расхотел есть** I don't feel hungry any more

расхохотаться burst out laughing

расцарапать to scratch

расцвести to blossom; *(от радости)* to light up

расцвет *(перен: науки, таланта)* blossoming; **он в ~е сил** he is in the prime of life

расцветка colour *или* color scheme

расцеловать to kiss

расцеловаться to kiss each other

расценить to judge; **расценивать что-н как** to regard sth as

расценка *(оплата работы)* rate; *(цена)* tariff

расцепить *(состав)* to uncouple; *(дерущихся, пальцы)* to pull apart

расчертить to rule, line

расчесать *(волосы, гриву)* to comb; *(шерсть, лен)* to card; *(руку, царапину)* to scratch; **расчесывать кого-н** to comb sb's hair

расческа comb

расчесывание combing out; carding

расчет *(налога, стоимости итп)* calculation; *(оплата)* payment; *(предложение)* calculation; *(выгода)* advantage; *(бережливость)* economy; *(увольнение)* dismissal; *воен. мор.* crew; **из ~а** on the basis of; **из ~а 5 процентов годовых** at 5 percent per annum; **он ведет дела с ~ом** he runs his business economically; **действовать по ~у** to act in a calculated way

расчетливый *(экономный)* thrifty; *(руководитель, игрок)* calculaing; *(движения)* deliberate

расчетный *тех. (скорость итп)* estimated; **расчетный день** payday; **расчетный счет** debit account

расчистить to clear

расчистка clearing

расчувствоваться to be overcome with emotion

расшатанность instability

расшатать *(стол, стул)* to make wobbly; *(здоровье)* to damage

расшататься *(забор, столб)* to become wobbly; *(перен: нервы)* to give out; *(здоровье)* to be damaged

расшвырять to hurl around; *(перен: деньги)* to fritter away

расшевелить to give sb a shake; *(перен: слушателей)* to liven sb up

P

расшевелиться to stir *(начальство, игроки)* to get moving
расшибить to smash
расширение widening; *(связей, производства)* expansion: *(знаний)* broadening
расширенный *(проход)* widened; *(комитет, заседание)* expanded; *(зрачки, сосуды)* dilated
расширить to widen; *(производство)* to expand; **расширять кругозор** to broaden one's horizons
расшитый embroidered
расшить *(вышить)* to embroider
расшифровать *(текст, шифровку)* to decode, decipher; *(перен: тайну, смысл слов)* to decipher
расшнуровать to unlace
расшуметься to make a racket; *(начать спорить)* to kick up a fuss
расщедриться to become generous
расщелина *(скалы, горы)* crevice; *(в дереве, в ремне)* cleft
расщепить to split; *хим.* to decompose
расщепиться to splinter; *физ.* to split; *хим.* to decompose
расщепление splintering; *физ.* fission; *хим.* decomposition
ратификация ratification
ратифицировать to ratify
ратовать to declaim
ратуша guildhall, town hall
раунд *спорт.* round; *полит.:* ~ **переговоров** round of talks
рафинад sugar cubes
рафинированный refined
рахит rickets
рацион ration
рационализатор innovator
рационализация rationalization
рационализировать to rationalize
рационалист rarionalist
рациональный *(поступок)* rational; *(использование ресурсов, организация)* effective; ~**ьное питание** well-balanced diet
рация walkie-talkie
рачительный thrifty
рашпиль rasp
рвануться to tear off
рваный torn; *(ботинки)* ripped; *(рана)* lacerated

рвань clamp; ragamuffin, scamp
рвать *(разорвать)* to rip, tear; to pick, pluck
рвач taker
рвение *(в учебе, в работе)* enthusiasm; *(патриотическое, религиозное)* zeal; desire to do
рвота vomiting
рвотный emetic
реабилитация rehabilitation
реабилитировать to rehabilitate
реагировать *(на свет, на раздражение)* to react (to); *отреагировать или прореагировать (на критику, на слова)* to react *или* respond (to)
реактив *хим.* reagent
реактивный *химб.* reactive; *тех.* jet-propelled; *(перен) ~* **двигатель** jet engine; ~ **самолет** jet (plane)
реактор reactor
реакционер reactionary
реакционный reactionary
реакция reaction
реализация implementation; realization
реализм realism
реализовать *(реформы, проект, предложение)* to implement; *(товар, ценные бумаги)* to realize
реалист realist
реалистический realistic; *(искусство)* realist
реальность reality; *(политики, плана, задачи)* practicability, feasibility; ~**и нашего времени** modern-day realities
реальный *(не воображаемый)* real; *(осуществимый, практический)* realistic; **в** ~**ьном времени** *комп* real-time; **реальная заработная плата** *экон.* real wage
реанимация resuscitation; **отделение** ~**и** intensive care unit
ребенок child; *(грудной)* baby; **дом** ~**ка** children's home
ребро *анат.* rib; *(монеты, стола, кубика итп)* edge; **ставить вопрос** ~**м** to put a question bluntly
ребус rebus; *(перен)* riddle
ребята *от* **ребенок** guys
ребяческий *(душа, сознание)* child's; *(перен: поведение, суждение)* childish

Р

рев roar; *(разг: громкий плач)* howling

реванш revenge; *(игра)* revenge match; **взять** ~ to take revenge

реваншизм revanchism

реветь to roar; *(разг: плакать)* to howl

ревизия audit; *(взглядов, учения)* revision

ревизовать *(предприятие)* to inspect; *(бухгалтерские книги)* to audit

ревизор *комм.* auditor

ревматизм rheumatism

ревматический rheumatoid

ревматолог rheumatologist

ревновать to be jealous; **он ~ует меня к своему брату** he is jealous of my relationship with his brother

ревностный ardent, zealous

ревность jealousy

револьвер revolver

революционер revolutionary

революционный revolutionary

революция revolution

ревю revue

регалия regalia

регата regatta

регби rugby

регион region

региональный regional

регистр register: *(на пишущей машинке)*; **верхний/нижний** ~ upper/lower case

регистратор *(в поликлинике)* receptionist; *(в загсе)* registrar

регистратура *(в поликлинике)* reception; *(на предприятии)* records department

регистрация registration

регистрировать to register

регистрироваться to register; *(оформлять брак)* to get married

регламент *(порядок заседаний)* order of business; *(время для выступления)* speaking time

реглан raglan; **пальто/платье** raglan coat/dress

регулировать to regulate; *(отношения)* to normalize; *(мотор, громкость)* to adjust

регулировщик traffic policeman

регулярно regularly

регулярность regularity

регулярный regular; **регулярные войска** regular army

редактировать to edit

редактор editor

редакционный *(поправки)*: ~**ая коллегия** editorial board: **редакционная статья** editorial

редакция *(действие: текста, статьи)* editing; *(вариант произведения)* edition; *(формулировка: статьи закона)* wording; *(учреждение)* editorial offices; *(на радио)* desk; *(на телевидении)* division; **под ~ей** edited by

редеть to thin out

редис radish

редиска radish; radishes

редкий *(выстрелы, письма, гость)* occasional; *(волосы)* thin; *(зубы)* gappy; *(лес)* sparse; *(ткань, материал)* loose-weave

редко rarely, seldom; *(расти)* sparsely

редкость rarity; **на** ~ unusually; **он на** ~ **добрый человек** he is a person of uncommon kindness; **такие примеры не** ~ such examples are not uncommon

редька radish; radishes

режим *(питания)* полит. regime; *(больничный, тюремный итп)* routine; *(условия работы)* conditions; *комп.* mode; ~ **безопасности** security system; **рабочий** ~ **двигателя** the operating conditions of the engine

режиссер director; **режиссер-постановщик** *(stage)* director

режиссура *(профессия)* directing; *(фильма, спектакля)* direction

резак choppingknife, cleaver; ploughshare

резать to carve, cut; to slice

резвиться to frolic, frisk about

резво energetically

резвый *(ребенок)* playful; *(быстрый в беге: конь, заяц)* frisk

резерв *спорт.* reserve team; reserve; **кассовый** ~ *комм.* reserves

резервный reserve; *комп.* backup; ~**ые войска** reserves; **резервная валюта** reserve currency; **резерв-**

Р

ный капитал capital reserve; **резервный фонд** reserve fund

резервуар reservoir

резец (*инструмент*) cutting tool; *анат.* incisor

резидент spy

резиденция residence

резина rubber; **тянуть ~у** to drag things out

резиновый rubber

резкий sharp; (*свет, звук, голос*) harsh; (*запах*) pungent; (*стилль, манера*) abrupt

резко sharply; (*встать, высказать*) abruptly

резкость (*поведения, манеры*) abruptness; *фото.* focus; **говорить кому-н ~и** to be rude to sb

резной carved

резня slaughter

резолюция (*съезда, заседання*) resolution; (*распоряжение*) directive

резонанс *физ.* resonance; response

резонный reasonable

результат result; **в ~е** as a result; (*в итоге*) in the end

результативный (*дело, встреча*) productive; (*спортсмен*) successful

резчик carver, engraver; sculptor

резь sharp pain

резьба carving; (*винта, шурупа*) thread; **~ по дереву/камню** carving in wood/stone

резюме resume, summary

резюмировать to summarize

рейд raid; *мор.* anchorage

рейка batten; (*измерительная*) measuring rod

Рейкьявик Reykjavik

Рейн Rhine

рейнвейн hock

рейс (*самолета*) flight; (*атобуса*) run; (*парохода*) sailing

рейсовый regular

рейтинг popularity rating

рейтузы thermal pants

река river

реквием requiem

реквизировать to requisition

реквизит *театр. кино.* props; stipulation

реклама (*действие: торговля*) advertising; (*средство*) advert, advertisement; (*театральная*) publicity; **делать себе ~у** to draw attention to o.s.

рекламировать to advertise

рекламный (*отдел, колонка*) advertising; (*статья, фильм, справочник*) publicity; **рекламный ролик** advertisement; (*фильма*) trailer

рекогносцировка reconnaissance, reconnoitring

рекомендация recommendation

рекомендовать to recommend; **~ кому-н/на работу** to recommend sb to sb/for a job; **~ кому-н** to recommend sb to do

реконструировать (*промышленность*) to rebuild; (*памятник, здание*) to reconstruct

реконструкция reconstruction

рекорд record; **устанавливать ~** to set/break a record

рекордсмен recordholder

ректорат principal's office

религиозный religious

религия religion

реликвия relic; (*семейная*) heirloom

рельеф *гео.* relief

рельс rail; **на рельсы** towards

ремарка *театр.* stage directions; (*замечание*) remark

ремень (*брюк, платья, также тех.*) belt; (*сумки*) strap; **привязные ~ни** seat belt; **приводной** drive-belt

ремесленник artisan, craftsman

ремесленный (*труд, мастерская*) artisan's, craftsman's; (*изделие*) handicrafted; (*перен: не творческий*) mechanical

ремесло trade; (*перен; нетворческая работа*) hack work

ремешок strap

ремонт repair; (*здания*) refurbishment; (: *мелкий*) redecoration; **на ~е** repair; **текущий ~** maintenance

ремонтировать to repair; (*квартиру, здание*) to do up

ренклод greengage

рента rent; **земельная ~** ground rent

рентабельный profitable

Р

рентген *мед.* X-ray; *физ.* roentgen

рентгенолог radiologist

реорганизация reorganization

реорганизовать to reorganize

репа turnip

репатриант repatriate

репатриация repatriation

репатриировать to repatriate

репейник burdock

репетировать *(диалог, спектакль)* to rehearse

репетитор *(преподаватель)* coach, private tutor

репетиция rehearsal

реплика *(слушателей)* remark; *театр.* line; *юрид.* objection

репортаж *(статья, передача)* report

репортер reporter

репрессия repression

репродукция reproduction

рептилия reptile

репутация reputation

ресница eyelash

респектабельный respectable

республика republic

республиканский republican

рессора spring

реставратор restorer

реставрация restoration

реставрировать to restore

ресторан restaurant

ресурс resource; природные ~ы natural resources

ретивый eager, zealous

ретировка retreat, withdrawal

ретроград reactionary

ретроспектива retrospective

ретуширование retouching

реферат synopsis

референдум referendum

референт *(директора, министра)* aide

рефери referee

рефлекс reflex

реформа reform

реформатор reformer

рефрижератор *(судно)* refrigeratorship; *(грузовик)* refrigerated lorry *или* truck

рехнуться to crack, flip; ~ **на чём-н** to be nuts about sth

рецензировать to review

рецензия review

рецепт *мед.* prescription: *кулин.* recipe

рецидив *(преступления)* repetition; *(болезни)* recurrence

рецидивист recidivist, habitual offender

речка river

речь oration, speech

решающий decisive; deciding; **решающий голос** casting vote

решение *(суда, собрания итп)* decision; *(ответ к задаче)* solution; *(действие: вопроса, дела)* solution, solving; *(: судьбы)* deciding

решётка trellis; *(оконная)* grille; *(в камине)* grate; *(в духовке)* oven rack; **за ~кой** behind bars

решето sieve

решётчатый lattice, trellis; ~**ое окно** lattice window

решимость resolve

решительно *(заявить, отказать)* resolutely; *(действовать)* with resolve, decisively; **я ~ не понимаю, о чём Вы говорите** I've got absolutely no idea what you are talking about

решительный *(человек, взгляд)* resolute; *(меры)* drastic; *(решающий)* decisive

решить to decide; *(задачу, вопрос)* to solve

решиться *(вопрос, судьба)* to be decided; **решиться на** to make up one's mind on/to do

решка *(на монете)* tails; **орёл или ~?** heads or tails?

реэкспорт re-export

реэкспортировать to re-export

реять *(птица)* to soar; *(флаг)* to fly

ржаветь to rust, go rusty

ржавчина rust

ржавый rusty; *(вода)* brown; *(листва)* rust-coloured; ~**ое пятно** rust mark

ржаной rye

ржать to neigh; *(разг: смеяться)* to roar with laughter

Ривьера the Riviera

Рига Riga

риза *(одежда)* vestments; *(на иконе)* overlay

Р

рикошет ricochet, rebound; **отска-кивать ~ом** to ricochet, rebound

Рим Rome

римский Roman; **римские цифры** Roman numerals

ринг ring

ринуться to charge; **~ в работу** to throw o.s. into one's work

риск risk; **на свой страх и ~** at one's own risk

рискованный risky; *(перен: разговор, шутка)* risque

рисковать to take risks; *(жизнью, здоровьем)* to risk; to risk doing; **Вы (сильно) ~уете** you are taking a (big) risk

рисование *(карандашом)* drawing; *(красками)* painting

рисовать *(карандашом)* to draw; *(красками)* to paint; *(перен: описывать)* to depict, portray; *(:под-леж: воображение, сознание)* to evoke a picture of

рисоваться *(виднеться)* to be seen; *(перен: в воображении)* to be conjured up; *(манерничать)* to show off

рисунок drawing; *(на ткани, на обоях)* pattern; *(картины)* sketch; **акварельный ~** watercolour painting

ритм *(сердца, стиха)* rhythm; *(пе-рен: жизни, работы)* pace

ритмический rhythmic(al)

риторика rhetoric

ритуал ritual

риф reef

рифлёный *(подошва)* grooved; **риф-лёное железо** corrugated iron

рифма rhyme

рифмовать *(строчки, слова)* to make rhyme

робеть to go shy

робкий shy

робот robot

робототехника robotics

ров ditch

ровно *(писать)* evenly; *(чертить)* straight; *(дышать)* regularly; *(че-рез год)* exactly

ровный even: *(степь)* flat; *(пробор, линия)* straight; *(дыхание, пульс)* regular; *(перен: характер, человек)*

stable; **счёт** round number; **~ным счётом ничего** absolutely nothing

ровнять *(строй, шеренгу)* to straighten; *(дорожку, площадку)* to level

рог *муз.* horn; *(полумесяца)* cusp; **олений ~** antler; **~ изобилия** horn of plenty; **у чёрта на ~ах** *(разг)* in the middle of nowhere; **взять быка за ~а** *(разг)* to take the bull by the horns

рогатка *(для метания камешков)* catapult; *(на дороге)* roadblock; **ставить ~ки кому-н** to create obstacles for sb

рогатый horned; **крупный ~ скот** cattle

роговица cornea

роговой horn; **роговая оболо́чка** cornea

рогожа *(ткань)* sacking

рогоза bulrush; reed-mace

род kind, gender; generation

родом by birth, by origin

родильный дом maternity hospital

родимый *(разг: край, земля)* native; **~ дом** family home; **родимое пят-но** birthmark

родина *(отечество)* homeland; *(ме-сто рождения, появления)* birthplace

родинка birthmark

родители parents

родительный : ~ падеж genitive case

родительский *(обязанности, права, дом)* parental; *(деньги)* parent's; **родительское собрание** parents' meeting

родить to give birth to; to bear a crop of

родиться to be born; *(пшеница, яб-локи)* to give a good yield; **у них ~дилась дочь** they had a daughter

родник spring

роднить to bring sb closer

родниться to become related

родной natural; *(город, страна)* native; *(в обращении)* dear; **род-ной язык** mother tongue

родные relations

родня *(родственники)* relations

родовитый of noble birth

родовой tribal; *(понятие, признак)*

P

generic; *линг.* gender; *(имение)* family; *мед. (судороги, травма)* birth

родовспоможение midwifery

родоначальник progenitor

родословие genealogy

родословная *(семьи)* ancestry; *(собаки)* pedigree

родственник relation, relative

родственный family; *(языки, науки)* related; **родственные связи** family ties

родство relationship; *(душ,идей итп)* affinity

роды labour; **умереть от ~ов** to die in childbirth; **принимать ~** to deliver a baby

рожа face; *(неприятное лицо)* mug; *мед.* erysipelas; **строить ~и** *(разг)* to make faces

рождаемость birth-rate

рождение birth; **день ~я** birthday

рождественский Christmas

Рождество *рел.* Nativity; *(праздник)* Christmas; **с ~м!** Happy *или* Merry Christmas!

рожки antennae, feelers; *(макароны)* macaroni

рожок horn; *(рогалик)* crescent-shaped roll; *(для надевания обуви)* shoehorn

рожь rye

роза *(растение)* rose(bush); *(цветок)* rose

розарий rose garden

розга birch

розетка power point; *(блюдечко)* jam *или* jelly dish; *(украшение)* rosette

розница retail goods; **продавать в ~у** to retail

розничный retail; **(рекомендованная) розничная цена** *(recommended)* retail price

рознь difference, diversity

розоветь turn *или* go pink; **у него на лбу ~л шрам** he had a pink scar on his forehead

розовый rose; *(цвет)* pink; *(ребенок, мечты)* rosy; **видеть кого-н/что-н в розовом свете** to see sb/sth through rose-coloured spectacles *или* rose-colored glasses

розыгрыш draw; *(шутка)* prank

розыск search; **уголовный ~** Criminal Investigation Department, Federal Bureau of Investigation

рой *(пчел, комаров)* swarm; *(снежинок, искр)* flurry; *(пыли)* cloud; *(перен: воспоминаний)* flood

рок *(злая судьба)* fate; *(рок-музыка)* rock ◆ *(танец, стиль)* rock

рокер rocker

рок-н-ролл rock and roll

роковой fatal

рокот rumble

рокотать to rumble

ролик *(вращающийся валик)* roller; *(на ножке)* caster; *элект.* cleat; *(фотопленки, бумаги)* roll; *(обычно мн: разг: коньки на колесиках)* roller skate; **~ новостей** newsreel; **рекламный ~** advertisement; *(фильма)* trailer

ролики roller skates

роль role; *(текст)* part

ром rum

роман *(исторический, биографический)* novel; *(любовная связь)* affair

романист *(писатель)* novelist; *(ученый)* Romance language philologist

романс romance

романтизм *(художетвенное течение)* Romanticism; *(умонастроение)* romantic mood

романтик *(мечтатель)* romantic; *(писатель, композитор итп)* romanticist

романтика romance

ромашка camomile

ромб rhombus

ромовый rum; **ромовая баба** rum baba

ромштекс rump steak

ронять to drop; *(перен: честь, авторитет)* to lose; *(листву, перья)* to shed; **~ слезы** to shed tears; **~ себя в чьих-н глазах** to lose face with sb; **~ слова** to make haughty remarks

ропот grumble

роптать to complain, grumble; to murmur

роса dew

росинка dewdrop

Р

роскошный *(наряд, дом)* luxurious; *(еда)* sumptuous; *(разг: волосы, растительность)* luxuriant; *(: день, погода)* splendid; **~ная жизнь** a life of luxury

роскошь luxury; *(излишества)* extravagance; *(природы)* luxuriance; **предметы ~и** luxury items

рослый tall

роспись *(действие: собора, купола)* painting; *(узор: на шкатулке)* design; *(: на стенах)* mural; *(расходов, имущества)* list; *(подпись)* signature

роспуск *(армии)* disbandment; *(парламента)* dissolution

российский Russian; **Российская Федерация** the Russian Federation

Россия Russia

россиянин Russian

россыпь *(грибов)* scattering

рост growth; *(перен: мастерства, производительности)* increase; *(размер: человека)* height

ростбиф roast beef

ростовщик moneylender

росток *бот.* shoot; *(демократии, нового)* beginnings

росчерк stroke; **решать что-н одним ~ом пера** to decide sth with one stroke of the pen

рот mouth

рота *воен.* company

ротапринт offset duplicator

ротозей *(разг: бездельник)* loafer; *(разиня)* scatterbrain

ротор rotor

Роттердам Rotterdam

роща grove

рояль grand piano

ртутный mercury; **~ столбик** mercury column

ртуть mercury

рубанок plane

рубаха shirt; **~ парень** *(разг)* straightforward chap *или* guy

рубашка *(мужская)* shirt; *(игральной карты)* back; **нижняя ~** *(женская)* slip; **ночная ~** nightshirt; **смирительная ~** straitjacket

рубеж *(государства)* border *(: водный, лесной)* boundary; *воен.* line; **он живет за рубежом** he lives abroad; **он уехал за ~** he went abroad; **на рубеже эпох** between two eras

рубец scar; *кулинар.* tripe

рубильник knife switch

рубин ruby

рубиновый ruby

рубить *(дерево)* to fell; *(ветку)* to chop off; *(голову)* to hack off; *(мясо, капусту)* to chop; *(дачу; избу)* to erect; **он ~ит сплеча** he doesn't mince his words

рубка *(деревьев)* felling; *(избы)* erection; *(мяса)* chopping; *(на судне, на радиостанции)* cabin

рублевый *(монета, банкнота)* rouble; *(печенье, конфеты)* for one rouble; *(разг: товар, подарок)* cheap

рубленый *(мясо, овощи)* chopped; *(амбар, изба)* made from logs; **~ые котлеты** rissoles

рубль rouble; **переводной ~** convertible rouble

рубрика *(раздел)* column; *(заголовок)* heading

рубцеваться to form a scar

рубчик rib

ругань bad language

ругательство swearword

ругать *(мужа, ученика)* to scold; *(пьесу, статью)* to take to pieces

ругнуться *(разг)* to swear

руда ore

рудник mine

рудниковый *(предприятие)* ore-mining

рудокоп miner, pitman

ружейный rifle

ружье rifle

руина ruin

рука hand; arm, forearm

рукав *(одежды)* sleeve; *(реки)* branch; *(пожарный, напорный)* hose; *(зерновой)* chute

рукавица mitten

руководитель leader; *(кафедры, предприятия)* head

руководить *(наступлением, действиями)* to lead; *(учреждением, це-*

Р

хом, лабораторией) to be in charge of; *(страной)* to govern; *(аспирантами)* to supervise; **им ~одила жадность** he was governed by greed

руководство *(походом, мероприятием)* leadership; *(заводом, институтом)* management; *(лабораторией)* supervision; *(к действию, в поведении)* guidelines; *(по рукоделию, по фотографии)* handbook, manual; *(по эксплуатации, по уходу)* instructions; *(партии, страны)* leadership (leaders); **под ~м** under the leadership of

руководствоваться to follow; *(здравым смыслом)* to be guided by

руководящий *(работник, кадры)* managerial; *(орган)* governing

рукоделие needlework

рукодельница needlewoman

рукомойник washstand

рукопашный went off to fight with their bare hands

рукописный *(текст)* handwritten; *(отдел библиотеки)* manuscript

рукоплескать to applaud

рукопожатие handshake

рукоприкладство beating

рукотворный handle; half; hilt

рукоятка *(кинжала, молотка)* handle; *(пульта управления)* crank

рулевой *мор.* helmsman; *(перен: ведущий вперед)* leader ◇ **~ое колесо** steering wheel; **~ое управление** steering

рулет *(картофельный)* croquette; *(с маком, с джемом)* swiss roll; *(окорок без кости)* boned ham; **мясной ~** meat loaf

рулетка *(для измерения)* tape measure; *(в игорных домах)* roulette

рулить to steer

рулон roll

руль steering wheel; **стоять у ~я** to be at the helm

румын Romanian

Румыния Romania

румяна blusher

румянец glow

румянить *(щеки, лицо)* to put blusher on; **мороз ~ит лица** the frost makes her face glow

румяниться to blush; to put on blusher; to brown

румяный rosy; *(пирог, корочка)* browned

рупор loudspeaker; *(о газете, о журнале)* mouthpiece of

русалка mermaid

русификация Russification

русифицировать to Russify

русло course; **жизнь вошла в обычное ~** life has taken its usual course

русский Russian; **~ язык** Russian

русый *(волосы, борода)* light brown; *(человек)* with light brown hair

Русь Russia

рутина rut

рухлядь junk

рухнуть *(дерево, человек итп)* to crash down; *(дом, мост)* to collapse; *(перен: счастье, надежда)* to be shattered

ручательство guarantee

ручаться to guarantee; **я головой ~юсь, что мы успеем** *(разг)* I'll bet my life that we'll do it

ручей stream: **~слез** floods of tears

ручища heavy *(huge)* hand

ручка *(двери, чемодана итп)* handle; *(кресла, дивана)* arm; *(для письма)* pen; **шариковая ~** ballpoint

ручной *(животное, человек)* tame; **~ая продажа** sale without a prescription; **ручная кладь,ручной багаж** hand luggage; **ручные часы** *(wrist)* watch

рушить *(дома, деревья)* to pull down; *(разг: счастье, семью)* to wreck

рушиться *(дом, строение)* to collapse; *(перен: семья, планы)* to be wrecked

рыба fish; **ни ~ ни мясо** neither here nor there; **чувствовать себя как ~в воде** to feel at home

рыбак fisherman

рыбалка fishing

рыбацкий fishing

рыбачить to fish

рыбный *(магазин)* fish; *(промышленность, хозяйство)* fishing; *(река, озеро)* full of fish; **рыбные кон-**

P

сервы tinned *или* canned fish: ~ **день** day when only fish is served in a canteen or restaurant
рыбоводство pisciculture
рыболов fisherman, angler
Рыбы *(созвездие)* Pisces
рывок *(человека, машины)* jerk; *(перен: в работе)* push; *(: бегуна)* dash
рыгать to belch, burp
рыдание sobbing
рыдать to sob
рыжеволосый red-haired
рыжик brown mushroom
рыкать to roar
рыло *(свиное)* snout; *(разг: лицо)* mug
рыльце *бот.* stigma
рынок market; ~ **труда** labour *или* labor market; ~**ки сбыта** markets
рыночный *комм.* market; *(яйца, овощи)* from the market; **рыночная цена** market price; **рыночная стоимость** market value
рысак trotter
рыскать to roam, rove; ~ **глазами** *(перен)* to let one's eyes roam
рысца jog trot
рысь lynx; *(бег лошади)* trot
рытвина pothole
рыть *(окопы канал)* to dig; *(картошку итп)* to dig up
рыться *(в земле, в песке)* to dig; *(в карманах, в шкафу)* to rummage *(рыхлить)* to loosen
рыхлый *(снег, земля)* loose; *(кирпич, камень)* crumbly; *(перен: статья, план)* rough; *(: разг: тело, человек)* podgy
рыцарский *(доспехи, честь, долг)* knight's; *(турнир)* jousting; *(поступок, поведение)* chivalrous, knightly; **рыцарский роман** tale of chivalry
рыцарь knight; **он настоящий** ~ **e's** very chivalrous
рычаг *(тех. управления, скорости)* lever; *(телефона)* cradle; *(перен: воздействия, реформ)* linchpin
рычать to growl; *(разг): ~ на* *(на подчинённых, на учеников итп)* to snarl at
рьяный zealous
рэкет racket

рэкетир racketeer
рюкзак rucksack
рюмка *(сосуд)* liqueur glsss: *(водки, коньяка итп)* shot
рюшь quilling, ruche
рябина *(дерево)* rowan, mountain ash *(ягоды)* rowan berry; *(разг: на коже)* pockmark; *(тёмное пятно)* speck
рябиновый *(куст)* rowan, mountain ash; *(настойка, варенье)* rowan-berry
рябить *(воду)* to ripple; **у меня ~ит в глазах** I'm seeing stars
рябой *(лицо, тело)* pockmarked; *(курица, скворец)* speckled; *(гладь озеро)* rippling; **Курочка-ряба** speckled hen
рябчик hazelhen
рябь *(на воде)* ripple; *(в глазах)* stars
рявкать to bark
ряд row *(бойцов)* line; *(явлений, событий)* sequence; *(обычно мн. торговцев, овощной)* stalls; *(вопросов, причин)* a number of; **из ряда вон выходящий** extraordinary
рядить to engage, hire; to dress up
рядовой *(случай, жизнь, работник итп)* ordinary; *(член партии, боец)* rank-and-file ◇ *воен.* private
рядом close, near(by); **они сидели** ~ they sat side by side; ~ **с** next to; **это совсем** ~ it's really near
ряженка type of yoghurt
Рязань Ryazan
ряса cassock

С

с, со with; from, since
сабля sabre, sword
саботаж sabotage
саботировать to sabotage
сабур *sm.* aloes
саван shroud
саго sago
сад garden; *(фруктовый)* orchard; *(также: детский ~)* nursery (school) *(BRIT)*; kindergarten *(US)*

садист sadist

садить to plant, put , set; ~ся to sit down; to mount (a horse, etc.); to shrink (of material): to settle (of dust, etc.); to set, sink (of sun)

садиться от сесть

садовник (professional) gardener

садовод (любитель) gardener; (специалист) horticulturist

садоводство (хобби) gardening; (наука) horticulture

садовый garden; голова твоя ~ая you've got a hell like a sieve

садок fish-pond; oyster-bank; warren

сажа smut, soot

сажать to seat; to set

саженец (дерева) sapling; (растения) seedling

сажусь см садиться

сазан carp

сайга antelope

саквояж handbag, travelling-bag

сакраментальный рел. sacramental; (перен) sacred

саксофон saxophone

салазки (сани) toboggan

салат бот. lettuce; кулин. salad

салатница salad bowl

салатный salad; (цвет) pale green

сало (животного) fat; кулин. lard

салон salon; (автобуса, самолета итп) passenger section; (в гостинице) lounge; (на корабле) saloon; художественный ~ art salon

салфетка (столовая) napkin serviette (BRIT); (маленькая скатерть) doily

сальдо комм. balance; ~ с переноса balance brought forward

сальный greasy; obscene (шутка, слова) dirty

салют salute

салютовать to salute

салями salami

сам self, himself

самбист sambo wrestler

самбо sambo (wrestling)

самец зт. male

самка female (of animals)

самоанализ self-analysis

самобичевание self-reproach

самобытен см самобытный

самобытность originality

самобытный original

самовар samovar

самовластный absolute; autocratic, despotic

самовлюбленный (человек) vain

самовнушение autosuggestion

самовольный arbitrary; wilful

самовосхваление boasting, vainglory

самогон home-made vodka

самоделка home-made самоделка home-made-thing

самодельщина roughly made goods

самодержавие autocracy

самодеятельность initiative, self-motivation; художественная ~ amateur art and performance

самодеятельный (по личному почину) self-motivated; (не профессиональный) amateur

самодисциплина self-discipline

самодовлеющий self-sufficient

самодовольный self-satisfied

самодур tyrant

самозабвение selflessness

самозащита self-defence

самозванец impostor, usurper

самоконтроль self-control

самокритика self-criticism

самолет aeroplane

самолично adv. personally

самолюбие self-esteem, pride

самомнение conceit

самонадеянность presumption; self-confidence

самообладание self-possession

самообман self-deception

самооборона self-defence (BRIT); self-defence

самообразование self-education

самообслуживание self-service

самоокупаемость экон. self-sufficiency

самоопределение self-determination

самоотверженность abnegation, self-denial

самоотверженный unselfish

самоотвод withdrawal

самоотречение self-denial

самооценка self-appraisal

самоочевидный self-evident

самопал (кустарная вещь) cheap fake

C

самопожертвование self-sacrifice

самопомощь self-help

самопроизвольно spontaneously; voluntarily

самореклама self-advertisement

самородный native, virgin

самородок *(золотой)* nugget; *(талант)* natural

самосвал dump truck

самосовершенствование self-improvement

самосознание self-awareness

самосохранение self-preservation

самостоятельно *(независимо)* independently; *(без помощи других)* on one's own

самостоятельный independent

самосуд mob law

самотек chaos; **пускать (пустить) дело на ~** to let things slide

самоубийство suicide; **покончить жизнь ~** to commit suicide

самоубийца suicide (victim)

самоуважение self-respect

самоуверенный self-confident, self-assured

самоунижение self-abasemend, self-degradation

самоуправление self-administration

самоуправство *(произвол)* arbitrariness

самоспокоение complacency

самоустраниться : ~ от to evade, dodge

самоутверждение self-assertion

самоучитель self-instructor *(book)*

самоучка self-taught person

самофинансирование self-financing

самоходный self-propelled

самоцвет gem

самоцветный : ~ камень gemstone

самоцель an end in itself

самочувствие : как Ваше ~? how are you feeling?

самый same; most; very

сан *relig.* order; dignity

санаторий sanatorium *(BRIT)*; sanatarium *(US)*

сандалия sandal

сани sledge, sleigh

санитар *sm.* male nurse, orderly

санитарный sanitary

санкционирование sanctioning

санкция *(разрешение)* sanction; *(мера):* **экономические/политические ~и** economic/political sanctions; **~ на обыск** search warrant; **с ~и** with the sanction of; **давать (дать) ~ю на** to sanction

сановитый majestic, stately

сановник dignitary

сантехник *(= санитарный техник)* plumber

сантиметр centimetre *(BRIT)*; centimeter *(US)*; *(линейка)* tape measure

санузел *(= санитарный узел)* bathroom facilities

санчасть *= санитарная часть; воен.* medical unit

сапер field engineer, sapper

сапог boot

сапожник shoemaker; *(разг: пренебр)* bungler

сапфир sapphire

сарай *(для дров, скотный)* shed; *(для сена)* barn

саранча grasshopper

сарафан сарафан *(платье)* pinafore (dress) *(BRIT)*, jumper *(US)*

сарделька sausage

сардинка sardine

саржа serge

сарказм sarcasm

саркофаг sarcophagus

сатана Satan

сателлит *также полит.* satellite

сатин sateen

сатиновый sateen

сатира satire

сатирик satirist

сатирический satirical

сауна sauna

сахар sugar; **~ный** sugar-, sugary

сахарин saccharin

сахарница sugar bowl

сахарный sugary; *(перен: белый)* white; *(: слащавый)* sugary; **сахарная вата** candy floss; **сахарная кость** marrowbone; **сахарная свекла** sugar beet; **сахарный диабет** diabetes; **сахарный песок** granulated sugar; **сахарный тростник** sugar cane

сахароза sucrose

сачок *(для ловли рыб)* landing net; *(для бабочек)* butterfly net

сбавлять (сбавить) to decrease, lower, reduce

сбалансированный balanced

сбегать (сбежать) to run along; to elope; to run away

сбежаться to come running; to crowd, flock

сберегательный : ~ банк savings bank

сберегать (сберечь) to conserve, to reserve, to save

сбережения savings

сберкасса (= *сберегательная касса*) savings bank

сберкнижка (= *сберегательная книжка*) savings book

сбивать (сбить) to knock down; to knock off;to churn

сбивка churning, whipping

сбивчивый confused, indistinct

сближать (сблизить) to bind, connect; to draw together; to compare; ~ся to become friendly

сближение accord; reconciliation

сблизить to bring closer together

сблизиться (сближаться): ~ся *(друг с другом)* to approach (one another); *(люди, государства)* to become closer

сбой *(перебой)* failure; *(в работе людей)* disruptioh

сбоку sideways

сболтнуть *(разг)* : ~ лишнее/глупость to say too mach/something stupid

сбор assemblage, gathering; collection; yield

сборище *(разг: пренебр)* gang; (: *собрание)* mob

сборка *(изделия)* assembly; *(обычно мн: на юбке)* gather

сборная *(также: ~ команда)* national team

сборник collection

сборный : ~ пункт assembly point; сборная мебель kit furniture; сборная модель model kit

сборочный assembly; ~ конвейер assembly line

сборщик *(данных, урожая)* gatherer; *(машин)* assembler; сборщик на-

логов tax collector

сборы *(приготовления)* preparations

сбрасывать (сбросить) to discard, throw down

сбривать (сбрить) to shave off

сброд rabble; gang of ruffians

сброс *(отходов)* discharge; *(воды)* overflow

сбросить *(бросить вниз)* to throw down; *(спустить)* to let down; *(свергнуть)* to overthrow; *(пальто итп)* to throw off; *(скорость, давление)* to reduce; *(карту)* to throw away; *комп.* to reset

сброситься *(разг: сложиться)* to chip in; сбрасываться (~ся) с to throw o.s. from

сбруя harness

сбывать (сбыть) to dispose, sell off

сбыт market, sale

свадебный bridal, marriage-, nuptial

свадьба marriage, wedding

сваливать (свалить) to hurl; ~ся to fall off, tumble down

свалка scramble

сварка weld

сварливый cantankerous; ~ая женщина shrew

сват match-maker; *(the father of one's son- or daughter-in-law is called* сват*)*

сватать : ~ кого-н (за) *(предлагать в супруги)* to try to marry sb off (to); ~ кого-н (кому-н) to fix sb up (with sb)

свататься : ~ся к *или* за to court

сватовство courting, match-making

сваха matchmaker

свая *строит.* pile

сведение information; knowledge

сведущий adept, conversant, versed

свежевать to dress, flay, skin

свежесть coolness; freshness

свежеть to freshen

свежий breezy, cool, crisp; fresh *(of food)*; recent *(of news)*

свекла beetroot

свекольный beetroot; *(цвет)* beetroot-coloured *(BRIT) или* colored *(US)*

свекор father-in-law *(husband's father)*

С

свекровь mother-in-law (*husband's mother*)

свербеж *sm.* itching

свергать (свергнуть) to cast down, overthrow; to precipitate

свержение overthrow

сверить : ~ (c) to check (against)

сверка collation, revise; verification

сверкание glitter, sparkle

сверкнуть to flash

сверление boring, drilling

сверлильный (*тех.*) : ~ станок drill; ~ая головка drillstock

сверлить to drill, bore; (*сомнения итп*) to graw away at

сверло drill

свернуть (свертывать *или* сворачивать) (*скатать: карту, ковер итп*) to roll up; (*: сигарету*) to roll; (*сократить*) to cut, reduce; (*временно прекратить*) to hold up ◇ (сворачивать) (*повернуть*) to turn; ~ себе шею to break one's neck; ~ кому-н шею (*перен*) to wring sb's neck; сворачивать направо/налево to turn right/left

сверх above, beyond, over

сверху at the top, from above, uppermost

сверхурочный overtime

сверхчеловеческий superhuman

сверхштатный supernumerary

сверхъестественный supernatural

сверчок cricket (*insect*)

свершать (свершить) to accomplish, achieve, complete

свершение (*надежд*) fulfilment (*BRIT*), fulfillment (*US*); (*дел, подвига итп*) accomplishment; (*кары*) exacting

свершилось! it is accomplished! it is done! it has occurred!

свершить to accomplish

сверять to adjust; to compare; to regulate

свесить (свешивать) to lower

свести : ~ c to lead down; (*направить в другую сторону*) to lead off; (*пятно, грязь*) to shift; (*познакомить*) to introduce; (*собрать*) to arrange; **сводить к минимуму** to minimize; **сводить кого-н с ума** to drive sb mad; у

меня ~ело ногу I've got cramp in my leg; **сводить брови** to knit one's brows; **сводить руки** to clasp one's hands (together)

свет daylight, light; world

светать to dawn

светелка attic

светик darling, pet

светило luminary

светильник lamp

светильня wick

светить to shine

светлеть (*также перен*) to lighten; (*ткань, волосы*) to go lighter; (*виднеться*) to shine light; **за окнами ~ет** it's getting light outside

светло : на улице ~ it's light outside

светлый bright, light, luminous; clear, lucid

светляк glow-worm

световой light; **световой день** time of the day during which it's light

светопреставление doomsday

светотень light and shade

светофор traffic light

светоч torch

светочувствительный light-sensitive

светский (*круг, манеры*) refined; (*не духовный*) secular; ~ое общество high society; ~ человек man of the world

свеча candle; *мед.* suppository; *тех.* spark(ing) plug; *спорт.* lob

свечение glint, shimmer(ing)

свечка candle; **запальная** ~ sparking-plug

свешивать to weigh; to hang down

свивать to coil, wind; to wreathe

свидание appointment, meeting; **до свидания** au revoir, goodbye

свидетель witness

свидетельство evidence, testimony; ceitificate, testimonial

свидетельствовать to attest; to testify; to witness

свинарник pigsty

свинец lead

свинина pork

свинка mumps; pig (*iron*); **морская** ~ guinea-pig

свиноводство pig-keeping

свиной (*сало, корм*) pig; (*из свинины*) pork; **свиная кожа** pigskin

свинский *(разг)* filthy

свинство *(разг)* filth

свинтить *(соединить)* to screw together

свинцовый lead; *(цвет)* leaden

свинчивать *(свинтить)* to fasten with screws

свинья hog, pig, sow, swine

свирель *муз. reed pipe*

свирепость fierceness, violence

свирепствовать to rage

свирепый fierce, ferocious

свисать to hang

свист whistle; *(ветра)* whistling

свистать (свистеть) to whistle; to pipe *(to birds)*; to sing *(of wind)*

свистнуть to give a whistle ◇ *(разг: украсть)* to nick *(BRIT)* pinch

свисток whistle

свистун whistler

свистящий sibilant

свита retinue

свитер sweater

свиток roll, scroll

свихнуть to dislocate, sprain

свищ fistula

свобода freedom; **лишение ~** imprisonment; **лишать (лишить) кого-н ~ы** to imprison sb; **выпускать (выпустить) кого-н на ~у** to set sb free; **свобода личности/печати** freedom of the individual/press; **свобода слова** freedom of speech

свободно *(передвигаться)* freely; *(говорить)* fluently; *(облегать)* loosely ◇ **мне здесь ~** I feel free here; **в доме ~** there's a lot of room in the house; **здесь ~?** is this place free?; **он ~ говорит по-русски** he speaks Russisn fluently

свободный free; *(незанятый: место, номер)* vacant; *(: комната)* spare; *(одежда)* loose-fitting; *(помещение)* specious; *(движение, речь)* fluent; *(дыхание)* unrestricted; **~ от** *(от недостатков итп)* free from *или* of; **вход ~** free admission; **телефон ~ен** the telephone is free; **Вы ~ны, можете идти** you are free to go; **у меня сейчас нет ~ных денег** I don't have any money to spare; **свобод-**

ный перевод free-translation; **свободный стиль** *(в плавании)* free style; **свободный удар** *(в футболе)* free kick

свободолюбивый freedom-loving

свободомыслие free thinking

свод *(пятен, грязи)* removal; *(частей в целое, данных в таблицу)* arrangement; *(правил итп)* set; *(летописей)* collection; *(здания, тоннеля)* vaulting; **~ правил** *(профессиональный)* code of practice; **свод законов** legal code

сводить *от* **свести** ◇ *(отвести)* to take

сводка summary; revise

сводник procurer

сводничать to procure

сводчатый vaulted

своевременный timely

своекорыстие cupidity

своенравный wilful *(BRIT)*, willful *(US)*

своеобразие distinctiveness

своеобразный *(оригинальный)* original; *(своего рода)* peculiar

свозить (свезти) to carry, convey

свой one's own

свойский *(разг)* easy-going, laid-back

свойственный characteristic of; **ему ~но сердиться** he has a tendency to get angry

свойство *(человека)* charscteristic; *(предмета)* property

сволочь *(груб!)* bastard (!)

свора *собир (волков)* pack; *(перен: хулиганов, мошенников)* pack, gang

сворачивать *от* **свернуть, своротить**

своротить *(разг: сдвинуть)* to shift, budge; *(: свернуть)* to turn

свояк brother-in-law

свояченица sister-in-law

свыкаться (свыкнуться) to become accustomed, get used to

свысока from above; condescendingly

свыше : **~** *(выше)* beyond; *(больше)* over, more than; **это ~ моих сил** it's beyond me

свяжу(сь) *итп см* **связать(ся)**

связанный bound, linked, tied

связать *от* вязать ◊ связывать *(веревку итп)* to tie; *(вещи, человека)* to tie up; *перен: действия, инициативу)* to bind; *(установить сообщение зависимость): ~ что-н с* to connect *или* link sth to; **с чем Вы это связываете?** to what do you attribute this? **я могу Вас с ним ~** I can put you in touch with him; **он ~зал свою жизнь с наукой** he devoted his life to science; **он двух слов ~ не может** *(перен)* he can't string two words together; **связывать кого-н по рукам и ногам** *(перен)* to bind sb hand and foot

связаться : ~ся с to contact; *(разг: с ворами итп)* to get mixed up with; *(: с невыгодным делом)* to get o. s. caught up in; **связываться с кем-н по телефону** to get in touch with sb by phone

связи *(знакомства)* connections

связист *воен.* signalman

связка *(ключей)* bunch; *(бумаг, дров)* bundle; *анат.* ligament; *линг.* copula

связной messenger

связный coherent

связующий connecting

связывание tieing

связь *(экономическая, дружеская итп)* tie; *(причинная)* connection, link; *(телеграфная, почтовая итп)* communications *(также:* **любовная ~)** relationship; **в ~и с** *(вследствие)* due to; *(по поводу)* in connection with; **в этой ~и** in this regard; **Министерство Связи** Ministry of Communications

святилище *рел.* sanctuary

святитель *sm.* prelate

святить (освятить) *рел.* sanctify

святки Yuletide

святой holy, sacred, saintly; *sm.* saint

святость holiness; *(дела, чувства)* sanctity

святотатство sacrilege

святоша hypocrite, sanctimonious individual

святцы ecclesiastical calendar

святыня holy object; shrine

священник clergyman, priest; chaplain

священнодействие religious ceremony

священнослужитель clergyman

священный holy, sacred; *(долг, обязанность)* sacred; **Священное писание** Holy Scripture

священство the priesthood

сгиб bend

сгибать to bend

сгинуть *(разг)* to vanish

сгладить to smooth out; *(перен: противоречия, остроту горя)* to smooth over; **сглаживать углы** *(перен)* to iron out difficulties

сгладиться *(сглаживаться)* to be smoothed out

сглаживать to level out, press, smooth

сглазить *рел.* to pun the evil eye on; *(разг)* to jinx

сглупить *от* глупить

сгнивать to rot

сгнить *от* гнить

сгноить *от* гноить

сговариваться *от* сговориться

сговор agreement

сговориться : ~ с *(о встрече, о сделке)* to come to an arrangement with; *(в дискуссии, в беседе)* to reach an agreement with

сговорчивый accommodating, compliant, willing

сгонять *от* согнать ◊ *(разг: сбегать)* to run ◊ *(послать)* to send

сгораемый combustible, inflammable

сгорание *тех.* combustion

сгорать ◊ : **~ от любопытства/нетерпения** to be burning with curiosity/impatience

сгорбиться *от* горбиться

сгореть to burn; *(сгорать; элек.)* to fuse; *(на солнце)* to get burnt; *(перен: на работе)* to burn o. s. out

сгоряча in the heat of the moment

сгрести *(собрать)* to rake up; *(скинуть): ~ с* to shovel off

сгрудиться *(разг)* to crowd together

сгружать *(сгрузить)* to unload

сгрузить : ~ (с) to unload (from)

сгруппировать(ся) *от* группировать(ся)

сгубить *от* губить

сгустить to thicken; **сгущать краски** *(перен)* to paint an exaggerated picture

сгусток blob

сгущать (сгустить) to condense, thicken; to compress

сгущение coagulation, condensation; compression

сгущённый : ~ое молоко condensed milk

сдабривать (сдобрить) to improve the taste, enrich a dish or pastry; to season

сдавать *от* сдать ◊ ~ экзамен to sit an exam

сдаваться *от* сдаться G *(сдаваться внаем)* to be leased out ◊ *(разг)*: ~ся мне, что... I reckon that...; "~ся внаем" "to let"

сдавленный *(голос, плач)* choked

сдавливать (сдавить) to press, squash, squeeze

сдатчик supplier

сдать (*как дать;* сдавать) *(пальто, багаж, работу)* to hand in; *(сырье, продукцию)* to supply; *(дежурство, рабочее место итп)* to hand over; *(дом, комнату итп)* to rent out *(город, позицию)* to surrender; *(сдачу)* to give (back); *(экзамен, зачет итп)* to pass ◊ *(ослабеть)* to give out; **сдать дела** to step down, **сдавать (сдать) оружие** to lay down one's arms; **он сдал мне 5 рублей** he gave me 5 roubles change

сдаться to give up; *(солдат, город)* to surrender; **сдаваться на** *(на уговоры итп)* to give in to; **на что мне сдались эти деньги?** *(разг)* what use is this money to me?; **сдаваться в плен кому-н** to give o. s. up to sb

сдача small change; cession, surrender

сдваивать to double

сдвиг dislocation, displacement; upheaval *(social)*

сдвигать (сдвинуть) to displace, move, remove; to close up

сделать to do, make, manufacture

сделка agreement, settlement, transaction; bargain, deal

сдельный: **~я работа** piecework

сдельщик pieceworker

сдернуть (сдергивать) to pull off

сдергивать *от* сдернуть

сдержанно *(сказать, плакать итп)* with restraint; *(отнестись, принять)* with reserve

сдержанный *(человек)* reserved; *(чувства)* contained

сдержать (сдерживать) to contain, hold back; **сдерживать себя** to contain o. s.; **сдерживать слово/обещание** to keep one's word/promise; **сдерживать клятву** to honour an oath

сдирать (содрать) *(кожуру, кору)* to peel off

сдоба *(добавки)* shortening ◊ *собир (булки)* buns

сдобный rich

сдружить to bring together

сдружиться to become friends

сдублировать *от* дублировать

сдувать *см* сдуть

сдуру *(разг)* stupidly

сдуть to blow away; *(разг: списать)* to copy

сдыхать *(разг: человек)* to snuff out

сеанс *кино* show; *(психотерапии итп)* session

себе *см* себя ◊ *(разг):* **так ~** so-so; **ничего ~е** wow!; **иди ~, не вмешивайся!** just stay out of it!

себестоимость cost price

себялюбивый egoistical, selfish

себялюбие egoism

сев sowing

север north; **~ный** northern; **~янин** northerner

северо-восток northeast

северо-запад northwest

северянин northerner

севрюга sturgeon

сегмент segment

сегодня today; **~ утром/днем/вечером** this morning/afternoon/evening; **встреча назначена на ~** this meeting has been set for today; **на ~ у нас мало ресурсов** we currently have very few resources; **не ~-завтра** any day now

C

сегодняшний today's; ~ **день** today; **на ~ день** at present; **жить ~им днем** to live for the present
седалище seat
седалищный sciatic
седелка saddle-strap
седеть to turn grey
седина grey hair
седлать to saddle
седло saddle; **вышибить кого-н из ~** (*перен*) to knock sb out of his *итп* stride
седовласый grey-haired (*BRIT*), gray-haired (*US*)
седой (*волосы*) grey (*BRIT*), gray (*US*); (*человек*) grey-haired (*BRIT*), gray-haired (*US*); **-ая старина** ancient times
седок (*всадник*) rider; (*пассажир*) passenger
седьмой seventh; **сейчас ~** it's after six; **быть на ~ом небе** to be in seventh heaven
сезон season; **~ дождей** the rainy season
сезонник seasonal worker
сезонный seasonal; **сезонный билет** season ticket
сей this
сейф (*ящик*) safe; (*помещение*) vault
сейчас immediately, now
секатор secateurs
секрет secret; **~ный** confidential, secret
секретариат secretariat
секретарша (*разг*) secretary (*female*)
секретарь secretary; **генеральный ~** secretary-general; **секретарь-машинистка** secretary
секретка letter-card
секретничать (*скрытничать*) to be secretive; (*разговаривать по секрету*) te talk secretively
секретный secret
секс sex
сексопильность sex appeal
сексопильный sexy
сексуальный sexual; (*эротичный*) sexy; **сексуальная жизнь** sex life; **сексуальное образование** sex education
секта sect
сектант sect member

сектор *также экон., геом.* sector; (*здания*) section; (*учреждения*) department
секторный : **секторная диаграмма** pie chart
секунда second
секундомер stop-watch
секционный divided into sections
секция section
селезень drake
селезёнка spleen
селектор *тел.* intercom
селекционер breeder **селекция** *био.* selective breeding
селение village
селёдка herring
селитра saltpetre
селить (*в местности*) to settle; (*в доме*) to house
село (*селение*) village; (*местность*) the country; **ни к ~у ни к городу** (*разг*) inappropriately
сельдерей celery
сельдь herring
сельпо (= **сельское потребительское общество**) village shop
сельский village; country, rural; **сельское хозяйство** agriculture
сельскохозяйственный agricultural
семантика semantics
семафор semaphore
семейный family; **~ человек** family man
семейство family
семенить to mince
семенной (*для посева*) seed; *био.* sperm
семестр term (*BRIT*), semester (*US*)
семечки (*подсолнечника*) sunflower seeds
семидесяти см **семьдесят**
семидесятилетие (*промежуток*) seventy years; (*годовщина*) seventieth anniversary
семидесятилетний seventy-year; (*человек*) seventy-year-old
семидесятый seventieth
семидневный seven-day
семилетний seven-year; (*ребенок*) seven-year-old
семимесячный seven-month; (*ребенок*) seven-month-old
семинар seminar

семинарист seminarist

семинария seminary

семисотлетие (*срок*) seven hundred years; (*годовщина*) seven hundredth anniversary

семисотый seven hundredth

семиугольник heptagon

семичасовой (*рабочий день*) seven-hour; (*поезд*) seven o'clock

семнадцатый seventeenth

семнадцать seventeen

семь seven

семьдесят seventy

семьсот seven hundred

семья family

семьянин family man

семя *бот.* seed; *био.* semen

семёрка (*цифра, карта*) seven; (*группа из семи*) group of seven; (*разг: автобус, трамвай итп*) (number) seven

Сена Seine

сенат senate

сенатор senator

Сенегал Senegal

сени hall

сено hay

сеновал hayloft

сенокос (*косьба*) haymaking; (*место*) hay field

сенокосилка mower

сенсационный sensational

сенсация sensation

сентиментальный sentimental

сентябрь September

сентябрьский September

сень canopy; **под сенью** under the protection of

сепаратизм separatism

сепсис septicaemia (*BRIT*), septicemia (*US*)

септический septic

сера sulphur (*BRIT*), sulfur (*US*); (*в ушах*) earwax

серб Serb

Сербия Serbia

сервант buffet unit

сервиз : **столовый/чайный** ~ dinner/tea service

сервис service

сердечник *тех.* core; (*разг*) : **он** ~ he's got a bad heart

сердечный heart, cardiac; (*любов-ный*) loving; (*волнения, обида*) deepfelt; (*человек*) warm-hearted; (*перен, разговор*) cordial; ~**ная тоска** heartache; **сердечная болезнь** heart disease; **сердечный приступ** acute angina

сердитый angry

сердить to anger, make angry

сердиться : ~**ся** (**на кого-н/что-н**) to be angry (with sb/about sth)

сердолик cornelian

сердце (*также перен*) heart; **в сердцах** in a fit of temper; **в глубине** ~**ца** in one's heart of hearts; **от всего** ~ **a** from the bottom of one's heart **принимать** (**принять**) **что-н близко к** ~**цу** to take sth to heart; **он мне по сердцу** he's a man after my own heart; **у него** ~ **не лежит к этой работе** his heart isn't in the work

сердцебиение (*нормальное*) heartbeat; (*учащённое*) palpitations

сердцевина (*стебля, плода*) core; (*перен: событий*) heart

серебристый silver-coloured (*BRIT*) или -colored (*US*); (*перен: голос, смех*) silvery

серебрить (**посеребрить**) (*покрыть серебром*) to silver-plate; (*перен*) to turn silver

серебро silver

серебряник silversmith

серебряный silver; **серебряная свадьба** silver wedding (anniversary)

середина middle; **в** ~**е** in the middle of

серединный middle-of-the-road

серенада serenade

сереть (**посереть**) to turn grey (*BRIT*) или gray (*US*); (*цветы*) to show grey

сержант sergeant

серийный : ~**ое производство** serial production; **серийный номер** serial number

серия series; (*кинофильма*) part

серна chamois

серобурый dreyish-brown

сероватый greyish

серость greyness

серп sickle; лунный ~ crescent moon
сертификат certificate; *(товара)* guarantee (certificate)
серый grey *(BRIT)*, gray *(US)*; *перен: погода, жизнь)* grey, drab; *(разг: малообразованный) dim;* серый хлеб brown bread
серьёзно seriously; ~, ты согласен? do you really agree?
серьёзность seriousness
серьёзный serious
серёжка *уменьш от* серьга; *бот.* catkin
сессия *(суда, парламента)* session; *(также: экзаменационная)* exsaminations
сестра sister; *(также: медицинская ~)* nurse
сесть to sit down; *(птица, самолёт)* to land; *(солнце, луна)* to go down; *(одежда)* to shrink; *(батарейка, вентилятор)* to run down; садиться в поезд/на самолёт to get on a train/plane; садиться за руль to get behind the wheel; садиться на работу to sit down to work; садиться в тюрьму to go to prison; садиться под арест to be placed under arrest; садиться за стол to sit down at the table
сетка net; *(разг: сумка)* string bag; тарифная ~ scale of charges
сетовать to complain; to deplore; to grieve
сеть *(для ловли рыб итп)* net; *(система, также комп)* network; расставлять (расставить) кому-н сети to set a trap for sb
Сеул Seoul
сечение *(поперечное, продольное итп)* section; кесарево ~ Caesarean *(BRIT)* или Cesarean *(US)* (section)
сечка *(крупа)* chaff
сечь *(рубить)* to cut up; *(высечь: розгами итп)* to lash, flog
сеялка seed drill
сеять *(также перен)* to sow ◇ : ~ет дождь it's drizzling; ~ *(посеять)* знания/зло to sow the seeds of knowledge/evil
сёмга salmon
сжалиться : ~ (над) to have или take pity (on)
сжатие *(воздуха, газа)* compression; *(в груди, в горле)* constriction; *(сердца)* contraction
сжатый *(воздух, газ)* compressed; *(краткий)* condensed; в ~ые сроки in a short space of time
сжать *от* жать *(воздух, газ)* to compress; *(текст, статью)* to condense; *(срок)* to reduce; сжимать зубы to grit one's teeth; сжимать губы to purse one's lips
сжаться *(пружина, губы, воздух)* to contract; *(человек: от боли, испуга)* to tense up; *(перен: сердце)* to seize up
сжечь to burn; *(сжигать; перен: страсть, желание)* to consume; *(солнце)* to scorch; его сжигала зависть he was consumed with envy; ~ свои корабли или за собой мосты to burn one's boats или bridges
сжиться : ~ с to become close to; *(привыкнуть)* to grow used to; ~ с ролью to get inside a role
сзади behind, from behind; at the rear
сибирский Siberian
Сибирь Siberia
сибиряк Siberian
сигара cigar
сигарета cigarette
сигнал signal; *авт.* horn
сигнализация *(действие)* signalling; *(система)* signalling system; *(в квартире)* burglar alarm; пожарная/автомобильная ~ fire/car alarm
сигнализировать : ~ (о) to signal
сигналить *(флажками, фарами)* to signal; *авт.* to honk
сигнальный signal; сигнальный экземпляр proof copy; сигнальная будка signal box; сигнальные огни *авт.* indicators
сиделка (sick) nurse
сидение sitting
сиденье seat
сидеть to sit; *(не работать, отдыхать)* to sit around; *(одежда)* to fit; ~ дома to stay at home; ~ в

тюрьме to be in prison; ~ **с ре-бенком** to look after a child; ~ **без денег/дела** to have no money/nothing to do; **он ~дел за кни-гой/работой** he was sitting reading a book/doing his work; ~ **на те-лефоне** (*разг*) to spend ages on the phone

Сидней Sydney

сидячий (*положение*) sitting; (*образ жизни*) sedentary; **сидячая заба-стовка** sit-down strike; **сидячие места** (*разг*) seats

сила force, strength, vigour

силач strong man

силиться to strive, try; to endeavour

силовой power; **силовая борьба** wrestling; **силовой прием** throw

силой by force

силос silage

силуэт (*контур*) silhouette; (*одеж-да*) outline

сильно strongly; (*ударить*) hard; (*хотеть, понравиться итп*) very much

сильнодействующий (*лекарство, яд*) powerful.

сильный strong; (*мороз*) hard; (*впе-чатление, желание*) powerful; (*шум*) loud; (*дождь*) heavy

символ symbol; (*комп*) character

символизировать to symbolize

символизм (*искусство*) symbolism

символика (*символическое значе-ние*) symbolism ◊ (*военная, морс-кая итп*) symbols

символический symbolic

симметрический symmetrical

симметрия symmetry

симпатизировать : ~ **кому-н** to like *или* to be fond of sb

симпатичный nice, pleasant

симпатия liking, fondness

симпозиум symposium

симптом symptom

симптоматичный symptomatic

симулировать (*нападение*) to simulate; (*болезнь*) to fake

симфонический symphonic; **симфо-нический оркестр** symphony orchestra

симфония symphony

синагога synagogue

синдикат *экон.* syndicate

синдром *мед.* syndrome

синеть (посинеть) to turn blue; (*вид-неться*) to show blue

синий blue; **синий чулок** blue-stocking

синить (*красить*) to paint blue

синица tit

синод synod

синоним synonym

синоптик weather forecaster

синтаксис syntax

синтаксический syntactic; ~**ая ошибка** *комп.* syntax error

синтез (*также хим*) synthesis

синтезировать (*также хим.*) to synthesize

синтетика *собир* (*материалы*) synthetic material; (*изделие*) synthetics

синтетический (*материал*) synthetic

синхронный (*движение*) synchro-nous; (*перевод*) simultaneous; ~**е плавание** synchronized swimming

синяк bruise

сионизм Zionism

сипеть to croak

сиплый hoarse

сипнуть to grow hoarse

сирена (*гудок*) siren

сиреневый lilac

сирень (*кустарник*) lilac bush ◊ (*цветы*) lilac

сириец Syrian

Сирия Syria

сироп syrup

сирота orphan

сиротеть (осиротеть) to be orphaned

система system; (*конструкция*) make; **приводить** ~**у** to put into order

систематизировать to order

ситец cotton

сито sieve

ситуация situation

сифилис syphilis

сифон siphon

Сицилия Sicily

сиюминутный immediate

сияние (*солнца, луны, глаз*) shining; (*лица*) radiance; (*славы, успеха*) dazzle; **северное** ~ the Northern lights

сиять (*солнце, звезда*) to shine; (*огонь*) to glow; ~ **от счастья** to beam with happiness; **комната ~ла чистотой** the room was spotlessly clean; **женщина ~ла красотой** the woman was dazzlingly beautiful

сияющий (*глаза*) shining; (*лицо, улыбка*) beaming; (*человек*) radiant

сказание legend

сказать to tell, say

сказаться (сказываться) (*способности, опыт итп*) to show; (*отразиться*): ~**ся на** to take its toll on; **сказываться** (*родственником, журналистом*) to pose as; **сказываться больным** to pretend to be ill (*BRIT*) *или* sick (*US*)

сказка fairy tale *или* story

сказочник story teller

сказуемое *линг.* predicate

скакалка skipping rope

скакать (*человек*) to skip; (*животное*) to hop; (*мяч*) to bounce; (*разг: температура, цены итп*) to rise and fall; (*лошадь, всадник*) to gallop

скакун racehorse

скала cliff

скалистый rocky; **С~ые горы** the Rocky Mountains *или* Rockies

скалиться to bare one's teeth

скалка *кулин.* rolling-pin

скалолаз rock-climber

скалолазание rock-climbing

скальпель scalpel

скамейка bench

скамья (*для сидения*) bench; ~ **подсудимых** *юр.* the dock; **сесть на ~ью подсудимых** to stand trial; **со школьной/студенческой ~и** from one's school/student days

скандал (*политический*)scandal; (*ссора*) quarrel

скандалист troublemaker

скандалить to quarrel

скандальный (*история, поступок*) scandalous; (*человек*) quarrelsome

сканер scanner

скарб (*разг: вещи*) stuff

скаредный mingy

скарлатина scarlet fever

скат slope; (*колесо*) wheel; (*ось*) axle

скатать to roll up

скатерть tablecloth; ~**ю дорога** good riddance

скатить to roll down

скафандр (*водолаза*) diving suit; (*космонавта*) spacesuit

скачка galloping

скачки the races

скачок leap

скважина (*нефтяная, газовая*) well; **замочная ~** keyhole; **буровая ~** borehole

сквернословие foul language

сквернословить to use foul language

скверный foul; (*история, поступок*) nasty

сквитаться (*отомстить*) to get even (with); (*рассчитаться*) to pay in full

сквозить (*чувство*) to show; **здесь ~ит** it's draughty here

сквозной (*поезд*) through; **он получил ~ую рану** the bullet has gone right

сквозняк (*в комнате*) draught (*BRIT*), draft (*US*)

сквозь through; **я слышал что-то ~ сон** I heard something my sleep

скворец starling

скворечник nesting box

скелет skeleton

скептик sceptic

скептицизм scepticism

скептический sceptical

скидка (*с цены*) discount, reduction; **делать (сделать) ~ку на что-н** to make an allowance for sth; **со ~кой на что-н** taking sth into account; **налоговая ~** tax allowance for sth; **со скидкой на что-н** taking sth into account

скинуть (*сбросить*) to throw down; (*одежду, одеяло*) to throw off; (*разг: с цены*) to knock off

скинуться to have a whip round

скипетр sceptre (*BRIT*), scepter (*US*)

скипидар turpentine

скирда stack

скиснуть to turn sour; (*перен: разг*) to lose interest

скиталец wanderer

скитаться to wander

C

склад (*помещение: товарный*) store; (*жизни*) way; (*оружия*) cache; **~ума** mentality; **~ боеприпасов** ammunition dump

складирование (*действие: предметов*) stacking; (*чисел*) addition

складировать to store

складка (*на одежде*) pleat; (*на лице*) furrow; (*на ткани*) crease; **юбка в ~ку (со складками)** pleated skirt

складной folding

складный (*статный*) well-built; (*связный*) coherent

складской storage

складчина pool; **купить что-н в ~у** pool together to buy sth

склеить to glue together

склеп crypt

склероз (*сосудов, легких*) sclerosis; **~ мозга** senility

склерозный sclerotic

скликать (**скликнуть**) to call together

склока squabble

склон slope; **на склоне лет** (*жизни, дней*) in one's later life

склонение declension

склонить (*опустить*) to lower; **склонять кого-н к побегу/на преступление** to talk sb into escaping/ a crime; **я ~онил ее на свою сторону** I talked over to my side

склониться (*нагнуться*) to bend; **~ся к** to come round to

склонность (*к музыке, к математике*) aptitude for; (*к меланхолии, к полноте*) tendency to

склонный (*к простудам*) prone (susceptible) to; (*согласиться, помириться*) inclined to do; **он ~ен к физике** he has an aptitude for physics

склоняемый declinable

склонять to decline; **~ кого-н** to talk about sb a lot

склочник quarrelsome man (*мн* men)

склочный qerrelsome

склянка (*разг: сосуд*) bottle

скоба (*для опоры, для держания*) clamp; (*для крепления*) staple

скобка (*обычно мн: знак*) bracket, parentheses *мн;* **круглые/квадратные ~ки** round/square brackets;

брать слово в ~ки to put a word in brackets *или* parentheses

скоблить to scrape

скованный (*человек, движения*) inhibited

сковать (*соединить*) to weld together; **страх ~овал его** he was paralysed with fear; **лед ~овал реку** the river froze over

сковорода frying-pan *(BRIT)*, skillet *(US)*

сколоть to hammer together; (*разг: банду, капитал*) to get together

сколь how; (*возможно*) as much as; **~... столь (же)...** as much... as ...

скользить to glide; (*теряя устойчивость*) to slide

скользкий slippery; (*ситуация, тема*) tricky; (*вопрос*) sensitive

скользнуть to glide; (*быстро пройти*) to slip

сколько how much, how many; **~-нибудь** just a little, slightly

скоморох (*комедиант*) mummer; (*перен*) buffoon

скончаться to pass away

скопидом miser

скопление (*людей, предметов*) mass

скопом in a crowd

скорбеть to grieve for

скорбный sorrowful; **в ~ную минуту** at a time of sorrow

скорбь grief

скорее rather; **~..., чем (нежели)** (*в большей степени*) more likey... than; (*лучше, охотнее*) rather...than; **~ всего они дома** it's most likey they'll be (at) home; **~ всего он сегодня не придет** he is most unlikely to come today; **~ бы он вернулся** I wish he would come back soon

скорлупа shell; **яичная ~** eggshell; **ореховая ~** nutshell

скормить to feed sth to sb

скорняк furrier

скоро quickly, rapid

скороварка pressure cooker

скороговорка tongue-twister; (*быстрая речь*) gabble

скоропалительный hasty

скоропортящийся perishable

скороспелый early

скоростной *(поед)* high-speed; *(строительство)* speedy

скорость speed; физ. velocity; **со ~ью 5 километров в час** at (a speed of) 5 kilometres *(BRIT)* или kilometers *(US)* per hour; **на (большой) ~ти** at (great) speed; **~ передачи (в бодах)** комп. baud rate

скоросшиватель (loose-leaf) binder

скорпион scorpion; *(созвездие)* Scorpio

скорый *(езда, движение)* fast; *(разлука, визит)* impending; **до ~ого свидания** see you soon; **в ~ом времени** shortly; **приготовать что-н а ~ую руку** to rustle sth up; **скорая помощь** *(учреждение)* ambulance service; *(автомашина)* ambulance; **скорый поезд** express (train)

скосить *(траву)* to mow; *(пшеницу)* to reap; *(крышу)* to set on a slant; **скашивать (косить) глаза** to squint

скот livestock; *(перен: разг)* animal; **молочный/мясной ~** dairy/beef cattle

скотина livestock; *(человек)* swine

скотник herdsman *(мн herdsmen)*

скотница dairy maid

скотоводство livestock farming

скотский *(подлый)* beastly; *(грязный)* bestial

скрадывать *(звуки)* to keep out; *(полноту, морщины)* to conceal

скрасить to ease

скрежет *(металла)* grating; *(колес)* screech

скрежетать *(что-н металлическое)* to grate; **~ зубами** to grate one's teeth

скрепить *(соединить)* to fasten together; *(перен: дружбу)* to strengthen; *(удостоверить)* to endorse; **~я сердцем** reluctantly

скрепка paperclip

скрести *(мышь, кошка)* to scratch; *(сковороду)* to scour; *(дерево)* to sand; **~ет на душе (на сердце)** he(has) a nagging feeling inside; **собака ~ется в дверь** the dog is scratching at the door

скрестись to cross

скрещение crossing; *(интересов)* clash; **~ дорог** crossroads

скрещивание cross-breeding

скривить to bend, crook, twist

скрип *(двери, пола)* creak; *(металла)* grate; *(снега)* crunch; **со скрипом** with a struggle

скрипач violinist

скрипка violin; *(в народной музыке)* fiddle; **первая ~** *(в оркестре)* first voilin; *(в деле)* first fiddle

скрипучий *(дверь, пол)* creaky; *(голос)* croaky

скромник modest lad *(BRIT)*, guy *(US)*

скромница modest girl

скромность modesty; *(одежды)* planness

скрупулезный scrupulous

скрутить *(провода, волосы)* to twist together; *(разг: арестованного)* to tie up; *(болезнь,горе)* to take a grip

скрываться *(от полиции, от властей)* to hide; *(раздражение в голосе)* to lurk; **~ся под чужим именем** to hide behind another name

скрытный secretive; *(возможности)* potent

скрытый *(смысл, возможности)* hidden; *(ненависть, оппозиция)* secret; **скрытая камера (съемка)** hidden camera

скрыть *(спрятать)* to hide; *(факты)*to conceal

скрыться *(от дождя, от погони)* to take cover; *(солнце, луна)* to disappear; **от него ничего не ~ется** nothing escapes him

скрючить to bend

скряга skinflint

скудеть to run thin

скудный *(запасы, средства)* meagre *(BRIT)*, meager *(US)*; *(язык, сведения)* limited; *(растительность)* sparse; *(событиями, витаминами)* lacking in

скука boredom; **там ужасная ~** it's dreadfully boring there

скула cheekbone

скулить to whine

скульптор sculptor

скульптура sculpture

скумбрия mackerel
скупать *(для перепродажи)* to buy up; *(краденое)* to buy
скупить to buy up
скупка *(действие)* buying up; *(магазин)* second-hand shop
скупой mean; *(свет)* dim; *(речь)* terse; *(растительность)* sparse; **он скуп на деньги/похвалу** he's sparing with money/praise
скупщик buyer
скучать to be bored; *(тосковать)* to miss
скучно *(жить, рассказывать)* boringly; **здесь ~** it's boring here; **мы очень ~ живём** we lead a boring life; **как ~!** how boring!; **на уроке было ~** the lesson was boring; **мне ~** I'm bored
скучный *(человек, жизнь)* boring, dreary; *(испытывающий скуку: человек, голос)* bored
слабеть *(человек)* to grow weak; *(здоровье, интерес)* to weaken; *(мороз)* to ease; *(ветер)* to drop; *(дисциплина)* to slacken
слабительное laxative
слабить *(кого-н)* to give sb diarrhoea *(BRIT)* или diarrhea *(US)*; **его ~ит** he has diarrhoea
слабо *(вскрикнуть)* weakly; *(нажать)* ligtly; *(знать)* badly
слабость weakness; *(голоса)* feebleness; *(дисциплины)* slackness; *(пристрастие)* weakness for
слабоумный feeble-minded
слабохарактерный weak
слабый weak; *(ветер)* light; *(голос)* feeble; *(знания, доказательство)* poor; *(резинка, дисциплина)* slack; **слабая сторона, слабое место** weak spot
слава *(героя)* glory; *(писателя, актёра)* fame; *(дурная, хорошая)* repute; *(разг: слухи)* rumour *(BRIT)*, rumor *(US)*; **во ~у** to the greater glory of; **на ~у** splendidly; **~ Богу!** thank God!
славить *(героев)* to glorify
славиться to be renowned for
славный *(человек, отдых)* pleasant; *(подвиг, имя)* famous

славословить to extol
славянин Slav
слагаемое *(успеха)* component
сладкий sweet; *(жизнь)* pleasant
сладко *(пахнуть)* sweet; *(спать)* deeply; *(улыбаться)* sweetly; **во рту ~** I am left with a sweet taste in my mouth; **мне здесь не ~** I can't stand it here
сладкое sweet things *мн*; *(разг: десерт)* afters *(BRIT)*, dessert *(US)*; **что сегодня на ~?** what's for afters today?
сладостный sweet
сладострастный sensual
сладость sweetness; pleasantness
слаженный orderly
слазить to climb
слайд slide
слалом slalom; **гигантский ~** giant slalom
сланец state; schist
сластить to sweeten
слащавый sugary
слева on the left
слегка slightly
след trace; *(колёс)* track; *(перен)* sign; *(ноги)* footprint; **прежней усталости и ~а нет** all traces of my earlier tiredness have gone; **нападать (напасть) на чей-н ~** to get on sb's trail
следить to follow; *(заботиться)* to take care of; *(за шпионом)* to watch; *(наследить) (грязными ногами)* to leave a trail; **за собой** to take care of o.s.
следование *(моде, советам)* following; **поезд/автобус дальнего ~я** long distance train/bus
следовательно consequently, therefore
следовать detective
следственный investigative, investigatory
следствие *(последствие)* consequence; *(после преступления)* investigation
следующий next, following; **на ~ день** the next day; **кто ~?** who is next?
слежение observation
слежка shadowing

слеза tear; **доводить (довести) кого-н до ~ез** to reduce sb to tears; **мне обидно до слез** I'm so hurt, I could cry

слезиться *(глаза)* to water

слезливый *(человек)* weepy; *(перен: тон, голос)* tearful

слезный lachrimal; *(жалобный)* pitiful

слезть *(с дерева)* to climb down; *(с лошади, с велосипеда)* to climb off; *(разг: с автобуса, с поезда)*to get off; *(очки, платок)* to slip off; *(кожа, краска)* to peel off

слепень horsefly *(мн horseflies)*, cleg

слепить to stick together

слепиться to stick together

слепнуть to go blind

слепой blind; blind person *(мн people)*; **слепая кишка** appendix *(мн appendices)*; **слепой метод печатания** touch-typing

слепота blindness

слесарь maintenance man *(мн men)*

слет *(пионеров)* rally

слетать *(на море, на юг)* to fly; *(разг: сбегать)* to nip

слетаться *(птицы)* to flock; *(мухи)* to swarm

слететь *(птица)* to fly down (from); *(разг: спесь)* to vanish (from); *(шляпа, ребенок)* to fall off; **вопрос ~тел с губ (с языка)** the question slipped out

слечь to take to one's bed

слив *(действие)* discharge; *(устройство)* drain

слива *(дерево)* plum (tree); *(плод)* plum

сливки cream

сливочный made with cream; **сливочное масло** butter

слизать *(языком)* to lick off

слизень slug

слизистый mucous; **слизистая оболочка** mucous membrane

слизь *(от сырости, от грязи)* slime

слинять to fade

слипаться (слипнуться) to cling together, to stick to

слитный *(звучание)* unified; **~ое написание** spelt as one word

слиток *(металлический)* bar; *(золо-та, серебра)* ingot

слить to pour; *(вылить)* to pour out; *(перен: соединить)* to merge

слиться *(реки)* to flow together; *(голоса, судьбы, компании)* to merge

сличать (сличить) to compare; to collate

слишком too; too many, too much; over

слияние blending; confluence; merging

Словакия Slovakia

словарный *(работа, статья)* dictionary, lexicographic (al); *(фонд, состав языка)* lexical; **словарный запас** vocabulary

словарь *(книга)* dictionary; *(запас слов)* vocabulary

Словения Slovenia

словесность literature

словесный oral; *(заявление, протест)* verbal; **словесный портрет** description

словно *(как)* like; *(как будто)* as if

слово word; **~ в ~** word for word

словоизменение inflection

словом in a word

словообразование word formation

словоохотливый loquacious

словосочетание word combination

словоупотребление word usage

словцо witticism; **для красного ~a** for effect

слог syllable; *(стиль)* style

сложение *(в математике)* addition; *(телосложение)* build; *(полномочий, обязанностей)* relinquishing; *(чисел)* adding

сложенный **(он хорошо сложен)** he is well-built

сложить *(вещи)* to put; *(книги)* to stack; *(чемодан, сумку)* to pack; *(бумагу, рубашку)* to fold (up); *(числа)* to add (up); *(картинку)* to make; *(песню, стихи)* to make up; **~ голову/оружие** to lay down one's life/weapons; **~ руки** to fold one's arms; **слагать с себя полномочия/ответственность** to relinquish one's authority/responsibility; **сидеть ~ожа руки** to sit back and do nothing

сложиться *(коллектив)* to come

together; *(ситуация, обстоятельства)* to turn out; *(характер)* to form; *(собрать деньги)* to have a collection; *(зонт, палатка)* to fold up; *(впечатление)* to form; **у нас ~ожилось хорошее впечатление о нем** we formed a good impression of him

сложно *(делать)* in a complicated way; *(сложиться)* in a difficult way; it's difficult; **мне ~ понять его** I find it difficult to understand him

сложность *(многообразие)* complexity; *(затейливость)* intricacy; *(трудность)* difficulty; **в общей ~и** all in all

сложный *(дело, предложение, человек)* complex; *(узор)* intricate; *(вопрос, работа)* difficult

слоистый stratified

слой layer

сломаться *(перен: разг: человек)* to break

сломить *(сопротивление, волю)* to break; *(болезнь, усталость)* to knock out; **~я голову** at breakneck speed

слон elephant; *(в шахматах)* bishop

слониха cow-elephant

слоновый elephant; **слоновая кость** ivory

слоняться to loaf around

слуга servant

служака trouper

служанка maid

служащий white collar worker; **государственный ~** civil servant; **конторский ~** clerk

служба service; *(работа)* work; **срок ~ы** durability; **Служба быта** consumer services; **Служба занятости** Employment Service

служебный *(дела, обязанности)* official; *(роль, помещение)* auxiliary; **~ое положение** rank; **служебное слово** connective word; **служебная собака** working dog

служение *(действие: родине)* serving; рел. service

служитель *(в музее, в зоопарке)* keeper; *(на автозаправке)*

attendant; *(науки, искусства)* servant; **служитель церкви** clergyman *(мн clergymen)*

служительница keeper

служить *(в банке, в конторе)* to work; *(в армии)* to serve; рел. to hear; *(собака)* to beg; *(функционировать)* to serve as; **~ родине/ партии** to serve one's country/ party; **чем могу служить?** what can I do for you?

слух hearing; *(музыкальный)* ear;

слуховой *(нерв, орган)* auditory; **слуховой аппарат** hearing aid

случай chance, circumstance, occurrence

случайно accidentally, by chance, by any chance; **Вы, ~ не знаете, где здесь банк?** you don't by any chance know where there is a bank?; **не ~** not by chance

случайный accidental, casual

случить to mate

слушание hearing

слушатель listener; *(просвещение)* student

слушать *(музыку, речь)* to listen; юр. to hear; *(курс лекций)* to attend; *(совет)* to listen to; *(сердце, легкие)* to listen

слушаться to obey; *(совета)* to follow; **~юсь!** yes sir!

слышимость *(в зале)* acoustics мн; *(радио, телевизора)* audibility

слышно it can be heard; **мне ничего не ~** I can't hear a thing; **о ней ничего не ~** there's no news of her; **что у Вас ~?** how are things?

слюда mica

слюна saliva

слюнявить to lick

слякоть slush

смазать *(маслом)* to lubricate; *(испортить впечатление)* to slur; **смазать что-н мазью** to put ointment on sth

смазка *(действие)* lubrication; *(вещество)* lubricant

смазливый pretty

смаковать *(еду)* to savour *(BRIT)*, savor *(US)*; *(перен: новость, книгу)* to relish

сманить *(переманить)* to lure, entice

С

смахивать *(походить)* to look a bit like

смахнуть to brush off

смачный *(разг: вкусный)* scrumptious; *(перен: слово)* juicy

смежник *(предприятие)* related company

смежный *(с общей границей)* adjoining, adjacent; *(производство, предприятие)* affiliated; *(наука)* related

смекалистый astute

смекалка astuteness

смекать to catch onto

смело boldly; *(без колебаний)* confidently

смелость *(храбрость)* bravery; *(поступка, поведения)* boldness, audacity; **брать на себя ~** to have the audacity to do

смелый *(человек, поступок)* brave; *(идея, проект)* ambitious; risqué

смельчак brave person

смена change, relay, replacement; shift

сменить to change; *(коллегу)* to relieve

сменный *(работа, задание)* shift; *(колесо)* spare; **~ое бельё** a change of sheets *(BRIT)*, bed-linen *(US)*; *(нижнее)* a change of underwear

смерзнуться to freeze together

смеркаться to start to get dark

смертельный mortal; *(рана)* fatal; *(скука, усталость)* deadly; **смертельный исход** fatal ending

смертник *(приговоренный к казни)* prisoner on death row; *(террорист)* kamikaze

смертность death-rate, mortality

смертный mortal; *(разг: скука)* deadly; **~ час** hour of death; **~ бой** *(перен)* fight to the death; **простой ~** ordinary mortal; **смертный приговор** death sentence; **смертная казнь** death penalty

смертоносный lethal

смерть death; **быть при ~и** to be at death's door; **умереть своей смертью** to die a natural death; **я до ~и боюсь** I'm scared to death

смерч tornado

смеситель mixer

смести to sweep; *(ураган, смерч)* to sweep away

сместить *(уволить)* to remove; *(сдвинуть)* to shift

смесь mixture; **молочная ~** powdered baby milk

смета *экон.* estimate

сметана sour cream

сметливый quick

сметный estimated; **сметная стоимость** estimated cost

сметь to dare to do; **как Вы смеете!** how dare you!; **не смей** don't you dare!

смех laughter; *(смешно)* it's ridiculous; **слушать это — ~** it makes me laugh to hear it; **поднимать кого-н на ~** to make a laughting stock of sb; **и ~ и грех** one can see funny side of it

смехотворный *(смешной)* funny; *(жалкий)* ludicrous

смешанный mixed

смешать *(спутать)* to mix up; **~ чьи-н карты** to spoil sb's plans

смешаться *(смутиться)* to be taken aback; *(слиться)* to mingle; *(краски, цвета)* to blend; *(чувства)* to become confused

смешение *(стилей, чувств)* mixture

смешивание mixing

смешить to make sb laugh

смешливый *(человек)* jolly; *(настроение)* giggly

смешно *(смотреться)* funny, it's funny; *(глупо)* it's ludicrous; **мне не ~** I don't find it funny; **~ надеяться** it's ludicrous to hope; **~ сказать, но...** it sounds funny, but...; **это просто ~** that just ridiculous

смешной funny; *(требования, претензии)* ludicrous; **до ~ого** to the point of absurdity; **доходит до ~ого** it's real joke

смещение *(руководства)* removal; *(понятий, критериев)* shift

смещённый upset; *(понятия)* disturbed

смеяться to laugh; *(шутить)* to joke; *(насмехаться)* to laugh at

смилостивиться to take pity (on)

смирение *(покорность)* humility

смиренный humble

смирить to subdue

смириться *(покориться)* to submit; *(примириться)*: с to resign o.s. to

смирно *(сидеть, вести себя)* quietly; *(команда)* attention; **стоять по стойке "~"** to stand to attention

смирный docile

смог smog

смола *(дерево)* resin; *(деготь)* tar

смолистый *(дерево)* resinous

смолкнуть *(голоса)* to fall silent; *(звуки)* to fade away

смолоду from one's youth

смолчать to keep quiet

сморкаться to blow one's nose

смородина *(кустарник)* redcurrant bush, blackcurrant bush; *(ягоды)* redcurrants

сморозить to say

сморщенный wrinkled

сморщиться to become wrinkled

смотать to wind

смотаться *(нитки)* to wind; *(разг: убежать)* to leg it; *(быстро пойти)* to nip

смотр presentation; *воен.* inspection

смотреть (по~) to contemplate, look; to eye, view

смотритель *(в музее)* attendant

смотрительница *см* смотритель

смотровой *(площадка)* viewing; **~ая башня** watch tower; **~ое отверстие** peephole; **смотровой кабинет** medical examination room

смочить to dampen

смрад *(вонь)* stench

смрадный stinking

смуглый swarthy

смута *(социальная)* unrest; **у меня на душе ~** my soul is troubled

смутить to embarrass

смутиться to get embarrassed

смутный *(очертания, воспоминания)* vague; *(настроение, время)* troubled

смущение embarrassment

смущенный embarrassed

смысл *(книги, статьи)* point; *(слов)* meaning; линг. sense; **в смысле** as regards; **здравый ~** common sense; **прямой/переносный ~ слова** the literal/figurative sense of

word; **какой ~ на это соглашаться?** what is the point of agreeing to that

смыслить *(разбираться в технике)* to have a knack for

смыть to wash off; *(волна, течение)* to wash away

смычок bow

смышленный sharp

смягчение *(действие)* softening; *(наказания)* mitigation

смягчить *(кожу, ткань, удар)* to soften; *(боль)* to ease; *(наказание, приговор)* to mitigate; *(человека)* to appease

смятение turmoil

смять *(противника, оборону)* to crush

снабдить to supply sb/sth with sth

снабжение supply

снадобье condiment, ingredient; drug

снайпер *(стрелок)* sniper

снаружи *(покрасить, расположиться)* on the outside; *(закрыть)* from the outside

снаряд *воен.* shell; *спорт.* apparatus

снарядить to equip

снаряжение *(действие)* equipping; *(лыжное,охотничье)* equipment; *(солдата)* kit

снасть rigging; *(рыболовная)* tackle

сначала at first; *(еще раз)* all over again

снег snow; **идет ~** it's snowing; **выпал ~** it's been snowing; **как ~ на голову** like a bolt from the blue

снегирь bullfinch

снеговик snowman *(мн* snowmen)

снегоочиститель snowplough *(BRIT)*, snowplow *(US)*

снегопад snowfall

снегоуборочный *(машина)* snowplough *(BRIT)*, snowplow *(US)*

снегурочка Snow Maiden

снедь food

снежинка snowflake

снежный snow; **~ая зима** snowy winter; **снежная баба** snowman *(мн* snowmen)

снежок *(комок)* snowball; **играть в ~ки** to have a snowball fight

C

снести *(отнести)* to take; *(буря)* to carry away; *(сверху вниз)* to take down; *(перен: вытерпеть)* to take; *(дом)* demolish

снестись *(связаться)* to contact

снижение lowering; *(самолёта)* descent; *(производительности)* reduction

снизить *(цены, давление)* to lower; *(самолёт)* to descend; *(скорость)* to reduce

снизиться *(цены, производительность)* to fall; *(самолёт)* to descend

снизу *(внизу)* at the bottom; *(по направлению вверх)* from the bottom; *(перен: со стороны народа)* from the masses; ~ до верху from top to bottom

сникнуть to flag

снимок фото snap (shot)

снискать to win; этот поступок ~скал ему большую славу this deed won him great fame

снисходительный *(не строгий)* lenient; *(с оттенком высокомерия)* condescending

снисхождение leniency

сноб snob

снова again

сновать *(люди)* to dash about *(машины)* to zoom about

сновидение dream

сногсшибательный stunning

сноп sheaf

сноровка knack

снос demolition; дом идёт на ~ the house is due for demolition; этим ботинкам сносу нет these boots are hard-wearing

сносить *(износить)* to wear out

сноска footnote

сносный tolerable

снотворное sleeping pill *или* tablet

сноха daughter-in-law

сношение relations *мн*; входить в ~я to enter into relations with

снятие removal

снять to take down; *(плод)* to pick; *(одежду)* to take off; *(запрет, ответственность)* to remove; *(копию)* to make; *(дом, комнату)* to rent; *(уволить)* to dismiss; **сни-**

мать фотографию to take a picture; **снимать фильм** to shoot a film; **снимать показания** to take down evidence; **снимать урожай** to gather the harvest

со with; from; since

соавтор coauthor

соавторство coauthorship; в ~е с in coauthorship with

собака dog; *(разг)* rat dog; он на этом ~у съел he knows it inside out; вот где ~ зарыта! so that's what it is!

собаководство dog-breeding

собачий *(лай, нюх)* dog's; ~ья жизнь *(разг)* it's dog's life; на улице холод ~ *(разг)* it's blooming cold outside

собеседник interlocutor; мой ~ замолчал the person I was taking to fell silent

собеседование interview

собирание *(материала, данных)* collection, gathering; *(коллекционирование)* collecting; *(ягод, грибов)* picking; ~ марок stamp *или* collecting

собиратель collector

собирательный collective

соблазн temptation; устоять перед ~ом *(против ~а)* to resist temptation; вводить кого-н в ~ to tempt sb

соблазнитель seducer

соблазнительный tempting; *(женщина)* seductive

соблазнить to seduce; ~ кого-н чем-н to tempt sb with sth

соблюдать *(дисциплину, порядок)* to maintain; "~йте чистоту" "please keep this area tidy"

соблюсти *(закон, правила)* to observe

соболезнование condolences *мн*; выражать кому-н ~ to express one's condolences to sb

собор cathedral; *(съезд)* council

соборный *(здание, колокол)* cathedral; ~ое постановление decree of the church council

собрание *(партийное, профсоюзное)* meeting; *(представителей)* assembly; *(картин)* collection; ~ сочинений collected works *мн*

собранный self-disciplined

собрать to gather (together); *(ягоды, грибы)* to pick; *(урожай)* to gather; *(станок, приемник)* to assemble; *(марки, налоги, подписи)* to collect; *(перен, мужество)* to muster up; *(силы)* to summon; *(приготовить):* ~ кого-н в *(в школу)* to get sb ready for; **собрать чемодан/вещи** to pack one's suitcase/things

собственник *(владелец)* owner

собственнический proprietorial

собственно actually; ~ **говоря** as a matter of fact

собственноручный *(расписка)* own

собственность *(имущество)* property; *(владение)* ownership; ~ **на** right of ownership of; **быть (находиться) в чьей-н ~и** to be in sb's possession; **приобретать в ~ что-н** to become the owner of sth

собственный own, proper

собутыльник drinking mate *(BRIT)*, buddy *(US)*

событие event

сова owl

совать to put in; ~ **нос в что-н** to poke one's nose into sth

совершение *(сделки)* conclusion; *(преступления)* commiting

совершенно *(играть, исполнять)* perfectly; *(совсем)* completely; **у меня ~ нет сил** I have absolutely no energy; **это ~ верно** it's absolutely (completely) true

совершенный *(безукоризненный)* perfect; *(абсолютный)* absolute, complete; **совершенный вид** perfective aspect

совершенство perfection; **доводить что-н до ~а** to do sth to perfection; **в ~е владеть чем-н** to have a perfect command of sth

совершенствовать to improve

совершить to make; *(сделку)* to conclude; *(преступление, проступок)* to commit; *(богослужение, обряд, подвиг)* to perform

совершиться to take place

совестливый conscientiuos

совестно *(мне совестно)* I am ashamed to do; **как ему не ~!** he ought to be ashamed of himself!

совесть conscience; **на ~** *(сделанный)* very well; **по ~** **говоря** to be honest; **поступать по ~и** to behave as one's conscience; **со спокойной ~ю** with a clear conscience

совет advice; *(семейный)* discussion; *(военный)* council; *(ист.)* Soviet; **ученый** ~ academic council; **Совет Безопасности ООН** United Nations Security Council; **давать кому-н** ~ to give sb advice; **держать** ~ to hold a council

советник *(в юстиции)* councillor; *(президента)* adviser

советовать to advise sb to do; ~ **кому-н что-н** to recommend sth to sb

советоваться *(с другом)* to ask sb's advice; *(с врачом, с юристом)* to consult sb

советский Soviet

совещание *(собрание)* meeting; *(конференция)* conference

совещательный *(орган, голос)* consultative

совещаться to deliberate

совладелец joint owner

совладение joint ownership

совместимость compatibility

совместимый compatible

совместить to combine; **он ~щал в себе ученого и администратора** he was both a scholar and an administrator

совместно *(решать, работать)* jointly; ~ **с** jointly with

совместный *(общий)* joint; **совместное предприятие** joint venture

совмещать *(две должности)* to combine

совмещение combining

совок *(для мусора)* dustpan; *(для муки)* scoop; *(строительный)* shovel

совокупность *(факторов, причин)* combination; **в ~и** in total

совокупный *(усилие)* combined, joint

совпасть *(события)* to coincide; *(данные, цифры)* to agree; *(инте-*

ресы, мнения) to meet
совратитель seducer
совратить *(сбить с пути)* to lead astray; *(женщину)* to seduce
современник contemporary
современно *(одеваться)* fashionably; *(звучать)* modern
современность *(взглядов, идей)* progressiveness; *(современная эпоха)* the present day
современный contemporary; *(техника)* up-to-date; *(человек, идеи)* modern
совсем absolutely, entirely, altogether, quite
согласие consent; *(в семье)* harmony, accord; **в ~и с** *(с человеком)* in agreement with; **с чего-н ~ия** with sb's consent; **давать ~ на что-н** to give one's consent to sth; **приходить к ~ию** to come to an agreement; **жить в ~и** to live in harmony
согласиться to agree to sth/to do; *(с мнением, с высказыванием)* to agree with; **~ на чём-н** to agree on sth
согласно in compliance with
согласный conforming, harmonious; **согласная буква** consonant
согласование concordance; concord
согласовать *(усилия, действия)* to coordinate; *(обговорить: план, цену)* to agree sth with; **что-н с кем-н** *(спрос с предложением)* to make sth meet sth; *(прилагательное с существительным)* to make sth agree with sth
согласоваться to correspond with
соглашение agreement; **приходить к ~ю** to come to an agreement; **заключать ~** to conclude an agreement
согнать *(заставить удалиться)* to drive away; *(собрать)* to round up; **согнать улыбку с лица** to wipe a smile off somebody's face
согражданин fellow citizen
согревание *(воды, пищи)* warming up
согреть *(воду)* to heat up; *(землю, ноги, руки)* to warm up; *(мысль, ласка)* to warm
согрешить to sin, trespass

сода soda; **питьевая ~** bicarbonate of soda
содействие assistance
содействовать assist
содержание allowance, maintenance; contents
содержатель *(ресторана)* owner; *(магазина, пансиона)* keeper
содержательный *(статья, доклад)* informative
содержать *(детей, родителей, магазин)* to keep; *(ресторан)* to own; *(сахар, ошибки, информацию)* to contain; *(человека: под арестом)* to hold; **что-н в чистоте/в порядке** to keep sth clean/in order
содержаться to be held; **~ержится интересная информация** the book contains interesting information; **~ся в чистоте/в порядке** to be clean/in order
содрать *(слой, одежду)* to tear off; **сдирать кожу с чего-н** to skin sth; **что-н с кого-н** *(разг: дорого взять)* to sting sb for sth
содрогание *(стен, стекол)* shaking; *(от боли, от ужаса)* shuddering
содрогаться *(стен, земля)* to shake; *(от боли, от страха)* to shudder
содружество *(дружба)* cooperation; *(союз)* commonwealth; **Содружество Независимых Государств** the Commonwealth of Independent States
соевый soya
соединение joining; *(проводов)* connection; *(учебы с работой)* combination; *(место соединения)* contact; **воен.** formation
соединитель *элек.* adaptor
соединительный *(провод, труба)* connecting
соединить *(силы, усилия, детали)* to join; *(людей)* to unite; *(провода, трубы, по телефону)* to connect; *(установить сообщение)* to link; *(сочетать):* **~ что-н** to combine sth with; **в ней ~ены ум и красота** she is both clever and beautiful
сожаление *(сострадание)* pity; *(о прошлом, о потере)* regret (about); **к ~ю** unfortunately; **к моему (великому, глубокому) ~ю** to my

(great deep) regret
сожалеть (*об ошибке, о поступке*) to regret
сожжение (*еретика*) burning
сожитель cohabiter
созвать (*пригласить*) to summon; (*съезд, конференцию*) to convene
созвездие constellation
созвониться to phone (*BRIT*), call (*US*); (*договориться*): **нам надо ~we** should fix something over the phone
созвучие sonority
создание creation; (*школы*) foundation; (*человек, животное*) creature
создатель creator; (*школы*) founder
создать to create; (*школу*) to found
создаться (*обстановка*) to emerge; (*впечатление*) to be created
созерцание (*рассматривание*) contemplation; (*душевное*) reflection
созерцать (*рассматривать*) to contemplate
созидательный creative
сознавать to be aware of; **~, что...** to realize that...
сознание consciousness; (*вины, долга*) awareness; **приходить в ~ to** come round; **терять ~ to** lose consciousness; **он работал до потери ~я** he worked himself senseless
сознательность (*политическая, социальная*) awareness
сознательный (*жизнь, возраст*) conscious; (*отношение, человек*) intelligent; (*обман, поступок*) deliberate, intentional
сознать (*вину, долг*) to realize
сознаться (*в ошибке, в каком-н намерениии*) to admit (to); (*преступнику*) to confess (to); **надо ~ся** admittedly
созревать (*созреть*) to mature, ripen
созыв (*съезда, собрания*) calling
соизмеримый (*величины*) proportional; (*понятия, ценности*) comparable
соизмерить to compare
соискатель (*приза, награды*)

compretitor; (*учебной степени*) candidate
сойти (*с горы, с лестницы*) to go down; (*с дороги*) to leave; (*краска, загар*) to come off; **~ с** (*с поезда, с автобуса*) to get off; **~ за** (*за актера, за богача*) to pass as; **сходить с ума** to go mad; **фильм шел с экрана** the film is not shown anymore; **с ума сойдешь** (**сойти**) the mind boggles; **все ~шло благополучно** everything's turned out well; **~йдет** (**и так**) it will do (as it is); **ему все сходит с рук** he gets away with everything
сойтись (*встретиться*) to meet; (*собраться*) to gather; (*цифры, показания*) to tally; (*перен*) **~сь с** (*подружиться*) to become friendly with; **~шлись на том, что...** it was agreed that...; **~сь во взглядах/во вкусах** to have similar views/tastes; **сходиться на цене/условиях** to agree on a price/conditions; **~сь характерами** to get on
сок juice; (*фруктовый*) fruit juice
соковыжималка juice extractor
сокол falcon
сократить (*путь, рабочий день, статью*) to shorten; (*расходы*) to cut down, reduce
сократиться (*расстояние, сроки*) to be shortened; (*расходы, снабжение*) to be reduced
сокращение shortening; cutting down, reduction; (*сокращенное название*) abbreviation; (*штатов*) staff reduction; **попадать под ~** (**штатов**) to be made redundant
сокращенный (*вариант текста*) abridged; (*рабочий день*) shortened; (*слово*) abbreviated
сокровенный (*мысли*) innermost; (*мечта*) intimate
сокровище treasure
сокровищница (*место*) treasury; (*совокупность*): **~ wealth**
сокрушаться (*огорчаться*) to be distressed
сокрушение (*противника*) destruction; (*огорчение*) distress
сокрушительный devastating

сокрушить *(армию)* to crush; *(режим)* to overthrow

солдат soldier

солдафон *(разг: пренебр)* sguaddie

соление *(огурцов)* pickling; *(рыбы)* salting

соленый *(ветер)* salty; *(овощи)* pickled in brine; *(вода)* salt; *(рыба)* salted; *(пища)* salty

солидарность solidarity

солидарный I am on his side

солидный *(постройка)* solid; *(задания, работа)* sound; *(фирма, специалист)* established; *(человек, манеры)* respectable; *(мебель, одежда)* quality; ~ **возраст** respectable age

солировать to play a solo part

солист soloist

солить *(суп, рагу)* to salt; *(засаливать)* to preserve in brine

солнечный *(энергия, лучи)* solar; *(день, погода)* sunny; **солнечное сплетение** solar plexus; **солнечный удар** sunstroke; **солнечные очки** sunglasses

солнце sun

солнцестояние solstice

соло solo

соловей nightingale

соловеть to become dazed

соловьиный nightingale

солод malt

солома straw

солонина corned beef; junk, saltbeef

солонка saltcellar

солончак saltmarsh

соль salt; *(вопроса, рассказа)* point of; *муз.* soh; **столовая ~** table salt

сольный solo

сом catfish

Сомали Somalia

сомкнуть to close; **я глаз не ~ул всю ночь** I didn't sleep a wink all night

сомневаться to doubt; **~юсь, что это правда** I doubt that is true; **не ~йся приду так поздно** I'll come

сомнение *(неуверенность)* doubt; **вне** *или* **без (всякого) ~я** without a doubt; **брать что-н под ~** to doubt sth

сомнительно it's doubtful; **~, чтобы он согласился** it's doubtful he'll

agree; **он придет? ~ ~** he's coming? — it's unlikely *или* not likely

сомнительный *(дело, личность)* shady; *(предложение, знакомство)* dubious; *(комплимент, речи)* ambiguous; *(победа)* questionable

сон sleep; *(сновидение)* dream; **видеть что-н во сне** to have a dream about sth; **видеть ~** to have a dream; **сквозь ~ слышать** to hear in one's sleep; **со сна** half-awake

соната sonata

сонет sonnet

сонливый sleepy

сонный *(заспанный)* sleepy, somnolent; *(вялый)* drowsy; **~ые видения** dreams

соображать *(быть сообразительным)* to be quick; *(смыслить)* to be good at; **я сегодня плохо ~ю** I'm slow on the uptake today

соображение *(суждение)* reasoning; *(мотивы)* reason; **из финансовых/педагогических ~й** for financial/educational reasons

сообразительный bright

сообразить to work out; **нам надо ~, что делать дальше** we're got to work out what to do next

сообразно accordingly, in compliance with

сообразный conformable; consistent; suitable

сообща together

сообщать *(сообщить)* to communicate, impart, inform

сообщение communication, message, notification

сообщество association; **в ~е in** association; **мировое (международное) ~** international community

сообщник accomplice

соорудить *(построить)* to erect; *(разг: смастерить)* to put together; *(ужин, выпить)* to knock up

сооружение *(действие: здания)* erection; *(крупная постройка)* structure

соответственно *(как следует)*

accordingly; *(обстановке)* according to; ~с in accordance with

соответственный *(оплата)* appropriate; *(результаты)* fitting

соответствие *(интересов, стилей)* conformity; в ~ии с in accordance with

соответствовать *(интересам, должности)* to correspond with; *(требованиям)* to meet; это не ~ует действительности it does not correspond with reality

соответствующий appropriate; ~им образом accordingly

соотечественник compatriot

соотносительный correlating

соотноситься to correlate

соотношение correlation

сопереживать to empathize

соперник rival; *(в спорте)* competitor

сопеть to snort

сопка *(холм)* hill; *(вулкан)* volcano

соплеменник kinsman, tribesman

сопли snot

сопло nozzle

сопоставимый comparable

сопоставить to collate sth (with)

сопрано soprano

сопредельный *(область, страна)* neighbouring *(BRIT)*, neighboring *(US)*; *(наука, понятие)* related

соприкасаться *(предметы, участки)* to adjoin; *(интересы)* to cross over; ~ с кем-н to come into contact with sb

сопроводительный *(документ)* accompanying; **сопроводительное письмо** covering letter

сопроводить to accompany; *(дополнить)*: ~ что-н чем-н to attach sth to sth

сопровождать *(рассказ, пение)* to accompany

сопровождаться to be accompanied by

сопровождение *(действие)* escorting; *(аккомпанимент)* accompaniment; **в ~и** accompanied by

сопротивление resistance; *ист.* the

Resistance; **оказывать ~ кому-н** to put up resistance to sb

сопротивляемость resistance

сопротивляться to resist

сопряженный *(с опасностями)* involving

сопутствовать to accompany

сор rubbish; **выносить ~ из избы** to wash one's dirty linen in public

соразмерный proportionate to; ~но с according to

соратник comrade in arms

сорванец scamp

сорвать *(цветок, яблоко)* to pick; *(дверь, крышу, одежду)* to tear off; *(лекцию, переговоры)* to sabotage; *(планы)* to frustrate; *(разг: аплодисменты)* to get; *(перен)*: ~ что-н на ком-н *(гнев, злобу)* to take sth out on sb; ~ **голос** to lose one's voice

сорваться *(с петель)* to come away from; *(с лестницы)* to fall off; *(перен: потерять самообладание)* to lose one's temper; *(планы)* to be frustrated; *(лекция)* to have to be cancelled; ~**ся с места** to dash off; **у него срывался голос** his voice was faltering; **он как с цепи сорвался** *(пренебр)* he's gone completely berserk

соревнование competition; **командные ~я** team event; **отборочные ~** elimination contests

соревноваться to compete

сорить to make a mess; ~ **деньгами** to throw one's money about *или* around

сорняк weed

сорок forty; **ему за ~** he's over forty

сорока magpie; *(о болтливом человеке)* chatterbox

сорокалетие *(срок)* forty years; *(годовщина события)* fortieth anniversary

сорокалетний *(период)* forty-year; *(человек)* forty-year-old

сороковой fortieth

сороконожка centipede

сорочка *(мужская)* shirt; **ночная ~** nightgown; **нижняя ~** undergarment

сорт *(товара, продукта)* sort; *(пше-*

ницы) grade; **первый ~** ◇rade 1; *(перен)* first rate; **товар первого сорта** Grade 1 product

сортамент assortment

сортировальный sorting

сортировать to sort; *(по сортам, качеству)* to grade

сортировка sorting, grading

сортировщик sorter

сосать to suck; *(младенец)* to suckle; **у меня ~ет под ложечкой** I've got a sore stomach

сосватывать to betroth

сосед neighbour

соседний neighbouring *(BRIT)*, neighboring *(US)*

сосиска sausage

соска *(на бутылке)* teat; *(пустышка)* dummy

соскоблить to scrape off

соскользнуть *(с горы)* to slide down; *(платок)* to slip off

соскочить *(с лошади, с поезда)* to jump off; *(с головы, с ноги)* to slip off

соскрести to scrape away *или* off

соскучиться *(в чужом городе)* to be homesick; *(затосковать):* ~ **по** to miss

сослагательный *(наклонение)* subjunctive mood

сослать to exile

сослаться to refer to

сослепу being unable to see properly

сословие social class

сословный class

сослуживец colleague

сосна pine (tree); **заблудиться в трех соснах** *(разг: перен)* to fail to solve a simple problem; **сибирская ~** cedar

сосновый pine

соснуть to take a nap

сосок nipple

сосредоточенный *(атака, взгляд)* concentrated; *(ученик, работник)* concentrated; *(мысли, внимание)* to concentrate, focus

сосредоточить *(войска)* to concentrate; *(мысли, внимание)* to concentrate, focus

сосредоточиться *(войска)* to be concentrated; *(внимание)* to concentrate, focus

состав body; composition; staff

составитель *(словаря)* compiler; *(сборника)* editor

составить *(фразу)* to make; *(словарь, список)* to compile; *(план)* to draw up; *(коллекцию, мнение, впечатление)* to form; *(какую-нибудь сумму)* to constitute; *(мебель)* to put together; **~ себе имя** to make a name for o.s.; **составлять себе представление о чем-н** to form an impression about sth; **это не ~ит большого труда** it won't take a lot of effort

составиться *(коллекция, хор, коллектив)* to be formed; *(мнение, впечатление)* to form; **у нас ~илось благоприятное мнение о нем** we formed a good impression of him

составление *(словаря)* compilation; *(плана)* drawing up; *(коллекции)* forming; *(фразы)* making

состариться *(человек)* to grow old

состояние *(экономическое, эмоциональное)* state; *(больного)* condition; *(собственность)* capital; **быть в ~и** to be able to do

состоятельный *(идея, вывод)* sound; *(богатый)* well-off

состоять be composed, to be made of; to consist; **~ся** to happen, to be realized; **~ся** to take place

сострадание compassion

сострадательный compassionate, pitiful

состричь *(волосы)* to cut off; *(шерсть)* to shear off

состряпать *(перен: сделать плохо)* to concoct

состязание contest

состязаться to compete; **~ в беге, ~ в плавании** to race; **они ~лись в щедрости** they were competing to show who was more generous

сосуд vessel

сосудистый vascular

сосулька icicle

сосуществование coexistence

сосуществовать to coexist

сотворение *(мира)* Creation

сотворить to create

сотня a hundred; *(деньги)* one

hundred roubles; *(войска)* Cossack squadron; ~ни людей/вопросов/писем hundreds of people/questions/letters

сотрудник *(служащий)* employee; *(коллега)* colleague; научный ~ research worker

сотрудничать to collaborate, cooperate

сотрудничество *(культурное, экономическое)* cooperation; *(в газете, в журнале)* work

сотрясение *(от взрыва, от удара)* shaking; *(мозга)* concussion

сотрясти *(стены, землю)* to shake

сотый hundredth

соумышленник accomplice

соус sauce

соусник gravy boat

соучастие complicity

соучастник accomplice

софа sofa

София Sofia

соха wooden plough *(BRIT)*, plow *(US)*

сохнуть *(мокрое белье, кожа)* to dry; *(растение, дерево)* to wither; *(от болезни, от переживаний)* to go thin; *(краска, клей)* to dry; *(чернила)* to dry up

сохранить to preserve; комп. to save

сохраниться to survive; to be preserved; она хорошо ~илась she's well-preserved

сохранность *(груза)* good condition; *(складов, документов)* security; в полной ~и fully intact

соцветие inflorescence

социал-демократ social democrat

социализм socialism

социалист socialist

социалистический socialist

социолог sociologist

сочельник *(рождественский)* Christmas Eve; *(крещенский)* Twelfth Night

сочетание *(учебы и работы)* combining; *(единство: красок, звуков)* combination

сочетать to combine

сочетаться *(соединиться)* to combine; *(гармонировать)* to match, go with; в ней ~ются ум

и доброта she is both kind and intelligent

сочинение *(музыки)* composing; *(стихов)* writing; *(литературное)* work; *(музыкальное)* composition; *(просвещ)* essay

сочинить *(музыку)* to compose; *(стихи, песню)* to write; *(разг: письмо)* concoct; *(солгать)* to make up

сочиться to ooze; ~ чем-н to ooze with sth

сочувственный sympathetic

сочувствие sympathy; встречать что-н с ~ем to be sympathetic to sth

сочувствовать to sympathize with

сочувствующий sympathizer

сошествие descent

сошка gun-rack; мелкая ~ small fry

союз alliance; *(республик, профессиональный)* union; линг. conjunction

союзник ally

союзный *(государство, армия)* allied; *(слово, связь)* conjunctive

спагетти spaghetti

спадать *(волосы, складки)* to fall

спайка *(действие)* soldering; *(место)* join (from soldering)

спалить to singe

спальник sleeping bag

спальный *(место)* sleeping; спальный вагон sleeping car; спальный мешок sleeping bag

спальня *(комната)* bedroom; *(мебель)* bedroom suite

спаржа asparagus

спарить *(телефон)* to connect *(to a shared line)*; *(вагоны, трубы)* to couple; *(собак, кошек)* to mate

Спас рел. the Day of the Saviour *(in the Orthodox Church)*; *(икона)* the Saviour

спасание rescue

спасатель rescuer; *(судно)* lifeboat

спасательный *(станция)* rescue; спасательная лодка lifeboat; спасательный жилет lifejacket; спасательный пояс lifebelt

спасибо thanks, thank you

спаситель saviour; рел. the Saviour

спасительный lifesaving

спасовать to pass *(in games)*

спасти to save; **спасать кому-н жизнь** to save sb's life; ~ **положение** to rescue the situation

спастись to escape; *рел.* to be saved (from)

спасть *(вода)* to drop; *(упасть вниз: одежда, покрывало)* to fall off; **жара к вечеру спала** the heat lessened toward evening

спать to sleep; *(перен: разг: быть невнимательным)* to daydream; **ложиться** ~ to go to bed; **пора** ~ it's time for bed; ~ **крепким сном** to sleep like a log; **после работы хорошо** ~**ится** one sleeps well after working

спаянный *(перен: коллектив)* unified

спаять *(трубы)* to weld; *(перен: сплотить)* to unite

спектакль performance

спектр spectrum

спекулировать *(дифицитом)* to profiteer; *(на бирже: ценными бумагами)* to speculate in; *(с дурными целями: на трудностях, на слабостях)* to exploit

спекулянт *(биржевой)* speculator; *(дифицитом)* profiteer

спекулятивный speculative

спекуляция speculation; *(дефицитом)* profiteering

спелый ripe

сперва *(разг: в начале)* (at) first

спереди in front, in front of

сперма sperm

спертый *(разг: воздух)* stuffy

спесивый *(человек, тон)* haughty, arrogant

спесь hughtiness, arrogance

спеть *(овощи, фрукты)* to ripen

спец *(разг: мастер, знаток)* buff

специализация *(производства)* specialization; *(научная)* specialism

специализированный specialized

специализироваться to specialize in

специалист specialist (in)

специально specially; *(намеренно)* on purpose

специальность *(профессия)* profession; *просв.* main subject

специальный *(помещение, одежда)* special; *(образование)* specialist; ~ **термин** technical term; **специальный корреспондент** special correspondent

специфика specific nature

спецификация specification

специфицировать to specify

специфический specific

специя spice

спецовка workman's jacket

спешить *(часы)* to be fast; *(прийти, закончить)* to be in a hurry to go/with; ~ **на поезд/в школу** to rush for the train/to school; **я** ~**у домой/на работу** I am in a hurry (to get home/to work); **поспеши!** hurry up; **он поспешил с ответом** he gave a rash answer; ~**у сообщить, что...** I hasten to inform you that...; **работать не** ~**а** to work at a relaxed pace

спешка hurry, rush; **в** ~**е я забыл шапку** in the rush I forgot my hat; **нет никакой** ~**и** there's no hurry

спешно *(уйти, закончить)* hurriedly

спешный *(дело, задание)* urgent

спидометр speedometer

спикер speaker

спилить to saw down

спина *(человека, животного)* back; **за** ~**ой у него богатая жизнь** he has lead a full life

спиннинг spinner

спинной *(позвонок)* spinal; **спинной мозг** spinal cord

спираль *(линия)* spiral; **внутриматочная** ~ coil (contraceptive)

спиральный spiral

спирт *(технический, медицинский)* spirit

спиртное alcohol

списание *комм.* writing off; *мор.* discharge

списать to copy; *комм.* to write off; *мор.* to discharge; **списывать что-н с** to copy sth from

список *(делегатов, присутствующих)* list; *(документов, романа)* manuscript copy; **книга разошлась в** ~**ках** the book was distributed in handwritten copies

спиться to take to drink

спихнуть to push aside *или* down;

(разг: конкурента, начальника) to ourt; **спихивать что-н на кого-н** *(разг: плохой товар, ответственность)* to push sth onto sb

спица *(для вязания)* knitting needle; *(колеса)* spoke

спичка match; *(разг: худой человек)* beanpole

сплав *(не) металлический* alloy; *(леса)* floating

сплавить *(металлы)* to alloy; *(лес)* to float; *(перен: разг: избавиться)* to get rid of

сплести to plait; *(пальцы, руки, ноги)* to intertweave

сплестись *(водоросли)* to be interwoven; *(руки, тела)* to be intertweaved

сплетение *(лент, веревок)* interlacing; *(то, что сплетено)* tissue; *(перен: причин, обстоятельств)* combination

сплетник gossip

сплетничать to gossip

сплетня gossip; **распускать ~ни** to spread gossip; **пускать ~ню** to start gossip

сплеча *(ударить)* straight from the shoulder; *(разг; решать)* impulsively

сплотить to unite

сплоховать to slip up

сплоченный united

сплошной *(стена, поток)* continuous; *(грамотность, перепись)* universal; *(разг: мучение, неудача)* utter; *(восторг, маразм)* complete and utter

сплошь *(по всей поверхности)* all over; *(без исключения)* completely; **~ и рядом** more often than not

сплывать(ся) *(сплыть)* to blend, merge; to drift

сплюнуть to spit; *(шелуху)* to spit out

сплющить to flatten

сплющиться to become flattened

сподвижник loyal supporter

сподобиться to be honoured *(BRIT)*, honored *(US)* to do

спозаранку very early *(in the morning)*

спокойно *(жить, говорить)* quietly; *(спать)* peacefully, it's quiet; **у меня на душе ~** I feel calm

спокойный *(море)* calm; *(улица, жизнь)* quiet; *(человек, тон, беседа)* serene; *(характер)* placid; *(цвет)* gentle

спокойствие *(в городе, в лесу)* calm, tranquillity; *(на душе)* calm; **сохранить ~** to keep calm

сползти to climb down; *(шапка, платок,чулки)* to slip down; *(перен: к национализму)* to slide

сползтись to congregate

сполна in full

сполоснуть to rinse

спонсор sponsor

спонсорский sponsoring

спор debate; *(имущественный)* dispute; *(спортивный)* competition; **вести ~** to have an argument; **спору нет** there is no doubt; **на спор** as a bet

спора spore

спорить *(вести спор)* to argue, debate; *(держать пари)* to bet; **~ с кем-н о чем-н** *или* **за что-н** *(о наследстве)* to dispute sth with sb; **~им, ты не посмеешь ему возразить** I bet you wouldn't dare to contradict him

спориться *(работа, дело)* to go well

спорный *(дело)* disputed; *(победа, преимущество)* doubtful; **~ вопрос** moot point

спорт sport

спортзал sports hall, gymnasium

спортивный *(площадка, комментатор)* sport; *(фигура, человек)* sporty; **спортивный костюм** tracksuit

спортлото sports lottery

спортсмен sportsman *(мн* sportmen)

спорхнуть to flutter off

спорщик debater

спорый efficient

способ way

способность ability; *(талант)* aptitude; **математические ~и** aptitude for mathematics; **пропускная ~** *(дорога, метро)* capacity; **покупательная ~ населения** purchasing power (of the population)

способный capable; *(талантливый)* able, capable of doing; **он ~ен к математике** he has a gift for mathematics; **она ~на на все** she is capable of anything

способствовать *(успеху, развитию)* to promote

споткнуться *(при ходьбе, при беге)* to trip; *(при чтении)* to get stuck; *(перен: совершить поступок)* to slip up

спохватиться *(вспомнить)* to remember suddenly; *(понять ошибку)* to realize

справа to the right; **~ от чего-н** to the right of sth

справедливо fairly, justly, **это ~** that's fair *или* just

справедливость *(оценить по заслугам)* to do justice to sb; **~и ради...** to be fair...

справедливый just; *(утверждение)* correct; *(подозрение)* justified

справить *(разг: день рождения)* to celebrate; *(шубу, туфли)* to get

справиться *(с работой, с заданием)* to manage; *(с противником)* to deal with; *(с волнением, с детьми)* to cope with; *(узнавать): ~ся о* to enquire *или* ask about

справка *(сведения)* information; *(документ)* certificate; **обращаться за ~кой** to apply for information; **наводить ~ки** to make enquiries

справочник *(телефонный)* directory; *(грамматический)* reference book

справочный *(литература, пособие)* reference; **справочное бюро** information office *или* bureau

спринт sprint

спринтер sprinter

спровадить to send off

спрос leave, permission; demand, request

спросить *(дорогу, время)* to ask; *(совета, денег)* to ask for; *(взыскать): ~ что-н с* to demand sth from; *(осведомиться): ~ кого-н о чем-н* to call sb to account for sth; **спрашивать ученика** to question *или* test a pupil; **я ~ил, который час/когда поезд** I asked what the time was/when the train would be

спросонок half asleep

спрут octopus

спрыгнуть to jump off

спрягать to conjugate

спряжение conjugation

спугнуть to frighten off

спуск *(действие: флага)* lowering; *(корабля)* launch; *(воды, газа)* draining; *(место: к реке, с горы)* descent; *(в оружии)* trigger; **нажимать (на) ~** to pull the trigger; **я не дал ему ~y** I didn't let him off

спускать *(спустить)* to lower; to launch

спускаться *(дорога, берег)* to descend, go down; *(волосы, фалды)* to hang down

спусковой *(трап)* exit; *(механизм)* trigger

спуститься to go down; *(чулки, юбка)* to slip down; *(туман, мгла, ночь)* to descend

спустя after, later on

спутанный *(волосы, веревки)* tangled; *(речь)* muddled

спутник *(в пути)* travelling *(BRIT)*, traveling *(US)* companion; *(городок)* satellite town; *астр.* satellite; *косм.* sputnik, satellite; *(перен: бедности, прогресса)* concomitant of; **~ жизни** *(муж)* life's companion

спутниковый *(связь)* satellite; **спутниковое телевидение** satellite TV

спутница *(в пути)* travelling *(BRIT)*, traveling *(US)* companion; **~ жизни** *(жена)* life's companion

спятить to go daft

спячка *(животных)* hibernation; *(перен: бездеятельность)* lethargy

сработанность harmony

сработать to operate

сравнение comparison; **в ~и** *или* **по ~ю с** compared with; **не может быть никакого ~я** there can be no comparison with; **не поддаться никакому ~ю** to be unspeakable

сравнимый comparadle

сравнительно comparatively; **~ с** compared to *или* with

сравнительный comparative; **сравнительная степень** *линг.* comparative degree

сравнить ~ что-н/кого-н to compare sb/sth (with); (уподобить): ~ что-н/кого-н с to compare sb/sth with

сравнять (расход с доходом) to balance; **сравнивать счёт** to equalize

сражение (битва) battle

сразить (пулей, ударом) to slay; (горе, тяжелая весть) to crush

сразиться to join battle

сразу (немедленно) straight away; (в один приём) (all) at once; (рядом) right

срам shame; ~ **видеть такое** it's a disgrace или shame

срамить (позорить) to shame; (бранить) to put to shame

срамиться to bring shame on o.s.

срастание (костей) knitting

срастись (кости) to knit (together); (стволы) to grow together; (перен: компании) to merge

сращение (костей) knitting

среда medium; (природная, социальная) environment; (артистическая, литературная) milieu; (день недели) Wednesday; **окружающая ~** environment; **охрана окружающей ~ы** conservation

среди in the middle of; (в пределах) in the middle of, amidst; (в окружении) amidst; (в среде, в числе) among

средиземный (Средиземное море) the Mediterranean Sea

среднеазиатский Central Asian

средневековый medieval

средневековье Middle Ages мн

средневолновый medium-wave

среднегодовой average annual

среднемесячный average monthly

среднесуточный average daily

средний medium; (комната, окно) middle; (посредственный) average; **в ~ем** on average; **выше/ниже ~его** above average; **он ~их лет** he is middle-aged; **среднее образование** secondary education; **средние века** the Middle Ages мн; **средний палец** middle finger; **средняя школа** secondary school

средоточие focus, centre (BRIT), center (US)

средства means мн; (деньги) means мн; **funds** мн; (выделять) ~ **на что-н** to allocate funds to sth; **оставаться без средств** to be without means; **средства производства** экон. means of production; **средства существования** livelihood

срез (место) cut; (тонкий слой) section

срезать (траву, цветок) to cut; (разг: дотации, кредиты) to cut off; (студента) to flunk

срезаться (студент) to flunk

Сретение рел. Candlemas, Feast of the Purification

срисовать to copy

сродство affinity

срок time

срочно quickly, urgently

срочность urgency; **нет никакой ~и** there's no hurry

срочный (дело, заказ) urgent; (ссуда, вклад) fixed-term; **срочная телеграмма** express telegram

сруб (место сруба) cut; (постройка) log shell

срубать (срубить) to cut down, fell

срыв (плана) disruption; (с горы, с крыши) fall; (на экзамене) failure; (обрыв) precipice

срывание picking

срывающийся (голос) breaking

срыть (насыпь, холм) to level

ссадина scratch

ссадить (со стула, с колен) to help down; (безбилетника) to put off

ссора quarrel

ссорить (друзей, родственников) to cause to quarrel; ~ **кого-н с** to make sb quarrel with

ссориться to quarrel

СССР ист. (Союз Советских Социалистических Республик) USSR (Union of Soviet Socialist Republics)

ссуда loan; **брать ~у** to take out a loan; ~ **под проценты** interest-bearing loan; ~ **под залог** loan on collateral

ссудить (деньги) to lend

ссудный (операция, ведомость) loan; **ссудный банк** lending bank; **ссуд-**

ный капитал комм. loan capital

ссылать (сослать) to banish, deport; to send away; **~ся** to allude; to cite quote; to be exiled

ссылка exile; *(на автора, на источник)* reference; *(цитата)* quotation

ссыльный exile

ссыпать *(насыпать)* to pour

стабилизатор stabilizer

стабилизация stabilization

стабилизировать to stabilize

стабилизироваться to stabilize

стабильный stable; **стабильный учебник** standard textbook

ставень shutter

ставить (по~) to place, put, set

ставка placing, putting, setting; rate, ratingstake

ставленник protege

ставленница protegee

ставрида зоол. horse mackerel, scad

стагнация stagnation

стадион stadium; *(мн stadia)*

стадия stage

стадный *(животное)* herd; *(перен: чувство)* gregarious

стадо *(коров)* herd; *(овец)* flock

стаж *(рабочий)* length of service; **испытательный ~** probation

стажер probationer

стажироваться to work on probation

стажировка probationary period

стайер long-distance runner

стакан glass; *бумажный ~* paper cup

стаккато staccato

сталагмит stalagmite

сталактит stalactite

сталевар steel founder

сталелитейный steel-founding

сталеплавильный steel-smelting

сталепрокатный steel-rolling

сталинизм Stalinism

сталь steel

стальной *(кабель, рельсы, решимость)* steel; *(мускулы, нервы)* of steel; *(воля)* iron; *(цвет: глаза)* steel-blue; *(море)* steel-grey *(BRIT)*, steel-gray *(US)*

Стамбул Istanbul

стамеска chisel

стан *(человека)* torso; *(стоянка)* camp; техн. mill

стандарт standard; **по ~у** *(изготовить)* in line with the standard; *(перен: действовать)* conventionally

стандартизация standardization; *(личности, отношений)* stereotyping

стандартизировать to standardize

стандартный *(детали, машина)* standard; *(вопросы, тема)* stock

станина тех. bed

станица stanitsa

станковый *(живопись)* easel

станкостроение machine-tool construction

становись! fall in!

становиться (стать) to become, get; to stand

становление formation

станок *(слесарный)* machine (tool); *(исскуство)* frame; *(балетный)* barre; **токарный ~** lathe

станционный station

станция station; **заправочная ~** filling station; **телефонная ~** telephone exchange

старание effort; **при всем ~и и не смогу тебе помочь** no matter much I try, I can't help you

старатель (gold) prospector

старательность diligence; painstakingness

старательный *(работник, ученик)* diligent; *(работа, подсчет)* painstaking

стараться to try to do

старейшина elder

стареть *(человек)* to grow old(er), age; *(оборудование)* to become out of date

старец elder; рел. elderly monk

старик old man *(мн* men); **старики** old people

старинный ancient; *(давний друг)* old

старить to age

старка *(сорт водки)* starka *(type of vodka)*

староватый oldish

старовер рел. Old Believer

старожил old resident

старомодный old-fashioned

старообрядец рел. Old Believer

C

старославянский *(язык)* Old Church Slavonic

староста *(курса)* senior student; *(класса: мальчик)* head boy; *(девушка)* head girl; *(клуба)* head president; *(артели)* foreman *(мн* foremen)

старость *(человека)* old age; **на ~и лет** in one's age

старт спорт. start; *(ракеты)* takeoff point; **давать ~** to start; **брать ~** to start; *(перен)* to take off

стартер starter

стартовать *(спортсмен)* to start; *(ракета)* to take off

стартовый starting

старуха *(мн* women)

старушечий old woman's

старческий old person's (people's); **старческий возраст** old age; **старческий маразм** мед. senility

старшеклассник senior pupil

старшекурсник senior student

старший senior; *(сестра, брат)* elder; *(группы, отделения)* senior; **~ие** *(взрослые люди)* grown-ups *мн,* adults *мн*

старшина воен. sergeant major; *(милиции)* sergeant

старшинство seniority; **по ~у** by seniority

старый old; **и стар и млад** old and young; **старый стиль** *(летоисчисления)* Old Style

старье old things *мн*

старьевщик junk dealer

статика *(наука)* statics; *(неподвижность)* stasis

статист театр. extra

статистик statistician

статистика statistics

статистический statistical; **Центральное ~ое управление** sentral statistics office

статичный static

статный stately

статус status

статус-кво status quo

статуэтка statuette

статуя statue

стать to beging; to take to; **она стала говорить** she began to speak; **он стал пить** he took to drinking

статься *(случиться)* to happen; **может статься** it is possible

статья *(в газете, в сборнике)* article; *(в словаре)* entry; *(в законе, в договоре)* paragraph, clause; *(экспорта, импорта)* type; *(расхода, дохода)* item; **по всем ~ям** in all respects

стафилококк мед. staphylococcus

стационар мед. hospital

стачечник striker

стачка экон. strike

стащить *(что-н сверху)* to pull down; *(что-н в подвал)* to drag down; *(сапоги, чулки)* to pull off; *(разг: украсть)* to nick

стая *(птиц)* flock; *(волков)* pack; *(рыб)* shoal

стаять to melt

ствол *(дерева)* trunk; *(ружья, пушки)* barrel

створка door; *(ставней)* shutter; *(зеркала)* leaf

створчатый *(окно, шкаф)* double *(opening in the middle)*

стебель *(цветка)* stem

стеганка quilted jacket

стеганый quilted; **стеганое одеяло** quilt

стегать *(одеяло)* to quilt; *(хлыстом)* to lash

стегнуть to lash

стежок stitch

стезя path

стекленеть to become glassy

стеклить *(окно)* glaze

стекло glass; *(таже: оконное ~)* (window) pane; *(для очков)* lenses; *(изделия)* glassware

стекловидный vitreous

стеклянный glass; *(перен: взглядов, глаза)* glassy

стеклярус glass beads *мн*

стекляшка *(осколок)* piece of glass; *(пренебр: изделие)* bauble

стекольщик glazier

стелить *(скатерть, подстилку)* to spread out; *(пол, паркет)* to lay; **~ постель** to make up a bed

стелиться *(туман)* to spread; *(приготовить постель)* to get ready for bed

стеллаж shelf *(мн* shelves)

стелька insole

стена wall; **в ~ax** *(школы, учреждения)* within the confines of; **сидеть в четырех стенах** to be cooped up in doors

стенание groan

стенать to groan

стенд *(выставочный)* display stand; *(испытательный)* test-bed; *(для стрельбы)* rifle range

стенной wall; **стенная роспись** mural

стенограмма shorthand record

стенографировать to take down in shorthand

стенографист shorthand typist *(BRIT)*, stenographer *(US)*

стенография shorthand *(BRIT)*, stenography *(US)*

стенокардия angina

степенный sedate

степень degree; mat. power; **в высшей ~и** in the extreme; **до известной (некоторой) ~и** to some *или* a certain extent; **ожог первой ~и** first (degree) burn

степной steppe

степь the steppe

стерва bastard; *(женщина)* bitch

стервенеть to get mad

стервятник carrion crow

стереозапись stereo recording

стереозвучание stereo

стереомагнитофон stereo tape recorder

стереопроигрыватель stereo record player

стереосистема stereo

стереотип stereotype

стереотипный *(ответ, мышление)* stereotyped

стереть *(грязь, пыль, грим)* to wipe off; *(надпись, память, различия)* to erase; **стирать что-н/кого-н в порошок** to pulverize sth/sb; **стирать с лица земли** to wipe off the face of the earth

стереться *(надпись, краска)* to be worn away; *(подошвы)* to wear down; *(перен, различия, границы)* to be erased; *(стираться в памяти)* to become blurred

стеречь to watch over; *(подстерегать)* to lie in wait for

стержень rod; *(винта)* stem; *(ось)* pivot; *(шариковой ручки)* (ink) cartridge; *(перен: политики, романа)* backbone

стержневой *(осевой)* pivoted; *(перен: вопрос, проблема)* crucial

стерилизатор sterilizer

стерилизация sterilization

стерилизовать to sterilize

стерильный sterile, sterilized

стерлинг экон. sterling; **10 фунтов ~ов** 10 pounds sterling

стерлядь sterlet

стерпеть to endure

стерпеться to learn to endure

стертый *(надпись)* worn; *(монета)* effaced; *(перен: фразы)* hackneyed

стесать *(кору)* to strip off

стеснение constraints *мн*; *(в груди)* constriction; *(смущение)* shyness

стесненный constricted; **в ~ых обстоятельствах** in financial straits

стеснительность shyness

стеснительный shy

стеснять *(хозяев)* to inconvenience; *(дыхание)* to constrict; **стеснять кого-н в расходах** to restrict sb's spending

стесняться *(женщин, незнакомых)* to be shy (of); *(сказать, спросить)* to be too shy to do; **~ перед кем-н** to feel shy in sb's presence; **она не ~ется в средствах** she won't stop at anything; **он не ~ется в выражениях** he doesn't mince his words

стетоскоп stethoscope

стечение *(народа)* gathering; *(случайностей)* combination; **~ обстоятельств** coincidence; **при большом ~и народа** in front of a large number of people

стечь to run down (from)

стечься *(ручьи, реки)* to flow; *(люди)* to congregate

стилизация *(подражание)* imitation; *(о произведении)* stylized work

стилизованный stylized

стилизовать to stylize

стилистический *(прием)* stylistic

стиль style; *(летоисчисления)* calendar; **он в своем стиле** he's being his usual self; **6 июня по старому/новому стилю** 6-th June Old Style/New Style

стильный stylish; *(разг: прическа, одежда)* snazzy

стиляга fashion victim

стимул incentive, stimulus *(мн* stimuli)

стимулирование stimulation; **материальное ~** financial incentive

стимулировать to stimulate; *(работу, прогресс)* to encourage; **~ рост экономики** to encourage economic growth

стимуляция stimulation; *(родов)* induction

стипендия *(государственная)* grant; *(за особые достижения)* scholarship

стирание *(надписи)* erasure; *(различий)* erosion

стиранный washed

стирать to wash

стирка washing; **отдавать что-н в ~ку** to put sth in for a service wash

стиснуть *(в руке, взубах)* to clench; *(толпа)* to squeeze; **стискивать кого-н в объятиях** to clutch sb in one's arms; **~ зубы** to grit one's teeth

стих verse

стихи *(поэзия)* poetry; **роман в ~ах** novel in verse

стихийный *(сила)* elemental; *(развитие, становление)* uncontrolled; *(протест, демонстрация)* spontaneous; **стихийное бедствие** natural disaster

стихия *(вода, огонь)* element; *(рынка, инфляции)* natural force; **бороться со ~ей** to do battle with the elements; **быть в своей ~и** to be in one's element; **бизнес — его ~** business is his forte

стихнуть to die down

стихосложение versification

стихотворение poem

стихотворный *(произведение)* poetic; *(пародия)* in verse; **стихотворный размер** metre *(in poetry)*

сто one hundred

стог haystack; mow, rick

стограммовый *(гиря)* one-hundred-gram; **~ стакан** shot glass

стоимость cost; *(ценность)* value; **~ по торговым книгам** book value; **~ и фрахт** cost and freight

стоить to cost, to be worth

стоически stoically

стоический stoical

стойбище *(кочевников)* nomad camp

стойка *(положение тела)* stance; *(собаки)* pose; *(подпорка)* prop; *(прилавок)* counter; *(воротник)* stand-up collar; **стоять по ~йке смирно/вольно** to stand to attention/at ease; **стойка на руках** handstand; **стойка на голове** headstand

стойкий *(человек, характер)* steadfast, resilient; *(краска, материал)* durable, hard-wearing; *(запах)* stubborn

стойко steadfastly

стойкость resilience, durability; stubborness

стойло stall

стоймя upright

сток *(действие)* darinage; *(приспособление)* drain

Стокгольм Stockholm

стократный hundredfold

столб *(пограничный, указательный)* post; *(телеграфный)* pole; *(перен: пыли, дыма)* cloud

столбенеть to be rooted to the spot

столбец column

столбняк tetanus

столетие *(срок)* century; *(годовщина)* centenary of

столетний *(период)* hundred-year; *(старик, дерево)* hundred-year-old

столетник aloe

столица capital (city)

столкновение clash; *(машин, судов)* collision; **вооруженное ~** armed clash

столкнуть to push off; *(сблизить толчком)* to push together; *(случай, судьба)* to bring together; **~ кого-н в воду** to push sb into the water

столкнуться *(машины, поезда)* to collide; *(интересы, характеры)* to clash; *(встретиться)*: **~ся с** to

C

come into contact with; (случайно) to bump или run into; (с трудностями, с непониманием) to encounter; **я сталкивался с ним по работе** I have come into contact with him through work

столковаться to miss

столовая (заведение) canteen; (комната) dining room

столовый (мебель, часы) dining room; **столовая ложка** (для супа) tablespoon; **столовая соль** table salt; **столовое вино** table wine; **столовый сервиз** dinner service

столп pillar

столпиться to crowd

столпотворение chaos

столько so many, so much

столяр joiner

столярничать to do carpentry

стоматит mouth ulcer

стоматолог dental surgeon

стоматологический dental; **стоматологический кабинет/поликлиника** dental surgery /hospital

стоматология dentistry

стометровка the hundred metres (BRIT), meters (US)

стон groan, moan

стонать to groan; (перен: жаловаться) to moan

стоп stop

стопа (в стихах) foot; анат. sole; **идти по чьим-н ~ам** to follow in sb's footsteps

стопить (дрова) to burn up

стопка (бумаг, писем) pile; (стаканчик) glass (for vodka etc)

стоп-кран emergency handle (on train)

стопор tex.lock

стопорить (машину) to stop; (работу, дело) to hold up; (фиксировать) to lock

стопроцентный one-hundred percent; (разг: негодяй, лгун) absolute

стоптать to wear out

сторговаться to conclude a bargain; to come to an understanding

сторож watchman (мн watchmen)

сторожить (дом, сад) to guard; (зверя, вора) to lie in wait for

сторожка hut

сторона side; (направление: левая, правая) direction; (страна) land; **стоять в ~оне от** to stand apart from; **в ~оне** a little way off; **держаться в стороне** to keep one's distance; **в сторону** towards; **смотреть в сторону** to look away; **на ~ону** (подавать) on the side; **подрабатывать на ~оне** to work on the side

сторониться (дать дорогу) to make way; (избегать) to avoid

сторонний outside

сторонник supporter, advocate

сторублевый (ассигнация) one-hundred-rouble; (о стоимости) worth one hundred roubles

сточить to smooth down

сточный (канава) gutter (in street); **сточная труба** drainpipe; **сточные воды** effluent; **сточный желоб** gutter (on roof)

стоя standing up

стояние standing

стоянка (поезда, судна) stop; (автомобилей) car park (BRIT), parking lot (US); (голосов, путешественников) camp; (первобытного человека) site; **~ такси** taxi rank

стоять (по~) to stand; to stay

стоячий (предложение) standing; (воротник) stand-up; (вода) stagnant

стоящий (дело, предложение) worthwhile; (человек) worthy; (вещь) useful

стравливать (стравить) to trample (on grass); to incite

страда harvesting

страдалец martyr

страдальческий martyred

страдание suffering

страдательный линг. passive voice

страдать to suffer; (дисциплина, грамотность) to be poor; (сочувствовать) to suffer for; (потерпеть ущерб: от засухи, от инфляции) to suffer as a result of; (поплатиться) to suffer; (от боли, от голода) to suffer; (болезнью, сомнением) to suffer from; **~ от любви** to be lovesick

страж guardian

стража guard; **быть (стоять) на ~е** to guard; **под ~ей** in custody; **брать кого-н под ~у** to take sb into custody

страна country; **страны света** cardinal points *(on compass)*

страница page; *(перен: истории, жизни)* chapter; **на ~ах газет** in the papers

странник wanderer; *рел.* pilgrim

странно strangely, that is strange (odd); **он ~ выглядит** he looks strange; **~, что ее еще нет** it is strange (odd) that she isn't yet; **мне ~, что...** I find it strange that...

странность strangeness; *(человека, поведения)* oddity

странный strange; **~ое дело** that's stange (odd)

странствие wandering

странствование roaming, wandering

странствовать to wander

странствующий ambulant; **~ актер** strolling player; **~ музыкант** minstrel; **~ рыцарь** knight-errant

Страсбург Strasbourg

страстной *(страстная неделя)* Holy Week

страстность passion

страстный passionate; *(коллекционер)* ardent

страсть passion; *(разг: ужас)* horror; **страсти разгорались** passions were running high; **~ к музыке/книгам** a passion for music/books

стратег strategist

стратегический strategic

стратегия strategy

стратосфера stratosphere

страус ostrich

страусовый ostrich

страх fear; *(страшное событие)* horror; **~ за детей/за близких** fear for one's children/loved ones; **~ смерти/разоблачения** fear of death/exposure; **~ перед неизвестным** fear of the unknown; **со страху** in fright; **начальник держал их в страхе** they lived in fear of their boss; **под страхом смерти** on pain of death; **на свой ~ (риск)** at one's own risk

страхование insurance; **~ от** insurance against; **государственное ~** national insurance; **страхование жизни** life insurance; **страхование имущества** property insurance

страховать (за~) to insure

страховой *(фирма, агент)* insurance; **~ брокер** insurance broker; **страховой взнос (страховая премия)** insurance premium; **страховой полис** insurance policy

страховщик insurer

страшилище fright

страшить to frighten, scare

страшиться to be frightened (scared of)

страшно *(кричать)* in a frightening way; *(разг: усталый, довольный)* terribly; it's frightening; **мне ~** I'm frightened (scared); **~ подумать** it's frightening to think; **он ~ доволен собой** he's awfully *или* terribly pleased with himself; **она ~ устала** she's awfully *или* terribly tired; **она ~ любит болтать** she really likes to chat

страшный terrible, awful; *(фильм, сон, путь)* terrifying; **ничего ~ного** it doesn't matter

стрекоза dragonfly *(мн dragonflies)*; *(ребенок)* fidget

стрекотать to chirr

стрела *(для стрельбы)* arrow; *(крана)* arm; *(поезд)* express (train)

стрелец Strelets *(regular soldier of special regiment in 16 17th century)*; *(созвездие)* Sagittarius

стрелка *(часов)* hand; *(компаса, барометра)* needle; *(знак)* arrow; *(железнодорожная)* switch; reo. spit; *(лука)* shoot

стрелок *воен.* rifleman *(мн riflemen)*; **он хороший ~** he is good shot

стрелочник signalman *(мн signalmen)*

стрельба shooting, firing

стрельбище shooting range

стрельчатый *(окна, свод)* arched

стреляный *(дичь)* shot; **~ патрон** spent cartridge; **~ солдат** soldier who has been under fire; **~ воробей** old hand

стрелять (*в цель, во врага*) to shoot (at); (*мотор*) to backfire; (*убивать: птиц*) to shoot; (*выпрашивать*) to cadge; ~ **из ружья/пушки** to fire a rifle/canon; **у меня ~ет в боку** I have a shooting pain in my side

стремглав headlong

стремительно (*мчаться*) headlong; (*меняться*) rapidly

стремительность (*движений*) swiftness; (*изменений*) rapidity

стремительный (*движение, бег, атака*) swift; (*человек*) energetic; (*изменения*) rapid

стремиться to aspire; to crave, long (for)

стремление striving (for)

стремнина rapid (*in river*)

стремя stirrup

стремянка step-ladder

стрептококк streptococcus

стресс stress

стрессовый (*состояние*) stressed; (*ситуация, нагрузки*) stressful

стриж swift

стриженый short; (*трава*) cut; (*мальчик*) short-haired

стрижка cutting; shearing; mowing; pruning; (*прическа*) haircut

стриптиз striptease

стрихнин strychnine

стричь (*волосы, траву*) to cut; (*овцу*) to shear; (*газон*) to mow; (*кусты*) to prune; ~ **кого-н** to cut sb's hair; ~ **всех под одну гребенку** to tar everyone with the same brush

стричься (*остричь себе волосы*) to cut one's hair; (*в парикмахерской*) to have one's hair cut; (*носить короткую стрижку*) to wear one's hair short

строганый planed

строгать to plane

строгий strict; (*красота, прическа, наказание, выговор*) severe; (*меры*) harsh; (*черты лица*) regular

строго (*воспитывать*) strictly; (*наказать, сказать*) severely; ~ **настрого** very strictly; ~ **говоря** strictly speaking

строгость strictness, severity; harshness; regularity; (*обычно мн: строгие порядки*) harsh

regulation

строевой (*командир*) line; **строевая подготовка** drill; **строевая часть** line unit; **строевой лес** timber forest; **строевой шаг** goose step

строение (*здание*) building; (*организации, вещества*) structure

строитель builder; (*нового общества*) creator of

строительный building, construction; **строительный участок** building site; **строительные материалы** building materials

строительство (*зданий*) building, construction; (*нового общества*) building

строить (*дом, дорогу, мост*) to build, construct; (*общество, быт, семью*) to create; (*фразу, мысль*) to compose; (*план, догадку*) to make; (*полк, отряд*) to draw up; ~ **роман на чем-н** to base a novel on sth; ~ **из себя дурака** to make o.s. out to be a fool; ~ **глазки кому-н** to make eyes at sb; ~ **гримасы** to make *или* pull faces

строиться to build o.s. a house; (*солдаты, пленные*) to form up; ~**ся на** (*сюжет, роман*) to be based on

строй (*социальный*) system; (*языка, предложения*) structure; воен. (*шеренга*) line; (*походный, боевой*) formation; (*действующие войска*) ranks *мн*; **входить в ~** (*завод*) to come into operation; **вводить что-н в ~** to put sth into operation; **выводить что-н из строя** (*танк, машину*) to put sth out of commission; **выходить из ~я** to fall out; (*перен*) to break down; ~ **мышления** way of thinking

стройный (*фигура*) shapely; (*человек*) well-built; (*ряд, шеренга*) orderly; (*речь, фраза*) well-constructed; (*пение*) harmonious

строка (*в тексте*) line; **красная ~** new paragraph; **читать между строк** to read between the lines

стронуться to start moving

стропило beam, rafter

строптивый headstrong

строфа stanza

строчить *(рукав, подол)* to stitch; *(сочинение, статью)* to scribble; *(перен: из автомата)* to fire away

строчка *(шов)* stitch

стружка shaving *(of wood metal etc)*

струиться *(вода, ручей)* to stream; *(пот, дым)* to pour

струйка trickle

структура structure

структурный structural

струна *(скрипки, ракетки)* string; *(перен: поэтическая)* streak

струнный *(инструмент)* stringed; **струнный квартет** string quartet

струп scab

струхнуть to get a fright

стручок pod

струя *(воды, воздуха)* stream; *(перен: сатирическая)* streak; **попасть в ~ю** *(перен)* to fit in

стряпать *(разг: еду)* to cook; *(рассказ, стихи)* to cobble together

стряпня cooking; *(перен)* rubbish

стрясти to shake off

стрястись to happen; **с ним ~лась беда** he's in trouble; **что там ~лось?** what happened here?

стряхнуть to shake off

студенистый gelatinous

студент student

студенческий student; **студенческий билет** student card

студёный icy cold

студень jellied meat

студить to cool

студия studio; *(школа)* school *(for actors, dancers, artists ect)*; *(мастерская)* workshop

стужа severe cold

стук *(в дверь)* knock; *(машин, падающего предмета)* thud; *(сердца)* thump; **входить без стука** to enter without knocking

стукач grass *(informer)*

стукнуть *(в дверь, в окно)* to knock; *(по столу)* to bang; *(разг: ударить)* to knock; **мне ~уло 60** I've hit 60

стул chair; физиол. stools *мн*

ступать *(осторожно, медленно)* to tread; **~йте!** off you go!

ступенчатый *(спуск, водопад)* terraced; *(процесс)* in stages

ступень *(процесса)* stage; муз. degree

ступить to step, tread

ступица тех. hub

ступка mortar

ступня *(стопа)* foot *(мн* feet*)*; *(подошва)* sole

ступор stupor

стучать *(стукнуть)* to hammer, knock

стушеваться to go shy

стыд shame; **к ~у своему** to one's shame; **сгорать от ~а** to burn with shame; **у тебя нет ни ~а, ни совести** you've no shame

стыдить to *(put to)* shame

стыдиться to be ashamed of/to do; **~ся кого-н/чего-н перед кем-н** to be ashamed of sb/sth in front of sb

стыдливый bashful

стыдно it's shame; **мне ~** I am ashamed; **мне ~ друзей** *или* **перед друзьями** I'm ashamed in front of my friends; **как тебе не ~0!** you ought to be ashamed of yourself!

стык *(труб, рельсов)* joint; *(улиц)* junction; *(перен: двух наук, двух эпох)* meeting point

стыковать *(рельсы, трубы)* to join; косм. to dock

стыковка docking

стынуть to cool, tepefy

стычка *(военная)* clash; *(разг: с начальником, с милицией)* run-in

стюард steward

стюардесса hostess

стяг banner

стяжатель taker

стяжательский grasping

стянуть *(пояс, шнуровку)* to tighten; *(войска)* to round up; *(украсть)* to nick, pinch; *(перевязать)*: **~ что-н чем-н** *(талию поясом)* to pull sth with sth; *(чемодан ремнем)* to strap sth up with sth; *(обувь, перчатку)* to pull off

суббота Saturday

субботний *(вечер, работа)* Saturday; *(события)* Saturday's

сублимация sublimation

субординация subordination

субподряд subcontract; **заключать ~**

to subcontract
субподрядчик subcontractor
субсидировать to subsidize
субсидия subsidy; **инвестиционные ~и** комм. investment grant
субстанция substance
субтитр subtitle
субтропики subtropics *мн*
субъект *(индивид)* individual; *(разг: о мужчине)* character
субъективность subjectivity
субъективный subjective
сувенир souvenir
суверенный sovereign
суверинитет sovereignty
суглинок loam
сугроб snowdrift
сугубо highly
сугубый particular
суд court, tribunal; **военный ~** court martial; **третейский ~** Court of Referees
судак pike-perch
Судан (the) Sudan
судебный *(заседание, органы)* court; *(издержки, практика)* legal; **~ая ошибка** miscarriage of justice; **~ое решение**adjudication; **судебное дело** court case; **судебный исполнитель** bailiff; **судебный приговор** sentence
судейский judge's; **судейская коллегия** the bench; спорт.panel of judges
судейство refereeing
судимость conviction
судить *(преступника)* to try; *(матч)* to referee; *(укорять)* to judge; *(на матче)* to referee; *(на соревнованиях)* to judge; **~ о ком-н/чем-н** to judge sb/sth; **судя по** judging by
судно vessel; мед. bedpan
судовладелец shipowner
судовождение navigation
судопроизводство legal proceedings *мн*
судорога *(от боли)* spasm; *(от холода, от отвращения)* shudder
судорожный *(движения, плач)* convulsive; *(перен: приготовления)* feverish
судостроение ship building

судостроительный ship-building
судоходный navigable; **~ канал** shipping canal
судоходство navigation
судьба fate; *(будущее)* destiny; **~ этой пьесы очень интересна** this play has had a very interesting fate; **какими ~ми!** fancy seeing you here!; **(нам) не ~встретиться** we are not fated to meet
судья judge; спорт. referee; **я тебе не ~** who am I to judge you
суеверие superstition
суеверный superstitious
суета *(житейская, мелочная)* futility; *(хлопоты)* hustle and bustle
суетиться to fuss (about)
суетливый fussy; *(жизнь, работа)* busy
суетный *(интересы, желания, жизнь)* futile; *(человек)* superficial; *(жизнь, день)* busy
суждение *(мнение)* opinion; *(заключение)* judgement
сузить to narrow; *(платье)* to take in
сук *(дерева)* bough
сука bitch; *(груб: о женщине)* bitch; *(о мужчине)* bastard; **~ин сын** son of a bitch
сукно *(шерстяное)* felt; *(хлопчатобумажное)* coarse cloth; **класть что-н под ~** to shelve sth
суконный felt, coarse cloth
сулить *(обещать)* to promise sb sth, promise sth to sb; *(предвещать)* to bode for
султан *(монархи)* sultan; *(украшение)* plume
сульфат sulphate
сума *(старушечья)* (tote) bag; *(охотничья)* pouch; **ходить с ~ой** to go begging
сумасброд maverick
сумасбродничать to behave extravagantly
сумасбродный *(человек, поведение)* maverick; *(идея)* madcap
сумасбродство *(поведение)* maverick behaviour; *(поступок)* exploit
сумасшедший mad; *(разг: успех)* amazing; *(скорость)* lunatic;

madman *(мн* madmen); ~ие деньги ridiculous amounts of money;
сумашедший дом asylum; *(разг)*
madhouse
суматоха chaos
суматошный chaotic
сумашедшая madwoman *(мн*
madwomen)
сумашествие madness, lunacy; до ~я
like mad
сумбур muddle
сумбурный muddled
сумеречный twilight
сумерки twilight, dusk
суметь to manage to do
сумка *(кенгуру)* pouch
сумма sum
суммарный *(количество, затраты)*
total; *(оценка, обзор, описание)*
overall
суммировать *(затраты)* to add up;
(информацию, данные, сказанное)
to summarize
сумочка *(дамская, вечерняя)* handbag
сумрак gloom
сумрачно *(посмотреть)* gloomily;
(выглядеть) gloomy; *(на улице, в
доме)* it's gloomy; **у меня на душе**
~ I have a heavy heart
сумрачный gloomy
сумчатый marsupial
сумятица mishmash
сундук trunk, chest
суп soup
супермаркет supermarket
супермен superman *(мн* supermen)
супермодный very trendy
суперобложка dust jacket
супруг spouse; ~и husband and wife
супруга spouse
супружеский marital; *(чета)* married
супружество matrimony
сургуч sealing wax
суровость bleakness; severity;
hardship; harshness; sternness
суровый *(природа, зима)* bleak; *(приговор)* severe; *(жизнь)* tough;
(действительность) harsh; *(человек, взгляд)* stern; *(ткань, нити)*
coarse
суррогат substitute
суррогатный substitute
суслик ground squirrel *(BRIT)*,

gopher *(US)*
суспензия suspension
сустав анат. joint
сутенер pimp
сутки twenty four hours *мн;* круг-
лые ~ day and night
сутолока hurly-burly
суточные subsistence allowance *ед*
суточный twenty-four-hour
сутулить to hunch
сутулиться to stoop
сутулый stooped
суть essence; ~ дела the crux of the
matter; по сути (дела) as a matter
of fact; это не ~ важно it's not all
that important; такие случаи ~
грозное предупреждение such
incidents serve as a severe warning
суфле souffle
суфлер prompter
суфлерский *(будка)* prompt box
суффикс suffix
сухарь cracker; *(разг: о человеке)*
cold fish
сухо drily; *(о сухой погоде)* it is dry;
на улице ~ it's dry outside
суховей not dry wind
сухогруз dry-cargo ship
сухожилие tendon
сухой dry; *(ветка, листья)* dried;
(овощи, фрукты) dried; сухое
вино dry wine; сухое молоко dried
milk; сухой закон dry law,
prohibition; сухой счет lockout
сухопарый bony
сухопутный land; сухопутные войска ground forces *мн*
сухость dryness
сухофрукты dried fruit
сухощавый lean
сучок twig
суша land
сушеный dried
сушилка *(помещение)* drying room;
(приспособление) dryer
сушить *(белье, одежду, сено)* to dry;
высушить *(травы)* to dry
сушка *(действие)* drying; *(бублик)*
small dry biscuit in the shape of a
doughnut
сушь dry spell
существенно *(улучшить, изменить)*
subsantially

существенный *(черта, качество)* essential; *(изменения)* substantial; *(замечания)* major; *(вопрос)* important

существительное noun

существо *(вопроса, дела)* essence; *(животное)* creature; *(человек)* being; по ~у *(говорить)* to the point; всем своим ~м with one's whole being

существование existence; прекратить ~ to cease to exist; средства к ~ю livelihood; отравлять кому-н ~to make sb's life a misery

существовать to be, exist, live

сущий *(правда)* honest; *(мучение, пустяки)* utter; она ~ ребенок she is a real baby

сущность *(вопроса, проблемы)* essence; в ~и (говоря) in essence, essentially

суэцкий *(канал)* the Suez Canal

сфера *(производства, торговли, науки)* area; *(театральная, дипломатическая)* circles; земная ~ the globe; высшие ~ы upper echelons; в ~е in the field of; сфера обслуживания (услуг) service industry

сферический spherical

сфинкс sphinx

схватить *(скрепить)* to secure; *(разг: простуду)* to catch; *(мысль, смысл)* to grasp; у меня ~тило живот I've got stomach cramps

схватка мед. contractions *мн*

схема *(метро, улиц)* plan; *(радио)* circuit board; *(статьи)* outline

схематизировать to schematize

схематический *тех.* diagrammatic; *(изложение)* sketchy

схлестнуться to lock together

схлынуть *(вода)* to subside; *(толпа)* to thin out

сход *(с горы, с трапа)* descent

сходить *(разг: в театр, на прогулку)* to go

сходка assembly

сходни gangplank

сходный similar

сходство similarity

сцедить *(жидкость, сок)* to strain off; *(грудное молоко)* to express

сцена *(подмостки)* stage; *(эпизод: в пьесе, на улице)* scene; сходить со ~ы to leave the stage; *(политик)* to fade from the scene; устраивать ~у to make a scene

сценарий *(фильма)* script; *(вечера, праздника)* programme

сцепить *(вагоны, прицепы)* to couple; *(пальцы, руки)* to clasp

сцепиться *(ветви)* to be caught together; *(разг: схватиться: дети, спорщики)* to get into a fight (with)

сцепление *(вагонов)* coupling; *(механизм)* clutch

счастливец lucky man *(мн men)*

счастливица lucky woman *(мн women)*

счастливо *(жить, рассмеяться)* happily; ~ отделаться to have a lucky escape; счастливо! all the best!; счастливо оставаться! take care!

счастливый *(человек, жизнь, лицо)* happy; *(делец, игрок, случай)*lucky; у него ~ивая рука he's got a lucky touch; ~ивого пути! have a good journey!

счастье *(личное, семейное)* happiness; *(удача)* luck; к ~ю luckily, fortunately; на наше ~luckily for us; какое ~, что ты пришел how nice that you've come; возьми это на ~ take that for good luck; твое ~, что... you're lucky that...

счет account; bill; score

счетный account-, of account; счетная линейка slide-rule; ~ машина calculating machine

счетчик *(человек: голосов)* counter; *(электричества, в такси)* meter

счеты *(приспособление)* abacus; *(деловые)* dealings *мн*; покончить все ~ с кем-н *(рассчитаться)* to pay off one's debts to sb; *(прекратить связи)* to break off ties with sb; сбрасывать кого-н/что-н со счетов to dismiss sb/sth; сводить ~ с кем-н to settle a score with sb; у него с ними свои ~ he's got his own scores to settle with them

счистить to clean off

считалка counting rhyme

считать (*счесть*) to compute, count up; to reckon, score

считывать to read

сшибить (*машина*) to hit

сшить (*соединить шитьем*) to sew together

съедобный edible

съёжиться (*от холода, от страха*) to huddle; (*листья*) to shrivel up

съезд (*действие: гостей, делегатов*) gathering; (*к реке, делегатов*) descent; (*партийный*) congress

съездить (*за покупками, к родителям*) to go; (*разг: ударить*) to whack

съездовский (*документы, решения*) congress

съёмка making, taking; (*местности*) survey; (*обычно мн: фильма*) shooting; (*гипса*) removal

съёмный detachable

съёмщик tennant

съесть (*хлеб, кашу*) to eat; (*моль, ржавчина*) to eat away at; (*тоска, ревность*) to gnaw at; (*деньги, зарплату*) to eat up

съехать (*спуститься с горки*) to go down; (*платок*) to slip; (*шапка*) to till; **съехать с квартиры** to move out (of one's flat); ; **с лестницы** (*упасть*) to tumble down the stairs

съехаться (*гости, делегаты*) to gather

сыворотка (*молочная*) whey; мед. serum

сыгранный well-coordinated

сыграться (*музыканты*) to play well together; (*спортсмены*) to play well as a team

сызмала from an early age

сызнова anew

сын son; (*народа*) son of

сыновний (*любовь, долг*) son's

сынок sonny

сыпать to pour, scatter, strew

сыпучий (*вещество*) triable; (*грунт*) shifting

сыпь rash

сыр cheese; **как ~в масле кататься** to live the life of Riley

сыреть to get damp

сырец raw silk

сырник cheesecake

сыроварня cheese dairy

сыроватый dampish

сыроежка russula

сырой damp, raw, solden

сырость dampness

сырьё raw material

сырьевой (*ресурсы, база*) raw material

сыск criminal detection

сыскать (*отыскать*) to find

сытный filling

сытый (*не голодный*) full, satisfied; (*откормленный*) well-fed; (*вид, улыбка*) contented; (*мещанство*) smug; **спасибо, я сыт** thank you, I'm full; **я сыт по горло** I'm fed up

сыч little owl; (*о человеке*) loner

сыщик detective

сюда here; **(и) туда и ~** both here and there; **то туда, то ~** sometimes here, sometimes there; **ни туда ни ~** neither here nor there; **туда ~** (*туда и обратно*) backwards and forwards; (*в разные стороны*) everywhere; **или ~!** come here!; **это еще туда ~** that's bearable

сюжет plot

сюита муз. suite

сюрприз surprise

сюрреализм surrealism

сюрреалист surrealist

сюртук frock-coat

сюсюкание lisping, fussing

сюсюкать (*в речи*) to lisp; (*потворствовать*) **~ с кем-н** to fuss over sb

сюсюкаться to fuss over sb

сяк: так и сяк this way and that

сям: там и сям here and there

Т

та that

табак tobacco

табакерка snuffbox

табаковод tobacco grower

табаководство tobacco-growing

табачный tobacco

табель *просвещ.* school report, report

card; *(на работе)* board
таблетка tablet
таблица table; *спорт.* table; **таблица умножения** multiplication table
табло *(на вокзале, в аэропорту)* *(information)* board; *(на сиденье)* scoreboard
табор camp
табу taboo; **налагать на что-н** to make a taboo of sth
табун herd
табуретка stool
таджик Tajik
Таджикистан Tajikistan
таз *анат.* pelvis; basin
Таиланд Thailand
таиландец Thai
таинственный mysterious; *(цель, намерение)* secret
таинство *рел.* sacrament
Таити Tahiti
таить to conceal; **~в себе** *(возможности, угрозу)* to conceal; **~ злобу на кого-н** to harbour *или* harbor malice towards sb; **что греха ~** there's no point in pretending otherwise
таиться to cover up; *(опасность, неожиданность)* to lurk; **в нем ~ится надежда/злоба** he harbo(u)rs a secret hope/feeling of malice
Тайвань Taiwan
тайга the taiga
тайком in secret, secretly
тайм *спорт.* period; **первый/второй ~** *футбол.* the first/second half
тайна secret; *(загадка)* mystery; **держать что-н в ~е** to keep sth secret; **хранить ~у** to keep a secret
тайник hiding place
тайфун typhoon
так I *(указательное: таким образом)* like this, this way; **делайте так** do it like this *или* this way; **пусть будет так** so be it; **так не пойдет** that won't do; **она все делает не так** he does everything wrong 2 *(настолько)* so; **я так испугался, что начал кричать** I was so frightened I started to shout; **все случилось так неожиданно!** it all happened so

unexpectedly! 3 *(без последствий)* just like that; **так это не пройдет** you won't get away with it 4 *(разг: без какого-н)* reason; для no *(special)* reason; **я сказал это просто так** I said it for no *(special)* reason; **почему ты плачешь?** — **да так** why are you crying? — for no reason ♦ *част.* 1 *(разг: ничего)* nothing; **что с тобой?** — **так** what's wrong? — nothing 2 *(разг: усилительная):* **а она так жаловалась!** she didn't half complain!; **так я тебе и поверил!** I'm not falling for that! 3 *(разг: приблизительно)* about; **дня так через два** in about two days 4 *(например)* for example; **поведение у него плохое, так, вчера сломал окно** his behaviour is bad, for example, yesterday he broke a window 5 *(да)* OK, that's fine; **так все хорошо/правильно** OK, that's fine/correct ♦ I *(в таком случае)* then; **плохо себя чувствуешь, так иди спать** if you feel ill, *(then)* go and have a sleep; **ехать, так ехать** if we are going, *(then)* let's go 2 *(таким образом)* so; **так ты поведешь?** so, you are going? 3 *(но)* but; **я пытался его убедить, так он не слушает** I tried to convince him but he wouldn't i listen 4 *(в разделительных вопросах):* **это полезная книга, не так ли?** it's a useful book, isn't it?; **он хороший человек, не так ли?** he's a good person, isn't he?; **у них есть собака? не так ли?** they have a dog, don't they? 5 *(во фразах):* **и так** *(и без того уже)* anyway; **если или так** in that case; **так и быть!** so be it!; **так и есть** sure enough; **так ему!** serves him right!; **так себе** so-so; **так как** since; **так что** so; **так чтобы** so that
такелаж rigging
также also; **я ~ поддерживаю Ваше предложение** I also *или* too am in favour *или* favor of your suggestion; **мне нравится ~ и Ваше предложение** I like your suggestion too *или* as well; **с Но-**

вым Годом! — **и Вас ~** Happy New Year! — the same to you; a ~ and also

таков such; ~ **тебе мой совет** that is my advice to you; **ситуация такова, что ...** the situation is such that ...; **и был ~** and we never saw him again

таковой: как ~ as such

такое (*о чём-н интересном, важном*) something; **я ~ слышала!** I've heard something; ~ **происходит!** something is going on!; **что тут ~ого?** what is so special about that?

такой such; ~**ие люди встречаются редко** you rarely meet such people; **до ~ степени** to such an extent; ~**ая жара!** such heat!; **кто ~?** who is it?; **он сегодня какой-то не ~** he is not quite himself today; **что ~ое?** what is it?; ~**-то** (*о лице*) so-and-so; (*о предмете*) such-and-such

такса *зоол.* dachshund: *комм.* (fixed) rate; **плата по ~e** fixed-rate payment

таксист taxi driver

такт (*тактичность*) tact: *муз.* bar, measure; beat; **в ~ музыке** in time with the music

тактик tactician

тактика tactic; *воен.* tactics

тактический tactical

тактичный tactful

талант talent

талантливый talented

талисман charm, talisman

талия waist; **платье в ~ю** dress fitted at the waist

Таллин Tallin(n)

талмуд the Talmud

талон ticket; coupon

талый (*снег, лед*) melted

тальк talcum powder, talc

там there; **буду ~ скоро** I'll be there soon; ~ **посмотрим** we'll see; **какие ~ сомнения** what's there to be unsure about?; **какое ~!** not a chance!; **я думал, что он догадается — куда уж ~!** I thought he'd guess, but not a bit of it!; **что ~ ни говори, а мы ошиблись**

whatever you say, we still made a mistake; **и ~ и сям** (*разг*) here, there and everywhere

тамада (*мужчина*) toastmaster; (*женщина*) toastmistress

тамбур *section at door of train carriage*

таможенник customs officer

таможенный (*досмотр*) customs; **таможенная пошлина** customs (duty)

таможня customs

тампакс Tampax

тампон tampon

тангенс *мат.* tangent

Танзания Tanzania

танк *воен. тех.* tank

танкер tanker (*ship*)

танцевать to dance

танцовщик dancer

танцор dancer

танцплощадка dance floor

танцы (*вечер*) dance; **идти на ~** to go dancing

тапер dance-pianist

тапочка (*домашняя*) slipper; (*спортивная*) plimsoll, sneaker

тара containers

тарабанить to rap

тарабарщина gobbledegook

таракан cockroach

таран *воен.* ram

таранить to ram

тарантул tarantula

тарань carp

тарарам (*разг*) hullabaloo

тараторить to gabble on

тарахтеть (*колеса, мотор*) to rattle; (*человек*) to rattle on

таращить ~ **глаза** (**на**) to stare (at)

таращиться (**вытаращиться**) ~**ся** (**на**) to gawp *или* gawk (at)

тарелка plate; **глубокая ~** soup plate; **летающая ~** flying saucer; **я здесь не в своей ~ке** (*разг*) I feel out of place here

тарификация tariffing

тарифицировать (*перевозки, услуги*) to tariff: ~ **оклады/налоги** to set the salary/tax scale

таскать to lug; (*разг: воровать*) to pinch; (*одевать*) to wear; ~ **с собой** to carry around; ~ **кого-н за волосы** to pull sb's hair

T

тасовать to shuffle

татарин Tatar

татуировка tattoo

тахта divan, ottoman

тачка wheelbarrow

Ташкент Tashkent

тащить *(тянуть)* to pull; *(волочить)* to drag; *(нести)* to haul: to drag out; to nick: **он тащит всю работу на себе** he is lumbered with *или* has got landed with all the work

тащиться *(медленно ехать)* to trundle along; *(идти неохотно)* to drag o.s. along; *(волочиться: подол)* to drag: **не хочется ~ся в такую даль** I don't feel like traipsing all that way

таять to melt; *(перен: силы, деньги)* to dwindle; *(: от любви, от похвал)* to melt; *(: от болезни)* to waste away; **~ во рту** to melt in the mouth

Тбилиси Tbilisi

тварь creature; swine

твердеть to harden

твердить *стихотворение, урок и т.д)* to learn by rote; **~ о** *(говорить)* to go on about

твердо *(верить, сказать)* firmly; *(заучить, запомнить)* properly; **я ~знаю, что ...** I know for sure that ...

твердолобый (; -а, -о) hard-headed

твердость firmness; *(цен)* stability; *(воли, характера)* toughness

твердый *физ.* solid; hard; *(решение, сторонник, тон и т.д)* firm; stable; set; solid; tough; *линг.* hard, nonpalatalized: **здесь нужна ~ая рука** firm hand is needed; **твердый знак** *линг.* hard sign

твой your; **вот ~ чай** your tea; **мой отец врач — а ~?** my father is a doctor — what does yours do?; **это все ~е** this is all yours: **привет (всем) ~им** say hello to your folks; **по-~ему мнению** in your opinion; **как по-твоему?** what is your opinion?; **давай сделаем по-твоему** let's do it your way

творение creation

творец creator, **Т~** *рел.* the Creator

творительный: ~ падеж *линг.* the instrumental *(case)*

творить to create ◊ *(шедевр, симфонию)* to create; to get up to; **(сотворить чудеса)** to work miracles; **~ (сотворить)** добро to do good; **~ беззакония** to conunit unjust acts

творог = curd cheese

творожник curd pancake

творожный curd-cheese

творческий creative; **творческий отпуск** sabbatical

творчество creative work: *(писателя, композитора)* work; **художественное ~** artistic creativity; **народное ~** folk art

театр theatre, theater; **~ Гоголя/Шекспира** Gogol's/Shakespeare's theatrical works; **~ военных действий** the theatre of operations

театрал theatregoer, theatergoer

театрализовать to dramatize

театральный *(афиша, сезон)* theatre, theater; *(деятельность, жест)* theatrical; **театральная касса** theatre box office; **театральная студия** theatre studio; **театральный зал** theatre; **театральный институт** drama school

театровед theatre *или* theater specialist

Тегеран Teheran

тезка namesake

текст text; *(песни)* words, lyrics

текстиль textiles

текстильный: ~ые изделия textiles; **~ая промышленность** textile industry

текучесть fluidity; **~кадров** high staff turnover

текучий fluid; **~ие кадры** fluctuating workforce

текущий *(год)* current; routine; **~ие обязательства** *комм.* current liabilities; **текущие события** current affairs; **текущий ремонт** ruting repairs, maintenance; **текущий счет** *комм.* current *или* checking account

телевещание television broadcasting

телевидение television; **по ~ю** on television

телевизионный television

телевизор television *(set)*; **смотреть ~** to watch television; **по ~у** on television

телега cart

телеграмма telegram

телеграф *(способ связи)* telegraph; *(учреждение)* telegraph office

телеграфировать to wire

телеграфист telegraphist

тележка *уменьш. от* **телега**; *(для багажа в супермаркете)* trolley

телекс telex

теленок calf

телескоп telescope

телесный bodily; **~ного цвета** flesh-coloured; **телесное наказание** corporal punishment

телефонный telephone; **телефонная станция** telephone exchange; **телефонная книга** telephone book *или* directory

Телец *(созвездие)* Taurus

телиться to calve

телка heifer

тело body; **небесные тела** heavenly bodies; **дрожать всем ~м** to tremble all over; **держать кого-н в черном ~е** to treat sb badly

телогрейка body warmer

телодвижение movement

телосложение physique

телохранитель bodyguard

Тель-Авив Tel Aviv

тельняшка sailor top

тельце *(ребенка)* boby; *(кровяные)* corpuscle

телятина veal

телятник *(помещение)* calf shed

телячий ~ья кожа calfskin; *кул.* veal; **~ьи нежности** *(разг)* lovey-dovey behaviour; **~ восторг** *(разг)* wide-eyed enthusiasm

тема subject, topic; *муз. литер.* theme

тематика theme

Темза the Thames

темнеть to darken ◊ to get dark; to loom dark; **зимой рано ~ет** it gets dark early in winter

темнить to confuse the issue

темница dungeon

темнота darkness; *(невежество)* ignorance

темный dark; *(смысл, теория)* obscure; *(прошлое время)* shady; *(невежественный человек)* ignorant; **~ное пятно** blemish; **~ные времена** dark times

темп speed; *муз.* tempo; **в темпе** quickly; **ускорять ~** to speed up

темпера tempera

темперамент temperament, disposition; **он человек с ~ом** he is a temperamental character

температура temperature; **у меня ~** I've got a temperature; **ходить с ~ой** to go about with a temperature

температурить to be running a temperature

темя crown *(of tht head)*

тенденциозность bias

тенденция : **~ (к)** tendency *(towards)*; *(предвзятость)* bias

теневой shady; *(стороны жилья)* shadowy; **теневая экономика** shadow economy; **теневой кабинет** *полит.* shadow cabinet

тенелюбивый *бот.* shadeloving

тени eye shadow

тенистый shady

тениска polo shirt

тент awning

тень *(тенистое место)* shade; *(предмета, человека)* shadow; flicker

теологический theological

теология theology

теорема theorem

теоретик theoretician

теория theory

теперешний present

теперь *(сейчас)* now; *(в наше время)* nowadays ◊ **~ обсудим следующий вопрос** let us now move on to the next question

теплеть to get warmer, *(отношения)* to become warmer

теплиться to flicker в нем еще **~ится надежда** he still hold out a faint hope

теплица hothouse

тепличный *(растение)* hothouse; *(условия)* sheltered

тепло warmly ◊ warmth ◊ it's

Т

warm; **на улице/в комнате ~** it's warm outside/inside; **нас ~ встретили** we were given a warm welcome; **10 градусов ~а** 10 degrees (centigrade); **мне ~** I'm warm

тепловоз locomotive

тепловой *(лучи, энергия)* thermal; **тепловой двигатель** heat engine; **тепловой удар** *мед.* heatstroke

теплоемкость specific heat

теплокровный warm-blooded

теплолюбивый *бот.* heatloving

теплообмен *физ.* heat exchange

теплопроводный heat-conducting

теплота heat; *(чувств, отношений, красок)* warmth

теплоход motor ship *или* vessel

теплый warm; **~лое местечо** cushy job; **сказать кому-н пару ~лых слов** to give sb a piece of one's mind

терапевтический therapeutic

терапия *мед.* internal medicine; *(лечение)* therapy; **интенсивная ~** intensive care

теребить *(волосы, бороду)* to twiddle; *(разг: надоедать)* to peste

терзание torment

терзать *(добычу)* to savage; *(истерзать; упреками, ревностью)* to torment

терзаться *(сомнениями, раскаянием)* to be racked by

терка grater

термин term

терминал terminal

терминология terminology

термометр thermometer

термостойкий heatresistant

термоядерный thermonuclear; **термоядерное оружие** thermonuclear weapon

тернистый prickly, thorny

терновник blackthorn

терпеливый patient

терпеть (по~) to bear, endure, suffer

терпимый bearable, tolerable

терпкий tart

терракотовый terracotta

терраса *гео.* terrace

территория *(страны)* territory;

(школы, усадьбы) grounds; **общая ~ завода — 100 кв миль** the plant occupies an area of 100 sq miles

терроризировать to terrorize

терроризм terrorism

террорист terrorist

террористический terrorist

терьер terrier

терять to lose; **~ потерять голову** to lose one's head; **~ потерять из виду** *(перестать видеть)* to lose sight of; *(не иметь сведений)* to lose touch with; **~ потерять почву под ногами** to lose one's way

теряться *(потеряться)* to get lost; *(робеть)* to lose one's nerve; *(утрачиваться: память, уверенность)* to disappear; **~ся в догадках** to get caught up in conjecture

тес planks

тесаный hewn

тесать to hew (out)

тесемка тесьма; *(завязка)* drawstring

теснить to squeeze; *(кого-н к стене)* to press; *(противника)* to press back; **стеснить;** **~ит в груди** he *итп* has got a tight feeling in his chest

тесниться to be squashed together; *(мысли* to crowd; **семья ~ится в одной комнате** the whole family lives crammed together in one room; **в голове ~ятся воспоминания** his *итп* mind is crowded with memories

тесно *(стоять, расположить итп)* close together; closely ◇ **в квартире очень ~** the flat is very cramped; **мы с ним ~ знакомы** he and I know each other very well

теснота *(помещение)* cramped conditions; *(скопление людей)* crowd; *(в груди* tightness; **в ~е, да не в обиде** = the more the merrier

тесный *(проход)* narrow; *(посещение)* cramped; *(одежда)* tight: *(дружба, ряды)* close; **мир ~ен** it's a small world

тесто *(дрожжевое)* dough; *(слоеное, песочное)* pastry, paste; *(для блинов)* batter *(для кекса)* mixture: *(бетонное)* mix

Т

тесть father-in-law, wife's father
тетерев black grouse
тетива *(лука)* bowstring
тетка auntie; old dear
тетрадь exercise book; **нотная ~** manuscript book
тетя aunt; lady
тефтели meatballs
Техас Texas
техник technician
техника techology; *(приемы: музыкальная, плавания)* technique ◇ *(машины)* machinery; *муз.* hi-fi; **вычислительная ~** *комм.* computers; **техника безопасности** industrial safety
технический technical; *(масло, волокно)* industrial; **технические науки** engineering sciences; **технические средства обучения** educational technology; **технический осмотр** *авт.* = *МОТ (annual roadworthiness check)*; **технический редактор** copy editor; **техническое обслуживание** maintenance, servicing
техничный *(спортсмен, музыкант)* technically good
технолог technologist; *(производственного процесса)* process engineer
технологический technological; *(не строительный)* engineering; *(не вспомогательный)* basic, major; **технологический институт** institute of technology
технология technology
течение *(воды, жизни)* flow; *(поток: морское, атмосферное)* current; *(в политике, в искусстве)* trend, current; **в ~** during; **с ~м времени** in the course of time; **по ~ю** with the current; **плыть по ~ю** to go with the flow; **против ~я** against the current
течка *зоолог.* heat; **у нашей собаки ~** our dog is on *или* in heat
течь *(вода, кровь)* to flow; *(крыша, лодка)* to leak; *(перен: жизнь, время)* to go by leak; **давать, (дать) ~** to spring a leak
тешить to amuse; *(самолюбие)* to indulge

теща mother-in-law, wife's mother
Тибет Tibet
тигель crucible
тигр tiger
тигренок tiger cub
тигрица tigress
тигровый tiger; **тигровый глаз** *(камень)* tiger's-eye
тик *(нервный)* tic; *(ткань)* ticking
тикание ticking
тикать to tick
тина slime; *(перен: обывательница)* mire
тип type; *(разг: о мужчине)* character; **типа** sort of
типический typical
типичный ~ (для) typical (of)
типовой standard-type
типография press, printing house
типун ~ тебе на язык! don't say that!
тир shooting gallery
тираж *(газеты)* circulation; *(книги)* printing: *(лотереи, облигации)* drawing; **книга вышла тиражом в тысячу экземпляров** one thousand copies of the book were printed; **выходить (выйти) в ~** *(заем, облигации)* to be issued; *(книга)* to be printed; *(перен)* to fade from the scene
тиран tyrant
тиранить to tyrannize
тиранический tyrannical
тире dash
тис yew *(tree)*
тискать to squeeze
тиски *тех.* vice; **в ~ах** in the grip of
тисненный *(переплет)* impressed
титанический titanic
титр credit *(of a film)*
титул *комм.* title: **~ на имущество** *юрид.* title *(to property)*
тиф typhus; **брюшной ~** typhoid fever
тихий quiet; *(течение, ход)* gentle: **Тихий океан** the Pacific (Ocean)
тихо *(говорить, жить)* quietly; *(идти)* slowly ◇ **в доме ~** the house is quiet; **~!** (be) quiet!
тишина quiet
тканый woven
ткань fabric, material; *анат.* tissue;

(перен: рассказа) fabric

ткать to weave; *(паутину)* to spin

ткач weaver

тлен decay

тлетворный pernicious

тлеть to decay; *(дрова, угли)* to smoulder, smolder; *(пламя)* to die out; *(перен: надежда)* to flicker

тля aphides

тмин *бот.* tumin

товар *(мусор)* product; *эконом.* commodity ◇ goods

товарищ friend; *(по партии)* comrade; **по школе/работе** school-/workmate

товарищеский comradely; **товарищеский матч** *спорт.* friendly *(match)*

товарищество camaraderie; *комм.* partnership

товарный *(производство)* goods; *(рынок)* commodity; **товарная биржа** commodity exchange; **товарный вагон** goods wagon, freight car; **товарный знак** trademark; **товарный поезд** goods *или* freight train; **товарный склад** warehouse

товаровед merchandiser

товарообмен barter

товарооборот turnover

товаропроизводитель *(goods)* manufacturer

тогда then; **~ как** while; *(при противопоставлении)* whereas; **не хочешь, ~ не надо** if you don't want to, then don't

то есть that is to say; **т.е.**=i.e.

тождество *мат.* identity

тоже *(также)* too, as well, also ◇ as if; **я ~ пойду** I'm going too *или* as well, I'm also going; **~ мне поэт нашёлся!** as if he's a poet!; **я ~ люблю яблоки** I too like apples; **я иду купаться — я ~!** going swimming — me too!

ток *экол.* current; *(для зерна)* threshing floor

токарь turner

Токио Tokyo

токсикоз toxicosis; *(у беременной)* hyperemesis

токсический toxic

толк *(в рассуждениях)* sense; *(разг: польза)* use; **рассуждать, или говорить с толком** to talk sense; **от него нет толку** he's no use; **всё без ~у** it's all for nothing; **взять что-н себе в ~** to get sth: **знать или понимать ~ в чём-н** to have a good understanding of sth; **сбивать кого-н с толку** to confuse sb

толкать to push; **~ кого-н на** *(голод)* to force sb into: *(: человек)* to put sb up to; **~ локтем** to nudge; **~ ядро** to put the shot; **~ штангу** to lift weights; **~ речь** to have one's say

толкование interpretation; *(слова)* definition

толковать to interpret; **~ что-н** to spell sth out to; **~ с кем-н о чём-н** to have a chat with sb about sth

толковый *(ученик, работник)* intelligent; *(объяснение)* clear, **толковый словарь** dictionary with definitions

толком properly; **~ я ничего не узнал** I didn't manage to find anything out

толкотня crush

толкучка market; crush

толокно oatmeal

толочь *(зерна, сухари)* to pound; **~ воду в ступе** to pound the air

толочься to crowd about *или* around

толпа *(народа)* crowd; *(перен: в противопоставлении личности)* the crowd

толпиться to crowd around

толстеть to get fatter

толстушка fatty

толстый thick; *(человек, ноги)* fat; **толстая кишка** large intestine

толстяк fatso

толчея crush

толчок *(в спину, грудь)* shove: *(при торможении, при встряхивании)* jolt; *(при землятресении)* tremor; *(перен: к работе, к началу)* push; *спорт. (штанги)* thrust: *(: ядра)* put; *(разг: рынок)* flea market

толщина *(тела, фигуры)* corpulence; *(слоя, бревна)* thickness

толь roofing felt

Т

только merely, only, solely

том *см.* **тот, то**

томат *(помидор)* tomato (tomatoes); *(соус)* tomato puree

томительный tormenting

томить *(расспросами, ожиданием)* to torment

томление languor

томный languid

тон *муз., мед.* tone

тональность *муз.* key: *(картины)* tones; *(перен: стихотворение)* tone

тонзиллит tonsillitis

тонизирующий refreshing; ~ее **средство** tonic

тонкий thin; *(фигура, пальцы)* slender; *(черты лица, работа, ум)* fine; *(запах, вкус)* delicate; *(обращение, различия, намек)* subtle; *(слух)* sharp; **тонкая кишка** small intestine

тонко *(резать)* thinly; *(пахнуть)* delicately; *(намекать, чувствовать)* subtly; **она ~ чувствует музыку/поэзию** she has a fine appreciation of music/poetry

тонкокожий thinskinned

тонкость thinness; slenderness; fineness: delicacy; subtlety; sharpness; *(частность)* detail; до ~ей down to the last detail; **вдаваться в ~и** to go into detail

тонна ton

тоннель tunnel

тоннаж *(судна)* tonnage: *(вагона)* capacity

тонус *(сердца, тканей)* tone; **жизненный ~** vitality

тонуть *(человек)* to drown; *(дерево, камень)* to sink; **затонуть** *(корабль)* to sink; *(увязать)*: ~ **в** *(снегу, в грязи)* to get stuck in; *(перен: в делах)* to be up to one's eyes in; *(перен: в зелени)* to get lost: *(в шуме)* to drown

топаз topaz

топать to go; ~ **ногами** to stamp one's feet; ~й **отсюда**! scram!

топить *(печку)* to stoke (up); *(дом)* to warm (up); *(плавить: масло, воск)* to melt; **утопить** *или* **потопить** *(корабль)* to sink; *(человека)* to

drown; **потопить** *(дело)* to ruin: ~ **потопить горе** to drown one's sorrows

топиться *(печка)* to burn; *(помещение)* to be heated; **растопиться**; *(воск)* to melt; **утопиться** *(лишить себя жизни)* to drown o.s.

топка *(действие: печки)* stoking; *(часть печи)* furnace

топкий muddy

топленый *кулинар.* (: *масло, жир)* melted; ~ое **молоко** boiled milk

топливо fuel; **жидкое/твердое ~** liquid/solid fuel

топография topography

тополь poplar

топор axe, ax

топорище axe *или* ax handle

топорный *(работа, стиль)* crude

топорщить *(разг: перья, шерсть)* to fluff up

топот clatter

топтать *(траву)* to trample; *(пол)* to dirty

топтаться to shift from one foot to the other; ~**ся на месте** to go round in circles

топчан trestle bed

торба nose-bag

торг trading

торгаш money-grubber

торги *(аукцион)* auction; *(состязание)* tender

торговать *(перен: совестью, убеждениями)* to forfeit; *(магазин)* to trade; *(мясом, мебелью)* to trade in; ~ **c** to (do) trade with

торговец merchant; *(мелкий, уличный)* trader

торговка trader

торговля trade

торговый *(договор, прибыль, барьеры)* trade; *(судно, флот)* merchant; **торговая сеть** retail network; **торговая точка** retail outlet; **торговое представительство** trade mission; **торговый работник** retail industry worker; **торговый центр** shopping centre, mall

тореадор toreador

торец *(доски, книги)* butt; *(здания)* gable end

торжественно *(обещать)* solemnly;

(праздновать) fully

торжественный *(день, случай)* special; *(собрание)* celebratory; ; *(вид, обстановка)* festive; *(обещание)* solemn

торжество *(семейное, национальное)* celebration; *(в голосе. в словах)* triumph; ~ *(справедливости)* the triumph of

торжествовать ~ **(над)** to triumph (over); to rejoice

тормашки вверх ~**ками** upside down

торможение *(машины)* braking; *(рефлексов)* inhibition

тормоз brake; *в работе)* hindrance, obstacle

тормозить *(машину, поезд)* to slow down: *(перен: движение, работу)* to hamper, impede *(машина, поезд)* to brake

тормозной *(механизм, педаль)* brake; *био.* inhibitory; ~**ая жидкость** brake fluid

тормошить to shake; ~ **кого-н за рукав** to tug at sb's sleeve; ~ **кого-н** *(вопросами)* to pester sb

торопить *(коня)* to urge on; *(ребенка, события)* to hurry: to hurry sb with sth

торопливость haste, speed

торопливый *(человек)* hasty; *(шаг)* hurried; *(суждение, вывод)* hasty, hurried

торпеда torpedo (torpedoes)

торпедировать to torpedo

торс torso

торт cake

торф peat

торчать *(вверх)* to stick up; *(в стороны)* to stick out; *(разг: на улице, в ресторане)* to hang around

торчком on end

торшер standard lamp

тоска melancholy; boredom; ~**по родине** homesickness

тоскливый *(настроение, музыка)* melancholy; *(погода, разговор)* dreary

тосковать to pine away; ~ **по** *или* **то** to miss

тост toast; ~ **за** toast to

тотализатор totalizer

тоталитаризм totalitarianism

тоталитарный totalitarian

тотальный total

то-то *(разг: вот именно)* exactly, that's just it; *(вот почему)* that's why; *(выражает удовлетворение):* ~ **же** pleased to hear it; **он не сдал экзамен — — он такой грустный** he didn't pass the exam — that's why he's so sad; ~ **он удивится!** he will be surprised!

тотчас immediately

точеный *(острый: нож)* sharpened; *(деталь, грань)* turned; *(перен: фигура)* shapely: *(: черты лица)* fine

точечный *(линия)* dotted; ~ **массаж** shiatsu, acupressure; ~**ая электросварка** spotwelding

точилка pencil sharpener

точильщик grinder

точить *(нож, карандаш)* to sharpen; to turn; *(червь, ржавчина)* to eat away at; *(болезнь, тоска)* to drain

точка point; *(пятнышко)* dot; *линг.* full stop, period; sharpening; ~ **зрения** point of view: **попадать в (самую)** ~**ку** to hit the bull's-eye; **дойти до** ~**ки** to reach one's limit; **точка с запятой** semicolon

точнее to be exact *или* precice; **приходи вечером,** ~, **в 5 часов** come in the evening, ~, at 5 o'clock to be exact *или* precise

точно exactly; *(объяснить)* exactly, precisely; *(подсчитать, перевести)* accurately ♢ precisely ♢ *(как-будто)* as if *или* though; ~**такой дом** exactly the same house; **он** ~ **так и сделал/сказал** that's exactly what he did/said; ~ **он уехал** that's right, he's gone; **так** ~**!** yes, sir!; **расплакаться** ~ **ребенок** he burst into

точность *(часов, попадания)* accuracy; *(работы)* precision; **я подсчитал затраты с** ~**ю до рубля** I counted the expenditure right down to the last rouble; **в** ~**и** exactly

точный *(часы, перевод, попадание)* accurate; *(описание, приказ)* precise; *(адрес, копия)* exact; **точное время** exact time; **точные**

науки exact sciences
точь-в-точь just like
тошно it's nauseating *или* sickening
тошнота nausea: мне это до ~ы надоело I'm sick to death of it
тошнотворный nauseating, sickening
тощать to lose weight; to pine, waste away
тощий *(человек)* gaunt; *(кошелек)* empty; *(почва)* poor: *(растительность)* sparse
трава grass; herb; сорная ~ weed; хоть ~ не расти he *или* couldn't care less
травинка blade of grass
травить to poison; to damage; to hunt; to harass, hound: to etch
травиться to poison o.s.
травление etching
травлюсь (сь) *см.* травить
травля hunting; hounding
травма *(физическая)* injury; *(психическая)* trauma
травматолог   specialist   in traumatology
травматологический ~ отдел casualty; ~ пункт first-aid room
травматология traumatology
травмировать to injure; to traumatize
травоядный herbivorous
травянистый herbaceous: grassy
травяной herbal; ~ покров grass
трагедия tragedy
трагизм tragedy
трагикомедия tragicomedy
трагический tragic; ~ актер tragedy actor
трагичный tragic
традиционный traditional
традиция tradition; входить в ~ю to become a tradition
траектория trajectory
тракт *ист.* highway; *анат.:* пищеварительный alimentary canal
трактир inn
трактирщик innkeeper
трактовать to interpret
трактовка interpretation
трактор tractor
тракторист tractor driver
тралить to trawl; протралить мины to sweep for mines
тральщик trawler; mine-sweeper

трамбовать to tamp
трамвай tram, streetcar; ездить/ ехать на ~e to go by tram
трамвайный tram, streetcar; ~ые пути tramlines; трамвайный парк tram *или* streetcar depot
трамплин springboard; лыжный ~ ski jump
транжирить to blow
транзистор transistor
транзит transit; *(о грузе)* transit goods
транзитный transit
транквилизатор tranquillizer, tranquilizer
транс *психол.* trance: *комм.* transport document; номер транса trans number
трансконтинентальный transcontinental
транскрипция transcription
транслировать to broadcast
транслятор *тех.* translator
трансляция *(передачи)* transmission, broadcasting; *(передача)* broadcast; прямая ~ live broadcast
транспарант banner
транспорт transport
транспортер *(конвейер)* conveyor belt; *военн.* troop carrier
транспортировать to transport
транспортировка transportation
транспортный transport
транссексуал transsexual
трансформатор transformer
трансформация transformation
трансформировать to transform
траншея trench
трап gangway; подавать ~ to put down the gangway
трапеза communal meal in monastery
трапеция *гео.* trapezium; *(цирковая, гимнастическая)* trapeze
трасса *(лыжная)* run; *(трубопровода, канала)* route; воздушная ~ motorway, expressway; автомобильная ~ airway
трассат *комм.* drawee
трата spending; пустая ~ времени/ денег a waste of time/money
тратить to spend
траулер trawler

T

траур mourning; ~ **по** mourning for; **носить** ~ to wear mourning

траурный (*процессия, платье*) mourning; mournful

трафарет stencil; **мыслить по** ~**у** to think in cliches

трафаретный (*рисунок, черчение*) stencilled; (*перен: фразы*) trite

трах bang: **а он** ~ **по столу** and he banged against the table

трахея trachea

трахнуть (*выстрел*) to ring out ◇ (*ударить*) to thump; (*переспать: женщину*) to lay

трахнуться (**трахаться**) (*удариться*) to bang o.s.; (*: о мужчине и женщине*) to have it off: ~**ся головой о стенку** to bang one's head against the wall

требование (*объяснение, денег*) request; (*решительное, категорическое*) demand; (*устава, экзаменационные*) requirement; (*документ: на книгу*) order, ~**я** (*моральные, эстетические*) needs

требовательный demanding; (*тон, голос*) peremptory

требовать (*квитанцию*) to ask for, (*в суд, к начальнику*) to summon; ~ **потребовать что-н** to demand sth/to do; ~ **потребовать** (*сочувствия, правдивости*) to expect; (*помощи, переделки*) to need, require

требуха entrails

тревога (*волнение*) anxiety; (*на улице, в доме*) alarm; **воздушная** ~ airraid warning; **поднимать** *или* **бить** ~**у** to raise the alarm

тревожить (*родителей, правительство*) to alarm; to disturb; to reopen

тревожиться (*за детей*) to be concerned; to trouble o.s.

тревожно (*посмотреть*) anxiously ◇ **на сердце** ~ I feel anxious; **в городе** ~ there is a sense of alarm in the city

тревожный (*голос, взгляд*) anxious; (*сведения*) alarming; ~**ое время** time of unrest: **тревожный сигнал** alarm

трезвенник teetotaller

трезветь to sober up

трезвон (*колокольный*) peal; (*толки*) gossip

трезвонить (*колокола*) to peal; (*телефон, звонок*) to ring; to spread gossip

трезвость (*неупотребление алкоголя*) sobriety; (*перен: взгляда, суждений*) soberness

трезвый (*состояние, человек*) sober; (*перен: рассуждение, решение*) sensible

трезубец trident

трель warble

трельяж triple mirror

тренер coach; **главный** ~ manager

трение friction

тренировать to train; to coach

тренировка (*памяти, лошади*) training; (*отдельное занятие*) training (*session*)

тренировочный training; **тренировочный костюм** tracksuit

треножить to fetter; to hobble

треножник tripod

треп blethering, blathering

трепанация *мед.* trepanation

трепаный tattered

трепать (*обувь, книги*) to blow about; ~ **потрепать кого-н за волосы/за уши** to pull sb's hair/ears; **потрепать нервы кому-н** to wear sb's nerves down; ~ **языком** to chatter

трепаться (*флаги, волосы*) to be blown about; **истрепаться** *или* **потрепаться** (*одежда, обувь*) to wear out: (*о пустяках*) to chatter

трепач chatterbox

трепет (*листьев*) quivering; (*волнение*) tremor; (*страх*) trepidation

трепетный tremulous

трепыхаться (*животное, рыба*) to wriggle; to flutter; (*перен: волноваться*) to be in a flutter

треск tracy

треска cod

трескаться (*земля, стекло*) to crack

трескотня (*кузнечиков*) chirr; (*болтовня*) chitchat

трескучий (*речи, слова*) bombastic: ~ **мороз** hard frost

треснуть (*ветка*) to snap: (*стакан,*

кожа) to crack: ~ *(кулаком по столу)* чем-н по чему-н to bang sth on sth; ~ кого-н по *(по шее, по руке)* to thump sb on

треснуться ~ся чем-н o to bang sth on

трест *экон.* trust

третий third; **фильм/врач ~ьего сорта** a third-rate film/doctor; **~ьего дня** the day before yesterday: **Т ~мир** the Third World; **третий сорт** *(торта)* Grade 3 *(denoting product of inferior quality);* **третье лицо** *линг.* the third person; **третья сторона, третьи лица** third party

третировать to patronize

третичный tertiary

треть third

третье *кул.* sweet, dessert

третьесортный third-rate

треугольник triangle

треугольный triangular

трефы *карты.* clubs

трехгодичный three-year

трехгодовалый three-year-old

трехдневный three-day

трехлетний *(период)* three-year; *(ребенок)* three-year-old

трехмесячный *(период)* three-month; *(ребенок)* three-month-old

трехсотлетие *(срок)* three hundred years; *(годовщина)* tercentenary

трехсотый three hundredth

трехсторонний trilateral

трехчасовой *(операция)* three-hour; *(поезд)* three o'clock

трещать *(лед. доски)* to crack; *(кузнечики)* to chirr; *(пулеметы)* to crackle; *(тараторить)* to jabber (on); **у меня ~ит голова** I've got a splitting headache; **~ по швам** to be falling apart at the seams

трещина crack; **давать ~y** to crack

трещотка rattle; chatterbox

три three ◇ *(просвещ. = С (school mark);* **ей ~ года** she is three *(years old);* **они живут в доме номер ~** they live at number three; **около ~ex** about three; **книга стоит ~ рубля** the book costs three roubles; **~ с половиной часа** three and a half hours; **сейчас ~ часа** it is

three o'clock; **яблоки продаются по ~ штуки** the apples are sold in threes; **делить что-н на ~** to divide into three

трибуна platform; *(стадиона)* stand

тривиальный trivial

тригонометрия trigonometry

тридцатилетие *(срок)* thirty years; *(годовщина, события)* thirtieth anniversary

тридцатилетний *(период)* thirty-year; *(человек)* thirty-year-old

тридцатый thirtieth

тридцать thirty

трижды three times; **~ два — шесть** three times two is six; **он ~ прав** he's absolute1y right

трико leotard

трикотаж knitted; knitwear

табак tobacco

трикотажный knitted; **~ магазин** knitwear shop

трилистник trefoil

триллер thriller

триллион trillion

трилогия trilogy

тринадцатый thirteenth; *см. также* **пятый**

тринадцать thineen; *см. также* **пять**

Триполи Tripoli

триптих tri ptych

триста (трехсот) three hundred; *см.* **сто**

тритон newt

триумф triumph

трогательный touching

трогать to touch; *(разг. беспокоить вопросами)* to pester; *(рассказ, событие)* to move ◇ *(лошадь, повозка)* to start moving; **улыбка тронула ее губы** a smile flickered across her lips; **седина тронула его волосы** his hair was touched with grey

трогаться (тронуться) *(поезд)* to move off; *(лед)* to (begin to) break; **~ся в путь** to set off

трое three; *см. также* **двое**

троеборье triathlon

троица *также* **(святая ~)** Trinity; **Т~ын день** Trinity Sunday; *(о друзьях)* threesome

тройка *(цифра, карта)* three; *(ло-*

T

шадей) troika; _(группа людей)_
threesome; _(автобус, трамвай
итд) (number)_ three (bus, tram
etc); _(костюм)_ three-piece suit

тройник _электр._ adaptor

тройной triple; **в ~ом размере** triple
the size; **тройной прыжок** _спорт._
triple jump

тройня triplets

тромб blood clot

тромбоз thrombosis

тромбон trombone

трон throne

тронуться ◊ **~ся (умом)** to be (a bit)
touched

тропа pathway

тропик: северный/южный ~ the
tropic of Cancer/Capricorn; _см.
также_ **тропики**

тропики the tropics

тропинка footpath

тропический tropical

трос cable

тростник reed; **сахарный ~** sugar
cane

трость walking stick

тротуар pavement, sidewalk

трофей trophy

троюродный : ~ брат second cousin
(male); **троюродная сестра** second
cousin (female)

троякий triple

труба _(газовая, водосточная)_ pipe;
(дымовая) chimney; _муз._ trumpet;
анат.; **фаллопиева ~** Fallopian
tube; **в ~у вылетать** to go to the
wall

трубач trumpeter

трубить ~ в _муз._ to blow; _(труба))_
to sound; **~ о** to trumpet ◊ _(сбор,
отбой)_ to sound

трубка tube; _(курительная)_ pipe;
(телефонная) receiver; _мед._
stethoscope; **брать, поднимать ~ку**
тел. to pick up the receiver; **сворачивать что-н ~ку** to roll sth into
a tube

трубопровод pipeline

трубочист chimney sweep

трубочка _кулин._ cream horn

труд work; _экон._ labour; _просвещ._
home economics and design; **бескорыстный ~** labo(u)r of love;

брать на себя ~ to take the trouble
to do; **без ~a** without any
difficulty; **с (большим) ~ом** with
(great) difficulty

трудиться to work hard; **~ над** to
labour _или_ labor over; **не ~ди-
тесь писать мне** don't bother to
write

трудно it's hard _или_ difficult; **у меня
~ с деньгами** I've got money
problems; **мне ~ понять это/най-
ти время** I find it hard to
understand/to find the time; **(мне)
~ бегать/стоять** I have trouble
running/standing up; **~ сказать** it's
hard to say

трудновоспитуемый ~ ребенок
problem child (are children)

труднодоступный _(горы, место)_ hard
to get to

труднопроходимый _(дорога)_ almost
impassible

трудность difficulty

трудный difficult

трудовой working; **~ое законодательство** employment legislation;
~ые доходы earned income; **~
стаж** working life; **~ая дисциплина** discipline in the workplace;
трудовая книжка employment
record book; **трудовое соглашение** contract (of employment)

трудоемкий labour-intensive, labor-
intensive

трудолюбивый hard-working,
industrious

трудоспособность fitness to work;
утрата ~и disablement

трудоустройство placement

трудоустроить to find work for

трудящийся working ◊ worker

труженик worker

труп corpse; **только через мой ~!** I
over my dead body!

труппа _театр_ company

трус coward

трусики knickers, panties

трусить to get scared; **~ перед кем-
н** to cower before

трусливый cowardly

трусость cowardice

трусца trot; **бег ~ой** jogging; **бегать
~ой** to jog

трусы underpants; shorts

трут tinder

трутень *зоол.* drone; *(перен: человек)* parasite

труха dust

трухлявый crumbly

трущоба *(бедный район)* slum; *(лесная)* jungle

трюк trick; *(акробатический)* stunt

трюкач *(в цирке)* acrobat; *(мошенник)* fraudster

трюм hold

трюмо dresser

трюфель *(также конфета)* truffle

тряпка *(половая, для пыли)* cloth; *(лоскут)* rag; *(перен: о человеке)* drip; **~ки** rags

тряпье rags

трясина quagmire; mire

тряский *(вагон, машина)* rickety; *(дорога)* bumpy

трясогузка wagtail

трясти *(мешок, ковер)* to shake; *(головой, кулаками)* to shake; *(гривой)* to toss; **в машине ~ет** the car is jolting; **его ~ут от страха** he's shaking with fear

трястись to jolt *(разг: в машине, в поезде итп)* to rattle along; **~сь перед** *(перед начальством)* to tremble before; **~сь над** *(над ребенком, над деньгами)* to fret over *или* about: **~сь от смеха/страха/холода** to shake with laughter/fear/cold

тряхнуть to shake; **~ стариной** to turn the clock back

туалет toilet; *(гардероб)* outfit

туберкулез tubercolosis

туберкулезный tubercolosis

туго tightly; *(набить)* tight ◊ **(у нас) ~ с деньгами** money is tight (for us); **(у нас) ~ со временем** we're hard-pressed for time; **дела идут ~** things aren't going too well

тугодум dimwit

тугой *(струна, пружина)* taut; *(узел, одежда)* tight; *(чемодан)* tightly-packed; *(кошелек)* bulging; **он туг на ухо** he's a bit hard of hearing

туда there, thither

туда-сюда all over the place; *(рас-качиваться)* backwards and forwards ◊ it's so-so

тужишь ~ **(о)** to pine (for)

тужурка Norfolk jacket

туз *(финансовый, городской)* bigwig

туземец native

туземный native

туловище torso

тулуп *(овчинный)* sheepskin coat

тумак thump, whack

туман mist; *(перен: в голове)* haze

туманность *астрол.* nebula; *(перен: в мыслях, в изложении)* cloudiness

туманный *(воздух, утро)* misty; *(перен: взгляд)* dull; *(: смысл, объяснение)* nebulous

тумба *(причальная, уличная)* bollard; *(для цветов)* stand; *(для скульптуры, стола)* pedestal; **афишная ~** cylindrical advertising hoarding

тумблер *комп.* toggle switch

тумбочка *(мебель)* bedside cabinet

тундра tundra

тундровый tundra

тунец tuna (fish)

тунеядец parasite

тунеядство parasitism

Тунис *(город)* Tunis; *(страна)* Tunisia

тунисский Tunisian

тупеть *(боль)* to become les acute; to become stupid; *(чувство)* to dull

тупик *(улица)* dead end, cul-de-sac; *(для поездов)* siding; *(перен: в переговорах)* deadlock; **ставить кого-н в ~** to stump sb; **стать в ~ to be stumped; заходить в ~** to reach a deadlock

тупиковый *(ситуация)* dead-end; *(станция)* at the end of the line

тупить to blunt

тупиться *(затупиться)* to become blunt

тупица dunce

тупой *(нож, карандаш)* blunt; *(человек)* stupid; *(боль, ум)* dull; *(покорность, страх)* blind; **тупой угол** obtuse angle

тупость *(человека, поведение)* stupidity; *(ума)* dullness

тур *(конкурсаб переговоров, выборов)*

round; *(в танце)* turn; *зоол.* mountain goat

тура *(в шахматах)* castle

турбина turbine

турецкий Turkish; **~язык** Turkish

туризм tourism

турист tourist; *(в походе)* hiker

туристический tourist

туристский tourist's; **~ маршрут** trail; **~ое снаряжение** camping and walking equipment

туркмен Turkmen

Туркмения Turkmenia

туркменский Turkmenian

турне *теар. спорт* tour

турнепс turnip

турник horizontal bar

турникет turnstile

Турция Turkey

тусклый *(стекло)* opaque; *(лак, краска, позолота)* matt; *(свет, стиль, взгляд)* dull

тускнеть *(краска, талант)* to fade; *(серебро, позолота, краски)* to tarnish

тут here **что ~ говорить!** what is there to say?; **я ~ ни при чем** it has nothing to do with me; **и все ~** and that's that; **он уже ~ как ~** right at that moment he appeared; **не ~-то было** it wasn't to be

тутовый ~ое дерево mulberry tree; **тутовый шелкопряд** silkworm

туфля shoe

тухлый *(еда)* rotten; *(запах)* putrid

тухнуть *(костер, свет, свеча)* to go out; *(протухнуть; мясо, рыба)* to go off

туча rain cloud; *(перен: мух, стрел)* cloud; **он сегодня, как ~** he's been in a black mood all day

тучный *(человек)* stout; *(почва)* fertile; *(трава, луга)* lush

туш *муз.* flourish

туша carcass; *(о тучном человеке)* hulk

тушевать *(рисунок, фотографию)* to shade in; *(перен: разницу, противоречия)* to gloss over

тушенка tinned *или* canned meat

тушеный *кулин.* braised

тушить *(свечу, костер, пожар)* to put out; *(свет)* to put out; *кулин.* to braise

тушканчик jerboa

тушь *(для рисования)* Indian ink; *(для ресниц)* mascara

тщательный thorough

тщедушный feeble

тщеславие vanity

тщеславный vain

тщетность futility

тщетный futile

ты *(тебя)* you; *(для усиления):* **ах ~, какая жалость!** oh, what a pity!; **быть с кем-н на ~** to be on familiar terms with sb; **вот тебе раз!** good grief!

тыкать *(перен: ударять):* **тыкать что-н/кого-н чем-н** to poke sth/ sb with sth; *(: вонзать):* **тыкать что-н в** to stick sth into; *(обращаться на "ты")* to address somebody using the informal form of "you"; **~ кого-н носом во что-н** to rub sb's face in sth; **~ пальцем на** to point at

тыкаться *(суетливо двигаться)* to rush about; **~ся в** *(в стену, в дверь итд)* to bang into; *(соваться)* to nuzzle

тыква pumpkin

тыл *воен. (сторона, территория)* the rear, *(: вся страна)* the home front; *(: воинские организации)* rear units

тыловой *воен.* rear

тысяча thousand

тысячелетие millennium; *(годовщина)* thousandth anniversary

тысячелетний *(период)* thousand-year; *(дерево)* thousand-year-old

тысячный thousandth; *(толпа, армия)* of many thousands

тычинка stamen

тьма *(мрак)* darkness, gloom; *(множество)* swarm

тьфу yuk

тюбетейка skullcap

тюбик tube

тюк bale

тюлевый tulle

тюлень *зоол.* seal

тюль tulle

тюльпан tulip

тюрбан turban

тюремный prison; **тюремное заключение** imprisonment

тюремщик jailer; warder

тюрьма prison; **сажать кого-н в ~у** to put sb in prison

тюфяк straw mattress; *(о человеке)* wimp

тявкать to yap

тявкнуть to yap

тяга *(в печи)* draught, draft; *(насоса, пылесоса)* suction; *тех.* traction; *(реактивная)* thrust; **~ к** attraction to; **на электрической ~е** powered by electricity; **на конной ~е** horse-drawn

тягаться – с кем-н (в) to compete with sb (in); **с кем-н умом** to pit one's wits against sb

тягач tractor

тягостный burdensome; *(впечатления)* depressing

тягость *(ожидания, зависимости)* burden; *(войны, бедности)* hardship; *(на сердце, на душе)* heavy feeling; **быть в ~ кому-н** to be a burden to sb

тяготение *физ.* gravity: **~ к** attraction to

тяготеть – к *(к культуре, к прогрессу, к общению)* to gravitate *или* be drawn towards; *(к мнению)* to tend towards; **~ над** *(обвинение, подозрение)* to hang over, *(чья-н власть, воля)* to oppress

тяготить to weigh (heavy) on

тяготиться to be weighed down by

тягучий *(клей, краска итп)* viscous; *(резинка, ткань)* stretchy; *(голос, речь)* droning

тяжба dispute

тяжелеть to get heavier; *(голова, ноги: от усталости)* to grow heavy

тяжело heavily; *(больной, раненый)* seriously ◇ it's heavy; *(понять, согласиться)* it's hard: **мне ~ здесь** I find it hard here; **больному ~** the patient is suffering

тяжелоатлет weightlifter

тяжеловес *спорт.* heavyweight

тяжеловесный laboured, labored; *(архитектура)* heavy; **~ поезд** freight train

тяжелый heavy; *(трудный: труд, обязанность, дорога итп)* hard, tough; *(сон)* restless; *(запах)* thick: *(воздух)* close; *(преступление, болезнь, рана)* serious; *(горестный, зрелище, день трудный)* grim; *(мрачный: мысли, настроение)* sombre, somber; *(трудный: человек, характер)* difficult; **с ~елым сердцем** with a heavy heart; **тяжелая атлетика** weightlifting; **тяжелая промышленность** heavy industry

тяжесть heaviness, weight; *(работы, задачи)* difficulty; *(болезни, раны, преступления)* seriousness, severity; *(тяжелый предмет)* weight; **сила ~и** *физ.* gravitational pull; **центр ~и** *физ.* centre of gravity

тяжкий *(труд)* arduous; *(характер)* oppressive; *(зрелище)* grim; *(сомнения, подозрение, преступление)* grave

тянуть *(канат, сеть итп)* to pull; *(вытягивать: шею, руку)* to stretch out; *(дело, разговор, заседание)* to drag out; *(напиток)* to sip (at); *(протянуть трубопровод, кабель)* to lay; *(вытянуть жребий, номер)* to draw ◇ **с ~** *(с ответом, решением)* to delay; *(pasa):* **~ на** *(килограмм итп)* to weigh; **~ потянуть кого-н за руку** to pull at sb's arm; **~ кого-н в кино** to tempt sb out to the cinema; **меня тянет в Петербург** I want to go to Petersburg; **меня тянет ко сну** I'm feeling drowsy; **он не тянет на лидера** he is not leadership material

тянучка toffee

тяпнуть *(укусить)* to nip

тятенька dad, daddy

У

у at, by, to; close by, close to, near; **у меня ...** I have ...

убавить *(цену, размеры)* to reduce; *(рукава)* to shorten

убавиться (убавляться) *(расходы)* to decrease; *(срок)* ,to be reduced; *(дни)* to get shorter

убедительный *(доказательство)* convincing; *(просьба)* urgent

убежать (бежать; убегать) to run away; **молоко ~ло** the milk has boiled over

убеждать (убедить) to convince, persuade; to induce, prevail

убеждение *(внушение)* assurance; *(взгляд)* conviction; **поддаваться ~ям** to give in to persuasion

убежденность *(уверенность)* assurance, conviction

убежденный ~ в convinced of; assured; convinced

убежище *(от дождя, от бомб)* shelter; **политическое ~** political asylum

уберечь to protect

уберечься *(от опасности)* to protect o.s.; **~ся от простуды** to avoid catching cold

убивать to kill; *(совершить преступление)* to murder; *(перен: надежды, инициативу)* to destroy; **~ время** to kill time

убиваться *(разг: страдать)* to grieve; *(: на работе)* to break one's back

убийственный *(оружие)* deadly; *(новость, результат)* devastating; *(разг: жара, климат)* unbearable

убийство murder

убийца murderer

убитая dead woman

убитый *(перен: лицо)* crushed ◇ dead man *(мн теп)*; **спит как ~** he is sleeping like a log

ублажить to please

ублюдок mongrel; hybrid

убогий *(дом, человек)* wretched; *(перен: идеи, фильм)* mediocre

убожество *(мыслей, идей)* mediocrity; *(обстановки)* wretchedness

убой slaughter

убор головной hat

убористый *(почерк, печать)* close, dense

уборка *(помещения)* cleaning; **заниматься ~** to do the cleaning; ~

урожая harvest

уборная *(артистическая)* dressing-room *(туалет)* toilet, lavatory

уборочный harvesting; **~ая машина** harvester

уборщик cleaner

убрать *(унести; вещи)* to take away remove *(поместить)* to put away; *(паруса, якорь)* to stow *(шасси)* to retract, draw in; *(комнату)* to tidy; to remove; *(урожай)* gather in;

убыль *(рабочей силы)* decrease; **идти на ~** *(дни)* to get shorter *(болезнь, эпидемия)* to run its course

убыток loss; **терпеть** *или* **нести ~ки** to incur losses

убыточный unprofitable

убыть to decrease; **его от этого не убудет** he won't be any worse off for it

уважаемый respected, esteemed; **У~ые дамы и господа!** Ladies and Gentlemen!

уважать to respect

уважение respect

уважительный *(отношение)* respectful; *(довод, причина)* respectable

уважить *(угодить)* to humour, humor; **~ чью-л просьбу** to grant sb's request

увалень lumbering oaf

увариться *(сироп, щи)* to boil down, reduce

уведомить to inform

уведомление *(документ)* notification

увезти to take away

увековечить *(героя)* to immortalize

увеличение increase

увеличить to increase; *(фотографию)* to enlarge

увенчать (увенчать) to crown

уверенность confidence; **~ в себе** self-confidence; **поколебать чью-н ~ в чем-н/в том, что...** to shake sb's conviction in sth/that...; **я был в полной ~и, что...** I was absolutely sure that...

уверенный *(шаг, ответ, голос)* confident; *(рука)* sure; **~ в** sure of; **~ в себе** self-confident, sure of o.s.

уверить *от* уверять

увернуться to swerve; **увертываться от удара** to dodge a blow; **увертываться от прямого ответа** to avoid giving a straight answer

уверовать ~ **в** to (come to) believe in

увертливый *(подвижный)* nimble; *(перен: хитрый)* evasive

увертюра overture

уверять ~ **кого-н/что-н в чем-н** to assure sb/sth (of sth); ~**ю Вас, что я был против этого** I assure you that I was against it

увеселительный *(зрелище)* entertaining; ~**ая прогулка** jaunt

увеселять to amuse, enliven, entertain

увесистый heavy

увести to lead off *или* away; to nick

увечье injury; **наносить** *(нанести* **кому-н)** to maim sb; **получать to be maimed**

увещевать to exhort

увиваться *(ухаживать):* ~ **(за кем-н) (за женщиной)** to hang around (sb)

увидеть *от* видеть ◇ to catch sight of

увильнуть ~ **от** to dodge; *(от ответственности)* to get *или* wriggle out of

увлажнить to moisten

увлажняться (увлажниться) to become moist

увлекательный *(захватывающий)* absorbing; entertaining

увлечение *(влюбленность)* infatuation; *(работой, балетом)* enthusiasm *или* passion (for)

увлечь to lead away; to captivate

увлечься to get carried away with; *(влюбиться)* to fall for *(шахматами)* to become keen on

уволить *(с работы)* to dismiss, sack; **увольнять в запас** to transfer to the reserve

уволиться ~**ся с работы** to leave one's job

уволочь to drag away *или* off; to nick

увольнение *(со службы)* dismissal; *воен.* leave

увольнительная *воен.* leave-pass

увы alas

увядание *(цветов)* withering; *(красоты)* fading

увядший *(цветок)* withered; *(красота)* faded

увязать *(вещи)* to tie up; *(перен: согласовать)* to tie in

угадать to guess

Уганда Uganda

угар *(воздух)* fume-filled air; *(отравление)* carbon-monoxide poisoning; **пьяный** ~ drunken haze

угасать *(костер, закат)* to die down

углевод carbohydrate

углеводород hydrocarbon

углекислота carbon dioxide

углепромышленность coal industry

углерод *хим.* carbon

угловатость *(лица)* angularity; *(человека, движений)* awkwardnes

угловатый *(лицо)* angular; *(человек, движения)* awkward

углубить to deepen

углубление deepening; *(впадина)* depression

углубленный profound

углядеть to spot

угнать to drive off; *(разг: украсть)* to steal; *(самолет)* to hijack

угнетатель oppressor

угнетать to oppress; *(тяготить)* to depress

угнетение *(народа)* oppression

угнетенный *(народ)* oppressed; *мед.* depressed

уговаривать *от* уговорить ◇ to try to persuade

уговор persuasion; *(соглашение)* agreement, arrangement **поддаваться на** ~**ы** to give in to persuasion

уговорить to persuade

угода: в ~**у кому-н** to please sb

угодить ~ **на** to please: *(попасть)* to end up; ~ **под машину** to get run over; ~ **ногой в яму** to put one's foot in a hole

угодливый obsequious

угодник *рел.* saint; **дамский** ~ ladies' man

угодный *(родителям, властям)* pleasing to

угодья; земельные ~ arable and

У

pasturable land; **лесные ~** forestry; **водные ~** fisheries and waterways

угол *геом.* angle; *(стола, дома, комнаты)* corner; **заворачивать за угол** to turn the corner; **за углом** round the corner; **из-за угла** from around the corner; **~ зрения** perspective, standpoint; **он снимает ~** he's renting a tiny little place

уголовник criminal

уголовный criminal; **уголовный кодекс** criminal; **уголовный преступник** criminal; **уголовный розыск** Criminal Investigation Department

уголовщина crime

уголок угол; *(место)* corner; **тихий ~** secluded spot

уголь coal

угольник *(чертёжный)* set square

угольный coal

угомониться to quieten down

угон *(самолёта)* hijacking; *(машины, коня)* theft

угонщик *(самолёта)* hijacker

угореть to get gaspoisoning

угорь *зоол.* eel; *(на лице)* blackhead

угостить ~ кого-н чем-н *(дома)* to offer sb sth; *(в ресторане)* to treat sb to sth

угощать (угостить) to entertain, treat

угощаться ~-йтесь! help yourselves!

угощение *(гостей)* entertaining; *(вкусное, изысканное)* food

угрожать to menace, threaten

угрожающий threatening; *(вид)* menacing

угроза threat

угрохать *(разг: деньги)* to blow; *(продукты)* to use (up)

угрюмый gloomy

удалец hero

удалить *(детей, посторонних)* to send away, remove; *(игрока: с поля)* to send off; *(пятно, занозу, орган)* to remove; *(зуб)* to extract; *комп.* to delete

удалиться (удаляться) to move away; *(перен: от темы)* to digress; *(в свою комнату)* to withdraw

удалой daring

удаль daring

удар blow, hit, knock; impact, shock

ударение *линг.* stress

ударить to hit; *(: часы)* to strike; *(: морозы)* to set in; **ударять кого-н по голове/спине** to hit sb on the head/back; **ударять в барабан** to beat a drum; **~ по спекулянтам** to crack down on profiteers; **вино ~ило ему в голову** the wine has gone to his head; **~ил гром** there was a clap of thunder; **он не ~ил лицом в грязь** he didn't disgrace himself

удариться (ударяться) *(натолкнуться на что-н):* **~ся о** *(о дверь, о стену итп)* against; **~ся в панику** to fly into a panic; **~ся в спорт/в науку/в политику** to become obsessed with sport/science/politics; **он ~ился головой о шкаф** he hit his head on *или* against the cupboard

ударник *(музыкант)* percussionist; *(ружья, пистолета)* striker, firing pin

ударный *(инструмент)* percussion; *(войска, труд)* shock; *(слог)* stressed; **ударная волна** shock wave

удаться *(опыт, испытание)* to be successful, work; *(пирог)* to turn out well; **нам удалось/не удалось поговорить/закончить работу** we managed/didn't manage to talk to one another/finish the work

удача *(good)* luck; **нам выпала большая ~** we had a great stroke of luck; **желаю ~и!** good luck!

удачный successful; *(хороший: выбор, выражение)* good

удвоение doubling

удвоенный *(зарплата)* doubled; *(энергия, сила итп)* redoubled

удвоить to double; *(внимание, усилия)* to redouble

удвоиться (удваиваться) to double; *(усилия итп)* to be redoubled

удел *(судьба)* lot, fate

уделить ~что-н кому-в/чему-н to devote sth to sb/sth

удержать to restrain; *(часть зарплаты)* to deduct; *(первенство,* позиции); ~ (**за собой**) to retain; ~ что-н в руках to hold onto sth, not let go of sth; удерживать кого-н от **поездки** to keep sb from going on a journey; удерживать кого-н дома to keep sb at home

удержаться (остановить себя) to stop или restrain o.s.; (устоять: на краю обрыва) to hang on; ~ся на ногах to stay on one's feet; ~ся на своих позициях to hold one's ground; ~ся от смеха to stop или keep o.s. from laughing; ~ся от слез to hold back the tears

удесятерить to increase tenfold; (усилия) to tri ple

удешевить to make cheaper

удешевиться to get cheaper

удешевление ~ цен (**на**) reduction in the price (of)

удивительно (красивый, вкусный) amazingly ◇ it's amazing; мне ~, что ты этого не понимаешь I'm amazed that you don't understand this; ~, как ты не простудился it's amazing that you didn't catch (a) cold; и не ~ and no wonder

удивительный amazing

удивить to surprise

удивиться : ~ся (известно, приезду итп) to be surprised at или by; я ~ился, что он не позвонил I was surprised that he didn't phone

удивление surprise; к нашему ~ю, она ушла to our surprise she left; с ~м with surprise: от ~я in surprise; красивый/умный на ~ amazingly beautiful/clever

удивленный surprised

удила bit (of bridle)

удилище (часть удочки) (fishing-)rod

удирать от удрать

удить to angle

удлинение (рукава) lengthening; (срока) extension

удлиненный (пальто) long; (лицо) elongated

удлинить (рукав, пальто) to lengthen; (рабочий день, срок) to extend

удлиняться to grow longer

удобно (усесться, лечь) comfortably

◇ мне здесь ~ it's comfortable here; мне ~ прийти вечером it's convenient for me to come in the evening

удобный (мебель) comfortable; (время, формат, место) convenient; дожидаться ~ного случая to wait for the right opportunity

удобрение (действие) fertilizing; (минеральное, химическое) fertilizer

удобрить to fertize

удобство comfort; квартира со всеми ~ами a flat with all (modern) conveniences

удовлетворение satisfaction; (требований) fulfilment

удовлетворенный satisfied

удовлетворительный satisfactory

удовлетворить to satisfy; (потребности, спрос, просьбу) to meet; (жалобу) to respond to; удовлетворять ~ (требованиям, вкусам, правилам) to satisfy

удовлетвориться : ~ся to be satisfied with

удовольствие pleasure; получить ~ от чего-м to enjoy sth; доставлять кому-н ~ to make sb happy; с ~м with pleasure; я бы с ~м пошел с Вами I would love to go with you

удод зоол. hoopoe

удой yield (of milk)

удойливый : ~ая корова good milking cow

удорожание : ~ продуктов питания rise in food prices

удостоверение (подписи) verification; (документ) identification (card); удостоверение личности identity card

удостоверить (факт) to verify

удостовериться: ~ся в (в чьей-н невиновности, в верности сообщения) to assure o.s. of; он ~ился, что она дома he made sure that she was at home

удостоить : ~ кого-н чего-н to bestow sth on sb; удостаивать кого-н своим визитом to honour или honor sb with a visit; ~ кого-н улыбки to bestow a smile on sb

У

удостоиться : ~ся *(награды)* to be honoured *или* honored with
удочерение adoption *(of danghter)*
удочерить to adopt *(daughrer)*
удочка *(fishing-)rod;* он попался на ~ку he fe11 for it; закидывать ~ку *(рыболов)* to cast; to put out feelers
удружить : ~ кому-н to do sb a favour *или* favor (of)
удрученный *(взгляд, лицо, вид)* dejected; dejected, depressed
удушить *от* душить ◇ *(человека)* to strangle; *(свободу)* to stifle
удушливый *(газ, вещество)* suffocating; *(жара)* stifling
удушье suffocation
уединение solitude
уединенный *(место, остров)* solitary
уединиться to go off, withdraw
уехать to leave, go away; он ~л в отпуск/в Москву he has gone on holiday/to Moscow; мы скоро уезжаем we are leaving soon
уж зоол. grass snake ◇ *(уже́)* already ◇ *(выражает усиление)*; здесь не так ~ плохо it's not as bad as all that here; это ~ очень дорого it really is too expensive
ужас horror; *(страх)* terror ◇ *(это)* ~! it's awful *или* terrible! ◇: он ~ какой богатый he's incredibly rich; ~ы войны horrors of war; прийти в ~ от чего-н to be horrified by sth; к моему ~у to my horror он дрожал от ~a he was shaking with terror; как быстро время идет it's awful *или* terrible how time flies; тихий ~! horror of horrors!; до ~a terribly
ужасающий *(крик, зрелище)* horrific; *(запах, холод)* terrible
ужасно *(разг: умный, красивый итп)* terribly ◇ здесь сейчас ~ it's terrible here now; он чувствует себя ~ he feels terrible
ужаснуть to horrify
ужаснуться to be horrified
ужасный terrible, horrible, awful
уже narrower *(сотр. of узкий)*
уживчивый *(человек)* easy to gel along with
ужимка grimace

ужин supper
ужинать to have supper
узаконенный *(порядок, ритуал)* established
узаконить *(отношения, порядок)* to legalize
узбек Uzbek
Узбекистан Uzbekistan
узбекский Uzbek; ~ язык Uzbek
узда bridle; держать кого-н в ~е to keep sb in check
узел knot; *(мешок)* bundle; телефонный ~ telephone exchange; железнодорожный ~ railway junction; санитарный ~ bathroom and toilet; морской ~ hitch; нервный ~ ganglion; ~ противоречий a mass of contradictions
узкий narrow; *(тесный)* tight *(перен: человек, взгляд)* narrow-minded; ~кая специальность norrow specialism: ~ круг друзей small circle of friends
узколобый narrow-minded
узловатый knotty
узловой *(перен: вопрос, задачи)* key; ~ая станция junction
узнать *(знакомого, свою вещь итп)* to recognize; *(новости)* to find out, learn; *(познать: нужду, любовь)* to know; я ~л, что ты приехал I heard that you had come; он ~л о состоянии дел he found out how things stood
узник captive
узор pattern
узорчатый parterned
узость *(улиц, взглядов)* narrowness; *(платья)* tightness: *(человека)* narrow mindedness
узурпатор usurper
узурпировать to usurp
узы bonds
уйти *(человек)* to go away, leave; *(пароход, поезд)* to go, leave; *(молодость)* to go; *(время, годы)* to pass; *(отдаться)*: ~в *(в бизнес)* to go into; *(избежать)*: ~ от *(от опасности итп)* to get away from; *(потребоваться)*: ~ на *(деньги, время)* to be spent on; уходить из дома to leave the house; уходить со службы/со сцены to leave

one's job/the stage; **уходить ~ от мужа** to leave one's husband; **уходить ~ из жизни** to pass away; **уходить ~ на пенсию** to retire; **у нас ушло много денег на покупки** we spent a lot of money on shopping

указ *(президента)* decree; **он мне не ~** I don't take orders from him

указание pointing out, indication; *(разъяснение)* instruction; *(: начальства)* directive; **~я врача** doctor's orders

указатель *(дорожный)* sign; *(книга)* guide; *(список в книге)* index; *(прибор)* indicator

указательный *(жест)* pointing; **указательное местоимение** demonstrarive pronoun; **указательный палец** index finger

указать to point out; *(дорогу)* to show; *(свой адрес, интересы, срок)* to indicate; *(движением, жестом)* **~ на** *(на дверь, на картину итп)* to point to; *(на ошибки, на недостатки)* to point out: **~ кому-н на дверь** to show sb the door

указка pointer; **делать что-нибудь по чужой ~ке** to blindly follow somebody else's directions

указывать *от* указать *(свидетельствовать)*: **~ на** *(факты, цифры)* to indicate, point to

укатать *(дорогу)* to roll, flatter

укатить *(мяч)* to roll away; *(тачку)* to wheel away ◊ *(раг: уехать)* to go off

укачать *(усыпить: ребенка)* to rock to sleep; *(довести до тошноты)*: **его ~ло** *(в машине/на пароходе)* he got (car-/sea-) sick

уклад экон. *(капиталистический, феодальный)* order; **~ жизни** way of life

укладка *(действие: дров, рельс)* laying; *(прически)* set

укладчик *(путей, паркета)* layer

укладывание *(вещей, чемодана)* packing; *(ребенка)* putting to bed

уклон slant; **поезд/дорога идет под ~** the train/road is going downhill

уклонение *(дороги в сторону)*
bending; *(от ответа, от обязанностей)* evasion

уклониться *(отстраниться: в сторону)* to swerve; *(отойти от главного)* **~ от** to dodge; *(от темы, от предмета)* to digress from: *(от поручения)* to evade; **уклоняться от ответа** to avoid giving an answer

уклончивый *(ответ)* evasive

уключина rowlock

укол *(иглокой)* prick; *(перен: замечание)* dig; *мед.* injection; **делать кому-н ~** to give sb an injection: **самолюбию** blow to one's ego

уколоть *от* колоть ◊ **иглой шипом)** to prick; *(перен: самолюбие)* to wound

укор *(упрек)* reproach; **~ы совести** the pangs of conscience; **живой ~ кому-н** living indictment of sb; **ставить кому-н что-н в ~** to reproach sb with sth

укоренение taking root, establishment

укоризна *(укор)* reproach

укоризненно reproachfully

укоризненный reproachful

укорить to reproach

укоротить *(платье, палку, путь)* to shorten; *(жизнь, сроки)* to reduce: **~ руки кому-н** to take sb down a peg

укоротиться *(юбка итп)* to be shortened; *(сроки)* to be reduced

укороченный short *(рабочий день)* reduced

укоряющий *(взгляд)* reproachful

украдкой secretly

Украина *(the)* Ukraine

украинец Ukrainian

украинский Ukrainian; **~ язык** Ukrainian

украсить *(комнату)* to decorate; *(елку)* to decorate, **trim**; *(речь)* to embellish; *(существование, жизнь итп)* to brighten

украситься *(деревья, поля)* to be decorated with; *(жизнь, существование)* to be brightened up by

украшение decoration; *(коллектива)* pride; *(коллекции)* jewel;

У

(также: ювелирное) jewellery, jewelry

укрепить *(мир, семью, организм)* to strengthen; *(стену, строение)* to reinforce; *(город, перевал)* to fortify; ~ **здоровье** to get fit(ter)

укрепиться *(нервы, организм)* to become stronger *(хозяйство, организм)* to become established; *(здоровье)* to improve; *(дисциплина)* to be tightened up; ~**ся в своих убеждениях** to become surer of one's convictions; **за ним** ~**илась дурная репутация** he has earned a bad reputation

укрепление *(здоровья)* improving; *(авторитета)* reinforcement; *воен.* fortification

укрепляющий fortifying

укромный *(уголок)* secluded

укроп dill

укротитель tamer; ~ **львов** liontamer

укротить *(животного, гнев, страсти)* to tame; *(человека)* to bring to heel

укрощение *(действие)* taming

укрупнение enlargement

укрупнить to enlarge

укрупниться *(завод, производство)* to get larger; *(черты лица)* to grow more pronounced

укрывательство *(преступника итп)* harbouring

укрытие *(место: подземное, от бомб)* shelter

укрыть *(закрыть: платком, снегом)* to cover *(спрятать: преступника)* to harbour; *(беженца)* to shelter

укрыться *(одеялом, платком)* to cover o.s.; *(от обстрела, от дождя)* to take cover; *(от погони)* to hide; **от моего взгляда не** ~**лось, что ...** it has not escaped my notice that ....

уксус vinegar

уксусный *(запах, эссенция)* vinegar; **уксусная кислота** acetic acid

укус bite

укусить to bite

укутать *(больного, шею итп)* to wrap up

укутаться to wrap o.s. up

уладить to settle

уладиться to sort o.s. out

улаживание *(ссоры. конфликта)* settling

улан *ист.* uhlan *(lancer)*

улей (bee-)hive

улететь *(птица)* to fly away; *(самолет)* to leave; *(перен: стремительно уйти)* to fly off

улетучиться to evaporate; to vanish

улечься to lie down; *(пыль)* to settle; *(перен: буря, страсти, гнев)* to subside

улизнуть to slip away

улика *(piece) of evidence;* **косвенная/прямая** ~ circumstantial/hard evidence

улитка snail

улица *(в городе, в селе)* street; *(перен: некультурная среда)* the gutter **на** ~**е** outside; **оставаться** ~**е на** to be out on the street **выбрасывать на** ~**у** to throw sb out onto the streets

уличить : ~ **кого-н в чем-н** to face sb with sth

уличный street; **уличное движение** traffic

улов catch *(of fish)*

уловимый perceptible

уловить *(звуки, шум, запах)* to catch, detect; *(перен: мысль, связь)* to catch, grasp; **улавливать момент** to find the right moment

уловка ruse

уложить *(ребенка)* to put to bed: *(вещи, чемодан)* to pack; *(волосы)* to set; *(шпалы, рельсы)* to lay; *(белье)* to fold away; ~ **кого-н на месте** to kill sb; **хозяйка** ~**ожила нас в гостиной** our hostess put us in the living room

уложиться *(сложить вещи)* to pack; **укладываться** (~**ся**) **в сроки** to keep to the deadline; ~**ся в полчаса** to keep it down to half an hour

уломать ~ **кого-н** to talk sb round; **уламывать кого-н** to talk sb into doing

улучить *(момент, полчаса)* to find

улучшение improvement

улыбаться ~ to smile at; *(перен: счастье, жизнь)* to smile on; мне не ~ется эта работа/поездка this work/trip doesn't appeal to me

улыбка smile

улыбчивый smily

ультиматум ultimatum; предъявлять кому-н ~ to give sb an ultimatum

ультразвук ultrasound

ультразвуковой ultrasonic

ультрамарин ultramarine

ультрафиолетовый ~ые лучи ultraviolet rays

улюлюкать to halloo; to hoot

ум mind; быть без ~a от кого-н/чего-н to be wild about sb/sth; в ~е *(считать, держать)* in one's head; в своем ~е in one's right mind; браться за ~ to see sense; сходить с ~a to go mad; сводить кого-н с ~a to drive sb mad; *(перен: увлечь)* to drive sb wild; природный ~ native wit; ~а не приложу, куда/сколько/кто ... I can't think where/how much/who ...; с ~ом *(рассудительно)* sensibly; приходить на ~ кому-н to come into sb's head

умалить *(значение, роль)* to diminish, belittle

умалишенный insane

умелец skilled artisan

умело skilfully, skillfully

умелый *(рука, ремесленник, политик)* skilful, skillful; *(работник)* able

умение ability, skill; с ~м *(делать что-н)* with skill

уменьшение reduction

уменьшительный *(суффикс)* diminutive

уменьшить to reduce; ~ шаг to slow down

уменьшиться *(объем, опасность)* to diminish, decrease

умеренность moderateness; *(климата)* temperate nature

умеренный *(аппетит, скорость, политика)* moderate; *(климат, характер)* temperate

умереть to die; *(традиция)* to die out; хоть ~ри, но сделай I'll do it if it kills me; ~ от голода/рака to die of hunger/cancer со смеху ~

можно I could die laughing

умертвить to kill

умерший defunct; deceased; умершие the dead

умерщвление killing

уместить to fit, find room for

уместный appropriate, relevant, well-timed

уметь can, to be able to; *(иметь способность)* to know how to; он ~ет плавать/читать he can swim/read; Мария ~ет хорошо одеваться Maria knows how to dress well

умиление tenderness; слезы ~я fond tears

умилительный touching

умилить to touch

умилиться to be touched

умильный *(нежный)* touching; *(льстивый)* smarmy

умирать от умереть ◇ ~ю, как хочу есть/спать I'm dying for something to eat/to go to sleep; я ~ю от скуки I'm bored to death

умирающий dying

умиротворение *(серца, души)* bringing of peace; *(агрессора)* appeasement

умиротворенный serene, tranquil

умиротворить *(душу)* to bring peace to; *(враждующих)* to pacify; *(агрессора)* to appease

умиротвориться *(враждующие, спорщики итп)* to be pacified

умнеть *(человек)* to grow wiser *(ребенок)* to become more intelligent; это поможет тебе поумнеть that'll teach you a lesson

умник clever boy; *(пренебр: умничающий)* clever dick, knowall

умница clever girl ◇ вот ~! good for you!, well done!; он ~ he's a clever one

умничать to show off how clever one is, be clever *(своевольничать)* to try to be clever

умно *(вести себя)* sensibly *(говорить)* intelligently

умножение multiplication; increase; таблица ~я мат. multiplication table

умножить мат. to multiply; *(дохо-*

ды, опыт, славу итп) to increase;
умножать пять на два to multiply
five by two
умный (человек) clever, intelligent;
(лицо) intelligent; (собака, машина, прибор) clever; (речи, совет,
политика) sensible
умозаключение deduction
умозрение speculation
умозрительный (построение, рас-
суждения) speculative
умолить кого-н to prevail upon sb
(to do)
умолк : без ~у incessantly
умолкать (умолкнуть) to become
silent, to subside
умолкнуть (голос, скрипка) to fall
silent; (смех, звон) to stop
умолять от умолять ◊ to implore
умоляющий (взгляд, голос) pleading
умонастроение frame of mind
умопомешательство insanity
умопомрачение temporary loss of
one's senses; до ~я (устать)
terribly; (любить, влюбиться)
madly; **работать/танцевать до ~я**
to work/dance until one is ready
to drop
умопомрачительный (красота, богатство) staggering
умора: это просто ~ it's hilarious
уморительный (разг) hilarious
умственный (способности) mental;
~ труд brainwork
умудриться (разг) to manage; я
~ился простудиться/опоздать на
поезд I managed to catch a cold/
miss the train
умчать to whisk off или away
умчаться (кони, всадники, дети) to
dash off; (годы, детство) to fly
by
умывальник washstand
умывальный : ~ые принадлежности washing things
умывание washing
умыкнуть (разг: украсть) to nick;
(невесту) to abduct
умысел intent; **делать что-н без
~ла/с умыслом** to do sth wirhout/
with intent
умыться to wash
умышленно   deliberately,

intentionally
умышленность   (поступка)
deliberateness; (преступления)
premeditated nature
умышленный (поступок) deliberate,
intentional: (преступление, убийство) premeditated
умягчать (умягчить) to alleviate; to
mollify, soften
умять (снег, землю) to flatten;
(разг: съесть много) to stuff down
унести to take away; (разг: украсть)
to carry off; (война, эпидемия) to
claim; лодку ~есло течением the
boat drifted away; бумаги ~есло
ветром the papers blew away
унестись (тучи, кони, поезд) to speed
off; мои мысли ~еслись в про-
шлое my thoughts flashed back to
the past; он ~есся в мир фанта-
зий he was carried into the world
of fantasy
универмаг (= универсальный магазин) department store
универсал all-rounder
универсальность (знаний) breadth;
(средств) universality
универсальный (проблема) universal;
(образование) all-round; (человек)
versatile, multitalented; (знания)
encyclopaedic, encyclopedic; (машина, инструмент) versalile,
multi purpose; ~ое средство cure-
all; ~ая вычислительная машина
комп. mainframe; ~ символ комп.
wildcard; универсальный магазин
department store
универсам supermarket
университет university
университетский university
унижение humiliation; идти на ~ to
humble o.s.
униженный (человек) humbled;
(взгляд, просьба) humble
унизать to string; (пояс: жемчугом)
to stud
унизительность humiliation
унизительный   humiliating,
degrading
унизить to humiliate; **унижать себя**
to abase o.s.
унизиться : ~ся (перед) to abase o.s.
(before)

уникальный unique

унисон unison; **в ~ (с)** in unison (with)

унитаз toilet

унификация standardization

унифицировать to standardize

униформа *(одежда)* uniform

уничтожать (уничтожить) to annihilate, destory; to abolish, suppress

уничтожающий *(огонь, удар, критика)* devastating; *(взгляд)* scathing, withering

уничтожение annihilation, destruction

унция ounce

унывать *(человек)* to be downcast *или* despondent; *(впадать в уныние)* to lose heart

уныло depressing

унылый *(человек)* despondent; *(мысли)* depressing; *(природа)* cheerless, dreary

уныние despondency

уняться *(ребёнок, шалун итп)* to calm down; *(буря, боль)* to die down

упавший *(голос)* fallen

упадок decline; **~ сил** exhaustion; **~ духа** despondency

упадочнический decadent

упаковка packing; *(паковочный материал)* packaging

упаковочный packaging

упаковщик packer

упаси : упаси Бог *или* **Боже** *или* **Господи!** God forbid!

упасть *от* **падать** ◇ **~ в ноги** кому-н to go down on one's knees to sb

упереться **~ся** чем-н в *(в землю)* to dig sth into; *(в плоть)* to stick sth into; *(натолкнуться на преграду)*: **~ся в** *(в ограду, в забор итп)* to come up against; *(перен: взглядом, глазами)* to stare; **упираться (~ся) (на)** *(перен: разг: настоять)* to dig one's heels in (on)

упечь *(разг: в тюрьму)* to fling

упираться *от* **упереться** ◇ *(иметь причиной)*: **~ся в** to arise from

упитанный plump

упиться *(разг: напиться допьяна)* to get very drunk; **~** *(счастьем, свободой итп)* to be intoxicated by; *(: чьим-н несчастьем)* to revel in

уплата payment

уплетать to tuck *или* get stuck into

уплотнение *(почвы, снега)* compression; *(под кожей)* lump *анат.*

уплотнить *(также перен)* to compress

уплотниться *(песок, грунт)* to become firmer; *(рабочий день, график)* to become busier

уплыть *(человек, рыба итп)* to swim away *или* off; *(пароход)* to sail away *или* off; *(плавно уйти)* to float away *или* off; *(пройти)* to pass; *(: разг: деньги, наследство итп)* to vanish

упование hope; **возлагать ~я на** to set one's hopes on

уповать : ~ на to count on

уподобить : ~ что-н/кого-н to compare sth/sb to

уподобиться **~ся** to become like

уподобление assimilation; comparison

упоение elation; **с ~м** with relish

упоённый : ~ *(успехом итп)* elated by; *(счастьем)* intoxicated with

упоительный *(воздух)* intoxicating; *(поцелуй)* delightful

упокой : молитва за ~ (души) кого-н prayer for sb's eternal rest

уползти *(змея)* to slither away; *(червь)* to wriggle away; *(ребёнок)* to crawl away

уполномоченный authorized person

уполномочивать : ~ кого-н to authorize sb to do

упоминание mention; reference

упоминаться *(имя, событие)* to be mentioned

упомнить to remember, retain

упомянуть *(назвать)*: **~ о** to mention; *(коснуться)* to refer to

упор *(для ног, для рук)* rest; **в ~** *(стрелять)* point-blank; *(смотреть)* intently; **делать ~ на** to put emphasis on

упорно persistently

упорный persistent; *(сопротивление)* unrelenting

упорство persistence

упорствовать to persist *или* be persistent

у

упорхнуть to flit away

упорядочение *(корреспонденции, информации)* sorting; *(торговли, процедуры)* regulation

упорядоченный ordered

упорядочить to put in order; *(цены, процедуру)* to regulate

упорядочиться *(дела)* to be put in order; *(процедура)* to be regulated

употребительность frequency

употребительный frequently used

употребить to use; употреблять ~ что-н в пищу to eat sth

употребление *(лекарства, наркотиков)* taking; *(алкоголя)* consumtion; *(слова, термина)* usage; находиться в ~и to be in use; выходить из ~я *(слово)* to go out of usage; вводить в ~ *(слово)* to introduce; *(одежду, предмет быта)* to bring into use

управа *ист.* office; *(разг: мера пресечения)* justice; найти ~у to seek justice; найти ~у на кого-н to make sure that sb is punished; на него нет ~ы there's no control over him

управиться : ~с (: с делами, с уборкой) to manage: *(с шалуном, с плохим учеником)* to deal with

управление *(судном, самолетом)* navigation; *(делами, финансами)* administration; *(оркестром, хором)* condicting; *(учреждение)* office; *(система приборов)* controls; симфония исполнена под ~м автора the symphony was conducted by the composer; терять ~ to lose control

управлять : ~ *(автомобилем)* to drive; *(судном)* to navigate; *(конем)* to ride; *(государством)* to govern; *(учреждением, фирмой итп)* to manage; *(оркестром, хором)* to conduct

управляющий *(хозяйством)* manager; *(имением, поместьем)* bailiff

упражнение *(мускулов, памяти)* exercising; *(грамматические, гимнастические)* exercise

упражнять to exercise

упражняться to practise

упразднить to abolish

упрашивать *от* упросить

упрек reproach; бросить ~ кому-н to reproach sb; ставить что-н в ~ кому-н to hold sth against sb

упрекать : ~ кого-н (в) to reproach sb (for)

упросить : ~ кого-н to persuade sb to do

упростить to simplify; *(сделать слишком простым)* to oversimplify

упроститься to become simpler

упрочение consolidation

упрочить to consolidate

упрочиться *(работник)* to establish o.s.; *(положение, позиции)* to be consolidated; за ним ~илась репутация хорошего редактора his reputation as a good editor was established

упрощение simplification

упрощенный *(простой)* simplified; *(излишне простой)* oversimplified

упругий *(пружина, тело)* elastic; *(походка, движения)* bouncy, springy

упругость *(пружины, мышц)* elasticity; *(походки)* springiness

упряжка team; *(упряжь)* harness

упряжь harness

упрямец stubborn person

упрямиться to be obstinate *или* srubborn

упрямо *(сказать)* obstinately, stubbornly; *(искать)* persistently

упрямство obstinacy, stubbornness

упрямый obstinate, stubborn; *(поиски стремление)* persistent

упрятать to put away

упускать *(мяч)* to let go of; *(момент, случай)* to miss; ~ из виду to overlook

упущение omission

упырь vampire

ура hooray, hurrah; на ~ *(с энтузиазмом)* enthusiastically; *(без подготовки)* just like that

уравнение *(сил)* equalization; *мат.* equation

уравниловка equal rewarding; regardless of contribution

уравновесить to balance

уравновеситься *(чаши весов)* to ba-

lance; *(силы)* to be counter-balanced
уравновешенность composure
уравновешенный balanced; steady
уравнять *(размеры, доли)* to make equal; **уравнивать кого-н в правах с кем-н** to give sb the same rights as sb
ураган hurricane; *(перен: страстей)* storm
уран uranium; *(планета):* У~ Uranus
урановый uranium
урбанизация urbanization
урвать *(разг: материальные блага)* to grab; *(: время)* to snatch
урегулирование settlement
урегулировать *от* **регулировать** ◇ *(отношеия)* to put to rights; *(конфликт)* to settle
урезанный *(демократия, свобода)* limited
урезать *(расходы, штаты)* to cut down
урезонить ~ **кого-н** *(разг)* to make sb see reason
уремия uraemia
уретра urethra
урина urine
урна *(погребальная)* urn; *(для мусора, для окурков)* bin; **избирательная** ~ ballot box
уровень level; *(техники)* standard; *(зарплаты, доходов)* rate; **в** ~ **с** on a level with; **на** ~**не земли at** ground level; **встреча на высшем** ~**не** summit meeting; **выше/ниже** ~**ня моря** above/below sea level; **моя работа была на** ~**не** my work was up to standard; **уровень жизни** living standard
уровнять *(дорогу, землю)* to level
урод person with a deformity; *(нравственный)* monster
уродина ugly person
уродиться *(пшеница)* to give a good yield; ~ **в кого-н** *(в деда, в отца итп)* to take after sb
уродливость deformity; distortion; ugliness
уродливый *(с уродством)* deformed; *(представление)* distorted; *(безобразный)* ugly

уродовать *(калечить)* to deform; *(делать некрасивым)* to make ugly; *(сознание)* to distort; *(душу, молодёжь)* to corrupt
уродство *(физический недостаток)* deformity; *(некрасивая внешность)* ugliness
урожай *(зерна, картофеля итп)* harvest; *(большое количество)* abundance; **снимать** *или* **собирать** ~ to gather the harvest; **убирать** ~ to take in the harvest
урожайность yield
урожайный *(год)* productive
урождённая nee
уроженец native
урок lesson; *(задание)* task; *(домашняя работа)* homework; **делать** ~**и** to do one's homework; **это послужит тебе хорошим** ~**ом** let it be a (good) lesson to you; **брать** ~**и чего-н у кого-н** to take lessons in sth from sb; **давать** ~ to give a lesson; **давать** ~**и где-нибудь/кому-н** to teach somewhere/sb
уролог urologist
урологический urological
урология urology
урон *(потери)* losses; **нести** ~ to suffer losses; **наносить кому-н** ~ to inflict loss on sb
уронить *от* **ронять**
урочный determined, fixed
уругвайский Uruguayan
урчание *(воды)* gurgling; *(собаки)* growling; *(кошки)* purring
урчать *(вода)* to gurgle; *(тигр)* to growl; *(кошка)* to purr; **у меня** ~**ит в желудке** my tummy's rumbling
урюк dried apricots
ус whisker; *см* **усы**
усадить ~ **гостей** to show the guests to their seats; *(заставить делать):* ~ **кого-н за что-н** to sit sb down to sth/to do; **усаживать** ~ **сад цветами** to plant the garden with lots of flowers
усадьба *(помещичья)* country estate; *(крестьянская)* farmstead
усатый bewhiskered
усвоение *(урока, науки)* mastering; *(пищи)* assimilation

у

усвоить *(придычку)* to acquire; *(урок) to master;* *(пищу, лекарство)* to assimilate
усвояемость assimilability
усердие diligence
усердный diligent
усердствовать to make an effort
усесться to settle down; *(заняться чем-н.):* ~ **за** *(за работу, за письмо)* to sit down to
усечь (укоротить) to truncate; *(разг:* понять) to catch on to
усеять *(поле, небо)* to cover
усеяться : ~**ся** to be dotted *или* strewn with; *(цветами)* to be full of
усидеть *(остаться сидеть)* to stay sitting; *(не упасть)* to stay in one's seat; **он еле ~дел на месте** he could hardly sit still; **он не мог ~ дома** he couldn't just sit at home
усидчивость assiduity
усидчивый assiduous
усики *(маленькие усы)* small moustache; *(у растений)* tendril; *(у членистоногих)* feelers
усиленный *(охрана)* reinforced; *(просьбы, напоминания)* persistent; *(внимание)* increased; **~ое питание** high calorie diet
усилие effort; *(физическое)* exertion; **делать ~ над собой** to force o.s.
усилитель amplifier
усилительный amplifying
усилить to intensify; *(охрану)* to reinforce; *(внимание)* to increase; *(звук)* to amplify
усилиться *(ветер)* to get stronger *(сопротивление)* to intensify; *(волнение)* to increase
ускакать *(кони)* to gallop away *или* off; *(перен: разг: человек)* to whizz off
ускользнуть *(рыба,змея итп)* to slip off; ~ **из/от** to slip out of/away from; **ускользать ~ от чьего-н внимания** to escape sb's attention
ускорение acceleration; *(шага)* quickening
ускоренный *(шаг)* quickened; *(дыхание, пульс темпы)* accelerated; ~ **курс** crash course
ускоритель accelerator; **ракетный ~**

rocket booster
ускорить *(шаги)* to quicken; *(ход механизма, прогресс)* to accelerate; *(выздоровление, отъезд)* to speed up
услада delight, joy
усладительный agreeable, delightful, refreshing
усладить *(слух, зрение)* to delight
усладиться : ~**ся** *(зрелищем, ароматом)* to delight in
уследить ~ **за** *(за ребенком)* to keep an eye on; *(за ходом разговора)* to follow
условие condition; *(договора, платежа)* term: *(соглашенне)* agreement *(: поступления в институт, приема на работу)* requirement; **ставить что-н ~м** to make sth a condition; **при ~и хорошей погоды** on the condition that the weather is good; **при ~и, что он согласится** on the condition *или* provided that he agrees
условиться : ~ **о** *(договориться)* to agree on
условия *(природные)* conditions; *(задачи, теоремы)* factors; *(пользования чем-н, какого-н режима)* terms; **жилищные ~** living conditions; ~ **труда** working conditions; **в ~х** in an atmosphere of; **по ~м договора** on the terms of the agreement; **на льготных ~х** on special terms; **на следующих ~х** on the following conditions; **для работы здесь — все ~** everything you need for working here is laid on
условленный agreed
условность conditional nature; *(обычай)* convention
условный *(срок, согласие итп)* conditional; *(знак, сигнал)* code; *(линия)* imaginary; *линг.* conditional; **условный рефлекс** conditional reffex; **условный срок** suspended sentence
усложнить to complicate
усложниться (усложняться) to get more complicated
услуга *(одолжение)* favour, favor;

(обычно мн: обслуживание) service; **коммунальные ~и** public utilities; **бюро** *(добрых)* **услуг** domestic services agency; **к Вашим ~м!** at your service!; **оказывать кому-н ~у** to do sb a good turn

услужение : быть в ~и (у) to be in service (with)

услужить : **~ кому-н** to do sb a good turn

услужливый obliging

усмешка slight smile; **злая ~** sneer

усмирение *(тигра)* taming; *(страстей, мятежа)* suppression

усмирить *(льва)* to tame; *(детей)* to disci pline; *(страсти, мятеж, восстание)* to suppress

усмириться (усмиряться) *(лев)* to become tame; *(дети)* to calm down

усмотрение discretion; **предоставлять на ~ начальства** to be left to the management's discretion; **действовать по своему ~** to use one's own discretion *или* judgement; **на Ваше ~** at your discretion

усмотреть to spot; *(счесть):* **~ что-н в** to see sth in ◇ **~ за** to keep an eye on

уснастить : ~ что-н в чем-н to pepper sth with sth

уснуть *(заснуть)* to fall asleep, go to sleep; **~ навеки** *или* **вечным сном** to go to one's eternal rest

усовершенствование improvement; refinement

усовещивать (усовестить) to admonish; to have scruples

усомниться : ~ в to doubt

усохнуть to shrivel (up); *(шерсть)* to shrink

успеваемость performance

успевать *от* **успеть** ◇ to make progress

успеется there's no hurry *или* rush

Успение the Assumption

успеть *(сделать что-н в срок)* to manage; *(прийти вовремя)* to be *или* make it in time; **я не ~л это сделать, как ...** I'd hardly done it when ...; **не ~л оглянуться, как**

он уже ушел I hardly had time to blink before he'd already gone

успех success; *(обычно мн: в спорте, в учебе)* achievement; **как Ваши ~и?** how are you doing?; **с ~ом** *(успешно)* successfully; *(без затруднений)* easily; **добиваться ~а** to achieve success; **с тем же ~ом** just as well

успешно successfully

успешный successful

успокоение *(боли, совести)* easing; *(плачущего)* pacifying; **эти мысли принесли ей ~** these thoughts brought her peace of mind

успокоенность complacency

успокоительное sedative

успокоительный *(известие, ответ)* calming, soothing; *(лекарство)* sedative

успокоить to calm (down); *(совесть)* to ease; *(боль)* to soothe

уста li ps; **в его ~х это звучит странно** it sounds strange coming from him; **из уст в ~** by word of mouth; **из первых уст** trom the horse's mouth; **это у всех на ~х** it's on everyone's li ps

устав *(партийный)* rules; *(воинский)* regulations; *(корпорации)* statute; **~ акционерной компании** *комм.* articles of association

уставить to place, put; *(занять):* **~ что-н чем-н** *(стол)* to cover sth with; *(полку)* to fill sth with; *(разг: устремлять):* **~ что-н в** to fix sth on

уставиться: ~ся на/в *(на собеседника, в стену)* to gaze at

уставный statutory; **уставный капитал** *комм.* authorized capital

устало wearily

усталость tiredness, fatigue

усталый tired, weary

усталь : без *или* **не зная ~и** tirelessly, indelatigably

установить to establish; *(размер оплаты, сроки)* to set; *(прибор, машину)* to install; **устанавливать рекорд** to set a record

установиться to be established; *(погода)* to become settled; *(характер)* to be formed

установка installation; *(директива)* directive; *(цель)* objective

устареть *от* **старость** ◇ *(оборудование)* to become obsolete

устать to get tired

устлать : ~ **что-н (чем-н)** to cover sth (with srh)

устный *(экзамен)* oral; *(обещание, приказ)* verbal; **устная речь** spoken language

устой *(опора)* support; ~ *(основы)* foundations

устойчивость stability

устойчивый stable; *(лестница)* steady; **устойчивое (слово)сочетание** set phrase

устоять *(не упасть)* to remain standing; *(в споре, в борьбе)* to stand one's ground; *(не поддаться)* to resist; ~ **на ногах** to keep one's balance

устранить *(препятствие)* to remove; *(недостатки соперника)* to eliminate; *(работника)* to dismiss

устраниться to resign

устрашающий frightening

устрашить to frighten

устрашиться to be frightened of

устремить *(удар, глаза)* to direct *(внимание, помыслы)* to focus

устремиться : ~**ся на** *(конница, толпа)* to charge at; *(перен: внимание, мысли)* to be focused on; *(взгляд, глаза)* to be fixed on

устремление aspiration

устремленность tendency

устрица oyster

устричный oyster

устроенный *(жизнь)* ordered; *(квартира)* habitable

устроитесь organizer

устроить *(жизнь, дела)* to organize; *(спектакль, выставку)* to arrange; *(предложение, цена)* to suit; **устраивать кого-н на работу/квартиру** to help sb find work/a flat; **устраивать скандал** to make a scene; **это меня ~ит** that suits me

устроиться *(расположиться)* to settle down; *(прийти в порядок)* to work out; **устраиваться (~ся) на работу** to get a job; **он ~ился на завод** he got a job in a factory

устройство *(действие: выставки)* organization; *(: на работу)* finding; *(дома, прибора)* construction; *(государственное, общественное)* structure; *(техническое)* device, mechanism; ~ **оптического считывания символов** *комп.* optical character reader

уступ ledge

уступить ~ **что-н кому-н** to give sth up for sb ◇ ~ **кому-н/чему-н** *(сильному, силе, желанию итп)* to give in to sb/sth; **уступать** ~ **в** *(в силе, в уме)* to be inferior in; **уступать** ~ **дорогу кому-н** to make way for sb; **он ~упил мне книгу за 10 рублей** he let me have the book for 10 roubles

уступка *(компромисс)* compromise; *(силе, врагу)* surrender; *(скидка)* discount; **пойти на ~ку** to compromise

уступчивый compliant

устыдить to shame

устыдиться : ~**ся** to be ashamed of

устье *(реки)* mouth; *(шахты)* entrance

усугубить *(вину, опасность)* to increase; *(болезнь, положение)* to aggravate

усугубиться *(вина)* to increase; *(страдания, болезнь)* to be aggravated

усушка *(зерна)* loss of weight

усы *(у человека)* moustache; *(у животных)* whiskers; **он (и) в ус (себе) не дует** he's completely unruffled; **на ус мотать что-н** to take good note of sth; **сами с ~ами** we weren't born yesterday

усыновить to adopt (son)

усыновление adoption

усыпальница burial chamber

усыпать ~ **что-н чем-н** *(путь, дорогу)* to scatter sth with sth

утащить *(унести)* to drag away *или* off; *(разг: украсть)* to make off with

утварь utensils

утвердительный *линг.* affirmative

утвердить *(проект, график)* to approve; *(господство, демократию итп)* to establish; ~ **кого-н**

в подозрениях to confirm sb's suspicions; ~ кого-н в должности to approve sb's appointment to office; ~ кого-н в мнении/намерении to strengthen sb's conviction/intention

утверждаться *от* утвердиться

утверждать *от* утвердить ◊ *(правильность, достоверность)* to maintain; **он ~л, что ничего не знает** he maintained that he didn't know anything

утверждение approval; establishment; *(правильное, интересное)* statement

утёнок duckling

утеплённый *(гараж)* insulated; *(обувь)* lined

утеплить to insulate

утереть *(пот)* to wipe off; *(слёзы)* to wipe away; *(лицо,нос)* to wipe; **~~нос кому-н** *(перен: разг)* to show sb what's what

утереться *(утираться)* to wipe one's face; *(нос)* to wipe one's nose

утеря loss

утёс cliff

утеха deliversion; solace

утечка leak; *(кадров)* turnover; **утечка мозгов** brain drain

утечь *(вода, газ)* to leak; *(годы)* to go by, pass; *(информация)* to be leaked

утешение *(плачущего)* comforting; *(о чём-н утешающем)* consolation

утешить *(плачущего, несчастного)* to comfort, console; *(: мысль, успехи детей)* to comfort

утешиться to cheer up

утилизация recycling

утилизировать to recycle

утилитарный *(взгляды)* utilitarian; *(знания)* practical

утиль recyclable waste

утиный *(гнездо)* duck's; *(яйцо, охота)* duck

утирание wiping

утихнуть *(спор)* to calm down; *(гром, звон)* to die away; *(ветер)* to drop; *(вьюга)* to die down

утихомирить to pacify

утка duck; *(ложный слух)* canard; *(сосуд)* bedpan; **пускать ~ку to** spread a false rumour *или* rumor

уткнуть *(разг: подбородок)* to bury; **~ нос в** to bury one's nose in; **~ глаза в землю** to fix one's eyes on the ground

уткнуться *(разг)* **: ~ся в** *(в книгу, в газету)* to bury one's nose in; **она ~улась головой в подушку** she buried her face in the pillow

утлый *(лодка)* decrepit

утолить *(жажду)* to quench; *(голод, любопытство)* to satisfy; *(боль)* to ease

утолстить to thicken

утолщение widening

утомительный tedious, tiresome; *(ребёнок)* tiring

утомить to tire

утомиться (утомляться) to get tired

утомление tiredness, fatigue

утомляемость *тех.* fatigue

утончаться *(вкусы, восприятие)* to become refined

утончённость refinement

утончённый refined

утончить *(нитку)* to make thinner

утопать *(тонуть)* to drown; *(перен)*: **~ в** *(в кружевах, в цветах)* to be smothered in; *(в роскоши, в разврате)* to wallow in

утопист utopian

утопический utopian

утопичный utopian

утопия utopia

утопленник drowned man,

утопленница drowned woman

уточнение elaboration; **вносить ~я в** to elaborate on

уточнить *(пункт договора, выводы)* to elaborate on; *(сведения, факты)* to clarify

утрата loss; **~ трудоспособности** disablement; **понести ~у** to suffer a loss

утратить *(потерять)* to lose; **~ силу** *(документ итп)* to become invalid

утренний morning; *(событие, известие)* this morning's

утренник matinee; *(с участием детей)* children's party

утрированный exaggerated

утрировать to exaggerate

утро morning; **до утра** till morning; **с утра** since this morning; **давай встретимся с утра** let's meet in the morning; **с утра до ночи** from morning till night; **доброе ~!, с добрым ~м!** good morning!; **на ~** next morning; **по утрам** in the mornings; **под ~, к утру** in the early hours of the morning

утроба *(материнсквя)* womb; *(брюхо)* belly

утробный *био.* f(o)etal; *(истошный)* hollow

утром in the morning; **рано ~** early in the morning

утруждать **кого-н чем-н** to trouble sb with sth; **не ~йте себя** don't trouble yourself

утрясти *(перен: разг: вопрос, проблему)* to settle; *(муку)* to shake down

утрястись *(разг)* to settle

утюг iron *(appliance)*

утюжить to iron

утюжка ironing; iron-holder

утяжелить to make heavier, increase the weight of

утятина *(мясо)* duck

уха fish broth

ухаб pothole

ухажер *(разг)* admirer

ухаживание courting

ухаживать : **~ за** *(за больным, за ранеными)* to nurse; *(за цветами, за садом)* to tend; *(за женщиной)* to court

ухват oven fork

ухватить *(человека: за руку, за рукав)* to get hold of; *(перен: идею, смысл)* to grasp

ухищрение *(уловка)* trick; **прибегать к разным ~ям** to resort to various tricks

ухищренный crafty

ухищряться to contrive

ухлопать *(разг: истратить)* to blow

ухмылка *(разг)* smirk

ухмыляться to smirk

ухнуть *(снаряд)* to thud; *(гром)* to rumble; *(филин, сова)* to hoot *(разг: упасть)* to come a cropper ◊ *(разг: все деньги)* to blow; *(: камень)* to hurl; **~ кулаком по столу** to bang one's fist down on

the table

ухо *(у шапки)* flap; **говорить что-н кому-н на ухо** to whisper sth in sb's ear; **не видать тебе денег как своих ушей** *(разг) you've got no chance of getting the money;* **слушать во все уши** to be all ears; **слышать что-н краем ~а или одним ~м** to listen to sth with half an ear **по уши влюбиться в кого-н** *(разг)* to fall head over heels in love with sb; **уши вянут от твоих шуток** your jokes make me sick

уход *(со службы, из семьи)* leaving; *(от погони, от реальности)* escape; *(в монастырь)* retreat; *(с собрания, со сцены)* exit; *(за больным, за ребенком)* care; **~ в отставку** resignation; **~ на пенсию** retirement

уходить *от* уйти ◊ *(простираться)* to extend

ухоженный *(лицо, руки)* well-looked-after; *(сад)* well-kept; *(лошадь, человек)* well- groomed

ухудшение deterioration, worsening

ухудшить to make worse

ухудшиться to get worse, deteriorate

уцелеть to survive

уцененный reduced

уценить to reduce *(the price of)*

уценка reduction

уцепить to hook

уцепиться *(ухватиться):* **~ся за** *(за руку)* to get hold of; *(за предложение, за возможность)* to jump at

участвовать **~ (в собрании, в спектакле)** to take part in; *(в предприятие, в прибылях)* to have a share in

участие *(в собрании, в спектакле итп)* participation; *(в предупреждении, в прибылях)* share; *(родственное, дружеское)* concern; **принимать ~ в** to take part in; **принимать ~ в ком-н** to show concern for sb

участить *(шаг)* to quicken; *(контакты, встречи)* to make more frequent

участковый local policeman; local *или* doctor; policeman

участливо sympathetically

участливый sympathetic

участник *(кружка, экспедиции)* member *(восстания, репетиции, переговоров)* participant; ~ **соревнования** competitor, contestant; ~ **выставки** exhibitor; ~ **войны** veteran

участок *(земли, кожи итп)* area; *(дороги, реки, фронта)* stretch; *(врачебный)* catchment area; *(приусадебный, земельный)* plot; **(строительный)** site; *(работы, деятельности)* field; **избирательный** ~ polling station; **садовый** ~ allotment

участь lot; **его постигла страшная** ~ fate dealt him a terrible blow

учащийся *(школы)* pupil; *(училища)* student

учеба studies

учебник textbook; ~ **истории** *или* **по истории** history textbook

учебный *(работа)* academic; *(процесс, фильм)* educational; *(стрельба)* practice; *(бой)* mock; *(мастерская, судно)* training; *(методы)* teaching; **учебная программа** curriculum; **учебное заведение** educational establishment; **учебный год** academic year; **учебный план** course outline; **учебный отпуск** block release

учение *(в школе, в вузе)* study; *(теория)* teachings; *см также* **учения**

ученик *(школы)* pupil; *(училище)* student; *(мастера)* apprentice; *(последователь)* follower

ученический *(дневник, тетради)* school; *(перен: рассуждение, работа)* primitive

ученичество *(у мастера)* apprenticeship; **годы** ~**а** schooldays

учения *см* **учение**

ученость learning

ученый *(спор, круги)* academic; *(розг: опытом, каким-н событием)* educated; *(труды)* scholarly; *(кот, собака)* trained; learned, scholarly ✧ *(научный работник)* academic, scholar *(: в области*

точных и естественных наук) scientist; ~ **звание** academic title; **ученый совет** academic council

учесть *(обстоятельства, сложности)* to take into account; *(материал, имущество)* to make an inventory of *(присутствующих)* to make a list of; ~**тите, что ...** bear in mind that ...; ~ **вексель** to discount a bill

учет *(потребностей, обстоятельств)* consideration; *(товара)* stock-taking; *(военный, медицинский)* registration; *(векселей)* discount; *(затрат, поступлений)* record; **бухгалтерский** ~ *(учебный предмет)* accountancy; *(практическая деятельность)* bookkeeping; **брать на** ~ to register; **вести** ~ to keep a record: **с** ~**ом всех обстоятельств** bearing in mind all the circumstances; **с** ~**ом сезонных колебаний** allowing for seasonal fluctuations

училище college; **профессионально-техническое** ~ technical college

учинить *(драку)* to start; **учинить** ~ **скандал** to make a scene

учитель *(школьный)* teacher; master

учительница teacher

учительская staffroom

учительство *(профессия)* teaching ✧ *(учителя)* teachers

учительствовать to teach, work as a teacher

учить *(урок, роль)* to learn; *(выучить или* **научить** *или* **обучить)**; ~ **кого-л чему-н** to teach sb sth/to do; **история/эта теория учит, что ...** history/this theory teaches that...

учредитель founder

учреждение *(фонда, организации итп)* setting up; *(контроля)* introduction; *(научное, исследовательское)* establishment; *(финансовое, общественное)* institution: *(страховое)* agency

учтивость courtesy

учтивый courteous, civil

ушанка cap with ear-flaps

ушат tub

ушиб bruise

ушибить to bang

ушить *(сделать уже)* to take in; *(сделать короче)* to shorten, take up

ушко *(медали)* eyelet; *(иголки)* eye

ушлый smart

ушник *(разг)* ear specialist

ущелье gorge, ravine

ущемить *(права, возможности)* to limit; *(палец)* to trap; ущемлять чье-н самолюбие to hurt *или* wound sb's pride

ущемление *(прав, возможностей)* limitation; ~ чьего-н самолюбия wound to sb's pride

ущемленный *(самолюбие, гордость)* wounded; *(права)* limited

ущерб *(материальный)* loss; *(здоровью)* detriment; в ~ to the detriment of; на ~е on the wane; наносить *или* причинять ~ кому-н/чему-н to inflict loss on sb/sth

ущербность waning; abnormality

ущербный *(луна)* waning; abnormal

ущипнуть to nip, pinch

Уэльс Wales

уют comfort, cosiness

уютно *(расположиться)* comfortably ◇ здесь ~ it's cosy here; мне здесь ~ I feel comfortable here

уютный cosy

уязвимость vulnerability

уязвимый vulnerable; ~ое место weak spot

уяснение clarification

уяснить *(смысл, значение)* to comprehend; уяснять ~ *(себе)* to clarify for o.s.

Ф

фабрика factory; *(ткацкая, бумажная)* mill

фабриковать to fabricate

фабричный factory; фабричная марка trademark

фабула plot

фаворит the favourite *или* favorite

фагот bassoon

фаза phase; *(работы, строительства)* stage

фазан pheasant

файл *комп.* file

фак (= факультет) Fac. (= Faculty)

факел torch; *(дыма, выбросов)* column

факельщик torch-bearer

факс fax; посылать ~ to send a fax

факт fact; ставить кого-н перед фактом to present sb with a fact accompli; голые факты the bare facts; ~ тот, что... the fact of the matter is that....

фактически actually, in fact

фактический *(материал, данные)* factual; *(руководитель, положение дел)* real, actual

фактор factor

фактура texture; *комм.* invoice

факультатив optional *или* elective course

факультативный optional, elective

факультет faculty

фаланга *анат. воен.* phalanx

фалда tail; *(складка)* crease

фальсификатор falsifier

фальсификация falsification

фальсифицировать to falsify

фальцет falsetto

фальшивить to sing out of tune; *(играть)* to play out of tune; *(лицемерить)* to pretend, put on an act

фальшивка forgery

фальшивомонетчик counterfeiter

фальшивый *(документ, паспорт)* false, forged; *(монета, банкнот)* counterfeit; *(пение, инструмент)* out of tune; *(борьба, улыбка, нота)* false; unnatural, artificial; *(человек, поведение)* insincere

фальшь insincerity

фамилия surname; *(королевская, старинная)* family; девичья ~ maiden name; как Ваша ~? what is your surname?; моя ~ Серов my surname is Serov

фамильный family

фамильярничать to be too familiar

фамильярный over(ly)- familiar

фанатизм fanaticism

фанатик fanatic

фанатичный fanatical

фанера *(для облицовки)* veneer; *(древесный материал)* plywood

фанерный plywood
фант forfeit
фантазёр dreamer
фантазировать *(мечтать)* to dream; *(выдумывать)* to make up stories
фантазия *(художника, писателя)* imagination; *(мечта)* fantasy; *(выдумка)* fib; *муз.* fantasia
фантастика *(сказок, преданий)* fantastic element ◇ *литер.* fantasy; **научная** ~ science fiction; **это** ~! it's incredible!
фантастический fantastic; *(причудливый)* fantastical; *(проект)* fantastic, far-fetched
фантик wrapper
фанфара *(инструмент)* bugle; fanfare
фара *авт.* light: **передние** ~ы headlamps, headlights; **задние** ~ы rear lights, taillights *или* taillamps
фараон pharaoh
фарватер *мор.* fairway, channel
Фаренгейт Fahrenheit; **70 градусов по** ~у 70 degrees Fahrenheit
фарингит pharyngitis
фарисей Pharisee
фарисейство hypocrisy
фармакология pharmacology
фармацевт chemist, pharmacist
фарс farce
фартук apron
фарфор porcelain, china
фарцовщик *illegal trader who sells imported goods to Russians*
фарш stuffing, forcemeat; *(мясной)* mince, minced *или* ground meat
фаршировать to stuff
фас *фото.* front
фасад *(лицевая сторона)* facade, front; **задний** ~ back; **боковой** ~ side
фасовать to prepack
фасовочный *(цех, машина)* packing; ~**ая бумага** wrapping paper
фасоль *растение)* bean plant ◇ *бот.* beans; **красная** ~ kidney beans
фасон style
фата veil
фатальный fatal, fateful
фауна fauna
фашизм fascism

фашист fascist
фашистский fascist
фаянс *(материал)* faience ◇ *(изделия)* faience, glazed earthenware
февраль February
февральский February
федеративный federal
федерация federation: **Российская Ф~** the Russian Federation; **Совет Ф~** *upper chamber of the Russian parliament*
феерия magic show
фейерверк firework
фельдшер medical assistant
фельетон satirical article
фен hairdryer
феномен phenomenon
феодал feudal lord
феодализм feudalism
ферзь *шах.* queen
ферма farm
фестиваль festival
фетр felt
фехтовальщик fencer
фиалка violet
фиаско fiasco; **терпеть** ~ to suffer an embarrassment
фига *бот.* fig; **ни фига не получишь (от них)** you won't get a thing out of them; **иди на фиг** get lost, clear off
фиговый fig
фигура *геом.* figure; *шах (chess)* piece; **фигура высшего пилотажа** aerobatic figure
фигурист figure skater
фигурировать *(присутствовать)* to be present; *(имя, тема)* to figure; ~ **на суде в качестве свидетеля** to appear as a witness
фигурка *(скульптура)* figurine, statuette; piece
фигурный *(резьба)* figured; *спорт.* figure; **фигурное катание** figure skating; **фигурные скобки** curly *или* brace brackets
Фиджи Fiji
физика physics
физиолог physiologist
физиологический physiological
физиология physiology
физиономия face
физиотерапевт physiotherapist

Ф

физиотерапия physiotherapy

физический *спорт.* physical; *(труд)* manual; **физическая культура** physical education; **физические упражнения** physical exercise; **физическое лицо** *юрид.* individual; **физическое насилие** physical violence

фиксаж *фото.* fixer

фиксировать *(события, факты, показания)* to record, chronicle; *(срок, дату, цены)* to fix. set; *(внимание, взгляд)* to fix; *(груз, тормоз)* to clamp, fix

фиктивный fictitious; **фиктивный брак** *юрид.* marriage of convenience

фикус ficus; *(каучуконосный)* rubber plant

фикция fiction

филармония *(зал)* concert hall; *(организация)* philharmonic society

филателист philatelist

филе *(сорт мяса)* fillet

филиал branch

филин eagle owl

филиппинец Philippino

Филиппины the Philippines

филологический philological; **филологический факультет** faculty of philology

филология philology

филонить to skive

философия philosophy

фильтр filter

фильтровать filter

финальный final

финансирование financing

финансировать to finance

финансы finances; *(деньги)* cash; **Министерство ~ов** the Treasury, the Treasury Department *или* Department of the Treasury

финик *(плод)* date; *(дерево)* date palm

финиш *спорт.* finish; **приходить к ~у** to reach the finish

финишировать to finish, come in

Финляндия Finland

финн Finn

финт *спорт.* feint; *(разг.: уловка)* trick

финтить to be tricky

финтифлюшка bagatelle, bauble

фиолетовый purple

фирма firm; *(разг: модная вещь)* quality; **секрет ~ы** trade secret

фисташка pistachio

фитиль wick; *(взрывных устройств)* fuse

фифа *(разг)* bimbo, dolly bird

фишка counter, chip

флаг flag

флакон bottle

фламандец Fleming

фланг flank

фланелевый flannel

фланель flannel

флегматик он ~ he is phlegmatic

флейта flute

флейтист flautist

флексия inflection

флирт flirtation

флиртовать ~ **(с)** to flirt (with)

флора flora

Флоренция Florence

флот *воен.* navy; *мор.* fleet

флотилия flotilla

флюгер wind gauge; weather vane

флюорография fluorography

флюс *(dental)* abscess, gumboil

фляга *(для воды, спирта)* flask; *(для молока, для сметаны)* churn

фойе foyer

фокус trick; *тех.* focus; **выкладывать** ~ to start some nonsense

фокусник conjurer

фольга foil

фольклор folklore

фон back ground; **на фоне чего-н** against a background of sth; **на фоне кого-н** to sb, compared to sb

фонарь *(уличный)* lamp; *(карманный)* torch; *(разг: синяк)* black eye, shiner, **ему все до фонаря** *(разг)* he doesn't give a toss about anything

фонд *(организация)* fund, foundation; *(денежные средства, замечательный)* fund; *(жилищный, семенной, земельный)* resources; **фонды** *(ценные бумаги)* stocks; **уставной** ~ *комм.* authorized capital

Ф

фонетика phonetics

фонограмма recording; **петь под ~у** to mime to a recording

фонтан fountain; *(нефти)* gusher

форель trout

форма *линг.* form; *(одежда)* uniform; *тех.* mould; *кул. (cake)* tin *или* pan; **быть в ~** to be in good form

формализм *(в искусстве, науке)* formalism; **~ в работе** bureaucratic attitude to work

формальность formality

формат format

форматировать *комп.* to format

формировать to form

формула formula

формулировать to formulate

формулировка formulation; definition

формуляр library ticket *или* card

форс swank

форсировать to force

форсить to show off

форсунка *(двигателя)* fuel injector

фортепьяно piano

фортуна fortune

форум forum

фосфат phosphate

фосфор phosphorous

фотоаппарат camera

фотограф photographer

фотографировать to photograph

фотография *(занятие)* photography; *(снимок)* photograph; *(учреждение)* photographer's studio

фотоэлемент photocell

фрагмент *(фильма, спектакля)* excerpt; *(древних сосудов и т.п.)* fragment

фраза phrase

фрак tail coat, tails

Франкфурт Frankfurt

франт dandy

Франция France

француженка Frenchwoman (Frenchwomen)

француз Frenchman (Frenchmen)

французский French; **~ язык** French

фрахт freight; **~, уплачиваемый по прибытии** *комм.* freight inward; **~, уплачиваемый в порту** *комм.* freiyht forward

фрахтовать to charter

фривольность frivolity

фриз frieze

фрикаделька meatball

фронт front; **работать на два фронта** to do two things at the same time

фронтальный *воен.* frontal; **полный** general

фронтовик front line soldier; *(ветеран)* war veteran

фронтон *тон.* pediment

фрукт *бот.* fruit; suspicious character

фтор fluorin(e)

фу **~!** ugh!

фуга fugue

фуганок joiner's plane

фужер wineglass; *(для шампанского)* flute

фуксия fuchsia

фундамент *строит.* foundation, base; *(перен.: семьи, науки)* foundation, basis

фундаментальный *(здание, мост)* sound, solid; *(перен: знания, труд)* profound; **~ьные науки** basic science

фундук *(кустарник)* hazel; *(плод)* hazelnut

фуникулер funicular railway

функциональный functional; **функциональная клавиша** *комп.* function key

функционировать to function

функция function; *(круг обязанностей)* function, duties

фунт pound

фураж fodder

фуражка cap; *воен.* forage cap

фургон *авт.* van; *(конная повозка)* (covered) wagon

фурия virago

фурор furore; **производить ~** to create a furore

фурункул boil

фут foot

футбол football, soccer; **американский ~** (American) football

футболист footballer, soccer player

футболка T-shirt, tee shirt

фуфайка *(ватник)* padded jacket; *(вязаная рубашка)* jersey

фыркать *(животное)* to snort; *(разг:*

смеяться) to snort with laughter;
to complain

фырчать to snort; *(брюзжать)* to
whinge

фьючерсы *комм.* futures

X

халат *(домашний)* dressing gown;
банный ~ bathrobe

халатность negligence

халва halva

халтура *(разг: плохая работа)*
shoddy work; *(: работа на стороне)* moonlighting

халтурить to cut corners; *(работать
на стороне)* to moonlight

хам brute, lout

хамелеон chameleon

хаметь to become impudent

хамить ~ to be cheeky *или* rude (to)

хамка hussy

хамский brutish, loutish

хамство rudeness

хан khan

хандра depression

хандрить to feel down

ханжа prude, prig

ханжество prudishness, priggishness

хаос chaos

хаотический chaotic

хапать to grab at; *(: присваивать)*
to swipe

характер nature; *(человека)*
personality; **он человек с ~ом** he
has a lot of character; **выдерживать ~** to hold firm

характеризовать to be typical of; to
characterize; **его ~ует доброта** he
is a kind person

характеризоваться to be
characterized by

характеристика *(документ)*
(character) reference; *(описание)*
description

характерный *(внешность, поведение)* distinctive; *(свойственный)*:
~ (для) characteristic (of); *(обычаи, танцы и т.п.)* typical; **для
него ~ периоды депрессии** he
tends to go through bouts of

depression

харкать to cough up

хартия charter

харч grub, chow

харчевня eating-house, tavern; cook-
shop

харя mug *(face)*

хата cottage; **моя ~ с краю** it's
nothing to do with me

ха-ха ha-ha

хаять to slag off

хвала praise

хвалебный complimentary

хваленый celebrated

хвалить to praise

хвалиться to show off (about)

хвастаться to boast (about)

хвастливый boastful

хвастовство boasting

хвастун show-off

хватать to grab; *(преступника)* to
arrest; *(простуду, насморок)* to
catch; *(: плохую отметку, оплеу-
ху)* to have enough

хвататься ~ся за *(сердце)* to clutch
at; *(за дверь)* to grab; **~ся за все
сразу** to try to do everything at
once; **~ся схватиться за соломин-
ку** clutch at straws; **~ся за голову**
to panic

хватка grip; skill; **деловая ~** business
acumen; **вцепляться в что-н/
кого-н мертвой ~кой** to cling onto
sth/sb for dear life

хвойный coniferous; **хвойное дерево** conifer

хворать to feel poorly, to feel sick

хворост firewood; *sugar-coated strips
of dough fried in oil.*

хворый ill

хворь ailment

хвост tail; *(поезда)* tail end; *(перен:
пыли, зевак и т. п.)* trail; *(разг:
очередь)* queue, line; *(: по математике)* an exam which has to be
taken again

хвостик *(мыши, редиски)* tail; **ему 50
с ~ом** he's just over 50

хвощ *бот.* horsetail

хвоя needles

хек whiting

Хельсинки Helsinki

херувим cherud

X

хибарка hut, hovel, shanty

хижина hut

хилый infirm, sick

химик chemist

химикат chemical

химиотерапия chemotherapy

химический chemical; *(факультет, кабинет)* chemistry; химический карандаш *graphite pencil which writes in puple when moistened*

химия chemistry; бытовая ~ household chemicals

хинин quinine

хиппи hippie

хиреть *(человек)* to waste away; *(растение)* to wither, *(перен: творчество, талант)* to dry up

хиромантия palmistry

Хиросима Hiroshima

хирург surgical; surgery

хирургия surgery

хитрец cunning devil

хитрить to act slyly

хитро cunningly; intricately

хитрость slyness; cunning

хитроумный ingenious

хитрый sly, cunning; cunning; intricate

хихикать to giggle; to snigger

хищение misappropriation

хищник predator

хищница predator

хищнический predatory; ruthless; rapacious

хищный predatory; cutthroat; ~ная птица bird of prey

хладнокровный composed; *(убийство)* cold-blooded

хлам junk

хлеб bread; *(зерно)* grain; *(формовой)* loaf *(озимые, яровые)* cereal; зарабатывать на ~ to earn a crust; ~ насущный bread and butter; ~соль bread and salt

хлебать to slurp

хлебнуть to take a gulp of; ~ горя to see a lot of sorrow

хлебный bread; *(злак, растение)* corn; *(край, поле)* fertile; *(разг: местечко)* well-paid; это год был ~ we had a good harvest this year; ~ые дрожжи baker's yeast

хлебозавод bakery

хлебопашец farmer, peasant, ploughman

хлебопечение bread baking

хлеборезка bread slicef

хлебороб harvester

хлеборобный fertile; это год был ~ we had a good harvest this year

хлебосольный hospitable

хлев cowshed; pigsty

хлеснуть to whip; *(по щеке)* to slap

хлестать *(ремнем, кнутом)* to whip; *(по лицу, по щекам)* to slap; *(разг: водку, пиво)* to knock back ◊ *(дождь)* to lash back *(вода, кровь)* to gush; *(пули)* to rain down; волны ~естали о борт лодки the waves lashed against the side of the boat

хлесткий scathing

хлипкий *(разг: здоровье)* poor; *(: человек, земля)* weedy; *(: стол, строение)* wobbly

хлопать *(ладонью)* to slap; *(кнутом)* to lash ◊ *(дверью, крышкой)* to slam; *(артисту, певцу)* to clap; *(хлопушка, вспышка)* to go bang: ~ ушами/глазами to look stupid/baffled

хлопководство cotton growing

хлопковый cotton

хлопнуть *(по спине)* to slap ◊ *(в ладони)* to clap; *(дверь)* to slam shut; *(хлопушка, выстрел)* to go bang; to slam; to crack

хлопок cotton

хлопотать *(по дому, по хозяйству)* to busy o.s.; to be busy trying to get; to trouble o.s. on sb's behalf

хлопотливый busy: *(дело, обязанности)* troublesome

хлопотный troublesome

хлопоты *(по хозяйству, по дому и т.п.)* things to do; effort, trouble; все мои ~ были напарсны all of my efforts were in vain: хлопот полон рот he has troubles galore

хлопчатобумажный cotton

хлопья *(снега, сыра)* flakes; *(ваты, овчины)* clumps; кукурузные ~ cornflakes

хлор chlorine

хлорка bleaching powder

хлынуть to flood; to flood back

X

хлыст whip

хлюпать to squelch; **носом** to sniff

хмелеть to be drunk; ~ **от счастья/свободы** to be drunk with happiness/freedom

хмель *бот.* hops *(опьянение)* drunkenness; **во ~ю** drunk

хмельной drunken; *(напиток)* alcoholic: *(воздух, запах)* intoxicating

хмурить *(лоб, брови)* to furrow

хмуриться to frown; *(небо)* to become overcast; *(погода, день)* to turn gloomy

хмуро gloomily *как сказ:* **сегодня на улице** ~ it's very gloomy outside; **у него на душе** ~ he's feeling very gloomy

хмурый gloomy

хмыкать to say *"hmm" as a sign of surprise, annoyance etc*

хна henna

хобот trunk

ход course, march; motion, movement; speed; move *(in chess, etc.)*

ходатайство petition; **подавать** ~ to submit a petition

ходатайствовать ~ **о чем-н/за кого-н** to petition for sth/on sb's behalf

ходить to go, walk; to ply; to tend

ходкий *(разг: машина)* speedy; *(: товар)* popular

ходовой popular

ходьба walking; **полчаса ~ы** half an hour's walk

ходячий trendy; *(избитый)* hackneyed; *(больной)* able to walk; **он- ~ая добродетель** he is a paragon of virtue

хождение walking; *(слухов)* circulation; **иметь ~** *(валюта)* to be in circulation; *(выражение, товар)* to be popular

хозяин master, owner, proprietor; landlord

хозяйка hostess, landlady

хозяйничать *(в доме, на кухне)* to be in charge; *(командовать)* to boss around

хозяйственник manager

хозяйственный economical, thrifty

хозяйство economy; house-keeping,

housewifery

хоккеист hockey player

хоккей hockey; ~ **с шайбой/на траве** ice/field hockey

хоккейный hockey

холдинг *комм.* holding

холеный well-groomed; *(лицо, руки)* elegant

холера *мед.* cholera

холестерин cholesterol

холить (по~) to cherish, tend

холл *(театра, гостиницы)* foyer, lobby; *(в квартире, в доме)* hall

холм hill

холмистый hilly

холод cold *(осенний, зимний)* cold weather; *(перен: равнодушие)* coldness; *(озноб)* cold shiver

холодать to turn cold

холодеть *(руки, ноги)* to get cold; *(от страха, при смерти)* to go cold

холодец meat in aspic

холодильник *(домашний)* fridge, refrigerator; *(промышленный)* refrigerator; **двухкамерный** ~ fridge-freezer

холодно coldly ◊ it's cold; **мне и тп** ~ I'm cold; **на улице сегодня** ~ it's cold outside today

холодный cold, frigid, wintry

холостой unmarried, single; blank; **работать** *или* **надеть себе** ~ **на шею** to weigh o.s. down

холостяк bachelor

холст canvas

холуй sycophant

хомут harness collar; clamp; bind; **повесить** *или* **надеть себе** ~ **на шею** to weigh o.s. down

хомяк hamster

хор choir; chorus

Хорватия Croatia

хорек ferret

хореограф choreographer

хореография choreography

хорист chorister

хормейстер choirmaster

хоровод round dance

хором in unison

хоронить to bury

хорохориться to brag

хорошенький pretty; fine, nice

хорошенько properly

хорошеть to become more attractive

хороший good; **он хорош** he's good-looking; **хорош друг!** a fine friend!; **всего ~его** all the best

хорошо all right! very well!

хоругвь religious banner, standard

хотеть to desire, want, wish

хоть although, though; **~ бы** even, if only

хохма joke; *(что-н смешное)* laugh

хохол tuft of hair

хохот guffaw; *(шакала)* laugh

хохотать to laugh (loudly); *(филин, шакал)* to laugh; **~ над** to laugh at: **я ~отал до слез** I laughed till the tears ran down my face

храбрец brave person

храбриться to try to appear brave

храбро bravely

храбрость bravery, courage

храбрый brave, courageous

храм *рел.* temple

хранение *(денег)* keeping; **~ оружия** possession of firearms; **камера для ~я багажа** left-luggage office, checkroom; **сдавать вещи на ~** to put things in for safekeeping

хранилище store

хранитель curator, keeper

хранить to keep; *(границы, достоинство)* to protect; *(традиции)* to preserve; **~ что-н в тайне** to keep sth secret

храниться to be kept

храп snoring

храпеть *(человек)* to snore; *(лошадь)* to snort

хребет *анат.* spine; back; *гео.* ridge

хрен *бот. кулин.* horseradish; *(груб!)* willy (!); **~ его знает** who the hell knows; **старый ~** old fool

хрестоматийный *(идея, образ)* basic

хрестоматия study aid, reader

хризантема chrysanthemum

хрип wheezing; **предсмертный ~** dying gasp

хрипеть to wheeze; *(пластинка)* to crackle

хриплый hoarse; *(гармонь, звук)* wheezing

хрипнуть to become *или* grow hoarse

хрипота hoarseness

христианин Christian

христианство Christianity

Христос Christ; **~а ради** for Christ's sake

хром *хим.* chrome; *(краска)* chrome yellow; *(кожа)* box calf

хромать to limp; to be weak; **моя математика ~ет** my maths is pretty shaky

хромой lame; *(перен: стол и тп)* wobbly

хромосома chromosome

хромота limp

хроник bad case

хроника chronicle; *кино,* film chronicle

хронический chronic

хронометраж time-keeping

хронологический chronological; **в ~ой последовательности** in chronological order

хронология chronology

хрупкий *(лед, стекло и тп)* fragile; *(печень, кости)* brittle; *(перен: фигура, девушка)* delicate; *(: здоровье, организма)* frail

хрупкость fragility; brittleness; delicacy; frailty

хруст crunch

хрусталик *анат.* lens

хрусталь crystal; **горный ~** rock crystal

хрустальный crysral; *(перен: лед, звон)* crystal clear

хрустеть to crunch; *(редиской, сахаром)* to crunch

хрустящий crunchy; *(скатерть, белье)* crisp; **хрустящий картофель** potato crisps *или* chips

хрюкать to grunt

хрящ *анат.* cartilage

худеть to grow thin; *(быть на диете)* to slim

художественный artistic: *(школа, выставка)* art; **художественная литература** fiction; **художественная самодеятельность** amateur art and performance; **художественный салон** *(на выставке)* art exhibition; *(магазин)* = craft shop; **художественный фильм** feature film

художество : **академия** art school

художник artisr

худой thin; *(разг: плохой)* bad; *(: дырявый)* full of holes; **на ~ конец** if the worst comes to the worst, in the worst case scenario

худощавый thin

худшее the worst

худший the worst

хуже worse

хуй *(груб!)* cock (!), prick (!)

хулиган hooligan

хулиганить to act like a hooligan

хулиганство hooliganism

хулиганье hooligans, yobs

хулить *(порочить)* to abuse

хунта *полит.* junta

хурма *(дерево)* persimmon tree; *(плод)* persimmon, sharon fruit

хутор *(ферма)* farmstead; *(селение)* village

хуторянин *(владелец хутора)* farmer; *(житель хутора)* villager

Ц

цапать *(когтями, зубами)* to seize; **(сцапать;** *разг)* to snatch, grab

цапля heron

цапнуть to seize; *(разг)* to snatch, grab

царапанье scratching

царапать *(раздирать)* to scratch; **(нацарапать;** *разг: писать)* to scribble

царапина scratch

царевич tsarevich *(son of the tsar)*

царевна tsarevna

цареубийство regicide

царизм tsarism

царить *(также перен)* to reign

царица tsarina *(wife of the tsar)*, empress; *(перен: бала, моды)* queen

царский *(двор, указ, семья)* tsar's, royal; *(режим, правительство)* tsarist; *(перен: роскошь, прием)* regal

царственный regal

царство *(государство)* tsardom; *(царствование)* reign; *(перен: любви, природы)* realm; **животное/ растительное ~** the animal/plant kingdom

царствование reign

царствовать *(также перен)* to reign

царь tsar; *(перен)* king; **без ~я в голове** *(разг)* completely daft

цвель mouldiness, mustiness

цвести to blossom, flower; to flourish

цвет colour; tint; bloom, flower

цветение blossoming

цветистый *(узор)* floral; *(луг, поле)* flower-covered; *(речь, стиль)* flowery

цветник flowerbed

цветной *(карандаш)* coloured *(BRIT)*, colored *(US)*; *(одежда)* colourful *(BRIT)*, colorful *(US)*; *(фотография, фильм)* colour *(BRIT)*, color *(US)* ◊ *(человек)* colo(u)red; **цветная капуста** cauliflower; **цветной телевизор** colo(u)r television; **цветные металлы** non-ferrous metals

цветок flower *(reproductive part of a plant)*; flover *(bloom)*; *(комнатный)* plant

цветомузыка son et lumiere, sound-and-light show *(US)*

цветочник florist

цветочный flower; *(духи)* flowerscented; **цветочный горшок** flowerpot; **цветочный магазин** florist's

цветущий *(вид, женщина)* blossoming; *(область, экономика)* flourishing

цедить *(молоко, отвар)* to strain; *(заливать: в бутылку)* to siphon; *(процедить; (перен: слова)* to force out

цедра *(dried)* peel

цежение filtering, straining

Цейлон Ceylon

цейлонский Ceylonese

целебность healing *или* medicinal properties

целебный medicinal; *(воздух)* healthy

целевой *(задание, установка)* special; *(финансирование, ссуды)* for a specified purpose; **~ рынок** *комм.* target market

целенаправленный single-minded

целесообразность expediency